Maroc

Meknès - Volubilis
Fès
Marrakech (8h train partir de Fès)
Zagora
Revenir à Marrakech pour aller à Essaouira

VOYAGER PRATIQUE ➡

Parution 2005

ONT COLLABORÉ À CE GUIDE

Direction	David Brabis
Direction de la collection	Cécile Petiau (marketing), Anne Teffo (édition)
Édition	Emmanuelle Souty
Rédaction	Michel Dusclaud, Jean-Paul Fronzes, Marion Lemerle, Sophia Tazi-Sadeq, Paul Veysseyre
Cartographie	Christelle Coué, Thierry Lemasson, Claire Levasseur, Krystyna Mazoyer-Dzieniszewska, Michel Mazoyer, Jacqueline Pavageau
Iconographie	Caroline Arteon, Sophie Bouvet, Geneviève Corbic, Jacqueline Pavageau, Alexandra Rosina
Couverture	Paris-Venise (création graphique), Christelle Le Déan et Maud Burrus (iconographie et couleurs)
Coordination graphique	Marie-Pierre Renier
Maquette intérieure	Bernadette Drouillot
Pré-presse	Frédéric Sardin, Didier Hée
Préparation de copie	Pascal Grougon, Danièle Jazeron
Relecture	Sophie Jilet
Système d'information	Éric Réocreux
Organisation-qualité	Céline Vallé
Fabrication	Renaud Leblanc
Ventes	Gilles Maucout (France), Charles van de Perre (Belgique)
Communication	Gonzague de Jarnac
Régie publicitaire	Manchette Publicité 4, rue Rouget de Lisle 93 793 Issy les Moulineaux Cédex ☎ 01 40 93 23 93
Remerciements à :	Arnaud Bouvier, Béatrice Brillion, Hervé Deguine, Julie Delaere, Sabine Van Wynsberghe

Contact : Guides VOYAGER PRATIQUE
MICHELIN - Éditions des Voyages
46 avenue de Breteuil - 75324 Paris Cedex 07
☎ 01 45 66 12 34
E-mail : voyagerpratique@fr.michelin.com

NOTE AU LECTEUR

Ce guide tient compte des conditions de tourisme connues au moment de sa rédaction. Aussi, certains renseignements (prix, adresses, numéros de téléphone, horaires…) peuvent-ils perdre de leur actualité. Michelin ne peut être tenu responsable des conséquences dues à ces éventuels changements.
Le contenu des pages de publicité insérées dans ce guide n'engage que la responsabilité des annonceurs.

VOYAGER PRATIQUE,
pourquoi ?

➡ *Quand on est éditeur de guides, on se demande sans cesse comment répondre aux attentes des voyageurs d'aujourd'hui.*

Comment satisfaire à la fois vos envies de week-end, d'aventure, de grand voyage, de farniente, de culture, en France ou à l'autre bout du monde ? Vous partez seul ou en famille, entre amis ou en amoureux, deux jours ou trois semaines ? Comment imaginer ce que vous allez aimer : chambres d'hôte ou petites pensions, gargotes ou restaurants de charme, randonnées ou boîtes de nuit, visites culturelles ou bronzette sur la plage ou... tout à la fois ? Comment vous aider à vous repérer dans le pays, à organiser vos transports et à évaluer votre budget ?

Répondre à toutes ces questions, c'est le premier pari de MICHELIN VOYAGER PRATIQUE : le guide pour construire son voyage sur mesure. Grâce à des tableaux thématiques, des cartes et des plans précis, des itinéraires conçus sur le terrain, des informations pratiques complètes, Michelin vous donne les clés de vos vacances.

➡ *Quand on est éditeur de guides, on se demande aussi quelles sont les conséquences de ses choix éditoriaux.*

Contribuer à un voyage de qualité dans le respect des hommes, de l'environnement et du patrimoine, c'est le second pari de MICHELIN VOYAGER PRATIQUE. Pour remplir cette mission et vous aider ainsi dans vos propres choix, suivez donc nos « BIB » :

😊 *nos Coups de cœur*
😠 *nos Coups de gueule*
😋 *nos Astuces*

Ils vous accompagnent au fil des pages pour illustrer nos recommandations sur chaque étape, mais aussi notre point de vue sur des sujets qui nous paraissent importants. Autant de suggestions dont l'unique finalité est de vous faire profiter pleinement de votre voyage.

L'équipe Voyager Pratique

MAROC PRATIQUE

MAROC EN DIRECT

SILLONNER LE MAROC

Fès et le Moyen Atlas 282

Marrakech et le Haut Atlas 358

Ouarzazate et le Sud marocain 420

Agadir et l'Anti-Atlas 460

Tiznit et le Grand Sud 486

MAROC PRATIQUE

Cartes

J.-P. SOUDAN/MICHELIN

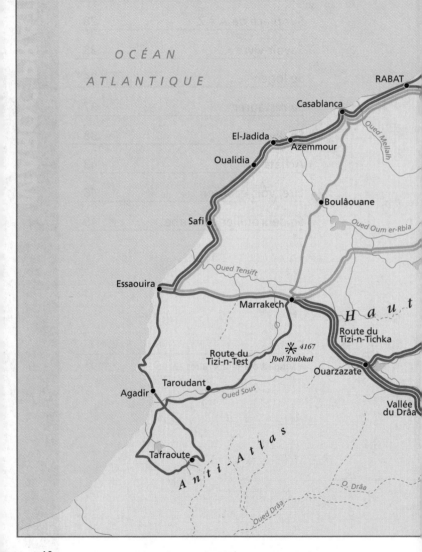

SUGGESTIONS
D'ITINÉRAIRES

0   50   100 km

N

OCÉAN
ATLANTIQUE

RABAT

Casablanca

El-Jadida
Azemmour

Oualidia

Oued Mellalh

Boulâouane

Safi

Oued Oum er-Rbia

Oued Tensift

Essaouira

Marrakech

H a u t

Route du
Tizi-n-Tichka

Route du
Tizi-n-Test

4167
Jbel Toubkal

Taroudant

Ouarzazate

Agadir

Oued Sous

Vallée
du Drâa

Tafraoute

A n t i - A t l a s

O. Drâa

Oued Drâa

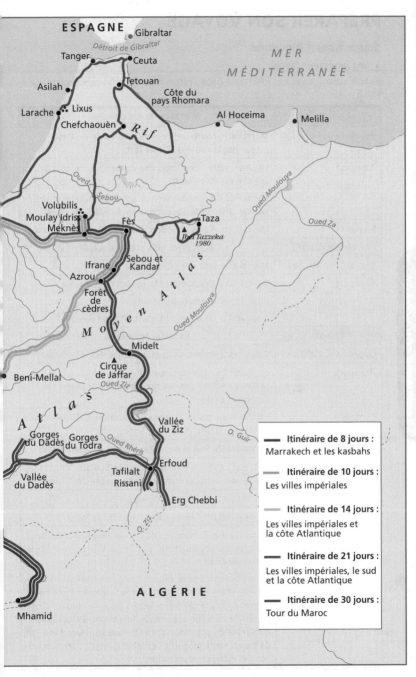

ESPAGNE
Gibraltar
Détroit de Gibraltar
Tanger
Ceuta
MER
MÉDITERRANÉE
Asilah
Tetouan
Côte du
pays Rhomara
Larache
Lixus
Al Hoceima
Melilla
Chefchaouèn
Rif
Oued Sebou
Oued Moulouya
Oued Za
Volubilis
Moulay Idriss
Fès
Taza
Meknès
Jbel Tazzeka
1980
Ifrane
Sebou et
Kandar
Azrou
Forêt
de
cèdres
M o y e n   A t l a s
Oued Moulouya
Midelt
Cirque
de Jaffar
Beni-Mellal
Oued Ziz
A t l a s
O. Guir
Gorges
du Dadès
Gorges
du Todra
Oued Rhéris
Vallée
du Ziz
Vallée
du Dadès
Tafilalt
Rissani
Erfoud
O. Ziz
Erg Chebbi

Itinéraire de 8 jours :
Marrakech et les kasbahs

Itinéraire de 10 jours :
Les villes impériales

Itinéraire de 14 jours :
Les villes impériales et
la côte Atlantique

Itinéraire de 21 jours :
Les villes impériales, le sud
et la côte Atlantique

Itinéraire de 30 jours :
Tour du Maroc

ALGÉRIE

Mhamid

PRÉPARER SON VOYAGE

Suggestions d'itinéraires

▸ *Nos itinéraires favoris*

Voir aussi la carte des itinéraires page précédente et le tableau « Budget à prévoir » p. 15.

Une semaine	Marrakech et les kasbahs
Boucle (env. 640 km)	Marrakech, route du Tizi-n-Tichka, vallée du Drâa, retour par la route du Tizi-n-Test.
Transport	Le plus simple : location d'une voiture pour 4 jours, après la visite de Marrakech.
	Possibilité de prendre un bus entre Marrakech et Ouarzazate. Différents bus parcourent la vallée du Drâa.
Étapes	Marrakech, Âït-Benhaddou, Ouarzazate et/ou Zagora.
Une semaine	**Marrakech et la côte atlantique**
Boucle (env. 480 km)	Marrakech, Essaouira, Safi, Marrakech.
Transport	Bus (2h30 à 3h30) entre Marrakech et Essaouira.
	Bus (1h) entre Essaouira et Safi.
	Train (4h) ou bus (3h) entre Safi et Marrakech.
10 jours	**Les villes impériales**
Circuit (env. 1 200 km)	Casablanca, Rabat, Meknès, Volubilis, Fès, Marrakech.
Transport	En train : Casablanca-Rabat (1h), Rabat-Meknès (2h30), Meknès-Fès (1h), Fès-Marrakech (7h30), Marrakech-Casablanca (4h).
Conseils	Privilégiez le train ou le bus à la location d'une voiture, qui sera peu utile dans les grandes villes.
10 ou 14 jours	**Vallées du Sud et désert (au départ de Ouarzazate)**
Circuit (env. 1 000 km)	Vallée du Drâa, vallée du Ziz et le Tafilalt, Merzouga, gorges du Todra, gorges du Dadès, vallée des Roses.
Transport	Location d'une voiture à Ouarzazate.
Étapes	Zagora, Nekob, Merzouga, gorges du Dadès.
Conseils	Passez une nuit dans les dunes de l'erg Chebbi. Logez dans les gorges du Dadès plutôt qu'à Tinerhir ou Boumalne-du-Dadès.
	Vous pouvez clôturer cet itinéraire par un séjour à Marrakech, dans ce cas, faites étape à Âït-Benhaddou et prenez la route du Tizi-n-Tichka pour rejoindre la cité impériale. Si vous avez rendu la voiture à Ouarzazate, possibilité de prendre un bus Ouarzazate-Marrakech (4h de trajet, route magnifique mais impressionnante en raison des nombreux précipices).

Séjour culturel	🅰 Nos conseils
Fès★★★ (p. 306) Marrakech★★★ (p. 360) Rabat★★★ (p. 199) Meknès★★ (p. 286)	À visiter de préférence au printemps et à l'automne.
Volubilis★★ (p. 302)	Plus vaste site archéologique du Maroc, s'y rendre tôt le matin ou en fin d'après-midi.
Séjour balnéaire	
Agadir★ (p. 462)	Idéal en famille. Climat agréable en toute saison. Superbe plage protégée du vent. Nombreux hôtels. Trois centres de thalas-sothérapie.
Essaouira★★ (p. 258)	Séjour à la fois balnéaire et culturel. Grande plage ventée. Idéale pour la voile en été et le surf en hiver. Centre de tha-lassothérapie.
Oualidia★ (p. 250)	Vaste lagune protégée des vents. Idéal pour les enfants. Ambiance marocaine. Centre d'ostréiculture.
Cabo Negro★ et Martil★ (p. 152)	Mer plus chaude que sur la côte atlan-tique. Complexe touristique. Ambiance marocaine.
Randonnées pédestres	Faites-vous accompagner par un guide local, voir coordonnées p. 40.
Jbel Sarhro★ (p. 447)	D'octobre à avril.
Jbel Siroua★ (p. 477)	En novembre et de mars à mai.
Ascension du Toubkal★★ (p. 411)	De mai à octobre.

Décalage horaire

L'heure locale est celle du méridien de Greenwich. Lorsqu'il est midi en France, il est 11h au Maroc en hiver, 10h en été.

Comment téléphoner au Maroc

Pour appeler le Maroc à partir de la France, composez le 00 + 212 + le numéro de votre correspondant sans le 0 initial (ce qui fait un numéro à 8 chiffres).

Si vous appelez un mobile, composez le 00 + 212 + le numéro de votre correspon-dant (à 8 chiffres), commençant par 6 ou 7.

Pour connaître le numéro de téléphone d'un abonné marocain, composez le 3212.

(Pour appeler depuis le Maroc, voir p. 32).

À quelle saison partir

Choisissez la saison en fonction du type de voyage que vous voulez accomplir *(voir tableau page précédente)*. Si vous souhaitez vous dorer au soleil sur la côte atlantique (Essaouira, Agadir, Rabat ou Casablanca) ou méditerranéenne (Tanger), partez entre début mai et début septembre. Si vous optez pour le ski dans le Haut Atlas ou les montagnes du Rif, prenez vos vacances entre janvier et avril. La randonnée pédestre est envisageable entre avril et octobre dans le Moyen et Haut Atlas. Pour les séjours culturels, évitez de visiter les villes impériales en été, il fait très chaud et les touristes sont légion ; venez plutôt au printemps ou au début de l'automne, les températures sont très agréables.

Le climat méditerranéen du Nord est tempéré toute l'année. Celui de la côte atlantique est très humide, notamment en hiver. À l'intérieur du pays, le climat se fait de plus en plus continental à mesure que l'on s'enfonce dans les terres ; la température peut varier de 40 °C en été à 4 °C en hiver. Les pluies sont rares et sporadiques. Dans les régions désertiques du Sud, il fait jusqu'à 45 °C à l'ombre en été.

Budget à prévoir

▶ *Hôtels et restaurants*

Les petits hôtels, souvent installés dans les médinas, proposent des chambres correctes et très sommairement meublées avec douches sur le palier pour moins de 120 DH (12 €). Dans de nombreux établissements classés trois étoiles, avec un service de qualité, le prix d'une chambre double s'élève à environ 300 DH (30 €). Il faut compter en moyenne 700 DH (70 €) à deux pour dormir dans un *riad*. Quant aux palaces (style la Mamounia de Marrakech ou le Palais Jamaï de Fès), ils affichent des tarifs supérieurs à 1 500 DH (150 €).

En matière de restauration, vous trouverez un peu partout des gargotes proposant tajines et couscous très bon marché : entre 35 et 50 DH (3,5 à 5 €). Dans les restaurants plus soignés, le prix d'un repas tourne autour de 90-150 DH (9 à 15 €). Avec environ 250 DH (25 €) par personne, vous mangerez dans des établissements plus chic, qui offrent généralement un cadre, un service et une table raffinés. Enfin, si vous le souhaitez, vous pourrez vous offrir un repas dans un restaurant de luxe au cadre féerique, où l'addition atteint jusqu'à 700 DH (70 €) par personne, sans compter les boissons. *Voir aussi « Se loger » p. 36 et « Se restaurer » p. 37.*

▶ *Budget quotidien moyen*

Avec un budget d'environ **150 DH (15 €) par jour et par personne**, vous logerez dans un hôtel simple (dans une chambre sommaire, dans le salon marocain ou sur la terrasse), vous prendrez vos repas dans une petite gargote et vous vous déplacerez en bus ou en train.

Avec **600 DH (60 €) par jour et par personne** (sur la base de deux personnes voyageant ensemble), vous logerez dans un hôtel confortable, vous vous offrirez de bons repas et vous circulerez avec votre véhicule de location, essence comprise.

Pour loger dans un beau *riad*, tester de bons restaurants et vous déplacer en voiture de location, il vous faudra **1 200 DH (120 €) par jour et par personne** en haute saison.

▶ *Quelques idées de prix pour établir votre budget*

Services ou articles	Prix moyen en dirhams	Équivalent en euros
Une chambre double dans un hôtel très simple	120	12
Une chambre double dans un hôtel confortable	300	30
Une chambre double dans un hôtel de catégorie supérieure ou dans un *riad*	700	70
Une chambre double dans un palace	1 500	150
Un tajine dans un petit restaurant	35-50	3,5-5
Un repas dans un bon restaurant	120	12
Un repas dans un restaurant chic	300	30
Une location de voiture pour 1 semaine (catégorie B)	3 000	300
Un litre d'essence sans plomb	10	1
Un plein de super pour une voiture de catégorie A (type Fiat Uno)	300	30
Un billet de train Rabat-Fès en seconde classe	72	7,2
Un billet de train Fès-Marrakech en seconde classe	170	17
Trajet de bus Rabat-Fès	45 DH	4,5
Un billet de bus Marrakech-Essaouira	55	5,5
Trajet aéroport de Marrakech/centre-ville en taxi	60-80 DH	6-8
Location d'un vélo une demi-journée	30-50	3-5
Service d'un guide pour la visite d'une ville impériale une demi-journée	120	12
Service d'un guide pour la visite d'une ville impériale une journée	150	15
Une grande bouteille d'eau minérale dans une épicerie	5	0,5
Un thé à la menthe	5	0,5
Un café	6	0,6

Réserver

Nous vous conseillons de réserver vos nuitées 2 semaines à l'avance, 2 ou 3 mois pour certaines villes en haute saison, et de confirmer 48h avant votre arrivée, y compris dans les grandes villes où l'infrastructure hôtelière est très développée. Pour les trajets aériens, réservez 2 à 3 semaines à l'avance, 2 mois si vous partez en haute saison.

Formalités

▶ Pièces d'identité

Les formalités administratives et douanières risquant d'être modifiées dans leurs détails, nous conseillons à nos lecteurs de se renseigner avant le départ. Pour les ressortissants de l'Union européenne et de la Suisse, seul un passeport en cours de validité est exigé. Même si la carte d'identité est acceptée pour les Français, dans le cas de groupes en voyage organisé, nous vous recommandons de vous munir de votre passeport. La durée d'un séjour de tourisme ne doit pas dépasser 3 mois.

▶ Douanes

Les bureaux de douane sont ouverts 24h/24. Les principales restrictions douanières à l'entrée sont : 2 l de vin ou 1 l d'alcool fort, 200 cigarettes (soit une cartouche) ou 50 cigares ou 400 g de tabac pour pipes. Parmi les articles qui doivent être déclarés figure le matériel de tournage ou de photographie (s'il est volumineux). Pensez à emporter les factures de vos appareils ; on pourrait vous les demander.

▶ Conditions d'entrée d'un véhicule

Voitures – L'entrée sur le territoire d'une voiture étrangère est signalée sur le passeport. Il est strictement interdit de vendre, louer ou prêter sa voiture. Si la voiture n'appartient pas au conducteur, celui-ci doit présenter une lettre d'autorisation du propriétaire.

Caravanes – L'inventaire des objets de valeur, en double exemplaire, est visé à l'entrée. Le carnet de passage en douane n'est plus demandé.

Bateaux – Pour les bateaux de plaisance à moteur, il faut un carnet de passage en douane, en plus des documents demandés en France. Le permis d'escale remis par le commissaire de port est valable 3 jours.

▶ Permis de conduire

Pour les ressortissants européens, le permis de conduire national et la carte grise à trois volets suffisent. La carte verte (assurance) doit obligatoirement être validée pour le Maroc.

Santé

▶ Vaccination

Aucune vaccination n'est exigée pour les ressortissants européens. Toutefois, il est recommandé d'être vacciné contre la typhoïde, la poliomyélite et le tétanos, ainsi que contre l'hépatite A et B.

Pour tout renseignement, adressez-vous auprès de :

Centre médical de l'Institut Pasteur, 211 rue de Vaugirard, 75015 Paris, ☎ 01 45 68 81 98.

Institut Pasteur du Maroc, 1 rue Abou Kacem Zahraoui BP 120, Casablanca, ☎ 022 43 44 50. Délivre des sérums.

▶ Maladies

Il n'y a pas de risques particuliers au Maroc. Dans les régions du sud, le contact avec les eaux stagnantes peut provoquer la bilharziose. Attention – toujours dans ces régions – aux mouches qui peuvent transmettre la maladie oculaire du trachome. En cas de morsure de chien, filez immédiatement chez un médecin car on signale encore des cas de rage. La tourista (diarrhée) est le trouble le plus fréquent.

Quelques précautions élémentaires – L'eau n'est pas potable. Pour réduire le risque de diarrhée, lavez bien les fruits et légumes, épluchez-les et ne buvez que de l'eau minérale. En dehors des lieux touristiques, évitez les glaçons, qui sont souvent faits à partir d'eau du robinet. Enfin, même si on ignore le nombre de malades, le sida s'est considérablement répandu ces dernières années. Prenez donc les précautions d'usage ; on trouve des préservatifs dans les pharmacies des grandes villes et des stations balnéaires.

▶ Trousse à pharmacie

On trouve la plupart des médicaments courants dans les pharmacies des grandes villes marocaines, où est assuré un service de nuit. En revanche, si vous partez dans une région rurale, assurez-vous que votre trousse de pharmacie est bien complète.

Une bonne trousse à pharmacie doit contenir les médicaments suivants : antibiotiques, antalgiques, un antiseptique intestinal, un antidiarrhéique, un antihistaminique, une lotion anti-moustique, une pommade contre les piqûres d'insectes, une protection solaire à fort coefficient et de la Biafine pour soulager les coups de soleil.

▶ Services médicaux

L'infrastructure médicale des villes s'est considérablement développée. L'un des meilleurs hôpitaux est celui d'Avicenne à Rabat, ouvert 24h/24. En cas d'hospitalisation grave, préférez le rapatriement.

▶ Numéros utiles sur place

Police secours, ☎ 19

Pompiers, ambulances, ☎ 15

Accidents de la route, ☎ 177

Assurances

Si vous passez par un tour-opérateur, l'assurance assistance/rapatriement est en général incluse dans le prix du voyage. Si vous organisez seul votre voyage, contractez une assurance auprès d'un organisme spécialisé ou renseignez-vous auprès de votre banque : certaines cartes bancaires, comme la Visa, donnent droit à une assurance si vous payez votre billet d'avion avec.

Europ Assistance, 1 rue de la Bonnette, 92230 Gennevilliers, ☎ 01 41 85 85 85, www.europ-assistance.fr

Mondial Assistance, 2 rue Fragonard, 75017 Paris, ☎ 01 40 25 52 04.

Argent

▶ Monnaie

La monnaie officielle est le dirham (DH), divisé en 100 centimes. Le **rial** (de réal, ancienne monnaie espagnole) est une unité de compte populaire encore utilisée chez certains commerçants : un dirham vaut vingt rials. À l'heure où nous publions ce guide, 10 dirham valent environ 1 euro.

Attention : il est interdit d'importer ou d'exporter de la monnaie marocaine. À l'entrée du territoire, vous devez déclarer le montant de vos devises si celui-ci est supérieur à 2 300 €. Sachez qu'à la sortie, vous ne pourrez changer que la moitié des dirhams non dépensés (sur présentation des bordereaux de change) ; pensez donc bien à conserver les reçus.

Si vous êtes à court d'argent, demandez à votre banque d'effectuer un transfert dans une banque marocaine ; le délai ne devrait pas dépasser 24h.

▶ Change

Vous pouvez changer de l'argent dans tous les aéroports, les banques et les grands hôtels. Les billets doivent être en parfait état. Le taux de change est identique dans toutes les banques. Tous les bureaux de poste acceptent les postchèques.

▶ Chèques de voyage

Très pratiques, ils sont acceptés dans la plupart des banques et grands hôtels, ainsi que dans certaines agences de voyages. La majorité des grandes banques ne prennent pas de commission.

▶ Carte de crédit

Les hôtels, restaurants et magasins d'un certains standing acceptent les principales cartes de crédit (Visa, Mastercard), mais très rarement l'American Express. Dans les grandes villes, vous trouverez sans difficulté des distributeurs de billets pour cartes internationales. Soyez prévoyant car ils ne sont pas toujours suffisamment approvisionnés ; lorsqu'ils fonctionnent, il vaut donc mieux tirer de l'argent pour plusieurs jours. Autre précaution : vérifiez avant de partir en voyage quel est le plafond autorisé pour vos retraits.

Ce qu'il faut emporter

Un chapeau, des lunettes de soleil et une crème solaire sont indispensables au printemps et en été. Le temps pouvant subitement varier, munissez-vous d'un pull-over. Un maillot de bain n'est jamais de trop, quelle que soit la saison.

En ville, choisissez pour le jour des vêtements simples et confortables. Pour les sorties nocturnes (restaurants, discothèques), prévoyez des tenues un peu plus habillées. Les femmes éviteront cependant de montrer leurs jambes, leurs épaules et leur décolleté. Il est vivement déconseillé de porter des bijoux en or ou pierres précieuses dans la rue.

Dans les campagnes, les habitants portent des costumes traditionnels qui enveloppent la totalité de leur corps : évitez donc de porter des vêtements courts.

Pour les excursions en montagne, emportez des chaussures de randonnée robustes et confortables, montantes et anti dérapantes, ainsi qu'une bonne laine polaire et un duvet.

Dans les régions désertiques, la température peut varier entre 35 °C le jour et 0 °C la nuit : prenez un pyjama bien chaud !

N'oubliez pas votre lampe électrique ; elle vous sera utile dans le désert et dans certaines auberges qui n'ont pas, ou plus, l'électricité à partir d'une certaine heure.

Voyage pour tous

▶ *Voyager avec des enfants*

Au Maroc, les enfants sont rois. Ne soyez pas surpris si un inconnu leur parle, leur caresse les cheveux ou leur fait un cadeau. La majorité des hôtels pratiquent des tarifs réduits. Quelques établissements proposent des activités pour les plus jeunes et des gardes de nuit. L'un des sites les plus appréciés des familles est la petite station balnéaire de Oualidia, avec sa plage de sable fin et sa grande lagune protégée des vagues, qui offre aux bambins une mer d'huile rassurante. La plage de Sidi-Bouzid (3 km au sud d'El-Jadida) est également adaptée à la baignade des enfants. Pensez à faire boire vos enfants très régulièrement et à les protéger du soleil et de la chaleur.

▶ *Femme seule*

Les hommes marocains ont tendance à penser que les femmes occidentales sont des « proies » faciles, enclines aux idylles de vacances. Si vous voulez anéantir toute tentative de séduction, dites-leur que vous êtes mariée et mère de trois enfants ! Sachez aussi qu'une invitation chez un célibataire, même lorsqu'elle s'annonce purement amicale, risque de s'achever par un petit « dérapage ».

En ville, une femme qui marche seule a toutes les chances d'être suivie par des automobilistes ou des motards. N'ayez crainte : cette situation, certes désagréable, n'est pas dangereuse. Convaincus que vous êtes une femme « libérée », ces messieurs ne font que tenter leur chance. Si vous restez silencieuse et ne détournez pas votre regard, ils feront rapidement demi-tour.

▶ *Personnes handicapées*

Excepté dans quelques hôtels luxueux, il n'existe pas d'infrastructure spécifique pour les personnes handicapées. Cependant, la gentillesse des Marocains y pallie largement.

▶ *Voyager avec un animal domestique*

Attention, si vous voulez amener votre animal préféré en voyage, il faut un bulletin de santé de moins de 3 jours délivré par un vétérinaire, ainsi qu'un certificat de vaccination contre la rage.

Adresse utiles

▶ *Offices de tourisme*

France - 161 rue Saint-Honoré, 75001 Paris, ☎ 01 42 60 63 50/47 24, Fax 01 40 15 97 34.

Belgique - 402 av. Louise, 1050 Bruxelles, ☎ (02) 322 64 66 320/68 540.

Suisse - Schifflande 5, Zurich, ☎ (411) 252 77 52.

Canada - Place Montréal Trust, 1800 rue Mc Gill College, suite 2450, H3A 2A6, ☎ (514) 842 81 11, Fax (514) 842 53 16.

▶ *Services culturels et musées*

Institut du monde arabe - 1 rue des Fossés-Saint-Bernard, 75236 Paris Cedex 05, ☎ 01 40 51 38 38, www.tourisme-marocain.com

▶ *Sites Internet*

Moteur de recherche sur les sites du Maroc - http://proxima.online.co.ma

Ambassade de France au Maroc - www.ambafrance-ma.org : informations générales, histoire, culture, revue de presse quotidienne.

Site du ministère de la Communication - www.mincom.gov.ma

Informations pratiques - www.tourism-in-morocco.com : liste d'hôtels et de restaurants des grandes villes, location de voitures, musées et loisirs. www.travel-in-morocco.com

Journaux - www.maghrebnet.net.ma : journaux marocains en ligne.

Institut du Monde arabe - www.imarabe.org : informations historiques sur les pays du monde arabe et actualités culturelles de l'Institut.

Office national des chemins de fer du Maroc - www.oncf.org.ma : tous les renseignements concernant les villes desservies par le train, les horaires, les tarifs.

Maroc-Hebdo - http://www.maroc-hebdo.press.ma : journal d'informations générales, politiques, sociales, économiques et sportives, nationales et internationales.

▶ *Représentations diplomatiques*

France - Ambassade du Maroc, 5 rue Le Tasse, 75016 Paris, ☎ 01 45 20 69 35, Fax 01 45 20 22 58, sifamaparis@amb-maroc.fr

Consulat, 12 rue de la Saïda, 75015 Paris, ☎ 01 56 56 72 00, Fax 01 45 33 21 09.

Belgique - Ambassade du Maroc, 29 bd Saint Michel, 1040 Bruxelles, ☎ (02) 732 65 45/736 11 00, Fax (02) 734 64 68. Consulat, 20 av. Van-Volxem, 1190 Bruxelles, ☎ (02) 346 19 66/346 16 73.

Suisse - Ambassade du Maroc, 42 Helvetiastrasse, 3005 Berne, ☎ (031) 351 03 62/351 03 63, Fax (031) 351 03 64. Consulat, 7-9 rue du Grand-Chêne, 1002 Lausanne, ☎ (021) 329 07 43, Fax (021) 345 34 49.

Canada - Ambassade du Maroc, 38 Range Road K1N 8J4, Ottawa, ☎ (613) 236 73 91 à 93, Fax (613) 236 61 64. Consulat, 1010 Sherbrooke Ouest, suite 1510, Montréal, Québec, H3A-2R7, ☎ (514) 288 87 50/288 69 51, Fax (514) 842 53 16.

Petits cadeaux à offrir

Dans l'Atlas ou dans d'autres régions un peu reculées, les vêtements sont très appréciés. Si vous êtes invité chez des Marocains pour un repas, il est d'usage d'offrir du lait ou des dattes.

PARTIR

En avion

Si vous comptez partir à Pâques ou en été, réservez vos vols au moins 2 mois à l'avance. Vous avez généralement droit à 20 kg de bagages sur les vols réguliers, et 15 kg sur les charters.

▶ Lignes régulières

Royal Air Maroc et Air France se partagent les 30 liaisons hebdomadaires entre Casablanca et Paris. En haute saison et pendant les vacances scolaires, des vols charters sont ajoutés. La durée moyenne des vols est de 2h45 pour Casablanca, 3h pour Marrakech et 3h15 pour Agadir.

Royal Air Maroc (RAM), 38 av. de l'Opéra, 75002 Paris, ☎ 0820 821 821 (renseignements et réservations). En Belgique, 46-48 place De Brouckère, 1000 Bruxelles, ☎ (02) 219 24 50. En Suisse, office 2-205 terminal 2, Departure Level CH 8058, Zurich airport, ☎ (01) 43 816 56 76, rue Chantepoulet 4, Genève, ☎ (01) 22 731 77 59. Au Canada, 75 Sherbrooke Ouest, Montréal, ☎ (514) 285 16 19. www.royalairmaroc.com

D'Orly-Sud, on compte 3 départs quotidiens vers Casablanca, 1 vers Rabat, 1 vers Marrakech et 3 vols hebdomadaires pour Agadir. De Roissy-Charles-de-Gaulle partent 2 vols hebdomadaires pour Fès et 2 pour Ouarzazate.

Au départ de Marseille et de Lyon, il existe un vol quotidien pour Casablanca. Pour les autres villes, un ou plusieurs vols hebdomadaires sont assurés : Bordeaux (4 vols), Nice (3), Toulouse (2) et Strasbourg (1).

À partir de la Belgique et de la Suisse, RAM propose des vols directs vers Casablanca. Le vol Montréal-Casablanca a lieu 2 fois par semaine, avec correspondance pour d'autres villes, dont Marrakech et Agadir.

Air France, 119 av. des Champs-Élysées, 75008 Paris, ☎ 0820 820 820 (6h30-22h), www.airfrance.fr

De Paris, les départs d'Air France se font à Roissy. Chaque jour, on compte 3 vols pour Casablanca, 1 pour Rabat, plusieurs pour Marrakech (via Casablanca) ainsi que pour Agadir (via Casablanca également).

La compagnie assure aussi quelques vols par semaine (directs ou avec correspondance) de Lyon et de Marseille vers Casablanca, Marrakech, Rabat et Agadir, de Toulouse et de Nantes vers Casablanca et Rabat.

▶ Charters

Certains organismes de voyage proposent des vols charters, le plus souvent à destination des grandes villes. Les prix aller-retour tournent autour de 200 € en basse saison et de 460 € en haute saison.

Safar Tours, 21 bd des Batignolles, 75008 Paris, ☎ 01 44 70 62 62, www.safartours.fr Lundi-samedi, 8h-20h. Charters pour Marrakech, Fès, Ouarzazate, Casablanca, Rabat, Agadir, Tanger, Oudja, et depuis peu, Essaouira. Tarifs très compétitifs.

Look Voyages, 12 rue Truillot, 94204 Ivry-sur-Seine, ☎ 0145 45 15 00/0892 890 101, www.look-voyages.fr. Charters pour Marrakech.

Nouvelles Frontières, 87 bd de Grenelle, 75015 Paris, ☎ 0825 000 747, www.nouvelles-frontieres.com Charters pour Marrakech, Agadir, Fès, Ouarzazate.

▶ Confirmation

Par prudence, confirmez votre vol de retour 48h à l'avance.

En voiture

Les conditions d'entrée d'un véhicule sont mentionnées *p. 16*. Renseignez-vous auprès de la **SNCM Ferryterranée** *(voir ci-dessous)* pour l'embarquement de votre véhicule à bord de ferries.

Pour la traversée de l'Espagne, nous vous conseillons d'utiliser la carte Michelin nº 742 au 1/1 000 000.

En bus

Des liaisons par bus sont assurées entre la France et le Maroc (à partir de 160 €). Renseignez-vous auprès de la compagnie **Eurolines**, gare internationale de Paris-Gallieni, av. du Général-de-Gaulle, 93541 Bagnolet, ☎ 0892 89 90 91, ou www.eurolines.fr À Casablanca, 23 rue Léon l'Africain, ☎ 022 54 10 10. À Rabat, gare routière Kamra, ☎ 037 28 02 62. À Marrakech, agence Guéliz, ☎ 044 44.83 28.

En bateau

Le nombre de bateaux étant insuffisant, réservez 2 à 3 mois à l'avance et confirmez une semaine avant votre départ.

▶ *À partir de la France*

SNCM Ferryterranée, 12 rue Godot-de-Mauroy, 75009 Paris, ☎ 0891 702 802, www.sncm.fr. À Lyon, 3 rue du Président-Carnot, 69002, ☎ 04 72 41 61 41. À Marseille, 61 bd des Dames, 13002, ☎ 0891 701 801.

Une liaison entre Sète et Tanger a lieu tous les 4 jours (durée 36h), départ à 19h, arrivée 2 jours après à 9h.

▶ *À partir de l'Espagne*

Trasmediterranea, c/o Iberrail, 57 rue de la Chaussée-d'Antin, 75009 Paris, ☎ 01 40 82 63 63, www.trasmediterranea.es ou iberrail.fr Liaisons quotidiennes entre Algésiras et Ceuta (1h30), Algésiras et Tanger (2h30), Malaga et Mellila (8h) et Almeria et Mellila (10h).

Par un tour-opérateur

La majorité des tour-opérateurs proposent des voyages au Maroc. Nous avons retenu ceux dont les services nous paraissaient être les plus intéressants, soit pour leur originalité, soit pour leur rapport qualité-prix.

▶ *Les généralistes*

Club Voyages Look Voyages *(voir « Charters » p. 21)*. Séjour au club Lookéa de Marrakech, situé dans la palmeraie.

Nouvelles Frontières *(voir « Charters »)*. Séjour en hôtel, club, ou résidence Paladien. Location de voitures.

Jet Tours, 38 av. de l'Opéra, 75002 Paris, ☎ 01 47 42 06 92, www.jettours.com, www.boiloris.fr Séjours à Marrakech et Agadir. Circuits en 4x4 dans les régions sahariennes.

▶ *Les spécialistes*

Safar Tours *(voir rubrique « Charters »)*. Spécialiste du Maroc.

Voyageurs au Maroc, La Cité des Voyageurs, 55 rue Sainte-Anne, 75002 Paris, ☎ 0892 23 56 56, Fax 01 42 86 17 88, www.vdm.com. À Lyon, 5 quai Jules-Courmont, 69002, ☎ 0892 231 261, Fax 04 72 56 94 55. À Toulouse, 26 rue des Marchands, 31000, ☎ 0892 232 632. Circuits dans le Nord et dans les régions désertiques.

Sirocco Voyages, 276 rue du Faubourg-Saint-Antoine, 75012 Paris, ☎ 01 43 40 91 91, Fax 01 43 40 59 39, sirocco1@wanadoo.fr. Séjour dans tout le Maroc en groupe ou en individuel.

E. Baret / Michelin - (06 - Roubion)

☐ a. *Départementale D17*
☐ b. *Nationale N202*
☐ c. *Départementale D30*

Vous ne savez pas comment vous y rendre ?
Alors ouvrez vite une Carte Michelin !

Les cartes NATIONAL, REGIONAL, LOCAL ou ZOOM et les Atlas Michelin, par leur précision et leur clarté vous permettent de choisir votre itinéraire et de trouver facilement votre chemin, en vous repérant à chaque instant.

MICHELIN
Une meilleure façon d'avancer

▶ *Voyages culturels*

Arts & Vie, 251 rue de Vaugirard, 75015 Paris, ☎ 01 40 43 20 21, www.artsvie.asso.fr Visite des villes impériales et du Sud marocain.

Clio, 27 rue du Hameau, 75015 Paris, ☎ 0826 10 10 82. Propose 3 types de circuits : les villes impériales (8 jours), le grand circuit culturel (13 jours) et le Sud marocain, pays des Berbères (9 jours).

Fédération unie des auberges de jeunesse (FUAJ), Antenne nationale Beaucourg F-F/IBN, 9 rue de Brantôme, 75003 Paris, ☎ 01 48 04 70 30. Séjours de 2 ou 3 semaines dans les villes impériales et dans le Sud.

Sindbad Voyages, 50 rue Servan, 75011 Paris, ☎ 01 43 38 19 94. Programme « Festival des musiques sacrées » dans la ville de Fès.

▶ *Voyages aventure*

Allibert, 37 bd Beaumarchais, 75003 Paris, ☎ 0825 090 190, Fax 01 44 59 35 36, www.allibert-voyages.com Grand spécialiste des randonnées pédestres dans le nord et le sud du pays.

Club Aventure, 18 rue Séguier, 75006 Paris, ☎ 0826 882 080. Randonnées pédestres dans le Toubkal. www.clubaventure.fr

Comptoir du Maroc, 344 rue Saint-Jacques, 75005 Paris, ☎ 01 53 10 21 90, Fax 01 53 10 21 61, www.comptoir.fr Voyages en petits groupes dans le centre et le sud du pays. Randonnées à pied, en chameau et en 4x4.

Explorator, 16 rue de la Banque, 75002 Paris, ☎ 01 42 60 80 00, www.explo.com Trekking dans l'Atlas et l'Anti-Atlas.

Itinérances, 26 rue Botzaris, 75019 Paris, ☎ 01 40 40 75 15, www.itinérances-voyages.com Trekking dans l'Anti-Atlas et la vallée du Drâa.

Nomade, 40 rue de la Montagne-Sainte-Geneviève, 75005 Paris, ☎ 0826 100 326, www.nomade-aventure.com Trekking dans l'Atlas au départ de Marrakech.

Terres d'Aventure, 6 rue Saint-Victor, 75005 Paris, ☎ 0825 847 800, www.terdav.com Randonnées pédestres au départ de Marrakech.

UCPA, 62 rue de la Glacière, 75013 Paris. Renseignements et réservations, ☎ 0825 820 830, www.ucpa.com

▶ *Voyages équitables et solidaires*

Croq'Nature, BP 12, 65401 Argelès-Gazost, France, ☎ 05 62 97 01 00, www.croqnature.com Cette association organise des randonnées et des séjours à la rencontre des cultures et des peuples de l'Atlas et du Sahara en s'impliquant dans des projets à usage collectif (puits, dispensaires, écoles, etc.) sur les lieux de randonnées.

SE DÉPLACER

En voiture

Si vous venez avec votre véhicule, voir les formalités p. 16.

▶ *Location et prix*

Les principales compagnies internationales sont représentées dans les aéroports et les grandes villes du Maroc. Vous pouvez vous renseigner auprès de votre hôtel ou réserver au préalable depuis la France dans les agences suivantes :

Auto Escape, ☎ 0800 920 940, Fax 04 90 09 51 87, www.autoescape.com. Centrale de réservation de véhicules de location à prix négociés. Environ 270 € (assurances comprises) par semaine pour un véhicule de catégorie A.

Hertz, centre de réservation des véhicules de tourisme, Trappes, ☎ 01 39 38 38 38. À Casablanca, rue de Foucauld, ☎ 022 48 47 10. Environ 400 € (assurances comprises) par semaine pour un véhicule de catégorie A ; réduction avec la carte « Fréquence plus » d'Air France.

Europcar, ☎ 0803 352 352. À Casablanca, complexe des Habbous, avenue des FAR, près de la gare ferroviaire, ☎ 022 31 37 37. Environ 380 € (assurances comprises) par semaine pour un véhicule de catégorie A.

Avis, ☎ 0802 05 05 05. À Casablanca, avenue des FAR, ☎ 022 31 24 24.

Il faut avoir plus de 21 ans pour louer une voiture, mais des exceptions sont faites pour les ressortissants étrangers.

Des agences locales proposant des tarifs moins élevés (environ 300 € ou moins, la semaine) sont mentionnées dans les parties pratiques des grandes villes. Pour la location d'un 4x4, comptez environ 100 € par jour.

▶ *Conseils lors de la location*

Vous choisirez le type de véhicule selon votre itinéraire. Pour les villes préférez une petite voiture (Renault Clio, Fiat Uno, etc.). Si vous souhaitez vous éloigner des axes principaux, emprunter les pistes du Sud ou les routes sablonneuses du Nord, un 4x4 s'impose ; mais si vous n'êtes pas accoutumé à sa conduite, vous pouvez le remplacer par une Renault 4L, certes moins confortable mais aussi résistante. Avant de louer le véhicule, vérifiez que les pneus sont en parfait état et que vous disposez de tout le matériel nécessaire aux crevaisons. En période de chaleur, la climatisation n'est pas un luxe.

Nous vous conseillons de prendre une assurance tous risques et de bien vous renseigner sur le contrat au préalable (par exemple, l'assurance fonctionne-t-elle si vous sortez des routes goudronnées pour emprunter les pistes ?).

N'oubliez pas l'ensemble des papiers exigés (permis de conduire, carte grise et carte verte) ainsi que le contrat de location : les contrôles policiers sont fréquents.

Avant chaque départ, vérifiez les niveaux d'essence, d'eau et d'huile. Faites le plein d'essence lorsqu'une station se présente car, dans certaines régions, les pompes se font rares ou sont à sec.

▶ *Code de la route*

Le Maroc a adopté la signalisation internationale. Celle-ci est généralement écrite en arabe et en français. Attention, les règles de priorité sont identiques aux nôtres, à l'exception des ronds-points, où la priorité à droite reste de mise.

▶ *Réseau routier*

Les grands axes sont goudronnés et en bon état. Ne roulez pas trop vite et conservez un pied sur le frein car, malgré les nombreux ponts aménagés, quelques insouciants (des enfants surtout) continuent de traverser l'autoroute.

Les routes secondaires ne sont pas toujours fiables, notamment à l'est du Maroc. Certaines sont étroites et fissurées sur les bas-côtés. Si vous voyez arriver un camion, ralentissez et garez-vous en attendant qu'il passe ! Les pierres blanchies à la chaux déposées au bord de quelques routes peuvent signaler un danger : ravin, pont…

▶ *Pistes*

Renseignez-vous à l'avance sur l'état des pistes (☎ 037 71 17 17). Méfiez-vous de la pluie et de la neige, qui peuvent provoquer des éboulements ou des crues d'oueds. Il est vivement déconseillé d'emprunter les pistes non carrossables sans véhicule adapté. Si vous allez dans le désert, emportez des pièces de rechange et des outils pour désensabler et n'oubliez pas de faire des provisions d'eau et de vivres. La poussière pouvant détériorer certains appareils, pensez à les couvrir de matière plastique. Il est plus prudent de partir à plusieurs véhicules et de ne pas rouler la nuit.

▶ Conduite

La vitesse est limitée à 120 km/h sur les autoroutes, 110 km/h sur les routes et entre 20 et 60 km/h dans les bourgs et agglomérations.

Le port de la ceinture de sécurité est obligatoire même si cela n'est pas souvent respecté. En règle générale, soyez très vigilant sur la route, surtout près des villes. Entre les nombreuses familles qui se déplacent à trois ou quatre sur une mobylette, les bourricots qui trottinent au milieu de la chaussée, les poids lourds et les fous du volant, qui ignorent les priorités et doublent n'importe comment, les vendeurs de mouchoirs en papier et les laveurs de vitres, qui se « jettent » sur les voitures au feu rouge, il n'est pas toujours évident de se frayer un chemin sécurisé !

▶ Essence

On trouve de nombreuses stations-services dans les villes importantes, certaines fonctionnent 24h/24. Dans les régions plus reculées, il est plus difficile de s'approvisionner. Un litre de sans plomb coûte environ 10 DH.

▶ Se garer en ville

Se garer n'est pas évident dans les grandes villes. Certains endroits sont aménagés et un gardien surveille les véhicules ; il faut lui remettre quelques pièces au moment du départ (entre 2 et 5 DH pour quelques heures, 10 à 15 DH pour la nuit). Les contrevenants au stationnement interdit ont toutes les chances de ne pas retrouver leur voiture et de finir leur journée dans un commissariat de police.

▶ En cas d'accident

Les procès se compliquent lorsque la voiture est à immatriculation étrangère ou de location. Prévenez votre ambassade.

En taxi

▶ Les petits taxis

Les petits taxis se trouvent uniquement dans les grandes villes. On les repère à leur couleur : rouge à Casablanca, bleu à Rabat ou Essaouira, beige à Marrakech, jaune à Salé… Les prix, affichés sur les compteurs, sont majorés de 50 % à partir de 20h.

Pensez à vérifier le bon fonctionnement du compteur avant le départ, et si le chauffeur vous assure qu'il ne marche pas, vous avez le choix entre fixer le prix à l'avance (entre 5 et 20 DH en général) ou refuser la course.

▶ Les grands taxis

Ces vieilles américaines ou Mercedes blanches assurent les transports collectifs dans les zones interurbaines. Les prix sont fixes et le départ n'a lieu que lorsque le taxi est complet (6 clients). Si vous êtes pressé ou souhaitez partir seul, le chauffeur consentira à vous prendre si vous payez les places des absents. Vous pouvez également louer le taxi pour une journée entière, pour une excursion par exemple, auquel cas vous devrez négocier fermement avant le départ. Cette solution revient moins cher que la location d'une voiture (renseignez-vous sur les tarifs des agences), vous évite quelques sueurs froides au volant, et vous fait bénéficier en prime des conseils et des connaissances du chauffeur.

En train

Le réseau ferroviaire est développé sur 1 700 km. L'ONCF (Office national des chemins de fer) dispose de trains confortables, propres et souvent climatisés, qui permettent de se rendre dans les principales villes du Maroc. Les trains « express » qui relient les grandes villes sont dotés de compartiments non-fumeurs. Certaines gares sont équipées de consignes. Attention : ne quittez pas des yeux vos bagages, les vols sont fréquents en voyage de nuit.

Il existe trois lignes principales :

La **ligne est**, Casablanca-Oujda, via Rabat, Salé, Kénitra, Sidi Kacem, Meknès, Fès et Taza.

La **ligne nord**, Casablanca-Tanger, emprunte le même trajet que Casablanca-Oujda jusqu'à Sidi Kacem, puis prend la direction de Tanger *via* Moulay Mehdi.

La **ligne sud**, Casablanca-Marrakech.

Voici quelques exemples de prix (en 2ᵉ classe) et de temps de trajet entre les villes impériales :

- Casablanca-Rabat, 1h de trajet, environ 30 DH (3 €) ;
- Rabat-Meknès, 2h30 de trajet, env. 55 DH (5,50 €) ;
- Meknès-Fès, 1h de trajet, env. 16,5 DH (1,65 €) ;
- Fès-Marrakech, 7h30 de trajet, env. 170 DH (17 €).

▶ *Classes*

Vous pouvez opter pour la première classe, 40 % plus chère que la seconde. La différence se situe moins au niveau du confort – les sièges sont les mêmes – que de l'espace : vous serez plus à votre aise et aurez plus de chance de pouvoir vous allonger.

▶ *Horaires*

Renseignez-vous auprès de l'Office national marocain du tourisme à Paris. Vous pouvez aussi consulter l'excellent site web de l'ONCF : www.oncf.org.ma

ONCF, Rabat, ☏ 037 77 47 47.

En autobus

Les deux grandes sociétés d'autocars CTM et Satas ont étendu leur réseau sur tout le territoire marocain. On trouve aussi des compagnies privées, qui permettent d'effectuer certains trajets dans de meilleures conditions de confort, à des prix souvent très compétitifs.

La **CTM** dessert toutes les villes et régions, y compris les plus reculées. Des liaisons avec des pays d'Europe sont fréquemment proposées. Les prix, légèrement plus élevés que ceux des autres compagnies, se justifient par le confort des cars et la climatisation. L'enregistrement des bagages a lieu une heure avant le départ.

Les cars de la **Satas** mènent essentiellement vers les régions du Sud. Certains sont plus confortables que d'autres.

Parmi les nombreuses agences privées, retenez **Supratours**, spécialiste des routes du Sud. La conduite est relativement rapide et les cars flambant neufs. Il est d'usage de donner un pourboire au bagagiste (5-6 DH par bagage).

En stop

Le stop peut être un bon moyen pour entrer en contact avec des habitants, qui ne manqueront pas de vous conseiller, et souvent de vous inviter chez eux. Le stop est à proscrire de nuit et pour les femmes qui voyagent seules.

Liaisons aériennes intérieures

Royal Air Inter, filiale de Royal Air Maroc, assure les liaisons aériennes entre les principales villes marocaines (Casablanca, Rabat, Oujda, Agadir, Marrakech, er-Rachidia, Al-Hoceima, Fès, Ouarzazate, Tanger et Tétouan). Si ce moyen de transport permet un gain de temps considérable, il est quatre à cinq fois plus cher que le train ou le car. Le noyau du réseau aérien est Casablanca. La réservation peut se faire auprès des agences de voyages ou directement à Royal Air Inter, représenté dans les aéroports. Vous pouvez retirer votre billet 1h avant le départ.

Excursions organisées

Dans les sites touristiques, les agences proposent toute une gamme d'excursions, dans la région ou à travers pays, en 4x4, en quad, à pied, à cheval ou à dos de dromadaire... Les prix sont très variables suivant la formule, la destination et le nombre de participants. Certaines agences, dont les prestations nous ont semblé particulièrement intéressantes, sont mentionnées dans les parties pratiques des villes ou des régions concernées. Tous les hôtels et maisons d'hôte pourront également vous organiser des excursions ou vous mettre en contact avec une agence ou un guide.

Le Maroc berbère, ☎ 01 64 70 03 25/06 09 16 46 74, Hamid Aït Karou organise des circuits tout compris dans le Haut Atlas et dans le désert : accueil à l'aéroport, nuits à l'hôtel, chez l'habitant ou en bivouac selon la formule choisie (randonnées avec muletiers, 4x4, trek) pour des groupes de 7 à 16 personnes.

SUR PLACE de A à Z

Adresses utiles

▶ *Office de tourisme*

Chaque grande ville et centre touristique possède un office de tourisme. Vous y trouverez en général un plan de la ville ou une carte de la région, et quelques informations touristiques locales.

À Rabat : rue el-Abtal, ☎ 037 67 39 8/67 40 13. Ouvert du lundi au vendredi 8h30-11h30 et 15h-18h30. Brochures et plan de la ville.

▶ *Ambassades*

France - 3 rue Sahnoune, Agdal, Rabat, ☎ 037 68 97 00.

Belgique - 6 rue de Marrakech, Rabat, ☎ 037 76 47 46/26 80 60.

Suisse - Square Berkane, Rabat, ☎ 037 70 69 74/70 75 12 (service visas : 12 rue d'Ouazzane, ☎ 037 26 19 74/5).

Canada - 13 bis rue Jaâfar as-Sadik, Agdal, Rabat, ☎ 037 68 74 00.

Blanchisserie

La plupart des hôtels proposent un service de blanchisserie. Cela permet souvent aux femmes de ménage d'étoffer leurs modestes revenus. Les pressings sont nombreux dans les villes et relativement bon marché.

Change

Voir « Argent » p. 18.

Cigarettes

Les villes ne manquent pas de tabacs, où toutes les marques internationales sont proposées ; les boutiques des hôtels classés en vendent également. Vous pouvez acheter des cigarettes à l'unité auprès de marchands installés dans la rue.

Courant électrique

Le courant est de 220 volts. Comme en Europe, les prises sont à deux fiches rondes.

Eau potable

Dans certaines villes, l'eau du robinet est potable, mais il est plus prudent de s'en tenir à l'eau en bouteille et d'éviter les glaçons en dehors des établissements touristiques. Goûtez l'eau minérale Sidi Harazem, Sidi Ali ou l'eau gazeuse Oulmès.

C. Legrand / Michelin

☐ a. *Parc national de Krka (Croatie)*
☐ b. *Gorges du Tarn (Cévennes)*
☐ c. *Cascades d'Ouzoud (Maroc)*

Vous ne savez pas quelle case cocher ?
Alors plongez-vous dans Le Guide Vert Michelin !

- tout ce qu'il faut voir et faire sur place
- les meilleurs itinéraires
- de nombreux conseils pratiques
- toutes les bonnes adresses
  Le Guide Vert Michelin,
  l'esprit de découverte

Horaires d'ouverture

La semaine de travail des Marocains est identique à celle des Occidentaux, avec une pause plus longue en milieu de journée le vendredi, jour saint de l'islam (celui de la prière collective). Les entreprises et administrations ferment le samedi et le dimanche. Durant le ramadan, les bureaux ouvrent de 9h à 16h *(voir dans ce chapitre la rubrique « Ramadan »).*

▶ Administrations

Les administrations ouvrent de 8h30 à 12h et de 14h à 18h30. Le vendredi, elles ferment entre 12h et 15h.

▶ Banques

Du lundi au vendredi, de 8h15 à 11h30 et de 14h15 à 16h en hiver, de 8h à 11h30 et de 15h à 17h en été. Le vendredi, de nombreuses banques ne reprennent après le déjeuner qu'à 15h. Durant le mois de ramadan, elles sont ouvertes sans interruption de 9h30 à 14h.

▶ Magasins

Les magasins ouvrent de 9h à 12h et de 14h30 (ou 15h) à 19h (ou 20h). Ils ferment le dimanche, et parfois le samedi ou le lundi. Les boutiques des médinas restent souvent fermées le vendredi de 14h30 à 15h, quelques-unes toute la journée.

▶ Bureaux de poste

Ils fonctionnent du lundi au vendredi, de 8h30 à 18h30.

▶ Restaurants

Les jours de fermeture sont variables. Dans les villes touristiques comme Marrakech, les restaurants ferment souvent le lundi. À Casablanca ou à Rabat, c'est plutôt le dimanche.

Internet

Presque toutes les villes du Maroc disposent de cyber cafés. Vous paierez environ 10 DH pour une heure de connexion. Les heures d'ouverture sont très variables ; certains suivent les horaires de bureaux, mais la plupart restent ouverts tard le soir. Les connexions à haut débit commencent lentement à se développer, ainsi que les webcam et les graveurs de CD, bien utiles pour vider les cartes-mémoires des appareils photo numériques.

Jours fériés

1er janvier	Jour de l'an grégorien
11 janvier	Manifeste de l'Indépendance
1er mai	Fête du Travail
30 juillet	Fête du Trône (intronisation du roi Mohammed VI)
20 août	Anniversaire de la Révolution
23 août	Anniversaire du roi Mohammed VI/Fête de la Jeunesse
6 novembre	Commémoration de la Marche verte
18 novembre	Commémoration de l'Indépendance (retour d'exil de Mohammed V)

À ces fêtes laïques s'ajoutent les fêtes religieuses. Leur date est calculée à partir du calendrier musulman (lunaire) et varie d'année en année sur le calendrier grégorien *(voir calendrier dans le chapitre « Religions » p. 95).*

Médias

▶ *Presse*

Les kiosques et les boutiques des sites touristiques et des hôtels vendent un large éventail de publications nationales éditées en français, ainsi que des quotidiens et magazines importés de l'Hexagone. Le choix se restreint considérablement en milieu rural. Pour connaître un peu mieux le pays, lisez les journaux marocains édités en français : *L'Opinion, Maroc Soir, Le Matin du Sahara, Libération, El-Bayane* et *Al-Maghrib*. Les principaux magazines mensuels sont *L'Événement du Maroc, Le Temps au Maroc* et les magazines féminins *La Citadine* et *Femmes du Maroc*.

Parmi les quotidiens français, on trouve *Le Monde* et *Libération (imprimé le jour même à Casablanca)* ; pour les magazines, *Le Nouvel Observateur, L'Express, Paris Match…*

▶ *Radio*

Les stations locales, peu nombreuses, émettent en arabe et en français. Si vous disposez d'un bon appareil, vous pourrez capter plusieurs radios françaises : Europe 1, France Culture, France Info… Dans le nord du pays, vous entendrez toutes les radios espagnoles.

▶ *Télévision*

Il existe deux chaînes gouvernementales : TVM et 2 M. La première, généraliste, émet autant de programmes en arabe qu'en français. La seconde diffuse des films dans les deux langues.

La chaîne francophone par satellite TV5 propose des programmes français, belges, suisses et canadiens. Sur la côte nord, les habitants captent les chaînes espagnoles. L'extension des paraboles en ville et dans certaines campagnes est impressionnante. On en voit même sur les toits des bidonvilles ! Celles-ci offrent l'accès à des dizaines de chaînes étrangères, dont TF1, France 2, Euro-News, Euro-Sports…

Météo

Elle est diffusée quotidiennement à la télévision, à la radio et annoncée dans la presse locale.

Musées, monuments et sites

La majorité des musées est ouverte tous les jours sauf le mardi de 9h à 12h et de 14h30 à 18h. Le vendredi, beaucoup de *médersa* (écoles coraniques) ferment leurs portes à midi. L'entrée des musées coûte en général 10 à 20 DH.

Photographie

Les pellicules Kodak et Fuji sont vendues dans les grandes villes, où les laboratoires photo sont nombreux. Méfiez-vous des pellicules exposées depuis longtemps dans des vitrines ensoleillées. Les films diapositives sont plus difficiles à trouver ; vérifiez leur date limite d'utilisation. En général, le développement est de bonne qualité. Avant de photographier quelqu'un, demandez-lui la permission, et n'insistez pas si vous sentez une réticence de sa part, ce qui est fréquent. Il se peut également que l'on vous réclame quelques dirhams en contrepartie.

Poste

Les timbres sont vendus à la poste et dans certains kiosques à journaux. Vous pouvez également remettre des lettres non affranchies à la réception de votre hôtel, qui s'en chargera. Comme en France, les boîtes aux lettres sont jaunes. Si le courrier parvient toujours à son destinataire, le délai est relativement long. Il faut compter une semaine pour l'Europe, 2 pour les États-Unis. Pour envoyer une lettre (poids normal) ou une carte postale en Europe, le timbre est de 6,5 DH. Vous trouverez dans la majorité des postes un service rapide qui assure un délai inférieur à 24h. Cette solution revient assez cher : comptez environ 150 DH pour une lettre.

Pourboire

Il est de bon ton de laisser un pourboire au café et au restaurant (2 à 10 DH). Pour les chauffeurs de taxi, les gardiens de voitures, les pompistes, les femmes de ménage, les bagagistes… le pourboire est indispensable (2 à 5 DH) : il complète leur maigre salaire.

Ramadan

Durant le mois sacré du Ramadan *(voir calendrier des fêtes musulmanes p. 95)*, les habitudes de vie des Marocains changent. Les administrations publiques et les banques ferment plus tôt (à 14h ou 15h), les boutiques, closes la journée pendant cette période, n'ouvrent que le soir après la rupture du jeûne et jusque tard dans la nuit.

Sécurité

Les vols sont relativement rares. Néanmoins, soyez vigilant sur les sites touristiques, dans les souks, les trains et les campings.

Certaines précautions s'imposent pour visiter la région du Rif : partez à plusieurs, ne roulez pas la nuit et dormez dans des sites touristiques (à Tetouan ou Chefchaouèn par exemple).

Téléphone et fax

Évitez de téléphoner de votre hôtel, les taxes sont exorbitantes. Vous trouverez partout des téléboutiques (8h-20h), souvent équipées d'un fax, où le paiement s'effectue au guichet à la fin de la communication. Quelques-unes sont encore équipées d'anciens appareils où on introduit directement les pièces de monnaie. Les cabines téléphoniques sont à pièces ou à cartes. Celles-ci sont vendues dans les téléboutiques et dans la majorité des bureaux de tabac.

▶ *Appels internationaux*

Pour appeler l'international, composez le 00 + l'indicatif du pays + (pour la France) le 2e chiffre de l'indicatif de zone, ou le 6 pour un mobile, (retirez le 0) + le numéro de votre correspondant.

Par exemple : pour Paris, composez le 00 33 1 + un numéro à 8 chiffres.

Pour appeler la Belgique, faite le 00 32 ; le Luxembourg, 00 352 ; la Suisse, 00 41, le Canada, 00 11.

Tarifs - Pour appeler la France et la majorité des pays d'Europe, comptez près de 14 DH/mn. Une réduction de 40 % est appliquée du lundi au vendredi de minuit à 7h, le samedi toute la journée sauf entre 7h et 12h30, ainsi que les dimanches et jours fériés. En semaine, vous bénéficiez d'une réduction de 20 % si vous téléphonez entre 22h et minuit.

▶ *Appels locaux*

Tout appel (local ou interurbain) se compose de neuf chiffres, dont les deux premiers correspondent à l'indicatif des quatre zones téléphoniques du pays.

(Dans les parties pratiques de ce guide, nous indiquons systématiquement les neuf chiffres de votre correspondant).

Indicatifs régionaux - Le territoire marocain est divisé en quatre zones de numérotation :

Zone de Casablanca et Settat (Azemmour, Beni-Mellal, Casablanca, El-Jadida, Mohammedia, Settat, etc.) : 02

Zone de Rabat et Tanger (Al Hoceima, Asilah, Chefchaouèn, Larache, Ouezzane, Rabat-Salé, Tanger, Tetouan, etc.) : 03

Zone de Marrakech et Laâyoune (Agadir, el-Kelaâ M'Gouna, Essaouira, Guelmin, Laâyoune, Marrakech, Ouarzazate, Safi, Tafraout, Tan Tan, Taroudant, Tiznit, Zagora, etc.) : 04

Zone de Fès et d'Oujda (Erfoud, er-Rachidia, Fès, Ifrane, Khenifra, Meknès, Oujda, Rissani, Saïdia, Sefrou, Taza, etc.) : 05

Tarifs - Pour une communication locale à partir d'un téléphone public, comptez 1,5 DH/12mn. Les tarifs sont réduits de 40 % du lundi au vendredi de 20h30 à minuit, le samedi de 12h30 à minuit, ainsi que les dimanches et jours fériés. Une réduction de 50 % est accordée de minuit à 7h, et de 10 % entre 12h30 et 14h.

▸ *Mobiles*

Les deux opérateurs marocains (GSM et Médi Telecom) couvrent bien le territoire et ont des accords avec la majorité des opérateurs étrangers.

Les numéros de téléphones portables marocains commencent par 06 ou 07 et comptent 9 chiffres au total. Attention, appeler un mobile d'une cabine épuisera le crédit de votre carte en un temps record !

▸ *Numéros utiles*

Renseignements, composez le 160.

Service France Direct : 00 211 00 33. Si vous passez par le service France Direct, accessible avec la carte France Télécom internationale, vos appels à l'étranger seront débités directement sur votre facture téléphonique. Pour tout renseignement, contactez (avant votre départ) France Télécom, ☎ 0800 202 202.

Unités de mesure

Le Maroc a adopté le système métrique.

Urgences

▸ *Numéros utiles*

Police secours, ☎ 19.

Pompiers, ambulances, ☎ 15.

Accidents de la route, ☎ 177.

SAVOIR-VIVRE

Fidèles à un islam modéré, les Marocains font preuve de tolérance et de respect envers les valeurs d'autrui. Leur histoire, marquée par près de quarante ans de protectorat, s'est forgée dans l'addition des cultures et des différences : la proximité avec l'étranger est une habitude. Si vous avez le contact et le sourire faciles, vous avez toutes les chances de sceller une amitié qui, en règle générale, se traduira par une invitation dans la maison familiale.

Rencontrer des Marocains

Le **taxi**, voilà un excellent moyen pour dialoguer, sur fond de musique traditionnelle ou moderne. Il est d'usage de s'asseoir à côté du chauffeur. Vous pouvez héler un taxi déjà occupé ; il vous prendra s'il reste un peu de place et si votre destination ne s'éloigne pas trop de son chemin.

Le **stop** est une pratique fréquente à la campagne pour les gens du cru, car peu de ruraux possèdent un véhicule. Il n'est donc pas rare de rencontrer ce type d'auto-stoppeurs sur le bord des routes ; si vous les conduisez, ceux-ci seront ravis de parler avec vous, et vous inviteront probablement chez eux, en signe de reconnaissance et d'hospitalité. Dans le cas inverse, si vous faites vous-même du stop, c'est aussi l'occasion de lier des contacts avec les Marocains. Femmes seules, soyez prudentes.

Le **café** est évidemment le lieu d'échanges et de convivialité par excellence, mais, à l'exception de quelques établissements modernes dans les grandes villes, il est réservé aux hommes. Une femme seule risque de surprendre *(voir « Vie quotidienne » p. 102)*.

Si vous avez la chance d'être invité à une **fête** *(diffa)*, vous vivrez un moment inoubliable. Tout le monde veillera à ce que vous soyez choyé et satisfait. On ne cessera de vous questionner, de vous servir et de vous remercier d'être venu *(voir « Cuisine » p. 121)*.

Ce qu'il faut éviter

Dans les grandes villes comme Casablanca ou Tanger, tous les types de **vêtements** sont portés : djellabas, jupes moulantes et costumes se côtoient naturellement. Aussi, habillez-vous comme bon vous semble, sans pour autant choisir des vêtements aguicheurs ou ostentatoires. En revanche, les ruraux ont tendance à se vêtir de façon traditionnelle. Les femmes couvrent entièrement leur corps et parfois une partie de leur visage. Par conséquent, si vous êtes à la campagne, montrez-vous discret. Préférez les pantalons ou bermudas aux shorts courts, les pulls ou tee-shirts aux débardeurs et bustiers. À la plage, oubliez le monokini et le nudisme.

La majorité des Marocains est loin d'être fortunée : évitez de vous promener avec des **bijoux** en or ou pierres précieuses.

Si vous souhaitez prendre des habitants en **photo**, demandez leur autorisation ; ils n'apprécient pas d'être pris au dépourvu. Pensez à noter leur adresse pour leur envoyer leur portrait, cela leur fera infiniment plaisir.

Durant le **ramadan**, les croyants sont fatigués et affamés, surtout en fin de journée. Abstenez-vous donc de manger, de boire ou de fumer en public avant la rupture du jeûne.

Évitez de proposer de l'**alcool** à quelqu'un que vous ne connaissez pas ; vous êtes en pays musulman.

Le **thé à la menthe** est offert en signe d'hospitalité. Il est malvenu de le refuser, même si on vous en propose à plusieurs reprises *(voir « Cuisine » p. 124)*.

Au Maroc, l'accès aux **lieux saints** est interdit aux non-musulmans ; respectez donc cette règle. Cette loi a été promulguée lors du protectorat français par le résident général Lyautey, qui souhaitait le respect du peuple colonisé. Seule la grande mosquée Hassan II de Casablanca ouvre ses portes aux touristes à des heures précises *(entrée payante)*, à l'exception des salles de prière qui ne sont jamais accessibles.

Les couples marocains se contentent de marcher main dans la main ou bras dessus, bras dessous. Aussi évitez les **effusions de tendresse**, autrement dit les baisers et gestes « osés ». Petite remarque : vous verrez souvent deux hommes ou deux femmes se tenir par la main ou un doigt. Cela n'est pas un signe d'homosexualité, mais de fraternité inhérente à la communauté musulmane.

Ce qu'il faut faire

Donnez quelques dirhams de **pourboire** aux chauffeurs de taxi, aux pompistes, aux femmes de ménage… Au restaurant et au café, il est d'usage de laisser entre 2 et 10 DH. Quant aux « gardiens de voitures », donnez-leur entre 2 et 5 DH.

À table, chez l'habitant, il est de règle de respecter certaines coutumes *(voir « Cuisine » p. 121)*.

A. Leprince / Michelin

☐ a. *Maison d'hôte de charme*

☐ b. *Chambre à 45 € maximum la nuit*

☐ c. *À ne pas manquer : le petit "plus"*

Vous ne savez pas quelle case cocher ?
Alors ouvrez vite Le Guide Coups de Cœur Michelin !

De l'ancienne ferme de caractère au petit château niché dans son parc en passant par la maison de maître au coeur d'un vignoble, la sélection Michelin, classée par région, recense autant d'adresses à l'accueil chaleureux qui charmeront même les petits budgets.

Guide Coups de Cœur Michelin, le plaisir du voyage

Une meilleure façon d'avancer

Apprenez quelques **mots en arabe**, notamment des salutations courantes. Cela fera toujours plaisir même si les Marocains sont francophones.

Attention à certaines conversations : si l'esprit marocain est tolérant et ouvert, quelques **sujets** demeurent **sensibles** ou tabous. Nul ne critique ouvertement la monarchie, l'intégrité territoriale (Sahara occidental) ou l'islam, qui sont les principaux symboles de la cohésion nationale. Il serait de mauvais goût d'aborder un de ces sujets, car vous risqueriez de provoquer un grand malaise.

SE LOGER

Où séjourner dans le pays

L'infrastructure hôtelière est inégalement répartie. Elle se concentre dans les grandes villes, notamment à Marrakech. Les régions rurales ne disposent que de quelques établissements, en général des petits hôtels et des auberges. De même, le gouvernement ayant manifestement opté pour un tourisme de luxe, les hôtels se répartissent principalement en deux catégories : ceux de très haut standing (quatre ou cinq étoiles et palaces) et ceux non classés. Les hôtels moyens d'une ou deux étoiles sont peu nombreux.

Attention : il est interdit pour un(e) Maghrébin(e) de partager une chambre d'hôtel avec une femme (un homme) autre que son épouse (époux).

▶ *Les prix*

Les gammes de prix indiquées dans ce guide sont calculées sur la base d'une chambre double en haute saison, petit-déjeuner inclus. *Voir le paragraphe « Budget quotidien moyen » p. 14.*

Les différents types d'hébergement

▶ *Petits hôtels*

Vous trouverez des établissements simples, sans prétention et où la propreté est le mot d'ordre. Quelques hôtels des médinas (Marrakech, Meknès) raviront les voyageurs en quête d'authenticité et de charme.

Mais ce n'est pas toujours le cas : dans d'autres petits hôtels, la propreté laisse à désirer, le mobilier et la literie sont les vestiges d'un lointain passé et les draps parfois douteux. Si vous voyagez avec un petit budget, emportez donc, selon la période, un « sac à viande » ou un duvet. Il pourra aussi vous être utile si vous dormez sur la terrasse d'un hôtel (ce qui se pratique souvent en haute saison), dans le salon marocain ou sous la tente berbère installée à proximité.

▶ *Camping*

Les terrains de camping sont de qualité très inégale. Les sanitaires sont souvent délabrés, et le site n'est pas toujours gardé. Vous trouverez néanmoins des terrains bien aménagés, avec douches, épicerie, restaurant et parfois même une piscine. Nous en mentionnons quelques-uns dans les parties pratiques de ce guide. Par prudence, évitez le camping sauvage.

Pour tout renseignement, contactez la Délégation nationale du ministère du Tourisme marocain à Paris, ou les offices de tourisme au Maroc.

▶ *Clubs de vacances*

De nombreux clubs de vacances et hôtels-clubs appartenant à des chaînes hôtelières sont implantés au Maroc. Si ceux-ci présentent des avantages certains, comme la propreté, la sécurité et la beauté des sites, ils sont déconseillés à tous ceux qui privilégient l'intimité et l'authenticité.

▶ *Maisons d'hôte et riads*

Intimité et charme du cadre, accueil et service personnalisés, cuisine traditionnelle préparée spécialement pour vous… La formule du logement en maison d'hôte ne manque pas d'atouts. D'innombrables maisons anciennes ont été restaurées et aménagées à cet effet, de façon plus ou moins luxueuse. Ce phénomène a pris une ampleur démesurée dans les villes anciennes comme Marrakech, où les Occidentaux ont acheté ces dernières années la majorité des riads de la médina. Dans la plupart des cas, vous pouvez aussi louer la totalité de la maison avec son personnel. Il se développe également en milieu rural, notamment dans l'Atlas et dans le Sud, où vous pourrez loger dans des kasbahs ou autre type d'habitat local. Nous avons essayé de sélectionner en priorité les maisons d'hôte marocaines, mais force est de constater que la spéculation immobilière, surtout en ville, rend l'acquisition d'une telle demeure inaccessible à la plus grande majorité de la population. Vous aurez plus de chance de partager le quotidien d'une famille marocaine à la campagne.

Le prix des chambres, exagérément élevé dans certains cas, devient très abordable en basse saison (la différence entre haute et basse saison étant de 20 à 30 % en moyenne).

▶ *Résidences touristiques*

La location d'appartements est une solution très économique pour ceux qui voyagent à plusieurs. Elle se pratique surtout dans les villes touristiques, comme Marrakech, Fès ou Essaouira.

▶ *Auberges de jeunesse*

Il faut être adhérent à la **Fédération unie des auberges de jeunesse** (FUAJ). La Maroc compte onze auberges de jeunesse réparties entre les grandes villes : Casablanca, Rabat, Marrakech, Fès, Meknès, Laayoune, Asni, Azrou, Chefchaouèn, Oujda et Tanger. La nuit coûte entre 25 et 50 DH, s'il y a des chambres doubles, comptez entre 50 et 100 DH par personne.

L'hébergement en auberge présente de multiples avantages : très bon rapport qualité-prix, sécurité et propreté. Mais attention, les horaires d'entrée et de sortie sont très stricts ; réfléchissez donc bien avant d'opter pour cette solution.

FUAJ, 27 rue Pajol, 75018 Paris, ☎ 01 44 89 87 27, www.fuaj.org

Fédération royale marocaine des Auberges de Jeunes, parc de la Ligue arabe, BP 15 998, Casa-Principale, 2100 Casablanca, ☎ 022 47 09 52.

▶ *Chez l'habitant*

Si vous avez le contact facile, vous avez de bonnes chances d'être invité chez des Marocains, tant leur sens de l'hospitalité est spontané. C'est le meilleur moyen de découvrir le pays et ses habitants.

SE RESTAURER

Où se restaurer

▶ *Les prix*

Les gammes de prix indiquées dans ce guide sont calculées sur la base d'un repas pour une personne, sans les boissons.

Le service (10 %) est en général inclus. *Voir le chapitre « Cuisine » p. 121.*

▶ *Dans les restaurants*

Le Maroc abonde en gargotes proposant de la cuisine locale à petit prix : tajines, grillades, couscous, abats, soupe marocaine *(harira)*, escargots… L'accueil est, le plus souvent, avenant et souriant ; quant au cadre, il se compose généralement d'un plafond éclairé au néon et de nappes fleuries en plastique. En matière d'authenticité, vous ne trouverez pas mieux !

Les grands restaurants marocains sont très nombreux dans les régions touristiques, notamment à Marrakech. Dans d'autres villes comme Casablanca ou Rabat, vous trouverez aussi des restaurants de cuisine étrangère, française, ou encore italienne, espagnole, asiatique, mexicaine…

Dans les campagnes ou régions reculées, les petits restaurants font aussi office de cafés. Vous y rencontrez surtout des hommes. Les tajines berbères et les grillades au feu de bois, accompagnés d'un délicieux thé à la menthe, constituent l'essentiel de la carte. Il arrive également que vous alliez acheter un morceau de viande chez le boucher du village et qu'on vous la fasse griller dans le café.

▶ *Dans les hôtels*

La plupart des établissements classés proposent des formules en demi-pension ou pension complète. En règle générale, les buffets sont très variés et la cuisine de qualité. Mais on n'est jamais à l'abri de mauvaises surprises… Les grands établissements disposent parfois de plusieurs restaurants : préférez le marocain.

▶ *Alcool*

Bien que l'alcool soit prohibé par l'islam, le Maroc est producteur de vin et de bière. Pour les restaurants, la licence est plus ou moins difficile à obtenir selon les villes. À Marrakech et Casablanca, de nombreux restaurants proposent du vin. Les régions viticoles comme Meknès disposent de bars. En revanche, dans les villes saintes telle Fès, vous vous contenterez le plus souvent d'un verre de thé.

SE DIVERTIR

Fêtes et festivals

De nombreuses fêtes très animées ont pour objet de présenter aux visiteurs la récolte de la région.

Janvier/février

Tafraout - Fête des amandiers en fleur

Agadir - Festival national des Arts culinaires

Mars

Beni-Mellal - Fête du coton

Mai

El-Kelaâ M'Gouna - Fête des roses

Fès - Festival des musiques sacrées

Juin

Sefrou (Fès) - Fête des cerises

Essaouira - Festival des musiques gnaoua

Marrakech - Festival national du folklore (début du mois) : une grande variété de danseurs et de chanteurs se produisent dans l'enceinte du palais el-Badi

Juillet

Immouzèr-des-Idas-Outane (Agadir) - Fête du miel (danses *ahouach*)

Al-Hoceima - Fête de la mer

Août

Immouzèr-du-Kandar (Fès) - Fête des pommes et des poires

Septembre

Chefchaouèn - Festival national de musique andalouse

Marrakech - Festival international du film

Octobre

Er-Rachidia - Fête des dattes

Tissa (Taounate) - Fête du cheval (nombreuses *fantasias*)

Midelt - Fête des pommes

Décembre

Berkane (Oujda) - Fête des clémentines

Rafsaï (nord de Fès) - Fête des olives

Moussems

Les *moussems* associent le pèlerinage à la tombe d'un saint à des activités commerciales ou festives. Parmi les 600 à 700 *moussems* que compte le Maroc, voici les plus célèbres :

Juin

Guelmin (Asrir) - Moussem de Guelmim : course de dromadaires

Essaouira - Moussem de Sidi Magdoul : en hommage au saint de la ville

Juillet

Tan-Tan - Moussem de Tan-Tan : rituel sacrificiel d'une chamelle, danse de la *guedra*

Août

Fès - Moussem de Moulay Driss Zarhoun : en hommage au saint de la ville

Tiznit - Moussem de Sidi Ahmed ou Moussa : procession religieuse (à partir du 3e jeudi du mois)

El-Jadida - Moussem de Moulay Abdellah Amghar : réputé pour ses *fantasias*

Septembre

Fès - Moussem de Moulay Idriss II el-Azhar : en hommage au fondateur de la ville

Er-Rachidia - Moussem des Fiancées d'Imilchil : un des plus beaux !

(voir chapitre « Fantasia et moussem » p. 114)

Activités sportives

▶ *Randonnées en montagne*

Vous pouvez gravir à pied tous les sommets du Haut Atlas et de l'Anti-Atlas, ou vous promener à dos de mulet dans les hautes-vallées et les sentiers muletiers s'ils ne sont pas enneigés. Les itinéraires de randonnées sont innombrables, notamment dans le massif du Toubkal. Le Club alpin français y a installé cinq refuges.

Par prudence, ne partez pas hors des sentiers battus sans un guide de montagne. Les accidents qui surviennent chaque année sont en majorité le fait d'alpinistes solitaires.

Vous pouvez vous adresser à l'Association nationale des guides et accompagnateurs du Maroc *(voir ci-dessous)*, ou demander conseil auprès de votre hôtel ou maison d'hôte. De nombreux établissements font travailler une petite équipe de guides locaux qu'ils connaissent bien pour éviter les mauvaises surprises à leurs clients.

Club alpin français (CAF), 50 bd Moulay Abderrahman (ex-bd Grande Ceinture), quartier Beauséjour, Casablanca, ☎ 022 27 00 90/072 81 64 66.

Syndicat d'initiative/Fédération Ski-Montagne, 98 bd Mohammed V, Casablanca, ☎ 022 22 15 24.

Ministère du Tourisme/Centre d'informations sur la montagne (CIM), 1 rue d'Oujda, Rabat, ☏ 037 70 12 80, Fax 037 76 44 08. Liste des accompagnateurs de montagne et des gîtes d'étape.

Association nationale des guides et accompagnateurs du Maroc (ANGAM), BP 47, Asni, ☏ 044 44 49 79, Fax 044 43 36 09.

▸ *Randonnées chamelières*

Une balade à dos de dromadaire dans les dunes de sable est une expérience unique. Si vous disposez d'un peu de temps, laissez-vous porter par la magie du désert : partez quelques jours en randonnée, avec nuit en bivouac. Lisez dans le guide le texte consacré à l'erg Chebbi *(voir chapitre « La vallée du Ziz et le Tafilalt »)*.

L'association Croq'Nature organise des randonnées chamelières *(voir p. 24)*.

▸ *Tennis*

Vous pourrez jouer dans des clubs de tennis et dans la plupart des grands hôtels. Pour tout renseignement, contactez la **Fédération royale marocaine de tennis**, place de la Ligue arabe, Casablanca, ☏ 022 98 12 66.

▸ *Golf*

Le nombre élevé de terrains de golf au Maroc serait dû à la passion pour ce sport du roi Hassan II ! Rabat compte deux terrains de 18 trous et un de 9. On trouve des parcours de 18 trous à Mohammedia, Marrakech, El-Jadida et Tanger, de 9 trous à Casablanca, Agadir, Meknès, Ouarzazate et Cabo Negro.

Fédération royale marocaine de golf, Rabat, ☏ 037 75 56 36/75 59 60, Fax 037 75 10 26.

▸ *Pêche*

Longue de 3 500 km, la côte marocaine est très poissonneuse. Les endroits les plus propices à la **pêche en mer** se trouvent à Agadir, au nord (Nador, Al Hoceima, Cabo Negro) et sur la côte saharienne (Dakhla, Lâayoune). Vous n'avez besoin d'aucune autorisation. Des informations vous seront délivrées auprès de l'**Office national des pêches**, 13 rue du Lieutenant Mahroud, BP 21, Casablanca, ☏ 022 24 05 51/59 64.

La **pêche en eau douce** est pratiquée dans le Moyen Atlas, notamment à Ifrane et dans la réserve de Bin el-Ouidane, à proximité de Beni-Mellal. Les brochets qui peuplent les lacs naturels sont parmi les plus gros du monde, ils pèsent jusqu'à 20 kg ! Les rivières du Haut Atlas regorgent de truites. Contrairement à la pêche en mer, un permis est exigé ; il est délivré par la Direction des eaux et forêts et de la Conservation des sols, ☏ 056 68 34 50.

▸ *Équitation*

Une randonnée équestre à travers les forêts de cèdres ou de chênes verts du Moyen Atlas ou les hauts plateaux du Haut Atlas est un moment inoubliable. Pour les bons cavaliers, l'UCPA organise des randonnées dans le Haut Atlas.

UCPA, 62 rue Glacière, 75013 Paris. Renseignements et réservations, ☏ 0825 820 830, www.ucpa.com

Vous trouverez des clubs équestres dans la majorité des grandes villes : Casablanca, Rabat, Marrakech, Ouarzazate, Agadir…

Club équestre Oued Ykem, route côtière Skhirat (près de Rabat), ☏ 037 74 91 97.

▸ *Ski*

La station de l'**Oukaïmeden**, située dans le Haut Atlas (2 650 m), est enneigée de décembre à avril. Elle dispose d'un télésiège et de six remonte-pentes.

Celle de **Mishliffen**, dans le Moyen Atlas, à 18 km d'Ifrane, est moins équipée que la première (3 remontées mécaniques) ; elle est entourée d'une magnifique forêt de cèdres.

P. Gajic / Michelin

- ☐ a. ✂ *Restaurant de bon confort*
- ☐ b. ❀ *Une très bonne table dans sa catégorie*
- ☐ c. 🙂 *Repas soignés à prix modérés*

Vous ne savez pas quelle case cocher ?
Alors plongez-vous dans Le Guide Michelin !

Du nouveau bistrot à la table gastronomique, du Bib Gourmand au ❀❀❀ (3 étoiles), ce sont au total plus de 45 000 hôtels et restaurants à travers l'Europe que les inspecteurs Michelin vous recommandent et vous décrivent dans ces guides. Plus de 300 cartes et 1600 plans de villes vous permettront de les trouver facilement.

Le Guide Michelin Hôtels et Restaurants, le plaisir du voyage

▶ Chasse

La chasse est ouverte le dimanche et les jours fériés d'octobre à janvier ou février, voire juin pour certains gibiers (tourterelle). Les réserves les plus giboyeuses se trouvent à Arbaoua (35 000 ha, au nord de Rabat), Essaouira, Agadir et dans le Rif. On y trouve de nombreux sangliers. Les licences sont délivrées par l'Administration des eaux et forêts ; la demande doit être faite au minimum deux mois à l'avance. Vous pouvez utiliser votre propre fusil. Attention : les armes à canon rayé sont strictement interdites.

Fédération marocaine de chasse, à l'angle de l'av. Mohammed V et de la rue Alkhalif, Rabat, ☎ 037 70 78 35, Fax 037 20 18 59.

Sochatour (société de chasse affiliée à l'Administration des eaux et forêt), 71 av. de l'Armée royale, Casablanca, ☎ 022 31 47 19, Fax 022 31 46 99.

▶ Yachting et voile

La baie de Tanger fait le bonheur des régatiers. Elle est suffisamment large pour que tous les bateaux puissent sortir en même temps.

Sur la côte atlantique, vous trouverez des clubs de yacht à Casablanca, El-Jadida, Mohammedia, Essaouira et Rabat. Le plus célèbre est celui de Mohammedia, équipé d'un garage pour les bateaux de plaisance et d'appareils de mise à l'eau. Par ailleurs, la ville organise chaque année, de mai à octobre, des régates exceptionnelles.

En hiver, vous pouvez faire de la voile sur les lacs naturels ou artificiels de Sidi Ali, d'Aziza, du Bou Regreg, de Bin el-Ouidane...

Yacht-Club du Maroc, Port de pêche, Mohammedia, ☎ 023 32 23 31.

Fédération royale marocaine de yachting à voile, BP 332, immeuble des Fédérations, av. Ibn Yassine, Bellevue, Agdal, Rabat ☎ 037 67 09 56/02 41.

▶ Surf

Toute l'année, les fanatiques du surf se retrouvent sur les plages de la côte atlantique. Les plages les plus réputées pour leurs vagues sont celles d'Essaouira, d'Oualidia, la plage des Nations de Rabat, Bouznika et Dar-Bouazza près de Casablanca, et Sidi Bouzid à El-Jadida.

Autres activités

▶ Le Maroc vu du ciel

Pour une promenade en montgolfière à Marrakech ou dans le Grand Sud, contactez **Ciel d'Afrique**, 29 bis rue Ibn el-Benna, Marrakech, ☎ 044 43 28 43, Fax 044 43 28 47.

▶ Hammams

Rien de tel qu'une séance au hammam pour se détendre et se purifier. Au Maroc, les hammams sont nombreux ; ils sont habituellement réservés aux femmes pendant la journée et aux hommes le soir. Faites donc cette expérience, cela fait partie de la découverte du pays, et vous ressortirez avec des ailes. Préférez un hammam local et authentique plutôt que celui d'un grand hôtel, mais renseignez-vous tout de même auparavant sur la propreté, qui n'est pas toujours au rendez-vous. Apportez une serviette, le fameux gant *el-kiss*, brodé de fils très serrés, qui sert au gommage ; prenez aussi un tissu ou une autre serviette pour vous asseoir à même le sol dans la salle chaude. Vous pourrez vous procurer du savon (noir) à l'entrée du hammam *(voir la rubrique « Au hammam » p. 102).*

Vie nocturne

▶ *Musique et danse*

De nombreux restaurants marocains agrémentent leurs repas d'un orchestre de musique traditionnelle et de spectacles, dont l'envoûtante danse du ventre. La qualité des prestations est variable. Méfiez-vous des établissements trop touristiques, où le folklore manque d'authenticité. Pour assister à des spectacles de qualité, préférez les fêtes locales ou les festivals *(voir ci-dessus)*.

▶ *Discothèques*

Parfois guindées, souvent « branchées », éventuellement « malfamées », les discothèques vous font découvrir une autre facette de la vie locale. Elles se trouvent souvent dans les hôtels des grandes villes. L'entrée coûte en moyenne 100 DH. On y sert bien sûr de l'alcool.

ACHATS

Artisanat

Le choix est assez vaste et vous passerez certainement des heures à explorer les souks. L'artisanat est l'une des richesses du Maroc ; il perpétue un savoir-faire ancestral. À Marrakech, le quartier des artisans occupe les trois-quarts de la vieille ville. Hormis les tapis, de renommée internationale, vous trouverez toutes sortes d'objets qui agrémenteront subtilement votre intérieur.

(Voir également le chapitre « Artisanat » p. 106).

▶ *Tapis*

Vous avez le choix entre des tapis citadins (Rabat, Salé et Casablanca), épais et très colorés, et des tapis berbères (Moyen Atlas, Haut Atlas) de taille variable, ornés de motifs géométriques. Ne vous lancez pas tête baissée dans la première boutique ; prenez le temps de faire un tour et de comparer les prix. Les marchands de tapis sont très habiles ; ils déploient un jargon commercial auquel les non-initiés résistent difficilement.

Au Maroc, les prix sont libres ; il est difficile d'indiquer des tarifs tellement les fourchettes sont larges. Les prix dépendent de l'ancienneté, de la texture, du nombre de points au mètre carré, du format du tapis... de la région et de l'honnêteté du vendeur ! Mais, en moyenne, il faut compter 1 000 DH le m^2 pour les tapis citadins et 500 DH le m^2 pour les tapis berbères.

L'un des meilleurs endroits du Maroc pour acheter vos tapis est sans doute le souk Zrabi de Marrakech. C'est là que les Berbères viennent vendre leurs créations, tandis que nombre de commerçants de tout le pays s'y approvisionnent.

L'importation en France des tapis de laine à points noués est exonérée des droits de douane à condition que ceux-ci soient estampillés et accompagnés du certificat d'origine (certificat de circulation EUR 1). Toutefois, à votre entrée en France, vous devrez payer 20,6 % de TVA et une taxe parafiscale de 0,08 % sur la valeur facture majorée des frais de transport et d'assurance. Pensez donc à conserver votre facture. En cas d'expédition par le commerçant, il ajoutera ces frais à votre note.

▶ *Bijoux*

Les femmes résisteront difficilement aux magnifiques bijoux en argent des régions rurales. Pour les bijoux citadins, en or ou en argent recouvert d'or, et parfois ornés de pierreries, il faut payer un peu plus cher.

▸ *Cuirs*

Le cuir marocain est beau et coûte relativement peu cher. Les objets les plus répandus sont les babouches, les sacoches, les poufs ou les articles de maroquinerie : sacs à main, porte-monnaie, portefeuilles, fabriqués pour la plupart à Fès et à Marrakech. Quant aux vêtements et aux chaussures, leur rapport qualité-prix peut s'avérer très intéressant.

De toutes les couleurs et de toutes les formes, les babouches s'affichent aussi à tous les prix. Comptez entre 60 et 190 DH la paire, en fonction de la taille, et surtout de la qualité. Avant d'acheter, vérifiez l'odeur (un cuir de bonne qualité ne sent pas mauvais), les semelles (tout cuir, et non deux couches de cuir renforcées par une couche de carton), les coutures (petits points cousus à la main, et non à la machine, qui fait une couture grossière) et la teinture (sur les deux faces du cuir, et non superficielle et peu durable).

Outre les babouches traditionnelles en cuir – les babouches arabes, à bout pointu, et les babouches berbères *(spécialité de Tafraoute, voir p. 478)*, arrondies, une languette remontant derrière le talon -, les artisans confectionnent des modèles plus fantaisistes qui feront pâlir de jalousie vos ami(e)s à votre retour. Babouches de forme arabe, berbère ou Aladin (à pointe recourbée), en rafia, recouvertes de tissu, de tapis, de poils de chèvre ou de dromadaire, ou encore, brodées de perles : il y en a vraiment pour tous les goûts ! Si vous choisissez des babouches berbères, sachez que les jaunes sont en principe réservées aux hommes, et les rouges aux femmes.

Pour 80 DH, vous devez obtenir une paire de babouches de qualité honnête. Pour environ 150 DH, vous vous ferez faire sur mesure une paire de babouches de premier choix.

▸ *Céramiques et poteries*

Les formes et décors varient en fonction des régions. Les céramiques vernissées de Fès sont ornées de motifs bleus sur fond blanc, celles de Safi sont polychromes. La poterie d'origine berbère, en terre blanche ou rouge, est destinée essentiellement à l'usage domestique : plats, bols, jarres, cruches…

Prenez le temps de comparer les prix avant d'acheter car ils peuvent varier du simple au double. Pour les poteries anciennes, vérifiez qu'elles comportent un label d'origine.

▸ *Dinanderie*

Parmi les nombreux produits fabriqués en cuivre rouge ou jaune, vous trouverez des lanternes, des plateaux, des brûle-parfums, des chandeliers, des boîtes à thé et à sucre… Faites attention aux objets en maillechort, que l'on prend facilement pour de l'argent alors que c'est un alliage de cuivre, de zinc et de nickel.

▸ *Sparteries*

La fabrication d'objets en fibres végétales est une spécialité du Moyen Atlas et du Haut Atlas. Aussi utiles que décoratifs, les paniers et les plateaux ne coûtent pas bien cher. Les paniers sont déclinés dans toutes les tailles et toutes les formes ; les grands paniers ronds peuvent faire de jolis cache-pots.

▸ *Broderies*

Pour égayer votre quotidien, offrez-vous du linge de maison brodé : nappes, serviettes, draps…

▸ *Poignards*

Les collectionneurs d'armes trouveront leur bonheur parmi les magnifiques poignards, originaires du Souss, du Haut Atlas ou du Nord. Si vous n'êtes pas connaisseur en la matière, mieux vaut acheter chez un antiquaire. Attention, ne mettez pas un poignard dans votre bagage à main si vous prenez l'avion : vous seriez obligé de le laisser à l'aéroport.

▶ *Objets en bois*

Rien ne vous empêche de ramener un meuble en bois, à condition d'en assurer le transport ! Vous trouverez de superbes coffres, tables, banquettes et chaises, parfois sculptés ou incrustés d'os, d'ivoire ou de nacre. Une idée de cadeau à rapporter : des boîtes, plumiers, coffrets, cadres… en bois de thuya, spécialité d'Essaouira.

Autres achats

▶ *Produits de beauté*

Les secrets de beauté des Marocaines ? Le *ghassoul* (argile savonneuse) fortifie les cheveux ; le henné, poudre jaune ou rouge ou verte obtenue à partir de l'écorce ou des feuilles d'une plante, leur donne un reflet auburn ; le khôl souligne le regard ; l'argile blanche et l'eau de rose purifient la peau ; le *swak* (écorce de noyer) blanchit les dents et rosit les gencives, le musc et l'ambre parfument discrètement. C'est simple et ça marche ! Les femmes marocaines utilisent aussi le henné pour se colorer le teint, les paumes des mains et la plante des pieds.

▶ *Épices*

Avec de la cannelle, du gingembre, du safran, du cumin, du paprika et du *ras el-hanout*, votre cuisine aura une toute autre saveur !

▶ *Pâtisseries*

Voir également le chapitre « Cuisine » p. 122.

Hormis les célèbres cornes de gazelle, vous trouvez de nombreuses autres pâtisseries tout aussi exquises.

▶ *Vêtements traditionnels*

Quoi de plus agréable que de porter chez soi une gandoura (robe longue en tissu soyeux, sans manches) ! La djellaba et le caftan, plus chers, peuvent faire office de tenue de soirée. Vous pouvez les acheter dans une boutique ou vous les faire confectionner sur mesure.

Où faire ses achats

Les prix et la qualité des objets étant variables, des coopératives d'État se sont implantées dans toutes les grandes villes. Les prix sont étudiés et fixes. Allez-y pour vous faire une idée avant d'effectuer vos achats dans les souks.

Marchandage

Ce n'est pas parce que l'on se trouve dans un pays arabe qu'il faut systématiquement tout marchander. Si le marchandage est fortement recommandé dans les souks, et même nécessaire, il peut être malvenu dans les boutiques affichant des prix fixes. Attention également à ne pas sous-évaluer le travail des Marocains par un marchandage à outrance ; renseignez-vous auparavant sur la valeur des choses. En basse saison, il est généralement possible de discuter le prix des chambres.

Expédier ses achats

Les colis inférieurs à 20 kg et dont les côtés mesurent moins de 1,5 m peuvent être expédiés par la poste. Les expéditions par voie terrestre coûtent beaucoup moins cher que par voie aérienne mais sont très lentes. Par exemple, l'envoi d'un colis de 10 kg vers la France vous coûtera 100 DH environ, contre 300 DH par avion. Vous trouverez dans la majorité des postes un service rapide qui assure un délai inférieur à 24h. Comptez environ 150 DH pour un colis de moins de 500 g.

ACHATS

LIRE, VOIR, ÉCOUTER

Littérature

BEN JELLOUN Tahar, **Jour de silence à Tanger**, Folio Pocket. **La Nuit sacrée**, Seuil, 1987. **L'Enfant de sable**, Seuil, 1985.

BOWLES Paul, **Réveillon à Tanger**, Livre de Poche, 1997. **Un thé au Sahara**, L'Imaginaire, Gallimard, 1997.

CHOUKRI Mohamed, **Le Pain nu**, Points Seuil, 1980.

CHRAÏBI Driss, **Le Passé simple**, Gallimard, 1986. **Vu, lu, entendu**, Gallimard, 2001. Existe aussi en poche.

GUERRESCHI Jean, **Je n'en reviens pas**, Opales Pleine page (Pessac), 2002.

LAÂBI Abdellatif, **Le Fond de la jarre**, Gallimard, 2002.

LOTI Pierre, **Au Maroc**, Christian Pirot éd., 2002. Récit de son voyage à Fès en 1890.

RONDEAU Daniel, **Tanger**, Nil Éditions, 1997. Récit de voyage dans différentes grandes villes marocaines.

SERHANE Abdelhak, **Les Temps noirs**, Seuil, 2002.

SILVAIN Pierre, **Le Jardin des retours**, Verdier (Aude), 2002.

VAN CAUWELAERT Dider, **Un aller simple**, Livre de Poche, 1995. Prix Goncourt 1994.

Maroc, les villes impériales, Omnibus, 2002. Recueil de romans, de contes et de récits dont **Au Maroc** de Pierre LOTI ; **Fès ou les bourgeois de l'islam** et **Marrakech ou les seigneurs de l'Atlas** de J. et J. THARAUD.

Poésies berbères de l'époque héroïque : Maroc central : 1908-1932, dir. A. ROUX, éd. et trad. M. PEYRON, Édisud, 2002.

Voir également la rubrique « La littérature » p. 116.

Art, beaux livres

ARTHUS-BERTRAND Anne et Yann, **Le Maroc vu d'en haut**, Éditions de La Martinière, 1993.

BOUVET Sabine, SAHAROFF Philippe, **L'Art de vivre au Maroc**, Flammarion, 2002.

CROSS Mary (préface de Paul BOWLES, introduction de Tahar BEN JELLOUN), **Maroc, du Sahara à la mer**, Abbeville, 2000.

DEMNATI Nadia et FIORESE France-Marie, **Terres marocaines**, Édisud, 1997.

KORBENDAU Yves, **Maroc aux multiples visages**, ACR, 1999.

RAUZIER Marie-Pascale (texte), TRÉAL Cécile et RUIZ Jean-Michel (photographies), **Moussems et fêtes traditionnelles au Maroc**, ACR, 1997.

SIJELMASSI Mohamed et KHATIBI Abdelkébir, El-Houssaïn El-Moujahid, **Civilisation marocaine, Arts et cultures**, Éditions Oum, Actes Sud/Sindbad, 1996.

RAUZIER Marie-Pascale (texte), TRÉAL Cécile et RUIZ Jean-Michel (photographies), **Tableaux du Haut Atlas marocain**, Arthaud, 1998.

PICKENS Samuel, RENAUDEAU Michel et RICHER Xavier (photographies), **Le Sud marocain**, ACR, 1993.

Mourad KHIREDDINE, RAMIREZ Francis et ROLOT Christian (texte) ; TRÉAL Cécile et RUIZ Jean-Michel (photographies), **Arts et traditions du Maroc**, ACR, 1998.

Maroc, les trésors du royaume, Éd. Plume, Paris-Musées, AFAA, (exposition au Petit Palais et au musée des Beaux-Arts de la ville de Paris, 15 avril-18 juillet 1999).

Instruments de musiques populaires et de confréries au Maroc, Édisud, 1998.

PICKENS Samuel, PEURIOT Françoise et PLOQUIN Philippe (photographies), **Maroc, les cités impériales**, ACR, 1995.

ZURFLUH Jean-Michel, **Casablanca**, Soden, 1985.

GHACHEM-BENKIRANE Narjess et SAHAROFF Philippe, **Marrakech, demeures et jardins secrets**, ACR, 1990.

AMRAN EL MALEH Edmond, KORBENDAU Yves (photographies) et KERIVEL Charles (aquarelles et gouaches), **Essaouira, cité heureuse**, ACR, 2000.

BARBEY Bruno (photographies) et BEN JELLOUN Tahar, **Fès, immobile, immortelle**, Imprimerie nationale, 1996.

Le Maroc de Matisse (exposition IMA 19 oct. 1999-30 janv. 2000), IMA/Gallimard, 1999.

Delacroix, le voyage au Maroc, Flammarion/IMA, 1999 (expo IMA 27 sept. 1994-15 janv. 1995).

Maroc, mémoire d'avenir, 1912-1926… 1999, musée Albert-Kahn, 1999.

Maroc, régions, pays, territoires, dir. J.-F. TROIN, Maisonneuve et Larose, 2002.

Architecture

MIMÓ Roger et ESTEVA Jordi, **Fortalezas de barro en el sur de Marruecos**, Compañía Literaria, 1996. Remarquable ouvrage sur l'architecture de terre du Sud marocain.

RAGON Michel et TASTEMAIN Henri, **Zevaco**, Éditions Cercle d'Art, 1999. Une rétrospective de l'œuvre de l'un des principaux architectes qui ont reconstruit Agadir.

Artisanat

BARTHÉLÉMY Anne, **Tapis et bijoux de Ouarzazate,** Édisud, 1990.

RAMIREZ Francis, **Tapis et tissages du Maroc : une écriture du silence**, ACR, 1995.

Histoire, société, politique

BUSNOT Dominique, **Histoire du règne de Moulay Ismaïl**, Mercure de France, 2002.

CUBERTAFOND Bernard, **Le Système politique marocain**, L'Harmattan, 1997.

HELL B., **Le Tourbillon des génies : au Maroc avec les Gnawa**, Flammarion, 2002.

ISSA BABANA El-Alaoui, **La Dimension d'un roi : Hassan II**, Fabert, 1999.

LÉVY Armand, **Il était une fois les Juifs marocains**, témoignage et histoire de la vie quotidienne, L'Harmattan, 1995.

LUYAN Bernard, **Histoire du Maroc, des origines à nos jours**, Perrin, 2000.

Hassan II, la mémoire d'un roi, entretiens avec Éric Laurent, Plon, 1993.

SAUZEY François, **Mohammed VI**, L'Archer, 2000.

DAURE-SERFATY Christine, **Lettre du Maroc**, Stock, 2000.

VERMEREN Pierre, **Histoire du Maroc depuis l'indépendance** et **Le Maroc en transition**, La Découverte, 2002.

Cuisine

AMIARD Hervé, MOUTON Laurence, SEGUIN-TSOULI Maria, RAUZIER Marie-Pascale, **Saveurs marocaines**, Éditions du Chêne, 2002.

BENKIRANE Fettouma et VASSEUR Frédéric (photographies), **Cuisine marocaine**, Petits Pratiques Hachette, 1995.

DANAN Simy et DENARDAUD Jacques, **La Nouvelle Cuisine judéo-marocaine**, ACR, poche couleur, 1994.

HELOU Anissa et HOPLEY Jeremy (photographies), **Street café Maroc (73 recettes)**, Gründ, 1999.

ZEGHLOUL Naïma, **Ma cuisine marocaine**, Édisud, 2000.

Langue

L'Arabe marocain de poche, Assimil Évasion, 2000.

Randonnées

J. DRESCH et J. de LEPINAY, **Le Massif du Toubkal**, Éditions Belvisi/Édisud.

Randonnées pédestres dans le massif du M'Goun, Éditions Belvisi/Édisud.

S. SEARIGHT et D. HOURBETTE, **Gravures rupestres du Haut Atlas**, Éditions Belvisi/Édisud.

Revues

Maroc, les signes de l'invisible, AUTREMENT, Série Monde - hors série n° 48, sept. 1990. **Singulier Maroc**, QANTARA n° 33, automne 1999.

Cassettes vidéo (documentaires)

Le Maroc, Des trains pas comme les autres, FNAC, 90mn, 1995.

Maroc, l'aventure, Lonely Planet, 47mn.

Maroc : Fès, civilisation du monde, Alpa/média, 55mn. Promenade dans la médina.

Voir la rubrique « Le cinéma » p. 118.

CD

Maroc : musique classique andalou-maghrébine, Radio France, OCORA, 1984.

NASS EL GHIWANE, **Cléopatre**, 1998 (enregistré à Casablanca en 1973).

Rituel de transe, les Aïssawa de Fès, Institut du monde arabe, 1995-1999.

EL HADJ HOUCINE TOULALI, **Le Malhûn de Meknès**, IMA, 1994-1999. Poésie chantée citadine pratiquée essentiellement dans les corporations artisanales. El Hadj Toulali, mort en 1998, était un des meilleurs interprètes de cet art.

L'Année du Maroc, Sony Music, 1999. Compilation 17 titres d'artistes marocains.

Cartographie

Michelin, Maroc (n° 742), 1/1 000 000.

IGN, Maroc, 1/1 000 000.

LIRE, VOIR, ÉCOUTER

SE DÉBROUILLER EN ARABE

En arabe, le « kh » se prononce « r », comme la jota espagnole.

Pour les termes d'architecture marocaine, voir le lexique p. 89.

Quelques mots familiers en arabe

Baraka	chance
Bezef	beaucoup, élevé
Bled	lieu, village isolé
Chouiya	un peu
Fissa	vite
Flouze	argent
Guitoune	tente
Kawa	café
Kif-kif	pareil
Toubib	médecin

Formules de politesse

Bonjour	Sebah el-kheir *(matin)* / Bsal kheir *(journée)*
Bonsoir	Masâa el-kheir *(peu utilisé)*
Bonne nuit	Sbah ala kheir *(signifie « que tu te lèves en forme »)*
Salut !	Salam alekoum !
Au revoir	Besslâma
Ça va bien ?	Labès ?
Merci	Choukrane
S'il vous plaît	Afak *(courant)* / Allah i khalik *(très poli, signifie « que Dieu te garde)* / Allah yardi aleik *(signifie « que Dieu te protège »). Cette formule implique un rapport hiérarchique (personne âgée à un jeune, patron à son employé, parent à son enfant...)* / Ila jatala khatrek *(signifie « si ça ne te dérange pas »).*

Mots et phrases usuels

Parlez-vous français ?	Tatkellem b'el-farancia ?
Quel est votre nom ?	Smitek ?
Mon nom est...	Smiti...
Monsieur	Sidi
Madame	Lalla
Mademoiselle	Anissa *(très courtois, peu utilisé)*
Oui	N'am / ah
Oui d'accord	Ouakha
Non	Lâ
Je ne comprends pas	Ma fhamtch
Je ne sais pas	Ma araft
Je sais	Araft
Pourquoi ?	A'lach ?
Quelle heure est-il ?	Chhal saa ?

Combien ça coûte ?	Chhal ?
Avez-vous ?	Ouach andek ?
Monnaie	Sarf
C'est trop cher	Ghali bezzaf
Il n'y a pas de problème	Ma kayine mouchkil

La notion de temps

Lundi	Et-tnine	Automne	El-kheurif
Mardi	Et-tlet	**Hiver**	Ech-cheuta
Mercredi	El-arbâa	**Hier**	El-barah
Jeudi	El-khemis	**Aujourd'hui**	Elioum
Vendredi	Ej-jemâa	**Demain**	Ghadda
Samedi	Es-sebt	**Ce matin**	Had sbah
Dimanche	El-had	**Cet après-midi**	Had lâachia
Printemps	Er-reubi'ia	**Ce soir**	Had leila
Été	Es-sif	**Cette nuit**	Had ellil

Où ça ?

À droite	Ala limine	À gauche	Ala chmal
Devant	Qbalt	**Derrière**	Moura
À côté	Qaddam	**Près de**	Qrib
Au-dessous	Taht	**Au-dessus**	Fouq
Ici	Hna		

Combien en voulez-vous ?

Un peu	Chouiya	Un petit	A sghrir
Beaucoup	Bezzaf	**Un grand**	A kbir
La moitié	Al-nass	**La totalité**	Koulchi

À l'hôtel

Je voudrais	Bghite	Petit-déjeuner	El-ftour
Déjeuner	El-ghda	**Dîner**	Ela'acha
Chambre	El-bayt	**Clé**	Sarout

Lit	Frach / Namoussia	**Drap**	Lizar (pl : Lizour)
Couverture	Ghta / Battania	**Serviette**	Fouta
Salle de bains	Hammam	**Savon**	Saboune
Toilettes	Bayt el-maa	**Toit**	Stah

Au restaurant

Froid	Bared	**Chaud**	Skhoune
Bon	Meziane / Ldid	**Mauvais**	Khaïb

Chez l'épicier

Café	Qahoua	**Farine**	Thin
Huile	Zit	**Thé**	Ataye
Lait	Halib	**Menthe**	Nâanâa
Eau	Maa	**Pain**	Khoubz
Allumettes	Ouqid	**Œufs**	El-beide

Les chiffres

Zéro	Sifr	**Six**	Set
Un	Ouahed	**Sept**	Suuba'a
Deux	Jouj	**Huit**	Tmanya
Trois	Tlata	**Neuf**	Tess'a'a
Quatre	Arba'a	**Dix**	Achera
Cinq	Khamsa		

Les lieux principaux

Pays	Bled	**Ville**	Bled / Medina
Mosquée	Jamâa	**Hôtel**	Otêl
Restaurant	Mat'am	**Mer**	Bhar
Jardin	Arssa	**Forêt**	Ghaba
Barrage	Sedd	**Canal**	Seguia
Falaise	Jorf	**Grotte**	Ghar
Pont	Qantra	**Rocher**	Sakhra

LE MAROC EN DIRECT

Cartes et planches

LE MAROC VU PAR...

ENJEUX DE SOCIÉTÉ

L'heure de la modernisation du Maroc a sonné. Afin d'assurer la croissance du pays, de nombreux secteurs, économiques ou socioculturels, connaissent de profondes mutations. Au-delà de considérations purement matérielles, la transformation du royaume s'effectue grâce à l'évolution des mentalités, sans pour autant tourner le dos aux traditions et à la culture.

Maîtriser la démographie

Le Maroc est passé de 15 millions d'habitants en 1975 à plus de 30 millions en 2004. Peu de pays sont capables de faire face au doublement de leur population en trois décennies. Aussi la maîtrise de la démographie est-elle un enjeu important pour le royaume. Objectif en passe d'être atteint puisque le taux de fécondité est tombé de 6,9 enfants par femme en 1981 à 2,75 par an sur la période 2000-2004.

Il n'en demeure par moins que plus de la moitié de la population marocaine a aujourd'hui moins de 25 ans, ce qui représente 10 millions de personnes attendues sur le marché du travail dans les 15 prochaines années. Perspective inquiétante lorsque l'on sait que le **chômage** touche officiellement 16 % de la population active – le chiffre est bien supérieur en réalité. Compte tenu de la croissance démographique, il aurait fallu une augmentation du PIB de 5 % par an pour que la situation en matière d'emploi ne s'aggrave pas. Or, il a à peine dépassé les 2 %, en moyenne, au cours des dix dernières années.

Soulignons également la pénurie de logements et les problèmes d'insalubrité engendrés par l'accroissement de la population. Afin d'y faire face, il faudrait construire en deux décennies autant de logements que depuis la création du royaume !

Lutter contre la pauvreté

On estime que 20 % de la population vit en dessous du seuil de pauvreté. Si ce taux avait baissé de 21 à 13 % entre 1984 et 1992, il atteignait à nouveau 19 % en 2000, selon la Banque mondiale. Cette augmentation s'explique par la faible croissance économique du pays et par la stagnation des recettes de l'agriculture.

La société marocaine demeure essentiellement **agricole**. Ce secteur, qui emploie 50 % de la population active, occupe une place importante dans l'économie marocaine (17 % du PIB). Cependant, le monde rural reste largement tributaire des conditions climatiques, et plusieurs années de sécheresse peuvent avoir des répercussions désastreuses sur la production. Même si l'année 2003 a été favorable aux agriculteurs, la pauvreté en milieu rural ne cesse d'augmenter.

Des programmes de développement originaux et ambitieux ont donc été mis sur pied dans les campagnes. En cela, l'expérience de dynamisation menée à Tamesloht, près de Marrakech, qui s'appuie sur l'artisanat, le patrimoine et le respect des traditions, est particulièrement intéressante. Elle a permis de juguler l'exode rural vers Marrakech, bassin d'emplois dans les secteurs du commerce, du tourisme, de l'artisanat ou de la construction.

Faire de l'éducation une priorité

La modernisation de la société passe également par l'attribution d'une place plus importante à l'éducation.

En dépit du fort pourcentage de dépenses publiques en faveur de l'enseignement (6 % du PIB), il reste environ 2 millions d'enfants non scolarisés (en majorité des jeunes filles de zones rurales). Le taux de scolarisation dans le primaire ne s'élève qu'à 63 % environ, et seulement 10 % des élèves atteindront la classe de première. Quant au taux d'**analphabétisme**, il approche les 50 % (62 % chez les femmes et 34 % chez les hommes, selon les chiffres de l'Unesco).

La situation des jeunes diplômés est également préoccupante. Les qualifications des étudiants sont si peu adaptées aux demandes du marché du travail que ces derniers restent souvent sans emploi à la sortie de l'université. Les écoles d'ingénieurs, de techniciens supérieurs, de managers et les écoles préparatoires, récemment ouvertes dans les grandes villes marocaines, servent souvent de tremplin vers les universités et les écoles supérieures occidentales. C'est bien souvent dans ces pays que les jeunes Marocains diplômés s'installent pour trouver un emploi et fonder une famille.

Dans les régions isolées, surtout dans le Sud marocain, le taux de scolarisation est particulièrement faible. Les parents préfèrent garder leurs enfants auprès d'eux pour leur confier des travaux domestiques et agricoles. Les principes religieux peuvent également être un frein à la scolarisation des jeunes filles : en effet, la mixité dans les classes dérangent certains parents, qui obligent leur fille à abandonner l'école à la puberté. De plus, la dispersion de l'habitat dans les campagnes contraint les enfants à effectuer des parcours souvent longs et fatigants. Et la nomination d'enseignants dans des zones privées d'adduction d'eau potable, d'électricité, de réseaux routiers praticables en toute saison oblige l'État à réaliser de lourds investissements, programmés à plus ou moins long terme.

Le gouvernement a donc engagé une action visant à généraliser la scolarisation des enfants de 6 à 15 ans d'ici 2010, et à éradiquer l'analphabétisme des jeunes et des adultes d'ici 2015. Cela suppose de mettre en œuvre des campagnes de sensibilisation ainsi que des moyens financiers considérables que l'État marocain ne peut engager seul : l'aide internationale des pays développés s'avère nécessaire. Un partenariat avec les collectivités locales, les promoteurs immobiliers et les ONG est également envisagé. Ainsi, des associations comme Bayti-Meknès ou la Fondation de Marrakech accueillent les enfants des rues dans des écoles de fortune et organisent des cours du soir pour adolescents déjà engagés dans la vie active. De même, dans le milieu rural, l'action des enseignants qui dispensent des cours du soir, non obligatoires mais très souvent suivis par les jeunes filles et leurs mères, est un moyen de lutte efficace contre l'illettrisme.

Améliorer la condition des femmes

Si la baisse du taux de fécondité et l'accroissement du taux de scolarisation donnent des résultats encourageants, la réforme de la **Moudawana** (Code du statut personnel) risque, quant à elle, de nécessiter un peu plus de temps pour véritablement transformer la société marocaine *(voir également p. 104)*. Entré en vigueur depuis février 2004, ce nouveau code de la famille, soutenu par le roi Mohammed VI, représente une véritable révolution sociale puisqu'il instaure un principe d'égalité entre l'homme et la femme. Désormais, la famille est placée sous l'autorité conjointe des deux époux, et l'obéissance de l'épouse envers son mari a officiellement disparu en faveur d'une égalité de droits et de devoirs. La femme n'a plus besoin de l'autorisation de son père ou de son frère pour se marier, et l'âge légal du mariage pour la femme est passé de 15 à 18 ans, comme pour les hommes. En cas de séparation, la garde des enfants est confiée en priorité à la mère. Ceux-ci pourront choisir entre leur père ou leur mère à l'âge de 15 ans. Quant à la polygamie (autorisée par l'islam) et à la répudiation, elles sont à présent soumises à des décisions de justice.

L'application de ces mesures, en particulier dans le milieu rural, sera délicate quand on sait combien la tradition impose certaines pratiques, bien difficiles à changer.

Face à ces multiples défis, les Marocains devront, comme à leur habitude, faire preuve d'optimisme. « *Ma Kayine Mouchkil* (il n'y a pas de problème) », affirment-ils bien souvent. Même quand les sourcils se froncent ou que les yeux s'assombrissent, un éclatant sourire vient effacer les signes des inquiétudes passagères. Et tout finit par *Inch' Allah*, formule par laquelle ils confient à Dieu le soin de régler tous leurs problèmes…

ENJEUX DE SOCIÉTÉ

GÉOGRAPHIE

Avec 711 000 km² (Sahara occidental compris), la superficie du Maroc dépasse d'un tiers celle de la France. Baigné par la Méditerranée au nord, l'océan Atlantique à l'ouest, le pays est tourné d'un côté vers l'Europe et se perd, de l'autre, dans les immensités sahariennes, entre champs de dunes et plateaux rocailleux. Au milieu se dressent les Atlas, hautes barrières montagneuses où domine le Toubkal qui, avec ses 4 167 m, est le point culminant de toute l'Afrique du Nord. La façade maritime est très longue (2 600 km) tandis que le « rivage » *(sahel)* saharien s'étend sur plus d'un millier de kilomètres, de Tan-Tan à Figuig. Autres grands traits de la géographie du pays : l'altitude moyenne élevée, l'orientation SO/NE des principales chaînes de montagnes, un climat chaud et sec sur une partie importante du territoire, et des fleuves courts au débit très irrégulier. N'oubliez pas que les distances sont importantes : 2 200 km séparent Tanger de la frontière mauritanienne et 900 km, à vol d'oiseau, Agadir d'Oujda.

Le Maroc ne cessera de vous étonner par la beauté et l'extraordinaire variété de ses paysages. Relief et conditions climatiques ont en effet donné naissance à des régions naturelles très typées allant des montagnes verdoyantes du Rif aux dunes de Merzouga, des plaines marécageuses du Rharb aux sommets souvent enneigés du Haut Atlas, et des forêts de cèdres du Moyen Atlas aux palmeraies de la vallée du Drâa ou au camaïeu rouge et ocre des terres et roches du Dadès. Sans oublier la flore et la faune, riches de nombreuses espèces quasi inconnues en Europe.

De la Méditerranée au Sahara, voici les zones géographiques que vous rencontrerez en traversant ce pays multiple.

LES MONTAGNES VERDOYANTES DU RIF

Au nord, la façade méditerranéenne du Maroc est délimitée par la chaîne du Rif. Formée de roches tertiaires, elle dessine un grand arc de cercle tourné vers Malaga, allant du **jbel Moussa** (en face de Gibraltar) au **cap des Trois Fourches** (au nord de Melilla). Bien que le plus haut sommet, le **mont Tidiquin**, ne dépasse pas 2 448 m d'altitude, elle forme une barrière difficilement franchissable car le relief est profondément entaillé par des vallées encaissées et les montagnes plongent brutalement dans la Méditerranée. Sur une longueur de 300 km, seules trois routes, étroites et tortueuses, traversent la chaîne du nord au sud.

Le Rif est la région la plus arrosée de tout le Maroc avec des précipitations dépassant 800 mm par an : le paysage est donc verdoyant (sauf près de la côte) et les forêts nombreuses près des sommets, où la pluviométrie atteint 1 500 mm et plus. Cependant, la déforestation a abouti à une couverture végétale dégradée, le *matorral*, où abondent les palmiers nains *(doum)*.

La **population**, très dense, vit dans des villages aux toits de chaume (remplacé de plus en plus par la tôle ondulée) ou de tuile, et pratique des cultures vivrières dans des petits champs accrochés aux pentes. La région de **Ketama** est renommée pour sa production de *kif*.

DE LA PLAINE DU RHARB AUX STEPPES ORIENTALES

Situé au sud-ouest du Rif, dans le triangle Larache-Sidi Kacem-Kénitra, le Rharb (l'« Occident ») est la plaine alluviale de l'**oued Sebou**. Ce fut longtemps une zone marécageuse *(merja)* très pauvre et soumise à des inondations catastrophiques (la plus dévastatrice eut lieu en 1963). Mais d'immenses travaux de drainage et d'irrigation, entamés sous le protectorat, en ont fait la région agricole la plus riche du Maroc : agrumes, betterave et canne à sucre, riz, coton, lin, etc. Au sud, la forêt ancienne de chênes-lièges de la **Maâmora** a été partiellement replantée avec des eucalyptus.

En remontant la vallée de l'oued Sebou, qui conduit à la haute plaine du **Saïs**, s'élèvent les villes de **Meknès** et de **Fès**. Ses terres fertiles sont consacrées

Sur la route de l'Oukaïmeden

aux céréales et, au sud de Meknès, à la **vigne**, tandis que les collines prérifaines, un peu plus au nord, sont couvertes de superbes oliveraies.

Plus à l'est, au pied du **jbel Tazzeka** (1 980 m), la **trouée de Taza** permet de communiquer facilement avec la plaine de la **Moulouya**, l'un des principaux fleuves du Maroc. Long de 520 km, il se jette dans la Méditerranée à proximité de la frontière algérienne.

Au sud de l'oued Moulouya, une immense zone de hauts plateaux, situés entre 1 000 et 1 300 m d'altitude, s'étend jusqu'à l'oasis du Figuig (à l'est) et aux derniers contreforts du Haut Atlas (à l'ouest). Cette région est particulièrement aride (de 200 à 300 mm de pluie par an), car la barrière montagneuse du Moyen Atlas bloque tous les vents pluvieux venus de l'Atlantique. Ces espaces sans fin, parcourus par des éleveurs semi-nomades, sont le domaine de la **steppe à alfa** ou à armoise et des jujubiers.

LE MASSIF DU MOYEN ATLAS

Un grand massif montagneux compact formé de calcaires jurassiques occupe la partie centrale du Maroc. Le Moyen Atlas se compose de deux régions d'aspect très différent. À l'ouest, des plateaux karstiques s'étagent entre 1 100 et 2 000 m et réalisent des paysages de **causses**, parfois recouverts d'épanchements volcaniques ; à l'est, une chaîne plissée, nettement plus élevée, offre un aspect alpestre : plusieurs sommets dépassent 3 000 m d'altitude, et le **jbel Bou Naceur** culmine à 3 340 m.

Le Moyen Atlas, dans sa partie occidentale et septentrionale, reçoit de fortes précipitations et les chutes de neige y sont particulièrement abondantes. Les forêts de chênes-lièges ou de feuillus cèdent la place, à partir de 1 600 m, à des **cèdres** magnifiques dont certains seraient vieux de près de dix siècles. Cependant, le renouvellement de cette forêt se fait difficilement, et l'activité pastorale domine. Toutefois, dans la zone de piémont *(dir)*, de nombreuses sources permettent aux vergers de prospérer.

LA FAÇADE ATLANTIQUE

Du **cap Spartel** au **cap Juby**, c'est-à-dire de Tanger à la limite du Sahara occidental, 1 300 km de côte, assez régulière et balayée par le vent, alternent avec les plages de sable immenses et les falaises calcaires ou gréseuses. Il n'est pas rare qu'un cordon littoral de dunes retienne derrière lui des lagunes (comme celle de Oualidia), une étroite plaine humide *(oulja)* ou des zones marécageuses. Les eaux sont très poissonneuses grâce à la présence de courants froids parallèles à la côte qui, néanmoins, rendent la navigation et la baignade dangereuses, surtout au-delà de Casablanca. Le climat est évidemment humide et les brouillards fréquents.

En arrière du littoral s'étend une plaine côtière formée de terrains quaternaires comportant souvent de vastes zones de dunes anciennes. Elle est traversée par une dizaine de petits fleuves côtiers au débit extrêmement irrégulier (au cours de l'année il peut varier de 1 à 10, voire de 1 à 100 !). L'**Oum er-Rbia**, le plus long fleuve du Maroc avec 555 km, est le seul à avoir un régime à peu près régulier.

Une cinquantaine de kilomètres à l'intérieur des terres commence la **Meseta marocaine** : le plateau central (pays Zaër) où dominent les pâturages et les forêts de chênes-lièges, de chênes verts ou de thuyas, puis le plateau des phosphates, région sèche, triste et pauvre, mais dont le sous-sol recèle la principale richesse du Maroc. Ce dernier est séparé du Moyen Atlas et du Haut Atlas par deux plaines intérieures arides soumises au *chergui*, un vent d'est étésien qui dessèche tout. Les cultures ne sont possibles que par l'irrigation : *seguia* dans le **Tadla** et *rhettara (voir p. 458)* dans le **Haouz**, près de Marrakech dont la palmeraie compte 100 000 arbres.

LE HAUT ATLAS

Le sud du Maroc est borné, sur presque toute sa longueur, par une **très haute barrière montagneuse**. Orientée sud-ouest-nord-est, elle s'allonge sur 700 km depuis l'océan Atlantique jusqu'au plateau oriental ; sur cette distance, quatre routes seulement permettent de traverser le Haut Atlas et trois d'entre elles doivent franchir des cols à plus de 2 000 m d'altitude !

À l'ouest, un plateau calcaire, domaine de l'**arganier** et du thuya, précède la masse cristalline compacte du Haut Atlas occidental où culminent le **jbel Toubkal** (4 167 m) et quelques autres sommets à 4 000 m. Sur le versant nord, les chutes de neige abondantes favorisent les forêts de chênes verts, de pins et de genévriers. La vie se concentre dans les vallées encaissées, ombragées de noyers, où les paysans *chleuh* cultivent minutieusement leurs petits champs en terrasses irrigués grâce à des barrages primitifs en pierre et en branchages, les *ouggoug*.

À l'est du Tizi-n-Tichka et jusqu'au plateau des Lacs (Imilchil), s'étend le Haut Atlas central, dont le sommet, l'**Ighil M'Goun** culmine à 4 071 m. Ici la montagne est **calcaire** et les oueds M'Goun, Dadès et Todra y ont taillé des **gorges époustouflantes**. Le climat est nettement plus sec, et même présaharien sur le versant sud.

Enfin, dans le Haut Atlas oriental les altitudes descendent progressivement en allant vers l'est ; mais l'impressionnant **jbel Ayachi** culmine tout de même à 3 737 m. Outre le majestueux cirque de Jaffar, le paysage le plus beau est certainement celui des gorges du Ziz, où les palmeraies prospèrent entre deux murailles rocheuses.

LA PLAINE DU SOUS ET LES MASSIFS DE L'ANTI-ATLAS

Au pied du Haut Atlas, un long couloir étroit, le **sillon sud-atlasique** fait la séparation avec l'Anti-Atlas ; jusqu'à la hamada du Guir, il n'est interrompu que par le puissant massif volcanique du **jbel Siroua** (3 304 m). L'extrémité occidentale est la plaine alluviale du **Sous**, soumise à un climat très sec ; le sol caillouteux ne porte guère qu'une végétation naturelle clairsemée : la **savane d'arganiers**. Mais l'irrigation alliée à la chaleur peuvent faire des miracles : la région d'Agadir s'est spécialisée dans

les **primeurs**, telles ces fraises qui se trouvent sur les marchés français dès février !

Au sud du Sous commence la chaîne de l'Anti-Atlas, parallèle au Haut Atlas mais sensiblement moins élevée. Ce sont des terrains primaires d'où émergent des massifs de roches éruptives ou métamorphiques (**jbel Lkest** 2 376 m au-dessus de Tafraoute, **adrar-n-Aklim** 2 531 m, à l'est d'Igherm, et **jbel Amalou** 2 712 m, dans le Sarhro). Les formes du relief sont extrêmement variées et donnent un aspect très sauvage à cette région : granits errodés de la cuvette de Tafraoute, arêtes gréseuses du jbel Lkest, crêtes schisteuses, gorges taillées dans le calcaire, etc. Le climat est très chaud et l'éclosion du printemps dans les vallées plantées d'amandiers est une vraie merveille.

LA ZONE PRÉSAHARIENNE

On imagine souvent le Sud marocain présaharien comme une région écrasée de soleil, basse et monotone. S'il est bien vrai que le climat est très chaud (45 °C et plus au mois d'août, 36 °C à minuit !) et que les sommets ne dépassent pas 1 500 m, le relief est généralement escarpé. Il offre une débauche de formes géologiques dont aucune végétation ne vient cacher la magnifique brutalité : étonnants plissements calcaires, interminable barre gréseuse du **jbel Bani**, reliefs appalachiens, *mesetas*, gorges ou cluses *(foum)* profondément entaillées par des torrents asséchés, *reg* (éboulis caillouteux au pied d'une montagne), immenses plateaux *(hamada)* recouverts de pierres roulées par des fleuves disparus puis usées par les vents de sable, *kreb* (escarpement marquant la bordure d'une *hamada*), dunes de sable *(erg)* aux formes mouvantes, *sebkha* (vastes étendues salées dont la surface parfaitement plate brille au soleil), lacs éphémères que l'on pourrait prendre pour des mirages, etc. Et parfois, dans ce monde minéral, surgissent la verdure irréelle d'une oasis et la beauté dépouillée des architectures de terre.

LA FLORE

Bien que d'importantes parties du pays soient en zone aride, le Maroc possède une flore qui ravira les amateurs de botanique, et le printemps donne lieu à une explosion de fleurs sauvages dans les champs. Les jardins, publics (Chellah, Oudaïa, Bouknadel, Majorelle, etc.) ou privés, sont d'une luxuriance qui vous émerveillera à chaque fois.

Palmier et cèdre pourraient se disputer le titre d'arbre emblématique du Maroc. Malgré la diminution du rôle des dattes dans l'alimentation et le commerce local, la silhouette du **palmier** reste familière dans bien des régions ; quant au **cèdre**, dont le bois est apprécié en menuiserie, il couvre encore des étendues considérables dans le Moyen Atlas, mais aussi dans le Rif et le Haut Atlas.

D'autres arbres moins célèbres forment des peuplements importants : le **mimosa** vers Tanger, le **genévrier** sur des zones montagneuses, le **thuya de Barbarie** ou *arar (voir p. 274)* utilisé par les ébénistes d'Essaouira, l'**arganier** endémique dans le Sud-Ouest marocain *(voir p. 280)*, l'**acacia gommier** des régions subdésertiques, à la curieuse silhouette tabulaire, le **jujubier**, le **palmier nain** *(doum)*, le **sycomore** du Tafilalt, ou encore l'étrange *branfer* d'Ouarzazate aux délicates fleurs jaunes au cœur orange vif. Les **figuiers de Barbarie** se rencontrent un peu partout, mais l'**euphorbe** est spécifique de l'Ifni où le mot désigne deux plantes radicalement différentes : un cactus en forme de coussin (bien épineux !) et un arbrisseau feuillu, dont les branches sont disposées avec une singulière symétrie.

LA FAUNE

Outre les chèvres et les moutons, trois animaux font partie du paysage marocain : l'âne, le dromadaire et la cigogne. L'**âne**, « doux, sensuel et tenace », est le compagnon le plus fidèle du paysan. Le **dromadaire**, introduit au Maghreb au début de notre ère, a été pendant des siècles le « vaisseau du désert » ; aujourd'hui, avec son allure dégingan-

dée et sa moue dédaigneuse, il n'est plus guère qu'une curiosité pour touristes ou, pire, un animal de boucherie (dans le Grand Sud). Quant à la **cigogne**, en « villégiature » de décembre à août, elle a adopté comme résidence secondaire les minarets et les tours des kasbahs à l'abandon.

Même si les lions et les éléphants, mentionnés par les auteurs anciens ou représentés sur les gravures rupestres, ont disparu depuis belle lurette, la faune sauvage marocaine, favorisée par l'isolement géographique de nombreuses régions, était restée fort riche jusqu'à une date récente. Mais, depuis quelques décennies, nombre d'espèces sont menacées de disparition par la chasse (gazelles, antilopes, outardes...), le commerce illégal d'animaux (tortues, caméléons, fennecs...) ou, tout simplement, par le développement économique.

La côte atlantique, avec ses nombreux estuaires, ses lagunes et ses vastes zones marécageuses *(merja)*, est un havre pour d'innombrables espèces d'**oiseaux migrateurs ou aquatiques** : avocettes, hérons, cormorans, flamants roses, pélicans, etc. Plusieurs réserves naturelles leur sont consacrées, notamment celles de Merja Zerga (au sud de Larache), de l'île de Mogador (Essaouira) et de Sous Massa (au sud d'Agadir). Deux espèces particulièrement rares y survivent : le **faucon d'Éléonore** et l'**ibis chauve** (que l'on trouve également dans les falaises de Birecik).

Dans le nord du Maroc, le **pique-bœuf** est un hôte permanent des campagnes, tandis que les grandes **outardes** se rassemblent en hiver près d'Asilah.

L'animal le plus spécifique du Moyen Atlas est le **magot** ou **macaque de Barbarie**, seul singe d'Afrique du Nord (les célèbres singes du rocher de Gibraltar appartiennent à la même espèce) : muni de bonnes jumelles et en étant très discret, vous pourrez observer leurs bandes méfiantes dans les clairières des forêts de cèdres, du côté d'Azrou.

Dans le Haut Atlas, il reste sur les pentes du mont Toubkal des **mouflons**, à vrai dire peu nombreux, et peut-être quelques **léopards**. Vous aurez plus souvent l'occasion de voir planer quelques **grands rapaces** comme l'aigle royal, le gypaète barbu ou le circaète. Les **caméléons** vendus dans les souks de Marrakech, ou d'ailleurs, viennent généralement de la région.

Les **écureuils d'arganiers** sont de charmantes petites bêtes au pelage gris, fréquents dans l'Anti-Atlas et le Sous ; chez eux, la curiosité l'emporte sur la méfiance et l'on peut donc les observer de près.

Il est possible parfois d'apercevoir une **panthère** dans la région de Guelmim, et, la nuit, il est courant d'entendre les hurlements des **chacals**. D'une manière générale, le Grand Sud est riche en animaux sauvages qu'il vaut mieux ne pas approcher de trop près : le **scorpion**, qui peut atteindre 15 cm de long, la **vipère Hortense**, le **cobra royal** ou, plus banalement, le **lézard à queue épineuse** (ou **fouette-queue**) dont la course est très amusante, mais qu'il faut bien se garder d'attraper pour ne pas avoir les mains déchirées comme par des lames de rasoir.

Dans le désert, **gerboises** et **fennecs** sont encore nombreux, mais les différentes espèces de **gazelles**, jadis très abondantes, sont en voie de disparition, victimes de riches chasseurs venus du golfe Persique qui les traquent en 4x4, quand ce n'est pas en hélicoptère !

HISTOIRE

Plusieurs constantes évidentes se dégagent dans l'histoire, trop souvent chaotique, du Maroc. Le morcellement géographique et ethnique a permis le maintien de **particularismes locaux** très forts, qui ont été un obstacle aux pénétrations étrangères, mais surtout une entrave à l'unification du pays. **Politique** et **religion** ont toujours été étroitement liées. Les deux premières dynasties berbères étaient directement issues de mouvements religieux radicaux, tandis que les trois dynasties arabes descendaient de la famille du Prophète. De plus, à partir du 15e s., le **maraboutisme** manifeste un rôle politique des confréries religieuses inhabituel en pays islamique. Utile à la formation du sentiment national, il fut, plus tard, une cause d'anarchie et de repli sur soi. Pendant près de huit siècles, on constate la répétition d'un cycle, noté dès le 14e s. par le grand historien Ibn Khaldoun : au cours d'une période d'anarchie, une famille ou une tribu, issue des confins sahariens et dirigée par un chef charismatique, surgit inopinément, fait l'unité du Maroc par les armes en une dizaine d'années et s'empare finalement du trône impérial. Le nouveau sultan inaugure une période brillante ; au mieux, il a un ou deux successeurs à la hauteur, puis la dynastie sombre lamentablement et les forces centrifuges reprennent le dessus jusqu'à l'émergence de la dynastie suivante. Enfin, on peut dire que la France, seule, a réussi à faire l'unité du Maroc et à établir l'autorité incontestée de l'État, pour le plus grand bénéfice des souverains qui ont régné après l'indépendance. Enfin, le repli du Maroc sur lui-même lui a permis de préserver une très **forte identité culturelle**, d'autant mieux conservée que, avec Lyautey, le pays a eu la chance d'avoir un colonisateur respectueux de son passé prestigieux et de son originalité.

LA PRÉHISTOIRE

Les traces les plus anciennes de peuplement humain au Maroc remontent à près de deux millions d'années, et l'**homme de Rabat** *(Homo erectus)* daterait de plusieurs centaines de milliers d'années avant notre ère.

À l'époque où l'Europe subissait sa dernière glaciation, l'Afrique du Nord bénéficiait d'un climat tropical humide avec une végétation de savanes et de forêts peuplées d'éléphants et d'hippopotames ; le Drâa était alors un fleuve puissant qui se jetait dans l'océan. Le réchauffement progressif du climat ayant provoqué la désertification du Sahara (achevée vers 2500 avant notre ère), une faune tropicale « relique » se retrouva piégée entre le désert et la Méditerranée. Elle subsistait encore au début de l'époque historique, si bien que les Romains, et même les premiers Arabes, ont pu voir des lions et des éléphants au Maroc !

L'âge du bronze (3000-800 av. J.-C.) est caractérisé par les nombreuses **gravures rupestres** du Haut Atlas et de la vallée du Drâa, représentant des animaux, des armes ou des chars. Des **inscriptions libyques**, utilisant un alphabet consonantique très proche du *tifinagh* des Touaregs, datent également de cette époque.

L'ANTIQUITÉ

Peuple de navigateurs et de marchands, les Phéniciens ont exploré très tôt les côtes marocaines, à la recherche de nouvelles denrées.

Phéniciens, Carthaginois et Maurétaniens (8e s.-1er s. av. J.-C.)

Dès le 8e s. av. J.-C., les Phéniciens se risquèrent au-delà des **Colonnes d'Hercule** (détroit de Gibraltar), fondant **Lixus** et Sala et, au siècle suivant, ils poussèrent jusqu'à l'**île de Mogador** (face à Essaouira). Grâce à eux, les populations autochtones, restées à l'âge du bronze, eurent leurs premiers contacts avec la civilisation avancée de la Méditerranée orientale qui leur apporta, entre autres choses, l'alphabet.

Au 6e s. av. J.-C., **Carthage** reprit à son compte les activités commerciales de son ancienne métropole. Vers 460 av. J.-C., un amiral carthaginois, **Hannon**, fut envoyé à la tête d'une flotte importante pour explorer les côtes de l'Afrique-Occidentale ; son célèbre périple – qui, à l'époque, paraissait tellement incroyable qu'on douta longtemps de son authenticité – le conduisit jusqu'au golfe de Guinée. À la différence des Phéniciens, les Carthaginois entamèrent une colonisation durable, bien que limitée à la frange côtière : fondation de nouveaux comptoirs, dont certains deviendront de véritables villes, création d'industries de salaison et de céramique, et développement des relations avec le monde méditerranéen. Pour les populations **libyco-berbères** de l'intérieur, l'influence punique fut déterminante : alphabétisation, organisation politique, etc.

Juba II, un prince numide raffiné

Juba Ier, roi de Numidie, avait choisi le mauvais parti dans les guerres civiles romaines : vaincu par César à Thapsus, il s'était suicidé, et son fils fut emmené en captivité à Rome. Après l'assassinat de César, Auguste prit le jeune prince sous sa protection et lui assura une éducation raffinée ; il lui fit épouser Cléopâtre Séléné, fille d'Antoine et de la grande Cléopâtre. En 25 avant notre ère, il fut nommé roi de Maurétanie ; mais la fonction était largement honorifique et ne comportait aucun pouvoir réel en dehors de celui que Rome voulait bien déléguer. Esthète, très cultivé, parlant punique, grec et latin, Juba II utilisa son temps et ses richesses à collectionner les œuvres d'art, en particulier les sculptures, et à parcourir son pays. Il envoya des expéditions explorer l'Atlas et les îles Fortunées (les Canaries). Il écrivit plusieurs ouvrages, aujourd'hui perdus.

Après la chute de Carthage (146 av. J.-C.), les tribus berbères se retrouvèrent brusquement intégrées au monde romain à travers un État dont l'indépendance était factice, le **royaume de Maurétanie**. Pendant un siècle et demi, cet « État client » va fédérer tout le nord du Maroc et l'ouest de l'Algérie, mariant avec bonheur les cultures punique et hellénistique. Il connaît son apogée sous le règne de **Juba II** *(voir encadré)*, qui établit sa capitale à **Cæsarea** (Cherchell) et des résidences royales à **Volubilis** et à Sala. Le royaume prospère grâce à ses exportations : huile d'olive, conserves de poisson, *garum (voir p. 197)*, pourpre et animaux sauvages pour les jeux du cirque.

La colonisation romaine (1er s.-4e s. ap. J.-C.)

La richesse du royaume va exciter la cupidité de Caligula, qui fait assassiner **Ptolémée**, le fils de Juba II, à Lyon en 40. La révolte qui s'ensuivit fut écrasée en quatre ans, et l'empereur Claude

Mosaïques de Volubilis

déclara la **Maurétanie Tingitane** province romaine. Son territoire, très réduit par rapport au Maroc actuel, formait un trapèze, limité par Ad Septem Fratres (Ceuta), Tingis (Tanger), Sala Colonia et Volubilis, et desservi par deux routes principales. Prudemment, les Romains s'en tinrent à une politique d'occupation restreinte ; leur présence, réduite à la haute administration et à l'armée, ne modifia guère la vie et l'aspect des cités maurétaniennes qui restaient dominées par des élites berbères, quoique fortement romanisées et clientes de Rome.

Vers 285, l'empereur Dioclétien décida de se retirer d'une grande partie de la Maurétanie Tingitane, ne conservant que la zone située entre Lixus et Tingis. Cependant, le départ des Romains n'entraîna pas la disparition des villes de l'intérieur ; la latinité y survécut pendant plusieurs siècles, en particulier à travers le christianisme qui s'était répandu à partir du 4e s. De plus, après la chute de l'Empire, les Byzantins conservèrent une certaine autorité sur les villes côtières.

L'ISLAMISATION

La réputation de richesse de l'Afrique du Nord attira les conquérants arabes en **Ifriqiya** (Tunisie).

Une conquête difficile (7e et 8e s.)

Si les armées byzantines furent vaincues sans trop de difficultés, les tribus berbères se révélèrent autrement plus coriaces ! Il fallut une trentaine d'années aux Arabes pour arriver à contrôler militairement le Maghreb, alors que trois ans allaient suffire pour soumettre l'Espagne !

En 670, **Oqba ben Nafi** fonda Kairouan, base militaire de la future conquête ; en 681, une audacieuse chevauchée à travers le Maghreb le conduisit jusqu'aux rivages de l'Atlantique. Bousculées par cette attaque inattendue, les tribus berbères abandonnèrent un butin considérable ; mais, très vite, elles se ressaisirent et Oqba ben Nafi ne rentra pas vivant à Kairouan. La révolte se généralisa à tout le Maghreb, et ce n'est qu'en 710

que Moussa Ibn Noussair obtint la soumission des Berbères ; l'un d'eux, **Tarik**, fut alors nommé gouverneur de Tanger et envoyé à la conquête (711-713) de l'Espagne wisigothique, désignée sous le nom d'**al-Andalus**, le « pays des Vandales ».

L'armée qui s'empara de la péninsule Ibérique était formée principalement de contingents berbères car, dans ce qu'on appelait alors le **Maghreb al-Aksa** (le « Maghreb extrême »), la population d'origine arabe resta toujours fort réduite, se limitant aux gouverneurs et à leur entourage immédiat.

Quant à l'islamisation, malgré la faible implantation du christianisme dans les campagnes, elle fut lente et difficile. Qui plus est, lorsque le mouvement **khâridjite** arriva, on ne sait trop comment, au Maghreb, les Berbères embrassèrent massivement cette « hérésie » issue des tout débuts de l'islam et qui prônait l'égalitarisme social et le rigorisme religieux. Nostalgiques de leur indépendance perdue et s'estimant exploités par leurs dirigeants arabes, les nouveaux convertis se révoltèrent en 740 et résistèrent pendant des décennies à toutes les armées envoyées par Damas.

Le ribat, édifice ou état d'esprit ?

À l'origine, la racine arabe « r-b-t » veut dire « rassembler les montures pour le combat », puis, à partir du 8e s., elle prend la signification « se tenir sur la frontière [face aux ennemis] de l'islam ». Le nom *ribat* désigne alors une tour de guet, une forteresse ou toute autre construction susceptible d'être utilisée pour défendre les frontières, les côtes ou les itinéraires dangereux ; des musulmans fervents y sont souvent envoyés. Au Maghreb, le mot est généralement traduit par « couvent fortifié » ; en fait, hormis les deux beaux ribats tunisiens de Sousse et Monastir, on ne connaît aucun exemple de construction spécifique. Finalement, plus qu'une forme architecturale particulière, le ribat est un état d'esprit, fait de dévotion et d'activisme au service de l'islam.

Le royaume idrisside (8ᵉ et 9ᵉ s.)

C'est au cœur de cette région troublée qu'apparaît la **première dynastie musulmane** du Maroc. En 788, un fugitif arabe, nommé Idriss, arriva à Oualila (l'ancienne Volubilis). Descendant de la famille d'Ali (gendre du Prophète et quatrième calife), il avait fui l'Arabie à la suite du massacre de sa famille par le régime abbasside qui pourchassait les chiites. Auréolé de son prestige de **chérif**, il se lia d'amitié avec un chef berbère et fonda une petite principauté. L'année suivante, **Idriss Iᵉʳ** créa Madinat al-Fas (Fès) et entreprit d'étendre son territoire. Mais le calife abbasside, Haroun er-Rachid, inquiet de ses premiers succès, le fit empoisonner dès 791. **Idriss II** agrandit et organisa le royaume de son père, en s'appuyant sur des Arabes récemment arrivés d'Andalousie et d'Ifriqiya ; en face de Madinat al-Fas, il créa la ville d'al-Aliya : réunis plus tard, ces deux quartiers formeront la ville de **Fès**.

Après la mort d'Idriss II (assassiné en 829, lui aussi sur ordre de Bagdad), la faiblesse chronique du pouvoir central se traduisit par l'apparition de petites principautés hostiles les unes aux autres. Mais cela n'empêcha pas la prospérité économique, comme en témoigne la floraison des centres urbains : Fès, qui s'enrichit d'émigrants andalous, juifs et kérouanais, Sebta (Ceuta), mais aussi plusieurs autres villes, aujourd'hui disparues, qui furent prestigieuses, comme Sijilmassa, Aghmat (près de Marrakech) ou Tamdoult (au sud de l'Anti-Atlas).

Cette période voit également l'islamisation quasi complète du Maroc. Mais, curieusement, les hérésies, comme le **khâridjisme** ou, pire encore, le syncrétisme des Berghouata, ne sont pas combattues ; peut-être parce que les Idrissides sont chiites ? L'enjeu primordial étant de maintenir l'indépendance du Maghreb extrême, l'ennemi principal restait la lointaine Bagdad.

LES DYNASTIES BERBÈRES ET L'UNIFICATION DU MAROC

Pendant deux siècles, le Maghreb al-Aksa va vivre une période de troubles politiques continuels : déjà terriblement morcelée, la région est tiraillée entre les Omeyyades d'Espagne et les **Fatimides** de Tunisie, c'est-à-dire entre sunnites et chiites. À cela s'ajoutent d'importants mouvements de population dus à des migrations massives des tribus Sanhaja et Zenata. Malgré tout, la prospérité économique se maintient grâce à l'exploitation des mines d'argent et de cuivre et, au début, de la culture du coton et de la canne à sucre. Le commerce de l'or, en provenance d'Afrique noire, se fait par les villes situées en bordure du Sahara : Tamdoult et surtout **Sijilmassa** (dans le Tafilalt, près de l'actuelle Rissani), qui est le royaume le plus important et le plus stable.

Le mouvement almoravide (11ᵉ s.)

Mais, en 1053, la riche cité caravanière est prise par des conquérants surgis du désert, les **Almoravides**. Les motivations premières de ces grands nomades sahariens de la tribu des **Sanhaja** étaient sans doute économiques, notamment le désir de s'approprier des terres fertiles, mais elles se trouvaient sublimées par la religion. Un maître spirituel, Abdallah ben Yasin, avait persuadé la minorité agissante de la tribu de se retirer dans un ribat (voir encadré) situé en plein désert, pour y subir une rigoureuse formation religieuse, morale et militaire qui devait les transformer en de redoutables soldats de l'islam. « Almoravides » est une déformation de al-morabitoun qui signifie « les gens du ribat ».

Deux ans après la chute de Sijilmassa, les armées almoravides, désormais sous le commandement d'Abou Bakr, prennent Taroudant, franchissent l'Atlas et s'emparent d'Aghmat. En 1070, Abou Bakr installe un vaste camp militaire dans la plaine du Haouz : c'est l'embryon de Marrakech.

Youssef ben Tachfine, premier grand sultan (1073-1106)

Ayant rapidement évincé Abou Bakr, dont il était le lieutenant, Youssef ben Tachfine partit à la conquête du nord du Maroc, puis du Maghreb central (Algérie actuelle) et finalement d'al-Andalus.

En effet, en Espagne, les reyes de taïfas, qui s'étaient installés sur les décombres du califat omeyyade de Cordoue, se révélèrent bien incapables de résister aux **tentatives de reconquête** des Castillans, et le sultan marocain dut voler à leur secours. Il débarqua à Algésiras, regroupa toutes les armées musulmanes et battit Alphonse VI à **Zallaca** en 1086.

Mais, très vite, les émirs andalous trouvèrent leurs rudes sauveteurs berbères un peu encombrants, et ils préférèrent revenir aux petits arrangements locaux avec les princes chrétiens. Furieux, Youssef ben Tachfine, champion d'un islam pur et dur, se retourna contre eux et les élimina les uns après les autres, si bien qu'à sa mort, en 1106, l'Espagne et le Maghreb ne formaient plus qu'un seul empire, prospère et pacifié, et sunnite.

Bien différent de son père, Ali ben Youssef (1106-1143) manifesta plus de penchant pour la « douceur andalouse » qu'il ne fit preuve de l'énergie nécessaire au maintien d'un grand empire. Durant la première moitié du 12e s., l'influence de l'Andalousie va être considérable : les villes marocaines s'imprègnent de sa culture raffinée et de son art de vivre ; savants, artistes, poètes et juristes affluent à Marrakech et à Fès. Mais le pouvoir politique s'affaiblit, les armées chrétiennes grignotent petit à petit le territoire d'al-Andalus et, au Maghreb même, la révolte gronde.

Ibn Toumert et le mouvement almohade (1er tiers du 12e s.)

Les raffinements de la cour almoravide furent vite taxés de dépravations par ceux qui n'y prenaient pas part. Les prêches enflammés d'**Ibn Toumert** (voir p. 419), redoutable fanatique qui avait juré la perte des Almoravides, trouvèrent donc un auditoire réceptif chez les petites gens des villes et dans les tribus rurales. En 1123, avec l'aide de quelques disciples, il créa à Tinmel, dans une vallée isolée du Haut Atlas, un ribat où il fit régner une discipline de fer. Bientôt, il se proclama **mahdi**, c'est-à-dire envoyé de Dieu sur terre, pour rétablir la justice. Ses partisans reçurent le nom d'Almohades (al-mowahidoun, « les Unitaires »),

en raison de l'insistance de sa doctrine sur l'unicité de Dieu.

Théologien et moraliste, Ibn Toumert était aussi un remarquable organisateur : s'appuyant sur les tribus **masmouda**, implantées dans le Haut Atlas et le Sous, il réussit à coaliser toutes les oppositions aux Almoravides. En 1130, une première tentative contre leur capitale aboutit à un cuisant échec où la moitié des dirigeants almohades périrent. Quelques mois plus tard, le mahdi lui-même mourut ; on décès fut tenu secret pendant deux ans, le temps pour le nouveau commandant, **Abd el-Moumen**, d'asseoir son pouvoir. En 1133, officiellement désigné comme chef du mouvement almohade, il prit le titre de **calife**.

Abd el-Moumen, un conquérant infatigable (1130-1163)

Ambitieux et doué d'un tempérament de chef, Abd el-Moumen se lança dans la conquête méthodique du Maroc. Cela lui prit plus de dix ans. Finalement, au printemps 1147, après un long siège, il s'empara de Marrakech, massacra une bonne partie des habitants et tua le dernier des Almoravides.

Le conquérant ne s'arrêta pas là. En 1150, ses troupes intervinrent en Andalousie, car une nouvelle génération de reyes de taïfas se retrouvait en position difficile face aux chrétiens. En 1151, profitant de la faiblesse de la dynastie hammadide, il se jeta sur le Maghreb central, où la seule résistance sérieuse qu'il rencontra fut celle des nomades d'origine arabe, les **tribus hilaliennes** qui, parties d'Égypte, avaient entrepris une lente migration vers l'ouest, semant l'anarchie sur leur passage.

Quelques années plus tard, Abd el-Moumen conduisit une nouvelle expédition victorieuse jusqu'à Tripoli, en Libye : en 1159, l'Ifriqiya était entièrement conquise et, pour la première fois depuis les Romains, la totalité du Maghreb fut unifiée. En 1161, Adb el-Moumen passa en Espagne pour parachever ses victoires sur les chrétiens. Deux ans plus tard, il mourut à Rabat, au moment de s'embarquer pour une nouvelle campagne.

Après trente ans de guerres incessantes, Abd el-Moumen laissait à ses descendants un empire immense, que son hétérogénéité rendait cependant fragile. Son fils, Youssef (1163-1184), puis ses petits-fils, **Yacoub** (1184-1199), durent faire face à des révoltes au Maghreb central et en Ifriqiya, mais ils contrèrent efficacement les tentatives de reconquête chrétienne en Espagne : à la suite de la victoire d'**Alarcos** (1195), Yacoub prit le titre d'**el-Mansour** (« le Vainqueur »).

La grandeur almohade ne dura guère : la dynastie survécut encore soixante-dix ans, mais ce ne fut qu'une lente décadence. En Espagne, la défaite de **Las Navas de Tolosa** (1212) marqua le début de la Reconquête : en l'espace d'une douzaine d'années, les musulmans perdront successivement Cordoue, Valence, Murcie et Séville ; seul le royaume de Grenade subsistera jusqu'en 1492. Au Maghreb, la situation n'est guère plus brillante : Tunis et Tlemcen prennent leur indépendance.

Les Mérinides (2de moitié du 13e s.-14e s.)

Dans les steppes orientales, entre Taza, Tlemcen et le Figuig, des nomades éleveurs de chameaux et de moutons appartenant à la tribu **zenata** commencent leur lente ascension vers le pouvoir : ce sont les Mérinides. Contrairement à leurs prédécesseurs almoravides et almohades, ni la religion ni la politique n'interviennent dans leurs motivations de départ. Ils profitent simplement de la situation anarchique qui règne dans l'empire almohade en décomposition pour s'emparer de nouvelles terres.

Sous l'impulsion d'un chef énergique, ils occupent tout le nord du Maroc, puis s'assurent le contrôle des routes caravanières du sud en prenant Sijilmassa et les oasis de la vallée du Drâa. Marrakech tombe en 1268, et **Abou Youssef Yacoub** peut se proclamer sultan ; il établit sa nouvelle capitale à **Fès el-Jédid** en 1276.

En Espagne, la Reconquête bat son plein et les Castillans commencent même à avoir quelques visées territoriales sur le Maroc. Les sultans mérinides envoient

alors expédition sur expédition, mais leurs succès sont éphémères et le territoire qu'ils contrôlent au nord du détroit de Gibraltar se réduit comme peau de chagrin ; Ceuta leur échappera même pendant une décennie ! Au Maghreb central et oriental, les succès sont douteux (le deuxième siège de Tlemcen doit être levé au bout de huit ans) ou de courte durée (par deux fois, Tunis est occupée pendant quelques mois).

Si **Abou el-Hassan** (1331-1351) et **Abou Inan** (1348-1358) ne sont pas les conquérants qu'ils avaient rêvé d'être, leur grandeur se situe sur un autre plan. Ces sultans, pieux et intelligents, aiment à s'entourer de savants et de lettrés ; leur règne est une période culturelle féconde. Ils font construire de nombreuses *médersas* où l'on enseigne l'islam malékite, plus tolérant que celui des Almohades ; l'islamisation progresse dans les campagnes, et le mysticisme donne naissance aux premières **confréries**, qui connaîtront un développement considérable au cours des siècles suivants. Parmi les écrivains et intellectuels, deux personnalités seront universellement connues : le voyageur **Ibn Batouta** *(voir p. 94)* et l'historien **Ibn Khaldoun**.

LES DYNASTIES ARABES CHÉRIFIENNES

En 1358, Abou Inan est étranglé par son vizir ; les meurtres vont se succéder jusqu'à la fin de la dynastie : entre sultan et vizir, c'est à qui tuera l'autre en premier ! Dans les zones éloignées de la capitale, de puissantes féodalités se développent et les tribus arabes **guich** (c'est-à-dire à qui l'on a octroyé des terres en échange du service militaire), imprudemment introduites au Maroc par les Almohades, n'obéissent plus à personne. De surcroît, la **peste noire** décime la population et porte un coup sérieux à la vie économique. Le nadir est atteint en 1415, quand les Portugais s'emparent de Ceuta. Une nouvelle dynastie, apparentée aux Mérinides, les **Ouattassides**, essaie de s'installer au pouvoir, mais son autorité réelle ne dépassera guère la région de Fès.

Expansion portugaise et développement du maraboutisme

Les **Portugais** vont profiter de la faiblesse du royaume marocain pour détourner le commerce de l'or (et des esclaves noirs) qui, jusque-là, était assuré par des caravanes remontant à travers le Sahara. Au cours du 15e s., ils établissent une liaison maritime entre Lisbonne et le golfe de Guinée, passant par l'île d'Arguin (au nord de la Mauritanie) et aboutissant près des gisements aurifères, à San Jorge da Mina. On a pu dire que les caravelles l'avaient emporté sur les caravanes !

Au Maroc même, ils essaient d'occuper systématiquement tous les sites portuaires de la côte atlantique (notamment les estuaires) et ils y élèvent des fortifications impressionnantes, moins pour se défendre des Marocains que pour en interdire l'accès aux navires de leurs concurrents espagnols ou italiens ! Entre 1471 et 1515, Asilah, Tanger, Larache, Agadir, Mogador, Safi, Azemmour et Mazagan sont ainsi occupées ; sans parler des **feitorias** (factoreries) et des fortins plus modestes, ni des attaques contre Anfa et Mamora. Les Portugais ne cherchent pas à conquérir des territoires, encore moins à les évangéliser, mais simplement à faire du commerce et, chaque fois que l'occasion se présente, à razzier les villages alentour.

Ces exactions renforcent les sentiments xénophobes des populations. Ils vont trouver une expression dans le **maraboutisme**, mouvement religieux propre au Maghreb et de nature essentiellement populaire et rurale ; il accorde la plus grande importance aux **saints** personnages (alors que le culte des saints est interdit par le sunnisme) et aux **chorfa** (pluriel de *chérif*), descendants, réels ou supposés, du Prophète. Leurs tombeaux *(koubba)* font l'objet d'une grande vénération. On y vient en pèlerinage *(ziyara)* ou pour la fête votive annuelle *(moussem)*. En outre, des confréries (**zaouïa** ou *tariqa*), créées par les disciples des saints (**cheikhs**), s'établissent à proximité immédiate. Elles contribuent à l'éducation des campagnes et, devant l'incurie du pouvoir politique, leurs réseaux seront les plus actifs propagandistes du mouvement de résistance *(djihad)* contre la mainmise portugaise.

Grand mystique et célèbre prédicateur, **el-Jazouli**, prêche sur la côte atlantique avant de périr empoisonné.

Les Saâdiens (16e s.)

Les Saâdiens sont des **Arabes**, qui se prétendent **chorfa**. Fixés dans la vallée du Drâa, certains quittent les environs de Zagora, au milieu du 15e s., pour aller s'installer dans le Sous, où ils se lient avec la confrérie **chadiliya-jazouliya**, très puissante dans le Sud. En 1511, en acceptant de mener le *djihad* contre les Portugais, les Saâdiens font d'une pierre deux coups : en chassant les infidèles, ils vont aussi éliminer leurs concurrents commerciaux, ceux-là mêmes qui avaient ruiné les échanges transsahariens et les caravaniers du Drâa.

La prise d'Agadir par **Mohammed ech-Cheikh** en 1541 *(voir p. 467)* eut un grand retentissement tant au Portugal qu'au Maroc, ce qui lui facilita l'accès au pouvoir : les Ouattasides sont éliminés en 1554, tandis que les Portugais ne conservent bientôt plus que trois places fortes (Ceuta, Tanger et Mazagan).

Cependant, les Saâdiens doivent se garder d'une menace potentielle à l'est : l'Empire ottoman, qui exerce désormais sa suzeraineté sur la Tunisie et l'Algérie. Mais pour le nouveau pouvoir marocain c'est aussi un modèle d'État islamique moderne : des mercenaires turcs seront sollicités pour réorganiser l'armée.

En 1578, la conjonction d'une querelle dynastique chez les Saâdiens et de l'exaltation conquérante du roi Dom Sébastien entraîna un retour en force des Portugais dans le nord du Maroc. Mais ce fut un fiasco complet : au soir de la célèbre **bataille des « Trois Rois »** sur l'oued Makhazin, les forces chrétiennes étaient anéanties et un nouveau sultan, **Ahmed el-Mansour**, inaugurait un règne long et glorieux (1578-1603). Cette bataille lui valut un immense prestige, au Maroc comme en Europe, et le surnom d'ed-Dhehbi (« le Doré ») à cause du butin et des rançons qu'il en retira.

Fort de son autorité, il réussit à rétablir un État organisé *(makhzen)* dans tout le pays, à le rendre prospère (grâce notamment à l'industrie sucrière) et à créer une cour brillante à Marrakech. Pour subvenir aux immenses dépenses occasionnées par sa politique de grands travaux et par l'entretien d'une armée puissante, il s'assura le contrôle du Sahara et se lança dans la **conquête du Soudan** (vers 1590) pour essayer d'obtenir l'or à la source. Au début du 17ᵉ s., Tombouctou et Gao font partie de l'Empire chérifien.

La mort d'Ahmed el-Mansour, en 1603, déclencha une décadence brutale. Durant soixante ans, les régionalismes furent exacerbés et de **violentes guerres civiles** mirent aux prises tous ceux qui détenaient une parcelle de pouvoir : princes ayant l'apanage d'une ville, chefs de tribus locales ou même de quartiers, de zaouïas, etc. Certaines confréries religieuses tirèrent profit de la faiblesse du pouvoir central pour devenir de véritables pouvoirs régionaux, comme la zaouïa de **Dila** dans le Rharb ou celle d'**Illigh** dans le Sous. À Salé, ou plus exactement à Rabat, s'est instaurée une **république de corsaires** *(voir p. 212)*, qui écumaient l'Atlantique entre les Canaries, l'Irlande et Terre-Neuve !

Les Alaouites (17ᵉ s.-18ᵉ s.)

Arabes et **chorfa** comme les Saâdiens, les Alaouites se sont installés dans le Tafilalt au 13ᵉ s. *(voir p. 458)*. Comme bien d'autres avant eux, Moulay Chérif et son fils aîné, Moulay M'hammed, profiteront de l'anarchie générale pour se tailler un **fief local**, au détriment de Dila et d'Illigh.

Moulay Rachid, le fils cadet, lui, a compris qu'il était essentiel de contrôler la route commerciale, appelée **trik es-soltan**, qui monte de Sijilmassa vers Fès et les ports de la Méditerranée. En l'espace de cinq ans (1664-1669), il élimine les deux grandes zaouïas et conquiert tout le Maroc. À sa mort, 1672, il lègue à son jeune demi-frère un État reconstitué.

Moulay Ismaïl, personnage hors du commun *(voir p. 294)*, va régner pendant cinquante-cinq ans (1672-1727). S'il n'a pas à mener de guerres extérieures, il doit cependant consacrer la moitié de son règne à consolider les conquêtes trop rapides de Moulay Rachid et à réprimer des rébellions intérieures. Pour cela, il constitue une armée permanente de près de 150 000 hommes, dont le noyau est une **garde noire** constituée d'esclaves *(abid)* spécialement formés et entièrement dévoués au sultan ; il installe aussi de nouvelles tribus *guich* et quadrille le pays de puissantes kasbahs.

Moulay Ismaïl s'emploie donc à soumettre les tribus berbères des zones montagneuses du Rif et du Moyen Atlas, mais également à affaiblir les zaouïas. Au sud, il contrôle toutes les oasis du Sahara, le Soudan, et la Mauritanie jusqu'au Sénégal. En revanche, son action sur le commerce maritime a finalement des effets contre-productifs, et des impôts très impopulaires sont nécessaires pour arriver à payer cette immense armée ainsi que les palais de la nouvelle capitale, Meknès.

La mort de Moulay Ismaïl aboutit à une grave crise : la garde noire, révoltée, met le pays à feu et à sang, faisant et défaisant les sultans. Ce n'est qu'au bout de vingt-cinq ans que l'un des fils du grand sultan, Moulay Abdallah, réussit à rétablir définitivement la situation !

Son successeur, **Mohammed ben Abdallah**, fut un sultan énergique et éclairé qui sut réorganiser l'État, contenir les tribus montagnardes, réorienter le pays vers sa façade atlantique et nouer des relations diplomatiques et commerciales avec l'Europe. On lui doit la renaissance d'Anfa (la future Casablanca), la prise de Mazagan, et surtout la création d'**Essaouira** en 1765 *(voir p. 258)*. Des traités signés avec l'Angleterre, puis la Hollande et finalement la France et l'Espagne assurent la libre concurrence et l'essor du commerce maritime ; le commerce transsaharien, consacré pour moitié à la traite des Noirs, reprend de la vigueur. Cependant, la fin du 18ᵉ s. est assombrie par sept années de famines et une épidémie de peste qui tuent la moitié de la population et entraînent de graves bouleversements sociaux.

La crise du 19e s. et l'ingérence des pays européens

Au début de son règne, Moulay Slimane poursuit l'œuvre de son prédécesseur, mais, à partir de 1810, tout se gâte et le Maroc renoue avec ses vieux démons :

- l'indocilité des tribus montagnardes qui continuent leur poussée vers les plaines atlantiques en chamboulant le fragile équilibre ethnique. Les zones dissidentes sont appelées *bled siba*, par opposition au *bled makhzen* ;

- l'ingérence des confréries religieuses dans la vie politique : Illigh renaît, de nouvelles zaouïas se créent, **Derkaoua**, **Nasiriya**, **Tijania**, etc. ;

- les querelles dynastiques : du vivant même des sultans, les princes se rebellent contre leur père et essayent d'éliminer leurs frères, en s'appuyant sur telle tribu ou telle confrérie.

Il en résulte, durant tout le 19e s., une faiblesse chronique de l'État dont l'Angleterre, la France et l'Espagne vont profiter pour mettre à exécution leurs visées, commerciales d'abord, puis territoriales.

Dans un premier temps, sous la pression des confréries, le pays pense trouver son salut dans la tradition et le repli sur lui-même ; il se ferme au commerce extérieur (1822). Mais la monnaie se déprécie fortement et l'État est terriblement endetté. En outre, la bataille d'Isly en 1844, puis la brève guerre avec l'Espagne (1859-1860) mettent en évidence la faiblesse militaire du Maroc, qui ne peut plus résister aux pressions extérieures.

Des traités successifs, qui s'achèvent par la **conférence de Madrid** en 1880, entérinent la mainmise croissante des puissances européennes, non seulement sur le commerce et l'économie, mais aussi sur des pans entiers de sa souveraineté, avec le **système des protections**. Dans la foulée, des consulats, sociétés commerciales, entreprises de travaux publics, exploitants agricoles, conseillers militaires, missionnaires, etc., s'implantent au Maroc. De 1832 à la fin du siècle, la population européenne passe de 250 à plus de 10 000 habitants.

Le *makhzen* essaye de se réformer, avec Mohammed IV et **Moulay Hassan** (1873-1894), mais, globalement, ces tentatives se soldent par un échec. Dans certaines régions, les **caïds** (grands féodaux), comme le **Glaoui** *(voir p. 427)* ou le **Goundafi**, supplantent le pouvoir du sultan.

LA COLONISATION FRANÇAISE

Suite à une première crise diplomatique (venue de Guillaume II à Tanger), l'**acte d'Algésiras** (1906) reconnaît l'indépendance et l'intégrité de l'Empire chérifien ; en fait, il organise sa mise sous tutelle et attribue les zones d'influence des diverses puissances européennes. Plusieurs incidents servent de prétextes à l'**intervention militaire** de la France et de l'Espagne : en 1907, les troupes françaises venues d'Algérie envahissent la partie orientale du Maroc ; puis un corps expéditionnaire franco-espagnol débarque à Casablanca et occupe la Chaouïa. À partir de 1909, les Espagnols interviennent dans le Rif ; en 1911, ils s'installent à Larache, Ksar el-Kébir et Asilah. Cette même année, l'Allemagne, qui s'estime mise à l'écart, tente le **coup d'Agadir**, mais accepte finalement de se désintéresser du Maroc.

Malgré sa volonté initiale de sauvegarder l'indépendance du Maroc, le nouveau sultan, Moulay Hafid, se résigne à négocier. Le 30 mars 1912, il est contraint de signer le **traité de Fès** qui institue le protectorat de la France sur le Maroc ; mais il abdique au mois d'août et laisse le trône à Moulay Youssef. En novembre, un traité franco-espagnol définit un protectorat du même genre sur la zone espagnole, tandis que la Zone internationale de Tanger est dotée, en 1923, d'un statut particulier avec une assemblée législative et un **mendoub** représentant le sultan.

Le système du **protectorat** permet au sultan de conserver une souveraineté de façade, mais l'essentiel du pouvoir appartient au **résident général**, qui bénéficie d'une grande autonomie par rapport au gouvernement français. L'administration, centrale comme locale, est mixte, mais les Français donnent les directives aux **pachas** (gouverneurs de ville) et aux **caïds** (chefs de tribu). Il n'y a aucun pouvoir représentatif : même les colons français ne votent pas.

Le général **Lyautey**, résident général de 1912 à 1925, va, à la fois, conquérir le Maroc (au nom du sultan !) et le moderniser de manière radicale. La « pacification » française se fait en plusieurs étapes : d'abord le « Maroc utile » (1912-1914), puis le Moyen Atlas (1914-1926), enfin le Sud (1926-1934) qui se révèle particulièrement difficile. L'Espagne se trouve confrontée à la **guerre du Rif** (1921-1926), où son armée subit une déroute face à **Abdelkrim** ; seule une intervention française de grande ampleur permet de sauver la situation.

La modernisation se traduit par la construction de ports, de routes, de voies ferrées, de barrages, d'écoles, d'hôpitaux, mais aussi par l'exploitation de richesses du pays, mines et terres agricoles, par des sociétés ou des colons français.

Dans les années 1930, des aspirations nationalistes commencent à apparaître ; le parti de l'**Istiqlal** est créé en 1944. Le sultan Mohammed ben Youssef soutenant le mouvement pour l'indépendance, les relations entre la Résidence et le Palais se tendent de plus en plus : en août 1953, un complot activement soutenu par le **Glaoui** aboutit à la déposition du sultan, qui est exilé à Madagascar. Mais l'agitation ne fait que croître et le gouvernement français finit par rappeler **Mohammed V**, qui fait un retour triomphal en novembre 1955. L'**indépendance** du Maroc est proclamée le 2 mars 1956. Un mois plus tard, l'Espagne met fin à son protectorat sur le nord du pays, et le statut international de Tanger est abrogé le 29 octobre. Enfin, la création de l'État d'Israël entraîna le départ de la majorité de la population juive (environ 200 000 habitants) et la quasi-disparition de la culture judéo-berbère pluri-millénaire.

LE MAROC INDÉPENDANT

Désormais **roi**, et non plus sultan, Mohammed V conduisit assez habilement son pays dans les premières années de l'indépendance et sut lui éviter les troubles dont sa voisine, l'Algérie, n'est toujours pas sortie quarante ans plus tard. En dépit de ses deux années d'exil, il maintint des relations privilégiées avec la France et se garda bien de faire table rase des apports de la période coloniale ; il évita, en particulier, l'exode du demi-million d'Européens et la fuite des capitaux étrangers, tous deux essentiels au développement du pays. Mohammed V élabora une constitution semi-démocratique qui, cependant, ne put être promulguée à cause de la brièveté de son règne.

Le règne d'Hassan II

Mort le 26 février 1961, au cours d'une banale intervention chirurgicale, Mohammed V est remplacé par son fils **Hassan II**. Le nouveau roi est doué d'un talent politique certain et a été bien préparé à son futur rôle : il a bénéficié d'une double éducation, arabo-musulmane et française, et son père l'a toujours étroitement associé à l'exercice du pouvoir. Bien vite, il va concentrer entre ses mains la totalité des pouvoirs politiques. Cela lui vaut l'hostilité des forces de gauche qui avaient milité pour l'indépendance : l'Istiqlal et surtout l'Union nationale des forces populaires (UNFP) de Mehdi ben Barka. De 1963 (guerre du Figuig) à 1975, complots, attentats (tuerie du palais de Skhirat en 1971, attaque de l'avion du roi en 1972), émeutes urbaines et jacqueries se succèdent, suivies de répressions sanglantes contre, entre autres, **Mehdi ben Barka** en 1965 et le général **Oufkir** en 1972.

En 1975, Hassan II trouva l'occasion de détourner le mécontentement général et de refaire l'unité nationale autour de lui en organisant la **Marche verte**, qui lui permit de s'emparer facilement du **Sahara occidental**, vaste territoire riche en phosphates, auquel l'Espagne s'apprêtait à accorder l'indépendance. Mais la guérilla du **Front Polisario**, activement soutenue par l'Algérie, va mener la vie dure aux Forces armées royales (FAR), jusqu'à l'édification d'un « mur ». La guerre puis la campagne de « marocanisation » seront ruineuses pour le pays et empoisonneront ses relations avec les pays voisins. L'ONU, longtemps inactive, finit par proposer un référendum d'autodétermination, dont la tenue est cependant repoussée d'année en année. Malgré cela, Hassan II jouit sur la scène internationale d'un prestige sans commune mesure avec la puissance réelle du Maroc. Cela grâce à son habileté politique, à son entregent et à des positions modérées sur la question israélienne.

Sur le plan intérieur, le régime a amorcé une timide libéralisation dans les années 1990 : libération de prisonniers politiques, création d'une Chambre basse entièrement élue au suffrage universel, élections à peu près libres en 1997, gouvernement d'« alternance » en 1998.

La modernisation du royaume

Le 23 juillet 1999, miné par la maladie, Hassan II meurt à Rabat. Son fils aîné lui succède sous le nom de **Mohammed VI**. À 36 ans, le prince héritier était quasiment un inconnu pour les Marocains et une énigme pour les observateurs politiques. D'emblée, le nouveau roi a su se forger une réputation de monarque moderne et libéral grâce à quelques décisions spectaculaires comme l'autorisation de retour d'exil d'Abraham Serfaty et surtout le limogeage de Driss Basri, tout puissant ministre de l'Intérieur d'Hassan II pendant trente ans. Ces gestes lui ont valu la sympathie de la population marocaine et des nations européennes. Plusieurs symboles ont témoigné de la volonté de démocratisation du royaume. Le 21 mars 2002, le mariage de Mohammed VI et de Salma Bennani, une « fille du peuple » s'est déroulé de manière inhabituelle. En effet, pour la première fois dans l'histoire du pays, les sujets marocains ont pu suivre les festivités, et la jeune souveraine est devenue une figure publique, rompant avec la tradition de secret qui a toujours entouré l'épouse du roi. Un autre événement majeur a été la tenue des premières **élections législatives** transparentes le 27 septembre 2002 *(voir p. 76)*. Mais la première grande réforme de son règne, qui devrait bouleverser la société, est l'adoption du **nouveau code de la famille**. Abandonnée en 2000 après une démonstration de force des islamistes, cette nouvelle loi qui révolutionne le statut des femmes (voir la *Moudawana p. 104)* est finalement entrée en vigueur en février 2004. Désormais affranchies de la tutelle masculine (du père puis du mari), elles disposeront des mêmes droits que les hommes en matière de mariage, d'éducation des enfants, de divorce, de droit de garde et pourront interdire la polygamie à leur mari.

Au plan international, les tensions entre le Maroc et l'Espagne à propos de l'immigration clandestine, du Sahara occidental et des enclaves espagnoles de Ceuta et Melilla se sont envenimées en juillet 2002. Ripostant à l'installation sur l'**îlot Leïla** (ou îlot du Persil) d'un poste de surveillance marocain censé lutter contre l'émigration clandestine et le terrorisme, l'Espagne a dépêché ses forces spéciales pour déloger les militaires marocains du rocher sans souveraineté établie. Si la crise a fini par se dénouer quelques jours plus tard sous médiation américaine, les relations entre les deux pays demeurent néanmoins tendues.

DATES CLÉS

La préhistoire

3000-800 - Âge du bronze : gravures rupestres et inscriptions libyques (*Oukaïmeden*).

L'Antiquité

8e s. - Les Phéniciens explorent les côtes marocaines (*Lixus*).

Vers 460 - Hannon reconnaît les côtes de l'Afrique-Occidentale et fonde plusieurs comptoirs au Maroc.

25 av.-23 ap. J.-C. - Règne de Juba II (*Volubilis*).

40 - Assassinat de Ptolémée. La Maurétanie devient une province romaine (*Sala Colonia et Banasa*).

285 - L'administration et l'armée romaine se retirent de la plus grande partie de la Maurétanie Tingitane.

La période musulmane

681 - Oqba ben Nafi atteint l'océan Atlantique.

710 - Soumission des Berbères du Maroc.

711-713 - Conquête de l'Espagne par Tarik.

740-760 - Révolte kharidjite (*Sijilmassa*).

788-792 - Idriss Ier fonde la première dynastie musulmane (*Fès*).

803-828 - Règne d'Idriss II (*Fès*).

1053-1070 - Ascension des Almoravides (*Marrakech*).

1086 - Victoire de Zallaca sur les Espagnols.

1123 - Amorce du mouvement almohade (*Tinmel*).

1133-1147 - Ascension des Almohades.

1159 - Les Almohades sont maîtres de tout le Maghreb.

1195 - Victoire d'Alarcos sur les Espagnols (*Rabat*).

1212 - Défaite de Las Navas de Tolosa.

1248-1269 - Ascension des Mérinides.

1270-1358 - « Âge d'or » des Mérinides (*Fès, Salé, Chellah*).

1470-1515 - Conquêtes portugaises (*El-Jadida, Safi*).

1521-1554 - Ascension des Saâdiens (*Agadir*).

1541 - Chute d'Agadir : fin de l'expansion portugaise.

1578 - Bataille des « Trois Rois ».

1578-1603 - Règne d'Ahmed el-Mansour (*Marrakech*).

1633-1669 - Ascension des Alaouites.

1672-1727 - Règne de Moulay Ismaïl (*Meknès*).

1757-1790 - Règne de Mohammed ben Abdallah (*Essaouira*).

1769 - Mazagan est évacuée par les Portugais (*El-Jadida*).

Colonisation et temps modernes

1844 - Défaite d'Isly (Algérie) contre les troupes françaises.

1859-1860 - Guerre hispano-marocaine : prise de Tetouan.

1880 - Conférence de Madrid.

1907 - Débarquement des troupes françaises à Casablanca.

1912 - Traité de Fès (protectorat).

1912-1913 - Révolte de el-Hiba dans le Sous (*Tiznit*).

1912-1925 - Lyautey résident général.

1921-1926 - Guerre du Rif.

1932-34 - Fin de la conquête du Maroc par l'armée française (*Ouarzazate*).

1953 - Déposition et exil de Mohammed V.

1956 - Retour de Mohammed V. Indépendance du Maroc.

1961 - Mort de Mohammed V et avènement d'Hassan II.

1975 - Marche verte et guerre contre le Front Polisario.

1999 - Mort d'Hassan II et intronisation de Mohammed VI.

2002 - Mariage de Mohammed VI. Élections législatives.

2004 - Réforme du code de la famille.

ADMINISTRATION ET ÉCONOMIE

Mohammed VI, qui trône depuis le 23 juillet 1999, à la suite de trente-huit années de règne d'Hassan II, semble afficher une rupture par rapport au style de son père. Surnommé le « roi des pauvres », il se montre plus accessible, présent auprès des exclus et se déplace volontiers dans les régions autrefois délaissées par le royaume. Le début d'évolution vers la démocratie esquissé par Hassan II à la fin des années 1990 s'accélère avec le jeune monarque.

L'ORGANISATION POLITIQUE ET ADMINISTRATIVE

Dans les principes, le Maroc est une **monarchie constitutionnelle de droit divin**. Le roi est à la fois le représentant suprême de la nation et le « Commandeur des Croyants ». Depuis 1997, la **Chambre des représentants**, qui compte 325 députés, est élue au suffrage universel direct pour cinq ans, tandis que la **Chambre des conseillers** est désignée par les pouvoirs régionaux et les organisations professionnelles. Le Premier ministre et les principaux ministres sont nommés par le roi. Le 27 septembre 2002 se sont déroulées les premières **élections législatives** « transparentes et honnêtes » de l'histoire du Maroc. À l'issue du scrutin, qui a enregistré un taux de participation de moins de 52 %, la nouvelle carte politique du royaume s'est dessinée. Si les principaux partis de l'ancien gouvernement d'alternance ont à peu près conservé leurs nombres de sièges (50 députés pour l'Union socialiste des forces populaires, 48 pour le parti nationaliste-conservateur de l'Istiqlal et 41 pour le Rassemblement national des indépendants), le Parti de la justice et du développement (islamistes modérés) est devenu la troisième formation politique du pays en triplant son nombre de représentants, avec 42 sièges contre 14 lors des précédentes élections. Il est à noter que l'instauration de listes exclusivement féminines lors de ce scrutin a permis de faire entrer 34 femmes au Parlement. L'ancien ministre de l'Intérieur, Driss Jettou, sans appartenance politique, occupe le poste de **Premier ministre** du nouveau gouvernement de coalition.

Du point de vue administratif, le Maroc est divisé en 16 wilaya qui totalisent 41 provinces. Les **wilaya**, dirigées par des wali, sont à peu près l'équivalent des régions françaises, mais avec un territoire plus grand. Les **provinces**, dirigées par des gouverneurs, sont généralement plus étendues qu'un département français. À l'échelon local, dans les zones rurales, on trouve les cercles et les caïdats, tandis que les villes sont administrées par des pachas (le terme, d'origine ottomane, désignait un général).

UNE ÉCONOMIE EN DEVENIR

L'agriculture reste l'une des activités principales du Maroc et près de la moitié de la population vit en milieu rural.

L'agriculture et la pêche

À l'extrême diversité des conditions climatiques correspond une grande variété de cultures qui, normalement, assure la plupart des besoins alimentaires du pays (il n'y a guère que le café et le thé qui doivent être importés). L'agriculture traditionnelle laisse de plus en plus la place à une agriculture plus moderne. L'État s'efforce d'améliorer la production et les rendements par l'extension de terres irriguées, le développement de coopératives, la mécanisation, les prêts bancaires, etc. Certaines productions, jadis très importantes, comme les dattes ou la canne à sucre, sont en recul sensible mais d'autres se sont considérablement développées depuis un demi-siècle, notamment les **agrumes** et les **primeurs** qui sont cultivés dans le Sous et sur la côte atlantique pour être, en partie, vendus en France. Globalement l'agriculture représente un tiers des exportations du pays.

Séchage de roses

Mais, depuis quelques décennies, l'agriculture marocaine souffre cruellement des **aléas climatiques** et cela se répercute sur le produit intérieur brut. Aux longues années de sécheresse succèdent brusquement des pluies torrentielles qui provoquent des inondations catastrophiques. Par exemple, la sécheresse de 1995 a fait chuter la production céréalière à 20 % de son montant de 1994, entraînant une baisse de 6 % du PIB. L'irrigation à grande échelle est donc une nécessité, et Hassan II s'était fixé pour but d'inaugurer un barrage par an. Mais l'irrigation intensive n'est pas sans effets pervers…

L'**élevage** est consacré aux ovins (environ 18 millions de têtes) bien plus qu'aux bovins (2,3 millions) et les dromadaires ont perdu l'importance qu'ils avaient jadis.

Les **forêts** sont étendues mais seules celles d'eucalyptus alimentent l'industrie de la cellulose (dans le Rharb) ; les bois de cèdre et de thuya étant utilisés pour l'artisanat d'art.

Activités très importantes, la **pêche** (850 000 tonnes en 1995, dont 80 % de sardines) et les conserveries de poisson emploient 400 000 personnes et représentent 15 % des exportations. Agadir (premier port sardinier du monde), Safi, Tan-Tan et Essaouira sont, dans l'ordre, les quatre principaux ports de pêche.

Un sous-sol riche en phosphates

Déjà au Moyen Âge le Maroc était réputé pour ses **mines**. Sous le protectorat, les Français ont activement mené les prospections géologiques et ouvert des exploitations dans les endroits les plus reculés. Depuis, avec la mondialisation, un certain nombre d'entre elles se sont révélées non rentables et ont dû être fermées. Aujourd'hui, les principaux minerais extraits sont le **plomb** (8e rang mondial et 2,6 % de la production mondiale), l'**argent** (12e rang mondial et 2,4 %), le zinc, le cobalt et l'antimoine.

Beaucoup plus importants sont les **phosphates**. Avec une production de plus de 23 millions de tonnes en 1997, le Maroc est le 2e producteur mondial, loin derrière les États-Unis et juste devant la Chine ; mais il est le 1er exportateur et surtout il posséderait 75 % des réserves mondiales. Les phosphates fournissent la matière première des industries chimiques installées à Safi et à Jorf-Lasfar (près d'El-Jadida), au débouché des deux voies de chemin de fer qui évacuent la production des gisements de Youssoufia.

Grave handicap, le Maroc ne possède pratiquement pas d'hydrocarbures et se trouve donc à la merci de l'évolution erratique des cours sur le marché international. Pour éviter de trop pénaliser la population, le gouvernement prend les hausses à sa charge, ce qui est fort coûteux. En 2000, l'entreprise maroco-américaine Lone Star Energy Corporation a découvert un gisement de pétrole dans la région de Talsint, au sud-est du pays. Une première importante qui a suscité une intensification sans précédent de la recherche pétrolière. On estime le potentiel de ces réserves à environ 1,5 à 2 milliards de barils, soit l'équivalent de vingt-cinq années de consommation nationale. Cette perspective s'avère très encourageante pour une économie qui aurait bien besoin d'un coup de pouce.

La **production électrique** (de l'ordre de 12 milliards de kW en 1996), rapportée à la population, est nettement inférieure à celle des autres pays maghrébins. Elle provient en partie des centrales hydroélectriques, ces dernières étant à la merci des sécheresses qui, lorsqu'elles sévissent, vident les réserves des barrages.

Une industrie en développement

Mis à part la chimie lourde liée aux phosphates et le complexe sidérurgique de Nador, le Maroc possède surtout des **industries de transformation** destinées à satisfaire un marché intérieur en forte expansion (par exemple, les équipements ménagers). Cependant, la politique de **délocalisation** menée par les industriels européens a conduit à monter des usines qui travaillent principalement pour l'exportation, notamment dans le domaine des **textiles** et de l'habillement. L'industrie **agroalimentaire** (conserveries, jus de fruits, etc.) est également en partie tournée vers l'exportation. En revanche, la plupart des produits de haute technologie doivent être importés.

La part du secteur public était assez importante dans l'industrie marocaine mais, depuis quelques années déjà, poussé par le FMI, l'État procède à des privatisations. Il faut également souligner l'importance considérable de l'**économie informelle** surtout dans le secteur des services et de l'artisanat.

Le tourisme et l'artisanat, des atouts majeurs

Pour apprécier l'importance de ce secteur dans l'économie marocaine, il faut savoir qu'au cours de la dernière décennie les recettes touristiques ont représenté entre 10 et 20 fois le montant des investissements étrangers et que l'apport annuel de devises équivaut à une part appréciable des exportations. En effet, avec la proximité de l'Europe, un climat agréable, un patrimoine culturel et naturel exceptionnel, et des équipements hôteliers de bon niveau, le Maroc possède tous les atouts nécessaires pour être l'une des **grandes destinations touristiques** du monde. Curieusement, la fréquentation touristique avait régulièrement baissé depuis 1993. Mais, en 1999, grâce sans doute à l'admirable campagne de communication que furent les manifestations de l'« Année du Maroc », le pays a connu un nouvel engouement. Et l'année suivante, le gouvernement a fait du tourisme sa priorité nationale. En 2003, **4,5 millions de visiteurs étrangers** se sont rendus au Maroc. Au tourisme traditionnel s'ajoute depuis quelques années un tourisme sportif (randonnées à pied, rallyes, circuits en VTT) qui connaît un grand succès. L'objectif affiché par le gouvernement étant d'atteindre les 10 millions de visiteurs d'ici 2010, le Maroc confie peu à peu à des consortiums étrangers la création de six stations balnéaires censées accueillir un tourisme de masse. La libéralisation de l'industrie aéronautique permettra par ailleurs aux transporteurs d'inaugurer de nouvelles lignes aériennes, le trafic devant passer de 560 vols internationaux par semaine en 2003 à 1 200 en 2010.

Bien plus que tout autre pays du Maghreb, le Maroc était et est resté un pays d'**artisanat**. Ces activités, très diversifiées, occupent, soit dans la production soit dans la vente (les « bazaristes »), une partie importante de la population active, surtout dans les villes. Le développement du tourisme et la demande croissante de produits de qualité pour l'exportation vers les boutiques de l'Europe n'ont fait que conforter la position exceptionnelle de l'artisanat.

Les perspectives

Avec un PIB annuel de 3 600 $ par habitant, 5 millions d'individus vivant en dessous du seuil de pauvreté, et quelques autres indices peu flatteurs, le Maroc devra adopter des réformes afin de relever les défis de la croissance et de préparer son économie au libre échange avec l'Union européenne prévu pour 2010. Cependant l'inflation est bien contenue (0,5 % en 2001), la croissance annuelle s'est élevée à 6,3 % en 2001, les infrastructures et les moyens de communication ont connu un essor important. D'autre part, les envois de devises des travailleurs immigrés et les apports des touristes compensent l'insuffisance d'investissements étrangers.

ART ET ARCHITECTURE

Malgré les vicissitudes de son histoire, le Maroc est, de tous les pays du Maghreb, celui qui a conservé le patrimoine artistique le plus riche, du moins en ce qui concerne la période islamique. Enrichi par l'apport culturel de l'Andalousie musulmane, bien plus que par celui de l'Orient, le Maroc a été pendant près de six siècles (11e-17e s.) le foyer principal de l'architecture hispano-mauresque, l'un des grands mouvements de l'art islamique. Les Marocains ont également excellé dans tous les arts que l'on qualifie, bien à tort, de « mineurs » comme la céramique, le travail du bois, les arts du livre, les textiles, les bijoux, la fabrication des armes, etc. Aujourd'hui encore, l'artisanat d'art est exceptionnellement vivace et constitue pour les visiteurs l'un des attraits majeurs de ce pays.

L'ARCHITECTURE

LA MOSQUÉE MAGHRÉBINE

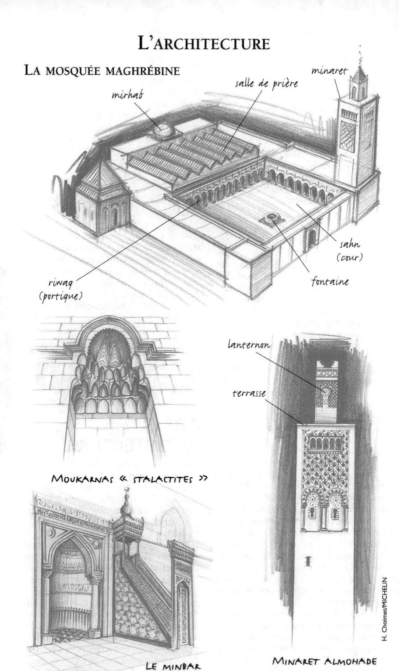

mirhab

salle de prière

minaret

riwaq
(portique)

sahn
(cour)

fontaine

MOUKARNAS « STALACTITES »

lanternon

terrasse

LE MIHRAB

LE MINBAR
(CHAIRE)

MINARET ALMOHADE

H. Choimet/MICHELIN

ISLAMIQUE

La porte monumentale

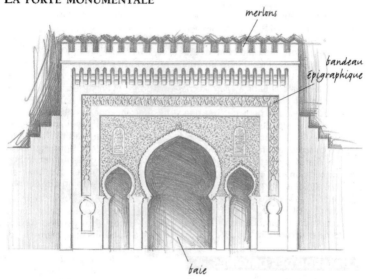

merlons

bandeau
épigraphique

baie

La fontaine

Les arcs

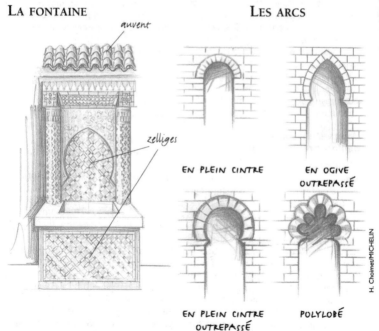

auvent

zelliges

EN PLEIN CINTRE

EN OGIVE
OUTREPASSÉ

EN PLEIN CINTRE
OUTREPASSÉ

POLYLOBÉ

H. Choimet/MICHELIN

Malheureusement pour son patrimoine architectural, le Maroc a pâti d'un phénomène fréquent dans les pays islamiques à toutes les époques : des haines politiques violentes ont motivé la destruction ou, dans le meilleur des cas l'occultation, de nombreux palais et mosquées ; c'est ainsi qu'avaient été détruits, murés, ou laissés dans un état de déréliction complète la mosquée de Tinmel, le palais el-Badi à Marrakech, les Tombeaux saâdiens, ou le palais du Glaoui à Telouèt, pour ne citer que quelques exemples célèbres. A contrario, Lyautey s'est attaché à préserver ce capital culturel par une politique intelligente dont les effets se font encore sentir : création, dès 1912, d'un service des Monuments historiques, restauration d'édifices anciens, interdiction de construire à l'intérieur des médinas, séparation bien marquée entre la ville moderne et le centre historique.

LE MAROC DES ORIGINES

Si la présence des lointains ancêtres de l'homme est attestée au Maroc depuis plus de deux millions d'années, les premières traces artistiques découvertes ne remontent pas au-delà du 4e millénaire. L'*Homo sapiens* du paléolithique supérieur a produit un outillage varié et même quelques parures, mais point d'œuvres d'art à proprement parler, comme les peintures de Lascaux.

L'apparition tardive de l'art préhistorique

Il faut attendre le néolithique et même l'âge du bronze pour voir apparaître les premières représentations figurées. Ce sont essentiellement des gravures rupestres incisées dans des blocs de grès et polies ; elles représentent toutes sortes d'animaux, mais aussi des armes en bronze, des figures géométriques et plus rarement des êtres humains. Plusieurs dizaines de ces gravures ont été rassemblées au Musée archéologique de Rabat, mais la plupart sont restées *in situ* (et donc difficiles d'accès) dans les montagnes du Haut Atlas et du Sud marocain. De cette période datent également des céramiques à décor incisé, des bijoux en ivoire et une série de vases, d'une perfection stupéfiante, taillés dans des galets de dolérite, une roche volcanique très dure.

L'époque punique et le royaume de Maurétanie

Au cours des quelque cinq siècles pendant lesquels ils ont colonisé le littoral marocain, les Phéniciens et les Carthaginois ont apporté avec eux la civilisation méditerranéenne et ont laissé plusieurs sites archéologiques importants, tels **Lixus** ou **Banasa**, mais finalement bien peu d'œuvres d'art. Signalons tout de même de belles **céramiques**, importations grecques ou puniques mais aussi fabrications locales, ainsi que des objets en bronze et des bijoux en or importés.

Les magnifiques séries de statues en bronze découvertes dans les palais de Juba II à **Volubilis** et à Cherchell pourraient faire croire à l'existence d'une école de sculpture propre au royaume de Maurétanie, mais il n'en est rien : qu'elles soient hellénistiques ou parfois contemporaines du roi, ces œuvres ont toutes été produites hors du Maroc.

L'époque romaine

La domination romaine (essentiellement de 40 à 285 ap. J.-C.) s'est traduite, comme partout dans l'empire, par l'édification de somptueux monuments publics : forums, basiliques, thermes, théâtres, arcs de triomphe, etc. Les plus beaux vestiges se dressent à **Volubilis**, Banasa et Sala Colonia, mais toutefois rien de comparable aux sites les plus prestigieux du Maghreb oriental. Imitant le mode de vie romain, l'opulente bourgeoisie locale a bâti de vastes maisons à atrium, luxueusement décorées de sols en mosaïques, de peintures murales et d'objets d'art variés.

Mis à part les statues en bronze, déjà évoquées et dont la plupart sont des importations, c'est sans doute dans le domaine de la mosaïque que l'art romain du Maroc a produit ses plus belles œuvres. Plus de 80 pavements ont été retrouvés, principalement à **Volubilis**, **Banasa** et **Lixus**, mais aussi à Tingis, Sala Colonia,

Thamusida et ailleurs : certains ont été laissés *in situ*, avec les graves problèmes de conservation que cela pose *(voir encadré p. 198)*, tandis que les autres ont été déposés et transportés dans les musées de Volubilis, Rabat, Tanger et Tetouan. Les décors géométriques, noir et blanc ou polychromes, prédominent mais les scènes figuratives *(emblema)* existent et font montre d'une certaine habileté. À la différence des mosaïques tunisiennes, leurs sujets sont presque toujours mythologiques et non pas liés à la vie quotidienne. Parmi les plus intéressantes signalons la *Vénus à la coquille* de Banasa, au *tessellatum* particulièrement fin, la *Navigation de Vénus* et l'*Orphée* de Volubilis, *Éros et Psyché* de Lixus, ou encore le *Triton* provenant des thermes de Banasa, dont les grosses tesselles font 2 cm de côté.

L'ART ISLAMIQUE MAROCAIN

Avec l'arrivée des Arabes au 7ᵉ s., l'art islamique, parallèlement à l'architecture berbère dans les campagnes, se répand ; étudions les principaux éléments qui le composent avant de voir son évolution au cours des siècles.

Les monuments arabes religieux

Ces édifices frappent par la simplicité de leur architecture, de leurs volumes et la richesse de la décoration (stucs, bois sculpté, zelliges) qui cache souvent la pauvreté des matériaux utilisés.

Dès les débuts de l'islam, les premiers croyants ressentirent le besoin d'un lieu où réunir la communauté pour prier : ce fut la **mosquée**, dont le plan de base n'a pas changé depuis les origines. Elle est toujours orientée vers La Mecque et cette direction est donnée par le **mihrab**, une niche située au milieu du mur dit de la **qibla**. À côté se trouve le **minbar**, attribut de l'autorité spirituelle et du pouvoir théocratique, en bois ou en marbre. Le **minaret** se présente au Maroc comme une tour carrée qui se termine par une plate-forme crénelée d'où le muezzin lance son appel à la prière cinq fois par jour. Les minarets marocains s'ornent selon les époques d'une décora-

Les zelliges, un art marocain

Il ne s'agit pas de « mosaïque », comme il est dit parfois improprement, mais d'une marqueterie de faïences polychromes, fixée dans un lit de mortier, couvrant le sol et les murs. Au début, les carreaux de céramiques étaient simplement disposés en damier, en jouant sur quelques couleurs (blanc, noir, bleu, vert et jaune). Puis on eut l'idée de découper les carreaux, à l'aide d'une marteline, en petits éléments géométriques simples (triangles, carrés, étoiles, etc.) avec lesquels furent composés des entrelacs (ou arabesques) de plus en plus complexes occupant toute la surface. L'utilisation des zelliges dans les frises épigraphiques est beaucoup plus rare, car difficile à réaliser : il faut délicatement exciser la surface du carreau pour y faire apparaître les lettres ou les rinceaux (par exemple, pour le style coufique fleuri) ; le résultat est superbe.

tion composée de baies géminées, d'arcs ou d'arcatures aveugles, d'entrelacs ou de zelliges.

La **médersa** est une école de théologie (à ne pas confondre avec les écoles coraniques) où l'on dispense un enseignement de haut niveau, ce qui lui a valu le qualificatif d'« université islamique ». Cette fonction a donné lieu à une forme architecturale spécifique. Se détachant sur la nudité d'une façade aveugle, une porte à la décoration élaborée surmontée d'un auvent donne accès à une étroite cour centrale entourée par les salles de cours et la salle de prière. Les étages sont occupés par des cellules exiguës, où logeaient maîtres et étudiants, prenant jour sur la cour. Dans celle-ci se concentre l'essentiel de la décoration raffinée de la médersa : bassin central, sol en zelliges, imposantes en stuc finement sculpté, corbeaux et corniches taillés dans du cèdre.

La **koubba**, plus connue sous le nom de **marabout**, est un mausolée pour de pieux musulmans morts en odeur de sainteté. Reconnaissables à leur coupole blanche – à l'origine « koubba » signifie coupole –, ces petits bâtiments cubiques se retrouvent dans toute la campagne marocaine et font l'objet de pèlerinages assez souvent teintés de superstition. À côté des marabouts, on peut souvent observer un arbre couvert de bouts de tissu correspondant chacun à un vœu qui devrait être exaucé par le saint.

L'architecture civile

L'architecture civile se voit d'abord dans les **remparts** qui entourent la médina, la plupart du temps construits en pisé. Ces murailles sont percées de **portes monumentales** qui comptent parmi les plus belles expressions de l'architecture marocaine. En pierre de taille, elles sont encadrées de bastions couronnés de merlons et souvent très ornées.

Dans les médinas, de véritables **palais**, suites de jardins intérieurs (**riads**), d'habitations, de cours d'apparat (**méchouars**), de corps administratifs, de hammams, d'écuries, d'entrepôts, sont entourés de vastes espaces (**aguedals**) où alternent vergers et bassins.

Les **fondouks**, caravansérails urbains, faisaient à la fois office d'hôtelleries et d'entrepôts de marchandises. Leur architecture s'apparente à celle des médersas, avec une cour centrale entourée sur plusieurs étages par des petites pièces où logeaient les marchands et leurs biens les plus précieux, tandis que les montures et les marchandises restaient au rez-de-chaussée ou dans les caves. Les fondouks étaient généralement des biens *habous*, appartenant à des fondations pieuses, dont les loyers servaient à entretenir les médersas et leurs étudiants.

La décoration

Les arts décoratifs se jouent essentiellement des formes géométriques, des arabesques et des éléments floraux (palme, pomme de pin). L'écriture cursive ou coufique *(voir p. 111)* y tient souvent un rôle majeur.

Ces motifs se retrouvent aussi bien dans la pierre, la brique ou le bois. Deux supports sont plus spécifiques à l'art hispano-mauresque. Le premier, le **stuc**, plâtre appliqué sur des surfaces hérissées de clous, sculpté alors qu'il est encore frais, est souvent tra-

vaillé en stalactites. Le second, le panneau de **zelliges**, création des Mérinides, est un élément essentiel de la décoration marocaine.

LES GRANDES PÉRIODES DE L'ART ISLAMIQUE AU MAROC

Les deux ou trois premiers siècles de l'islam n'ont guère laissé de traces architecturales au Maghreb al-Aksa. Cela est dû aux destructions des siècles ultérieurs, mais aussi au fait que l'islamisation, lente et difficile, touchait des populations essentiellement rurales et pauvres, et que, pendant longtemps, il n'y a pas eu de gouvernement stable ni de dynastie durable. En conséquence, les premières mosquées furent probablement des édifices modestes et assez banals.

La période obscure des débuts de l'art islamique (8e-10e s.)

Il est significatif que les deux plus importantes mosquées de Fès, la **Karaouiyne** et la **mosquée des Andalous**, toutes deux fondées au milieu du 9e s., l'aient été par des immigrants venus de régions où la civilisation islamique était déjà très brillante. Mais comme il ne reste à peu près rien des constructions d'origine, ce sont finalement les quelques fouilles archéologiques menées à Sijilmassa (dans le Tafilalt), à Belyounech (près de Ceuta), ou ailleurs, qui ont livré les rares éléments architecturaux ou décoratifs authentiques de cette première période. Le Maroc possède également deux pièces extrêmement rares qui témoignent de la perfection atteinte dans le travail du bois dès cette époque : une poutre sculptée épigraphique *(izar)*, datée de 877, provenant de la Karaouiyne, et le minbar, daté de 980-985, de la mosquée des Andalous.

La brève floraison de l'art almoravide (1070-1147)

Nomades venus du désert, les Almoravides n'avaient évidemment aucune tradition architecturale et adoptèrent donc fort naturellement celle de l'Andalousie qu'ils venaient de conquérir ;

Exemple d'architecture almohade

d'où le qualificatif d'« hispano-mauresque » donné à cet art caractérisé par des arcs en plein cintre outrepassés (hérités des Wisigoths) ou polylobés et une certaine recherche de l'effet décoratif.

La haine des Almohades pour les Almoravides les a conduits à détruire leurs œuvres, jugées trop frivoles ; en conséquence, au Maroc même, il ne reste quasiment rien des édifices almoravides : à Fès, certaines parties de la mosquée Karaouiyne, agrandie vers 1130, et à Marrakech, la **koubba Ba'Adiyn** redécouverte sous les années 1950. Cependant, l'activité bâtisseuse des Almoravides ne s'est pas limitée aux mosquées ou aux palais ; à l'extérieur des villes, les ingénieurs *(mouhendis)* ont construit des forteresses, lancé des ponts, creusé des canalisations, celles qui alimentent Fès et surtout les fameuses **rhettara** de la palmeraie de Marrakech.

Grandeur almohade (1147-1269)

Dans leur rigorisme extrême les partisans d'Ibn Toumert se contentaient sans doute d'une *m'sallah (voir lexique p. 89)* pour y effectuer les cinq prières quotidiennes ; mais, ô paradoxe, la dynastie almohade (influencée par l'Andalousie, comme ses prédécesseurs détestés !) fut assez vite à l'origine de l'un des grands mouvements artistiques de l'histoire du Maroc. L'art almohade, qui s'est principalement exprimé dans l'architecture, se caractérise par la **grandeur** de la conception et la **sobriété** du décor, la noblesse des proportions et la pureté des lignes ; en un mot, le classicisme.

Au début, sous Abd el-Moumen, l'architecture almohade ne se distingue guère de celle des Almoravides : en effet, ce sont les mêmes artistes et artisans, venus d'Andalousie, qui travaillent pour la nouvelle dynastie. De cette période datent les fortifications et la **Grande Mosquée de Taza**, et surtout l'admirable **mosquée funéraire de Tinmel** *(voir p. 418)*. Le sultan suivant, Youssef, privilégia Séville, sa ville de prédilection, et Marrakech, sa capitale. C'est finalement le 3e sultan, Yacoub el-Mansour, qui, en lançant les gigantesques travaux de sa nouvelle capitale, **Ribat al-Fath** (Rabat), permit à l'architecture almohade d'atteindre sa plénitude.

Les architectes almohades se sont particulièrement distingués dans les fortifications et les mosquées. Les **murailles** étaient réalisées à l'aide de la technique nouvelle du **béton**, mélange de chaux et d'argile caillouteuse coulé et damé à l'intérieur d'un coffrage (banches), tandis que les portes monumentales *(voir encadré)* étaient bâties en pierre de taille soigneusement appareillée ; un habile système de chicanes renforçait leur efficacité défensive. Quant aux **mosquées**, elles se caractérisent par leur vastes dimensions (celle de Rabat restant toutefois exceptionnelle) et leurs minarets imposants. Pas de grandes coupoles ni de voûtes, mais des piliers ou des arcs puissants qui soutiennent de longs toits en bâtière au-dessus de chacune des nefs perpendiculaires au mur de qibla. Toutes ces nefs aboutissent à une nef transversale, parallèle au mur de qibla, qui, seule, bénéficie d'un décor soigné (comme à Tinmel), le mihrab étant souvent précédé d'une petite coupole. Le minaret almohade typique est une tour carrée en pierre de taille, un peu trapue, dont la hauteur est égale à cinq fois la base. Le décor est prévu pour être lu de loin ; sculpté en méplat, comme celui des portes, il consiste essentiellement en arcs polylobés et en arcatures entrelacées. Le minaret de la **Koutoubia** de Marrakech, la **Giralda** de Séville et la **tour Hassan** de Rabat sont les symboles de cette grandeur almohade.

Les portes almohades

Elles jouent un rôle esthétique fort : leur décor, sculpté en méplat, est très caractéristique de l'art almohade et reprend le schéma habituel des mihrabs. Dans un panneau rectangulaire (alfiz), encadré sur trois côtés d'un bandeau épigraphique en style coufique, s'ouvre la baie, en général un arc brisé et outrepassé, entourée de voussures formées d'entrelacs d'arcs plus ou moins complexes ; les écoinçons étant occupés par des rinceaux et des palmettes. La porte des Oudaïas et Bab er-Rouah à Rabat, Bab Mrisa à Salé (de style almohade quoique construite par un Mérinide) et Bab Agnaou à Marrakech sont les plus beaux exemples de cet art.

Dans le domaine des arts « mineurs », on assiste à un épanouissement des **arts du livre** et de la calligraphie. La céramique utilise souvent le procédé de la « glaçure » et produit de magnifiques **margelles de puits** (notamment, l'ensemble unique de Sidi bou-Othman, près de Marrakech), ainsi que des grandes jarres pour le stockage de l'eau *(khabia)*, au décor estampé, et divers vases à boire *(shurba, djara)* peints en brun-noir (oxyde de manganèse).

L'âge d'or des Mérinides (1278-1358)

Le règne des Mérinides, du moins jusqu'au milieu du 14e s., a été – avec l'époque almohade – la période la plus féconde de l'architecture marocaine : les constructions, certes de dimensions plus modestes, furent nombreuses et empreintes d'une grâce et d'un **raffinement** qui contrastaient avec l'austérité de la période précédente.

À ses débuts, l'architecture des Mérinides est encore dans le droit fil de celle des Almohades, comme en témoignent les **murailles de Salé**, reconstruites par Abou Youssef Yacoub dans le dernier tiers du 13e s. Mais, peu après, sous l'influence de l'art délicat des Nasrides de Grenade, la rigueur almohade cède la place à l'élégance et la décoration prend une importance accrue, qui se manifeste même dans les **fortifications**. La porte principale de l'enceinte de Chellah (à Rabat), construite en 1339, en constitue un bel exemple. **Abou el-Hassan** et **Abou Inan**, les deux principaux sultans mérinides, ont été de grands mécènes à qui l'on doit, en particulier, la construction de nombreuses mosquées et médersas.

Les **médersas** mérinides sont souvent d'échelle modeste, ce qui ne fait qu'ajouter à leur charme. **Bou Inania, Attarine** et Sahrij à Fès, **Abou el-Hassan** à Salé et **Bou Inania** à Meknès sont parmi les plus connues.

Nécessaires au grand commerce, les caravansérails urbains ou **fondouks** faisaient à la fois office d'hôtelleries et d'entrepôts de marchandises. Ils devaient exister depuis longtemps, mais aucune trace

avant l'époque mérinide n'a été trouvée et c'est à **Fès** que subsistent les plus belles réalisations.

Enfin, l'art funéraire se distingue tout particulièrement avec les **tombeaux** impériaux de **Chellah** à Rabat et ceux de Fès ; la stèle funéraire d'Abou Yacoub Youssef à Chellah (1307) finement ciselée au dos d'une plaque de marbre romaine de remploi est un remarquable exemple du genre.

Tous les **arts décoratifs** connaissent un vif éclat sous les Mérinides. À cette époque, la plupart des constructions sont réalisées en brique cuite, mais cette dernière est rarement apparente car recouverte de céramique ou de plâtre sculpté. Si les carreaux de céramique avaient déjà été utilisés pour la décoration sommitale de certains minarets almohades, l'art des **zelliges** *(voir encadré p. 83)* n'apparaît vraiment que sous les Mérinides, au début du 14e s. ; il prospérera jusqu'à nos jours comme en témoignent, par exemple, les salles d'apparat du palais de **Telouèt**. Quant au **stuc**, il atteint une perfection rarement égalée dans l'art islamique. La **menuiserie d'art** utilise abondamment le bois de cèdre du Moyen Atlas pour la décoration des médersas, des fondouks et des palais : portes *(bab)* et panneaux ouvragés, encadrements de fenêtre *(shrjem)*, grilles *(derbouz)* et balustrades, corbeaux, frises et corniches ; dans les mosquées ce sont les plafonds artesonados, les minbars et parfois les mihrabs. Une profusion d'entrelacs géométriques, de motifs végétaux ou de calligraphies de versets du Coran, habilement sculptés, couvre toutes les surfaces disponibles. Certaines pièces sont peintes.

Sous les Saâdiens et les Alaouites (16e s. au 20e s.)

Malgré la longue décadence des Mérinides et les soubresauts des 17e et 18e s., l'art hispano-mauresque va perdurer jusqu'à aujourd'hui.

Deux grands sultans, le Saâdien Ahmed el-Mansour au 16e s., à Marrakech, et l'Alaouite Moulay Ismaïl au 17e s., à Meknès, ont été des bâtisseurs forcenés dont les constructions ont énormément impressionné leurs contemporains ; mais leurs œuvres ont été victimes de la malveillance des successeurs !

Fort de ses immenses richesses, **Ahmed el-Mansour** se lança dans de magnifiques réalisations pour embellir Marrakech, sa capitale. Le palais d'**el-Badi** (l'« Incomparable »), d'un luxe inouï, était inspiré des palais de Grenade. Malheureusement, un siècle plus tard, il servit de carrière à Moulay Ismaïl qui en fit extraire les matériaux précieux pour les réutiliser dans ses propres édifications à Meknès. Il n'osa cependant pas détruire les **Tombeaux saâdiens** et se contenta de les faire murer ; redécouverts en 1917, ils sont considérés comme des chefs-d'œuvre de l'art hispano-mauresque.

À Meknès, **Moulay Ismaïl** voulut surpasser ses prédécesseurs dans le gigantisme, et il y parvint : des dizaines de milliers d'esclaves travaillèrent sans relâche à édifier un ensemble colossal de palais, de casernes, d'entrepôts et d'écuries, protégé par 25 km de murailles percées de majestueuses portes monumentales dont **Bab Mansour**. Mais, ces bâtiments serviront à leur tour de carrière aux successeurs du grand sultan. Cependant, leurs dimensions étaient telles que, même en ruine, ces vestiges restent aujourd'hui particulièrement impressionnants.

Aux 16e et 17e s., après la chute de Grenade, plusieurs vagues d'émigrés juifs ou musulmans, la dernière étant celle des **morisques** en 1610, vont attirer à Tetouan, Fès et Rabat des foules d'artisans expérimentés qui insuffleront une énergie nouvelle à l'art marocain, sans pour autant le renouveler complètement.

Au 19e s., les princes et la grande bourgeoisie urbaine font édifier des palais comme ceux de **la Bahia** à Marrakech ou **Dar Jamaï** à Meknès, de proportions plus modestes, mais non dénués de charme ; ils sont remplis des productions de l'artisanat d'art : bois peints, tapis, tentures, objets en cuivre, etc.

Enfin au 20e s. citons le dernier avatar de l'art hispano-mauresque : la **mosquée Hassan II** à Casablanca.

L'ART BERBÈRE

Selon la formule imagée d'un orientaliste allemand des années 1930, Klaus von Grossgrabenstein, « les fruits éclatants de l'art hispano-mauresque ont fait injustement oublier le vieux tronc robuste et noueux de la tradition berbère qui a porté la greffe ». Les chefs-d'œuvre produits pendant huit siècles par la grande tradition andalouse – arabe, urbaine et savante – ne doivent donc pas éclipser totalement l'existence de l'autre tradition – berbère, rurale et populaire –, dont s'est nourri l'art marocain. Cet art berbère plonge ses racines dans un passé beaucoup plus ancien, mais qui, selon toute vraisemblance, restera à jamais obscur et mystérieux, faute de documents écrits et de monuments datés. De plus, les siècles passant, les deux « tendances artistiques » se sont influencées et enrichies mutuellement, au point de devenir parfois presque indiscernables. La tradition berbère n'a pu se maintenir dans sa « pureté » que loin de l'influence des grandes cités arabo-andalouses du nord, c'est-à-dire dans le sud et dans les montagnes.

C'est incontestablement dans le domaine de l'**architecture de terre** que l'art berbère nous éblouit le plus avec ses constructions fortifiées : **ksour**, **kasbahs** (tigremt) et **agadir** (igherm) (voir encadrés p. 439 et p. 478). Puissantes sans être lourdes, fonctionnelles mais élégantes, il en émane une beauté épurée que vient souvent renforcer une décoration sobre et néanmoins raffinée, réalisée uniquement par l'agencement habile de briques de terre crue. La technique de construction est généralement celle du **pisé**, elle consiste à malaxer de l'argile avec un peu de paille, puis à couler cette pâte à l'intérieur d'un coffrage mobile en bois et à la damer à l'aide d'un gros pilon ; dans les régions montagneuses, les pierres sèches remplacent le pisé, mais les formes restent presque les mêmes.

Les **portes** de greniers, ou de maisons, sont des éléments décoratifs et symboliques essentiels ; présentées dans plusieurs musées (Dar Si Saïd à Marrakech, collection Bert Flint au Musée municipal d'Agadir et dans la maison Tiskiwin à Marrakech, Dar Belghazi près de Rabat) elles sont, à juste titre, réputées pour leur décoration gravée, peinte, ou réalisée en bois découpé et appliqué. Les plafonds en **tataoui** *(voir lexique p. 90)*, peints de couleurs vives, sont les équivalents rustiques des plafonds artesonados de la tradition andalouse.

Les **mosquées** rurales anciennes, qui malheureusement sont systématiquement détruites pour être remplacées par de banales constructions en maçonnerie, présentent des piliers en thuya surmontés de magnifiques chapiteaux rustiques en bois sculpté et peint.

L'ARCHITECTURE COLONIALE

Déjà au 16e s. les Portugais avaient laissé leur marque dans l'architecture de leurs comptoirs d'Asilah, d'Azemmour, de Safi, de Mazagan (El-Jadida). Au début du 20e s., les Européens commencèrent à s'installer au Maroc, construisant de manière anarchique des bâtisses sans goût. Mais, dès sa nomination comme résident général, en 1912, Lyautey se préoccupa d'urbanisme et s'adjoignit les services d'**Henri Prost** et d'une pléiade de jeunes architectes (comme **Albert Laprade** ou Marius Boyer) pour établir les plans directeurs de Casablanca et des villes nouvelles de Rabat, Fès, etc. Le principe premier était de bâtir des quartiers neufs très à l'écart des villes anciennes, puis de créer une trame de larges avenues bordées d'arbres et de jardins dans laquelle on construirait ensuite les édifices publics et les habitations. Les constructions, sobres et fonctionnelles, devaient éviter une monumentalité par trop arrogante et elles intégraient discrètement des éléments décoratifs marocains en se gardant toutefois de tomber dans le style néomauresque.

Prost, architecte du luxueux hôtel de la **Mamounia**, élabora également un chantier de logements sociaux : le **quartier des habous**, dans la nouvelle médina de Casablanca témoigne de sa volonté d'adapter les acquis modernes au mode de vie traditionnel.

À partir de 1925, le style Art déco se manifesta aussi au Maroc, surtout à Casablanca où on peut encore en voir de beaux exemples. Ce style est enrichi d'éléments typiquement marocains comme les coupoles, les lanternons, des ornements en bois ou en zelliges.

Entre 1946 et 1953, **Michel Écochard** prit la responsabilité de l'urbanisme marocain. Familiarisé avec l'architecture islamique par une longue carrière en Syrie, il poursuivit dans la lignée de ses prédécesseurs à Rabat et Casablanca, mais aussi dans les villes nouvelles de Fès et de Meknès. En 1960, le tremblement de terre d'Agadir offrit aux architectes et aux urbanistes l'occasion de mettre en œuvre des théories plus contemporaines ; **Jean-François Zevaco** s'est particulièrement illustré dans l'« architecture brutaliste » (d'après l'expression « béton brut de décoffrage »).

LEXIQUE D'ARCHITECTURE MAROCAINE

Agadir (berbère) - Grenier collectif fortifié dans le Sud. Dans certaines régions, on utilise le terme *irherm*.

Bab - Porte d'une ville.

Borj - Tour, bastion, fortin.

Chemacha - Claustra, généralement en plâtre.

Dar - Maison. Par extension : lieu où s'exerce une activité particulière (ex. *dar dbagh* : les tanneries ; *dar el-Makhzen* : anciennement préfecture).

Derbouz - Grille en bois qui sert de balustrade ou de moucharabieh.

Fondouk - Caravansérail urbain servant à la fois d'entrepôt et d'hôtellerie.

Hammam - Bains publics.

Irherm (b.) - Voir *agadir*.

Kasbah - Citadelle d'une ville. Dans le Sud, habitation fortifiée isolée, appartenant à une famille ; les Berbères utilisent le terme *tigremt*.

Kissariya - Dans un souk urbain, ensemble de boutiques, disposées autour d'une cour, et consacrées à un seul type de commerce ou d'artisanat.

Koubba - Coupole, dôme. Par extension : tombeau d'un saint, marabout (car ils sont très souvent couverts d'une coupole).

Ksar (pl. ksour) - Château ou palais fortifié. Dans le Sud, village fortifié.

Marabout - Saint homme. Par extension : son tombeau.

Médersa - École de théologie. Au Maroc, elles comportent une cour étroite autour de laquelle sont disposées les cellules des maîtres et des étudiants.

Médina - Ville. La ville ancienne par opposition à la ville moderne.

Mellah - Quartier juif dans la ville traditionnelle. En général, il n'est pas isolé du reste de la médina par une muraille.

Mihrab - Niche dans un mur de qibla. Dans les mosquées les plus modestes, c'est souvent la seule partie qui bénéficie d'une décoration.

Minaret - Tour d'où le muezzin lance l'appel à la prière *(ouden)*.

Minbar - Chaire en pierre ou en bois d'où l'imam prononce le prêche du vendredi *(khutba)*. On y accède par quelques marches.

Mosquée - Édifice réservé à la prière. On distingue les *jami*, mosquée du vendredi, des *masdjid*, simple oratoire. C'est uniquement dans les premières que l'imam prononce la *khutba* du haut du minbar.

Moucharabieh - Grilles ornementales en bois placées devant les fenêtres. Elles permettent aux femmes de regarder dans la rue sans être vues.

Moukarnas - Alvéoles décorant des niches, des voûtes ou des coupoles. La base de ces alvéoles s'étire en formant des sortes de stalactites.

M'sallah - Lieu de prière en plein air, dont l'architecture est réduite au strict minimum : un mur de qibla, dont la hauteur ne dépasse pas un mètre, avec la marque du mihrab, et quelques marches pour le minbar.

Qibla - Direction de la Ka'ba. À la mosquée, les fidèles font la prière face au mur de qibla qui est perpendiculaire à la direction de La Mecque.

Rhettara - Canalisation souterraine permettant le transport de l'eau d'irrigation sur de grandes distances.

Riyâd ou riad - Patio ou jardin clos attenant à une maison particulière.

Ribat - Couvent fortifié

Sahn - Cour d'une mosquée ou d'une médersa.

Souk - Marché. Il s'agit soit d'un marché hebdomadaire en plein air, soit d'un quartier de la médina entièrement consacré au commerce.

Tataoui (b.) - Plafond en caisson réalisé avec des roseaux ou des branches de laurier-rose disposées en losange au-dessus des solives.

Tedlakt (b.) - Enduit mural très lisse formé d'un mélange de chaux, de pierre finement broyée, de pigments colorés et de savon noir.

Tigremt (b.) - Voir *ksar*.

Zaouïa - Confrérie religieuse. Par extension : ensemble de bâtiments construits autour du tombeau d'un saint et abritant la confrérie.

Zelliges - Marqueterie de faïences polychromes réalisée à l'aide de fragments découpés dans des carreaux de céramique de couleurs vives.

LES MAROCAINS

La population marocaine se divise en deux grands groupes : les Arabes (à peu près 60 %) qui forment la majorité des citadins, et les Berbères (près de 40 %) qui habitent surtout les montagnes et les campagnes. La distinction n'est pas toujours aussi simple car de nombreux Berbères ont été arabisés. Quelques Maures vivent encore au sud et à l'est du pays.

LES ARABES

Le processus d'arabisation du Maroc s'est fait lentement et par étapes *(voir p. 66)*. Les premiers Arabes qui l'atteignirent au 7e s. étaient très peu nombreux. Il fallut attendre le 11e s. et les Beni-Hilal, Arabes nomades de Haute-Égypte envoyés en Berbérie par les Fatimides, pour voir leur nombre augmenter, puis le 15e s. avec l'arrivée massive des Arabes d'Espagne chassés par les Rois Catholiques. Ils ont peu à peu converti l'ensemble de la population à l'islam et imposé l'arabe comme langue officielle.

Aujourd'hui, les Arabes se concentrent dans les grandes villes et les régions côtières du Nord.

LES BERBÈRES

Le mot « berbère » vient du latin *barbarus*, qui signifiait « celui qui est étranger à la civilisation gréco-latine », et désigne les premiers habitants du pays. On sait peu de chose sur l'origine des Berbères, sinon qu'ils peuplaient l'Afrique du Nord dès la fin de la préhistoire.

Aujourd'hui, les Berbères vivent en tribus dans les régions montagneuses et dans certaines parties du désert. Ils se divisent en trois groupes linguistiques conservant leurs coutumes et leur langue respectives : les **Rifains** du Nord-Est parlent le *tarifit*, les **Chleuhs** du Haut Atlas et de l'Anti-Atlas, le *tachelhit*, et les **Berbères du Moyen Atlas**, le *tamazight (voir « Langues », p. 119)*.

Ils ont conservé une forte identité culturelle, souvent du fait de leur isolement. Vous pourrez ainsi admirer au cours de votre voyage leur architecture, leurs costumes, et apprécier leur merveilleux sens de l'hospitalité. Même lorsqu'ils deviennent citadins, les Berbères restent extrêmement attachés à leur village d'origine, souvent perdu dans les magnifiques vallées de l'Atlas. On estime qu'ils sont plus de 10 millions.

LES MAURES

Nomades sahariens métissés d'Arabes, de Berbères et de Noirs, les Maures du Sud marocain ont été surnommés les **« hommes bleus »**, à cause de leur vêtement indigo qui déteint sur la peau. Leur visage enturbanné soulignant un regard perçant et lointain, ainsi que leur posture altière sur leur dromadaire ont nourri l'imagination de bon nombre de romanciers et de voyageurs. C'est à Guelmin que vous pourrez les rencontrer, lors du marché du samedi où ils vendent leurs dromadaires blancs *(voir p. 494)*. Mais, attention : cette manifestation, qui a perdu de son importance,

attire aussi de faux nomades déguisés pour l'occasion ! Les hommes bleus, nomades vivant à l'écart du monde moderne, se déplacent à l'intérieur des terres du sud et de l'est du pays.

LES JUIFS

La présence des juifs au Maroc remonterait à l'établissement des Phéniciens en Afrique du Nord. Du 5e au 3e s. av. J.-C., ils auraient participé au marché de l'or, qui s'était développé après la fondation de Carthage. Les inscriptions sur les pierres tombales des ruines romaines, en hébreu à Volubilis et en grec à Salé, attestent de la présence juive dans le Maroc romain.

Entre 1390 et 1492, des milliers de juifs (20 000 en 1492) chassés d'Espagne s'installèrent au Maroc, venant grossir la communauté déjà établie dans le pays (70 000 personnes environ).

En 1956, l'indépendance insuffle au judaïsme un élan émancipateur : le roi proclame l'égalité des citoyens musulmans et juifs. Cependant, le conflit israélo-arabe – dès la création de l'État d'Israël en 1948 – et le mouvement sioniste mettent fin à cette mémorable cohabitation. Entre 1948 et 1956, 92 000 juifs quittent les *mellah* (quartiers traditionnels juifs) pour gagner Israël et, en 1993, ils ne sont plus que 8 000 à vivre au Maroc. Mais les juifs restent très attachés à ce pays qui ne les a jamais reniés ni expulsés.

LES AUTRES COMMUNAUTÉS

Concentrée dans les régions désertiques et les oasis, la **population noire** du Maroc est originaire d'Afrique subsaharienne (Ghana, Nigeria...), où de nombreux sultans s'approvisionnèrent en esclaves.

Sous Vichy

Lorsque la Résidence du protectorat français souhaita étendre le « statut des juifs de Vichy » jusqu'au Maroc, le sultan Mohammed V refusa fermement, alléguant que les juifs faisaient partie du peuple marocain et que s'ils devaient porter l'étoile jaune, il la porterait aussi.

L'émigration, poumon économique du Maroc

Environ 2 millions de Marocains résident dans l'Union européenne, soit près de 7 % de la population du Maroc. Ils sont 800 000 en France et nombreux en Belgique, aux Pays-Bas, en Allemagne et en Espagne. On les retrouve dans les situations sociales les plus diverses, depuis le manœuvre jusqu'à l'écrivain célèbre, en passant par l'irremplaçable épicier du Sous. Ils jouent un rôle vital dans l'économie marocaine grâce à l'apport en devises qu'ils génèrent par leur transfert d'argent mensuel et par les dépenses effectuées lors des vacances passées au pays natal. Dans les environs de Tanger, nombreux sont ceux qui, à prix d'or et souvent au péril de leur vie, essayent de traverser clandestinement le détroit de Gibraltar pour atteindre l'Espagne, porte d'entrée de l'Europe. Mais souvent l'eldorado se révèle n'être qu'un mirage, comme à El Ejido, près d'Almeria, où, en 1999, les travailleurs agricoles marocains ont été victimes d'ignobles pogroms.

Autre communauté, des **Andalous**, persécutés lors de la *Reconquista*, s'installèrent définitivement au Maroc, notamment à Rabat et Salé. Quatre siècles plus tard, des **colons espagnols** rejoignirent les provinces du nord suite au traité franco-espagnol du 27 novembre 1912.

La **communauté européenne**, très réduite après l'indépendance du pays, se limite aujourd'hui à quelque 60 000 personnes (80 000 en 1921, 500 000 en 1954), la majorité étant française.

UNE DÉMOGRAPHIE GALOPANTE

D'environ 10 millions à la veille de l'indépendance, la population marocaine est passée à 15 millions en 1975 pour atteindre plus de 30 millions d'habitants en 2004. Cet **accroissement démographique incontrôlé** est à l'origine de la plupart des maux dont souffre le Maroc : exode rural, chômage (environ 20 % de la population active), enseignement encore déficient malgré la création de nombreuses écoles dans les campagnes (le taux d'analphabétisme, de l'ordre de 38 % chez les hommes et 64 % chez les femmes, est le plus fort du Maghreb), crise du logement, immigration sauvage, etc.

Bien que la population rurale (44 % de la population totale) reste très prolifique, l'indice moyen de fécondité est en baisse sensible, de 4 en 1995 à 2,75 en 2004, entre celui de la France (1,8) et celui de la plupart des pays d'Afrique subsaharienne (entre 5 et 7). Le fort accroissement annuel de la population (1,6 % contre 0,4 % en France) résulte du différentiel entre une **natalité encore forte** (23 ‰ contre 12,5 ‰ en France) et une mortalité très faible (5,7 ‰ contre 9 ‰), qui n'est que très partiellement compensé par l'immigration. Il en découle que la moitié de la population est âgée de moins de 20 ans et que l'espérance de vie est relativement importante (plus de 68 ans contre 78 en France). La densité est d'environ 66 habitants par km^2 (sans tenir compte du Sahara occidental qui est presque vide), mais il existe de grandes disparités selon les régions.

Les **grands centres urbains** connaissent une croissance exponentielle avec tous les inconvénients que cela entraîne. Casablanca compte plus de 3 millions d'habitants, Rabat-Salé 1,5 million, Fès près de 1 million ; d'après certaines sources, Tanger et ses banlieues abriteraient 1,5 million d'habitants (contre 190 000 en 1975 !) ; les agglomérations d'Agadir, Marrakech, Meknès, Oujda et Safi se situant entre 300 000 et 800 000 habitants. Les **campagnes surpeuplées** (Rif, Haut Atlas, Anti-Atlas, etc.) y envoient chaque année d'importants contingents de jeunes gens sans travail qui, le plus souvent, ne trouvent que des emplois très précaires et peu lucratifs, et, faute de logements, doivent s'entasser dans des bidonvilles. L'**émigration** vers l'Europe leur apparaît donc comme la seule chance de s'en sortir.

Jeune femme lors d'un moussem

RELIGIONS

L'ISLAM

Islam signifie « élan vers Dieu ». Dieu est unique : « il n'y a de Dieu qu'Allah, et Mahomet est son prophète », dit la profession de foi musulmane. L'islam marocain est **sunnite** de rite *malékite* (fondé par l'imam Malik). L'école des *malékites* enseigne une lecture du Coran moins dogmatique et moins littérale que celle des autres tendances ; elle accepte que l'on modifie les traditions dès lors que celles-ci s'opposent au bien commun. Au Maroc, l'islam est une **religion d'État** et le roi Mohammed VI, descendant du Prophète, est le Commandeur des croyants *(Amir al-Mouminine)*. Les Marocains, presque tous musulmans (99,95 %), sont fortement unis par le sentiment d'appartenance à la communauté des croyants, l'**Umma**.

Les origines

Mahomet naît vers 570 à La Mecque, en Arabie. Orphelin dès sa tendre enfance, il organise très tôt des caravanes puis travaille pour la veuve Khadija, une riche commerçante, qu'il épouse à 25 ans. C'est dans la grotte de Hira, où il se retire de temps à autre pour méditer, qu'il reçoit ses premières révélations (vers 610) : l'archange Gabriel *(Jibrail)* lui annonce qu'il est le messager de Dieu *(rasûl)*. En 613, Mahomet entame sa mission prophétique. Contraints de fuir les persécutions des Mecquois polythéistes, Mahomet et ses disciples se réfugient à **Médine** en 622. Cette émigration, l'**hégire** (de *hijra* : exil, en arabe), marque l'an 1 du calendrier musulman. L'État islamique *(Dar al-Islâm)*, que le Prophète instaure dans cette ville, devient un modèle pour toutes les cités musulmanes à venir (médinas). En 624, la victoire remportée par les Médinois sur les Mecquois, lors de la bataille de Badr, entraîne l'extension de l'islam dans toute la péninsule Arabique. En l'an 10 de l'hégire, Mahomet institue le pèlerinage à La Mecque *(Hajj)*, puis retourne à Médine, où il rend l'âme le 13 *rabi* de l'an 11 de l'hégire (le 8 juin 632).

Ibn Batouta, voyageur de l'Islam

Né à Tanger en 1304, Ibn Batouta entreprit, dès l'âge de 22 ans, son premier pèlerinage à pied à La Mecque. Mais, s'étant fixé pour but de visiter toutes les parties du monde habitées par des musulmans, il ne se contenta pas de faire sept fois le tour de la Ka'ba : il descendit jusqu'à Zanzibar et rayonna en Irak et en Perse. Partout où il passait, il visitait les tombeaux des saints personnages et s'entretenait avec les théologiens ; rapidement, sa prodigieuse connaissance du monde de l'islam lui vaut d'être invité de toute part. C'est ainsi qu'Ibn Batouta parcourut l'Anatolie, le sud de la Russie et l'Asie centrale avant de séjourner sept ans à la cour du sultan de Delhi. Puis il devint juge dans les îles Maldives (où il se maria pour la énième fois) avant d'entreprendre un long périple maritime qui le conduisit de Ceylan jusqu'à Pékin. Finalement, il retourna au Maroc en 1349 ; mais, à peine rentré, il repartit visiter ce qui restait de l'Andalousie musulmane avant de faire un immense voyage au Sahara et en Afrique noire où il descendit jusqu'en Guinée. Revenu à Tanger, il dicta ses récits *(Rihala)* en 1355.

Le livre sacré

L'islam s'appuie sur un livre révélé, le **Coran**. Ce mot vient de *qur'an*, infinitif de *qara'a*, qui signifie « réciter » en arabe. Pendant les vingt années de la révélation, Mahomet récitait à chaque Ramadan la totalité de ce qui lui avait été jusque-là transmis ; c'est pour cette raison que les musulmans récitent le Coran durant les nuits de ce mois sacré. Les révélations se présentent sous forme de versets *(ayats)* rassemblés en 114 chapitres ou **sourates**. Après le Coran, la **sunna** ou tradition est le second fondement *(asl)* de l'islam. Contenue dans les **hadiths** (témoignages sur la vie de Mahomet), elle relate les propos que le Prophète a tenus en tant que guide de la communauté, et non en tant que messager de la parole divine. Pour les musulmans, ces paroles ont été rapportées par une série de témoins, garants de leur authenticité.

Les cinq piliers

Cinq obligations majeures constituent les piliers de l'islam :

Représentant l'adhésion à l'islam, la **profession de foi** *(chahada)* est l'obligation canonique la plus importante. Elle atteste « qu'il n'est de divinité que Dieu » et que « Mahomet est l'envoyé de Dieu ». Celui qui prononce ces mots s'engage définitivement à être musulman et à appartenir à la communauté des croyants *(Umma)*.

Après avoir procédé à des ablutions purificatrices, le croyant effectue sa **prière** *(salat)* cinq fois par jour : au lever du soleil, à midi, vers 16h, au coucher du soleil et deux heures plus tard. Tourné vers La Mecque, il exécute seul ou en groupe une série de prosternations en récitant des versets du Coran. Un **muezzin** lance l'appel à la prière *(adhan)* du haut du minaret. La prière du vendredi *(salât al-jumu'a)* est collective. Le musulman se rend à la mosquée, où l'**imam** (savant religieux) dirige la prière et, de sa chaire (minbar), prononce un prêche. Cette journée est également vouée à la charité envers les déshérités, auxquels on offre aumône et nourriture, notamment le couscous, le plat sacré. Dans certaines régions, des familles déposent, la veille, des cierges dans une mosquée ou dans le mausolée d'un marabout.

Le **Ramadan** a lieu le 9e mois de l'année lunaire. Les musulmans – à partir de la puberté – jeûnent de l'aube au coucher du soleil, exception faite pour les malades, les femmes enceintes, et ceux qui effectuent un long voyage. Ils s'abstiennent de manger, de boire, de fumer et d'avoir des relations sexuelles. Le soir, familles et amis se retrouvent autour d'une multitude de plats, dans une atmosphère de détente et de gaieté. La nuit du 26 au 27 de ce mois, appelée « Nuit de la destinée », commémore la révélation de la première *sourate* au prophète Mahomet.

Le croyant doit faire preuve de générosité, et notamment en dispensant l'**aumône légale** *(zakat)*, contribution en nature ou en argent destinée à financer des œuvres de bienfaisance. Dans deux versets d'une des dernières sourates, on peut lire : « Mais l'homme a été rebelle, aussitôt qu'il s'est vu riche ». Si l'avarice éloigne le croyant de Dieu, la prodigalité est également condamnée, dans la mesure où elle provoque l'appauvrissement économique de la communauté.

Tout fidèle doit effectuer un **pèlerinage à La Mecque** *(hadj)* au moins une fois dans sa vie, à condition d'en avoir les moyens. Il permet la rémission de tous les péchés. Il est ponctué de nombreuses prières et de rituels, dont le plus important consiste à faire sept fois le tour de la **Ka'ba**, sanctuaire de forme cubique situé dans la cour de la mosquée, et renfermant la Pierre noire remise à Abraham par l'archange Gabriel. Tout musulman

Calendrier des fêtes musulmanes *(les dates peuvent varier de 1 jour ou 2)*

Année de l'hégire	1426	1427	1428	1429
1er Moharram	11 fév. 2005	31 janv. 2006	20 janv. 2007	9 janv. 2008
Achoura	19 fév. 2005	8 fév. 2006	27 janv. 2007	16 janv. 2008
Mouloud	21 avril 2005	10 avril 2006	30 mars 2007	19 mars 2008
Début du Ramadan	4 oct. 2005	23 sept. 2006	12 sept. 2007	1er sept. 2008
Aïd al-Fitr	3 nov. 2005	22 oct. 2006	11 oct. 2007	30 sept. 2008
Aïd el-Kébir	8 janv. 2006	27 déc. 2006	16 déc. 2007	5 déc. 2008

qui a réalisé ce pèlerinage se voit honoré du titre de *hadj*, qui désormais précède son nom.

Par ailleurs, l'islam stipule un certain nombre d'**interdits** : il proscrit les boissons alcoolisées, la viande de porc et les viandes non saignées. Quoique pratiqués, les jeux de hasard et l'usure sont également condamnés.

Les grandes dates de la vie religieuse

La vie civile est régie par le calendrier grégorien, mais la vie religieuse suit le calendrier musulman. Celui-ci est calculé selon les 12 mois de l'année lunaire. Chaque mois commence avec la nouvelle lune et fait alternativement 29 ou 30 jours. Une **année lunaire** ne compte que 355 jours et avance donc d'une dizaine de jours sur l'année solaire. L'an 1 de l'hégire a débuté le 16 juillet 622.

Le 1er Moharram est le Nouvel An du calendrier musulman.

L'**Achoura** est célébrée le 10e jour du mois de *moharram*, en souvenir de l'assassinat de Hussein, petit-fils du Prophète.

Le **Mouloud** correspond à l'anniversaire du Prophète.

L'**Aïd al-Fitr (ou Aïd es-Seghir)**, la rupture du jeûne, a lieu le premier *Chaoual*, qui correspond au lendemain du dernier jour du Ramadan.

L'**Aïd el-Kébir**, la « Grande Fête », commémore l'épisode du sacrifice relaté dans le Coran et la Bible, selon lequel Isaac, fils d'Abraham, échappe à l'immolation grâce à un bélier qui lui est substitué. En célébration de cet acte, la communauté musulmane a institué une fête dite « du Mouton » (le 10 du mois de *Dhû al-hijja*), au cours de laquelle un animal est sacrifié dans chaque famille.

La monarchie sacralisée

Le roi est le **Commandeur des croyants**, titre qui légitime sa fonction de monarque. Il est le descendant d'Ali, gendre du Prophète, d'où le nom de **Alaouite** donné à la dernière dynastie. Le pouvoir monarchique n'est

attribué qu'aux descendants directs du Prophète *(chorfa)*. Bien que l'islam proclame l'égalité de tous les musulmans devant Dieu, le titre de **chérif** est une source de bénédiction *(baraka)*. Ce don divin introduit une relation d'allégeance entre le peuple marocain et son roi.

Si l'islam ne tolère pas d'organisation hiérarchique détentrice d'un pouvoir spirituel, il existe un corps de docteurs de la loi musulmane, théologiens juristes qui contrôlent l'orthodoxie et l'application de la loi religieuse en relation avec le pouvoir étatique. La fonction des **oulémas** s'apparente à celle des clercs d'avant la séparation entre l'État et l'Église en France. Dans l'islam classique, ils doivent interpréter les textes sacrés, légitimer le pouvoir établi et protéger le pays des tensions religieuses extrémistes. Au Maroc, leur rôle est aujourd'hui marginalisé et affaibli, néanmoins des oulémas occupent toujours des postes importants au sein de l'État et de la société civile. L'**imam** est ce dignitaire qui prie devant les fidèles alignés lors des prières collectives ; intégré au pouvoir civil et religieux – au même titre que le juge local, appelé **cadi**, le juriste et le théologien –, il représente l'unité de la communauté.

Mysticisme et superstitions

Héritées de la culture berbère préislamique, la superstition et la magie continuent d'orienter bon nombre de sorts et de destinées. Les Marocains croient en la présence d'esprits malfaisants, les **djinns**. L'outrecuidance ou l'étalage des richesses sont atténués par la crainte du « mauvais œil », sort jeté par un regard envieux ou jaloux. Dans les médinas, des voyants *(shouaf)* concoctent des recettes et potions magiques, censées guérir tous types de maux : impuissance du mari, stérilité, adultère, célibat, etc.

Bien que condamnées par l'islam orthodoxe, ces pratiques se sont greffées sur le culte des saints auquel adhère la religion dite populaire. Ce culte s'exprime par la vénération d'un **marabout** (ou **wali** : ami de Dieu), intercesseur entre Dieu et les croyants. Pour espérer voir leurs vœux exaucés, ces derniers se recueillent sur la tombe du saint (koubba) et y effectuent des pèlerinages (moussem). Le Maroc compte quelques milliers de saints, locaux, régionaux et nationaux. Certains attirent une foule de pèlerins de tout le Maghreb (Moulay Abdallah Acharif, à Ouezzane), ou d'Afrique noire (Sidi Ahmed Tijani, à Fès). Le saint le plus réputé est **Moulay Idriss**, – qui repose dans la ville de son nom – fondateur en 789 de Fès, première ville islamique du pays.

Le respect et le dévouement portés à des personnalités religieuses se retrouvent au sein des **confréries mystiques**, nombreuses à Fès. Celles-ci se réunissent dans un sanctuaire ou *zaouïa*, ce lieu de rassemblement pouvant être une école, une mosquée ou la tombe d'un saint. Chaque confrérie est dirigée par un maître *(cheikh)*. Directement inspirée des préceptes du **soufisme**, cette voie spirituelle *(tariqa)* implique la primauté de l'au-delà sur les biens terrestres et l'effacement de l'homme devant la divinité. Cette démarche comprend des exercices spirituels fondés sur le *dhikr* (rappels et invocations de Dieu). Ceux-ci sont collectifs, et peuvent être associés à des danses, dont le rythme saccadé et répétitif mène à un état de transe.

LE JUDAÏSME

Si les juifs marocains sont des citoyens à part entière, électeurs et éligibles, l'État marocain leur a établi un espace juridique conforme aux préceptes du judaïsme. Sur le plan du statut personnel, les juifs sont régis par la **loi « mosaïque »**, ce qui signifie qu'ils sont justiciables des chambres rabbiniques près des tribunaux réguliers pour tout ce qui touche au mariage, à l'héritage et au droit des mineurs. L'alimentation casher (viande et vin) est garantie par les autorités religieuses et communautaires qui, en échange, versent à l'État des taxes spécifiques. La communauté juive au Maroc ne regroupe plus que 5 000 fidèles environ, la majorité vit à **Casablanca**. La plupart des juifs marocains ont émigré en Israël, où ils sont 800 000, mais aussi en France, en Espagne et au Canada. Chaque année, des expatriés venus du monde entier se retrouvent autour de tombeaux de saints – situés à Ouezzane, Essaouira, Taroudant… –, pour fêter la « **hilloula** », version juive du *moussem*, qui rappelle les fastes du passé et commémore l'attachement à la terre des ancêtres.

VIE QUOTIDIENNE

Attardez-vous à une terrasse de café à Rabat ou à Casablanca ; vous remarquerez les téléphones portables, les jeunes dans la rue vêtus à l'occidentale et les immeubles modernes, propriétés d'entreprises internationales. À deux heures de route des grandes villes, sur les plateaux, au fond des vallées et à la montagne, vous découvrirez d'authentiques villages de terre, parfois sans électricité, vous croiserez des enfants à dos d'âne allant puiser de l'eau, ou, si vous vous aventurez un peu, vous apercevrez des tentes de nomades.

Le Maroc ne se résume pas seulement à des contrastes entre la vie citadine et la vie à la campagne. Il est le résultat d'un compromis quotidien, au sein même d'une ville, entre la tradition (l'ambiance dans les médinas, les petits métiers ancestraux, les fêtes folkloriques) et un mode de vie occidentalisé, un pays en mutation dans laquelle les femmes tentent depuis peu de faire valoir leurs droits.

PORTRAITS DE FAMILLE

Voici quelques portraits de Marocains aux styles de vie très différents.

Anfa, quartier chic de Casablanca

Conçues par des architectes renommés, les villas et leurs pelouses fleuries bordent les rues plantées de palmiers sur la colline d'Anfa. C'est là que réside la famille Sakki. Le père, Rachid, âgé de 56 ans, est un industriel dont l'usine Électricité Maghreb se trouve à Aïn Sebâa, en périphérie de la ville. Comme beaucoup, sa famille s'est enrichie après l'indépendance, en achetant aux Français qui partaient du Maroc des terrains à prix minime. Tous les jours, Rachid rejoint, dans sa Mercedes, l'entreprise familiale où travaillent aussi ses deux frères. Il y déjeune et ne revient chez lui que tard dans la soirée, éreinté et heureux de retrouver sa femme, Hind, et deux de ses enfants (17 et 15 ans) encore à la maison. Ces derniers suivent leur scolarité au lycée Lyautey I, tenu par la mission française. Hind est âgée de 45 ans, elle ne travaille pas. Grâce à l'aide de ses deux domestiques et de son chauffeur, elle dispose de beaucoup de temps. Enfants, marché, shopping et jeux de cartes entre femmes occupent ses journées. Quand l'envie lui prend, elle fait du sport au Miami Club ou se prélasse au Sun Beach, les lieux de rendez-vous des plus fortunés. Mais son occupation préférée est la décoration de sa maison. Et pour cause : avec deux salons européens, un salon marocain pour invités, un *bayt el-seghir* (petite pièce) pour la famille, un coin bibliothèque, une salle à manger, deux cuisines, un vestiaire et cinq chambres à l'étage, il y a toujours matière à transformer. Cette année, la mode est au rouge fraise et au jaune. Cet hiver, Hind se rendra à Paris, comme toutes ses amies, pour faire le tour des magasins de décoration de Saint-Germain-des-Prés. Elle en profitera pour faire un bilan de santé et voir sa fille aînée Kenza, étudiante dans une école de commerce et résidente à Neuilly-sur-Seine.

La banlieue populaire de Rabat

Faïçal et Houria Hamidas habitent avec leurs deux enfants, de 8 et 6 ans, dans un très modeste quartier entouré de gigantesques immeubles dans la périphérie de Rabat. Sur les balcons grignotés par la rouille, pendent des vêtements colorés, des draps et de maigres tapis. Faute de moyens, l'eau chaude – quelquefois même l'électricité – n'est pas distribuée. Houria est caissière à la poste où elle travaille cinq jours par semaine de 9h à 18h, pour un faible salaire. Le week-end, elle fait le marché, pétrit le pain, tisse, coud, nettoie la maison, s'occupe de ses enfants et rend parfois visite à sa famille. Faïçal, lui, est employé dans une station-service ; il

s'y rend à 5h du matin pour ne revenir qu'à 20h et n'a qu'un jour de repos par semaine. Les enfants vont à l'école publique, ils suivent les cours en arabe. L'appartement des Hamidas se trouve au rez-de-chaussée. Une aubaine, car leurs enfants peuvent ainsi facilement sortir et jouer dans la cour. Le long des murs du salon, des matelas recouverts de velours vert forment une banquette. Au centre trône une table ronde traditionnelle en bois de thuya que Faïçal a rapportée de Marrakech. Un petit vase en verre, des napperons en dentelle et des photos de la famille sont délicatement disposés sur la télévision. Quelques tableaux ornent les murs rongés par l'humidité : un verset du Coran que Faïçal a acheté lors de son pèlerinage à La Mecque, un portrait du roi Hassan II et des reproductions de forêts. Les parents et leurs enfants se partagent les deux petites chambres meublées de matelas et d'une vieille penderie en bois. Les journées sont fatigantes ; Faïçal et Houria ne s'en plaignent pas. La nourriture ne manque pas (le vendredi, la famille mange de la viande de mouton) ; les enfants sont bien portants, et Allah les protège dans leur vie quotidienne.

Le Haut Atlas, chez les Asilah

Les Asilah vivent dans la vallée des Aït Bouguemez, à quelques kilomètres du village d'Azilal. Le long des chemins rocailleux se succèdent des maisons construites en pierre ou en terre. La demeure des Asilah, très ancienne, est noyée dans la nature. Son imposante porte en bois massif s'ouvre sur le silence et l'obscurité. Seuls quelques filets de lumière s'infiltrent à travers les grilles en fer forgé des fenêtres. Le rez-de-chaussée est occupé par le gros bétail, la pièce du haut par les brebis et les moutons. La famille s'est installée au premier étage afin de bénéficier de la chaleur animale. Autour de la cour, on trouve une cuisine, un grenier et trois pièces. Celle des invités (en berbère, *tamesrit*), la plus belle, est entièrement recouverte de tapis en laine à dominante rouge et jaune sur lesquels reposent des coussins et une table ronde où trônent le service à thé et un bouquet de roses.

Les Asilah ont quatre enfants, une fille de 13 ans, 2 garçons de 10 et 8 ans et un bébé. Seuls les garçons vont à l'école, la fille travaille avec sa mère. L'ordre et la discipline sont de mise, jusqu'aux chaussures alignées dans le couloir.

C'est l'hiver. Une tempête de neige souffle sur toute la vallée. Les habitants répètent des gestes ancestraux : les hommes coupent du bois que les femmes et les filles transportent. Le reste du temps est consacré au travail de la laine. Les hommes la cardent, les femmes la tissent en couvertures blanches (ghta) et en tapis (zerbia). Sur les visages, le calme s'apparente à de la nostalgie, les corps ploient avec dignité. Demain, les hommes partiront à dos de mulet pour la journée. Ils vendront leurs marchandises au souk et achèteront de l'huile, du sucre, des épices et du thé.

L'HABITAT

L'habitat musulman traduit un « principe d'intimité » : les anciennes demeures sont des espaces clos, jamais visibles de la rue. Cependant, le modernisme a parfois dénaturé cette règle sacrée : dans les nouveaux quartiers citadins, la maison devient un signe extérieur de richesse. La majorité des grandes villes du Maroc se divisent en plusieurs parties : la médina, la ville nouvelle et le quartier résidentiel.

Dans la médina

La conception de la médina, harmonieuse et ordonnée, héritage de la première communauté musulmane fondée à Médine par le prophète Mahomet, reflète l'idée selon laquelle tous les croyants participent à l'équilibre de la société.

C'est là que vous découvrirez l'art de vivre traditionnel. La vie familiale se déroule derrière les hauts murs qui bordent un dédale de ruelles étroites, tandis que la vie sociale a pour cadre la rue, le hammam et le marché (voir « Dans les souks » ci-après). Au cœur des quartiers, la **mosquée** demeure le symbole de l'omniprésence du sacré dans la vie quotidienne.

Le plan de la maison traditionnelle (dar) obéit à une organisation sociale et familiale, de nature patriarcale. De la rue, on n'aperçoit que de hauts murs percés de petites fenêtres grillagées. Une lourde porte en bois s'ouvre sur une entrée en chicane (skiffa), qui conduit à un patio (wast ad-dar) dont l'atmosphère est rafraîchie par le jet d'eau qui jaillit d'une vasque centrale. Souvent transformé en un jardin (riad), où se mêlent les senteurs des orangers et des bougainvillées, le patio, aux murs couverts de zelliges, est le lieu de rencontre des différents membres de la famille et des domestiques. Tout autour, les pièces (bayt) sont meublées d'objets que l'on peut facilement déplacer : tapis, coussins, nattes, coffres, etc. Les palais, souvent immenses, frappent par la richesse de leur décoration : colonnes en marbre ornées de plâtre sculpté, vitraux colorés, fontaines couvertes de zelliges, chapiteaux sculptés, lustres en bronze…

Dans la ville nouvelle

Les premiers édifices modernes ont été construits sous le protectorat français. Pour préserver le patrimoine marocain, les villes nouvelles furent agencées à l'extérieur des médinas selon un plan en damier et creusées de larges avenues. Un axe central regroupe les bâtiments publics : résidence générale et ministères à Rabat, banques, postes, gares, etc. Les immeubles aux façades monumentales symbolisent la puissance occidentale. L'architecture des maisons réservées à la communauté européenne varie du style Art déco à un mélange de genres hétéroclite et fantaisiste.

Vers 1950, la population rurale dépossédée de ses terres (de nombreux terrains cultivables ayant été distribués à des Européens) s'installa dans des logements rudimentaires et des bidonvilles, construits à la périphérie des villes. Les rares habitations destinées aux autochtones, comme celles du quartier des Habous, à Casablanca, et de la Marsa, à Rabat, s'inspirent de l'architecture traditionnelle des médinas. Après l'indépendance du Maroc, l'émigration massive des habitants de la médina vers la ville nouvelle entraîna la création de nouveaux quartiers en périphérie des cités : ensembles de villas, d'immeubles modernes pour cadres et fonctionnaires, mais aussi lotissements clandestins souvent sans eau ni électricité.

Les régions du Centre et du Sud

De pierres sèches ou de terre crue prélevée à même le sol, l'**architecture berbère** se fond dans le paysage et est adaptée au climat. Son caractère massif et austère, venant de son rôle défensif à l'origine, reflète une vie collective, organisée autour de hameaux, de villages ou de fermes. Une des plus anciennes constructions berbères est l'**agadir** ou *tighremt*, mots qui signifient « grenier » en berbère *(voir p. 478)*. Originaire de l'époque romaine, celle-ci se présente comme une tour imposante percée de meurtrières et encadrée parfois de tourelles crénelées. Inspirés de l'*agadir*, les kasbahs et les *ksour* dominent les vallées et les oasis du Sud marocain. Les **kasbahs** sont des forteresses qui abritent un chef et les membres de sa tribu. Les plus caractéristiques se trouvent dans le village de Aït-Benhaddou, situé à l'ouest du Haut Atlas *(voir p. 415)*, et dans l'authentique vallée du Dadès dite « vallée des mille kasbahs ». Prédominant dans les vallées du Todra et du Drâa, le **ksar** (*ksour* au pluriel) est un château ou un palais entièrement construit en pisé *(voir encadré p. 439)*. Les motifs en brique crue qui ornent ses tours et bastions sont destinés à protéger du mauvais œil.

Dans le Haut Atlas

À l'origine, la **tente nomade** *(khaïma)* était utilisée par les marchands et nomades du désert, ceux qui ont tant inspiré les orientalistes du 19e s. Aujourd'hui, elle ne sert plus qu'aux tribus nomades du Haut Atlas, qui transhument avec leurs troupeaux, ainsi qu'aux « hommes bleus » de l'extrême Sud. Le toit est composé d'un vélum fait d'étroites bandes *(flij)* en poils de chèvre ou de chameau tissées par les femmes et cousues bord à bord. L'intérieur se divise en deux espaces : celui des hommes et des invités est délimité par une natte *(amessu)* en fibres végétales ; celui des femmes et des enfants est meublé d'un lit, d'un métier à tisser et d'un moulin à grain. Des herbes censées attirer la protection divine sont dispersées sur le sol.

Joignez-vous aux Marocains dans ces différents lieux pleins de vie.

Dans les souks, en ville

C'est le lieu où s'exercent toutes les activités artisanales et commerciales. Piétons, âniers, cyclistes et motocyclistes circulent fébrilement dans les ruelles où débordent des marchandises aux mille saveurs et couleurs. À l'ombre des lattis de roseaux, les artisans, debout ou assis sur une petite natte, se concentrent sur leur ouvrage. Les différents corps de métier sont regroupés par quartier dans des échoppes extrêmement exiguës : souks des potiers, des chaudronniers, des teinturiers, des tapissiers, des menuisiers, des maroquiniers, des épiciers, etc. La **kissariya** (du latin *Cæsareum* : marché « de César ») abonde de brocarts, soieries, passementerie et vêtements. Les **fondouks**, sortes de caravansérails qui abritaient autrefois les caravanes de passage et se composaient d'écuries et d'entrepôts, ne servent plus qu'à stocker la marchandise.

Dans les souks, à la campagne

Selon les régions, le souk rural rassemble de 200 à 20 000 personnes. Il est hebdomadaire et le jour de la semaine lui donne son nom : par exemple, *tnite* pour le souk du lundi, *khemis* pour le souk du jeudi, etc. Son emplacement est choisi souvent à un carrefour, parfois sur un lieu saint, pour qu'il soit accessible aux habitants de la région. Paysans, négociants et artisans se réunissent sur ce marché géant qui, avec ses rues, ses quartiers et ses distractions, s'apparente à une ville éphémère. Très tôt le matin, les hommes arrivent à dos d'âne ou de

Dans les souks de Taroudant

mulet, chargés de corbeilles contenant le fruit de leurs récoltes, qu'ils vendent ou échangent contre des produits manufacturés, comme le thé, l'huile, les épices, et les ustensiles de cuisine.

Vêtus de burnous, la sacoche brodée en bandoulière, les Berbères se retrouvent avec plaisir, prolongent les salutations par les dernières nouvelles de leur village. Ils s'installent dans les cantines sous des tentes pour converser en buvant du thé et en écoutant les musiciens ambulants. Sur le souk, de nombreux services sont proposés (cordonnerie, couture, forge, tissage, coiffure, photographie, écrivain public, arracheur de dents et autres soins, porte-bonheur...). Quand le souk se trouve dans une petite ville, c'est aussi l'occasion de régler les problèmes administratifs (justice, poste et état civil).

Au café

Le café traditionnel est réservé aux hommes ; ils s'y rejoignent pour déguster un thé à la menthe dans un café accompagné d'un verre d'eau, échanger des propos ou goûter en silence à la fraîcheur de la brise, suivre du regard les silhouettes féminines ou discuter affaires. Dans les grandes villes comme Rabat ou Casablanca, des salons de thé modernes accueillent une clientèle mixte ou des femmes seules.

Au hammam

Héritage des bains romains, le hammam a été introduit dans la civilisation maghrébine par les Omeyyades venus de Syrie. Il est habituellement réservé aux femmes, pendant la journée, et aux hommes, le soir, mais, dans les grandes villes, le hammam des hommes jouxte bien souvent celui des femmes. Les Marocains transportent une valise ou un sac de sport, pour y ranger les instruments nécessaires à leur confort en ce moment privilégié : plusieurs serviettes-éponges (pour le corps et les cheveux) ; un pagne en coton pour s'envelopper ou pour s'étendre sur une paillasse ; une paire de sandales en plastique ; un gant de tissu rugueux, et, bien sûr, un savon, une brosse ainsi que du shampoing. Les femmes utilisent le henné pour les cheveux et l'argile comme masque corporel. Le hammam est agencé selon une succession de salles. La première est un vestiaire (el-guelsa) ; puis viennent trois pièces principales : une froide (bayt el-bared), une tiède (bayt el-wastani) et une chaude (bayt eskhoun) pour la sudation. Un rituel ancestral accompagne ce moment de détente et de purification : on commence par un bain de vapeur très chaud, puis on s'arrose d'eau glacée à l'aide d'un seau en caoutchouc, avant de se livrer aux mains énergiques d'un masseur ou d'une masseuse qui, à l'aide d'un gant de crin ou de tissu rigide, frotte le corps entier.

GRANDES ÉTAPES DE LA VIE

Du berceau au tombeau, les grandes étapes de la vie font l'objet de célébrations très importantes.

La naissance

Dans les campagnes, au moment de la naissance, la mère est assistée par toutes les femmes de sa famille. Ce sont elles qui procèdent à la toilette et à l'habillage du nouveau-né, tandis que la grand-mère pose du henné sur la main droite du nourisson et le pare d'une amulette, censée éloigner les mauvais esprits (djinns). En ville, d'autres pratiques tendent à supplanter les anciennes et à instaurer une atmosphère plus festive. La cérémonie rituelle s'ouvre le matin du septième jour qui suit la naissance. Après le sacrifice d'un mouton – le sang doit couler par terre en direction de La Mecque –, on procède à la lecture de versets coraniques. Une fois l'enfant nommé, les femmes chantent à la gloire du prophète Mahomet. Il est souvent fait appel à des deqqaqa, musiciens qui soufflent dans de gigantesques cors et tapent sur des tambourins. Le soir, les proches se réunissent et comblent de cadeaux la mère et l'enfant.

La circoncision

Déjà en vigueur dans l'ancienne Égypte, l'excision du prépuce est pratiquée chez les coptes, les juifs et les musulmans. Pour ces derniers, la circoncision symbolise l'appartenance à la communauté

(Umma) et l'accès à la virilité. Elle est pratiquée par un médecin ou, dans quelques campagnes et quartiers populaires, par un barbier. En général, l'enfant est âgé de deux mois à cinq ans. La cérémonie donne lieu à une série de **rituels**, qui persistent essentiellement dans les milieux ruraux. Pour protéger l'enfant du mauvais œil, on noue à son poignet un talisman couvert de tissu blanc ou noir. La mère s'enveloppe d'un drap blanc et enduit ses pieds de henné. Le jour de la circoncision, celle-ci pose son pied droit sur un plateau *(qas'a)* rempli d'eau, tout en portant d'une main un roseau et de l'autre un miroir. L'immobilité totale dans laquelle s'accomplit cet acte symbolise la protection maternelle. Pendant l'opération, les cris du circoncis sont étouffés par les youyous (stridulations vocales) et les chants des femmes. L'enfant, vêtu d'un costume traditionnel – large pantalon de coton blanc serré au-dessous du genou *(serwal)*, gilet de velours vert, fez vert brodé or –, est ensuite porté sur le lit de la convalescence. Pendant une semaine, il recevra les soins des femmes, ainsi que des friandises et des pièces de monnaie pour récompenser son courage.

Le mariage

La grande réforme de la *Moudawana* (Code du statut personnel, *voir p. 104*), entrée en vigueur en février 2004, a des répercussions considérables sur le mariage. Libérées de la tutelle masculine, les femmes ont désormais – à peu de choses près – les mêmes droits que leur mari. L'âge légal du mariage passe de 15 à 18 ans pour les jeunes filles, comme c'était déjà le cas pour les garçons. Elles ne subissent plus de mariages forcés, ni de répudiations arbitraires, et peuvent interdire la polygamie à leur mari. Elles ne lui doivent plus obéissance et peuvent même demander le divorce, notamment en cas de maltraitance. La nouvelle loi assure en outre l'égalité des droits et des devoirs des deux conjoints pour tout ce qui concerne leurs enfants. En cas de divorce, la mère obtient en priorité la garde de ces derniers.

À la ville comme en milieu rural, la cérémonie est très importante et obéit à des rites traditionnels. En premier lieu, un acte de mariage est établi par des clercs testamentaires *(adoul)*, en présence de l'époux et du père de la mariée. En plus de la dot qui incombe au marié, sa famille offre des cadeaux. La future épouse, parée comme une princesse, adopte une posture hiératique. Ses gestes et propos demeurent pudiques ; ils n'exhibent pas le bonheur mais le reflètent. La fête est spectaculaire.

Noces villageoises et citadines

À la campagne, la mariée arrive au domicile conjugal à dos de cheval ou de mulet, suivie d'un cortège de femmes qui entonnent des chants d'adieu poignants. Puis elle est portée jusqu'au patio, où l'attend sa belle-famille. Les femmes chantent et dansent, tandis que le marié et ses proches lancent des fruits secs aux enfants. La soirée se poursuit par les danses berbères de l'*ahouach* ou de l'*ahidous*. En ville, la cérémonie ne dure que deux ou trois jours, au lieu d'une semaine autrefois. La mariée se rend tout d'abord au hammam, accompagnée des femmes de sa famille puis elle est livrée au talent des *negafate*, qui dessinent au henné sur ses pieds et ses mains. Ensuite a lieu la fête. Les nombreux invités se réunissent autour d'un orchestre de musique traditionnelle. Les mariés sont habillés de costumes somptueux, qui varient au cours de la soirée.

Le deuil

Conformément aux recommandations du Prophète *(sunna)*, le défunt est lavé le jour même du décès ; il devra être enterré le plus rapidement possible, au moment de l'une des cinq prières. On l'étend sur une planche en bois, on l'enveloppe d'un linceul blanc et on le parfume à l'eau de fleur d'oranger et à l'encens. Il est ensuite porté dans une pièce vidée de ses meubles, où les membres de sa famille lui rendent un dernier hommage. La maison est nettoyée de fond en comble, avant que n'arrivent les proches. Les hommes et les femmes sont assis séparément. Aucune nourriture n'est servie ; seules des carafes ou bouteilles d'eau sont posées sur des plateaux. Certaines familles vont jusqu'à retirer tout « signe de vie » : elles ôtent les étoffes qui recouvrent les matelas, baissent les volets et enveloppent de tissu la télévision, les miroirs et beaux objets. Après la lecture du Coran (talba), un cortège masculin accompagne le défunt au cimetière, à pied ou en voiture. Une fois la prière collective accomplie, le corps est enseveli à même la terre et orienté vers La Mecque. Durant les deux premiers jours qui suivent le décès, la famille ne cuisine pas ; les repas sont préparés par des proches et envoyés à la maison. Le troisième et le quarantième jour, qui marque la fin du deuil, sont consacrés à la lecture du Coran et à la préparation du couscous, dont une partie est distribuée aux pauvres. Les trois vendredis suivant le jour de la mort, les hommes et les femmes de la famille vont, séparément, se recueillir sur la tombe. Pendant quatre mois et dix jours, la veuve doit s'habiller en blanc, et il lui est interdit de se remarier.

LA CONDITION DES FEMMES

Depuis février 2004 et l'entrée en vigueur de la nouvelle Moudawana (Code du statut personnel), le statut de la femme connaît un profond bouleversement. Il faudra cependant encore du temps avant que le poids des traditions ne se dissipe, surtout en milieu rural et dans les catégories sociales les plus défavorisées.

Clivage entre ville et campagne

En ville, les femmes représentent un quart de la population active, notamment dans les secteurs de la banque, de l'administration, de l'enseignement, de l'industrie. En revanche, en milieu rural, la majorité des femmes demeurent analphabètes. Cantonnées aux nombreuses tâches domestiques et s'adonnant à un travail agricole et artisanal titanesque (moisson, récolte, tissage, poterie, etc), elles sont extrêmement actives et font vivre les villages, mais sont rarement scolarisées.

L'émancipation féminine

Par leur ténacité, les Marocaines ont peu à peu réussi à promouvoir l'égalité des sexes dans le travail. Mais il leur a fallu attendre **février 2004** et la grande réforme de Mohammed VI pour voir leur statut juridique évoluer dans un véritable souci d'équité et de justice au sein de la société marocaine. La Moudawana interdisait jusqu'alors aux femmes de se marier, de divorcer et d'accomplir certaines choses (voyager par exemple) sans le consentement de leur père, puis de leur mari. Ce dernier pouvait à tout moment les répudier, tandis qu'elles n'étaient autorisées à demander le divorce que dans certains cas très précis définis par le Code du statut personnel. Lors d'un héritage, les femmes recevaient deux fois moins que les hommes. Les frères avaient eux aussi une influence et un droit de regard très forts sur le comportement et la vie de leurs sœurs. Le nouveau Code abolit toutes ces prérogatives masculines, reconnaissant ainsi enfin les femmes comme des citoyennes à part entière, à l'égal des hommes.

LE SYSTÈME ÉDUCATIF

L'école est obligatoire à partir de l'âge de 6 ans et pour une durée de six années, mais cette mesure n'est pas toujours respectée, surtout en milieu rural et pour les filles, qui restent davantage travailler dans les champs ou à la maison.

Aujourd'hui, le gouvernement tente de combler le retard que connaît le système éducatif marocain. Des amendes de 1 000 à 5 000 DH sont théoriquement imposées aux parents qui n'inscrivent pas leur enfant à l'école dès l'âge requis. Le taux d'analphabétisme est très élevé, 48 % en moyenne, beaucoup plus à la campagne et chez les femmes. Le gouvernement a décidé de s'attaquer à ce problème en lançant, en mai 2003, un ambitieux programme baptisé la « **Marche vers la lumière** ». Les objectifs sont sans appel : ramener le taux d'analphabétisme de 48 % à 20 % en 2010, avant d'atteindre 0 % en 2015, et rendre effective l'école obligatoire pour tous en 2010.

Les enfants de 3 à 6 ans peuvent suivre un enseignement préscolaire ; le cursus primaire aboutit à la *chahada* (certificat d'entrée en 6e) ou à une formation professionnelle. L'enseignement secondaire dure sept ans et s'achève par le bac.

LES VÊTEMENTS

Ayant échappé à l'occupation ottomane et n'ayant été colonisé qu'au début du 20e s., le Maroc a pu préserver sa spécificité vestimentaire. Dans certains milieux ruraux, les costumes n'ont quasiment pas changé depuis des siècles ! En ville, en revanche, les tenues vestimentaires ont évolué. On distingue nettement les costumes citadins des costumes ruraux, qui varient selon l'appartenance ethnique ou les régions.

En ville

Dans les grandes villes, de plus en plus de jeunes, garçons et filles, s'habillent à « l'européenne », tandis que certaines tenues traditionnelles demeurent. La **djellaba**, longue robe à capuchon, est couramment portée, par les hommes comme par les femmes. Depuis que les femmes l'ont adoptée, dans les années 1930, la djellaba n'a cessé de se transformer. Les amples capuchons ont été raccourcis, la laine et le drap ont parfois été remplacés par des matières synthétiques très colorées et brodées. La djellaba se porte dans la rue, dans les lieux saints et également lors du deuil et de certaines fêtes. Le **haïk**, vêtement féminin en laine fine ou en tissu qui camoufle la totalité du corps et le visage, est de plus en plus rare mais persiste dans la région d'Essaouira. En ville, les hommes se couvrent de **capes** blanches en laine ou en feutrine (*selhame* ou *ghensa*). Chez soi ou lors d'une réception, la tenue favorite est le **caftan** (de « cuirasse », en persan). D'origine turque, il fut introduit dès le 7e s. au Maroc. Jusqu'au 19e s., il était le principal vêtement porté à la maison. Aujourd'hui, le caftan masculin, en drap uni et orné de passementerie, n'est plus qu'un souvenir. En revanche, celui de la femme a continué à se métamorphoser et à

embellir au cours des siècles. Allant du drap recouvert d'un tissu transparent (*fouqiya* : au-dessus) aux soieries les plus luxueuses, il peut être un simple vêtement d'intérieur comme une féerique tenue de fête. Chaque ville possède son type de caftan. À **Fès**, les plus beaux sont en soie lamée or ou argent, et dotés de manches très larges et de ceintures de brocarts aux motifs floraux ou géométriques *(hizam)*. En hommage à l'Andalousie, **Rabat** et **Salé** ont opté pour des velours rouges et bleus, agrémentés de passementerie et de galons or. À **Tetouan**, marqué par l'influence turque et andalouse, on trouve de somptueux caftans en velours ou en soie, fortement serrés au niveau de la taille et complétés par un gilet orné de soutaches. Enfin, n'oublions pas les **caftans juifs** qui ont tant inspiré Eugène Delacroix, même s'ils tendent à disparaître. Ces « grandes tenues » *(el-kessoua el-kébira)* se composent de manches en voile *(kmamat)*, d'une ample jupe ornée de galons d'or, ainsi que d'un plastron et d'un gilet brodés au fil d'or.

À la campagne, dans les montagnes et le désert

En **milieu rural**, par période de grand froid, les hommes portent des capes en laine. Il en existe plusieurs sortes : l'*aslham*, toute blanche ; le *burnous*, avec capuchon ; l'*akhidous*, grise et avec des poils de chèvre ; l'*aznar*, noire et l'*akhnif*, noire également, mais avec une bande jaune brodée, et ornée d'un capuchon. Dans le **Moyen Atlas** et le **Haut Atlas**, les femmes se couvrent d'une *hendira*, cape de forme rectangulaire, parfois brodée de coton.

Le *khount* est le majestueux tissu bleu indigo qui enveloppe les hommes de l'**Anti-Atlas** et des **zones subsahariennes**, dont les célèbres « hommes bleus ». Ces derniers ajoutent un turban bleu et noir qui couvre également le bas de leur visage et leur cou, ne laissant paraître que les yeux, afin de se protéger des vents de sable.

Dans les oasis (vallée du **Drâa**, **Tafilalt**), les femmes se drapent de tissu noir qui couvre en général également le visage. Dans la vallée du **Dadès** et dans la région du **Ziz**, le vêtement évolue un peu : au noir des drapés s'ajoutent des coloris très vifs de jaune, rouge, orange, violet et vert.

Les femmes du **Rif** sont facilement reconnaissables à leur *fouta*, large tissu blanc rayé de rouge et parfois de bleu noué autour des hanches, et à leur grand chapeau de paille orné de cordons et de pompons bleus.

Les chaussures

Les fameuses **babouches** *(belgha)* sont les chaussures traditionnelles, portées depuis la période almohade au Maroc comme en Andalousie. En cuir ou en daim, celles des femmes sont brodées de fil d'or ou de coton coloré *(voir « Achats » p. 44)*.

Les coiffes

Contrairement à certains autres pays musulmans, il est rare au Maroc de croiser des femmes entièrement voilées. Elles sont toutefois nombreuses à se couvrir les cheveux, le cou et, de temps en temps, le bas du visage de châles en soie *(abrouq* ou *sebniya)* ou d'un foulard, le **litham**, dont le *qfib* est la version contemporaine. La coiffe renseigne parfois sur la situation sociale de la femme. À Imilchil, lors du *moussem* des fiancés *(voir p. 115)*, la forme du foulard indique à l'homme s'il a affaire à une fille, une femme mariée ou divorcée. Les hommes portent des couvre-chefs : l'*aïmâma*, large turban coloré, la *razza*, turban en coton blanc, et la **chéchia** (calotte ou fez).

Pour le henné et les secrets de beauté, voir « Achats » p. 45 et encadré p. 388.

LES BIJOUX

Relevant de techniques séculaires, la fabrication du bijou a longtemps été l'apanage des artisans juifs, concentrés dans les quartiers traditionnels *(mellah)*. Créé et offert par l'homme, il n'est destiné qu'à la femme. Qu'elles soient citadines ou rurales, les Marocaines aiment les bijoux massifs et ouvragés.

Les bijoux ruraux

La majorité des bijoux ruraux sont **en argent**. Ils peuvent être incrustés de pierreries ou d'émaux (dont le nielle ou émail noir) et rehaussés de corail, de pièces de monnaie, de corne ou d'ambre. On trouve des boucles d'oreilles – dont de grands anneaux reliés par une chaîne –, des bracelets, des bagues, des anneaux de chevilles, des **fibules** (broches pour attacher les drapés) et des diadèmes *(taj)*. Il existe deux techniques de fabrication : le métal, une fois chauffé, est soit coulé dans un moule, soit découpé directement. Bien qu'il tende à disparaître, le **filigrane** est encore pratiqué à Essaouira et à Tiznit. Dans le Moyen Atlas, certaines femmes portent un **serdal** sur le front, bandeau de laine ou de soie orné de pièces de monnaie en argent et de bâtons de corail. À la frontière mauritanienne, les artisans perpétuent des techniques ancestrales : l'argent est fondu dans des creusets d'argile ou des pierres taillées.

Les bijoux citadins

Les bijoux citadins sont **en or** ou, plus rarement, en argent recouvert d'or. Du diadème au bracelet, ils sont généralement décorés de motifs floraux stylisés, les **arabesques**, à la manière des bijoux byzantins. Des pierreries peuvent y être incrustées : rubis, grenats, émeraudes ou perles. Autrefois fabriqués dans les quartiers juifs, ils sont aujourd'hui la spécialité de la corporation des orfèvres. Les plus remarquables des bijoux citadins, pour leur raffinement et leur beauté, sont, sans conteste, le *lebba*, collier en or et pierres précieuses, et la ceinture de la mariée. La « **main de fatma** » *(khamsa)*, pendentif en or ou en argent destiné à éloigner le mauvais œil, se vend partout.

ARTISANAT

L'artisanat marocain attire les Occidentaux par sa variété et son raffinement. En 1999, le succès remporté par les différentes manifestations liées à « L'Année du Maroc en France » a permis de mieux faire connaître son très riche arti-

Colline des Potiers à Safi

sanat. Des poteries à la maroquinerie, des broderies aux tapis, les œuvres sont conçues selon des techniques ancestrales, différentes selon les régions et les villages. Elles sont soit d'influence berbère (motifs géométriques) soit d'influence arabe (motifs floraux et arabesques).

LES POTERIES ET CÉRAMIQUES

La poterie berbère - En terre blanche ou rouge, elle est soit incisée ou estampée, soit peinte en noir ou rouge. À Taroudant, elle est vernissée en brun, à Tamegroute en vert. Les différents motifs qui la décorent, et que l'on retrouve sur les dessins au henné, sont chargés de symbolisme (le losange du nomadisme, par exemple, désigne les quatre points cardinaux). Les femmes modèlent la poterie à la main, tandis que les hommes utilisent un tour à pied. Cuites sur des feux de branches, les pièces obtenues (plats, bols, jarres, cruches, marmites...) sont destinées essentiellement à l'usage domestique. Les formes et décors varient en fonction des régions. Dans le **Rif**, les poteries sont ocrées et ornées de dessins noirs. Dans le **Moyen Atlas** et dans les **zones sahariennes**, elles ont une taille imposante.

La céramique citadine - Propre aux anciennes cités comme Fès ou Salé, elle remonte au 10e ou 11e s. Sobre et épurée, sa décoration mêle des éléments floraux d'origine perse et espagnole à des inscriptions coufiques et des motifs géométriques. La surface n'est jamais entièrement recouverte. Son fond en émail blanc tranche avec des dessins jaunes, verts ou bleus, parfois délimités par du brun manganèse. Au 18e s., les artisans de **Fès** créèrent une nouvelle faïence, dont les motifs surchargés sont peints uniquement en bleu : c'est le fameux bleu cobalt, communément appelé « **bleu de Fès** ». Bénéficiant de l'enseignement fassi, la ville de **Safi** a opté pour des motifs foisonnants et colorés, introduisant une céramique de luxe. On trouve toutes sortes d'objets en céramique, chacun ayant une fonction précise : le *berrada* est une gargoulette qui permet de conserver de l'eau

fraîche ; le *douaïa*, un encrier utilisé par les écrivains publics ; le *guellouch*, un petit récipient pour le miel ; le *hallab*, une bouteille de lait ; le *mbokha*, un brûle-parfums, etc. Si l'introduction récente de fours à briques et de tours à pied dans les ateliers a permis d'augmenter la production et de diminuer les « défauts de fabrication », la décoration, elle, demeure manuelle.

LE TRAVAIL DU MÉTAL

La dinanderie - Les principaux ateliers de dinandiers *(seffarine)* se trouvent dans les médinas de **Fès** et **Marrakech**. L'art du **cuivre** et du **bronze**, qui relève de techniques ancestrales, requiert une maîtrise et une patience rigoureuses. Le métal est gravé au burin et ciselé à la gouge. Dans les échoppes des artisans s'amoncellent les objets en cuivre rouge ou jaune : plateaux, bouilloires, brûle-parfums, chandeliers, boîtes à thé... Les grandes lanternes à verre coloré qui projette de jolis rais de lumière bleus, rouges, jaunes ou verts iront dans les patios des maisons traditionnelles. Les grands récipients, tels que les marmites ou les cuves pour les hammams, sont dénués de décoration.

La ferronnerie - Impossible de manquer le souk des ferronniers *(heddadine)*, les coups de marteau qui retentissent l'annoncent de loin. Excepté les lustres et les lanternes, les pièces fabriquées sont destinées à la sécurité de la maison : grilles de fenêtre, clefs, serrures, clous pour les heurtoirs des portes, pentures, etc. L'achat d'objets en fer, tout comme leur production, est le domaine réservé des hommes.

Les armes - Elles sont surtout des objets de collection ou de parade, exhibées notamment lors des fantasias. Cependant, les artisans de Tiznit, Marrakech, Fès et Meknès en produisent toujours. On distingue deux types d'**armes à poudre** : les fusils à talon concave ornés de cuivre, d'argent ou d'émaux dans le Sud, et les armes plus simples à talon plat dans le Nord. Les **poires à poudre** sont en cuivre, en corne ou, plus rarement, en ivoire. Il existe également une grande variété de **poignards**. La *koumiya*, à lame courbe à double tranchant fixée à un manche de corne ou de bois, était l'arme des guerriers du **Sous** et du **Haut Atlas**. Sa gaine, en cuivre, est ciselée, niellée ou émaillée. Les poignards du Nord, les *khanjer*, au pommeau ciselé d'argent, sont plus lourds et n'ont qu'un tranchant ; l'arme se glisse dans un fourreau parfois décoré d'émaux ou de pierreries. La *sboula* se distingue par sa forme verticale ; montée sur un manche d'os ou de corne, elle porte une lame à un ou deux tranchants, protégée par un fourreau orné de cuir ou de velours.

TISSAGE ET PASSEMENTERIE

C'est à Fès et à Tetouan que sont apparus les premiers ateliers de tissage. La technique du tissage à la tire a donné de magnifiques **ceintures**, décorées de motifs floraux et géométriques, et ornées de fils d'or. Complétant le tissage, la passementerie se compose de soie, de fils d'or ou d'argent. On la retrouve sur les caftans, les costumes de mariées et le harnachement, sous forme de tresses, franges, galons, cordelières…

Le tissage est aussi utilisé par les femmes pour la fabrication des **couvertures** de laine ou de poils de chèvre, de **tentures**, aux motifs géométriques (losanges, chevrons, rectangles) et de **hendira**, ces pièces rectangulaires, que les montagnardes portent sur les épaules et qui présentent dans le Haut Atlas des bandes noir, blanc et rouge.

LA BRODERIE

La broderie est une activité essentiellement féminine. Autrefois, la jeune fille brodait elle-même son trousseau, cet exercice requérant une patience et une rigueur que toute épouse se doit d'avoir. La broderie agrémente le mobilier et le linge de maison – nappes, serviettes, tentures, coussins, draps –, ainsi que les vêtements traditionnels (manches, cols et bordures des costumes). Elle est simple et discrète pour les hommes, colorée et sophistiquée pour les femmes.

La broderie de **Fès**, la plus fine, reproduit des motifs arborescents souvent bleus ou rouges. Celle de **Meknès** frappe par ses couleurs vives et sa disposition en semis. À **Rabat**, un simple point plat comble les motifs tandis qu'à **Salé** points de croix et points nattés s'allient dans des couleurs claires.

Parmi les nombreuses techniques, on retiendra la *chbika*, pratiquée dans les anciennes cités comme Fès, Meknès ou Rabat : cette dentelle, faite de nœuds d'aiguille, et dont les fils sont tirés, peut prendre la forme de vagues, de chevrons ou de papillons. Son extrême délicatesse en fait une broderie très convoitée.

LES TAPIS

Les tapis occupent une place prépondérante dans l'artisanat marocain. Moins réputés que ceux d'Orient, ils se distinguent néanmoins par leur grande variété et leur originalité *(voir p. 44)*.

Les tapis citadins

La production se concentre à **Rabat**, **Salé** et **Casablanca**. Décorés de motifs floraux inspirés de l'Asie Mineure du 18e s., ils se caractérisent par la densité de leur moquette et la finesse de leur composition. Leur nœud de fabrication est celui de *Ghiordès*, appelé aussi « nœud turc ». Les plus anciens disposent de la plus fine trame, à bandes tissées d'une largeur inférieure à 10 mm. Ces bandeaux à motifs répétitifs encadrent une surface rouge (de garance ou de cochenille), elle-même décorée de tracés curvilignes ou rectilignes. Sur les tapis casablancais, les surfaces centrales sont plus grandes et souvent ornées de médaillons octogonaux. Leur originalité vient aussi du fait qu'ils contiennent au minimum sept couleurs éclatantes.

Les tapis berbères

Les tapis du **Moyen Atlas**, très grands et épais, servent de matelas aux habitants. Décorés de motifs géométriques basiques, triangles, losanges, rectangles ou damiers, ils se présentent soit très colorés (Meknès), soit en noir et blanc (Taza). Pour obtenir un tissage épais et solide, la laine est fortement calibrée, et souvent retordue en deux brins pour les points noués sur trois ou quatre fils de chaîne.

Contrairement aux précédents, les tapis du **Haut Atlas**, aux couleurs chaudes et orientales (rouge, orange et or), jouent un rôle exclusivement ornemental. Leur finesse s'obtient à l'aide d'un point, de près de 15 mm, noué sur deux fils de chaîne, selon la technique utilisée à Rabat. De taille relativement petite, ils se distinguent, en général, par une bande et un médaillon central.

Les tapis du **Haouz**, à l'ouest de **Marrakech**, dits **chichaoua**, sont célèbres pour leurs fonds aux couleurs chaudes rouge foncé ou bois de rose et leurs motifs en zigzag à chaque extrémité. Mais certains peuvent être bien étranges : toujours sur fond rouge, ils mêlent des motifs symboliques à une faune variée (serpents, scorpions, scolopendres) et à des objets disparates (théières, tables), quand ils ne représentent pas les hommes ou la nature.

Enfin, les tapis du **Maroc oriental** sont fabriqués à Taourirt et dans les régions avoisinantes. D'une grande dimension, ils présentent une dominante verte ou bleue. La chaîne en laine est mélangée à du poil de chèvre ou de chameau, et teinte en rouge avec des racines de sumac.

LE CUIR

Les **babouches**, les accessoires de harnachement, les **sacoches** (chekkara) et les **coussins** comptent parmi les principaux objets traditionnels en cuir. Les motifs, brodés de fils d'or ou de soie, ou incisés à l'aide d'un canif, sont d'origine hispano-mauresque : entrelacs rectilignes ou curvilignes, dessins floraux, médaillons lobés…

On utilise aussi la technique de l'estampage et du repoussage : l'artisan tape à l'aide d'un marteau sur un outil qui donne un relief au cuir. Les tanneries qui ont conservé les techniques ancestrales existent toujours dans certaines villes, à Fès notamment. Aujourd'hui, la maroquinerie (**sac à main, pouf, portefeuille**...) occupe une place importante dans l'activité du cuir. Bien que la production de vêtements et de chaussures soit de moins en moins artisanale, la qualité du cuir demeure satisfaisante grâce aux progrès de l'industrie dans ce domaine.

Du Maroc au portefeuille ministériel

Le mot maroquin, dont l'origine remonte au 15ᵉ s., vient tout droit du nom Maroc et désigne l'une des spécialités de ce pays : le cuir élaboré à partir de peaux de chèvre ou de mouton tannées avec des produits végétaux (le sumac, la noix de galle). Il donna naissance au mot maroquinerie, qui définit la préparation et la fabrication du maroquin, puis, par extension, les articles obtenus grâce à cette technique. Parmi ces objets, citons le cartable ou le portefeuille appelé aussi « maroquin » ; ce dernier terme, de « fil en aiguille », a fini par faire référence au poste de ministre.

LA VANNERIE

La fabrication des **nattes** est une spécialité d'origine **berbère**. Elles servent de tapis, de couches, de revêtements muraux ou de cloisons. On les trouve dans les maisons traditionnelles, les douars en pisé, les tentes des nomades, ainsi que dans les mosquées. Selon les régions, les nattes sont tramées de torons de palmiers nains, d'alfa ou de brins de jonc. Ceux-ci, par l'irrégularité de leur couleur, produisent un ensemble ton sur ton. Des motifs floraux ou géométriques, rouge ou noir en général, peuvent rehausser l'ensemble. Dans le **Moyen Atlas** et le **Haut Atlas**, les artisans fabriquent des **paniers** et des **plateaux** en fibres végétales.

LE TRAVAIL DU BOIS

Toute la décoration architecturale témoigne de la virtuosité des Marocains à travailler et à sculpter le bois, que ce soit sur les auvents des médersas, dans la réalisation des moucharabiehs ou des plafonds à stalactites.

Dans les souks, la délicieuse odeur du bois de cèdre ou celle du thuya ou du chêne annonce les tourneurs qui fabriquent brochettes et pieds de table. Plus loin, les menuisiers exécutent des coffres, pièces maîtresses du mobilier. Ceux-ci varient selon les villes : en thuya aux ferrures ouvragées à Fès, en cèdre-

très sculpté à Meknès, au couvercle en dos d'âne à Marrakech, peints de couleurs vives à Tetouan. Pour les petits objets en bois, signalons les animaux, coupes, vases taillés dans le cèdre par les artisans d'Azrou, et la marqueterie d'Essaouira. Dans cette dernière ville, on sculpte aussi le thuya en le polissant pour mettre en valeur la loupe.

LES ARTS DU LIVRE

La calligraphie - La calligraphie occupe une place fondamentale dans l'art musulman et répond à tout un rituel. Après avoir fait ses ablutions, qui précèdent tout acte sacré, l'artiste recopie des pages du Coran ou de divers manuscrits sur du parchemin, du papier, ou encore sur des zelliges, de la poterie, du bois ou des bijoux. Il existe plusieurs types de calligraphie : la plus ancienne, appelée **coufique**, se reconnaît à ses formes géométriques et son tracé horizontal ou vertical. La calligraphie **cursive**, apparue au 12e s., se distingue par ses lettres en mouvement et son tracé libre, symbolisant l'évolution du monde où seul Allah est permanent. La calligraphie coufique fut supplantée par la cursive au 16e s.

La reliure - C'est à Fès, capitale du savoir et de la spiritualité islamique, que se manifestent les premiers relieurs. Au 12e s., ceux-ci acquièrent un savoir-faire dont la renommée s'étend jusqu'en Angleterre. D'inspiration turque et persane, la décoration des reliures présente des médaillons centraux et, aux coins, des motifs végétaux. Au 16e s., la dorure est encore pratiquée à la plume (qalam) et à l'or liquide ; la technique au fer et à la feuille n'apparut que plus tard. On continue d'utiliser le parchemin au 18e s. pour la copie du Coran et de documents administratifs, notamment les actes notariés et les décrets.

Les enluminures - Ces motifs floraux et géométriques de couleurs vives ornent les pages des manuscrits coraniques. Chères à l'art musulman, les décorations florales (et végétales) représentent des symboles du paradis céleste, et le vert de leurs feuilles la couleur de l'islam.

Les miniatures - Réprouvée par les théologiens de l'islam, qui y voient une forme d'idolâtrie, la représentation figurée apparaît cependant dans les miniatures, peintures d'illustration qui comblent les espaces entre les mots des manuscrits. Cet art, célébré en Iran dès le 13e s., ne conquiert le Maroc qu'au milieu du 20e s.

MUSIQUE ET DANSE

Au Maroc, la musique rythme la vie quotidienne. Elle anime les fêtes familiales et les *moussem (voir p. 115)*, et participe à la célébration des travaux des champs. On distingue deux grands types de musique : la musique berbère, qui s'accompagne de danses différentes selon les régions, et la musique arabe, répondant à deux tendances : l'une classique, d'origine andalouse, l'autre dite populaire, qui a subi diverses influences.

MUSIQUE ET DANSE BERBÈRE

Les **chants du Moyen Atlas** accompagnent la singulière danse collective de l'**ahidous**. Disposés en cercle autour d'un chef d'orchestre, les danseurs et danseuses effectuent des mouvements onduleux au niveau de la taille, en chantant des poèmes rythmés au son des tambourins.

Dans le **Haut Atlas** et le **Sous**, les Berbères exécutent l'**ahouach**. Cette danse peut être féminine, masculine ou mixte, mais seuls les hommes sont habilités à jouer de la musique. Les femmes, vêtues de longues robes de soie, forment une ronde autour des musiciens, assis à proximité d'un feu ayant préalablement servi à chauffer leur tambourin. En général, le chant se divise en quatre temps. La 1re partie commence par un chant soliste, suivi de la reprise du refrain initial par les danseurs, puis du son du tambourin. Ensuite, les voix féminines et masculines se succèdent et s'élèvent lentement. Tous les danseurs s'animent au rythme des mélodies puis les pas, la musique et le chant s'accélèrent.

Les **chants du Rif** les plus connus sont ceux des **Beni Arous**, issus de la région de Beni Ourighel. Ils peuvent être

ARTISANAT

individuels ou collectifs. Les troupes les plus célèbres, les Imdyazens et les Izfourn, pratiquent le tambourin et la grande flûte ; les Ishrrafn doivent leur renommée à une poésie imprégnée de romantisme et de spiritualité.

LA MUSIQUE ARABE

La **musique arabe classique** ou **andalouse**, appelée **al-ala**, fut introduite au Maroc sous le règne des Almoravides (11e-12e s.), qui s'étaient alliés politiquement avec l'Andalousie. Elle comprend des gammes variées et un texte puissant et dense, en général chanté par des hommes dans un **arabe littéraire** très pur. Source de plaisir et de détente, la musique « andalouse », répandue surtout dans les grandes villes du nord, s'écoute autour d'un thé et des petits gâteaux : c'est pourquoi on la qualifie de « profane » ou de « bourgeoise ».

Forme épurée de l'*al-ala*, la **sama** des *moussem* est une musique sacrée. L'instrument étant interdit, seule la voix accompagne les battements de mains. La *sama* se compose de chants panégyriques adressés au prophète Mahomet le jour de sa naissance *(Mouloud)*.

La **musique populaire** en **arabe dialectal** perpétue une tradition poétique orale riche et variée. On la trouve en ville comme à la campagne, ainsi que dans le Sahara occidental. La plus célèbre musique de ce type est la **ayta**. Dans les plaines de l'ouest (Casablanca et Beni-Mellal), la *ayta* est chantée par un groupe de femmes, les *chikhates*, qui racontent avec dérision et mélancolie des histoires et mythes ancestraux. Dans les régions du nord-ouest (Tanger, Tetouan, Chefchaouèn), la *ayta* rappelle le flamenco espagnol.

C'est essentiellement à Marrakech, Fès, Meknès et Essaouira que l'on entend la **musique des Gnaoua**. Elle commence aussi à intéresser les jeunes Français avec des versions actualisées par des groupes comme l'Orchestre national de Barbès et Gnawa Diffusion. Originaires de l'Afrique subsaharienne (Ghana et Nigeria), les Gnaoua chantent des poèmes religieux en arabe dialectal mêlé à des expressions de leur langue d'ori-

gine. La cérémonie *gnaoui* a pour but de chasser les djinns, ces esprits malfaisants qui peuvent s'en prendre à tout musulman. Le rythme saccadé de la musique conduit les danseurs à un état de transe. Chaque année, un festival de musique *gnaoua* a lieu à Essaouira.

La **musique du malhûn** est originaire du Tafilalt, dans la région d'er-Rachidia, située aux confins du désert, puis s'est propagée dans les médinas des villes impériales, dans le milieu des corporations artisanales. Poétique à souhait, elle prône la plus haute valeur humaine, l'amour, tout en évoquant le Prophète. Le chanteur et joueur de luth, El-Hadj Houcine Toulali, dont les premiers enregistrements datent des années 1950, incarne le mieux cet art du *malhûn*.

La **musique des Aïssaoua** est jouée par la confrérie du même nom, ayant pour maître spirituel (cheikh) Sidi Mohammed ben Aïssa. La tombe de ce saint mort au 16e s. rassemble chaque année à Meknès des milliers de pèlerins. La plupart des membres de la confrérie se sont installés dans les villes au fil des siècles. Ceux qui sont restés fidèles au milieu rural sont plus connus sous le nom de **Gharbaoua**, de Gharb leur région d'origine. Les textes des Aïssaoua se composent des paroles des *Chioukhs*, hommes qui ont bénéficié de la baraka du cheikh. Transmises par voie orale de génération en génération, celles-ci sont associées à des versets coraniques et louanges au Prophète. La musique, dont le rythme s'accélère progressivement, fait entrer les danseurs en transe. Les fidèles participent par des pleurs puis s'identifient à un animal qu'ils imitent. Le célèbre tableau de Delacroix, au nom évocateur des *Convulsionnaires,* représente une cérémonie aïssaoua.

La **musique égyptienne** moderne *(al-mussiqa asriyya)* fut importée au Maroc sous le protectorat français. L'engouement pour celle-ci gagna le pays, et des orchestres régionaux – les plus célèbres chanteurs étaient Leyla Helmi et Mohamed Abd el-Muttalib – apparurent à Casablanca, Rabat et Fès. Mais les artistes, soucieux de préserver le patrimoine national, revinrent au dialecte marocain à partir des années 1960.

LES INSTRUMENTS DE MUSIQUE

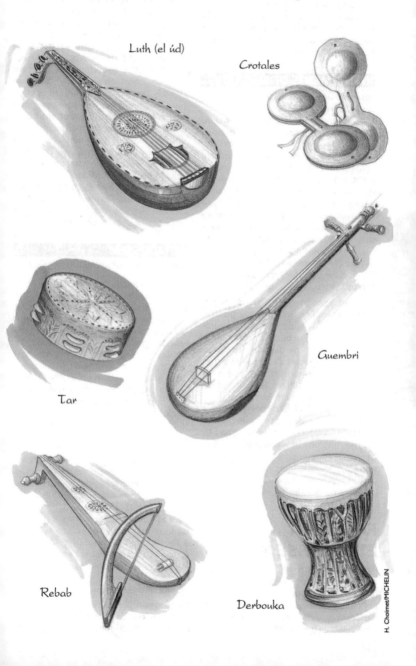

Luth (el úd)

Crotales

Tar

Guembri

Rebab

Derbouka

H. Choimet/MICHELIN

Le **raï**, qui déborda des frontières algériennes dans les années 1990, n'a pas eu de mal à séduire les jeunes Marocains. Leur préférence va maintenant au chanteur marocain **Cheb Amrou**, dont les musiques combinent la sensualité arabe et la frénésie techno.

INSTRUMENTS DE MUSIQUE

Les **instruments classiques**, ceux de la musique « andalouse », sont en majorité fabriqués à Fès et dans le nord du Maroc. On distingue le **luth en bois**, qui se décline en plusieurs variétés (luth *aoud* andalou, petit luth, luth à quatre cordes, luth juif...) ; le **rebab**, instrument à deux cordes avec une caisse de résonance concave et ornée de motifs géométriques ; le **violon**, dont le type alto avec archet est apparu au Maroc au 17e s. ; la **derbouka**, instrument à percussion, souvent en céramique bleue de Fès, et recouvert d'une peau de mouton tendue ; le **tambourin**, formé de palettes en cuivre *(tnaten)* qui vibrent après percussion sur la peau de chèvre.

Pour accompagner les **chants populaires**, les musiciens utilisent la **ghaita**, hautbois dont la partie en bois comporte dix trous ; le **bendir** ou **tar**, tambourin de 30 cm de diamètre composé d'un cadre en bois et d'une peau de chèvre tendue ; le **guembri**, luth à deux ou trois cordes qu'utilisent les Gnaoua de Marrakech et les chanteurs de la *ayta* ; le **haj-houj**, luth, le plus souvent en bois de noyer et cuir de vache ou de chèvre, et également joué par les Gnaoua ; la **taârija**, instrument à percussion en laiton ou céramique et cuir de chèvre, pratiqué par les chanteurs du *malhûn*. Les Gnaoua rythment leurs danses avec les **crotales** ou **qarabek**.

FANTASIA ET MOUSSEM

Parallèlement aux fêtes religieuses ou civiles, de grandes cérémonies populaires mêlant le sacré et le folklorique ponctuent l'année. À la campagne, les habitants se retrouvent régulièrement pour célébrer une récolte.

LA FANTASIA

Chère à Delacroix et aux orientalistes, la fantasia est une représentation symbolique de la grandeur des guerriers arabes et berbères du siècle dernier. Des cavaliers exécutent au galop un enchaînement de figures démontrant leur virtuosité équestre, tout en tirant simultanément en l'air et en poussant des cris. Leur costume, leurs armes et les harnachements des chevaux sont somptueux. Les cavaliers, vêtus et enturbannés d'étoffes blanches, portent en bandoulière un sac contenant des versets du Coran, ainsi qu'un grand poignard recourbé et protégé par un étui en velours. Le fusil *(moukkala)* est incrusté de nacre et d'ivoire et composé d'une crosse ciselée. Ces fascinants spectacles ont lieu lors des grandes fêtes, et notamment dans les *moussem*.

LE MOUSSEM

Voir le calendrier des moussem p. 39.

Moussem vient du mot *mawsim*, qui signifie « événement périodique ». Durant la période préislamique, le *moussem* était un marché situé au croisement des routes caravanières (comme La Mecque), où les échanges commerciaux se mêlaient à des festivités diverses. Souvent, on choisissait un endroit proche d'un sanctuaire pour bénéficier de la protection divine. Aujourd'hui, le *moussem* est une grande fête populaire à caractère religieux et folklorique, qui associe le pèlerinage au tombeau d'un saint à des foires commerciales agrémentées de danses et de chants. Son importance est considérable au Maroc : entre 600 et 700 rassemblements se produisent chaque année. On distingue deux types de *moussem* : les premiers dépendent du calendrier agricole ; plus de la moitié se déroulent entre août et octobre, après la difficile période de la moisson. Les seconds se réfèrent à l'anniversaire du prophète Mahomet *(Mouloud)*, conformément au calendrier musulman. Presque tous les *moussem* ont lieu à la campagne et durent entre un jour et une semaine.

Le *moussem* de **Moulay Idriss II el-Azhar** a lieu en septembre. Pour rendre hommage au fondateur de Fès, tous les artisans de la ville marchent dans la médina, regroupés en confréries. Des chants et danses variés sont offerts par les étudiants des écoles coraniques et les adeptes d'ordres religieux, accompagnés d'hommes portant des bâtons en bois auxquels sont suspendues d'immenses poupées en robe de mariée ! À Essaouira et à Safi, le *moussem* printanier des **Regragas** se déroule pendant 38 jours, au cours desquels les descendants de sept saints berbères effectuent une tournée *(daour)* de 44 étapes, dont une partie seulement revêt un caractère festif et commercial. À côté d'El-Jadida, le petit village de **Moulay Abdallah Amghar** attire chaque mois d'août près de 150 000 visiteurs. On dresse des tentes caïdales pour abriter les pèlerins et les cavaliers venus présenter de fulgurantes fantasias.

Le spectacle des innombrables chevaux face à la mer est magique. Autre *moussem* célèbre, celui de **Guelmim**, qui rend hommage au saint Sidi Ahmed Aanaro. C'est l'occasion de rencontrer les hommes bleus, réunis dans le souk aux chameaux, et de découvrir la surprenante danse de la *guedra* : devant un musicien qui bat lentement un tambour en terre cuite (*tebel* sahraoui), des femmes chantent et effectuent des mouvements de bras onduleux qui les conduisent à un état de transe.

LES FÊTES RÉGIONALES

C'est dans les magnifiques vallées du Dadès et du M'Goun, entre les vergers et les champs plantés d'orge et de maïs qu'a lieu la célèbre **Fête des roses**. Chaque printemps, les roses sauvages sont collectées par milliers pour être distillées dans les usines d'el-Kelaâ M'Gouna et Souk Khemis. De nombreux visiteurs viennent assister à cette fête odorante animée par les danses rythmées d'el-Kelaâ M'Gouna. Les jeunes filles, vêtues de robes colorées et parées de longs colliers de perles et argent, attendent le « bouquet final », l'élection de « Miss Rose » !

À Sefrou, les **cerises** sont à l'honneur. Au programme, les danses régionales d'*ahouach* et l'élection de « Miss Cerisette » qui défile sur un char somptueux digne des *Mille et Une Nuits*.

En octobre, de nombreuses tribus du Tafilalt se rassemblent à Erfoud pour célébrer la **Fête des dattes**. Rondes, ovales, parfumées, amères ou sucrées, celles-ci sont déballées dans un grand souk qui dure en général trois jours. Après la prière rituelle au mausolée de Moulay Ali Cherif, à Rissani, les habitants regagnent les rues d'Erfoud pour assister à une parade animée par les troupes folkloriques de la région.

D'autres fruits font le titre de célèbres fêtes : en février, les amandes à Tafraoute ; en août, les pommes et les poires à Fès ; en décembre, les olives dans le Rif et les clémentines à Oujda. On fête aussi la récolte du coton (en mars, à Beni-Mellal) et du miel (en juillet, à Agadir).

Enfin, chaque année, le **Festival sahraoui d'Agadir** rassemble près de 300 dromadaires ! Les journées sont ponctuées de courses de dromadaires et de danses et chants régionaux, dont la fameuse danse guerrière de Laâyoune. Le soir, les hommes se réunissent sous des tentes pour fumer la pipe saharienne.

Un moussem pour ceux qui s'aiment

Le célèbre *moussem* des fiancés d'Imilchil se tient dans le Haut Atlas à la fin du mois de septembre. À l'occasion de cette gigantesque foire, les familles berbères se ravitaillent pour l'année. Dédiée au saint Sidi Ahmed ou Mghanni, héros de la résistance aux Portugais au 16e s., cette fête célèbre aussi l'amour. Selon la légende, deux jeunes gens qui s'aimaient et voulaient se marier en furent empêchés par leurs parents, car ils appartenaient à des groupes rivaux. De dépit, ils se jetèrent dans deux lacs qui portent désormais leurs noms, Tislit et Isli. Depuis, la tradition permet aux jeunes filles de la tribu des Aït Haddidou d'aborder les jeunes hommes et, si les nouveaux amoureux veulent s'unir, librement et sans l'avis de la famille, ils sont reçus par un notaire sous une tente pour signer l'acte de fiançailles !

CULTURE

LA LITTÉRATURE

À la fois proche de l'Europe géographiquement et suffisamment éloigné de celle-ci culturellement pour garantir un véritable dépaysement, le Maroc a attiré une pléiade d'écrivains et de voyageurs étrangers.

Le Maroc dans la littérature étrangère

Dans son récit de voyage, *Au Maroc*, **Pierre Loti** décrit les lieux qu'il parcourt à dos de chameau et ses rencontres avec des habitants. L'abondance d'informations et l'élégance de l'écriture que recèle l'œuvre de **Jan Potocki**, *Voyage dans l'empire du Maroc fait en l'année 1791*, en font un chef-d'œuvre littéraire et historique. Invitée par le résident général Lyautey cinq ans après l'instauration du protectorat, l'Américaine **Edith Wharton** raconte son *Voyage au Maroc* avec passion et émerveillement. Les frères **Jérôme et Jean Tharaud** ont consacré un ouvrage à chaque ville impériale ; dans *Fès ou les bourgeois de l'Islam*, leurs anecdotes sont truculentes, même si une vision quelque peu colonialiste les déforme. La *Poésie populaire berbère* nous est présentée par **Arsène Roux**, spécialiste de la littérature arabo-berbère. Fascinés par *Après toi le déluge*, dans lequel **Paul Bowles** décrit la rencontre de Nelson Dyar avec l'envoûtante culture tangéroise, les plus célèbres écrivains américains de la *Beat Generation* (Truman Capote, Allen Ginsberg, Jack Kerouac, William Burroughs) débarquent à leur tour dans la ville du Nord. Dans son recueil de nouvelles, *Aristote à l'heure du thé*, **Oscar Wilde** nous rapporte le récit caustique, à la britannique, de M. Hugh Stutfield sur son voyage au Maroc. Parmi les nombreux livres de **J.M.G. Le Clézio** inspirés par le Maroc, *Désert* révèle la lumière crue de la ville de Taroudant et *Gens des nuages*, coécrit avec sa femme Jemia, raconte avec émotion un retour aux origines de Jemia, à la rencontre de la tribu des Aroussiyine, dans l'extrême sud du Maroc. Avec *Les Voix de Marrakech* d'**Elias Canetti**, la magie de la ville rose est portée à son plus haut degré.

Les écrivains marocains

L'écrivain marocain de langue française le plus connu, le plus vendu et par conséquent le plus critiqué, est **Tahar ben Jelloun**. Lauréat du prix Goncourt (1987) pour son roman *La Nuit sacrée*, il poursuit une œuvre abondante à la veine poétique et qui se veut engagée, dont on retiendra surtout *Harrouda*, *La Réclusion solitaire* et *Jour de silence à Tanger*. Autre auteur célèbre en France : **Driss Chraïbi**. Son roman *Le Passé simple*, paru en 1954, scandalisa le Maroc où il fut interdit de vente pendant vingt ans. Délibérément provocateur, l'auteur y dénonce l'hypocrisie et la lâcheté qui régissent les rapports sociaux. Le premier écrivain marocain de langue française est **Ahmed Sefrioui** ; *Le Chapelet d'ambre*, qui a obtenu le Grand Prix littéraire du Maroc en 1949, est un recueil de contes qu'on lit comme on égrène un chapelet. Sociologue et romancier, **Abdelkébir Khatibi** s'interroge sur le bilinguisme dans *Amour bilingue*, et s'intéresse à la quête mystique dans *Le Livre du sang*. Écrivain en langue française et arabe, l'intellectuel **Abdellah Laraoui** traite du nationalisme marocain et de la guerre d'Algérie dans son roman *Awraq*. Quant au romancier **Abdelhak Serhane**, il s'indigne, dans *Le Soleil des obscurs*, de l'injustice qui règne au sein d'une société corrompue et obnubilée par la quête du profit. Jean-Paul Sartre, Simone de Beauvoir mais aussi Beckett, Césaire et Senghor, tous ont reconnu le talent de **Mohamed Khaïr-Eddine**, poète exilé en France, qui dénonce dans *Agadir* (1967) l'autorité patriarcale et divine. Écrivain en langue arabe, **Mohamed Choukri** a été révélé au grand public par *Le Pain nu*, récit autobiographique d'une enfance marquée par la violence paternelle et la misère. **Edmond Amran el-Maleh** donne ses lettres de noblesse à la littérature judéo-marocaine d'expression française. Dans le *Café bleu Zrirek*, ce professeur de philosophie qui enseigne à Paris exprime la nostalgie de son pays natal, dont il regrette certains changements apportés par la modernité.

La littérature féminine au Maroc est résolument engagée et s'interroge sur la condition des Marocaines et des musulmanes en général. Parmi les œuvres les plus connues, citons *Le Maroc raconté par ses femmes* de la sociologue **Fatima Mernissi** ; *Vivre musulmane au Maroc* de l'avocate **Fadela Sebti** ; *Le Maghreb des femmes* de la psychiatre **Ghita el-Khayat** ; *Ma vie, mon cri* de **Rachida Yacoubi** ; *Au-delà de toute pudeur* de la sociologue **Soumaya Naamane Guessous** ; et de récents romans : *Cérémonie* de **Yasmine Chami Kettani**, *Fracture du désir* de **Rajaa Benchemsi** et *Oser vivre* de **Siham Benchekroun**.

LA PEINTURE

La lumière et les couleurs du pays n'ont cessé de fasciner les peintres, étrangers ou marocains.

Dans la peinture occidentale

Lorsqu'en 1832 **Eugène Delacroix** se rend au Maroc, il est frappé par l'intensité de la lumière et par la noblesse des habitants qu'il qualifie d'« Antiquité vivante ». Ses œuvres marocaines, dont les plus célèbres évoquent la fantasia *(voir p. 114)* et la noce juive, introduisent un courant révolutionnaire dans l'histoire de la peinture occidentale : l'orientalisme pictural, dont s'inspirent l'impressionnisme et la peinture moderne. Entre 1850 et 1880, les peintres venus visiter le Maroc – Benjamin Constant, Alfred Dehodencq, Henri Regnault et Mario Fortuny – représentent l'orientalisme dit « exotique », celui des hammams et des combats guerriers.

Après Delacroix, c'est au tour de **Matisse** d'être envoûté par la lumière de Tanger. Ses deux séjours effectués au Maroc, le premier au début de l'année 1912 et le second durant l'hiver 1912-1913, lui inspirent une vingtaine de toiles et près de 60 dessins à la plume illustrant la vie quotidienne des Marocains, mais aussi la médina de Tanger et des natures mortes.

En 1917, **Jacques Majorelle** découvre Marrakech. Subjugué par la beauté de la ville, il s'y installe définitivement en 1932. La somptueuse maison qu'il fait construire en bordure de la palmeraie donne sur un jardin luxuriant, véritable lieu enchanteur appelé aujourd'hui « le jardin Majorelle » *(voir p. 394)*. Les kasbahs et les paysages environnants de l'Atlas ont été la principale source d'inspiration de celui qui reste le « peintre de Marrakech ».

Les peintres marocains

À partir de 1940, une génération de peintres autodidactes apparaît. S'inspirant des contes populaires de tradition orale ou écrite, celle-ci s'exprime par des œuvres très colorées et peuplées de personnages fantastiques qui s'apparentent parfois à des images pour enfants. Parmi ces peintres, les plus représentatifs sont **Ben Allal**, **Moulay Ahmed Drissi** et **Yacoubi**, dont certaines œuvres puisent dans les écrits de Paul Bowles. Les peintures de **Louardighi**, **Aït Youssef**, **Chaïbia** et **Fatima Hassan** suscitent l'émerveillement à travers une représentation plus poétique que naïve d'un monde utopique. Face à cette pléthore d'artistes, une école des beaux-arts est fondée à Tetouan en 1945, une autre à Casablanca en 1950.

Les années 1960 sont marquées par un nouveau courant pictural, promu par de grands artistes comme **Cherkaoui** et **Gharbaoui**. Le premier, imprégné d'une sensibilité moderniste, a restitué avec une palette colorée et lumineuse les plus anciens signes de la culture marocaine. Guidé par cette même recherche, le second, dans une gestuelle lyrique au rythme saccadé, a tenté de traduire la vitalité primitive. Les peintres modernes de l'école des beaux-arts de Casablanca revendiquent un art populaire qui trouve sa source dans l'artisanat traditionnel. Les œuvres de **Belkahia**, **Chebaâ** et **Melehi** présentent des formes abstraites d'inspiration calligraphique.

Après les années 1970, la figuration est à l'honneur. Les peintures de **Meriem Meziane** mettent en scène la vie traditionnelle des campagnes ; celles de **Hassan el-Glaoui** les nobles cavaliers de la fantasia. Dans les années 1980, les arts plastiques se diversifient à travers une recherche incessante de nouveaux signes et matériaux : **Mustapha Boujemaoui** utilise du papier journal ; sur les peintures de **Farid Belkahia**, le cuir remplace la toile. Créée en 1972, l'Association marocaine des arts plastiques contribue à la promotion de la peinture marocaine à l'échelle internationale.

LE THÉÂTRE

De tout temps, les représentations publiques accompagnées de chants, de danses, de mimes ou de dialogues, ont fait partie de l'expression artistique des Arabes comme des Berbères. Le théâtre à l'occidentale, dit « moderne », apparaît en 1923 avec la formation de troupes à Casablanca, Fès, Meknès et dans les villes du nord. Exprimant un patriotisme exalté et le refus du colonialisme, beaucoup d'œuvres sont censurées par le régime du protectorat. Ainsi **Mohamed el-Quarri** est exilé au Sahara après la représentation de ses pièces *L'Orphelin mou*, *Les Tuteurs* et *Vertus et conséquences de la science*. Fondé en 1953, le Centre marocain des recherches théâtrales de Rabat introduit une nouvelle conception du genre : l'art dramatique national, qui propose des adaptations d'œuvres européennes. En 1956, la première troupe professionnelle marocaine, *Firqat et-Tamthil al-Arabi* (Troupe de représentation arabe marocaine), présente au festival du Théâtre des Nations de Paris une adaptation des *Fourberies de Scapin* et une pièce intitulée *Le Balayeur*. C'est le début de l'exportation du théâtre marocain, qui, à partir des années 1960, ressuscite les traditions populaires à travers une conception artistique originale et moderne. Parmi les artistes (auteurs ou metteurs en scène) les plus célèbres, citons **Nabyl Lahlou**, réputé pour son originalité et son humour corrosif, **Abdelhaq Zerouali** qui restitue dans ses pièces les contes des places publiques, et **Tayeb Saddiki**, dont certaines pièces s'apparentent à des comédies musicales.

LE CINÉMA

C'est sous le protectorat français que naît le cinéma marocain. La construction, en 1946, de studios de cinéma à Rabat vise autant à produire des œuvres locales qu'à concurrencer le cinéma égyptien.

Parmi la trentaine de films produits entre 1945 et 1949, les plus remarquables sont ceux d'**André Zwoboda** : *La Septième Porte* (1947) illustre la vie quotidienne des Marocains et *Noce de sable* (1948) est l'histoire légendaire et tragique de deux amants. Vers les années 1960, le cinéma colonial de fiction est relayé par le court métrage. Parmi les nombreuses œuvres réalisées, *Six Douze* de **M. Rechich**, **A. Bouanani** et **M. A. Tazi** constitue un document précieux et inédit sur Casablanca. Peu après apparaissent les premiers longs métrages : *Quand mûrissent les dattes* de **L. Bennani et A. Ramdani** (1968), qui s'interroge sur l'apport de la modernité dans la société rurale, et *Soleil de printemps* de **L. Lahlou**, où défile la vie laborieuse d'un fonctionnaire originaire de la campagne. Dans les années 1970, le cinéma marocain acquiert toute son importance grâce à deux chefs-d'œuvre : *Wechma* de **H. Bennani**, analyse profonde sur le langage du cinéma et *Mille et Une Mains* de **S. Ben Barka** (1971) qui, à travers le quotidien d'une famille de teinturiers de Marrakech, révèle le malaise social. Grâce à la mise en place d'un fonds de soutien à la production par les pouvoirs publics, les années 1980 sont marquées par la production de films de grande qualité, dont celui de la Marocaine **Farida Benlyazid**, *Une porte sur le ciel* (1988), qui présente un islam modéré où s'équilibrent les exigences du corps et la volonté de l'esprit.

Par ailleurs, le Maroc attire depuis longtemps les productions étrangères en raison de la diversité de paysages naturels grandioses, de la lumière remarquable, d'une administration conciliante et d'une main-d'œuvre compétente et bon marché. Depuis le passage de Louis Lumière en 1887, plus de 500 films étrangers y ont été tournés. Les studios Atlas, à côté de Ouarzazate, ne désemplissent pas. Parmi les réalisations récentes, on compte *Astérix et Obélix, mission Cléopâtre*, d'Alain Chabat, *Gladiator* et, plus récemment, *The Kingdom of Heaven*, tous deux de **Ridley Scott**.

LA PHOTOGRAPHIE

Pays de couleurs, d'ombre et de lumière, le Maroc a inspiré de nombreux photographes autochtones et étrangers. Dans leurs œuvres, l'expression artistique outrepasse l'apparence pour suggérer le mystère d'un paysage ou d'un visage.

Photographe plasticien marocain, **Touhami Ennadre** présente des images où le corps humain est voilé de noir. Son dernier travail entrepris au début des années 1980, intitulé *Les Mains, les dos, les pieds*, a été exposé en 1999 à Paris, à la Maison européenne de la photographie. Originaire de Marrakech, le jeune **Ali Chraïbi** a participé en 1998 au Festival international photographique de Madrid. Réalisées sur le thème des « Transhumances », ses photographies évoquent le passage de l'homme à la terre éternelle. Autre photographe marocain de renommée internationale, **Nabil Mahdaoui** effectue un travail plastique au niveau du cadrage. Ses dernières œuvres traitent de l'immigration et de la vie quotidienne dans les banlieues parisiennes. L'artiste français **Jean-Marc Tingaud** présente dans *Médinas la nuit* des photographies où résonnent les pas d'ombres furtives et le silence de la nuit ; l'étonnant éclairage crée une ambiance fantomatique, irréelle. Des poèmes de Tahar ben Jelloun prolongent l'immersion dans cette atmosphère sacrée. Autre photographe français, **Gérard Rondeau** braque son objectif sur 150 intellectuels et artistes marocains.

LANGUES

On parle plusieurs langues au Maroc. D'une part, les langues nationales, qui comprennent la langue berbère *amazighe* (et ses dialectes) et l'arabe dialectal ; d'autre part, les langues étrangères, dont les plus répandues sont le français et l'espagnol. De nombreux Marocains dans les villes sont bilingues.

L'amazighe, langue des Berbères

L'*amazighe* est la langue la plus ancienne du Maghreb. L'arrivée des Amazighes au Maroc remonte au néolithique. Pour les historiens, leur origine demeure sujet à controverse. Ils seraient autochtones, ou issus de la rive nord de la Méditerranée, ou encore originaires du sud de la péninsule Arabique. Des documents archéologiques de l'Égypte ancienne attestent l'existence de l'écriture *amazighe* au moins 3 000 ans av. J.-C.

Aujourd'hui, on parle l'*amazighe* dans les régions rurales et dans les villes, notamment depuis l'exode rural des années 1970. Exclusivement orale, la langue berbère se divise en **trois dialectes** : le *tarifit*, dans le Nord-Est ; le *tamazight*, dans le Moyen Atlas, dans la partie septentrionale du Haut Atlas et dans la région du Sud-Est ; et le *tachelhit*, dans la partie méridionale du Haut Atlas et la région du Sud-Ouest. Si ces dialectes se différencient tant par la grammaire que par le vocabulaire, ils présentent néanmoins des analogies : il n'y a ni article ni pronom relatif.

La pratique de la langue berbère s'affaiblit dans les villes au fil des générations, dont les dernières ont perdu tout contact avec leurs origines. Son déclin est également dû à l'exclusion dont elle pâtit dans l'enseignement, l'administration et les médias, où dominent l'arabe et les langues étrangères. Actuellement, diverses actions se mettent en place pour revaloriser l'*amazighe*, notamment dans les domaines littéraire et scientifique. Des romanciers et poètes créent des œuvres en langue berbère. Enfin, des colloques et festivals sont régulièrement organisés par des associations et communiqués par la presse écrite.

L'arabe dialectal

La langue arabe s'est implantée au Maroc par phases successives : au 7e s., avec l'arrivée des troupes de Oqba ben Nafi ; au 9e s., grâce aux nouveaux centres d'enseignement dont la célèbre mosquée-université Karaouiyne de Fès ; aux 12e et 13e s. marqués par l'installation des tribus hilaliennes et mâaquiliennes ; au 14e s., par les Andalous chassés d'Espagne lors de la *Reconquista* chrétienne.

L'arabe dialectal comprend **cinq parlers arabes** : le parler citadin *(mdini)*, qui s'inspire de l'andalou, se concentre dans les villes anciennes comme Fès, Rabat, Salé et Tetouan ; le parler montagnard (jebli) est usité dans la région du Nord-Ouest et puise ses origines dans l'amazighe ; le parler bédouin (rubi) évolue dans les communautés des plaines atlantiques (Gharb, Chaouïa, Doukkala, etc.), et on le trouve aussi dans les plaines intérieures comme le Haouz de Marrakech, le Tadla et le Sous ; enfin, le parler hassane (ribi) se pratique dans certaines régions sahariennes. L'arabe dialectal est celui que l'on parle à la maison comme dans la rue. Il ne peut être écrit, sinon sous forme de codes libres et non figés. C'est la langue maternelle des arabophones, celle à travers laquelle se forgent l'éducation et la culture populaire. Étendu sur tout le territoire marocain, il unit les différentes communautés, elles-mêmes subdivisées par la variété des dialectes. La communication avec les Arabes d'autres pays s'établit en arabe classique, et avec les étrangers en langue étrangère (français, espagnol ou anglais).

L'arabe classique

L'arabe classique est la langue du **Coran**. Il est employé dans les sphères religieuse, politique, administrative, juridique et culturelle. On le retrouve dans l'enseignement, les médias et toutes les activités à caractère savant ou **élitiste**. La langue arabe est une langue riche et complexe, à laquelle le livre sacré confère une dimension quasi incantatoire. Non seulement l'arabe s'écrit de droite à gauche, mais sa différence avec les langues latines s'inscrit également dans la formation des mots. Par exemple, en français, « études », « école » et « cours » ont certes une symbolique commune – l'enseignement –, mais n'en constituent pas moins trois mots distincts. Alors qu'en arabe ils proviennent d'une même racine « drs » : « études » se dit dirassa, « école » madrassa et « cours » dars. On évalue à près de 20 000 le nombre de racines, chacune créant par le procédé de la dérivation (ichtiqâq) plus de 100 mots.

Le français

En 1912, sous le **protectorat**, le français est proclamé langue officielle des institutions coloniales. Aujourd'hui encore, la langue française reste très répandue au Maroc, notamment dans les secteurs de l'administration et de l'éducation. Elle symbolise la modernité et l'ouverture vers l'Occident. C'est aussi la langue que les hommes politiques utilisent à l'étranger, sauf dans les pays arabes où les échanges se font en arabe classique. Les écoles publiques intègrent à leur programme des cours de français ; dans les établissements français et bilingues, la majorité des cours se tiennent en français. Les services et activités à caractère ludique (cinémas…) ou culturel (musées…) font autant appel à l'arabe classique qu'au français. Il en est de même pour les médias, dont les journaux télévisés et radiophoniques se déroulent en deux volets.

L'espagnol

Les premiers Espagnols – des Andalous – arrivent au Maroc au 15e s. En 1885, des colons s'installent dans les provinces du Sud, puis en 1912 dans les provinces du Nord (voir « Les Marocains », p. 90). La reprise d'Ifni et des provinces sahariennes, lors de l'indépendance du Maroc, a entraîné la fin de la prédominance de la langue espagnole, qui n'est plus pratiquée que dans les anciennes régions occupées du nord du pays et dans le Sahara occidental.

L'arabisation

Faut-il continuer à employer autant le français, dans des domaines tels que l'enseignement, l'administration, l'économie et la culture ? Dès l'indépendance, de nombreux responsables politiques se posèrent cette question. Depuis, l'arabisation du Maroc est devenue une priorité pour l'État, qui a confié à l'IERA (Institut d'études et de recherches pour l'arabisation) la mission de moderniser la langue arabe tant au niveau technique que scientifique. Dans les faits, cette évolution continue d'alimenter les débats sans remettre en cause l'importance de la langue française.

CUISINE

La renommée de la cuisine marocaine n'est plus à faire. Riche ou légère, simple ou sophistiquée, elle offre une multitude de plats aussi raffinés qu'exquis.

L'ART DE LA TABLE

Traditionnellement, les Marocains prennent leurs repas, assis sur des banquettes, autour d'une table en bois, ronde et basse dans la pièce familiale appelée *bayt el-seghir*. Dans les familles citadines, plus modernes, on trouve des salles à manger à l'occidentale. Lors des réceptions, les invités sont accueillis dans le **salon marocain** richement décoré. Les mets sont servis dans des plats à tajine ou à couscous. Chaque convive y plonge sa « fourchette d'Adam », n'utilisant que le pouce, l'index et le majeur. Des morceaux de pain servent à saucer ou à prendre viande et légumes. Si cette méthode vous paraît difficile, n'ayez crainte : les Marocains sont habitués à recevoir des étrangers, et vous proposeront un couvert individuel. Vous ne serez contraint de vous soumettre à ces règles que lors d'une **diffa** *(voir encadré page suivante)*, repas de fête qui donne lieu à tout un cérémonial.

LES SPÉCIALITÉS

Omniprésent, le **pain** sert à saucer, à attraper la nourriture dans le plat commun. Rond et plat comme une galette, il est fait de blé dur, d'orge ou de seigle. Dans les médinas vous parviendront souvent les effluves du pain chaud tout juste sorti du four que portent les femmes ou les enfants sur un plateau de bois recouvert d'un linge.

Les entrées

On commence souvent le repas par des **salades**. Elles sont disposées sur de petites assiettes autour des plats principaux et servent d'accompagnement pendant tout le repas. Chacune contient une spécialité : salade de carottes râpées à l'orange, aubergines et courgettes revenues dans l'huile *(zaâlouk)*, artichauts cuits, poivrons et tomates,

fèves fraîches, graines de couscous, cervelle d'agneau, concombres, haricots verts, lentilles, etc. Autre entrée très appréciée : la **soupe**. Les plus courantes sont celles aux légumes broyés ou coupés en petits dés, aux grains de blé concassés *(dchicha)*, à la semoule et à l'anis, au vermicelle, au riz, aux pâtes et aux gombos. Pendant le mois du Ramadan, on interrompt le jeûne par une **harira**, soupe épaisse préparée à base de viande, de haricots, de lentilles, de pois chiches et de fèves. Très consistante, elle équivaut à un repas.

Les **briouates** constituent aussi une excellente entrée. Ce sont des petites enveloppes de pâte feuilletée *(ouarka)* farcies de viande hachée de bœuf ou d'agneau et frites dans de l'huile bouillante. Leur forme peut être cylindrique, triangulaire ou rectangulaire. La cuisine moderne propose des *briouates* aux crevettes et vermicelle, au fromage et aux merguez non moins exquises.

Enfin, vous ne pouvez manquer de goûter la **pastilla**. Il s'agit d'une pâte feuilletée fourrée d'amandes, d'oignons, de persil et d'œufs, à laquelle est ajouté du pigeon ou du poulet. Un pur régal ! Très bonne également mais moins traditionnelle et assez relevée, la pastilla au poisson comprend des crevettes et du vermicelle chinois.

Les plats principaux

La plupart des plats de résistance sont à base de viande, le plus souvent de mouton. Mets de base, le **couscous** se compose de semoule de blé, d'orge ou de maïs, cuite à la vapeur et accompagnée d'un pot-au-feu de mouton, de poulet ou de bœuf agrémenté de légumes (courgettes, navets, carottes, pommes de terre, pois chiches…). Le **tajine** est le plat le plus répandu. Ce ragoût de viande, de volaille ou de poisson est mijoté au charbon de bois dans un plat en terre cuite nappé d'huile, avec des épices, un ou plusieurs légumes (oignons, carottes, queues d'artichauts, pommes de terre, haricots, petits pois…), et/ou des fruits (pruneaux, raisins secs, citrons confits…), ainsi que des graines (amandes émondées, pignons de pin…). On distingue plusieurs variétés de tajines. Les *mqalli*, accommodés de sauce safranée, et les *mhammar*, préparés à base d'épices rouges, sont d'origine arabe. Quant aux *mjammar*, mijotés au charbon de bois, ils sont hérités de la cuisine andalouse.

Une diffa

Le salon de réception brille de tous ses feux. Les nappes et serviettes brodées ont été sorties et des pétales de rose parsèment la table. En signe de bienvenue, l'hôte vous offre du lait, symbole de pureté et de paix, et des dattes. Des morceaux de bois de santal brûlent dans un encensoir *m'bakhra*, et l'on vous parfume avec un aspersoir rempli d'eau de fleur d'oranger *maa zhar* ou de rose *maa ouard*. Avant le repas, l'hôtesse ou des serviteurs versent l'eau d'une aiguière sur les mains des convives. Puis les plats, pastilla, couscous, tajine se succèdent, servis dans un grand récipient rond en osier, en cuir, en cuivre ou en argent, monté sur trois pieds sculptés et coiffé d'un couvercle conique qui conserve la chaleur. Le maître de maison vous ressert constamment, en vous offrant les meilleurs morceaux, et ne cesse de vous remercier de votre présence en répétant *marhaba* (bienvenue) ! L'usage veut que l'on prononce *bismillah* (au nom de Dieu) avant la première bouchée et *hamdoulillah* (Dieu soit loué) en fin de repas.

Goûtez les délicieuses brochettes de **kefta**, boulettes de viande hachée rehaussées d'épices (cumin ou paprika) et cuites à la poêle. À moins que vous ne préfériez celles de **kebabs**, morceaux de viande grillés sur un barbecue ou au charbon de bois et agrémentés d'une sauce piquante. D'origine turque, le **méchoui**, se présente soit sous forme d'un mouton entier ou un-demi mouton grillé avec du sel et du cumin, soit sous forme de *mhamar*, des morceaux de mouton cuits dans une cocotte avec des oignons, des clous de girofle, du safran, du beurre rance, du persil, du sel et du poivre. Il peut être assaisonné avec du sel, du beurre, des épices (safran, paprika, cumin) et arrosé de sauces contenant de la coriandre et autres herbes. Dans certaines régions, on fait aussi du méchoui de bœuf, de chèvre, de gazelle ou de poulet. Autre mets très apprécié des Marocains : les **abats**. Cuisinés notamment lors de la Fête du mouton *(Aïd el-Kébir)*, ils se présentent en sauce. Le **poulet** peut être cuisiné en tajine – le poulet aux olives et citrons confits est le plus traditionnel –, ou simplement rôti. **Poissons et crustacés** abondent sur la côte atlantique. En ragoût, rôtis ou grillés, ils constituent la spécialité de nombreux restaurants.

Les desserts et pâtisseries

En raison de la variété et de la qualité des fruits au Maroc, les repas s'achèvent souvent par un plateau ou une salade de fruits. Pour certains mariages citadins, il semble de bon ton de faire confectionner un gâteau glacé par un traiteur. Si, en Occident, la diversité et la spécificité des pâtisseries marocaines sont méconnues, c'est parce qu'elles sont sérieusement concurrencées à l'exportation par les gâteaux libanais et tunisiens. Tout aussi raffinées les unes que les autres, celles-ci sont toujours servies avec du thé à la menthe. Les **cornes de gazelle** *(kaab el-ghzal)*, pâte d'amande parfumée à la fleur d'oranger, sont les plus réputées. Le *sfenj*, beignet frit qui rappelle le *churro* espagnol, est vendu dans des échoppes. La pâtisserie au miel **halouachebbakia** et les **briouates** au miel et aux amandes accompagnent la *harira* pendant les repas du Ramadan. Pâte sablée au beurre, contenant de la semoule, des graines de sésame ou des amandes, la **ghoriba** fond lentement dans la bouche. Les petits pains ronds sucrés **krachel** peuvent être dégustés seuls ou avec du beurre ou du miel. Faits avec la même pâte que celle des *krachel*, les **feqqas** sont de petits gâteaux aux amandes. Le **sellou**, pyramide brune composée de farine dorée au four, d'amandes grillées et moulues, de beurre, de miel, de sésame, de musc d'Arabie et de cannelle constitue un plat très fortifiant, habituellement préparé au Ramadan ou après

CUISINE

une naissance pour la jeune maman. La craquante **pastilla au lait** *(ktéfa)* se prépare avec une pâte feuilletée enduite de lait ou de crème pâtissière et saupoudrée d'amandes pilées. La longue **m'hencha**, gâteau à la pâte d'amande, s'enroule sur elle-même, d'où son nom qui dérive de *hench* (serpent).

Les laitages

Pour obtenir du lait caillé, on ajoute au lait de la barbe d'artichaut sauvage, de l'eau de fleur d'oranger et du sucre. Ce produit très frais est servi en fin de repas. Le **lben** est un petit-lait préparé dans une peau de chèvre *(chkoua)* ou dans une jarre *(khabia)*. On le boit seul ou mélangé à du couscous non arrosé *(saycouk)*. Le fromage frais **jbane**, fabriqué à partir de lait caillé égoutté, se mange avec du sucre. On trouve aussi du *jbane* salé, souvent produit avec du lait de chèvre.

LES ÉPICES

Au Maroc, on désigne sous le nom d'épices les plantes médicinales et les condiments. Une hiérarchie a été élaborée en fonction de leur rareté et de leur ancienneté. Les plus importantes sont le poivre, la cannelle, la muscade, le girofle, le gingembre et le safran. Les suivantes, apparues bien plus tard, rassemblent, entre autres, la coriandre, la cardamome, le cumin et l'anis. Les dernières, appelées « épices du pauvre », sont de simples condiments : thym, marjolaine, réglisse, laurier, etc. Le **poivre noir** fraîchement moulu relève la majorité des plats. La **cannelle** aromatise les pâtisseries et certains tajines sucrés, comme celui aux pruneaux et aux amandes. Le **gingembre** en poudre s'emploie pour la préparation des plats saucés. Le **safran**, présenté sous forme de filaments, est utilisé en petite quantité dans la majorité des tajines. Le **persil** à feuilles plates et la graine de **coriandre** fraîche parfument bon nombre de plats, notamment ceux à base de viande. Le **cumin** accompagne les méchouis et les œufs. Le **paprika**, poudre séchée de poivron rouge, relève certains tajines, le *kefta* (viande hachée) et le poisson. Le **ras el-hanout** (« tête de la boutique ») est un mélange des

meilleurs produits de l'épicerie : clous de girofle, gingembre, bouton de rose, cannelle, piments, golanga, macis de la noix de muscade, anis, curcuma, cardamome, gousses d'ail, noix de muscade et cantharides. On l'utilise surtout pour les plats de fête. La **noix de muscade** parfume la viande blanche et le poisson ; son écorce, le **macis**, agrémente les boulettes de viande.

LE THÉ À LA MENTHE

Le thé à la menthe fait partie du quotidien des Marocains. On le boit à toutes les heures de la journée, en guise de bienvenue, comme apéritif ou digestif, et même en cours de repas. Troisième signe d'hospitalité, après le lait et les dattes, le thé est généralement accompagné de pâtisseries, de crêpes (*rghaief, baghrir* ou *msemmen*), ou simplement de pain d'orge, de maïs ou de blé. Au Maroc, servir le thé relève du cérémonial. La présentation du thé, tout comme sa préparation, est riche en symboles. Rien n'est laissé au hasard, ni le nombre de verres ni leur disposition sur le plateau. La préparation, qui revient au plus habile de la famille, se fait devant les invités, suivant des rites ancestraux. Assis en tailleur sur un pouf, l'élu procède au nettoyage de la théière à l'eau bouillante, après un *bismillah* de rigueur. Puis il prend la dose exacte dans la boîte à thé. Les feuilles de thé vert sont rincées deux fois, la première eau de rinçage étant conservée pour sa forte teneur en thé. Le premier verre servi ne contient que du thé, ce n'est qu'au deuxième qu'on ajoute menthe et morceaux de pain de sucre.

> **Pas de boisson nationale sans les Anglais !**
>
> À quand remonte la présence du thé au Maroc ? Au début du 19e s., seules les familles riches et la cour royale (*maghzen*) pouvaient s'en procurer. Il fallut attendre la guerre de Crimée, vers 1854, pour que le thé arrive sur les côtes marocaines. Le blocus de la Baltique interdisant aux marchands anglais de vendre leurs produits aux marchés slaves, ceux-ci débarquèrent sur les comptoirs de Tanger et de Mogador. C'est ainsi que la boisson gagna l'ensemble du pays.

La théière est protégée par un napperon pendant la période d'infusion. Le thé est ensuite servi de la main droite, la gauche étant considérée comme impure par les musulmans. On le verse de très haut, afin d'en exalter l'arôme, avant de confier le premier verre à un palais confirmé. Si celui-ci se montre insatisfait, le thé est retravaillé.

VINS ET SPIRITUEUX

Bien que l'alcool soit prohibé au Maroc, comme dans la plupart des pays musulmans, le vin y est produit et exporté. On trouve troises zones viticoles : la première située près d'Oujda, la deuxième s'étendant de Fès à Meknès, et, la troisième de Rabat à Casablanca. Les vins blancs *valpierre*, *chaudsoleil* et *ksar* accompagnent les poissons et fruits de mer. Les **rouges** de *cabernet*, notamment la cuvée du *Président*, et de *Guerrouane* se marient avec la viande de bœuf ou de mouton. N'abusez pas du **vin rosé**, le gris de *Boulaouane*, au risque de vivre un moment vertigineux ! L'alcool de figue, *la mahia*, distillée à 40°, est une eau-de-vie digestive et corsée. Idéale en été, la bière *flag pils* ou *flag spéciale* désaltère à petit prix.

CUISINE

SILLONNER LE MAROC

2 jours	🏛 Tanger (p. 130)
Suggestion de promenade	1er jour : flânerie dans la médina (légation américaine, place du Petit Socco, palais Dar el-Makhzen, remparts nord, vue sur le port depuis Bab er-Raha). L'après-midi, petit tour de la ville nouvelle : Grand Socco, Gran Teatro de Cervantès, panorama de la terrase des Paresseux. En fin d'après-midi, s'installer à la terrasse du café Hafa, au bord de la falaise, face au détroit de Gibraltar. Soirée au bord de la plage. 2e jour : musée d'Art contemporain le matin, cap Spartel et grottes d'Hercule l'après-midi.
Transport	À pied dans Tanger, en voiture de location ou en grand taxi pour le cap Spartel.
Conseils	Une fois durant le séjour, installez-vous sur une terrasse de la kasbah pour regarder le soleil surgir du massif du Rif.
5 jours	**Le Rif et la côte (au départ de Tanger)**
Boucle (env. 545 km)	1er jour : le matin, trajet Tanger-Ceuta par le cap Malabata et la corniche rifaine (p. 142). Visite de Ceuta (p. 143) et ascension du Monte Hacho l'après-midi. Nuit à Ceuta. 2e jour : trajet Ceuta-Tetouan avec arrêt baignade à Cabo Negro ou à Martil (p. 152). Après-midi et soirée à Tetouan (p. 145). 3e jour : trajet Tetouan-Chefchaouèn, après-midi et soirée à Chefchaouèn (p. 153). 4e jour : traversée du Rif et retour par la côte du pays Rhomara (p. 164). Chefchaouèn-Ketama par la N2 et rejoindre la côte à hauteur d'el-Jebha. Nuit à Tetouan. 5e jour : trajet Tetouan-Tanger avec crochet par Souk-Khémis-des-Anjra (p. 152) si c'est un jeudi.
Transport	Location d'une voiture.
Conseils	L'étape du 4e jour est longue (309 km), partez de bonne heure, renseignez-vous sur l'état de la route et dormez à et-Tleta-de-Oued-Laou (p. 165) plutôt qu'à Tetouan si le trajet est trop long. Ne pas rouler de nuit.
2 jours	**Site archéologique (au départ de Tanger)**
Boucle (env. 195 km AR)	1er jour : trajet Tanger-Asilah et tour le la vieille ville le matin, trajet Asilah-Larache et visite de Larache (p. 196) l'après-midi. Nuit à Larache. 2e jour : viste de Lixus (p. 197) et retour par l'intérieur des terres, route R417.
Transport	Location d'une voiture ou trajets en grand taxi.
Conseils	Déjeunez dans l'un des restaurants espagnols d'Asilah. Visitez Lixus le matin pour éviter les grosses chaleurs.

TANGER★★

😊 **La magie des lumières**

😨 **Attention aux pickpockets dans la vieille ville**

TANGER

Point de rencontre entre l'Atlantique et la Méditerranée, Tanger contemple du haut de sa colline le détroit de Gibraltar et les côtes espagnoles. Passerelle entre l'Europe et l'Afrique, capitale supposée de tous les trafics, la ville conjugua, jusqu'à l'indépendance, exotisme, libertinage et mystères. Si elle a conservé intacte sa belle médina aux maisons bleutées, elle a indéniablement perdu de ses attraits de l'entre-deux-guerres. Le voyageur venu s'encanailler ne retrouvera pas l'ambiance sulfureuse de ses ruelles tortueuses, les bars interlopes fréquentés par contrebandiers, trafiquants d'armes et filles de joie. Il ne croisera plus guère d'artistes étrangers, envoûtés par les lieux, le brassage ethnique et culturel ou la permissivité des mœurs. À cet égard, le décès en 1999 du dernier résident célèbre, l'écrivain américain Paul Bowles, signe la fin d'une époque. Tanger s'est assagie mais a gardé sa spécificité, son côté inclassable, ses allures cosmopolites. Elle mérite qu'on s'y attarde. Vous découvrirez alors une ville plaisante, souvent inattendue et serez certainement sensible à la magie des lumières.

Arriver ou partir

En avion - L'aéroport Ibn Batouta *(Plan I A3, en direction)* est à 15 km du centre, ☎ 039 39 49 17. Pour s'y rendre bus n° 17 et n° 70 de la place du Grand Socco. 3 à 5 vols par semaine pour Casablanca avec correspondance pour d'autres villes, un vol direct pour Al Hoceima. Vols sans escale pour Paris, Madrid et Londres.

En bateau - De la gare maritime, dans l'enceinte du port *(Plan I B1)*, 12 liaisons par jour (16 en été) pour Algésiras : 2h30 de traversée avec les compagnies **Limadet**, ☎ 039 94 36 21, **Comarit**, ☎ 039 32 00 32, ou **Comanav**, ☎ 039 94 23 50. 3 départs par semaine pour Gibraltar et 1 par jour pour Tarifa (**Transtours**), 1 par semaine pour Sète (**Comanav**, 36h de traversée).

En train - La gare se trouve à 5 km au sud-est du centre, dans la zone industrielle de Morora *(Plan I C2, en direction)*, ☎ 039 95 25 55. Pour vous y rendre, le plus simple est de prendre un petit taxi (environ 12 DH). 5 trains par jour, de 7h15 à 22h30 avec, selon les cas, des correspondances à Sidi Kacem ou Sidi Slimane pour l'Est (Meknès, Fès, Taza, Oujda) ou pour le Sud (Rabat, Casablanca, Marrakech).

En bus - Les bus **CTM** partent de l'entrée du port *(Plan II C3)* et desservent Rabat, Casablanca, Fès, Meknès, Marrakech, Agadir, Tetouan, Larache et Asilah. Onze autres compagnies utilisent la **gare routière principale** située av. Ludwig Van Beethoven *(Plan I B3)*, ☎ 039 93 24 15. Bus toutes les 30mn pour Tetouan (1h de trajet), toutes les heures pour Rabat (3h) et Casablanca (4h), plus aléatoires pour Fès (5h30) et pour Al Hoceima (8h).

En taxi - La station jouxte la gare routière principale *(Plan I B3)*. Tetouan, Asilah et Chefchaouèn sont les destinations phares.

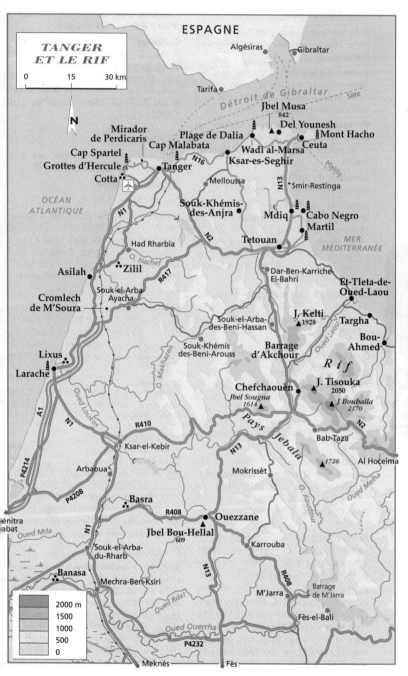

TANGER
ET LE RIF

0   15   30 km

N

ESPAGNE

Algésiras   Gibraltar

Tarifa

Détroit de Gibraltar   Sète

Jbel Musa
842

Del Younesh
Mont Hacho
Ceuta

Mirador
de Perdicaris
Plage de Dalia
Cap Malabata
Wadi al-Marsa
Ksar-es-Seghir

Cap Spartel
Grottes d'Hercule
Cotta
Tanger

N16

Melloussa

Melilla

N13   Smir-Restinga

OCÉAN
ATLANTIQUE

N1

Souk-Khémis-
des-Anjra

Mdiq   Cabo Negro
Martil

N2

Had Rharbia   O. Hachef

Tetouan

MER
MÉDITERRANÉE

Asilah
Zilil

R417

Dar-Ben-Karriche-
El-Bahri

Et-Tleta-de-
Oued-Laou

Souk-el-Arba
Ayacha

Cromlech
de M'Soura

Souk-el-Arba-
des-Beni-Hassan

J. Kelti
1928   Targha

Bou-
Ahmed

Lixus
Larache

A1

N1

O. Makhazen

Souk-Khémis-
des-Beni-Arouss

Barrage
d'Akchour

R i f

Oued Loukos

Chefchaouën
Jbel Sougna
1614

J. Tisouka
2050

J. Bouhalla
2170

Oued Laou

R410

Ksar-el-Kebir

P4214

N1

Pays Jebala

Bab-Taza

N2

1726   Al Hoceima

Arbaoua

Mokrissèt

O. Aoudour

Oued Melha

P4208

Basra

R408

Ouezzane

énitra
abat
Oued Mda

N1

Jbel Bou-Hellal
609

Karrouba

R408

Souk-el-Arba-
du-Rharb

N13

Barrage
de M'Jarra

Banasa

Mechra-Ben-Ksiri

Oued Rdat

M'Jarra

Fès-el-Bali

Oued Ouerrha

P4232

Meknès   Fès

2000 m
1500
1000
500
0

131

Comment circuler

Si la médina se parcourt facilement à pied, la ville nouvelle est relativement étendue.

En bus - Le terminus se trouve rue d'Angleterre, près du Grand Socco (*Plan II A3*). Les bus sont souvent bondés et il n'existe pas de plan des lignes.

En taxi - Plus pratiques et rapides, les petits taxis coûtent en moyenne 6 DH la course. La nuit, le tarif augmente de moitié.

Location de voitures - Toutes les grandes sociétés sont représentées.

Avis, 54 bd Pasteur (*Plan I B2*), ☏ 039 93 89 60. **Europcar**, 87 bd Mohammed V (*Plan I B2*), ☏ 039 94 19 38. **Hertz**, 36 bd Mohammed V (*Plan I B2*), ☏ 039 70 92 27. **Budget**, 7 av. Prince Moulay Abdallah (*Plan I A3*), ☏ 039 93 79 94.

Location de deux-roues - **Mesbahi**, 7 rue Ibn Tachfine, ☏ 039 94 09 74, loue vélos, cyclomoteurs de 50 cm³ et 125 cm³.

Adresses utiles

Office de tourisme (*Plan II B5*) - 29 bd Pasteur, ☏ 039 94 80 50. Septembre à juin 8h30-12h/14h30-16h30 lundi au jeudi ; 8h30-11h30/15h-16h30 vendredi ; été du lundi au vendredi 9h-15h. Carte routière du Maroc et dépliant sur la ville.

Banque / Change (*Plan II B4, C5*) - La plupart des banques sont équipées de distributeurs automatiques et se situent sur les bd Mohammed V et Pasteur. Beaucoup d'hôtels changent les espèces.

Poste / Téléphone (*Plan II B5*) - 33 bd Mohammed V. Lundi-vendredi 8h30-12h30/14h30-18h30. Centre de téléphone et de fax ouvert 24h/24.

Santé - La **polyclinique** de la Sécurité sociale, sur la route de Malabata (*Plan I C2, en direction*), ☏ 039 94 01 99, dispose d'un service d'urgences ouvert en continu. S'adresser également à la permanence médicale, bd Mohammed V, ☏ 039 93 20 80.

Pharmacie de nuit au 22, rue de Fès (*Plan II A5*), ☏ 039 93 26 19.

Consulat - Consulat de France (*Plan II A4*), 2 pl. de France, ☏ 039 93 20 40. Lundi au vendredi 9h-11h/15h-16h. **L'Institut français** se trouve à côté, 86 rue de la Liberté (*Plan II B4*), ☏ 039 93 21 34. Mardi-dimanche 11h-13h/16h-20h.

Se loger

Ville internationale, Tanger est bien équipée. Les prix augmentent l'été.

▸ *Dans la médina*

Environ 90 DH (9 €)

Hôtel Mauritania, 2 rue des Almohades (*Plan II*), ☏ 039 93 46 77 – 31 ch. Les chambres, équipées d'un lavabo, sont sommaires et propres. Certaines, plus bruyantes, ont vue sur le Petit Socco. Pas d'eau chaude ni de petit-déjeuner.

Entre 100 et 150 DH (10 à 15 €)

Pension Palace, 2 av. Moktar Ahardan (*Plan II*), ☏ 039 93 61 28 – 44 ch. Elle occupe l'ancienne poste espagnole, aux escaliers en marbre et aux murs en céramique. Les chambres s'ordonnent autour d'un agréable patio, quelques-unes disposent de salles de bains et certaines donnent sur le Petit Socco. Celles ouvrant sur les toits sont calmes. Pas de petit-déjeuner.

Environ 250 DH (25 €)

Hôtel Mamora, 19 rue des Postes (*Plan II*), ☏ 039 93 41 05 – 30 ch. ⌁ 📺 Décor kitsch, ambiance triste mais chambres propres et correctement équipées. Demander les cinq (n° 35 à 39) qui, du second et dernier étage, ménagent une vue sur la Grande Mosquée et la mer. Pas de petit-déjeuner.

Environ 420 DH (42 €)

ⓐ **Hôtel Continental**, 36 rue Dar el-Baroud (*Plan II*), ☏ 039 93 10 24 – 70 ch. ⌁ 📺 ✕ L'établissement a accueilli écrivains, artistes et hommes célèbres. Ses salons et patios ont servi au tournage de films. Chaque chambre est décorée dans un style différent. 30 donnent sur la baie et le port, 40 sur la médina. Bain turc chauffé au bois avec massage, bar en terrasse. Le restaurant n'est pas à la hauteur.

▶ *Dans la ville nouvelle*

Environ 75 DH (7,5 €) à deux avec 1 tente et 1 véhicule

☺ **Camping Miramonte**, à 3 km à l'ouest du centre-ville, face à la Montagne *(Plan I)*, ☎ 039 93 71 33. ✗ ⊒ Sur 2 ha à flanc de colline, il domine une plage en crique. Restaurant marocain récent, sanitaires bien tenus, location de bungalows. Accès à la piscine : 20 DH/pers.

Environ 50 DH (5 €) par pers. (40 DH avec la carte)

Auberge de jeunesse, 8 rue Antaki *(Plan I)*, ☎ 039 94 61 27, ouverte 8h-10h/12h-15h/18h-22h30, 50 places. Rudimentaire mais propre, elle ne propose que des lits en dortoir, 5 DH la douche chaude. Filles et garçons sont séparés.

Environ 150 DH (15 €)

Hôtel El-Muniria, 1 rue Magellan *(Plan II)*, ☎ 039 93 53 37 – 8 ch. Les écrivains William Burroughs et Jack Kerouac y séjournèrent. Leurs photos tapissent les murs du bar. Chambres correctes et propres. Les n° 7 et n° 8 ouvrent sur le port. Pas de petit-déjeuner.

Entre 240 et 300 DH (24 et 27 €)

Hôtel Biarritz, 102-104 av. d'Espagne *(Plan II)*, ☎ 039 93 24 73 – 29 ch. ⌑ ✗ cc Entrée avenante avec des plantes vertes et des objets d'artisanat, petit salon coquet au 1er étage. Certaines chambres disposent de balcons. Demandez celles du 2e étage qui ont vue sur la mer.

☺ **Hôtel El-Djenina**, 8 rue Antaki *(Plan I)*, ☎ 039 94 22 44 – 24 ch. ⌑ ⊤⊽ cc L'établissement de 3 étages est confortable et fonctionnel. Évitez les chambres donnant sur la rue, souvent bruyantes. Pas de petit déjeuner.

Hôtel Marco Polo, 2 rue Antaki *(Plan I)*, ☎ 039 94 11 24 – 11 ch. ⌑ ✗ cc Établissement agréable, face à la baie. Belles chambres avec salles de bains carrelées jusqu'au plafond, salon de coiffure et terrasse.

Environ 290 DH (29 €)

Hôtel de Paris, 42 bd Pasteur *(Plan II)*, ☎ 039 93 18 77 – 26 ch. ⌑ Au cœur de la ville nouvelle, à deux pas de la médina, il subit le bruit du boulevard. Chambres impeccables, accueil sympathique. Petit-déjeuner inclus.

Environ 2 200 DH (220 €)

☺ **Hôtel El-Minzah**, 85 rue de la Liberté *(Plan II)*, ☎ 039 93 58 85 – 140 ch. ⌑ ▤ ⊤⊽ ✗ ⊒ cc Construit en 1930, ce palais marocain, qui surplombe la médina, passe pour l'un des plus beaux hôtels du royaume. Patio andalou, jardin, 2 restaurants, 2 bars, traiteur, club fitness et kiosque à journaux.

▶ *Cap Spartel*

Env. 60 DH (6 €) à deux avec 1 tente et 1 véhicule

☺ **Camping Achakkar**, ☎ 039 33 38 40. ✗ Bien tenu. Bloc sanitaire carrelé, restaurant, snack-bar avec terrasse, location de bungalows flambant neufs.

Environ 440 DH (44 €)

Hôtel Robinson Plage, ☎ 039 33 81 52 – 116 ch. ⌑ ⊼ ✗ ⊒ ⌂ cc Dans un bel environnement de palmiers et de cactus (parc de 3,5 ha en bordure de plage), de petites maisons blanches à volets bleus se divisent en chambres avec terrasse. Certaines donnent directement sur l'océan. L'établissement a été en partie rénové.

À partir de 1 800 DH (180 €)

☺ **Le Mirage**, ☎ 039 33 33 32, mirage @iam. net. ma – 25 ch. ⌑ ▤ ⊤⊽ ✗ ⊒ ⌂ cc Bâti sur une falaise, à l'aplomb d'une immense plage de sable fin, il se compose de luxueuses suites de plain-pied, ouvrant sur de larges terrasses et une piscine splendide. Accès direct à la mer.

Se restaurer

▶ *Dans la médina*

Environ 100 DH (10 €)

Mamounia Palace, 6 rue Semmairine *(Plan II A3, B3)*, ☎ 039 93 50 99. 11h-22h. ⌑ cc Décor marocain avec banquettes et tabourets, orchestre traditionnel : l'établissement le plus connu de la médina est très prisé des groupes. Deux menus à 100 DH. Hors pics de fréquentation, l'endroit est agréable.

▸ *Dans la ville nouvelle*

À partir de 150 DH (15 €)

⊛ **Restaurant populaire (ou Saveur du poisson)**, 2 escalier Woller *(Plan II B4)*, ☎ 039 33 63 26. 13h-16h/19h-22h, fermé le vendredi et période de Ramadan. Réservez. Difficile à trouver, en 136contrebas de l'hôtel El-Minzah, l'endroit ne paie pas de mine. C'est pourtant l'une des meilleures adresses de la région. Le patron cuisine des produits frais et de qualité qu'il assaisonne, selon une savante alchimie, avec des épices et des herbes aromatiques du Rif.

Restaurant Romero, 12 av. prince Moulay Abdallah *(Plan I A3)*. 12h-15h30/19h-minuit, fermé le lundi. ♟ ᴄᴄ Comme le souligne la maquette de bateau exposée en vitrine, l'établissement se spécialise dans les produits de la mer. Sa paella et sa friture de poissons sont particulièrement renommées. Le personnel parle anglais, français et espagnol.

Restaurant San-Remo, 15 rue Ahmed Chaouki *(Plan II B5)*, ☎ 039 93 84 51, 12h-15h30/19h-23h. ♟ ᴄᴄ Décor cosy jaune et vert, des tables et des chaises en osier, éclairages tamisés. Cuisine italienne et internationale, spécialité de poisson au sel.

Entre 250 et 300 DH (25 à 30 €)

El-Korsan, 85 rue de la Liberté *(Plan II B4)*, ☎ 039 93 58 85, le soir uniquement, fermé lundi. ♟ ᴄᴄ Dans un décor raffiné, aux dominantes vert et or, le restaurant de l'hôtel El-Minzah propose le meilleur de la cuisine marocaine, pastillas, briouates, tajines. Orchestre et danseuses traditionnels.

▸ *Cap Spartel*

Entre 80 et 150 DH (8 à 15 €)

Restaurant du Cap Spartel, ☎ 039 93 37 22, 10h-23h. ♟ Salle climatisée et terrasse avec vue sur le phare et le cap. Plats de poissons de 35 DH à 100 DH. L'établissement fait également bar.

Environ 150 DH (15 €)

Le Mirage, ☎ 039 33 33 31, 13h-15h30h/19h30-23h, ouvert début mars à fin novembre. ♟ ᴄᴄ Cuisine savoureuse, à dominante espagnole et méditerranéenne, préparée par un ancien chef du El-Minzah. Salle climatisée et cossue qui surplombe la mer. Spécialité de poisson au sel, plat du jour.

Sortir, boire un verre

Cafés, bars - Café Fuentes, 9 pl. du Petit Socco *(Plan II B2, C2)*, ☎ 039 93 46 69, 6h-minuit. Au cœur de la médina, il vaut essentiellement par son balcon qui, du 1er étage, offre une vue imprenable sur la célèbre place.

Café Le Détroit, rue Riad Sultan *(Plan II A1)*, ☎ 039 93 80 80, 9h-18h. Installé sur les remparts, dans l'enceinte de la kasbah, il dispose d'une vue grandiose sur la médina et le port.

Dean's Bar, 2 rue d'Amérique du Sud *(Plan II A3-4)*, ☎ 039 93 16 71, 9h-23h. Des photos de vedettes ayant fréquenté le lieu témoignent de sa splendeur passée. Aujourd'hui, il ne subsiste qu'une salle décrépite à l'entrée obstruée par des caisses de bière. Pour les nostalgiques du Tanger de la grande époque.

⊛ **Café Hafa**, près du stade Marshan *(Plan I A1)*, 8h-22h. Loin du tumulte de la ville, ce café fondé en 1921 occupe sur quatre niveaux une falaise en bord de mer. Vue splendide, par temps clair, sur l'Espagne et le détroit de Gibraltar. Chaises branlantes et tables en bois. Dans ce lieu populaire et authentique, longtemps fréquenté par Paul Bowles, il est très agréable de boire un thé et d'observer le trafic maritime.

Pâtisseries - La Española, 97 rue de la Liberté *(Plan II B4)*, ☎ 039 93 14 89, 8h-22h. Grande salle climatisée et décorée dans les tons jaune et rouge, avec une trentaine de tables. Tartes, glaces et gâteaux marocains.

Salon de thé Iris, complexe Dawliz, 42 rue de Hollande *(Plan II A4)*, ☎ 039 33 18 12, 8h-23h. Salle moderne et sans charme mais terrasse circulaire qui domine la ville et le port. Le cadre se paie.

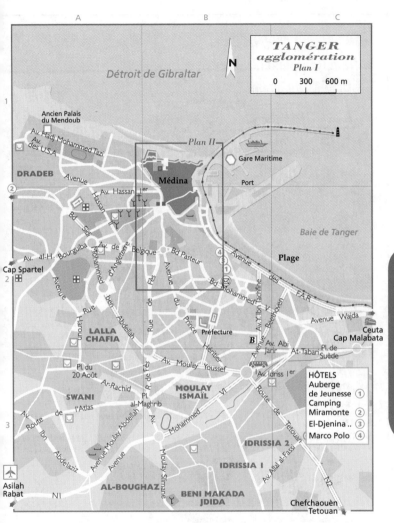

TANGER

Plan I

TANGER
agglomération
Plan I

0   300   600 m

Détroit de Gibraltar

Ancien Palais
du Mendoub

Av. Hadj Mohammed Tazi
Av. des U.S.A

DRADEB

Avenue

Médina

Gare Maritime

Port

Av. Hassan 1er

Baie de Tanger

Cap Spartel

Av. al-H. Bourguiba

Bd Sidi Mohammed

Av. de Belgique
d'Angleterre

Bd Pasteur

Avenue

Plage

Bd Mohammed V

Avenue

des

F.A.R.

Avenue Wajda

Haroun

Rue

ben Abdellah

Rue de Fès

du Prince

Héritier

Préfecture

Av. Moulay Youssef

Av. Y.Ibn Tachfine

Av. Beethoven

Av. Abi
Janir

At-Tabari

Pl. de
Suède

Ceuta
Cap Malabata

LALLA
CHAFIA

Pl. du
20 Août

Ar-Rachid

Pl.
al-Maghrib

MOULAY
ISMAÏL

Av. Mohammed VI

Route de Tetouan

Av. Idriss 1er

IDRISSIA 2

HÔTELS
Auberge
de Jeunesse ①
Camping
Miramonte ②
El-Djenina .. ③
Marco Polo ④

SWANI

Av. de l'Atlas

Route Ibn Abdelaziz

Avenue Moulay Abdellah

Avenue

Moulay Slimane

IDRISSIA 1

Av. Allal al-Fassi

N2

Asilah
Rabat

N1

AL-BOUGHAZ

BENI MAKADA
JDIDA

Chefchaouèn
Tetouan

🍵 **Salon de thé Porte**, 12 rue Moussa ibn Noussair *(Plan II C5)*, ☎ 039 93 34 33, 7h-23h. Excellente adresse. Cadre cossu avec des tentures et des fauteuils en tissu. Pâtisseries marocaines et euro-péennes.

Discothèques - Pasarela, av. des F.A.R., ☎ 039 94 52 46. 23h-3h. 🆒 Fermé le dimanche. Entrée, 100 DH le vendredi et le samedi, gratuite les autres soirs. À la sortie est de la ville et en bordure de

plage, ce complexe à la mode s'ordonne autour d'un jardin et d'une piscine. De 23h à 1h, le spectacle est assuré, en plein air, par un orchestre. Le night-club clima-tisé prend ensuite le relais, à l'intérieur. Musique à dominante occidentale.

Borsalino, 30 av. du Prince Moulay Abdallah *(Plan I A3)*, ☎ 039 94 31 63, 23h-3h, fermé dimanche. Un orchestre se produit chaque nuit dans cet éta-blissement fréquenté par les notables

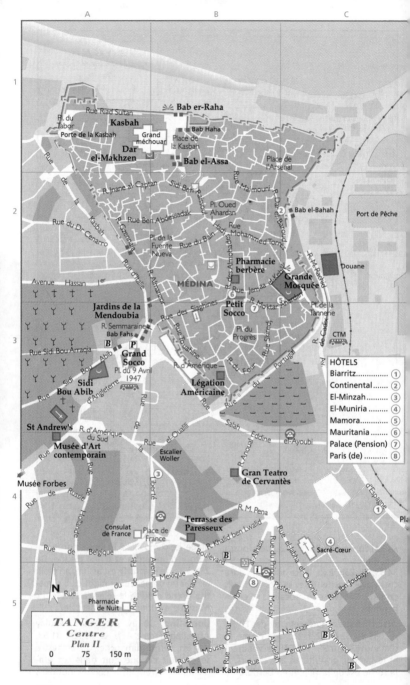

TANGER
Centre
Plan II
0   75   150 m

Bab er-Raha

Rue Riad Sultan
Pl. du Tabor
Kasbah
Porte de la Kasbah
Bab Haha
Dar el-Makhzen
Grand méchouar
Place de la Kasbah
Bab el-Assa
Place de l'Arsenal

Rue de la Kasbah

R. Jnane al-Captan
Sidi Ben Raïssou
Rue Maimouni

Rue du Dr-Cenarro
Rue Ben Abdessadak
Pl. Oued Ahardan
Bab el-Bahah

Port de Pêche

Pl. de la Fuente Nueva
Rue du Bain
Rue Hadj Mohammed Torres

Pharmacie berbère

Douane

Avenue Hassan I er

MEDINA
Rue Jemaa el Kebir
Grande Mosquée

Jardins de la Mendoubia
Rue des Siaghines
Petit Socco
R. Moktar Ahardan
Pl. de la Tannerie

R. Semmarine
Bab Fahs

B **P**

Grand Socco
Pl. du 9 Avril 1947
Rue Touahine
Pl. du Progrès

Rue Sidi Bou Arraqia

Sidi Bou Abib

Rue d'Amérique
R. du Four
Rue de Portugal

CTM

St Andrew's
R. d'Amérique du Sud
Légation Américaine

Musée d'Art contemporain

Musée Forbes

Escalier Woller
Rue el-Ouafih
Rue Salah Eddine
el-Ayoubi

Gran Teatro de Cervantès

③

Consulat de France
Place de France
Terrasse des Paresseux
R. M. Pena

B
Boulevard
R. Khalid ben Lwalid
Rue el-Jabha el-Outnia
Sacré-Cœur
④

①

Rue de Russie
Rue de l'Horloge
Rue de Belgique

N

Rue du Fès
Avenue du Prince Héritier
i
⑧
Rue du Prince Moulay Pasteur
Bd Mohammed V

Pharmacie de Nuit

Rue Ahmed Chaouki
Rue Moussa Ibn Omar
Rue Ibn Abdelah
Rue Noussaïr
Zerqtouni

B

B

Marché Remla-Kabira

HÔTELS	
Biarritz..............	①
Continental	②
El-Minzah	③
El-Muniria	④
Mamora.............	⑤
Mauritania	⑥
Palace (Pension)	⑦
Paris (de)	⑧

tangérois. Décor un peu kitsch de colonnes blanches, de sièges et de poufs simili cuir. Musique orientale, consommation de 60 à 70 DH.

Solazur, av. des F.A.R., ☎ 039 94 01 64, 22h-3h. Le night-club de l'hôtel Solazur accueille une clientèle cosmopolite. Musique occidentale. Entrée 35 DH pour les non-résidents.

Loisirs

Cinéma - Les salles climatisées du **complexe Dawliz**, 42 rue de Hollande *(Plan I A4)*, ☎ 039 33 23 23, proposent la meilleure programmation.

Golf - **Royal Golf Club**, ☎ 039 94 44 84. À 3 km au sud-est de la ville, ce 18-trous comprend un bar, un restaurant et des courts de tennis.

HISTOIRE

D'un conquérant à l'autre

Édifiée, selon la légende, par Antée, le fils de Poséidon, Tanger fut plus vraisemblablement fondée par des Berbères et mise en valeur par les Phéniciens. Elle ne cessa, ensuite, d'attirer les convoitises. Après la chute de Carthage en 146 av. J.-C., elle devint pendant un siècle capitale du royaume indépendant de Maurétanie, puis de la province romaine de Maurétanie Tingitane. Sous domination arabe à partir du 8e s., la cité commerça avec l'Italie et la France, prospéra et suscita à nouveau un intérêt. À partir du 15e s., elle fut prise par les Espagnols et les Portugais, devint britannique à l'issue du mariage du roi Charles II d'Angleterre avec une princesse portugaise, avant de retourner aux Arabes en 1681. Le répit fut de courte durée car dès le milieu du 19e s., Tanger se retrouva au centre d'une intense rivalité entre puissances occidentales.

L'âge d'or du statut international

En 1923, la cité fut placée sous l'autorité de neuf pays : la France, l'Espagne, l'Angleterre, le Portugal, la Suède, la Hollande, la Belgique, l'Italie et les États-Unis. Elle demeura zone internationale jusqu'à son rattachement au Maroc en 1956, quelques mois après l'indépendance du pays. C'est durant cette époque qu'elle vécut son âge d'or, attira écrivains, peintres, exilés et de nombreux homosexuels. À partir de 1957, une partie des investisseurs étrangers quittèrent la ville qui entra alors en récession. Le tourisme lui procura un second souffle.

Ville portuaire et balnéaire

À l'heure actuelle, Tanger accueille étrangers et vacanciers marocains qui, l'été, apprécient la fraîcheur apportée par les vents du large. Une longue plage de sable fin s'étire vers le sud. La ville sert aussi de halte aux expatriés rentrant à l'occasion des congés. Industrieuse et commerçante, Tanger entend relancer sa vocation balnéaire. Un nouveau port se construit à 14 km sur la route de Rabat. L'ancien sera réservé aux bateaux de pêche et de plaisance. On parle même d'un projet de tunnel entre l'Espagne et le cap Malabata, mais rien ne dit que ce chantier pharaonique sera un jour mis en œuvre.

VISITE DE TANGER

LA MÉDINA★★

Comptez une demi-journée.

▶ Cœur de la cité jusqu'à l'indépendance, la médina a peu à peu perdu de son animation, au profit de la ville nouvelle (boulevards Pasteur et Mohammed V) *(Plan II B5, C5)* puis, plus récemment, de l'artère du bord de mer. Sur le plan touristique, elle concentre toujours l'essentiel des monuments à visiter. Unique dans le pays, elle tire sa singularité de la cohabitation passée entre Occidentaux et Marocains, de la juxtaposition de bâtiments de style européen et de demeures traditionnelles, d'églises (souvent fermées) et de mosquées.

Du haut de la rue du Portugal, à 50 m du croisement avec la rue Salah Eddine el-Ayoubi, prenez l'escalier (au sud de la médina), puis suivez la rue d'Amérique jusqu'à la légation américaine.

▶ Vaste et belle villa, qui enjambe la rue au-dessus d'un porche, la **légation américaine★★** *(Plan II B3)* **(8 rue** *d'Amérique, 10h-13h/15h-17h, fermé samedi, dimanche et jours fériés ; entrée gratuite et visite guidée)* a accueilli pendant près d'un siècle la mission diplomatique américaine. Une aile de l'édifice fut aménagée vers 1920 à l'occidentale, en salons avec cheminée et parquet, par le consul Maxwell Blake. L'autre, d'inspiration marocaine, avec des moucharabiehs, des zelliges et du fer forgé, a été réalisée un peu plus tard par des artistes de Fès. Parmi les tableaux modernes, le gardien vous signalera deux Delacroix peints à Tanger en 1832. Un grand nombre de documents historiques sont exposés, dont une carte de 1530, présentée comme l'une des plus anciennes du Maroc. Une salle est consacrée à Paul Bowles, qui habitait une demeure proche.

▶ Suivez les rues Kadi Temsamani puis Touahine pour déboucher dans la rue des Siaghines, bordée de boutiques de souvenirs et de bijouteries. Là, descendez jusqu'au Petit Socco. Entouré de cafés populaires et d'hôtels décrépits, le **Petit Socco★** (signifiant souk en espagnol) *(Plan II B2-3)* a connu son heure de gloire entre les deux guerres, lorsque de nombreuses affaires, licites ou non, s'y négociaient. Cette placette a conservé son pittoresque et sa fonction de point de rencontre, de carrefour entre les différents quartiers de la médina. Il est agréable de prendre un verre à l'une de ses terrasses.

▶ Faites un détour d'environ 100 m pour visiter, au 50 de la rue des Almohades, la **pharmacie berbère Granada★** *(9h-20h30) (Plan II B2)* qui commercialise 700 plantes médicinales du pays et une quarantaine d'épices.

▶ De retour au Petit Socco, flânez dans la rue, très animée, de Jemaa el-Kebir (ex-rue de la Marine). Bordée d'échoppes de menuisiers et de tailleurs, elle longe la **Grande Mosquée** *(Plan II B2, C2)*, édifiée à la fin du 17ᵉ s. sur les ruines d'une cathédrale portugaise pour célébrer le départ des Anglais. À son extrémité, une terrasse ménage une **vue★** sur le port.

▶ Prenez sur la gauche la rue Hadj Mohammed Torrès, spécialisée dans le travail du cuir puis, après la place

Oued Ahardan, continuez à monter en empruntant la rue Sidi ben Raissoul. Suivez à droite des ruelles en escalier qui conduisent à **Bab el-Assa★** *(Plan II B1)*, également appelée « porte de la bastonnade » en souvenir des châtiments corporels infligés en ce lieu aux malfaiteurs. Elle donne accès à la **kasbah★** *(Plan II A1)* qui occupe la partie la plus élevée de la médina. On parcourt une place bordée par les anciennes écuries du fort, qui se termine par **Bab er-Raha★** *(Plan II B1)*. Cette « porte du repos » donne sur une terrasse ventée d'où la **vue★**, par temps clair, s'étend jusqu'aux côtes espagnoles.

▶ En revenant sur vos pas, dirigez-vous à droite vers le Grand Méchouar qui, à l'ombre du minaret octogonal de la mosquée de la Kasbah, permet d'accéder à Dar el-Makhzen. Construit en 1684 par le sultan Moulay Ismaïl, le palais **Dar el-Makhzen★★** *(9h-12h30/15h-17h30 ; vendredi 9h-11h30, fermé le mardi ; entrée payante) (Plan II A1)* à la façade crénelée a été agrandi au 18ᵉ puis au 19ᵉ s. Siège du pacha, il abrita le tribunal et la trésorerie de la ville (Bit el-Mâl). Bien conservé, il a été transformé en 1922 en **musée de la Kasbah**.

▶ Après avoir franchi la porte monumentale, on visite l'ancienne trésorerie qui recèle plusieurs coffres de cèdre nantis de belles ferrures. **La section ethnographique★★** débute par trois galeries où sont exposées des portes anciennes, des fauteuils en bois sculptés et des tissages. Elle se poursuit par un patio pavé de zelliges, autour duquel s'ordonnent huit salles somptueusement décorées. L'une d'elles abrite une étonnante **collection de céramique★**. Dans la **section archéologique★★**, ne manquez pas au rez-de-chaussée une mosaïque romaine découverte à Volubilis, *La Navigation de Vénus★*. L'étage relate le passé de Tanger, du néolithique jusqu'à l'occupation romaine. Peu avant la sortie, vous traverserez les **jardins du Sultan★**, un paisible endroit peuplé d'oiseaux, planté d'orangers et de citronniers. En quittant le musée, vous pourrez grimper sur les remparts pour prendre un verre au café Le Détroit *(voir « Sortir, boire un verre »)* et profiter d'une superbe **vue★**.

Comptez 3h.

▶ Le **Grand Socco★** *(Plan II A3)* est officiellement appelé « place du 9 avril 1947 », en souvenir du discours prononcé en ce lieu par le sultan Mohammed V, réclamant l'indépendance du Maroc. Porte d'entrée principale dans la médina, rendez-vous des petits et grands taxis, l'esplanade est particulièrement animée les jeudi et dimanche lorsque le marché s'installe. Ces jours-là, fruits, légumes et volailles s'amoncellent, les hommes en djellaba brune s'activent, les femmes en *fouta* et chapeau traditionnel du Rif se pressent. Le souk déborde dans les rues adjacentes, jusqu'à la **mosquée de Sidi Bou Abib** *(Plan II A3)* érigée en 1917, avec un minaret décoré de faïences multicolores. Juste à côté, profitez d'une petite balade dans les **jardins de la Mendoubia★** *(Plan II A3)* et remarquez les canons de bronze et le *Ficus elastica*, splendide arbre qui serait vieux de huit siècles.

▶ Du Grand Socco, prenez la rue d'Angleterre jusqu'au n° 50, siège de **St Andrew's** *(Plan II A3)*, église anglicane construite dans les années 1880, dans un style hispano-mauresque. Le sympathique gardien Mustapha se fera un plaisir de commenter la visite, de montrer en haut du chœur le « Notre Père » écrit en arabe. En quittant le jardin de l'église, jetez un coup d'œil à un bâtiment désaffecté à l'angle de la rue de Hollande, l'**ancien Grand Hôtel Villa de France** *(Plan II A4)*, qui hébergea Eugène Delacroix en 1832 et Henri Matisse en 1912 *(voir encadré)*.

▶ **Le musée d'Art contemporain★** *(Plan II A4) (52 rue d'Angleterre ; 9h-12h30/15h-18h ; fermé mardi ; entrée payante)* est installé dans l'ancien consulat d'Angleterre, une bâtisse blanche aux volets verts entourée d'un jardin, juste à côté de l'église St Andrew's. En six salles, une rétrospective permet d'appréhender les déclinaisons nationales de la peinture figurative et abstraite. Mohammed Serghini joue les premiers rôles, aux côtés de Tellal Chaibia et Mohammed Hamidi.

Tanger, muse des artistes

Porte de l'Orient mythique, Tanger attira, à partir du 19e s., de nombreux peintres et écrivains. Delacroix ouvrit la voie en 1832 mettant le style orientaliste à la mode. Les peintres Georges Clairin et Benjamin Constant y vécurent dans les années 1870. Les « fauves », Van Dongen en 1910, Matisse en 1912, plongèrent leurs pinceaux dans sa lumière crue et ses teintes éclatantes. Les écrivains ne furent pas en reste dans la construction de la légende tangéroise. Pierre Loti en 1889, puis Joseph Kessel, Tennessee Williams, Jean Genet, Samuel Beckett, Paul Bowles… s'inspirèrent de l'ambiance particulière de la ville. Dans les années 1950, les écrivains américains de la *Beat Generation*, Ginsberg, Burroughs et Kerouac, y trouvèrent, mêlés, drogue et sentiment de liberté.

▶ À 1 km vers l'ouest, le **musée Forbes** (l'ancien palais du *mendoub*, le représentant du sultan à Tanger) *(Plan II A4, en direction)* a fermé ses portes en 1999. La splendide villa du magnat de la presse Malcolm Forbes, mort en 1990, pourrait être transformée en hôtel de luxe.

▶ Face à St Andrew's, empruntez la rue d'Amérique du Sud puis la rue de la Liberté jusqu'à la place de France, où vous tournerez à gauche sur le boulevard Pasteur, pour atteindre la terrasse des Paresseux. Essentiellement fréquentée le soir, la **terrasse des Paresseux★** *(Plan II B4)* offre un beau **panorama★** sur la ville basse, le port et la baie. Cœur de la ville nouvelle, le quartier date des années 1930. Bruyant et animé, il regroupe un grand nombre de commerces, de cafés, de pâtisseries et de restaurants. Deux petits marchés se tiennent à proximité. L'un, le long des escaliers reliant la rue de la Liberté à la rue el-Oualili, propose des produits pour la maison et toutes sortes d'objets en plastique. L'autre, plus intéressant, se situe rue de Fès *(ouvert tlj 7h-21h)*. Dans un cadre engageant, ce **marché Remla-Kabira** *(Plan II A5)* présente un vaste choix de légumes et de fruits (mûres, framboises, figues, en saison…). De petits restaurants proposent une nourriture simple et bon marché.

TANGER

▶ De la terrasse des Paresseux, descendez la rue Anoual qui permet d'accéder, sur la gauche, à un ancien théâtre. Inauguré en 1913, le **Gran Teatro de Cervantès** *(Plan II B4)* dut avoir fière allure avec sa façade Art déco. Actuellement en piteux état, le bâtiment attend toujours d'être restauré.

▶ Poursuivez la rue Anoual puis prenez à droite la rue Salah Eddine el-Ayoubi. Le long de l'avenue d'Espagne et de l'avenue des F.A.R, le **bord de mer** *(Plan I B2, C2)* connaît un fort développement avec la construction d'hôtels de standing, la multiplication de restaurants et de bars discothèques. La fermeture de la voie de chemin de fer, qui desservait le port, a supprimé une partie des nuisances sonores. À terme, elle permettra de réaménager le front de mer, très fréquentée le soir. La plage, longue de 4 km, est belle mais pas toujours propre. Pour la baignade, préférez la **plage de Robinson**, située à une vingtaine de kilomètres de Tanger en direction du cap Spartel.

LES ENVIRONS DE TANGER

LE CAP SPARTEL★★

Comptez une demi-journée.

40 km AR (pas de bus régulier, prenez un grand taxi).

Effectuez cette splendide promenade en fin d'après-midi pour profiter de la lumière du couchant. De la place de France, prenez la rue de Belgique, puis la rue Sidi Bouabid et la Chari Habib Bourguiba en suivant les panneaux « Montagne cap Spartel ».

Après l'oued el-Ihoud, la route s'élève vers la montagne, en ménageant de belles **vues** sur la ville.

▶ Jusqu'au 17e s., cette colline boisée appelée **la Montagne★** servait de repaire aux Maures qui lançaient des attaques sur Tanger. C'est désormais une banlieue cossue qui dissimule, au milieu d'essences méditerranéennes, de luxueuses villas. La route passe ainsi devant l'ancienne résidence des sultans Moulay Abdelaziz et Moulay Hafid qui appartient aujourd'hui au roi.

▶ Deux kilomètres plus loin, tournez à droite pour le **mirador de Perdicaris★** qui, au milieu des pins, offre un point de vue sur le détroit de Gibraltar.

▶ De retour sur la route principale, roulez jusqu'au parc Donabo, dépassez-le de 1 km avant de prendre à droite une mauvaise route conduisant à un relais radio. Par temps clair, la **vue★** est très étendue, on distingue la côte rifaine jusqu'à Ceuta et la côte espagnole jusqu'à Gibraltar.

▶ Revenez sur vos pas et poursuivez jusqu'au **cap Spartel** qui marque l'extrémité nord-ouest du continent africain. Du pied du phare, le panorama est moins enthousiasmant.

▶ Reprenez la voiture sur 4 km jusqu'aux **grottes d'Hercule★★** *(7h-20h ; entrée payante).* À cet endroit, la falaise est truffée de cavités, pour certaines naturelles, pour d'autres creusées par l'homme, à la recherche, jusqu'à une date récente, de calcaire dur pour fabriquer des meules. Les salles, sombres et humides, se succèdent jusqu'à la mer. Le site prend tout son éclat au crépuscule lorsque les derniers rayons de soleil se glissent à l'intérieur des grottes. Attention, il est très fréquenté les week-ends et pendant les vacances scolaires.

▶ Au-delà de l'hôtel Mirage débute une longue et belle **plage★** de sable fin. En continuant sur la même route, puis en prenant une piste à droite, à environ 500 m des grottes, on atteint les **ruines de Cotta**. De cet ancien comptoir phénicien, il subsiste quelques pans de murs, des cuves cimentées marquant l'emplacement d'huileries et d'usines à *garum*, condiment à base de poisson.

LE CAP MALABATA ET LA CORNICHE RIFAINE★★

Comptez 3h.

63 km, de Tanger à Ceuta. Du Grand Socco, bus nos 11 et 25 jusqu'à l'embranchement du cap Malabata. Continuez ensuite à pied sur 1 km. Si vous avez votre propre véhicule, longez sur 6 km

la baie de Tanger. Quittez ensuite la N16 et tournez à gauche pour le cap Malabata.

Cette excursion, à réaliser le matin pour bénéficier de la meilleure luminosité sur Tanger, longe une côte superbe et encore sauvage.

▶ Venté et frais, même l'été, le **cap Malabata★**, planté de pins et d'arbres bas, offre une **vue★** à 180° sur le détroit de Gibraltar. Le phare, occupé par l'armée, ne se visite pas. Il n'y a pas d'hôtel ni de restaurant ; trois cafés ont installé des tables à l'ombre des cyprès.

Reprenez la N16. La route, en cours d'élargissement, escalade des collines boisées, surplombe des criques de sable et redescend vers des oueds. Elle atteint, à 35 km de Tanger, Ksar-es-Seghir.

▶ Le village de pêcheurs de **Ksar-es-Seghir★★** ne possède ni téléphone ni eau courante, il s'est développé autour d'une plage en pente douce, dominée par les vestiges d'une forteresse portugaise. Particulièrement coloré, le souk du samedi rassemble de nombreux Rifains en costume traditionnel. Dans cette région longtemps enclavée, beaucoup se déplacent encore sur leur bourricot.

▶ En poursuivant vers l'est, ne manquez pas, à 10 km de Ksar-es-Seghir, la **plage sauvage de Dalia★★**, qui s'étend entre deux pitons rocheux. L'accès se fait par une route étroite et défoncée. Deux kilomètres plus loin, face au restaurant Bella Vista, une piste sur la gauche conduit au village préservé de **Wadi al-Marsa★** et offre une splendide **vue★** sur le jbel Musa.

▶ La N16 traverse ensuite une forêt de pins, s'élance en crête à l'assaut du massif avant de redescendre vers la presqu'île de Ceuta. Si vous avez un peu de temps, tournez à gauche, avant d'amorcer la descente, en direction d'un village de pêcheurs, **Del Younesh★** blotti au pied du jbel Musa.

CEUTA

😊 **La ville continue à vivre durant le Ramadan**

Quelques repères

Enclave espagnole (Sebta) – 68 km de Tanger, 38 km de Tetouan – 80 000 hab. – Carte Michelin n° 742 plis 5 et 10 et carte p. 131.

À ne pas manquer

Le tour du Monte Hacho.

Conseils

Attention au décalage horaire avec le Maroc (2h l'été, 1h l'hiver), Ceuta est donc à la même heure que Madrid et Paris.

Le coût de la vie approche les standards du Vieux Continent, mais profitez de l'essence à moitié prix.

Bâtie sur un isthme du détroit de Gibraltar, dominé par le jbel Musa, Ceuta inspire des sentiments contrastés. Les voyageurs en provenance d'Espagne trouveront peut-être l'enclave sans grand intérêt et bouderont les boutiques hors taxes aux enseignes tapageuses. Ceux, moins nombreux, qui s'y rendent du Maroc, découvriront une cité européenne, ordonnée et reposante. Ils apprécieront son climat tempéré, même au cœur de l'été, son caractère insouciant et ses facilités commerciales. Moderne, la ville conserve quelques belles bâtisses andalouses, des fragments de remparts et une douve navigable, le Foso de San Felipe.

Téléphoner

Pour appeler Ceuta de la France, composez : 00 + 34 + 956 + n° à 6 chiffres.

Arriver ou partir

En bateau - La gare maritime est à l'ouest du centre-ville, calle Muelle Cañonero Dato. Liaisons quotidiennes toute l'année entre Ceuta et Algésiras. Les bateaux d'**Euroferrys**, ☎ 956 50 70 70, partent environ toutes les heures de 7h30 à 22h45 (45mn de traversée, 21 € par personne). **Buquebus**, ☎ 956 50 53 53, assure une liaison environ toutes les heures de 11h30 à 22h45 (45mn de traversée, 21 €).

En bus - Liaisons pour Tanger, Tetouan (un par heure) à partir du village frontière de Fnideq. Pour y aller, prenez le bus n° 7, plaza de la Constitución.

En voiture - Avec un véhicule loué au Maroc, vous ne pourrez entrer à Ceuta, laissez-le au parking gardé à l'entrée.

Adresses utiles

Office de tourisme - Muelle Cañonero Dato (en face de l'autorité portuaire), ☎ 956 50 14 10, lun.-ven. 9h-21h. Autres antennes à la gare maritime, ☎ 956 50 62 75, et av. Sanchez Prados (face à l'hôtel de ville), ☎ 956 52 81 46, lun.-ven. 9h-21h, sam.-dim. 10h-14h/17h-19h.

Banque / Change - Distributeurs automatiques sur le paseo de Revellin et la calle Camoens.

Poste / Téléphone - Plaza de España, lundi au vendredi 9h-20h.

Se loger

Environ 25 €

Residencia de la Juventud, 27 plaza Rafael Gilbert, ☎ 956 51 51 48 – 28 ch. ⚑ Moins chère que de nombreuses pensions, cette auberge de jeunesse dispose de jolies chambres de 1 à 3 pers. Occupée par des étudiants pendant l'année, elle n'est ouverte aux touristes qu'en juillet-août.

Pension Bohemia, 16 paseo del Revellin, ☎ 956 51 06 15 – 9 ch. Installé au 1er étage d'une belle maison coloniale, l'établissement, souvent complet, s'agence, avec goût, autour d'un agréable patio. Bon rapport qualité-prix.

Environ 45 €

Hôtel Africa, 9 Muelle Cañonero Dato, ☎ 956 50 94 70 – 100 ch. ⚑ 🖥 📺 🆑 Situé face à la gare maritime, froid et assez lugubre mais fonctionnel, il peut servir de halte pour une nuit sur le chemin du Maroc.

Environ 125 €

Hôtel La Muralla, 15 plaza Virgen de Africa, ☎ 956 51 49 40 – 106 ch. ⌂ ▤ ☒ ✗ ⌿ cc Cet hôtel offre une vue sur la mer des deux côtés de l'isthme. Belles chambres avec terrasse, piscine entourée d'un jardin, galerie marchande.

Se restaurer

Moins de 6 €

El Vicentino, 3 Alferez Bayton, ☎ 956 51 29 40. 8h-22h30 sf lun. ☖ Sandwichs, bocadillos, menu à moins de 6 €.

À partir de 25 €

☺ **Restaurant La Pena**, parc maritime, ☎ 956 51 71 59, fermé le lundi, 13h-16h30/21h30-0h30. ☖ cc Cadre cossu avec une véranda lumineuse, grande carte de vins en majorité espagnols, plats de poisson et fruits de mer.

HISTOIRE

À en croire la mythologie, Hercule a, un jour de colère, séparé l'Europe et l'Afrique en écartant les **colonnes de Calpé et d'Abyla**, c'est-à-dire les rochers de Gibraltar et de Ceuta. Édifiée par les Romains, la ville fut ravagée par les Vandales en 429, rebâtie par les Byzantins puis conquise en 931 par les Omeyyades. Annexée par le Portugal en 1415, elle passa sous domination espagnole en 1580 et le resta jusqu'à nos jours. Revendiquée par le Maroc, Ceuta a obtenu, comme Melilla, un statut d'autonomie en 1995. Les relations entre les communautés espagnole et marocaine sont parfois tendues.

VISITE

LE CENTRE-VILLE

Comptez une demi-journée.

Le cœur de la ville se niche dans la partie la plus étroite de l'isthme ; il s'étend du Foso de San Felipe aux rues commerçantes de Sanchez Prados et du Paseo del Revellin. Avant de visiter les musées,

allez faire un tour à pied dans ces artères et le long de la mer.

▶ Grand complexe de loisirs, réalisé en 1995 sur le front de mer *(l'hiver ouvert jusqu'à minuit sauf le jeudi, l'été jusqu'à 2h ; entrée payante)*, le **parc maritime** est très fréquenté le week-end. Au milieu de jardins, trois piscines-lagunes, avec des îlots et un phare, jouxtent des cafés-restaurants, une discothèque et un casino dissimulé en château fort.

▶ Il est étonnant de voir l'ambiance franquiste qui perdure dans le **musée de la Légion★** *(paseo de Colón. Lun.-ven. 10h-13h30, sam. 10h-13h30/16h-18h ; entrée libre)*. La visite s'effectue sur fond de musique guerrière, encadrée par des membres de la Légion espagnole, corps d'armée fondé en 1920. Un buste et plusieurs photos du Caudillo sont exposés ; une salle est consacrée aux actions entreprises par la Légion en Afrique du Nord.

▶ Petit mais bien agencé dans un bâtiment colonial, le **Musée municipal** *(30 paseo del Revellin, 10h-13h puis 17h-20h (hiver) ou 19h-21h (été), sam. 10h-14h, fermé dim. ; entrée libre)* présente des collections d'ancres et d'amphores.

MONTE HACHO★

Comptez 3h.

De la plaza de la Constitución, prenez le bus n° 1 jusqu'au terminus. De là, grimpez (20mn) par une route en lacet jusqu'à l'ermitage de San Antonio. Effectuez la promenade au Monte Hacho (181 m) par temps clair car elle ménage de splendides vues sur l'isthme, le **jbel Musa** et **Gibraltar**. Loin du bruit de la ville, l'itinéraire de pleine nature conduit de l'**ermitage de San Antonio** au phare de Ceuta, en longeant la forteresse occupée par l'armée espagnole. Descendez jusqu'au **fort del Desnarigado** *(en contrebas du phare)* qui abrite un musée militaire *(ouvert les w.-ends et j. fériés)* et jouxte une crique de sable.

TETOUAN★★

😊 **Une ambiance hispano-mauresque**

Installée dans un superbe site, et dotée d'une médina classée au Patrimoine mondial de l'Unesco en 1997, Tetouan la blanche pourrait nourrir de grandes ambitions touristiques. Elle souffre, hélas, d'une réputation d'insécurité – à l'origine de son surnom de « cité des voleurs » – qui incite à s'en détourner. Or, depuis quelques années, la ville est plus sûre. Allez-y, vous ne le regretterez pas. Accrochée aux contreforts du jbel Dersa, la ville surplombe l'étroite vallée fertile de l'oued Martil et fait face, sur l'autre rive, aux parois abruptes du massif du Roriz. Capitale du protectorat espagnol pendant quarante-trois ans, Tetouan continue à employer la langue de Cervantès, et conserve une forte empreinte hispanique qui se marie sans heurts avec le style mauresque. Elle compte une vingtaine de mosquées, dont certaines remarquables pour leurs portes ouvragées et leurs minarets recouverts de zelliges. Au débouché d'une région agricole et d'élevage, Tetouan vit du commerce et de l'industrie textile et agroalimentaire.

Arriver ou partir

En avion - À 5 km du centre, près de la cité universitaire (Nord-Est), l'**aéroport Sania R'Mel** *(C3, en direction)*, ☎ 039 97 16 43, est accessible par petit et grand taxi. Un vol par semaine pour Casablanca par Royal Air Maroc, un vol par jour en été pour Casablanca par Regional Airlines.

En train - Pour rejoindre la gare la plus proche, qui se trouve à Thine-de-Sidi-el-Yamani (70 km), au sud d'Asilah, **Supra Tours**, ☎ 039 96 75 59, propose 2 bus quotidiens en connexion avec le train. Départ à 7h10 et à 16h (durée 1h10 ; 32 DH) face à l'agence, 18 av. du 10 mai, à l'opposé de l'hôtel Oumaina *(A2)*. Réservez votre billet de bus et faites-vous confirmer les horaires.

En bus *(B3)* - Gare, à l'angle des rues Sidi Mandri et Moulay al-Abbas. 1 bus par heure pour Casablanca (de 5h à 0h30, 6h de trajet), 20 bus quotidiens pour Tanger (1h de trajet), 9 pour Al Hoceima (8h), 2 pour Oujda (15h), 6 pour Nador (12h), 10 pour Fès (6h). Les bus pour Ceuta (très fréquents) ne vont pas au-delà du poste frontière de Fnideq.

En taxi - Les grands taxis pour Chefchaouèn et pour Tanger partent du bd al-Jazaer, ceux pour Ceuta à l'angle de la rue Sidi Mandri et de l'av. Mahrakah Anual, près de la gare routière *(B3)*.

Comment circuler

Le centre-ville se parcourt aisément à pied. Une course en petit taxi n'excède pas 10 DH ; comptez environ 15 DH pour rejoindre l'aéroport.

Adresses utiles

Office de tourisme *(A2, B2)* - 30 av. Mohammed V, ☎ 039 96 19 15. Lundi-jeudi 8h30-12h/14h30-18h30, vendredi 8h30-11h/15h-18h30, fermé les samedi et dimanche. Personnel accueillant.

Banque / Change - Les banques se concentrent dans la nouvelle ville, sur et aux abords de l'av. Mohammed V *(A2, B2)*. La **BMCE**, place Moulay el-Medhi, la **Wafabank**, av. Mohammed V, disposent de distributeurs automatiques.

Poste / Téléphone - La **poste** se trouve place Moulay el-Medhi *(A2)*, le **centre téléphonique** juste à côté, rue el-Ouahda *(A2)*. Connexion Internet : **Cyber Primo**, 6 pl. Moulay el-Medhi, 1er étage *(A2)*, ☏ 039 96 32 71.

Consulat - L'**Institut français**, 13 rue Chakib Arsalane *(A2)*, ☏ 039 96 12 12. Un **consulat espagnol** est installé juste à côté de l'office de tourisme, av. Mohammed V, lundi-vendredi 9h-14h.

Se loger

▶ *À Tetouan*

Environ 80 DH (8 €)

Dans cette gamme de prix, les pensions abondent, mais beaucoup sont sales ou servent d'hôtels de passe. Nous avons retenu deux adresses correctes, simples et propres.

Pension Iberia, 5 pl. Moulay el-Mehdi, 3e étage, ☏ 039 96 36 79 – 12 ch. Pension agréable et économique. Les chambres 10, 11 et 12 (hélas souvent occupées) offrent une belle vue sur la médina. Douche chaude, 10 DH.

Pension Bilbao, 7 av. Mohammed V, ☏ 039 96 41 14 – 30 ch. ⌁ Entrée engageante, avec son escalier en marbre et ses murs de céramique. Les chambres disposent d'un lavabo et d'une douche (eau froide) mais les WC sont communs. L'établissement ferme à minuit.

Environ 250 DH (25 €)

Hôtel Paris, 31 rue Chakib Arsalane, ☏ 039 96 67 50 – 40 ch. ⌁ Propre et fonctionnel, il demeure un peu cher par rapport aux prestations fournies. 15 chambres, bruyantes, donnent sur la rue et sont dotées d'un petit balcon. Pas de petit-déjeuner.

Environ 320 DH (32 €)

Hôtel Oumaima, av. du 10 mai, ☏ 039 96 34 73 – 33 ch. ⌁ ✗ Le bâtiment de 3 étages, situé à l'angle de deux rues, abrite des chambres claires, pour certaines équipées du téléphone. Cafétéria au rez-de-chaussée.

Environ 500 DH (50 €)

Hôtel El-Yacouta, rte principale de Ceuta, ☏ 039 99 69 78/79 – 38 ch. ⌁ 📺 ✗ cc À 4 km du centre, l'établisse-

ment offre un excellent rapport qualité-prix. Chambres confortables, salles de bains impeccables, salle de conférences et accueil chaleureux. Tarifs réduits hors saison.

Environ 610 DH (61 €)

☺ **Hôtel Chams**, route de Martil, ☏ 039 99 09 01 – 74 ch. ⌁ 📧 📺 ✗ ⌁ cc Bien placé, à 2 km du centre et à 7 km de la plage de Martil, l'hôtel se repère facilement grâce à sa façade en verre. Piscine réservée aux clients, parking et cafétéria. Tarifs réduits en basse saison. Bon rapport qualité-prix.

▶ *À Martil*

Environ 75 DH (7,5 €) à deux avec 1 tente et 1 véhicule

☺ **Camping Al Boustane**, ☏ 039 68 88 22. ✗ ⌁ Des 3 campings le long de la côte, c'est le seul confortable et bien équipé. Sanitaires propres, piscine impeccable (ouverte de juin à septembre), beau restaurant et épicerie. Possibilité de louer une dizaine de bungalows. Seul handicap : la construction d'une rangée d'immeubles l'a privé de toute vue sur la mer.

Environ 160 DH (16 €)

Pension Marhaba, av. Hassan II, ☏ 039 69 90 29 – 18 ch. Chambres propres et simples, équipées d'un lavabo. 4, les plus calmes, donnent sur l'arrière, 14 sur la route de Tetouan, passagère et bruyante. 5 DH de supplément pour une douche chaude.

Environ 250 DH (25 €)

Hôtel Addiafa, av. Hassan II, ☏ 039 68 80 10/11 – 45 ch. Établissement de 3 étages neuf et fonctionnel. 37 chambres sont dotées d'une salle de bains. Les plus tranquilles, au nombre de 12, se situent à l'arrière du bâtiment. Pas de petit-déjeuner. Parking gardé.

Hôtel Étoile de la Mer, av. Moulay Hassan, ☏ 039 97 90 58 – 32 ch. ⌁ ✗ Bel emplacement, en bord de mer, mais intérieur terne et mal entretenu. Cinq chambres, équipées d'un balcon, offrent une vue sur la plage.

▶ *Cabo Negro et le long de la côte*

Environ 480 DH (48 €)

Golden Beach, Mdiq, ☏ 039 97 50 77 – 81 ch. ⌁ 📺 ✗ ⌁ ⌁ cc Construit sur la plage, ce bâtiment de 5 étages n'a guère de charme, mais il est bien aménagé et confortable. 56 chambres, équipées de terrasse, offrent un beau panorama sur le cap Negro. Location de planches à voile et de jet-skis. En été, demi-pension obligatoire, env. 920 DH pour deux. Hors saison, 500 DH avec petit-déjeuner.

Le Petit Mérou, Cabo Negro, ☎ 039 97 80 65/063 7710 10 – 17 ch. 🛏 TV ✗ ⛰ CC Petit et convivial, le seul hôtel de Cabo Negro a beaucoup de caractère. Chambres décorées avec goût dans le style marocain, avec une belle terrasse. Restaurant « Le Bistrot », de qualité. En été, demi-pension obligatoire : env. 1 100 DH pour deux.

À partir de 1 700 DH (170 €)

Club Méditerranée Yasmina, Cabo Negro, ☎ 039 97 81 98 – 🛏 ✗ 🍽 🏊 ⛰ CC Ouvert de juin à fin septembre. Lorsqu'il n'est pas plein, à l'intersaison, il accueille des voyageurs de passage (prix par personne en chambre double en pension complète, activités incluses).

Se restaurer

▶ *À Tetouan*

Moins de 40 DH (4 €)

Sandwich El-Yesfi, av. Youssef ben Tachfine *(B2)*, 10h30-23h30. L'établissement s'est spécialisé dans les baguettes fourrées à la viande ou aux légumes (8 à 16 DH).

Entre 60 et 100 DH (6 à 10 €)

Restaurant Saigon, 2 av. Mohammed ben Larbi Torrès *(B2)*. 11h-16h/18h-22h30. Contrairement à ce que l'enseigne laisse supposer, cette institution ne sert pas de cuisine asiatique mais des plats marocains. Grande salle avec ventilateur et doubles rideaux rouges. Bon rapport qualité-prix.

Restaurant Restinga, av. Mohammed V *(B2)*, ☎ 039 96 35 76. 11h-22h. 🍽 Au fond d'une travée, à 10 m de la rue, une petite cour intérieure a été aménagée en terrasse à l'ombre d'un arbre et d'une tonnelle. Spécialités de couscous et de tajines, grillades de poissons. Carte en 4 langues.

Environ 120 DH (12 €)

Palace Bouhlal, 48 Jamaa Kbir, près de la Grande Mosquée dans la médina *(C2)*. 10h-18h. Le meilleur restaurant de Tetouan occupe une maison traditionnelle, avec une dizaine de petites salles fermées par de lourdes portes en bois peint et s'ordonnant autour d'un patio. Un menu unique à 100 DH. Il est possible de commander des plats à l'avance. Fréquenté par les groupes, l'établissement est souvent bondé de 12h30 à 13h30.

▶ *À Martil*

Environ 60 DH (6 €)

Granada, 58 rue de Tetouan, 12h-16h/19h-23h. Ce restaurant dont l'entrée ne paie pas de mine est installé dans une maison traditionnelle aux murs de mosaïques et au plafond en bois sculpté. À l'arrière, on mange sous une tonnelle ombragée par une treille. Prix doux, poissons.

Entre 80 et 120 DH (8 à 12 €)

Vitamine de la Mer, rue Walli al-Hahd, pas de téléphone. 12h-15h30/18h30-22h30. L'une des meilleures adresses du Maroc se niche dans une salle minuscule regroupant 7 tables éclairées par des abat-jour en osier. Ancien navigateur de rallye, Ahmed, le patron, ne cuisine que du poisson frais qu'il va lui-même choisir au marché. Comptez 100 DH par personne… que vous ne regretterez pas.

▶ *Au Cabo Negro*

Environ 100 DH (10 €)

Al Khayma, à 10 m de l'hôtel du Petit Mérou, ☎ 063 03 70 25. 9h-minuit. 🍽 Le restaurant le plus modeste de Cabo Negro bénéficie d'une jolie terrasse face à la mer. L'accueil laisse un peu à désirer. Cuisine à base de poissons et de viandes. Pastilla (80 DH) sur commande.

Entre 80 et 120 DH (8 à 12 €)

La Ferma, à l'entrée de Cabo Negro, ☎ 039 97 80 75/84 81. 🍽 CC Tlj midi et soir. Ambiance ranch avec 2 salles décorées d'outils agricoles en bois, 2 salons marocains pour prendre le thé et une grande cheminée. Pour un plat, comptez entre 70 et 90 DH.

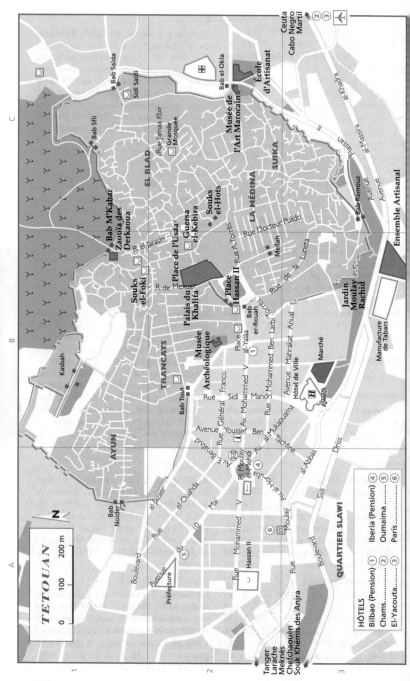

TETOUAN

0   100   200 m

N

Tanger
Larache
Meknes
Chefchaouen
Souk Khémis des Anjra

Ceuta
Cabo Negro
Martil

Boulevard

Avenue du

Préfecture

Rue Mohammed V

Rue Mohammed II

Hassan II

QUARTIER SLAWI

Boulevard

Rue Sidi

Driss

al-Abbas

Av. al-Hourida

Pl. Moulay
el-Mehdi

Av. Moulay

Avenue   Ben   Youssef

Rue Général   Sidi   Mandri

Rue   E. Benboud

Rue   el-Ouahda

al-Jazzer

Mai

10

Av. Mohammed V

Rue Sidi Mohammed

Franco

Rue Mohammed Ben Larbi   Torrès

Av. al-Mukaouama   Tachfine

Avenue   Mahrakat   Anual

Hôtel de Ville

Marché

**Jardin
Moulay
Rachid**

Manufacture
de Tabacs

Ensemble Artisanal

AYUN

Kasbah

Bab Noider

Bab Tout

TRANCATS

**Musée
Archéologique**

Place
al-Yalaa

Bab
er-Rouah

**Palais du
Khalifa**

**Place
Hassan II**

R. de Mexuar

**Souks
el-Foki**

R. el Jarasin

**Bab M'Kabar
Zaouïa des
Derkaoua**

**Guersa
el-Kebira**

**Souks
el-Hots**

Rue A. Torrès

Rue Docteur Pulido

Mellah

Rue de la Luneta

LA MÉDINA

SUIKA

Bab Remouz

Avenue

Avenue   Hassan   II

Avenue   al-Massira   al-Khadra

El BLAD

Rue Jamaa Kbir

Grande
Mosquée

**Musée de
l'Art Marocain**

Bab el-Okla

**École
d'Artisanat**

Bab Sfli

Bab Saida

Sidi Saïdi

HÔTELS

Bilbao (Pension) ①   Iberia (Pension) ④
Chams ②   Oumaima ⑤
El-Yacouta ③   Paris ⑥

148

Sortir, boire un verre

▸ *À Tetouan*

Le Printemps, 16 rue Sidi Mandri, ☎ 039 71 00 16. 6h-23h30. Ce café chic attire la jeunesse huppée. Salle climatisée aux tons pastel, comptoir en marbre et granit, musique d'ambiance et possibilité de consulter les journaux locaux.

Café pâtisserie Smir, 17 av. Mohammed V *(B2)*, ☎ 039 96 17 43. 6h-22h. Un bon plan pour manger léger, en dégustant de délicieux briouates (3 DH), des gâteaux français ou marocains, ou pour boire tranquillement un verre au 1er étage.

Discothèque de l'hôtel Safir *(C3, en direction)*, 23h-3h. Faute de véritable concurrence, elle connaît une certaine fréquentation. Entrée 60 DH.

▸ *Au Cabo Negro*

Discothèque du Petit Mérou, ☎ 039 97 80 76. Minuit-3h30. Entrée 70 DH. Beaucoup de monde les week-ends et l'été. Le night-club **Le Pacha**, comprenant un piano-bar, est ouvert en juillet et en août.

Loisirs

Golf de Cabo Negro, ☎ 039 97 81 41. 18 trous, ouvert de 8h au coucher du soleil.

HISTOIRE

Quelques vestiges attestent d'une occupation lointaine : ceux d'une cité, **Tamuda**, fondée au 3e s. av. J.-C., et d'un camp romain fortifié au 1er s.

Une histoire liée à l'Espagne

C'est en 1307 que la ville fut vraiment créée, par le sultan mérinide **Abou Thabit**, qui en fit sa base militaire pour contrôler les farouches tribus du Rif. Très vite, les soldats furent remplacés par les corsaires qui écumaient la côte méditerranéenne, et Henri III de Castille, excédé par leurs exactions, fit raser la cité en 1399. Un siècle plus tard, après la chute de Grenade en 1492, des musulmans et des juifs chassés d'Espagne y émigrèrent et reconstruisirent

Tetouan. La ville connut un réel essor au 17e s. sous le règne de **Moulay Ismaïl** qui développa le commerce avec l'Occident et fit édifier les remparts. Au 19e s., les convoitises ibériques se précisèrent. En 1860, les Espagnols prirent la ville et n'acceptèrent d'en partir qu'en échange d'une colossale indemnité, que le Maroc parvint à payer en empruntant aux Anglais. Le répit ne dura guère. Après la signature, en 1912, de la Convention de Madrid leur accordant la région du Rif, les Espagnols s'installèrent de nouveau à Tetouan, et en firent la **capitale du protectorat**. Elle le resta jusqu'à l'indépendance du Maroc, en 1956. À partir des années 1960, la construction de routes le long de la côte permit de désenclaver la région, favorisant, au nord de Tetouan, l'ouverture au tourisme.

Une cité d'artistes et d'artisans

Réputée pour ses artisans, qui s'illustrent dans la production de fusils, de coffres et de broderies, Tetouan connaît également un grand rayonnement culturel et artistique. Outre deux musées, un conservatoire de musique et deux écoles d'artisanat, elle accueille l'unique École des beaux-arts du Maroc. Créée en 1946, cette institution a favorisé l'émergence d'une nouvelle génération d'artistes, connue sous le nom de « peintres de l'école de Tetouan ». Le plus célèbre d'entre eux, Mohammed Serghini (1923-1991), dirigea l'établissement à partir de 1956, et inspira de nombreux contemporains, tels que Ahmed Amrani et Ahmed ben Yessef.

VISITE DE TETOUAN

LA MÉDINA★★

Comptez 3h.

Construite par des réfugiés venus de Grenade, à partir de 1492, elle exhibe fièrement ses origines andalouses, repérables au fer forgé qui orne les façades blanchies à la chaux, ou aux ferrures de portes très ouvragées.

▸ Débutez votre visite par la **place Hassan II★** *(B2)*, à la limite de la ville nouvelle et de la médina. C'est le rendez-vous favori des Tétouanais, qui y déambulent à l'heure du *paseo* ou consomment aux terrasses des cafés. Longez, sur votre droite, le **palais du Khalifa**★ *(B2)*, ancienne résidence du représentant du sultan sous le protectorat espagnol, transformée en palais royal *(ne se visite pas)*. Ce bel exemple d'architecture hispano-mauresque fut édifié au 17e s. et restauré en 1948.

▶ Marchez jusqu'aux **souks**★★ *(par la rue de Mexuar)*, tout aussi pittoresques que ceux des villes impériales. Se succèdent les quartiers des tanneurs, des artisans du cuir, des tailleurs et des menuisiers qui fabriquent des coffres en bois peint couleur carmin (spécialité locale). Au **souk el-Foki** *(B1-2)*, la « place au pain » où l'on vend la *kesra* (galette plate), tournez à droite jusqu'à la **zaouïa des Derkaoua**★ *(interdite aux non-musulmans) (B1)*, ornée de zelliges et dotée d'une belle porte sculptée, à proximité de **Bab M'Kabar**.

▶ Retournez sur vos pas et prenez à droite en suivant la rue el-Jarrazin. Cette rue conduit à la **Guersa el-Kebira**★ *(B2, C2)*, la place des marchands de tissus et de vêtements, fréquentée par des Rifaines vêtues de leur *fouta*, longue jupe blanche à rayures rouges. Tout près, sur la gauche, ne manquez pas la **place de l'Usáa**★ *(C2)*, avec ses maisons à créneaux et sa jolie fontaine. Non loin, gagnez le **souk el-Hots**★ *(C2)*, une autre place charmante, ombragée et dominée par une tour polygonale, où vous pourrez admirer des étals de poteries.

▶ Tournez à droite et revenez à la place Hassan II en empruntant la rue des Bijoutiers (rue Ahmed Torrès), puis en passant sous Bab er-Rouah. Rejoignez ensuite la place al-Yalàa près de laquelle se trouve le Musée archéologique. Dans le jardin du **Musée archéologique**★ *(8h30-12h/ 14h30-18h30 ; fermé les mardi matin, samedi et dimanche) (B2)* sont exposées des amphores, des stèles et des mosaïques. Au rez-de-chaussée, une salle est consacrée au site de **Lixus**. Des objets provenant des fouilles de la cité antique de Tamuda – fragments de céramique, pièces de monnaie et brûle-parfums – ont été rassemblés au 1er étage.

Vous pouvez ensuite gagner l'est de la vieille ville, dont Bab el-Okla marque l'entrée.

LES ABORDS DE LA MÉDINA★

Comptez 2h.

▶ Logé dans un bastion au sud de la porte **el-Okla**, le **musée de l'Art marocain**★ *(8h30-12h/14h30-18h ; fermé les samedi et dimanche. Entrée 10 DH) (C2)* offre, de sa terrasse, une belle **vue** sur la ville et les montagnes du Rif. Une salle reconstitue l'intérieur d'une demeure tétouanaise. Une partie du musée est consacrée au trousseau de la mariée et aux costumes traditionnels. On peut y voir aussi des armes et une belle collection d'instruments de musique témoignant de l'origine andalouse de Tetouan.

▶ Située dans une magnifique demeure, face au musée de l'Art marocain, l'**École d'artisanat**★ *(8h-12h/14h30-17h30 ; fermée les vendredi et dimanche ; ouverte pendant les vacances scolaires sauf les samedi et dimanche ; entrée 10 DH) (C2)* forme en sept ans d'apprentissage les maîtres artisans de demain. Une quarantaine d'élèves, âgés de 8 à 18 ans, sont répartis en 13 classes (cuir, cuivre, stuc, céramique, or, argent…) Ne manquez pas la salle d'exposition au plafond sculpté, qui présente des pièces minutieusement ouvragées.

▶ Au sud de Bab el-Okla, prenez l'avenue Hassan II qui longe les remparts, jusqu'à l'ensemble artisanal, installé au sud des remparts dans un bâtiment en béton.

Rifaine à la fontaine

L'**Ensemble artisanal** (*9h-12h30/15h30-18h30 ; fermé les samedi et dimanche*) *(B3)* fait certes pâle figure comparé à la prestigieuse École d'artisanat, mais il donne une bonne idée des prix officiels des articles, hors marchandage.

▶ Au pied des remparts sud, le **jardin Moulay Rachid** *(B3)* n'est hélas plus entretenu, malgré la présence de quelques petits cafés. De **Bab Remouz**, qui le domine, le regard embrasse l'oued Martil et la ville nouvelle.

LES ENVIRONS DE TETOUAN

SOUK-KHÉMIS-DES-ANJRA★★

22 km de Tetouan.

Prenez la route de Tanger. Après 9 km, tournez à droite et suivez la route sur 13 km. Péage (3 DH) à l'entrée du village.

Le jeudi, jour de marché, le village s'anime d'une foule colorée. Les paysans arrivent sur leur bourricot, suivis des femmes vêtues de la *fouta* et coiffées du grand chapeau rifain. Vendeurs et chalands se mêlent autour des étals de fruits et légumes, des montagnes de tomates, de poivrons et d'aubergines. Et si une envie d'olives vous prend, le choix sera difficile, car on vous en proposera au moins 12 sortes.

LE CROISSANT RIFAIN★

38 km jusqu'à Ceuta.

▶ À la différence de la côte sauvage du pays Rhomara, le croissant rifain, qui s'étend de Tetouan à Ceuta, est urbanisé et très touristique. Il débute à **Martil★**, station située à 11 km de Tetouan, très prisée des habitants de cette ville. Particulièrement animée les week-ends et l'été, elle a vu se multiplier ces dernières années des immeubles disgracieux en bord de mer.

▶ La plage, qui se prolonge vers le nord, est de plus en plus propre en approchant de **Cabo Negro★** et du Club Méditerranée Yasmina, implanté à proximité. Cette avancée montagneuse dans la mer est occupée par un ensemble de villas de luxe, dont l'entrée est gardée et interdite aux non-résidents. Construite dans les années 1960 autour d'une plage de sable fin, la station balnéaire est également privée, mais plus facile d'accès.

De l'autre côté du cap, en remontant vers le nord, apparaît **Mdiq**, village de pêcheurs en pleine expansion. Le long des vingt derniers kilomètres du croissant rifain se succèdent complexes hôteliers, villages de vacances, deux marinas et le Club Méditerranée de **Smir-Restinga**.

CHEFCHAOUÈN★★

Quelques repères

Chef-lieu de la province de Chefchaouèn – 64 km de Tetouan, 115 km de Tanger, 213 km d'Al Hoceima – 32 000 hab. – Alt. 600 m – Carte Michelin n° 742 plis 5, 10 et 28 et carte p. 131.

À ne pas manquer

La médina et sa kasbah.

La randonnée au Pont de Dieu.

Conseils

Soyez prudent dans le Rif.

Surnommée la « ville bleue », Chefchaouèn – prononcez Chaouèn – passe pour la plus jolie et la plus accueillante des cités du Rif. En venant du sud, elle apparaît, au détour d'un virage, comme une tache lumineuse qui éclaire en amont l'ocre des montagnes et en aval des jardins verdoyants. Bâtie dans un superbe site, au pied d'un massif calcaire en forme de cornes d'où elle tire son nom, cette ville sainte compte une vingtaine de mosquées et de sanctuaires. Elle est réputée pour sa douceur de vivre, son air limpide, son climat tempéré et même frais l'hiver, ses activités artisanales (tapis et tissus de laine) ainsi que son kif (le cannabis, de l'arabe *kayf* qui veut dire plaisir). À l'extrême ouest de la zone de production de la « plante qui guérit », elle demeure à l'écart de l'insécurité, liée au trafic de drogue, qui sévit sur le reste du Rif.

Arriver ou partir

En bus - La gare est au sud-ouest du centre-ville, à 20mn à pied. 15 bus par jour pour Tetouan (1h15 de trajet), 10 pour Tanger (2h), 7 pour Fès (5h), 4 pour Meknès (5h), 7 pour Ceuta (2h), 4 pour Ouezzane (1h30), 2 pour Nador (10h), 1 pour Ketama (2h).

En taxi - Les grands taxis pour le Nord (Tetouan et Tanger) stationnent près de la place Mohammed V, ceux pour le Sud (Ouezzane, Fès) rue Tarik Moulay Driss.

Adresses utiles

Banque / Change - La **Banque populaire** et la **BMCE** se trouvent av. Hassan II. Possibilité de changer dans plusieurs hôtels, dont l'Asmaa.

Poste / Téléphone - Av. Hassan II, à quelques dizaines de mètres de Bab al-Ain, à l'entrée ouest de la médina.

Se loger

La ville offre un large choix à prix doux.

Environ 40 DH (4 €) à deux avec 1 tente et 1 véhicule

Camping Azilan, à 3 km du centre, derrière l'hôtel Asmaa, ☎ 039 98 69 79. Ombragé par des pins, il est calme et les sanitaires sont corrects (10 DH pour une douche chaude). Pour vous y rendre, suivez la route en lacet qui rejoint l'hôtel Asmaa, ou coupez à pied en passant par le cimetière. Évitez, à l'entrée, l'auberge de jeunesse.

Environ 80 DH (8 €)

Hôtel Hamra, 39 rue Ibn Askar Andaluz, ☎ 039 98 63 62 – 8 ch. Aménagé dans une maison traditionnelle aux portes voûtées et plafonds en bois, l'hôtel annonce dès l'entrée « *No smoking drug* » sur un panonceau. Demandez la chambre qui ouvre sur la terrasse. Salle de bains commune avec eau chaude. Pas de petit-déjeuner.

Environ 150 DH (15 €)

ⓐ **Hôtel Gernika**, 49 Onssar, ☎ 039 98 74 34 – 9 ch. La bâtisse, décorée avec goût, a énormément de cachet. Coquets patio intérieur et salon de thé, chambres impeccables en mosaïque. La patronne ne parle qu'espagnol. Petit-déjeuner en sus (30 DH par personne).

Environ 200 DH (20 €)

Hôtel Marrakech, av. Hassan II, ☎ 039 98 77 74 – 12 ch. Établissement moderne et propre, en dépit de l'usure du sol. Certaines chambres sont dotées de douche. Six d'entre elles et la terrasse du 3e étage offrent un beau panorama.

Environ 240 DH (24 €)

Hôtel Rif, av. Hassan II, ☎/Fax 039 98 69 82 – 21 ch. ✗ ❢ 🆑 Quoique vieillissante, l'adresse demeure une valeur sûre. 3 chambres économiques donnent sur la médina, 18 avec douche offrent une vue sur la ville basse et le Rif.

Environ 320 DH (32 €)

☺ **Hôtel Madrid**, av. Hassan II, ☎ 039 98 74 96/97 – 26 ch. ☜ 🆑 Chambres propres et confortables, salon de thé climatisé, petit-déjeuner copieux et excellent.

Environ 450 DH (45 €)

Hôtel Asmaa, en surplomb de la ville, ☎ 039 98 60 02 – 94 ch. ☜ ✗ ❢ ⌁ 🆑 Mal entretenu, d'accueil et de service médiocres, il vaut surtout pour la splendide vue qu'il procure sur la médina et sa muraille, ainsi que sur le massif du Rif.

Environ 560 DH (56 €)

Hôtel Parador, pl. el-Makhzen, ☎ 039 98 63 24 – 35 ch. ☜ 📺 ✗ ⌁ ❢ 🆑 L'hôtel le plus luxueux n'a guère de charme. La moitié des chambres donnent sur la médina, l'autre sur les montagnes. Belle piscine surélevée et agréable terrasse dominant la vallée.

Se restaurer

Le choix est restreint mais les prix demeurent très raisonnables.

Environ 60 DH (6 €)

Restaurant Zouar, rue Moulay Ali ben Rachid, 12h-16h/18h-23h. Cette adresse populaire, d'un bon rapport qualité-prix, propose des spécialités de poisson. Copieux menu à 40 DH, avec entrée, couscous et dessert.

Restaurant Moulay Ali Berrachid, à deux pas du précédent dans la même rue, 11h30-15h/16h30-22h. Cadre identique et même style de cuisine espagnole et marocaine. Plats de viande et de poisson dans une petite salle en sous-sol.

☺ **Restaurant Chefchaouèn**, av. Hassan II (près de la place el-Maghzen), 12h-23h. Endroit douillet avec de petites salles aux murs ornés de kilims, des tables basses et des banquettes couvertes de coussins. Menu à 45 DH. Goûtez le couscous végétarien.

Entre 150 et 200 DH (15 à 20 €)

Restaurant de l'hôtel Parador, pl. el-Makhzen, ☎ 039 98 63 24, 12h-15h/19h-22h. ❢ 🆑 Bel établissement avec vue sur la piscine et la vallée. Cuisine de qualité. Deux menus, l'un touristique à 130 DH, l'autre gastronomique à 150 DH.

Sortir, boire un verre

Ville sainte oblige, il n'y a pas de cinéma, ni de discothèque. Le seul bar se situe av. Hassan II, à 100 m de l'hôtel Madrid et ferme à 19h. Sinon, il est possible de boire de l'alcool aux hôtels Rif, Asmaa et Parador.

Loisirs

Festivals - L'un, du cinéma ibérique, débute à peine, l'autre, de poésie, compte parmi les plus anciens du Maroc et se déroule en mars. Un troisième festival, de musique andalouse, a lieu en juillet.

Activités sportives

Randonnées - Younès, le gérant de l'hôtel Rif, organise des randonnées de 1 à 7 jours dans la région de Chefchaouèn, avec bivouac ou logement chez l'habitant. L'époque la plus favorable se situe en mars, avril et mai. Un guide coûte 200 DH par jour, une mule 150 DH. Le circuit le plus attrayant dure trois jours et fait découvrir, *via* l'arche naturelle du « Pont de Dieu », les villages d'el-Kalaa, Ouslef, Izrafem, Azilane et Tissemlal.

HISTOIRE

Chefchaouèn fut fondée en 1471 par **Moulay Ali ben Rachid** pour contenir l'expansion, à partir de Ceuta, des Espagnols et des Portugais. C'est à cette époque que le sultan fit édifier une muraille fortifiée dont une partie est encore visible. La cité dut son expansion aux musulmans qui, chassés d'Espagne, vinrent s'y installer au 15e s. et au 17e s.

Les réfugiés s'inspirèrent du modèle andalou, ils bâtirent à flanc de colline des maisons blanchies à la chaux et couvertes de tuiles, percées de portes et de fenêtres peintes en bleu. Difficile d'accès, la bourgade vécut longtemps repliée sur elle-même. Les chrétiens y étaient interdits, sous peine de mort. Seuls deux Européens, l'explorateur français **Charles de Foucauld** et le journaliste anglais Walter Harris, parvinrent à y séjourner – déguisés en Arabes – en 1883 puis 1889 et à en repartir vivants. Un second Britannique, William Summers, finit empoisonné en 1892.

Les Espagnols mirent fin à cet isolement en 1920. Mais il fallut six ans pour asseoir leur domination, le temps de vaincre, avec l'aide française, la rébellion rifaine et les troupes de **Mohammed ben Abd el-Krim**. Chefchaouèn resta dans le giron de Madrid jusqu'à l'indépendance du Maroc en 1956.

VISITE DE LA VILLE

Comptez une demi-journée.

LA MÉDINA★★

De taille relativement réduite, elle est facile à découvrir à pied. N'hésitez pas à vous aventurer dans le dédale de venelles pentues et d'impasses, il demeure aisé de s'orienter. Le long de ruelles pavées d'une propreté méticuleuse, les bâtisses sont badigeonnées d'un **enduit bleuté**. Ce revêtement, qui donne sa teinte à la ville, est censé éloigner les insectes, tout en préservant la fraîcheur des habitations.

▶ Entrez, face à la ville nouvelle, par Bab al-Ain et dirigez-vous par les rues Lalla Horra et Sharia as-Saida vers la place Uta-el-Hammam. Remarquez les **hammams**, les boutiques encombrées de métiers à tisser, le four collectif qui dans chaque quartier continue à être utilisé pour cuire pain, plats et desserts.

▶ La **place Uta-el-Hammam★** (place des Pigeons), qui accueillit jusqu'en 1970 le souk, constitue le cœur de la vieille ville. À l'ombre de ses arbres, se sont installés une dizaine de petits restaurants et de cafés traditionnels où l'on peut voir des Rifains fumer le kif à l'aide de la *sebsi*, une longue pipe.

▶ Du côté sud de la place, pénétrez dans la **kasbah★** *(9h-13h/15h-18h30 ; entrée*

Le Rif, royaume du kif

Connue et utilisée depuis longtemps pour ses vertus euphorisantes et médicinales, *Cannabis sativa* fut légalisée dans le Rif à l'indépendance du Maroc en 1956. Il s'agissait alors pour le roi Mohammed V de récompenser les montagnards pour leur active participation à l'émancipation du pays. À partir des années 1970, cette culture d'autoconsommation a progressivement cédé la place à une logique d'exportation clandestine vers l'Europe. Selon l'Observatoire géopolitique des drogues, les surfaces cultivées ont été multipliées par douze en vingt ans. Actuellement, 90 000 ha produiraient 1 000 à 1 500 t par an. Le kif fait vivre 200 000 familles d'agriculteurs mais enrichit surtout les intermédiaires et les trafiquants.

---

payante). Construite en 1672 par Moulay Ismaïl, cette fortification crénelée abrite un agréable jardin et un petit musée. Ce dernier présente des tapis traditionnels, des instruments de musique, des tapis et de vieilles photos. Il est possible d'accéder à la terrasse en demandant la clef au gardien. De là, vous profiterez d'une belle **vue** sur la médina et la montagne en forme de cornes.

▶ En face de la kasbah, s'élève la **Grande Mosquée★** *(interdite aux non-musulmans)* et son minaret octogonal du 15e s. Gagnez la place el-Maghzen, bordée par des boutiques pour touristes.

▶ De la place el-Maghzen, prenez la direction du nord-est jusqu'à Bab al-Ansar. Poursuivez jusqu'à la **source de Ras el-Ma★** *(environ 30mn à pied)*, résurgence de l'oued Laou. Les femmes y lavent le linge et les hommes boivent le thé dans de petits cafés ombragés. L'endroit, mal entretenu, a perdu de son charme.

LA VILLE NOUVELLE

▶ En-dessous de l'avenue Hassan II, la **place du marché** accueille les souks du lundi et du jeudi. Ces **marchés★**, très colorés, rassemblent les Berbères des montagnes voisines. Les femmes portent des chéchias, chapeau de paille aux nattes de laine bleu foncé et des *foutas*, pièces de tissu rayé. Vous n'aurez que l'embarras du choix entre les fruits, les légumes et les épices.

▸ Le jardin, situé au centre de la **place Mohammed V**, aurait été dessinée par **Joan Miró**, ainsi qu'en atteste une plaque. Hélas, la fontaine ne fonctionne plus et les bancs de céramique tombent en morceaux.

EXCURSIONS

LE PONT DE DIEU★★

15 km aller. Comptez une demi-journée.

C'est la plus belle et la plus facile des randonnées de la région. Si vous décidez d'effectuer l'ensemble de l'excursion à pied, l'itinéraire aller nécessite de 4 à 5h en coupant à travers la montagne (lors

des vacances scolaires, des collégiens peuvent vous servir de guide). Vous pouvez aussi faire une grande partie du trajet (jusqu'au barrage d'Akchour) en voiture, puis finir en marchant. La route suit un oued bordé de lauriers-roses et serpente entre le **jbel Kelti** (1 928 m) et le **jbel Tisouka** (2 050 m).

À la sortie de Chefchaouèn, suivez la direction de Tetouan puis tournez à droite et prenez la route vers Et-Tleta-de-Oued-Laou. Avant un village, bifurquez à droite et suivez une piste carrossable sur 3 km jusqu'au barrage d'Akchour où vous laisserez le véhicule. Il est possible de se baigner dans l'eau claire et propre de la **retenue d'Akchour★**. De là, grimpez *(1h environ)* jusqu'au **Pont de Dieu★★**, une arche naturelle empruntée par un sentier et qui relie deux versants. La randonnée ménage de belles

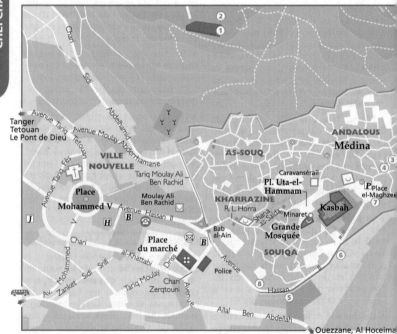

vues sur le massif, traverse un village *(soyez discrets et évitez les photos)* et des champs de cannabis.

LA TRAVERSÉE DU RIF★

220 km jusqu'à Al Hoceima. Comptez 4h30.

Entaillé par de profondes vallées qui rendent la circulation difficile, le massif du Rif s'étire sur 350 km. Un seul axe goudronné le traverse d'ouest en est, de Tetouan à Al Hoceima. Dans cette région de moyenne montagne arrosée et peuplée (la densité atteint 100 hab./km²), alternent forêts et champs en terrasses. À partir de Chefchaouèn, en allant vers l'est, la route serpente en crête, franchit des cols enneigés l'hiver et découvre de splendides panoramas. Elle parcourt la zone de culture du kif qui s'étend de Chefchaouèn à Targuist et réserve, hélas, de mauvaises surprises. Vous serez susceptible d'être pris en chasse par des rabatteurs motorisés qui tenteront de stopper votre véhicule et de vous vendre du cannabis sous la contrainte.

Le risque est maximal à Ketama, la « capitale du kif » où il est déconseillé de s'arrêter et plus encore de passer la nuit. C'est dommage car cette bourgade de 15 000 habitants se niche, à 1 520 m d'altitude, au milieu d'une belle **forêt de cèdres**. Elle pourrait servir de base pour des randonnées, en direction du point culminant de la région, le **mont Tidiquin★** (2 448 m). Certes, la situation s'est améliorée ces dernières années mais contrairement à ce que prétendent les autorités elle est loin d'être normalisée.

OUEZZANE★

Quelques repères

Province de Chefchaouèn – 60 km de Chefchaouèn, 138 km de Fès, 171 km de Rabat – 53 000 hab. – Alt. 320 m – Carte Michelin n° 742, plis 5, 9 et 27 et carte p. 131.

À ne pas manquer

Prendre un verre à la terrasse du café « Belle Vue ».

Conseils

Passez une nuit pour profiter d'une ville sans touristes.

En bordure du Rif, Ouezzane s'étend sur les flancs boisés du jbel Bou-Hellal, dans un paisible environnement de collines plantées d'oliviers, de vergers et de céréales. Appelée autrefois *Dechra Jbel er-Rihane* (« le village du mont aux myrtes »), cette cité attachante est vénérée tant par les musulmans que par les juifs. Les premiers la considèrent comme une ville sainte, les seconds viennent en mai de l'ensemble du bassin méditerranéen se recueillir sur la tombe du rabbin Ba Amrane, un faiseur de miracles enterré à Azjèn, à 8 km au nord-est de la ville. Réputé pour sa laine, ses djellabas et ses tapis, Ouezzane abrite, dit-on, 4 000 métiers à tisser, pour la plupart installés dans les familles. Le faible coût de cette production incite les commerçants de la région à venir s'approvisionner ici. Ouezzane reste à l'écart des circuits touristiques ; si vous y passez la nuit, vous avez toutes les chances d'être le seul étranger.

Arriver ou partir

En bus - La station, en fait un vaste parking en terre, se trouve rue de la Marche Verte. 7 bus quotidiens pour Fès (3h30 de trajet), 4 pour Meknès (3h30), 4 pour Chefchaouèn (1h30), 6 pour Rabat (3h).

En taxi - Ils desservent les mêmes destinations que les bus à des tarifs un peu plus élevés. Les grands taxis partent de la gare routière et sont les plus nombreux en matinée.

Se loger

Le choix est limité et il n'existe aucun hôtel de standing ; vous ne vous ruinerez pas.

Moins de 50 DH (5 €)

Camping municipal, en face de la gendarmerie. Ouvert de fin juin à fin septembre. Il s'agit, en fait, du terrain situé dans l'enceinte de la piscine et qui profite des sanitaires de celle-ci. 10 à 15 DH par personne.

Camping d'Abdul, à 300 m de l'hôtel Ouezzane. Planté d'oliviers et en principe gardé, il est encore plus sommaire que le précédent. On y accède par une piste. Un puit constitue le seul point d'eau. Les prix semblent fluctuer.

Environ 70 DH (7 €)

Hôtel Al-Alam, 12, place de l'Istiqlal, ☎ 037 90 71 82 – 9 ch. Les chambres, très simples, donnent sur une cour intérieure et certaines disposent d'une vue sur les montagnes. Il n'y a pas de douche et un seul WC.

Environ 135 DH (13,5 €)

Hôtel de la Poste, 79, avenue Mohammed V, ☎ 037 90 75 30 – 18 ch. Seul établissement de la vieille ville équipé de douches, froides ou chaudes, il propose des chambres calmes et agréables ouvrant sur un patio. Un snack prépare des petits-déjeuners (30 DH).

Plus de 250 DH (25 €)

Hôtel Ouezzane, place Lalla Amina, ☎ 037 90 71 54 – 30 ch. ☽ ✗ Situé sur une place ombragée à 2 km du centre sur la route de Fès, c'est l'hôtel le plus confortable de Ouezzane.

Se restaurer

En dehors des traditionnels snacks, les possibilités sont extrêmement réduites.

Sortir, boire un verre

Café Belle Vue, dans la médina, près de la mosquée Moulay Abdallah, 10h-19h. L'établissement est sommaire mais sa terrasse ombragée par une vigne découvre une magnifique vue sur le Rif, la ville basse et le quartier des forgerons.

OUEZZANE

HISTOIRE

En 1727, le chérif Moulay Abdallah ben Brahim fonde une zaouïa autour de laquelle la cité va prospérer. Cette confrérie religieuse atteint son apogée au 19e s. À la fin des années 1800, les Européens commencent à réclamer des droits d'exploitation de terres et de mines. Fasciné par le Vieux Continent, le chérif **Si Abdeslam** aide les Français à s'implanter. Mécontent de cette collaboration qu'il réprouve, le sultan le démet. Le chérif épouse alors une Anglaise rencontrée à Tanger, Emily Keane. Cette fille de gouverneur, qui lui donne deux enfants, restera dans l'Histoire comme bienfaitrice des pauvres. Aujourd'hui, Ouezzane demeure un important centre religieux, où de nombreux *chorfa* sont considérés comme les descendants du Prophète.

LA MÉDINA

Comptez 1h.

Partez de la place de l'Indépendance, qui accueille chaque jeudi le souk. Prenez l'escalier à droite du Grand Hôtel et suivez la rue Abdellah ben Lamlih.

▶ Les **souks★**, qui débutent avant la **place Bir Inzarane**, regroupent dans la partie haute menuisiers, tailleurs et vendeurs de tissus. Les forgerons se situent en dessous de la **mosquée Moulay Abdallah Chérif**. Certains travaillent et vivent encore dans des maisons couvertes de chaume. Les vieilles demeures habillées de faïence appartiennent aux familles *chorfa*.

▶ De la place Bir Inzarane, prenez à gauche la rue Haddadine puis encore à gauche la rue de l'Adoul, qui longe la mosquée Moulay Abdallah Chérif et débouche sur la rue Nejjarine. En bas de l'escalier, prenez à gauche, par un étroit passage, la rue de la Zaouïa jusqu'à la mosquée S'Ma des Zaouïa.

▶ Également surnommée « Mosquée verte », la **mosquée S'Ma des Zaouïa★** arbore un minaret octogonal du 18e s. décoré de mosaïques de la couleur de l'islam. La rue de la Zaouïa descend en escaliers jusqu'à la place du marché, qui jouxte celle de l'Indépendance.

JBEL BOU-HELLAL★

Suivez l'avenue Hassan II, en direction de la ville nouvelle. Lorsque la route de Fès bifurque à gauche, continuez tout droit puis longez un jardin public. 50 m plus loin part à droite l'accès au jbel. Laissez la voiture où s'arrête le goudron *(3 km d'Ouezzane)* et gagnez *(10mn à pied aller)* une terrasse qui domine les environs.

Planté d'arbres fruitiers, ce mont surplombe la ville de ses 609 m. Il offre de belles vues sur Ouezzane, les collines des Ghezaoua et les montagnes du Rif.

3 jours ou plus	Séjour nature, cadre sauvage (en arrivant par l'ouest)
Suggestion d'itinéraire (env. 490 km de Tetouan à Saïdia)	1er jour : Tetouan (p. 145), et-Tleta-de-Oued-Laou (souk le samedi, p. 165), pointe des Pêcheurs (p. 165), Cala Iris et l'îlot de la Gomera (p. 169), Al Hoceima (p. 166). Nuit à Al Hoceima.
	2e jour : Al Hoceima, Melilla (p. 170), cap des Trois Fourches (p. 172), site sauvage du « bout du monde ». Nuit à Melilla.
	3e jour : Melilla, Kariat-Arkmane (p. 175), cap de l'Eau (p. 175), embouchure de la Moulouya pour l'observation des oiseaux (p. 175), Saïdia (p. 174). Nuit à Saïdia.
Transport	Location d'une voiture.
Étapes	Al-Hoceima, Melilla, Saïdia.
Conseils	La 1re étape (Tetouan-Al Hoceima par la côte avec crochet par Cala Iris et la Gomera) est longue car la route est parfois étroite et en mauvais état. Partez de bonne heure, le réservoir plein d'essence.
	Possibilité de prolonger cet itinéraire par 1 ou 2 jours dans les monts des Beni-Snassen (p. 176), à partir d'Oujda (p. 180) ou de Berkane (p. 176). Renseignez-vous avant le départ sur la météo et l'état des routes car la région est isolée et à l'écart des circuits touristiques, il faut en principe un 4x4.
3 jours	De la côte méditerranéenne au Moyen Atlas par le Tazzeka
Suggestion d'itinéraire (env. 460 km de Saïdia à Fès)	1er jour : Saïdia, Oujda (p. 180).
	2e jour : trajet Oujda-Taza (env. 227 km) et visite de Taza (p. 353).
	3e jour : circuit du Tazzeka (p. 354) puis trajet vers Fès (env. 90 km de Sidi-Abdallah-des-Rhiata à Fès).
Transport	Il existe des bus et une liaison ferroviaire entre Oujda et Fès via Taza. Une voiture est nécessaire pour le circuit du Tazzeka.
Étapes	Oujda, Taza.
Conseils	Faites le plein d'essence avant d'effectuer le circuit du Tazzeka et partez de bonne heure afin d'arriver de jour sur Fès (p. 282).

LA CÔTE MÉDITERRANÉENNE

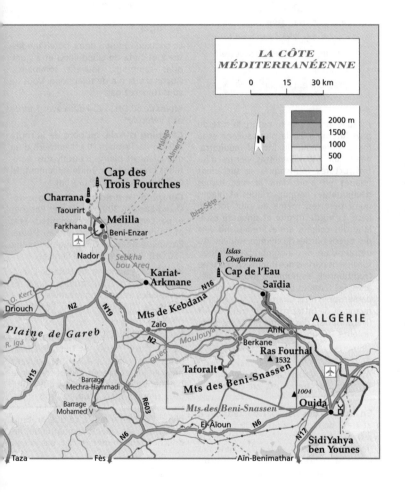

LA CÔTE
MÉDITERRANÉENNE

0   15   30 km

2000 m
1500
1000
500
0

N

Cap des
Trois Fourches

Charrana

Taourirt

Farkhana

Melilla

Beni-Enzar

Nador

Sebkha
bou Areg

Kariat-
Arkmane

Islas
Chafarinas

Cap de l'Eau

Saïdia

Mts de Kebdana

N16

O. Kert

Driouch

N2

N19

Plaine de Gareb

R. Igâ

Zaïo

N2

Moulouya

Ahfir

ALGÉRIE

Berkane

Ras Fourhal

▲ 1532

Taforalt

Mts des Beni-Snassen

Barrage
Mechra-Hammadi

▲ 1004

Barrage
Mohamed V

R603

Mts des Beni-Snassen

Oujda

N15

El-Aïoun

N6

N6

Taza

N17

SidiYahya
ben Younes

Fès

Aïn-Benimathar

Málaga
Almería

Ibiza-Sète

Oued

LA CÔTE DU PAYS RHOMARA★★

Quelques repères

Provinces de Chefchaouèn et d'Al Hoceima – 140 km de long, de Tetouan à la pointe des Pêcheurs – Carte Michelin n° 742 plis 10 et 29 et carte p. 162.

À ne pas manquer

Le souk d'et-Tleta-de-Oued-Laou.

Un bain sur une plage déserte.

Conseils

Faites le plein de carburant avant de partir.

Jusqu'ici préservée du béton, la côte du pays Rhomara est la plus sauvage et la moins accessible du littoral méditerranéen. Sur 140 kilomètres vierges d'infrastructures touristiques se succèdent falaises en à-pic dans la mer, roches déchiquetées carmin, criques et plages quasi désertes, même au plus fort de l'été. La route étroite et sinueuse escalade des collines arides, redescend vers des oueds bordés de champs cultivés. Au détour d'un des innombrables virages, surgissent parfois des Rifains en costume traditionnel, les hommes juchés sur des ânes, les femmes portant un seau ou un panier sur la tête. Chargés de surveiller le rivage et de lutter contre le trafic du kif (le cannabis), des postes militaires somnolent sur leurs bastions.

Arriver ou partir

Au-delà de Oued Laou en venant de Tetouan, les transports collectifs sont rares, voire inexistants.

En bus - 3 bus par jour de Tetouan à et-Tleta-de-Oued-Laou (1h30 de trajet). Le samedi, jour de souk, plusieurs liaisons en fin de matinée d'et-Tleta-de-Oued-Laou pour Chefchaouen. Aucun bus traversant le Rif et reliant Tanger et Tetouan à Al Hoceima, Nador ou Oujda ne passe par la côte du pays Rhomara.

En taxi - Les grands taxis, souvent pris d'assaut, circulent régulièrement entre Tetouan et et-Tleta-de-Oued-Laou, et se raréfient au fur et à mesure que l'on va vers l'est.

En voiture - C'est de loin la solution la plus pratique, la seule permettant de relier le port d'el-Jebha à la N2 qui traverse le Rif. Attention, il n'existe que 2 stations-service, l'une à la sortie d'et-Tleta-de-Oued-Laou, l'autre à 33 km à l'est de Bou-Ahmed.

Se loger

Le choix se réduit à deux hôtels modestes à et-Tleta-de-Oued-Laou et à quelques campings, souvent sommaires. Aucun d'eux n'a de téléphone. Vous ne vous ruinerez pas.

Moins de 60 DH (6 €) à deux avec 1 tente et 1 véhicule

Camping d'Azla, au bord de la route à 9 km de Tetouan. Il est entouré d'un mur blanc et planté d'eucalyptus. Sanitaires propres, eau froide seulement. Ni épicerie, ni café et restaurant.

Camping municipal d'et-Tleta-de-Oued-Laou, à 300 m de la mer. Pas cher et pas terrible. Sanitaires en piteux état et d'une propreté relative. Eau froide. Possibilité de louer des bungalows (env. 150 DH). Petite épicerie à l'entrée.

Hôtel Laâyoune, à et-Tleta-de-Oued-Laou – 15 ch. Eau froide, chambres minuscules et peu engageantes. Situé à 100 m de l'hôtel Oued Laou, l'établissement n'est signalé par aucune enseigne.

Environ 130 DH (13 €)

Hôtel Oued Laou, et-Tleta-de-Oued-Laou, face à la mer – 9 ch. ✖ Souvent plein en juillet et août. Plutôt coquet, le bâtiment d'un étage propose des chambres simples mais propres. Trois d'entre elles offrent une vue sur les flots bleus. Contrairement à ce que prétend le patron, par ailleurs sympathique, les douches, communes, n'ont pas d'eau chaude.

Se restaurer

Environ 50 DH (5 €)

Restaurant de l'hôtel Oued Laou, voir ci-dessus. 9h-23h. Il sert des plats simples (pas de carte) dans un cadre agréable, une terrasse ombragée qui donne sur la plage.

Café-restaurant Rosa, à 50 m du précédent. 8h-23h. En salle ou sous une tonnelle, vous pourrez commander brochettes, omelettes ou couscous.

DE TETOUAN À ET-TLETA-DE-OUED-LAOU★★

48 km. Comptez 1h20.

En sortant de la ville, la N16 traverse la vallée avant de se faufiler entre mer et montagne. Elle parcourt des forêts de pins, longe des maisons de pêcheurs et des prés parsemés de meules de foin, avant de rejoindre un oued fertile au bord duquel s'est construit et-Tleta-de-Oued-Laou.

Et-Tleta-de-Oued-Laou★ s'anime de fin juin à début septembre. Ce village est connu pour ses plages de sable fin, ses céramiques et le minaret octogonal de sa mosquée, percé de fenêtres entourées de mosaïques. Son **souk★**, qui se tient le samedi, est réputé *(à 4 km de la ville en direction de Chefchaouèn)*. Authentique et coloré, il a servi de cadre à une campagne publicitaire du Maroc. Dans la cohue, entre mules et brouettes, il est difficile de se frayer un passage parmi les étals. Les femmes, en chapeau de paille et longues jupes blanches rayées de rouge, vendent la production du Rif. Des maréchaux-ferrants travaillent à même le sol.

D'ET-TLETA-DE-OUED-LAOU À LA POINTE DES PÊCHEURS★

93 km (parfois délicats : trous et chutes de pierres). Comptez 2h30.

La route traverse la vallée alluviale d'oued Laou avant de repartir, en lacet, à l'assaut du relief tourmenté. Le village suivant, **Targha★**, est bâti au fond d'un oued partagé en son milieu par un amas de rochers. Alignement de cubes blancs,

les habitations se détachent sur fond de prés jaunis. Un peu plus loin, **Bou-Ahmed** s'est développé au milieu de cultures irriguées de maïs qui contrastent avec la sécheresse des alentours. Plus on approche de la **pointe des Pêcheurs**, plus la chaussée devient étroite et défoncée. À certains endroits, le goudron a été emporté par des coulées de terre. À l'abri de la Pointe et de ses falaises se dresse **el-Jebha★**, un village de pêcheurs. Quelques cafés représentent la seule distraction de ce hameau isolé.

D'EL-JEBHA À KETAMA★★

73 km. Comptez 2h30.

Les 61 km, entre le port et l'embranchement de la N2, sont composés aux deux tiers de route défoncée. 20 km après le départ, la chaussée a été refaite, mais sur une assez courte distance ; 25 km plus loin, les trous et les ornières reprennent. Un 4x4 est recommandé.

Très peu fréquenté, cet itinéraire de montagne débute par une série d'épingles à cheveux, à l'issue desquelles la **vue★★** sur la mer et les contreforts du Rif est spectaculaire. Dépourvue de parapets, la route continue à monter vers un balcon, puis traverse plusieurs plateaux. À partir de 600 m d'altitude, apparaissent les **plantations de cannabis**, d'abord sous forme d'arpents accrochés à la pente, puis de champs bien ordonnés. L'extension de la culture du kif, qui a engendré une déforestation, permet aux agriculteurs de vivre un peu mieux qu'ailleurs. Le touriste n'est pas forcément le bienvenu dans cette région, et il lui est recommandé de faire preuve de discrétion. La route découvre de larges **paysages★** de collines ocre et de vallées profondes. À l'arrivée sur la N2, tournez à droite vers Ketama ou à gauche vers Targuist.

AL HOCEIMA★

Adossée à d'abruptes montagnes qui
s'enfoncent dans la mer, Al Hoceima
passe pour la plus belle station balnéaire de la côte méditerranéenne. De
fait, si la ville, de construction récente,
se révèle quelconque, elle occupe, au
centre d'une baie, un superbe site. Sur
une quinzaine de kilomètres de part
et d'autre du port de pêche, se succèdent plages de sable blond ou noir, criques, calanques, promontoires et îlots
déchiquetés. Al Hoceima la Berbère
s'assoupit de septembre à juin. Durant
cette période, beaucoup d'établissements ferment. L'été, elle est envahie
par les touristes, en majorité marocains. Les soirs d'août, la place de la
Marche Verte est noire de monde.
L'atmosphère, jeune et décontractée,
contraste avec l'ambiance plus empe-
sée et traditionaliste des autres agglomérations du Rif.

Arriver ou partir

En avion - À 17 km au sud-est de la ville,
l'**aéroport Charif Al Idrissi**, ☎ 039 98
20 63 accueille, l'été, les vols charters du
Club Méditerranée en provenance de
Paris, Bruxelles, Strasbourg, Marseille,
Lyon et Milan. La RAM assure 2 vols par
semaine pour Casablanca, 1 par semaine
pour Tanger, via Tetouan.

En bus - Le terminus et les compagnies
ont leur siège place du Rif. 6 liaisons par
jour pour Fès (5h de trajet), 3 pour Casablanca (10h), 7 pour Tetouan (7h), 4
pour Tanger (8h30), 3 pour Oujda (6h),
6 pour Nador (3h30), 2 pour Taza (4h).

En taxi - Les grands taxis partent de
la place du Rif. Taza, Nador et Chefchaouèn sont les destinations les plus
courues.

Adresses utiles

Office de tourisme - Av. Tarik ibn Ziad,
immeuble Cabalo, ☎ 039 98 11 85. L'été
7h30-15h ; l'hiver 8h30-12h/14h30-18h30,
fermé le week-end. Personnel serviable.
Liste d'hôtels.

Banque / Change - La majorité des
banques se trouve av. Mohammed V.
Distributeurs automatiques à la BMCE
et à la BMCI.

Poste / Téléphone - Le bureau de
poste et de téléphone se situe rue Moulay Idriss Alkbar, une perpendiculaire à
l'av. Mohammed V.

Santé - À quelques mètres de l'hôtel
Karim, la pharmacie de nuit de la municipalité, bd Hassan II, ☎ 039 98 23 83,
ouvre à partir de 21h.

Se loger

▸ *Sur la côte de Cala Iris*

Un camping constitue le seul hébergement du secteur.

*Environ 50 DH (5 €) à deux avec 1 tente
et 1 véhicule*

Camping de Cala Iris, ☎ 039 80
80 64, ouvert toute l'année. Situé sur la
plage, il est cher (possibilité de remise)
et sommaire. La propreté des WC laisse
à désirer. Petit restaurant et épicerie.

▸ *À Al Hoceima*

*Environ 50 DH à deux avec 1 tente et
1 véhicule (5 €)*

Camping Cala Bonita, à 1 km du centre, sur la route d'Ajdir, ce camping de
300 places, bondé l'été, donne sur la
plage du même nom, charmante mais,
hélas, polluée. Sanitaires corrects, bar,
restaurant et café à proximité.

Environ 60 DH (6 €)

Hôtel du Nord, 20 rue Izemmourèn, ☎ 039 98 30 79 – 15 ch. L'établissement est propre et coquet, avec une jolie entrée en céramique et en stuc. Une partie seulement des chambres dispose d'une salle de bains (eau froide), trois d'entre elles donnent sur le marché. Pas de petit-déjeuner.

Environ 80 DH (8 €)

Hôtel Assalam, 10 rue Sahat Rif, ☎ 039 98 14 13 – 56 ch. De l'extérieur, ce bâtiment de 4 étages paraît bien entretenu. L'intérieur est plus dégradé. Les chambres sont dotées d'un balcon, et pour certaines d'une douche. Pas de petit-déjeuner.

Environ 200 DH (20 €)

Hôtel Marrakech, 106 av. Mohammed V, ☎ 039 98 30 25 – 18 ch. 🛜 📺 Bon rapport qualité-prix ; les chambres, impeccables, sont néanmoins un peu bruyantes. Pas de petit-déjeuner.

Environ 380 DH (38 €)

🌐 **Hôtel Al Khouzama**, rue al-Mouahedine, ☎ 039 98 56 69 – 24 ch. 🛜 📺 Cafétéria, avec un excellent petit-déjeuner, salle de billard, chambres confortables et joliment décorées, personnel efficace : l'établissement mérite des éloges.

Environ 460 DH (46 €)

Hôtel Mohammed V, pl. de la Marche Verte, ☎ 039 98 22 33 – 37 ch. 🛜 📺 ✗ 🍴 📺 Bien placé, face à la plage Quemado, l'hôtel chic de la ville propose des chambres confortables avec balcon et vue sur la mer.

Se restaurer

Environ 60 DH (6 €)

🌐 **Restaurant Paris**, 21 av. Mohammed V, ☎ 039 98 37 58, 7h-minuit. Ahmed, le volubile patron, propose deux menus, l'un de base, l'autre avec des spécialités marocaines. Cuisine familiale et copieuse. Salle au 1er étage dans un décor hétéroclite où se mêlent horloges, guitare électrique et amphore.

Environ 100 DH (10 €)

Restaurant Bellevue, 130 av. Mohammed V, ☎ 039 84 06 07, 12h-minuit.

Ouvert l'été uniquement. Un ex-chef d'hôtel haut de gamme officie aux fourneaux. Spécialités de poissons. Quelques tables en terrasse face à la mer.

Club nautique, port d'Al Hoceima, ☎ 039 98 14 61, 12h-minuit. 🍴 Sa réputation de meilleur restaurant de la ville est un peu surfaite. Spécialités de la mer. Salle climatisée ou terrasse avec vue sur les bateaux. Cadre sans fioritures mais chaleureux.

🌐 **Restaurant de l'hôtel Al Magreb el-Jadid**, 56 av. Mohammed V, ☎ 039 98 25 04, 12h-15h/19h-22h30. 🍴 📺 Cadre impersonnel au 4e et dernier étage du bâtiment, mais belle vue sur les toits de la ville. Cuisine soignée et inventive.

Sortir, boire un verre

Café-crémerie de l'Étoile, 124 av. Mohammed V, ☎ 039 98 21 34, 7h-minuit. Au 1er étage, une terrasse offre une belle vue sur la plage Quemado et la baie. L'établissement dispose également d'une pâtisserie en rez-de-chaussée.

Hôtel Mohammed V, pl. de la Marche Verte. 🍴 Surplombant la plage, le bar-terrasse est très fréquenté le soir. Discothèque de 23h à 2h30. Entrée 50 DH pour les non-résidents.

HISTOIRE

C'est dans l'ancien émirat de Nekor, petit royaume prospère au Moyen Âge, que le **général espagnol Sanjuro** fonda Al Hoceima en 1920 et lui donna provisoirement son nom. Dès sa création, la ville servit de base arrière pour combattre le rebelle rifain **Abd el-Krim** qui, de 1921 à 1926, s'installa à Ajdir, à 8 km de là. Une fois la révolte matée, la cité retomba dans l'anonymat et ne renoua avec la croissance qu'après l'indépendance.

Dans les années 1960, les autorités décidèrent de favoriser sa vocation balnéaire. En 1963, le Club Méditerranée y installait le premier « village » du Maroc, fermé depuis le séisme de 2004. Ce développement touristique a, jusqu'ici, été freiné par la piètre desserte

Le séisme d'Al Hoceima

La nuit du 23 au 24 février 2004, un violent séisme, d'une magnitude de 6,3 degrés sur l'échelle de Richter, ébranle la région d'Al Hoceima. L'épicentre se situe au niveau de la commune rurale d'Aït Kamara, à 16 km au sud de la ville. Le bilan fait état de 629 morts, 926 blessés et 15 230 sans-abris, ainsi que d'importants dégâts matériels, principalement en zone rurale. Une trentaine de pays ont aussitôt envoyé leur aide humanitaire et leurs dons. De son côté, le roi a annoncé un plan visant à faire de la région du Rif - enclavée et pauvre, longtemps délaissée par le gouvernement - « un pôle de développement urbain et rural parfaitement intégré dans le tissu économique national ».

aérienne et routière. Une « **rocade méditerranéenne** » à quatre voies qui devrait, à terme, relier Tanger à Oujda, a commencé à voir le jour, mais les travaux peinent à s'achever.

VISITE DE LA VILLE

Comptez 1h.

La cité elle-même a peu à offrir, sinon flâner sur l'artère centrale, l'avenue Mohammed V, et ses abords. Un intéressant **souk**, où se pressent des Rifains en burnous et chéchia, se tient le mardi, derrière la place du Rif. N'y manquez pas les babouches, les escargots gris vendus en sac de 4 kg et les montagnes de pastèques.

Près de la mosquée, on atteint le haut de la falaise qui domine la plage Quemado. De ce **belvédère**, hélas souillé par des ordures, la vue plonge vers le port et la baie.

LES PLAGES★

Centrale, la plage **Quemado** est dominée par l'hôtel Mohammed V. Sa proximité avec la ville explique, l'été, la surpopulation chronique.

Vers l'est

▶ La plage de **Cala Bonita**, dans une petite crique, serait charmante si elle n'était également très fréquentée en juillet-août et ne voisinait avec un camping bruyant et bondé. Les rejets de la ville nuisent à sa propreté.

▶ Située 3 km plus loin, la plage de galets d'**Espalmadero** est dotée de plusieurs cafés et petits restaurants.

▶ La plage de **Sfiha**★ *(à 7 km de la ville)* s'étend sur 2 km, face à deux îlots rocheux. Celle de **Souani**★★, qui lui succède sur 4 km de long, accueille le Club Méditerranée. À une centaine de mètres du rivage, émerge un îlot fortifié. Le **peñon de Alhucemas**★★, qui appartient à l'Espagne, sert de résidence surveillée et ne se visite pas.

Vers l'ouest

En s'éloignant de la ville, la plage **Cebadilla** court sur 2 km le long d'une haute falaise. Elle est desservie par une route pleine de nids-de-poule. Celle-ci grimpe ensuite, franchit un petit col et redescend vers la plage de sable noir de **Tarayoussef**★ (1 km de long), puis vers celle de **Boussikor**★. Au-delà, la montagne tombe à pic dans les flots. Désertes à l'intersaison, ces plages sont très prisées l'été et attirent de nombreux amateurs de camping sauvage.

LE SOUK D'IM-ZOUREN★

À 14 km au sud-est d'Al Hoceima.

▶ Un souk se déroule chaque lundi au village d'Im-Zouren. De dimension réduite, ce marché n'est pas célèbre pour ses produits mais pour sa fréquentation exclusivement féminine. Réservé aux dames, il est entouré d'un muret censé le protéger de la curiosité masculine.

▶ En poursuivant vers Kassita *(52 km d'Al Hoceima)*, la route quitte la vallée alluviale et gagne en pittoresque. Elle remonte l'**oued Nekor**, grimpe en lacet, dans un paysage dénudé, jusqu'à un col, puis traverse un plateau planté de pins.

CALA IRIS ET L'ÎLOT DE LA GOMERA★★

65 km de route étroite. Comptez 1h30 aller.

Attention, il n'y a pas de poste à essence sur cet itinéraire. Seuls quelques grands taxis s'y rendent. Sortez d'Al Hoceima par la route de crête qui passe par Izemmourèn et dévoile une superbe vue sur la baie. Rejoignez la N2 puis tournez quelques kilomètres plus loin à droite, sur la N16 en direction de Rouadi. Arrivé à ce dernier carrefour, bifurquez à droite jusqu'au village de Torres-de-Alcalá.

▶ Au pied d'une colline et des ruines d'un fort, la plage de galets de **Torres-de-Alcalá** conserve, en toute saison, calme et tranquillité. Un sentier qui suit la grève part sur la droite et permet de découvrir une succession de criques.

▶ Du village de Torres-de-Alcalá, prenez la piste derrière la mosquée. Longue de 5 km et carrossable, elle s'élève dans la montagne, suit des à-pics et ménage de belles perspectives sur le littoral. Désert, l'endroit n'est troublé que par les cris de mouettes et d'oiseaux de proie. Au détour d'un virage, apparaît soudain le **peñon de Velez de la Gomera★★**.

Cette seconde vigie espagnole demeure elle aussi interdite à la visite. Reliée à la terre par une langue de sable, elle contraste par sa blancheur éclatante avec le bleu turquoise de la mer et l'ocre de l'oued Badis. Bordé par une muraille de rochers, le canyon sert de refuge à quelques maisons basses de pêcheurs. Le site, à la lumière rasante du crépuscule, est l'un des plus beaux du Maroc.

▶ La piste s'arrête face au peñon. Au-delà, un sentier descend vers l'oued. Revenez à Torres-de-Alcalá, puis roulez 4 km pour atteindre Cala Iris. Bordée d'eucalyptus et égayée par le chant enivrant des cigales, la **plage de Cala Iris★★** se niche dans une superbe baie, en face d'îlots rocheux. La tante du roi Mohammed VI, qui apprécie particulièrement cette portion de littoral préservée du tourisme de masse, y a fait construire une villa.

MELILLA★

Quelques repères

Enclave espagnole – 163 km d'Oujda, 167 km d'Al Hoceima – 70 000 hab. – Carte Michelin n° 742 plis 6 et 11 et carte p. 162.

À ne pas manquer

Le superbe cap des Trois Fourches.

Conseils

Comptez une demi-journée pour visiter la ville.

Attention au décalage horaire avec le Maroc (2h l'été, 1h l'hiver), Melilla est à la même heure que Madrid et Paris.

Profitez de l'essence à moitié prix.

Seconde enclave espagnole, Melilla se différencie nettement de Ceuta. Si le site, à l'entrée d'une presqu'île, est moins spectaculaire, la ville, avec sa vieille cité entourée de remparts et ses immeubles coloniaux, a beaucoup plus de cachet que sa sœur espagnole.

Téléphoner

Si vous appelez Melilla depuis la France, composez le 00 + 34 + 95 + le numéro à 7 chiffres.

Arriver ou partir

En bateau - De Melilla : **Trasmediterránea**, pl. de España, ☎ 952 69 09 02, ☎ 902 45 46 45 (informations et réservations). Pour Málaga (7h30 de trajet, 27 € en fauteuil et 56 € par pers. en cabine de quatre) : départ à 23h du mardi au samedi, à 10h le lundi, pas de bateau le dimanche. Pour Almería (6h de trajet, 26,50 € en fauteuil et 51,50 € par pers. en cabine de quatre) : départ à 14h30 du mardi au vendredi, à 9h le lundi, à 23h30 le samedi, pas de bateau le dimanche. Du port de Nador, situé au village frontière de Beni-Enzar : **Limadet Ferry**, ☎ 056 34 94 02 et **Ferri Maroc**, ☎ 056 34 81 00. Deux bateaux par jour pour Almería, jusqu'à six l'été (6h de trajet, env. 300 DH en fauteuil et 420 DH par pers. en cabine de quatre).

Comanav, ☎ 056 34 87 13, 1 bateau 2 fois par semaine l'été pour Sète (36h de trajet, prix variable selon l'époque et la catégorie : en période rouge, 1 700 DH en fauteuil et 1 960 DH par pers. en cabine de trois).

En avion - De l'aéroport, situé à 5 km du centre-ville, **Iberia**, 2 av. de Cándido Lobera, ☎ 952 68 24 34, ☎ 902 40 05 00 (informations et réservations), assure 1 liaison par jour vers Madrid et Almería, 5 par jour pour Málaga, 1 vol quotidien sauf le samedi pour Grenade.

En bus - Les liaisons pour Oujda (3h30 de trajet), Al Hoceima (3h30) et Fès (5h) se font de Nador. La gare routière se trouve au sud du centre-ville, près de la lagune.

Comment circuler

Des bus locaux parcourent la ville. Ceux indiqués « Aforos » circulent entre la plaza de España et le poste-frontière de Beni-Enzar (7h30-22h). De là, marchez 200 m jusqu'aux douanes, puis celles-ci franchies, prenez un bus (n° 19) ou un grand taxi jusqu'à Nador. Attention, les véhicules loués au Maroc ne peuvent entrer à Melilla (parking à l'entrée).

Adresses utiles

Office de tourisme - 20 calle Pintor Fortuny (Palacio de Congresos), ☎ 952 67 54 44. Été 9h-14h/17h-20h ; hiver 8h-14h45/16h-20h, fermé le dimanche. Personnel compétent et serviable. Carte de la ville et brochures.

Banque / Change - La plupart des banques, avec distributeurs automatiques, se situent pl. de España, av. Juan Carlos I Rey et calle Ejército Español.

Poste / Téléphone - Calle P. Vallescá, lun.-ven. 9h-20h, sam. 9h-12h.

Se loger

En nombre restreint, les hôtels pratiquent des tarifs européens et les majorent en haute saison.

Entre 30 et 50 €

Residencia Rioja, 10 calle Ejército Español, ☎ 952 68 27 09 – 19 ch. Simple et propre, l'hôtel fait partie des moins chers de la ville. Correctes, mais sans plus, les chambres disposent d'un lavabo. Il n'existe qu'une seule douche.

⊛ **Hôtel Nacional**, 10 calle Primo de Rivera, ☎ 952 68 45 40 – 27 ch. ⌂ ▦ TV CC D'une propreté méticuleuse, cette excellente adresse propose 5 chambres sans salle de bains.

Environ 60 €

Hôtel Anfora, 16 calle Pablo Vallescá, ☎ 952 68 33 40 – 146 ch. ⌂ ▦ TV ✕ CC À deux pas de la vieille ville, vous ne pourrez manquer ce gros cube de béton peint en rouge. Un peu sombres et impersonnelles, les chambres sont néanmoins confortables et fonctionnelles. Un bar en terrasse et un restaurant au 4ᵉ étage donnent sur la ville.

Environ 115 €

Hôtel Parador, av. de Cándido Lobera, ☎ 952 68 49 40 – 40 ch. ⌂ ▦ TV ✕ ⌁ CC Construit sur une colline dominant la ville, le Parador ne ménage pas ses efforts pour séduire hommes d'affaires et touristes aisés. Piscine, parking couvert, restaurant circulaire avec vue panoramique. Balcon avec vue sur la ville dans certaines chambres. Les autres chambres donnent sur la piscine.

Se restaurer

À partir de 10 €

⊛ **Cafétéria Nueva California**, 11 av. Juan Carlos I Rey, ☎ 952 68 26 46. ⛾ 7h30-1h. En terrasse ou dans une salle climatisée, vous pourrez être servi à l'heure de la sieste. Grand choix de sandwichs, de salades et de spécialités espagnoles (*bocadillos*).

À partir de 13 €

Los Salazones, 15 calle de Alcaudete, ☎ 952 67 36 52. 13h-16h/21h-minuit, fermé le lundi. Un des « must » de la cité. Vaste carte de vins, menu à 20 €, spécialités de poissons et de paella. Le décor mêle machines à sous, animaux empaillés et fossiles.

⊛ **Brabo**, Carretera Farhana, 5 calle C, ☎ 952 69 16 95. 13h-17h/21h-1h,

fermé le dimanche soir et le lundi. Tenu par un couple belgo-marocain, le célèbre restaurant de Selouane s'est installé à l'ouest de la ville. Excellente cuisine à dominante européenne. Menu du jour à 13 €.

Sortir, boire un verre

⊛ **Club Scorpio**, pasaje de la Florentina, ☎ 952 68 18 09. 20h-2h, fermé le mardi. Installée sur les remparts de la vieille ville, sa terrasse procure une superbe vue sur le port. On peut aussi déguster des plats de poisson ou de viande.

HISTOIRE

L'antique Russadir

Ouvert par les Phéniciens sous le nom de Russadir, le comptoir fut dominé par Carthage puis Rome, qui l'intégra à la province de Maurétanie Tingitane, au 1ᵉʳ s. ap. J.-C. Conquis par les Mérinides en 1272, il devint le port desservant Taza et Fès. En 1497, un contingent de 700 Espagnols s'en empara et fortifia les remparts. Depuis lors, Melilla ne revint jamais au Maroc, malgré les tentatives en 1774 de **Sidi Mohammed ben Abdallah**, puis en 1921 du rebelle rifain **Mohammed Abd el-Krim** qui fut bien près de réussir. L'Espagne perdit alors la large zone de protection qu'elle s'était octroyée, mais ne céda pas la cité. C'est de Melilla que le **général Franco** lança la guerre civile qui lui permit de prendre le pouvoir en 1936. Grâce à l'exploitation de mines de fer, la ville atteignit 90 000 habitants dans les années 1950, avant d'entrer dans une phase de récession qui se poursuit aujourd'hui.

Une zone franche fragile

Melilla ressemble à une ville ibérique, mais se distingue par une ambiance singulière liée à la présence de 40 000 Européens, dont 16 000 fonctionnaires et militaires, qui cohabitent tant bien que mal avec 25 000 Marocains, les plus touchés par la crise économique. Les relations sont parfois tendues entre les communautés, comme l'ont souligné les violentes manifestations des années 1980. Attachés à un régime fiscal avantageux, les Espagnols redoutent un futur rattachement au Maroc. Zone franche, Melilla vit avant tout de la contrebande, notamment de la revente d'articles manufacturés vers le Maghreb et l'Afrique. Depuis quelques années, son activité de transit est sérieusement concurrencée dans les transports maritimes et aériens. Un nouvel aéroport marocain a été construit près de la ville de Nador, et les ferries, qui desservent le continent européen, en limite de Melilla, sont plus nombreux et moins chers que les bateaux espagnols. Ils permettent, en outre, de gagner ou de quitter directement le royaume, en évitant la frontière, souvent bondée, de l'enclave.

LA VIEILLE VILLE★

▶ Vu des quartiers modernes, l'ancien comptoir a fière allure. Bâti sur un éperon rocheux, il domine le port et, du haut de sa large muraille, offre un **panorama**★ unique, s'étendant du cap des Trois Fourches jusqu'aux montagnes du Rif. L'intérieur, hélas, est décevant. Les rénovations s'apparentent plus à des reconstructions, sans lien avec l'architecture d'origine. Parkings et immeubles de type HLM ont été réalisés.

▶ Une fois les remparts franchis, on débouche sur la plaza de la Maestranza. Grimpez encore quelques marches, puis tournez à gauche. Le **Museo Municipal** *(10h-14h/16h-20h30 l'hiver, 17h-21h30 l'été ; fermé dim. après-midi et lun. ; entrée libre)* expose des collections de monnaies, d'amphores, de bijoux trouvés dans la région.

▶ Suivez sur 100 m les remparts, puis tournez à droite jusqu'à l'église. Édifiée en 1657, l'**iglesia de la Concepción** comporte trois nefs et une chapelle dédiée à la patronne de la ville, Señora de la Victoria.

▶ En poursuivant le tour des remparts, on parvient au **musée Amazighe** *(10h-14h/17h-21h ; fermé le dimanche après-*

midi et le lundi ; entrée gratuite). Inauguré en 1998, il est consacré aux arts et traditions musulmanes. On peut y voir des céramiques et des bijoux du Rif, de l'Atlas et de la Kabylie.

LA VILLE NOUVELLE

Construite au 19e s. sur le modèle de Barcelone par **Enrique Nieto**, disciple de Gaudí, elle conserve quelques bâtiments coloniaux, une **plaza de España** typique et l'agréable **parque Hernández**★, planté de palmiers.

En direction de la frontière, le **paseo marítimo** longe une plage de 2 km, malheureusement située dans l'enceinte du port. Ce quartier moderne, qui concentre la majorité des bars, restaurants, pubs et discothèques, est très animé le soir.

LE CAP DES TROIS FOURCHES★★

De Beni-Enzar, prenez une étroite route jusqu'à Farkhana puis Taourirt. Quelques kilomètres plus loin débute une piste de 12 km, en bon état, qui conduit jusqu'au phare.

À 30 km au nord de Melilla, en territoire marocain, ne manquez pas l'un des plus beaux sites du pays, un « bout du monde » vierge et minéral. Ce cap montagneux, paradis des oiseaux de mer, plonge dans des eaux turquoise.

▶ Du **phare**, construit en 1927, la **vue** sur les hautes falaises est impressionnante. Les rares habitations, des maisons basses de pêcheurs, se confondent avec le sol rocailleux. L'endroit, hors week-end, est désert, et les quelques **plages** aussi préservées que difficiles d'accès. Le chemin suit des à-pics vertigineux et offre des **panoramas**★ sur le cap et la côte jusqu'à Melilla.

▶ Au retour, bifurquez à droite pour la plage et le village de **Charrana**.

Peñon de Velez de la Gomera

SAÏDIA★

LA CÔTE DES MONTS DE KEBDANA★

Quelques repères

Province de Nador – 2 km de la frontière algérienne, 60 km d'Oujda – 2 650 hab. – Carte Michelin n° 742 pli 12 et carte régionale p. 162.

À ne pas manquer

Un bain de mer à l'intersaison sur des plages quasi désertes.

L'observation, l'hiver, des oiseaux migrateurs.

Conseils

Durant l'été, réservez à l'avance une chambre d'hôtel.

Surnommée la « Perle bleue », Saïdia, à l'extrême est du Maroc, est une délicieuse bourgade, où il fait bon profiter des plages de sable fin. Grâce à son éloignement des centres urbains, la station balnéaire a été préservée, jusqu'à présent, d'un développement anarchique, des tours et des cubes de béton qui défigurent d'autres littoraux. Sa petite taille, son aspect villageois et le faible nombre de véhicules lui confèrent une atmosphère calme et détendue. L'été, Saïdia est très prisée des touristes marocains et des émigrés de retour au pays pour les congés. Elle connaît sa plus grande fréquentation en août, à l'occasion du Festival de musique traditionnelle. À cette époque-là, il est difficile de dénicher une chambre d'hôtel. De septembre à juin, la station se vide. Il devient alors possible de se baigner ou de se promener, seul ou presque.

Arriver ou partir

En bus - De la rue Laâyoune, 4 départs par jour (1h de trajet) pour Oujda, une dizaine en été.

En taxi - Du même endroit vous trouverez des grands taxis pour Oujda, Ahfir et Nador.

Se loger

▶ *Le long de la côte*

Il n'existe que 2 campings, sans aucun confort.

Environ 60 DH à deux avec 1 tente et 1 véhicule (6 €)

Camping du cap de l'Eau, ni téléphone ni eau chaude. Accès par une piste de 500 m qui contourne le port. WC rudimentaires, douches sales.

Camping international de Kariat-Arkmane. Bloc sanitaire minuscule, pas d'eau chaude, aucun commerce à proximité.

▶ *À Saïdia*

Vous avez le choix entre 2 campings acceptables, bondés l'été, et 3 hôtels relativement chers !

Environ 70 DH à deux avec 1 tente et 1 véhicule (7 €)

☺ **Camping Al Mansour**, bd Hassan II, ☎ 056 62 51 65. ✗ À 1,5 km du centre-ville, sur la route de la côte, ce camping privé est sans conteste le meilleur et le seul ouvert toute l'année (eau chaude en hiver). À l'ombre d'eucalyptus et au calme, il se compose d'un café, d'un restaurant, et d'une épicerie.

Camping du Syndicat d'initiative, bd Hassan II. Ouvert du 25 juin au 10 septembre, pas de téléphone. À moins de 500 m du premier, il permet un accès direct à la plage. Les sanitaires sont propres mais au plus fort de l'affluence, la promiscuité devient insupportable.

Environ 250 DH (25 €)

Hôtel Paco, bd Hassan II, ☎ 056 62 51 10 – 23 ch. Sans prétention ni eau chaude, voici un établissement propre et économique. 11 chambres sont dotées de salle de bains, 12 d'un lavabo et 9 donnent sur la mer. Toutes s'affichent au même prix. Pas de petit-déjeuner.

Environ 400 DH (40 €)

Hôtel Erimal, bd Mohammed V, ☎ 056 62 52 87 – 15 ch. ⁴⁊ 📺 ✗ Ouvert d'avril à fin août. Il bénéficie d'une situation privilégiée en front de mer. De larges baies vitrées ouvrant sur la mer illuminent les chambres. L'ameublement est un peu kitsch, avec des fauteuils et des boiseries imitation Empire.

Environ 475 DH (47,5 €)

☺ **Hôtel Atlal**, bd Hassan II, ☎ 056 62 50 21 – 45 ch. ♫ TV ✗ Traversez la chaussée pour accéder à la meilleure adresse de cette gamme de prix. Personnel serviable et efficace, chambres spacieuses, confortables et, pour 20 d'entre elles, équipées d'un balcon.

Se restaurer

Environ 60 DH (6 €)

Les Pyramides, 14 rue Bir Anzarane, ☎ 056 62 51 86. 9h-23h. Ce café-restaurant prépare en continu des plats simples, dont des pizzas, à prix doux.

Environ 100 DH (10 €)

Kim-Club, bd du Front de Mer, ☎ 056 62 53 16. Ouvert de juin à septembre. 6h30-1h. L'établissement de plage le plus sélect loue des paillotes équipées de matelas et des scooters de mer. À l'ombre d'une agréable terrasse, on consomme pizzas (35 DH à 70 DH), salades (30 DH à 50 DH) et poissons (70 DH à 90 DH). Service stylé.

Sortir, boire un verre

Les **discothèques du Kim-Club** (22h-1h, 30 DH la consommation) et de **l'hôtel Atlal** (22h-3h, 50 DH la consommation) sont très animées l'été.

VISITE DE LA VILLE

Comptez 1h.

Agréable à parcourir à pied, Saïdia a peu à offrir sur le plan culturel.

▶ Le **palais des festivals**, situé sur le boulevard Mohammed V, accueille le Festival des arts populaires. Des fresques peintes par des talents locaux en agrémentent l'intérieur.

▶ Une **kasbah★**, aux murs intacts, se visite à la sortie de la ville, en direction d'Oujda. Bâtie au 19e s. par Hassan Ier, elle eut pour vocation de contenir l'avancée des Français installés en Algérie. Jusqu'en 1930, ce fut la seule construction de la contrée. Un **marché** se tient chaque dimanche à proximité, près de l'oued Kiss.

▶ La **plage★★**, qui se prolonge vers l'ouest sur 12 km, jusqu'à l'embouchure de la rivière Moulouya, est bordée de dunes plantées de mimosas et d'eucalyptus.

DE L'OUED MOULOUYA À KARIAT-ARKMANE★

Peu urbanisée, cette côte est propice, durant l'hivernage, à l'observation des oiseaux. C'est à l'embouchure de la Moulouya que l'on verra le plus facilement oies cendrées, goélands d'Audouin, flamants roses ou canards colverts.

De l'embouchure, entourée de marais, une route remonte la rivière sur une dizaine de kilomètres avant de la franchir. Prenez ensuite à droite sur 13 km jusqu'au cap de l'Eau.

▶ Le **cap de l'Eau★** fait face aux trois îlots espagnols de Chafarinas. Une falaise, dominée par un phare, en marque l'extrémité. Un **village de pêcheurs** est installé aux abords d'une plage de sable fin et d'un port protégé par une digue en béton assez disgracieuse. Il compte un restaurant et quelques cafés.

▶ Prendre la N16 qui serpente sur 40 km, tantôt surplombant un rivage escarpé et sauvage, tantôt s'enfonçant dans les terres et traversant un oued. Dominée à gauche par les **monts de Kebdana★**, une plaine mamelonnée et cultivée conduit jusqu'à **Kariat-Arkmane★**. À l'ouest de cette belle plage de sable roux, on peut également observer des oiseaux migrateurs.

LES MONTS DES BENI-SNASSEN★★

Quelques repères

Province d'Oujda – 95 km de Melilla, 40 km d'Oujda – Alt. 500 m à 1 532 m – Carte Michelin n° 742 pli 12 et carte régionale p. 162.

À ne pas manquer

La piste des crêtes, en 4x4 ou à pied.

Conseils

Évitez l'hiver et l'été : préférez le printemps, plus doux.

Prolongement géologique du Rif, les monts des Beni-Snassen se dressent entre deux plaines brûlées par le soleil, à environ 20 km à vol d'oiseau de la mer. Avec ses pics, ses pentes abruptes, ses vergers en terrasses et ses grottes, pour la plupart inexplorées, le massif affiche une fière et sauvage beauté. Mais l'accès y est malaisé : à l'exception d'une petite route transversale, il n'existe que des pistes, plus ou moins carrossables, et impraticables par temps de pluie ou de brouillard (fréquents en hiver). Le printemps reste la meilleure saison pour parcourir ces monts, au milieu des amandiers et autres plantes en fleur. Les tribus, qui donnèrent jadis leur nom au massif, ont gardé de cet isolement géographique une méfiance quasi héréditaire envers les étrangers. Aussi ne soyez pas étonné si vous éprouvez des difficultés à vous faire comprendre des villageois, qui ne parlent que berbère.

Comment circuler

Une voiture est indispensable pour découvrir les Beni-Snassen. Goudronnée, la P6012, qui relie du nord au sud Berkane à Taforalt, se parcourt aisément en véhicule de tourisme. En revanche, la traversée du massif d'est en ouest emprunte des pistes en mauvais état et nécessite un 4x4. Attention : la location d'un 4x4 est lente et onéreuse, le véhicule devant être acheminé de Fès. Il n'y a pas de bus régulier. Des grands taxis, d'Oujda ou de Berkane, se rendent les week-ends et jours fériés à la grotte du Chameau. Sinon, il faut louer un taxi à la journée (pour la partie goudronnée), ou attendre l'un des minibus qui desservent épisodiquement les villages de montagne.

Se loger

Faute d'hébergement dans le massif, le gîte le plus proche se trouve à **Berkane**.

Environ 100 DH (10 €)

Hôtel Mounir, angle rue Cheraâ et bd Mohammed V, ☎/Fax 056 61 18 67 - 22 ch. ⌐ Chambres spartiates dotées d'une salle de bains sans porte de séparation et d'un balcon donnant sur la rue. Salon, près de la réception, avec télévision. Pas de petit-déjeuner.

À partir de 490 DH (49 €)

☺ **Hôtel Zaki**, 27 route principale d'Oujda, ☎ 056 61 37 43 - 23 ch. ⌐ ▤ ▣ ✕ L'unique établissement haut de gamme mérite ses 3 étoiles. Hall en mosaïque et personnel accueillant. Chambres, pour la plupart climatisées, avec banquettes et tables en bois peint. Pizzeria et salle de sport.

Se restaurer

À partir de 50 DH (5 €)

☺ **Taforalt Club**, Taforalt, ☎ 062 62 02 85. 9h-23h. Café-restaurant aménagé autour d'une piscine, dans un petit parc verdoyant. Tables ombragées par des auvents. Boissons chaudes et froides, plats de 50 à 80 DH, méchoui, pastilla et couscous sur commande. Lorsque la plaine suffoque, le site est rafraîchi par une brise de mer.

L'Espadon, route de Nador, Berkane. 12h-15h/18h30-22h. Seul restaurant de Berkane classé par l'Office de tourisme d'Oujda. Spécialités de poissons.

Loisirs

Piscine - La piscine du **Taforalt Club** est propre et attrayante. Calme, avec vue sur la vallée du Zegzel. N'ouvre qu'en été, 40 DH (adulte), 10 DH (enfant).

Randonnées - Cette région manque d'infrastructures touristiques. Le **Kim-Club** de Saïdia, ☎ 056 62 53 16, et le **Taforalt Club** *(voir ci-dessus)* mettent en place des circuits à pied et à VTT, et proposent des guides. Plusieurs balades, de la sortie familiale à la randonnée sportive, sont possibles sans accompagnement. Attention à ne pas se perdre.

Chasse / Pêche - Sandre, brochet et *black bass* peuplent les barrages de Mohammed V et Mechra-Hammadi. La chasse se pratique sur l'ensemble du massif, où abondent perdreaux, cailles, lièvres et sangliers.

DES GORGES DU ZEGZEL À TAFORALT★

25 km. Comptez 3h.

Faites le plein d'essence avant le départ.

La route P6012, que l'on prend à la sortie ouest de Berkane en tournant à gauche, est dégradée dans les premiers kilomètres. Elle suit ensuite un oued cultivé et pénètre dans le massif par une faille dans une muraille rougeâtre.

▸ Très encaissées à cet endroit, les **gorges du Zegzel★** s'évasent au fur et à mesure que l'on monte. Aux roseaux et lauriers roses, qui tapissent le fond de l'oued, succèdent bientôt des cultures irriguées, des vergers en terrasses plantés de centaines de figuiers, de grenadiers, d'orangers et de néfliers. La route passe d'une rive à l'autre. Quelques autochtones musardent ou se baignent dans des piscines naturelles, mais la plupart viennent des environs pour laver leur voiture dans le torrent…

▸ Prenez le premier embranchement goudronné à gauche, à environ 17 km de Berkane. En dépit d'une certaine notoriété, due à ses nombreuses salles ornées de concrétions calcaires, la **grotte du Chameau★** demeure fermée au public. Il est possible toutefois d'obtenir une autorisation de visite auprès de l'Office de tourisme d'Oujda *(s'y prendre à l'avance)*. La grotte doit son nom à l'une de ses stalactites, rappelant l'animal à deux bosses. Les abords, une forêt de pins dominée par des pitons calcaires, sont aménagés en aire de pique-nique, très fréquentée le week-end *(parking, 5 DH)*.

▸ Reprenez la P6012 dans la même direction jusqu'au croisement avec la P6020. À 100 m à droite, s'offre un superbe **panorama★** sur la vallée de

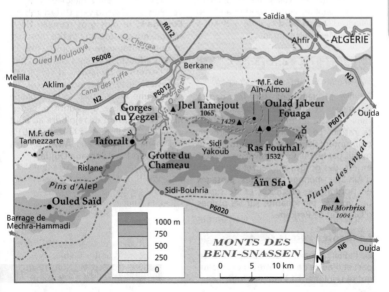

L'essence à moitié prix

En provenance d'Algérie ou de l'enclave espagnole de Melilla, la contrebande prospère dans la région s'étendant du littoral à Oujda. Elle ferait vivre une partie non négligeable de la population. L'essence est ainsi proposée à moitié prix, le long des routes, par des vendeurs ne se dissimulant guère de la police. Conditionnée dans des bouteilles en plastique, elle remporte un vif succès auprès des automobilistes. Pourquoi acheter deux fois plus cher à la pompe ? Une petite station-service, établie entre Taforalt et Sidi Bouhria, a ainsi dû fermer, faute de clients.

la Moulouya, les monts Kebdana et la Méditerranée. En prenant à gauche, on rejoint, au bout de 2 km, le village de **Taforalt** (alt. 850 m), qui peut servir de base pour des excursions.

L'OUEST DES BENI-SNASSEN★

Accessible de Taforalt par deux pistes, cette région, à gros potentiel en matière de chasse et de pêche, est la plus sauvage et la plus méconnue. Très boisée, couverte de pins d'Alep, de sapins, de chênes et de palmiers nains, elle s'étend jusqu'au **barrage de Mechra-Hammadi**, où l'habitat est clairsemé et souvent enclavé. Seul un sentier conduit au beau village d'**Ouled Saïd★**, situé à 20 km à l'est de Mechra-Hammadi.

LA PISTE DES CRÊTES★★

50 km aller. Comptez entre 3h et 5h.

Roulez prudemment sur les parties défoncées et prévoyez un pique-nique, car il n'existe aucune possibilité de restauration. Le retour peut se faire en empruntant la route qui contourne le massif par le sud. Cette traversée d'ouest en est, des gorges du Zegzel au village d'Âïn-Sfa, ménage quelques passages en bordure de précipices et de superbes **vues★** plongeantes sur les plaines d'Oujda et de Berkane.

La montée vers la crête★

De la P6012, il existe deux itinéraires, de part et d'autre de la grotte du Chameau, qui se rejoignent 13 km plus loin.

▶ La **première piste**, que l'on prend peu avant l'embranchement pour la grotte du Chameau, en venant de Taforalt, est la plus carrossable. Elle remonte un oued, traverse le village de **Beni-Yaala★** avant de grimper.

▶ La **seconde piste**, plus difficile, est également plus spectaculaire. En aval de la grotte du Chameau, elle débute près d'une petite mosquée, suit le lit d'un oued entre d'énormes rochers, longe sur la gauche la falaise du **jbel Tamejout** (1 065 m), et grimpe sur 6 km. Elle rejoint la précédente à l'amorce d'un passage en crête, avec en arrière-plan, à gauche, la plaine de Berkane et à droite, deux groupes de maisons en terre.

Du Ras Fourhal à Âïn-Sfa★★

Au-delà de cette convergence, la piste étroite flirte avec des à-pics, traverse une zone boisée, et grimpe en lacet jusqu'à la **maison forestière d'Aïn-Almou** *(en retrait, à gauche dans une boucle)*. Elle contourne par la gauche le **Ras Fourhal★★**, point culminant du massif (1 532 m), qui se gravit sans difficulté majeure, et offre une **vue★** superbe sur la chaîne. Le secteur, où alternent éboulis rocheux et forêts clairsemées, est souvent enneigé durant l'hiver. Puis on descend vers **Oulad Jabeur Fouaga★**, le plus gros hameau de la région, qui compte une petite mosquée et une trentaine de maisons basses. Le relief s'adoucit, la vallée s'élargit et permet l'extension de jardins et vergers en terrasses. Juste après un petit col, on jouit d'une belle **vue★** sur la plaine d'Oujda. La piste emprunte une dernière pente, avant de rejoindre au bout de quelques kilomètres la route P6017, qui mène à droite vers **Âïn-Sfa**, et à gauche vers l'axe Berkane-Oujda.

OUJDA

Quelques repères

Chef-lieu de la province d'Oujda – 343 km de Fès, 13 km de la frontière algérienne – 5e ville du Maroc, – 350 000 hab. – Alt. 500 m - Carte Michelin n° 742 plis 6 et 12 et carte p. 162.

À ne pas manquer

La « porte des Têtes » (Bab Sidi Abd el-Ouahab) à l'entrée de la médina.

Le moussem annuel de Sidi Yahya ben Younes (à la fin de l'été).

Conseils

N'hésitez pas à marchander le prix des chambres d'hôtel.

En dépit d'un millénaire d'histoire, Oujda la cosmopolite présente peu d'attrait touristique. L'intérêt de ce pôle commercial et agricole est essentiellement géographique : située à un carrefour, la métropole du Maroc oriental permet d'accéder aux monts des Beni-Snassen, au littoral méditerranéen et aux plages de Saïdia. En direction du sud, c'est aussi une halte si vous vous rendez à l'oasis de Figuig et au Sahara.

Moderne et étendue, la ville occupe une cuvette dominée par des collines en amphithéâtre, dans la plaine des Angad. Aux portes de l'Algérie, elle servit longtemps d'étape pour les voyageurs circulant par voie de terre. La fermeture des frontières entre les deux pays depuis 1994, après un attentat dans un hôtel de Marrakech, a gravement sinistré l'économie d'Oujda. Sur la soixantaine d'hôtels recensés au début des années 1990, une partie a fermé, l'autre a diminué ses tarifs de 30 à 40 %.

Arriver ou partir

En avion - À 15 km sur la route de Berkane, l'**aéroport d'Oujda Angad** (B1, en direction), ☎ 056 68 20 84, a été rénové en 1997. Joliment décoré, il est accessible en taxi. Vols directs pour Casablanca (1 à 3 par jour), Paris (mer-credi, vendredi et samedi), Marseille (mercredi et samedi), Francfort, Düsseldorf, Bruxelles et Amsterdam.

En train - Place de l'Unité Africaine (A2), à l'extrémité ouest du bd ez-Zerktouni, la gare ferroviaire, ☎ 056 68 67 37, n'est pas loin du centre. Une consigne, 6h-21h15, n'accepte que les bagages cadenassés (10 DH par bagage). 4 départs par jour en direction de Fès (6h30 de trajet, 3 trains climatisés, 1 ordinaire), avec connexion pour Tanger, Casablanca et Marrakech. La ligne sud, jusqu'à Bouarfa, est réservée au transport de marchandises.

En bus - La gare routière (A 3, en direction), ☎ 056 68 67 37, se trouve en bordure sud-ouest de la ville, de l'autre côté de l'oued Nachef, à 15 minutes à pied de la gare ferroviaire. 7 liaisons par jour pour Casablanca (12h de trajet), 3 pour Fès (5h), 5 pour Taza (3h30), 1 pour Midelt à 6h du matin, 3 pour Figuig (8h), 2 pour Bouarfa (4h30), 1 pour Al Hoceima (8h), 11 pour Nador (2h30), 5 pour Saïdia (1h).

En taxi - Les grands taxis pour Taza et Fès (avec changement à Taza) attendent en face de la gare routière. Ceux pour Nador partent de la place du Maroc (D 2), ceux pour Saïdia (peu fréquents, sauf l'été) se trouvent de l'autre côté de cette même place.

Comment circuler

L'agglomération est assez étendue, mais seul le centre, facile à découvrir à pied, présente un intérêt pour le voyageur.

Location de voitures - **Europcar**, Carlson Wagonlits, pl. du 16 août 1953 (C1), ☎ 056 70 44 16. **Avis**, aéroport, ☎ 056 70 39 22. **Hertz**, bd Mohammed V (C1), immeuble el-Baraka 2, ☎ 056 68 38 02.

Adresses utiles

Office de tourisme (C1) - Place du 16 août 1953, ☎ 056 68 56 31. Du lundi au vendredi, 8h-15h30 l'été, 8h30-12h/14h30-18h30 l'hiver. Personnel très serviable.

Banque / Change - La quasi-totalité des banques marocaines est représentée et pratique le change des espèces et des chèques de voyage. La **BMCE** et la **BMCI**, bd Mohammed V, ont des distributeurs automatiques *(B2, C1)*.

Poste / Téléphone - Bd Mohammed V *(C1)*. À droite de l'entrée principale, centre téléphonique, tlj 8h30-21h. Internet : **Espace net**, 1 bd Zerktouni *(B2)*, ☎ 056 69 67 80.

Santé - **Pharmacie de nuit**, rue Sidi Brahim, ☎ 056 68 34 90. Tlj 21h30-8h30. En face de l'agence de bus CTM et à côté de la mosquée de la municipalité Omar ibn Abdelaliz.

Centres culturels - **Institut français**, 3 rue de Berkane, presque à l'angle du bd Derfoufi *(B1)*, ☎ 056 68 44 04/49 21. **L'Alliance franco-marocaine Ibn Khaldoun**, place de Camp Rose (derrière le café Belle Vue), ☎/Fax 056 69 13 80.

Se loger

Une réouverture de la frontière pourrait bouleverser les prix. En cas de séjour prolongé, n'hésitez pas à marchander.

Environ 60 DH (6 €)

Hôtel Victoria, 74 bd Mohammed V, ☎ 056 68 50 20 – 10 ch. Simple et propre, l'hôtel est dépourvu de douches (utilisez le hammam à proximité). 5 chambres ont vue, au 1er étage, sur une allée piétonne bordée d'arbres. Le sympathique patron accepte de changer les espèces. Pas de petit-déjeuner

Environ 80 DH (8 €)

Hôtel Afrah, 15 rue de Tafna, ☎ 056 68 65 33 – 19 ch. ⌃ ⒸⒸ Un peu plus cher mais nettement plus confortable, il est décoré dans le style local, avec fontaine, zelliges et stuc ciselé. De la terrasse, on surplombe la médina. Ni douche chaude ni petit-déjeuner.

Entre 140 et 150 DH (de 14 à 15 €)

ⓐ **Hôtel Royal**, bd Zerktouni, ☎ 056 68 22 84 – 51 ch. ⌃ Dans la catégorie bon marché, c'est le meilleur rapport qualité-prix de la ville. Les chambres les plus calmes donnent sur une petite cour intérieure, les autres, sur rue, disposent d'un balcon. L'hôtel propose également de quelques chambres sans salle de bains pour 40 DH la nuit. Pas de petit-déjeuner.

ⓐ **Hôtel des Lilas**, rue Jamal ed-Din el-Afghari, ☎ 056 68 08 40 - 46 ch. ⌃ ⤬ ⒯ⓥ Hall d'entrée orné de deux rangées de plantes vertes. Chambres équipées et décorées avec soin (couvre-lits, rideaux et tabourets assortis). Accueil chaleureux. 25 % de réduction à partir de la 2e nuit. Pas de petit-déjeuner.

Environ 180 DH (18 €)

Hôtel Al-Fajr, bd Mohammed Derfoufi, ☎ 056 70 22 93 – 48 ch. ⌃ À deux pas de l'hôtel des Lilas, cet établissement de 5 étages est plus cher et moins chaleureux. Couloirs et chambres sont un peu sombres et le café, au 1er étage, n'ouvre que s'il y a suffisamment de clients. Réduction de 25 % à partir de la 2e nuit. Pas de petit-déjeuner.

Environ 400 DH (40 €)

Hôtel Al-Manar, 50 bd Zerktouni, ☎ 056 69 70 37 – 40 ch. ⌃ ▤ ⒯ⓥ ⒸⒸ Si cet hôtel de 6 étages n'a guère de charme, il est très fonctionnel. Les chambres sont petites mais confortables. Le restaurant n'est ouvert qu'aux groupes. Vue sur la ville nouvelle à partir des étages supérieurs, 30 % de réduction dès la 2e nuit.

Hôtel Oujda, bd Mohammed V, ☎ 056 68 50 63/40 93 – 105 ch. ⌃ ▤ ⒯ⓥ ⤬ ⓨ ⤴ ⒸⒸ Établissement vieillot et négligé. Parking gratuit en sous-sol, 2 bars, pâtisserie et restaurant. À partir du 4e étage, belle vue sur la médina.

Environ 580 DH (58 €)

Hôtel Moussafir Ibis, bd Abdellah Chefchaouni, ☎ 056 68 82 02 – 74 ch. ⌃ ▤ ⒯ⓥ ⤬ ⓨ ⤴ ⒸⒸ À 100 m de la gare, l'hôtel haut de gamme de la ville est entièrement climatisé. Entrée attractive avec des mosaïques bleues et blanches, chambres décevantes sur le plan de l'agencement et de la décoration. Accueil peu chaleureux et cuisine ordinaire au restaurant.

Se restaurer

Faute de clients, la plupart des restaurants d'hôtels ne fonctionnent pas.

Moins de 40 DH (4 €)

Restaurant Wassila, 17 rue de Tafna *(C2)*, 8h-22h. À côté de l'hôtel Afrah, il propose, à petit prix, une cuisine à dominante marocaine. Spécialités de tajines aux pruneaux et de tajines aux olives (35 DH). Salle climatisée au 1er étage. Quelques tables sur le trottoir.

Wilaya Centre, bd Zerktouni (en face de l'hôtel Royal) *(B2)*, 6h-22h. Fréquenté par la jeunesse locale, ce restaurant de type « fast-food » dispose d'une vaste salle avec mezzanine et coin cafétéria. Il est également possible de s'attabler le long du comptoir qui longe les fourneaux. Sandwichs, pizzas, pâtes, *chawarma* et plats de poisson de 15 à 35 DH.

À partir de 50 DH (5 €)

Le Dauphin, 38 rue de Berkane *(B1)*, ☎ 056 68 61 45. 🍷 CC 12h-15h/19h-

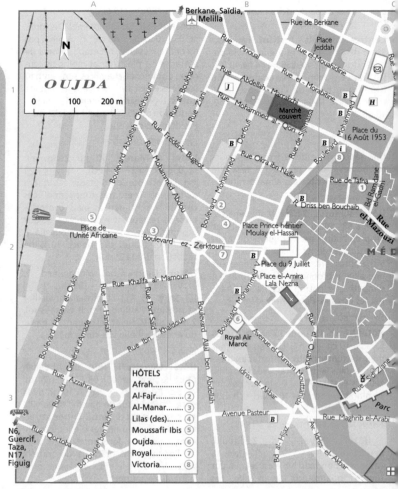

HÔTELS
Afrah..............①
Al-Fajr..............②
Al-Manar........③
Lilas (des).......④
Moussafir Ibis ⑤
Oujda..............⑥
Royal..............⑦
Victoria..........⑧

23h30. On ne trouve ici que du poisson (de 90 à 120 DH), servi dans une salle climatisée aux tons pastel, avec nappes assorties et immense miroir qui couvre un pan de mur. Adresse réputée, ouverte en 1983.

Comme chez soi, 8 rue de Sijilmassa, près du commissariat central, ☎ 056 68 60 79. 12h-15h/18h30-23h, fermé le dimanche. Le meilleur établissement de la ville est tenu par Kadar, qui a travaillé de nombreuses années dans la restauration en Corse avant de retourner au pays en 1997. Grande variété de poissons, de viandes (de 45 à 120 DH) et de desserts (goûtez les crêpes fourrées, la spécialité du chef). Salle décorée avec goût et sobriété, tables séparées par des paravents en bois ajouré, vaisselle en porcelaine de Limoges.

Sortir, boire un verre

El-Bahia, bd Zerktouni, ☎ 056 68 37 31. 4h-23h. Café-glacier décoré de manière futuriste, avec des miroirs et des motifs peints en blanc. Chaises en osier et

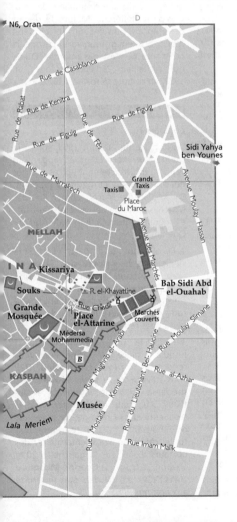

ambiance décontractée. Bonne adresse pour les glaces et les petits-déjeuners.

🏠 **Pâtisserie-confiserie Colombo**, 83 bd Mohammed V *(B2, C2)*, ☎ 056 68 21 82. 5h-22h. Fondé par un Italien, racheté en 1961, cet établissement réputé ne désemplit pas. Il est souvent difficile de trouver une table. Vaste choix de gâteaux, petits fours et sablés délicieux.

Loisirs

Piscines / Hammams - Lorsqu'il n'est pas complet, l'**hôtel Oujda** *(B2)* accepte dans sa piscine, à la propreté relative, les non-résidents (50 DH par personne). Pour le même prix, celle du **Moussafir Ibis** *(A2)*, aménagée dans un jardin, est bien plus agréable.

L'eau, qui sort à 50 °C en pleine ville, est fortement minéralisée et réputée pour soigner les maladies de peau. Pour exploiter la **source Ben Kachour**, un hammam du même nom est ouvert, rue Achouhada, 8h-13h pour les femmes, 13h-20h pour les hommes.

HISTOIRE

La cité de la peur

Âprement disputée par l'Algérie et le Maroc, maintes fois saccagée et rebâtie, Oujda fut surnommée « *Médina el-haïra* », la « cité de la peur ». Fondée en 944 par **Ziri ben Attya**, prince zénète de la tribu maghraoua, elle devint la capitale d'un État s'étendant de Fès à Constantine. Cet âge d'or dura un siècle et demi. En 1206, Oujda fut conquise et fortifiée par le chef almohade **Youssef ben Tachfine**, puis ravagée à plusieurs reprises au cours des siècles suivants. À partir du 15e s., la cité passa périodiquement sous contrôle des Algériens de Tlemcen puis des Turcs établis en Algérie. En 1687, le sultan marocain **Moulay Ismaïl** chassa les Ottomans, mais ceux-ci menèrent des incursions jusqu'en 1806.

Explosion démographique au 20e s.

La période contemporaine est moins dramatique. En 1844, Oujda fut la pre-mière ville du Maroc à être occupée, brièvement, par les Français. Venant d'Algérie, ceux-ci pourchassaient l'émir rebelle Abdelkader et remportèrent la **bataille d'Isly**. Ils s'y établirent à partir de 1907. La ville comptait alors 20 000 habitants. Sous le protectorat, elle connut une forte expansion et sa population quadrupla en un demi-siècle. L'ouverture de mines de plomb et de zinc, l'arrivée du chemin de fer en 1916, favorisèrent l'implantation d'immigrants. À l'indépendance de l'Algérie, une dizaine de milliers de réfugiés s'y installèrent. Malgré le départ des Français, puis des juifs, et en dépit d'une forte émigration vers l'Europe, la croissance ne s'est pas ralentie. Oujda qui accueillait 260 000 personnes en 1982, en compte désormais 350 000.

LA MÉDINA★

Comptez 1h.

De la place du 16 août 1953, suivez la rue de Marrakech et ses échoppes, qui vendent indistinctement épices, articles de contrebande et gadgets japonais. Sur la place du Maroc, prenez l'av. des Marchés, envahie par les étals de fruits et légumes, jusqu'à Bab Sidi Abd el-Ouahab.

▶ Percée dans les remparts à l'est de la vieille ville, la **« porte des Têtes »**★ *(Bab Sidi Abd el-Ouahab) (D2)*, en pisé jaune, marque la mémoire collective de sinistre façon. Les pachas avaient l'habitude d'y suspendre les têtes des criminels et des rebelles.

▶ Prenez la rue Chadli en continuant jusqu'à la place el-Attarine. Pour vous rendre sur la **place el-Attarine** *(D2)*, vous traverserez le **souk el-Kenadsa**, spécialisé dans les vêtements et les tissus. Au cœur du quartier le plus fréquenté de la médina, la place est reconnaissable à ses arbres. Parmi une foule très dense, vous remarquerez des porteurs d'eau. Sur la gauche, à 20 m environ, se trouve la **Grande Mosquée** (14e s.) *(C2)*, en mauvais état *(interdite aux non-musulmans)*.

▶ Sur la droite, empruntez la rue el-Khayattine jusqu'à la Kissariya. Sous des bâches en plastique, les étals de la **Kissariya** *(C2, D2)* exposent babouches et vêtements traditionnels, pierres semi-précieuses et fossiles, ou encore appareils électroménagers. Dans une cour attenante, on entend le cliquetis des métiers à tisser. Poursuivez par la **rue el-Mazouzi** (rue des Bijoutiers) *(C2)*, où des montres à bas prix côtoient de belles pièces en or et en argent. Certains noms de boutiques, de restaurants et de petits hôtels (Alger, Tlemcen, Oran) rappellent l'origine algérienne d'une partie des habitants.

En continuant tout droit, on retrouve la ville nouvelle, au bout de la rue Driss ben Bouchaïb.

LE VILLAGE DE SIDI YAHYA BEN YOUNES★

6 km à l'est de la ville. Prenez le bus n° 9, place du Maroc, ou un petit taxi.

Le saint patron de la ville, Sidi Yahya ben Younes, est vénéré par les trois religions monothéistes. Pour les chrétiens, il s'agit de saint Jean, fils de Jonas ; pour les juifs, c'est un rabbin castillan installé à Oujda en 1391. Les musulmans lui consacrent un important **moussem** à la fin de l'été. Son **tombeau** *(se déchausser à l'entrée)* est situé dans une oasis peu à peu grignotée par le béton des quartiers périphériques. À proximité, une source, censée soigner les rhumatismes, se tarit l'été. Durant le reste de l'année, un hammam est ouvert.

2 jours	Rabat (p. 199)
Suggestion de promenade	1er jour : découverte de la kasbah des Oudaïas (jardin et musée des Oudaïas, pause au Café Maure), petit tour au marché central, flânerie et déjeuner dans la médina.
	L'après-midi, visite du Musée archéologique puis promenade sur l'esplanade de la mosquée de Yacoub el-Mansour. Soirée dans un restaurant au bord de la plage.
	2e jour : balade romantique dans Chellah puis visite de Salé (médersa, ruelles de la médina, borj Nord-Ouest).
Transport	À pied dans Rabat, en bus (n° 16) ou en grand taxi pour rejoindre Salé.
Conseils	En fin d'après-midi, à l'heure de sortie des bureaux, prenez un verre en centre-ville, à la terrasse de l'hôtel Balima par exemple, pour voir l'animation de la capitale administrative du pays.

4 jours	De Rabat à Essaouira
Suggestion d'itinéraire (env. 465 km)	1er jour : trajet Rabat-Casablanca, visite de Casablanca (p. 225). Nuit à Casablanca.
	2e jour : trajet Casablanca-Azemmour et visite d'Azemmour (p. 242) le matin. Après-midi et soirée à El-Jadida (p. 243).
	3e jour : trajet El-Jadida-Oualidia (p. 250) avec arrêt baignade à Sidi-Bouzid (p. 250), après-midi farniente et soirée dans la tranquille station balnéaire de Oualidia (p. 250), dégustation d'huîtres.
	4e jour : trajet Oualidia-Safi (p. 251), visite de la médina et de la colline des Potiers de Safi (p. 254), trajet Safi-Essaouira par la côte (p. 256).
Transport	Location d'une voiture ou transports en commun.
	Rabat-Casablanca en train (env. 1h) ; Casablanca-El-Jadida avec arrêt à Azemmour en train (1h10) ; pas de train entre El-Jadida et Safi, prendre le bus ; Safi-Essaouira en bus (voir les parties pratiques des villes concernées).
Conseils	En voiture, entre Casablanca et Azemmour, prenez la route côtière, moins fréquentée que la N1. Ne pas rouler de nuit.

2 jours	Essaouira (p. 258)
Suggestion de promenade	1er jour : flânerie sur les remparts, la skala de la ville et sur le port le matin, déjeuner de poissons grillés. Visite de la médina l'après-midi. Séance de hamman en fin de journée.
	2e jour : balade à cheval ou à dos de dromadaire entre les arganiers et les dunes la matin. Activités balnéaires l'après-midi.
Transport	À pied.

Pêche à Oualidia

ASILAH★

Quelques repères

200 km de Rabat, 46 km de Tanger - 29 200 hab. - Carte Michelin n° 742 pli 9.

À ne pas manquer

Flâner dans la médina et faire le tour des remparts.

Le souk du jeudi.

Conseils

Mangez du poisson dans l'un des restaurants espagnols.

Si le festival ne vous intéresse pas, évitez de séjourner au mois d'août.

Il y a 25 ans, Asilah était une délicieuse petite cité endormie. Une sensation apaisante émanait de sa médina silencieuse aux ruelles éblouissantes de blancheur, et l'on se sentait protégé des agressions du monde derrière ses remparts vieux de cinq siècles.

Aujourd'hui, l'accroissement démesuré de la population, le zèle intempestif de la municipalité (en particulier la construction d'une marina) et la notoriété internationale du festival culturel ont ruiné la tranquillité de la ville, qui a tendance à devenir un petit Saint-Tropez. Mais en plein hiver, quand le vent, le froid et l'humidité ont fait fuir les touristes, Asilah retrouve, aux yeux de ses éternels amoureux, son charme d'antan.

Arriver ou partir

En voiture - Tanger, de même que Larache, est à moins de 45mn de voiture par la N1. Comptez 2h pour l'autoroute pour rejoindre Rabat.

En bus - Les bus de la CTM, de la SATAS et des compagnies locales partent de l'av. Prince Héritier Sidi-Mohammed (ex-av. de la Liberté), à l'angle du bd de la Marche Verte. Chaque jour, il y a 10 bus pour Rabat et Casablanca, 9 pour Tanger et 5 pour Larache.

En taxi collectif - Les grands taxis (couleur crème) partent des abords de la pl. Mohammed V.

En train - La gare est située à 2 km du centre sur la route de Tanger, c'est-à-dire en pleine campagne, ce qui n'est guère pratique. Il y a 6 trains par jour pour Tanger et pour Rabat.

Comment circuler

La médina est petite et ne se parcourt qu'à pied : garez votre voiture devant Bab al-Bahr, ou face au nouveau port, ou bien dans les rues du quartier nord. Les soirs d'été, évitez absolument de circuler en voiture à l'heure du « paseo », car il y a une foule considérable dans les rues. Si nécessaire, utilisez les petits taxis (vert Véronèse avec une bande blanche).

Adresses utiles

Banque / Change - Toutes les banques sont situées autour de la pl. Mohammed V. Seule la **Banque populaire** possède un distributeur de billets, mais qui n'acceptait pas – lors de notre visite – les cartes étrangères.

Poste / Téléphone - Noyée dans la verdure, la poste se trouve à l'angle de la route de Tanger et de l'av. des Nations Unies. Nombreuses téléboutiques dans la ville.

Sécurité - Commissariat de police, à l'angle de l'av. Mohammed V et de l'av. Prince héritier Sidi-Mohammed.

Centres culturels - Centre Hassan II des rencontres internationales, rue de la Kasbah, ☎ 039 41 70 65/83 95. Tlj 8h-12h30/15h-19h, entrée libre. **Palais de la culture**, palais Raissouli, ☎ 039 41 87 29/30. Visite sur demande écrite (fax) adressée au président de l'Association culturelle al-Mouhit.

Se loger

Attention : au mois d'août, pendant le Moussem culturel d'Asilah, il est extrêmement difficile de se loger. Notez que, en dehors de la période estivale, au hasard d'une rencontre, on peut facilement louer des chambres confortables chez l'habitant pour moins de 220 DH.

Environ 60 DH (6 €) à deux avec 1 tente et 1 véhicule

Camping as-Sada, à 750 m du centre sur la route de Tanger, ☎ 039 41 73 17. Propre, bien ombragé et donnant directement sur la plage. 25 bungalows (3 à 4 pers.) sans eau. Petit restaurant ouvert en août uniquement.

Entre 120 et 150 DH (12 à 15 €)

Hôtel Asilah, 2 av. Hassan II, face aux remparts (l'entrée se trouve dans la petite rue Abou Kacem ech-Chabbi), ☎ 039 41 72 86 – 12 ch. La plupart des petites chambres (sauf deux) ont la douche à l'extérieur. Elles sont propres, et la literie est renouvelée chaque année. Pas de petit-déjeuner.

Hôtel Sahara, 9 rue Tarfaya, ☎ 039 41 71 85 – 24 ch. Petit hôtel tranquille, très sommaire mais impeccable, et équipé de sanitaires (communs) propres. Pas de petit-déjeuner.

Environ 400 DH (40 €)

Hôtel Patio de la Luna, 12 rue Zelaka, ☎ 039 41 60 74 – 7 ch. Minuscule hôtel de charme, tenu par un Sévillan qui traite ses clients comme des invités. Construit avec des techniques traditionnelles autour des superbes ficus du patio, cet établissement est particulièrement agréable. Pas de petit-déjeuner. Réservez en haute saison.

Hôtel Oued al-Makhazine, 10 av. Melilla (face au port), ☎ 039 41 70 90 - 40 ch. Pas de charme particulier, mais un bon rapport qualité-prix. Bar. Tarif réduit en basse saison.

Environ 520 DH (52 €) pour deux en demi-pension

Village Club Solitaire, à 4 km du centre sur la route de Tanger, ☎ 039 41 75 81 – 21 ch. Outre les chambres d'hôtel entourant un jardin intérieur, ce complexe touristique, situé en bordure de plage, comporte 7 studios et 6 appartements, un camping ombragé de mimosas et une vaste discothèque. Idéal pour un séjour

en famille. Un peu bruyant le matin (train, route et basse-cour !). Demi-pension obligatoire en haute-saison.

Environ 650 DH (65 €)

Hôtel al-Khaima, à 1 km du centre sur la route de Tanger, ☎ 039 41 74 28 – 90 ch. Le meilleur hôtel d'Asilah est agréablement installé autour d'un beau jardin et d'une grande piscine. Chambres spacieuses avec terrasse. 20 studios pour 4 pers. Parking gardé, billard et discothèque. Tarif réduit en basse saison.

Se restaurer

Moins de 50 DH (5 €)

Au début de l'av. Hassan II, une dizaine de restaurants bon marché étalent leur terrasse à l'ombre d'eucalyptus au pied des remparts. Parmi ceux-ci, signalons le **Nossair**, aux délicieux tajines de poisson.

Entre 100 et 200 DH (10 à 20 €)

Asilah est réputée pour ses restaurants de poisson, qui attirent la clientèle tangéroise. Nous vous recommandons les suivants :

Casa Garcia, 51 av. Moulay Hassan ben Mehdi (face au port, à l'angle de l'av. Ibn Rochd), ☎ 039 41 74 65 Outre les classiques poissons grillés, vous pourrez goûter le *caldero de pescado* (marmite du pêcheur) ou la *fideua* (pâtes aux fruits de mer). On ne trouve plus d'*angulas* (civelles), mais les anchois marinés sont exquis.

El Espigon, tout au bout de l'av. Moulay Hassan ben Mehdi, ☎ 039 41 71 57/41 88 39 Vous pouvez commencer par une *bejerina* (salade d'aubergine chaude) avant d'attaquer des brochettes d'espadon.

Restaurant Oceano, Casa Pepe, 24 rue Zelaka, ☎ 039 41 73 95 Le plus ancien (1914) et le plus réputé des restaurants d'Asilah est surtout fréquenté par les Espagnols de la ville. Faites-vous présenter le plateau de poissons ou bien commandez (au moins 30mn à l'avance) une paella ; le patron vous la servira lui-même, très cérémonieusement, avant d'en consommer une partie.

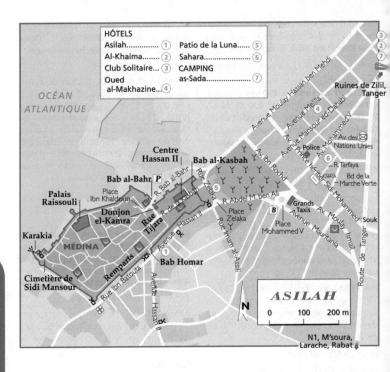

Sortir, boire un verre

Bars - Seuls les bars des hôtels **Oued al-Makhazine**, **Club Solitaire** et **al-Khaima** servent de l'alcool.

Cafés - Sur l'extrémité de l'av. Mohammed V, proche de la place du même nom, on trouve plusieurs terrasses très fréquentées à toute heure : le **café-salon de thé Ifrane**, le **Meknès**, le **Tanger**, etc. Vous pouvez y prendre de copieux petits-déjeuners. Avenue Hassan II, au-delà des restaurants, des cafés plus tranquilles ont disposé leurs fauteuils en bois de laurier sous les eucalyptus. Au mois d'août (uniquement), venez consommer devant les cimaises du patio du **Centre Hassan II des rencontres internationales**.

Discothèques - À l'extérieur de la ville, dans les hôtels **Club Solitaire** et **al-Khaima**.

190

Loisirs

Festival - Le **Moussem culturel d'Asilah** a lieu chaque année au mois d'août. Ce festival de renommée internationale est principalement consacré aux arts plastiques et à la littérature. Il attire une foule d'artistes plasticiens, d'architectes, d'écrivains et d'intellectuels, venus de tout le monde musulman et méditerranéen. La ville sort de sa torpeur et s'anime allègrement, grâce aux multiples conférences, expositions et concerts qui ont lieu, notamment, dans le Centre Hassan II. Durant le festival, les artistes invités sont logés dans le palais Raissouli, où ils disposent d'ateliers de peinture, de gravure et de céramique.

Achats

Journaux - La presse internationale est en vente dans un petit kiosque av. Hassan II, près des remparts.

Marché - Le **souk hebdomadaire** du jeudi, qui se tenait jadis au pied des remparts, entre Bab al-Kasbah et Bab Homar, a été déplacé au-delà de la route de Tanger. Fréquenté essentiellement par les villageois des environs, il est resté très authentique. Tous les matins, un **marché** très animé se tient dans l'av. Ibn Batouta, le long des remparts.

Antiquités / Artisanat - Dans la médina, outre les inévitables boutiques d'antiquités et de souvenirs, vous trouverez, dans la **rue Tijara**, deux menuisiers qui font encore des étagères (*mahfaa*) dans le style du Rif, un atelier travaillant le corail et, au 4 de la rue Idrissi Rifi *(face à l'ancienne mosquée)*, l'**atelier d'Himi Ridouane**, spécialiste des zelliges, qui réalise, à la demande, des tables (de 1 200 à 5 000 DH) ou des panneaux muraux en mosaïque de céramique.

HISTOIRE

Asilah fut longtemps identifiée, à tort, avec Zilis, ancien comptoir punique devenu colonie romaine sous Auguste, que le géographe grec Strabon situait

---

Raissouli, un bandit entré en politique

Raissouli fut un bandit précoce : voleur de bétail à 10 ans, brigand redouté à 18, c'est à l'âge de 25 ans qu'il se mit à enlever des personnalités étrangères, comme le consul des États-Unis ou le correspondant du *Times* à Tanger, Walter Harris. Outre de fortes rançons, ces actions spectaculaires lui valurent une renommée internationale qu'il sut habilement exploiter. En 1906, Raissouli devint pacha d'Asilah et, quelques années plus tard, gouverneur de tout le Nord du Maroc. Durant la Première Guerre mondiale, il joua un double jeu qui devait lui être fatal : il accepta le soutien et la confiance de l'Espagne, tout en se faisant l'allié de l'Allemagne, qui lui faisait miroiter le titre de sultan. À la fin de la guerre, malgré son emprise sur les populations du Rif, il fut abandonné de tous et, en 1925, finit prisonnier d'Abd el-Krim, qui le considérait comme un traître.

---

entre Tingis et Lixus. En fait, les fouilles archéologiques récentes ont montré que Zilis, ou plus exactement **Zilil**, s'élevait à une quinzaine de kilomètres au nord-est d'Asilah, au bord d'une lagune. Dans l'Antiquité, celle-ci communiquait avec la mer et constituait un abri bien plus sûr que le mouillage précaire formé par les rochers d'Asilah.

Le port prit de l'importance après la conquête islamique et suscita même la convoitise des Normands ! Au début du 15ᵉ s., il devint le principal débouché maritime de Fès, attirant des marchands juifs, génois et castillans. En 1471, le roi du Portugal, **Alphonse V l'Africain**, débarqua à Asilah à la tête d'une puissante armée, afin de prendre Tanger à revers. Il s'empara de la ville, ce qui entraîna la reddition immédiate de Tanger. Très rapidement, les Portugais édifièrent des fortifications qui leur permirent de résister à de nombreux sièges ; mais en 1550, le roi Jean III préféra l'évacuer pour concentrer ses forces à Tanger et à Ceuta. Entre 1577 et 1589, Asilah fut à nouveau occupée par les Portugais, auxquels succédèrent les Espagnols.

Puis elle sombra un peu dans l'oubli, jusqu'à ce qu'un brigand, **Ahmed Raissouli**, vienne défrayer la chronique au début du siècle *(voir encadré)*.

Les Espagnols y débarquèrent en 1911, et la ville fit partie du **Maroc espagnol** jusqu'à l'indépendance en 1956.

LA VIEILLE VILLE

Comptez 2h.

En arrivant de Tanger, on traverse le quartier construit par les Espagnols entre 1911 et 1956, avant d'atteindre les murailles de la médina.

▸ Datant de la fin du 15ᵉ s., les **remparts portugais★** sont remarquablement bien conservés. Construite en moellons de calcaire jaune, l'enceinte, longue de 1 250 m et haute d'environ 8 m, est renforcée de tours rondes ; elle enserre la médina dans un rectangle approximatif, prolongé au nord-est par la kasbah. La muraille n'est percée que de trois portes : du coté terrestre, **Bab Homar** (ou Bab el-Jbel) est un puissant bastion circulaire, surmonté du blason un peu effacé du roi du Portugal, que traverse un passage coudé ; du côté maritime, **Bab al-Bahr** (la porte de la Mer) permet de descendre vers la plage ; enfin, on accède à la citadelle par **Bab al-Kasbah**, porte très simple, flanquée de deux grosses tours percées d'embrasures pour les canons.

▶ Franchissez Bab al-Kasbah. Dans une rue large, face à la Grande Mosquée, s'élève le **Centre Hassan II des rencontres internationales** *(entrée libre)*. Ce vaste bâtiment moderne et aéré a été construit en 1988 pour accueillir le **Moussem culturel d'Asilah** *(voir la rubrique « Festival »)*.

▶ À proximité, se dresse le **donjon el-Kamra**, qui, seul, résista lors du siège catastrophique de 1508, quand les Portugais furent à deux doigts de perdre Asilah. Sa restauration de 1993 n'est pas vraiment une réussite : si les échauguettes et les merlons en béton du sommet passent assez bien, en revanche, la toiture à quatre pentes fait penser à Disneyland ! Au pied de la tour, s'ouvre le passage en diagonale de **Bab al-Bahr**.

▶ De la place Ibn Khaldoun, rejoignez le rempart maritime. Le **rempart maritime** (plate-forme avec sept canons) est bordé, sur toute sa longueur, de façades blanchies à la chaux percées de fenêtres bleues.

▶ À mi-chemin, vous ne pourrez manquer la masse imposante du **palais Raissouli** *(visite possible uniquement au mois d'août ou sur demande écrite)*. Construit vers 1906 par le célèbre bandit *(voir encadré)*, l'édifice a été restauré à partir de 1981 pour devenir le **palais de la Culture**, espace hébergeant divers ateliers d'artistes. Sous le palais, la ruelle se transforme en passage couvert, avant de déboucher sur une placette, où une grande porte en fer à cheval verte donne accès au hall central, entièrement recouvert de zelliges, de stuc et de bois peint.

▶ En poursuivant le long du rempart, vous aboutirez à une tour avancée, la **Karakia**, qui domine le joli petit **cimetière de Sidi Mansour★** : la coupole blanche du marabout et les tombes carrelées, qui évoquent des tapis de prière multicolores, en font le **point de vue★** le plus romantique d'Asilah ; nombreux sont les habitants qui viennent y deviser au coucher du soleil.

▶ Vous pourrez regagner **Bab Homar** en flânant dans les ruelles de la médina, le lieu le plus animé étant la **rue Tijara** (« du Commerce »), où sont regroupées la plupart des boutiques et des échoppes d'artisans.

LES RUINES DE ZILIL

À 14 km d'Asilah.

Sortez de la ville par la route de Tanger *(N1)* et tournez à droite avant la gare de chemin de fer *(S612)*. Arrivé à Souk el-Had el-Gharbia, prenez la piste qui mène à Dchar Jdid *(2 km)*. Le site est à la sortie du village, à droite.

Fouillée depuis les années 1970 par une équipe franco-marocaine, cette importante ville antique domine une lagune. Vous pourrez voir des murailles, des thermes et plusieurs rues bordées de maisons.

LE CROMLECH DE M'SOURA

À 25 km d'Asilah. Comptez 1h de trajet et 15mn de visite (donnez quelques dirhams au gardien).

Il existe plusieurs manières d'atteindre M'Soura, mais aucune n'est aisée, et on ne peut guère se passer d'un guide car il n'y a pas la moindre indication. Par temps de pluie, un 4x4 est indispensable, mais ce type de véhicule peut aussi se retrouver en grande difficulté. Dans l'attente de l'achèvement de la route directe Asilah-Souk Tnine, le plus simple consiste à quitter Asilah par la route de Larache *(N1)* puis, au bout de 14 km, à prendre la route de Tetouan *(R417)*, à gauche. Après avoir franchi l'autoroute et la voie ferrée, tournez à gauche juste après la station d'essence Somepi : une petite route goudronnée conduit jusqu'au village de Souk Tnine de Sidi Yamani, où vous trouverez aisément un guide *(rétribution de 10 ou 20 DH)*. À partir de là, il faut encore faire 6 km de pistes argilo-sableuses, en direction du nord-est.

▶ Cette « enceinte » circulaire, formée de **mégalithes** plantés verticalement, était probablement la tombe d'un personnage important de la seconde moitié du 1er millénaire avant notre ère. Une double couronne de pierres dressées (dont la plus haute atteint 6 m) entoure un tumulus de 55 m de diamètre, largement éventré par les fouilles archéologiques espagnoles (une maquette est exposée au musée de Tetouan).

Malgré la présence d'un gardien dans le hameau voisin, le site est laissé à l'abandon. Avouons-le, pour le non-spécialiste, la visite est un peu décevante, et cette excursion est surtout une occasion de parcourir les paysages sauvages de l'**arrière-pays Djebala** : collines ravinées, tantôt dénudées tantôt couvertes de fougères, dont les crêtes sont occupées par des masures aux toits de chaume (ou de tôle ondulée), entourées de haies de figuiers de Barbarie.

LARACHE ET LIXUS★

Quelques repères

150 km de Rabat, 88 km de Tanger - 107 000 hab. - Carte Michelin n° 742 plis 5 et 9.

À ne pas manquer

Les bâtiments de style néo-mauresque.

La ville antique de Lixus.

Conseils

Le soir, faites le « paseo » sur la corniche.

Visitez Lixus le matin avant la grosse chaleur.

Larache est peu visitée et pourtant, même en l'absence de monuments notoires, elle ne manque ni d'intérêt ni de charme. La ville blanche s'étire au bord d'un plateau rocheux dominant l'embouchure de l'oued Loukos, dont les innombrables méandres confondent le regard. Dans la médina, l'ambiance, encore très authentique, est fortement dépaysante pour les rares touristes. Quant à la ville nouvelle espagnole, elle témoigne d'un urbanisme qui a su combiner monumentalité et convivialité.

La ville antique de Lixus est exceptionnelle, tant par sa position géographique que par l'ancienneté et l'étendue de ses ruines. Ce serait une erreur de passer à côté sans la visiter, même si elle n'attire guère les foules.

Arriver ou partir

En voiture - Tanger est à moins de 1h30 par la N1. Il faut 1h15 pour rejoindre Rabat par l'autoroute (péage 40 DH).

En bus - La gare routière est située près de la rue Ibn Khaldoun. Au moins 5 bus par jour se rendent à Tanger et à Rabat.

En taxi collectif - Les grands taxis (bleus) partent de la gare routière.

Comment circuler

La voiture n'est pas nécessaire dans Larache, car la zone digne d'intérêt est peu étendue. Il n'y a pas de problème particulier pour circuler et se garer ;

cependant, à l'heure du « paseo », il vaut mieux éviter la place de la Libération et la corniche. Ceux qui ne disposent pas d'une voiture peuvent tout de même se rendre sans trop de difficultés aux ruines de Lixus et à la plage de Ras Rmel en prenant les bus n° 4 ou n° 5.

Adresses utiles

Banque / Change - Les banques se trouvent près de la poste, sur la place de la Libération et dans la rue Zerktouni. La majorité d'entre elles possèdent un distributeur automatique.

Poste / Téléphone - Av. Mohammed V, presque en face de l'église Nuestra Señora del Pilar. Plusieurs téléboutiques dans la ville.

Se loger

Larache étant peu visitée, il est plus facile, en été, d'y trouver une chambre d'hôtel qu'à Asilah.

Environ 80 DH (8 €)

Hôtel Cervantes, 3 rue Tarik ibnou Ziad, ☎ 039 91 08 74 - 19 ch. ✕ Noble et pauvre, comme Don Quichotte, cet hôtel, situé au 1er étage d'un bel immeuble hispano-mauresque de la place de la Libération, n'est plus entretenu depuis des lustres. Mais ses grandes chambres dépouillées vous permettront de passer la nuit à peu de frais. Douches communes.

Entre 100 et 160 DH (10 à 16 €)

Hôtel Malaga, 4 rue de Salé (perpendiculaire au pasaje del Teatro), ☎ 039 91 18 68 - 25 ch. Niché dans une ruelle proche du centre, cet établissement possède des chambres petites mais très propres ; 10 d'entre elles disposent d'une douche privée.

Environ 250 DH (25 €)

Gran Hotel España, 6 av. Hassan II, ☎ 039 91 31 95 - 45 ch. ⌑ CC C'était l'hôtel le plus luxueux de Larache à l'époque espagnole. Il assure un bon confort tout en gardant un certain cachet. Essayez d'obtenir une chambre avec un balcon donnant sur la place de la Libération. Pas de petit-déjeuner.

Environ 540 DH (54 €) pour deux en demi-pension.

Hôtel Riad Larache, 88 av. Mohammed ben Abdallah, ☎ 039 91 26 26 - 24 ch. ☝ ✗ ⌕ CC Protégée des bruits de la ville par un vaste parc, cette ancienne propriété du comte de Paris a été transformée en hôtel par l'ONMT. Il y règne une atmosphère compassée, mais c'est le plus confortable et le plus tranquille des hôtels de Larache. Demi-pension obligatoire l'été. 314 DH avec petit-déjeuner hors saison.

Se restaurer

Moins de 50 DH (5 €)

Sur la place de la Libération et dans les rues avoisinantes, on trouve plusieurs restaurants bon marché. Moins chères encore, en descendant vers le port, des gargotes en plein air proposent leurs poissons grillés ou frits, tandis que, sur la rive droite de l'oued Loukos, les guinguettes s'alignent sur la plage de Ras Rmel.

Environ 120 DH (12 €)

Al-Khozama, 114 av. Mohammed V, ☎ 039 91 44 54/91 37 71. CC (+19 % de commission !) Le cadre, qui se veut moderne, est un peu sinistre, mais on appréciera l'air conditionné. Spécialité de poissons ; pas de vin.

Entre 100 et 200 DH (10 à 20 €)

☺ **Estrella del Mar**, 68 rue Mohammed Zerktouni (en face de l'entrée du marché central), ☎ 039 91 22 43/33 25. ☿ Ce restaurant, dirigé par un Espagnol tonitruant, est le plus réputé de la ville pour ses poissons et ses crustacés ; cependant il est un peu cher par rapport à la qualité. Les salles sont situées en étage et donnent sur la mer.

Sortir, boire un verre

Cafés - Bien sûr, il faut aller lézarder en fin d'après-midi sur la place de la Libération, à la terrasse du **Lixus** ou du **Koutoubia**. Mais que c'est triste sans jerez ni tapas ! À défaut de *manzanilla*, faites le *paseo* en dégustant des *churros* et en guettant le rayon vert du haut de la corniche.

Achats

Au **Zoco**, vous trouverez bien une paire de babouches ou une djellaba à votre taille et, au **marché central**, des fraises en hiver !

On peut se procurer quelques journaux et livres étrangers dans la boutique de **la Lotería**, av. Mohammed V, juste avant la place de la Libération.

HISTOIRE

Contrairement à Lixus, Larache n'est pas une ville très ancienne, et les historiens arabes ne la mentionnent qu'à partir du 13e s. Elle a vraisemblablement été fondée par la tribu des Beni Arous, qui lui donnèrent le nom d'**el-Araïch** (« les treilles »), en raison de l'abondance des vignes dans cette contrée.

Après la chute d'Asilah en 1471, la zone de Larache fut attribuée au Portugal, et les Marocains durent évacuer la ville. Mais les Portugais ne l'occupèrent pas, essayant plutôt, en 1489, de créer une forteresse, la **Ilha Graciosa**, sur l'oued Loukos, assez en amont de Larache pour menacer Ksar el-Kébir. Ce fut un échec et les Marocains purent se réinstaller dans la ville.

Au 16e s., en dépit de fréquentes incursions portugaises et de l'attaque espagnole de 1546, Larache prospéra car c'était l'unique port tenu par les Marocains dans la région. Parallèlement, la **piraterie** se développa, surtout après le départ des Portugais d'Asilah, en 1550, ce qui finit par déclencher l'intervention espagnole de 1610 et une occupation durable de la ville. En 1689, Moulay Ismaïl reprit Larache après trois mois de siège. Plus tard, **Mohammed ben Abdallah** fit construire un marché et une *médersa*, et renforça considérablement les fortifications du port, grâce à quoi il résista aux attaques navales française (1765), autrichienne (1820) et espagnole (1860).

Dès la fin du 19e s., des commerçants espagnols s'installent à Larache, comme en témoignent les fondouks et les maisons proches du port. En juin 1911, le débarquement des troupes espagnoles marque le début de la colonisation officielle ; Larache, en plus de ses activités portuaires, devient un centre administratif et une importante ville de garnison.

VISITE DE LARACHE

Comptez 1 à 2h.

LA VILLE ESPAGNOLE★

▸ Au centre de Larache, la **place de la Libération★** (ex-Plaza de España), une grande place de forme elliptique, fait la jonction entre la médina, au nord-est, et la ville nouvelle, au sud-ouest. Aujourd'hui encore, le contraste est fort, mais du temps de la colonisation il devait être saisissant : d'un côté, les ruelles tortueuses et pentues d'une médina mystérieuse renfermée dans ses traditions, de l'autre, les avenues conduisant aux quartiers de la ville du futur ! Le côté nord-est de la place est bordé d'arcades où se presse une foule bigarrée et pauvre, tandis qu'en face se dressent de beaux **immeubles néomauresques**, toujours occupés par des hôtels et des cafés, même si ceux-ci ont bien perdu de leur lustre.

Des anguilles au prix de l'or

La spécialité culinaire de Larache fut longtemps les *angulas al ajillo*, c'est-à-dire des civelles frites avec une persillade. Pendant des années, les habitants de Larache, Espagnols comme Marocains, se régalèrent de ce plat très populaire. Durant les mois d'hiver, les jeunes anguilles, grosses comme des vers de terre, se pêchaient par milliers, à l'aide de carrelets, dans l'oued Loukos. Mais au début des années 1990, l'exclusivité de cette pêche a été accordée à un homme d'affaires et toute la production est exportée à prix d'or vers l'Espagne ou la France. À Larache même, on n'en trouve plus qu'au marché noir et le prix d'une portion représente plusieurs jours de salaire...

▸ Plusieurs avenues rayonnent à partir de la place de la Libération. Au sud-est, sur l'**avenue Mohammed V**, jetez un coup d'œil à la **poste** et aux coupoles bleu vif de l'**église Nuestra Señora del Pilar**, avant d'atteindre, à gauche, le **château des Cigognes** (Castillo de las Cigüeñas), forteresse triangulaire construite au début du 17e s. *(ne se visite pas)*. Derrière celle-ci, se trouve une jolie tour carrée qui abrite un minuscule **Musée archéologique**, sans grand intérêt *(du mardi au samedi 9h30-12h/15h30-16h ; entrée payante)*. À côté, un **belvédère** domine le port.

▸ Au sud-ouest, la rue Zerktouni conduit au **marché central★**, qui est sans doute le bâtiment espagnol le plus remarquable de la ville, mais il manque cruellement d'entretien. À l'intérieur, couleurs, odeurs, animation, tout concourt au spectacle.

▸ Enfin, au nord-ouest, la rue d'Espagne débouche immédiatement sur la **corniche** qui surplombe l'océan ; c'est le lieu de promenade préféré des habitants de Larache, qui viennent, chaque fin d'après-midi, faire le *paseo* en dégustant des *churros* (beignets sucrés) ou des tranches de noix de coco proposés par les vendeurs ambulants. Au nord, la forteresse, dite **Kebitat** (« les petites coupoles »), domine l'embouchure de l'oued Loukos, offrant un beau **point de vue★**. Les bâtiments, qui ont été construits par Mohammed ben Abdallah (18e s.), sont en mauvais état. Attention, la visite est dangereuse à cause des risques d'éboulement.

▸ En parcourant la corniche vers le sud, en direction du phare, on passe devant un cimetière musulman, puis devant l'**abattoir** *(matadero)*, construit en 1917, avant d'arriver au cimetière espagnol, où est enterré **Jean Genet** (1910-1986). Placée au bord de la falaise, la tombe de l'écrivain est d'une noble simplicité : deux pierres plates, blanchies à la chaux, dressées face à l'océan. Dommage que l'endroit soit si sale et qu'il faille affronter des chiens hargneux pour l'atteindre...

LIXUS

0 50 100 m

Remparts

Quartier d'habitation

Maison de Mars et Rhéa Silvia

Temple de Neptune

N

Théâtre

Temple phénicien

Thermes

Mosquée

Grand Temple

Mosaïque du dieu Océan

ACROPOLE

Remparts

Tanger

VILLE BASSE

Ateliers de salaisons

Plage de Ras Rmel

Larache Gare routière

Entrée

P

N1

Port antique

Oued Loukos

LIXUS ★

Comptez 2h pour une visite complète.

Sortez de Larache par la route de Tanger et franchissez l'oued Loukos. Au bout de 3,5 km, vous verrez un arrêt de bus et une route à gauche pour la plage de Ras Rmel. Faites encore 200 m sur la route principale et garez la voiture à gauche, à l'intérieur des grilles. *Tlj 8h30-18h. Donnez 10 DH au gardien qui vous accompagnera et vous fournira quelques explications succinctes.*

Une cité très ancienne

Dans l'Antiquité, la mer venait jusqu'au pied de la colline de Lixus, haute de 88 m, et l'on comprend que ce site particulièrement favorable ait attiré les hommes dès le néolithique. Vraisemblablement fondée par les Phéniciens, au 8ᵉ s. av. J.-C., Lixus ne prend véritablement de l'importance qu'avec les **Carthaginois** qui, à la suite du périple de Hannon (5ᵉ s. av. J.-C.), en font l'un de leurs principaux comptoirs sur la route de l'Afrique noire.

Malgré la chute de Carthage (146 av. J.-C.), la cité continua à prospérer sous les rois maurétaniens, en se consacrant à des exportations très lucratives : l'huile d'olive et surtout le **garum**, ce condiment – proche du nuoc-mâm moderne – dont les Romains étaient friands. En 42 de notre ère, Lixus devint colonie romaine, et sa prospérité ne fit que croître, comme en témoignent les riches demeures du quartier nord-ouest et les temples de l'acropole. Au Bas-Empire, le recul de l'influence romaine en Maurétanie entraîna le déclin progressif de la ville, qui fut abandonnée peu après la conquête arabe. Les fouilles archéologiques espagnoles ont débuté en 1925 et pris une grande extension au cours des trois décennies suivantes.

LA MÉDINA

Au centre du côté nord-est de la place de la Libération, une porte monumentale, **Bab el-Khemis**, donne accès à la médina.

▶ En tournant à droite, immédiatement après la porte, vous débouchez sur le **Zoco de la Alcaiceria★**, une longue place étroite (d'aucuns diront une rue large…), encadrée de galeries dont les arcades reposent sur de courtes colonnes peintes en bleu. Cet endroit, pittoresque et très animé, est le cœur du souk : on y vend un peu de tout, la partie proche de Bab el-Khemis étant une sorte de marché aux puces, tandis que l'autre extrémité est consacrée à l'alimentation.

▶ Prenez à gauche au bout du Zoco, où la rue du 2 mars descend en zigzaguant jusqu'à **Bab al-Marsa** (la « porte du Port ») ; elle est bordée de **vieilles maisons** arabes, juives ou espagnoles, et l'on aperçoit parfois des pans entiers des anciennes murailles.

🔊 Un dieu victime des hommes

La mosaïque du *tepidarium*, découverte quasiment intacte en 1964, fut laissée *in situ*. Mais, dans les années 1980, le dieu Océan fut victime d'un premier acte de vandalisme qui détruisit le centre du visage ; craignant d'être renvoyé, le gardien essaya, maladroitement, de réparer les dégâts. Résultat : le dieu semblait affublé de lunettes ! En 1998, voulant nuire au malheureux gardien, un berger arracha presque entièrement le visage du dieu, ne laissant que quelques touffes de barbe. Le berger est allé en prison, mais les spécialistes ne savent toujours pas comment reconstituer ce chef-d'œuvre…

VISITE DU SITE

50 m après l'entrée du site, prenez à gauche et suivez jusqu'au bout un sentier qui surplombe la ville basse.

▶ Les **ateliers de salaison**, situés à proximité du rivage antique, sont vastes et assez bien conservés. À l'extrémité sud-ouest du site, plusieurs cuves sont presque intactes : profondes de 2 m et rendues étanches par un mortier de tuileau, elles contenaient la saumure où macéraient les maquereaux qui allaient donner le **garum**. Revenez à l'entrée par le sentier du bas, qui passe entre les cuves, et prenez le chemin qui grimpe sur 300 m jusqu'à un terre-plein.

▶ Du terre-plein, on profite d'une **belle vue★**, à droite, sur les méandres du cours supérieur de l'oued Loukos et sur le port antique. Le **théâtre★**, dont on distingue bien les sept rangées de gradins, présente une *orchestra* (arène) circulaire fermée et très profonde : on en a déduit que ce bâtiment avait une double fonction de théâtre-amphithéâtre. Juste en face, les **thermes** sont conservés sur une bonne hauteur ; le sol de la plus grande salle (le

tepidarium) est entièrement recouvert d'une mosaïque, dont l'*emblema* représentait un **dieu Océan★★**, visage d'homme mûr au regard sévère de Christ byzantin, encadré par une chevelure et une barbe abondantes d'où émergent des pattes et des pinces de crustacés.

▶ En poursuivant la montée au milieu du maquis, vous passez devant les beaux murs appareillés du **temple de Neptune** (dont la statue en bronze est exposée au musée de Rabat). Du sommet de la colline, on a une **vue superbe★★** sur Larache, l'estuaire du Loukos et les marais salants. Ici, dans l'Antiquité, les remparts, formés d'énormes blocs de pierre soigneusement taillés, dominaient directement le rivage, et les patriciens avaient choisi cet endroit privilégié pour y bâtir leur résidence. La **maison de Mars et Rhéa Silvia★** possède un jardin intérieur bordé de colonnades, un bain particulier et des sols en mosaïques, dont celle qui a donné son nom à la maison (elles ont toutes été emportées au musée de Tetouan). Continuez vers le sud en passant au pied d'une construction élevée.

▶ Protégée par une enceinte propre, l'**acropole★** était le cœur de la cité où étaient regroupés les temples et le forum. C'est le quartier le mieux conservé de Lixus. Outre la colonnade du **forum★** et le **Grand Temple★** (reconstruit par Juba II), vous y verrez une citerne phénicienne et un curieux **temple phénicien** dont la double nef, longue et étroite, se termine par deux absides. Plus à l'est, au-delà de deux gros oliviers sauvages, les vestiges d'une mosquée sont les ultimes témoignages de l'occupation humaine à Lixus.

Redescendez vers le théâtre par un raidillon qui passe devant une citerne souterraine et des pans de murailles.

RABAT★★★

SALÉ★★ ET LES ENVIRONS

Quelques repères

Capitale du Maroc - Agglomération d'env. 1,5 million d'hab. dont 1 150 000 à Rabat et 350 000 à Salé - Climat tempéré, plutôt humide, avec parfois de grosses chaleurs en été - Carte Michelin n° 742 plis 5 et 8.

À ne pas manquer

Le quartier des Oudaïas et son délicieux Café Maure.

La nécropole de Chellah.

Les bronzes de Volubilis au Musée archéologique.

Salé et la médersa d'Abou el-Hassan.

Le musée Dar Belghazi

Conseils

Réservez un hôtel si vous venez en juillet et août.

Certes, des quatre « villes impériales » du Maroc, Rabat n'est pas celle qui exerce la plus grande fascination. Cependant, vous auriez bien tort de ne pas lui consacrer au moins deux jours. De son long passé (quelque 28 siècles tout de même...), elle conserve des vestiges impressionnants, comme ses longues murailles, la multitude de colonnes de la mosquée Yacoub el-Mansour et surtout la tour Hassan. Certains lieux sont proprement envoûtants : ne quittez pas Rabat sans avoir découvert Chellah, nécropole royale, chargée d'histoire et empreinte de nostalgie, et le quartier des Oudaïas, dont l'ambiance paisible fait oublier ses origines guerrières.

Ville cosmopolite et capitale administrative, c'est là que le roi réside habituellement. Laissant à la véritable capitale économique du pays, Casablanca, les désagréments inhérents aux hypercentres, Rabat est une ville calme, aérée, et agréable à vivre. Sans doute doit-elle cet avantage à l'urbanisme éclairé

imposé par Lyautey : constructions à échelle humaine, larges avenues bordées de beaux arbres, nombreux jardins luxuriants, etc. Suivez les *Rbati* : allez faire le « bolivard », le va-et-vient entre le haut et le bas de l'avenue Mohammed V, juste pour le plaisir de marcher et de prendre le tempo du centre-ville.

Quant à Salé la blanche, jumelle et éternelle rivale, elle survit, dédaigneusement retirée derrière ses remparts. L'époque où ses corsaires faisaient trembler les marines européennes est révolue depuis bien longtemps et la vie trépidante du port a fait place au calme et à la discrétion propres aux vieilles cités bourgeoises. Il faut savoir découvrir cette « ville des marabouts » riche en monuments, tout en respectant l'atmosphère réservée et pieuse qui y règne.

Arriver ou partir

En avion - Aéroport de Salé, route de Meknès (à 10 km au nord-est de la ville), ☎ 037 80 80 90/89. 2 vols quotidiens pour Paris, un sur Royal Air Maroc, l'autre sur Air France.

De l'aéroport au centre-ville - Pas de bus entre l'aéroport et le centre de Rabat mais vous trouverez des grands taxis (environ 150 DH). Pour rejoindre l'**aéroport Mohammed V** de Casablanca prenez un train à la gare de Rabat Ville ou de Rabat Agdal (12 départs quotidiens, entre 1h30 et 2h de trajet).

En train - Il y a 2 gares ferroviaires à Rabat, une dans le centre et une à Agdal.

Gare ferroviaire Rabat Ville *(Plan I C2)*, av. Mohammed V ☎ 037 70 14 69/73 60 60, www.oncf.org.ma. Grande gare moderne. Tabac (journaux et cigarettes), consigne et banque BMCE. 21 départs quotidiens pour Casablanca (1h), 8 pour Fès (3h30) et Meknès (2h30), 5 pour Tanger (5h30) et 8 pour Marrakech (4h).

Gare ferroviaire Rabat Agdal *(Plan I C3)*, ☎ 037 73 60 60. Au sud-ouest du centre-ville. Café, journaux, parking, taxis, consigne (10 DH). Mêmes trajets et mêmes trains que de Rabat Ville. Pour rejoindre le centre, prenez le bus n° 51 ou 40.

En bus - Gare routière el-Kamra *(Plan I B4)*, av. Hassan II, route de Casablanca (à 3 km au sud-ouest du centre-ville) ☎ 037 79 58 16/51 24 (bus CTM). Bus de la CTM et d'autres compagnies. Pour vous y rendre, prenez le taxi ou le bus n° 30 à Bab al-Had. Les bus de la CTM assurent 10 départs quotidiens pour Casablanca (1h), 12 pour Fès (3h30), 5 pour Tanger (5h30) et 2 pour Marrakech (5h30).

En taxi collectif - Station en face de la gare ferroviaire de Rabat Ville.

Se repérer à Rabat

Le centre-ville *(Plan II)* se structure autour de deux grands axes : le **boulevard Hassan II**, orienté est-ouest, qui marque la limite entre la ville ancienne et la ville nouvelle et l'**avenue Mohammed V** (nord-sud) qui concentre commerces, hôtels, cafés et la grande gare de Rabat Ville. La kasbah des Oudaïas et la médina se visitent à pied, mais il faut un véhicule pour faire le tour des remparts ainsi que pour se rendre à Chellah. Au sud du centre-ville s'étendent les quartiers résidentiels *(Plan I)* : l'**Agdal**, où de nombreux étudiants et des jeunes argentés fréquentent les restaurants, les bars et les boutiques, et **Souissi**. Ce dernier, plus chic, regroupe aussi les ambassades et les ministères. Pour rejoindre Salé, allez au nord de Rabat et franchissez l'oued Bou Regreg.

Comment circuler

En bus - La majorité des bus passent par la gare routière av. Hassan II. Le n° 16 dessert Salé, les nos 2 et 4 Bab Zaers et le Chellah. Les nos 17 et 30 (à côté de l'hôtel Majestic) passent par la gare ferroviaire de Rabat Ville et s'arrêtent à la porte Bab al-Had.

En taxi - Les petits taxis de Rabat sont bleus, ceux de Salé jaunes. Comme ailleurs au Maroc, le tarif affiché au compteur est majoré de 50 %, de 20h à 6h en hiver, de 21h à 6h en été. Seuls les grands taxis sont habilités à circuler entre Rabat et Salé et à vous conduire à l'aéroport.

Location de voitures - La Royale, place Mohammed V, imm. Montfavet, ☎ 037 70 98 04/99 30. La Royale propose aussi un service de billetterie avions, bateaux, trains et bus. **Holiday Car**, 1 bis av. Ibn Sina, ☎ 037 77 16 84. **Europcar**, 25 bis rue Patrice Lumumba *(Plan II C4)*, ☎ 037 72 23 28. **Avis**, 7 r. Abou Faris el-Marini *(Plan II B4, en direction)*, ☎ 037 76 97 59. **Budget**, av. Mohammed V, ☎ 037 70 57 89.

Adresses utiles

Office de tourisme *(Plan I C3)* - Rue Zallaga à l'angle de la rue Oued al Makhazine, Agdal, ☎ 037 67 39 18. Lundi-vendredi 8h-16h.

Banque / Change *(Plan II B3-4)* - Vous trouverez de nombreuses banques (distributeurs Visa) sur l'avenue Mohammed V : BMCE, BMCI, Wafabank…

Poste centrale *(Plan II B4)* - Av. Mohammed V. Lundi-vendredi 8h30-12h/14h30-18h, samedi 8h30-11h30.

Téléphone - Rue Soekarno (adjacente à la poste). Ouverture 24h/24.

Internet - Phobos Cybernet, 119 av. Hassan II, à côté de l'hôtel Majestic *(Plan II A4)*, ☎ 037 70 33 33. Tlj 8h30-23h, 1h de connexion 10 DH.

Représentations diplomatiques - Centre culturel français, 2 rue Al Yanhoua, ☎ 037 70 11 38. **Ambassade de France**, 3 rue Sahnoun, Agdal *(Plan I C2)*, ☎ 037 77 78 22. **Consulat de France**, 49 av. Allal ben Abdellah *(Plan II B4)*, ☎ 037 70 38 24. **Ambassade de Belgique**, 6 rue de Marrakech, ☎ 037 76 47 46/70 03. **Ambassade du Canada**, 13 bis rue Jaâfar As Sâadik, Agdal, ☎ 037 77 13 75/67 28 80. **Ambassade de Suisse**, square Berkane, ☎ 037 76 69 74/70 69 74.

L'oued et la kasbah des Oudaïas

Urgence / Santé - SAMU ☎ 037 73 73 73. **SOS Médecins** ☎ 037 20 20 20. 24h/24. **Dentiste de garde** ☎ 037 70 01 01. **Pharmacie de nuit**, préfecture de Rabat-Salé (en face du théâtre Mohammed V). De 22h30 à 8h du matin. **Hôpital Ibnou-Sina (ex Avicennes)**, quartier du Haut Agdal *(Plan I C3-4)*.

Compagnies aériennes et maritimes - Royal Air Maroc, 9 rue Aboufaris Al Marini, pl. Mohammed V, en face de la gare ferroviaire *(Plan I C2)*, ☎ 037 70 97 00/66 (renseignements), ☎ 037 70 97 10/80 74 (réservations).

Air France, 281 bd Mohammed V, ☎ 037 70 70 66 (renseignements), ☎ 037 29 40 40 (réservations).

Se loger

Environ 65 DH (6,5 €) à deux avec 1 tente et 1 véhicule

Camping de la Plage, Salé, à 2 km au nord de Rabat, *(Salé, Plan III)*, sale @yahoo.com. Au bord de l'océan. Quelques arbres font office de parasols. Un effort en matière de propreté serait appréciable. Six chambres sommaires sont à disposition (env. 40 DH). Restaurant de tajines berbères et épicerie à proximité (alcool en vente).

▸ *Dans la médina (Plan II)*

Il existe plusieurs hôtels « petit budget » plus ou moins bien tenus. Notre sélection s'est faite en fonction de la propreté.

Moins 50 DH par personne (5 €)

Auberge de jeunesse, 43 rue Marassa (à côté de Bab al-Had), ☎ 037 72 57 69 - 54 lits. L'auberge occupe le rez-de-chaussée d'un établissement vieux d'un siècle et bien entretenu. De beaux zelliges bleus, des vitraux colorés et des stucs agrémentent les lieux. Petite cour verdoyante. Pas de cuisine ni d'eau chaude. Respectez les horaires d'entrée et de sortie. Hospitalité remarquable. 45 DH avec carte.

Environ 100 DH (10 €)

Hôtel Marrakech, 10 rue Sebbahi, côté av. Mohammed V, ☎ 037 72 77 03 - 20 ch. Une douche commune, 2 WC à la turque. Un mot clé figure sur la carte de l'hôtel : propreté. C'est justifié. Peinture rose bonbon sur les 2 étages. Les chambres, toutes petites et très sommaires (lit et lavabo), donnent sur une cour. Demandez une chambre avec fenêtre ouvrant sur l'extérieur.

Hôtel Al-Maghrib, 2 rue Sebbahi, ☎ 037 73 22 07 - 14 ch. Une douche commune, 2 WC à la turque. Même propriétaire que l'établissement précédent, même peinture rose bonbon et même type de chambres mais un peu plus grandes. Celles qui donnent sur l'av. Mohammed V disposent d'un balcon.

Environ 120 DH (12 €)

Hôtel Dorhmi, 313 av. Mohammed V, juste à côté du marché central et de la Banque populaire, ☎ 037 72 38 98 - 10 ch. Sanitaires communs : une douche et un WC à la turque. Les chambres, correctes et dénudées (1 ou 2 lits pour seul mobilier), ouvrent uniquement sur le lumineux patio.

Entre 1 350 et 1 650 DH (135 à 165 €)

🏩 **Riad Oudaya**, 46 rue Sidi Fatah, ☎ 037 70 23 92, www.riadoudaya.com - 4 ch. 🛏 ✕ Pierre Duclos a restauré avec respect et goût un riad traditionnel en plein cœur de la médina pour en faire une maison de charme. Patio fleuri orné de zelliges et d'une fontaine murale. Deux suites avec cheminée au 1er étage, deux belles chambres au 2e sur la terrasse. Élégance et authenticité règne dans cette accueillante maison. Cuisine traditionnelle marocaine, servie aussi aux non-résidents sur réservation. 2 nuits minimum. Dîner : 250 DH, 330 DH pour les non-résidents sur réservation.

▸ *Dans le centre-ville (Plan II)*

Environ 100 DH (10 €)

Rif Hôtel, 141 Derb Guessous, av. Hassan II, Bab el-Had (près du Crédit agricole), ☎ 037 72 51 49 - 25 ch. Ce petit hôtel peint en beige réserve un accueil familial. Les chambres, très sommaires, n'ouvrent que sur le patio. Sanitaires communs. Pas de petit-déjeuner. Douche à 10 DH

Environ 150 DH (15 €)

Hôtel Central, 2 rue Al Basra, ☎ 037 70 73 56 - 34 ch. Cet établissement ancien et un peu sombre, aux chambres spacieuses et sommaires, n'est pas dénué de charme. Douches individuelles dans certaines. Pas de petit-déjeuner.

Entre 180 et 210 DH (18 à 21 €)

Hôtel Velleda, 106 av. Allal ben Abdellah, ☎ 037 76 95 31/32 - 28 ch. ⁂ Un ascenseur vous mène au quatrième étage de l'immeuble. Les chambres, de taille variable, quelques-unes sans WC mais toutes avec douche, sont propres et équipées de bons matelas. Petites salles de bains carrelées. Salon joliment décoré, télévision.

☺ **Splendid-Hôtel**, av. Mohammed V, 8 rue Ghazza, ☎ 037 72 32 83 – 38 ch. Vous apprécierez cet hôtel avec patio orné de plantes et d'une belle fontaine en zellige bleu. Les chambres sont plaisantes, la moitié d'entre elles ont une salle de bains. Salon avec télévision. Atmosphère calme et chaleureuse. Vous pouvez commander le petit-déjeuner au restaurant d'en face et le prendre dans le patio. Bon rapport qualité-prix.

Entre 220 et 250 DH (22 à 25 €)

Hôtel de la Paix, 2 rue Ghazza, ☎ 037 72 29 26/73 20 31 - 49 ch. ⁂ Cet hôtel à l'architecture traditionnelle ne manque pas de cachet mais les chambres sont plutôt vieillottes. Demandez une chambre avec vue sur la cour ; celles sur la rue sont bruyantes. Vous serez bien accueilli.

Hôtel Capitol, 34 av. Allal ben Abdellah, ☎ 037 73 12 36/37 - 39 ch. ✗ Petit hôtel accueillant, propre et discret, aménagé sur 5 étages (ascenseur). Les chambres, dont certaines comportent un agéable balcon, sont spacieuses et claires. Une trentaine de chambres disposent d'une salle de bains privative dont certaines mériteraient une rénovation. Cafétéria à l'étage, télévision. Menu à 40 DH.

Environ 315 DH (31,5 €)

☺ **Hôtel Majestic**, 121 av. Hassan II, ☎ 037 72 29 97/70 33 33, maghrebtourism. com/hotel/hotelmajestic - 40 ch. ⁂ 📺 🆑 Ce bâtiment du début du 20e s. abrite des chambres modernes et confortables, certaines avec balcon. Côté av. Hassan II, elles offrent une très belle vue sur les remparts mais peuvent être un peu bruyantes malgré le double vitrage.

Environ 400 DH (40 €)

Hôtel d'Orsay, 1 av. Moulay Youssef *(Plan I C2)*, ☎ 037 70 13 19/20 22 77 – 31 ch. ⁂ 📺 🆑 Cet établissement suranné abrite des chambres avec papier peint et dessus-de-lit fleuris mais il est bien entretenu. Agréable salon marocain.

Environ 340 DH (34 €)

☺ **Royal Hôtel Rabat**, à l'angle de l'av. Allal ben Abdellah et de la rue Amman, ☎ 037 72 11 71/72 - 67 ch. ⁂ ✗ 🆑 Cet établissement construit au début du 20e s. a conservé tout son caractère cossu. Les chambres, rénovées et lumineuses, disposent d'une belle salle de bains. Un restaurant propose de délicieuses grillades et fritures de poissons (117 DH le menu). Accueil prévenant. Très bon rapport qualité-prix.

Environ 495 DH (49,5 €)

Hôtel Balima, av. Mohammed V, ☎ 037 70 77 55/79 67 - 71 ch. ⁂ 📺 ✗ 🍽 🆑 Une des institutions de la ville. Si vous souhaitez rencontrer la société rbati, vous la trouverez sur la grande terrasse de cet hôtel à l'heure de l'apéritif. Les chambres sont confortables et certaines très spacieuses, mais cet ensemble imposant est un peu vieillot. Préférez les chambres du côté de l'av. Mohammed V, les autres sont bruyantes. Menu touristique à 158 DH.

Environ 2 300 DH (230 €)

Hôtel Safir Siaha, place Sidi-Makhlouf, ☎ 037 73 47 47 - 197 ch. ⁂ 🍽 📺 ✗ 🍽 ♨ 🆑 Ici le luxe n'empêche pas une relative décontraction. La terrasse avec piscine offre une très belle vue sur Rabat et Salé. Naturellement, les chambres allient confort et élégance, le service est impeccable.

Plus de 2 800 DH (280 €)

Hôtel Tour Hassan Méridien, 26 av. Chellah, ☎ 037 23 90 00 - 139 ch. ⁂ 🍽 📺 ✗ 🍽 ♨ 🆑 Hôtel de luxe pour une clientèle internationale, le Tour Hassan offre un confort et des services haut de gammeet standardisés. Laissez-vous tenter par la cuisine authentique et raffinée des restaurants.

▶ Quartier de l'Agdal *(Plan I C3)*

Environ 510 DH (51 €)

Hôtel Ibis Moussafir, place de la Gare Rabat Agdal, ☎ 037 77 49 26, www.ibishotel.com - 95 ch. ⌁ ⏹ ✕ ⓣ cc
Des zelliges bleus et blancs recouvrent les salles de bains et une partie des couloirs de l'hôtel, d'une propreté immaculée. Les chambres sont petites, avec un mobilier standard, et agréables. Un grand restaurant donne sur le jardin fleuri. Accueil professionnel et courtois.

▶ Quartier du Souissi *(Plan I C4)*

À partir de 1 800 DH (180 €)

Villa Mandarine, 19 rue Ouled Bousbaa, ☎ 037 75 20 77, www.villamandarine.com - 36 ch. ⌁ 🖹 ⏹ ✕ ⓣ 🛁 🅰ₒ cc Ancienne maison familiale noyée dans une splendide orangeraie de 3 ha et transformée en un luxueux hôtel. 200 tableaux, reproductions d'œuvres célèbres ornent les murs. Chambres spacieuses, lumineuses, très confortables et personnalisées. La décoration a été étudiée avec soin par la maîtresse des lieux, passionnnée d'art. Sauna, hammam, salles de réunion. Tranquillité absolue. Nombreux hommes d'affaires et golfeurs parmi la clientèle. Repas entre 230 et 400 DH.

▶ À la plage des Nations

Environ 590 DH (59 €)

🏵 **Hôtel Firdaous**, sur la plage *(Salé, Plan III en direction)*, ☎ 037 82 21 31/32/99 - 17 ch. ⌁ ⏹ ✕ ⓣ 🛁 🅰ₒ cc Discrètement blotti dans une crique à l'extrémité de l'immense plage, ce vaste bâtiment, dans le style des années 1970, comporte un grand restaurant, un agréable snack au bord de l'immense piscine (ouverte du 15 mai au 31 septembre) et une discothèque. Chambres spacieuses et confortables avec chacune un grand balcon donnant sur la mer. Réservez l'été.

Se restaurer

▶ Dans la médina

Tous les petits restaurants de la médina proposent une cuisine marocaine authentique. Clientèle essentiellement locale et prix très corrects.

Moins de 80 DH (8 €)

Al Alam, rue Souk Semara *(Plan II A3)*. Soupe marocaine (*harira*), tajines et poulet. Le pain est délicieux. Grande salle à l'étage, très agréable.

Café de la Jeunesse (en face de « Al Alam »), av. Mohammed V *(Plan II A3)*. Couscous, tajines, brochettes et poulet. Populaire et animé.

Restaurant de la Libération, 256 av. Mohammed V *(Plan II A3)*. Toutes les spécialités locales, servies avec le sourire.

Autour de 80 DH (8 €)

Restaurant el-Bahia, av. Hassan II, à côté du marché central, face aux taxis *(Plan II B3)*, ☎ 037 73 45 04. Patio ensoleillé, agréable pour le déjeuner. Salon marocain à l'étage. Très bon rapport qualité-prix.

Environ 400 DH (40 €)

🏵 **Restaurant Dinarjat**, 6 rue Belgnaoui *(Plan II A2)*, ☎ 037 70 42 39/ 72 23 42 cc Laissez votre véhicule sur le parking bd al-Alou (face à l'ancienne prison Al-Alou) et faites-vous guider par le serveur qui attend les clients car le restaurant est très difficile à repérer. Très belle maison du 19e s., de style arabo-andalou. Toutes les spécialités marocaines vous sont proposées dans le patio orné d'une belle fontaine et dans les salons qui l'entourent. De la table dressée avec raffinement aux tableaux orientalistes, tout exprime le savoir-vivre des Rbati. Orchestre traditionnel.

▶ Dans le centre-ville

Moins de 80 DH (8 €)

La Comédie, 269 av. Mohammed V *(Plan II B4)*, ☎ 037 72 14 90. Café-restaurant moderne et très animé. Le rez-de-chaussée est consacré aux délicieuses pâtisseries marocaines, l'étage à la soupe marocaine *harira*, aux tajines, poissons et grillades (menu à 40 DH).

Entre 80 et 130 DH (8 à 13 €)

Le Weimar, restaurant de l'institut Goethe, rue Sana'a *(Plan I C2)*, ☎ 037 73 26 50. Tlj sauf samedi midi, dimanche et mois d'aôut. Adresse originale, fréquentée surtout par des étudiants et des étrangers résidant à Rabat. Bonne cuisine comprenant pizzas, salades, pâtes, et quelques plats de viande. Choucroute sur commande ! Bière pression. Exposition temporaire de photos, animation musicale le vendredi soir et brunch le 1er dimanche du mois.

Entre 100 et 150 DH (10 à 15 €)

Le Petit Beur, 8 rue Damas *(Plan II B4)*, ☎ 037 73 13 22. ☗ ⌷cc⌷ Fermé le dimanche. Vous dégusterez des pastillas, tajines et des couscous dans une très jolie salle couverte de zelliges blancs et bleus et ornée de peintures murales. Accueil très chaleureux. Musiciens traditionnels le soir.

Entre 250 et 300 DH (25 à 30 €)

Chez Jean-Pierre, Tarik el-Marsa, Bou Regreg *(Plan II D2, E2)*, juste à côté du club nautique, ☎ 037 20 13 65/061 50 64 32. ☗ ⌷cc⌷ Fermé le lundi. Spécialités de poissons et de fruits de mer. Salle moderne bleue et blanche avec baie vitrée offrant une jolie vue sur l'oued et sur Salé. Très agréable, surtout pour le déjeuner.

Kanoun Grill, Hôtel Chellah, 2 rue d'Ifni *(Plan I C2)*, ☎ 037 70 10 51/59. ☗ ⌷cc⌷ Fermé le dimanche. Spécialités de viandes. Une collection de bouteilles et des carreaux ornés de la main de Fatima décorent les lieux, assez sombres. Les plats sont très bons et délicieusement épicés. Goûtez le « mixed grill du Kanoun », composé de médaillons de filet, rognons, foie, agneau et merguez.

Restaurant de la Plage, plage de Rabat, à côté de la kasbah des Oudaïas *(Plan I C1)*, ☎ 037 72 31 48. ☗ ⌷cc⌷ Réservez samedi soir et dimanche midi, demandez une table avec vue sur mer. Vous dégusterez des poissons et des fruits de mer dans l'une des vastes salles donnant sur la mer. Tajine de poisson, truite farcie aux amandes. Ambiance romantique le soir. Service un peu lent.

Environ 300 DH (30 €)

Borj Eddar, plage de Rabat (à côté du restaurant de la Plage) *(Plan I C1)*, ☎ 037 70 15 00. ☗ ⌷cc⌷ Spécialités de poissons et de fruits de mer servies en bord de mer. Bâtiment classé du 17e s., à côté de la kasbah des Oudaïas. Salle climatisée et cheminée en hiver. Du vrai luxe.

▸ *Quartier de l'Agdal*

Moins de 80 DH (8 €)

Chez Ouazzani, place Ibn Yassine *(Plan I C3)*, ☎ 037 77 92 97 Quelle ambiance ! Réputé pour ses délicieuses brochettes, ce restaurant, très familial, est toujours plein. Décoration traditionnelle, belle façade en zelliges et stucs.

Entre 150 et 200 DH (15 à 20 €)

El Rancho, 30 rue Michlifen *(Plan I C3)*, ☎ 037 67 33 00. ☗ ⌷cc⌷ Tlj 11h-15h/19h-1h. Restaurant-bar tex-mex, très en vogue. Entre le bar, les cactus et les serveurs en jean et casquette, l'illusion mexicaine est presque parfaite. Au menu : tortillas de blé, pièces de bœuf grillées, purée d'avocat, ailerons de poulet mariné...

Délices d'Asie, 17 rue Oqbah *(Plan I C3)*, ☎ 037 77 94 79. ☗ ⌷cc⌷ Authentique cuisine vietnamienne. Jolie décoration avec paravent, aquarium et porcelaines. Un des meilleurs restaurants asiatiques de la ville. Accueil très chaleureux. Fermé le lundi.

Entre 200 et 250 DH (20 à 25 €)

Fuji, 2 av. Michlifen *(Plan I C3)*, ☎ 037 67 35 83. ☗ ⌷cc⌷ Dîner uniquement, fermé le mardi. Des sashimis aux brochettes de poulet et de bœuf, ce restaurant est réputé pour ses authentiques spécialités japonaises. Très joli décor, à la japonaise bien sûr.

Entre 200 et 300 DH (20 à 30 €)

Paul, 82 av. des Nations Unies *(Plan I C3)*, ☎ 037 67 20 00 ☗ ⌷cc⌷ Entre étoffes et mobilier précieux, style Louis XIII, on déguste un petit-déjeuner ou une pâtisserie. L'étage est consacré au déjeuner et au dîner ; téléphones portables et cigarettes font partie du décor. Minute de loup aux agrumes torréfiés, mangue fraîche et salade mêlée... les plats ne sont pas toujours à la hauteur de leur nom évocateur et alléchant.

Autour de 300 DH (30 €)

L'Entrecôte, 74 Charia al-Amir Fal Ould Oumeir *(Plan I C3)*, ☎ 037 67 11 08 ☗ ⌷cc⌷ L'une des meilleures tables de la ville, spécialisée dans les viandes (tournedos aux morilles, bavette à l'échalote, etc.), les poissons et les fruits de mer, vous accueille dans une salle chaleureuse, décorée de poutres et de vaisselle en cuivre. Nombreux hommes d'affaires.

Le Puzzle, 79 av. Ibn Sina *(Plan I C3)*, ☏ 037 67 00 30. ♉ cc Fermé dimanche midi. Soyez fringant et amidonné car on sélectionne à l'entrée ! Au programme, apéritif au piano-bar tamisé. Puis, repas dans la salle à manger où dominent le jaune soleil, le vert prairie et le bleu turquoise. Bonne cuisine, méditerranéenne. Karaoké mercredi et dimanche soir.

▶ *Aux environs de Rabat*

Entre 50 et 100 DH (5 à 10 €)

Casalino, av. Prince Sidi Med. Harhoura, Témara ☏ 037 64 30 00. cc Excellentes pizzas à pâte fine recouverte d'une bonne quantité d'ingrédients. Quelques tables permettent de dîner sur place mais le cadre n'est pas enchanteur, mieux vaut emporter les pizzas.

Environ 300 DH (30 €)

☻ **Auberge Les Martinets**, rue de Zaër, route du Golf Dar Salam (km 7,2) vers le sud, ☏ 037 75 20 44. ♉ cc Fermé le dimanche. Ici, on voudrait que le temps s'arrête. Traversez d'abord un grand jardin orné d'une fontaine puis choisissez entre la terrasse et la salle. Le soir, prenez l'apéritif au salon, avant de déguster quelques spécialités de la maison : ris de veau aux morilles, confit d'oie grillé aux pommes de terre rissolées, gibier, escalopine de lotte au vin rouge…

Sortir, boire un verre

▶ *Dans la médina*

Pâtisseries et salons de thé - Pâtisserie (sans enseigne), 35 rue Souika *(Plan II B3)*. Pâtisseries marocaines succulentes.

Café Maure, kasbah des Oudaïas *(Plan II B1)*. Tlj 9h-17h30. Vue splendide

A

RABAT
agglomération
Plan I

N

0   0,5   1 km

OCÉA

1. Rue Abou Chouib ad Doukkali
2. Av. Moulay Hassan
3. Av. Yacoub al-Mansour
4. Bd Moussa ibn Nossaïr
5. Bd Tariq ibn Ziyad
6. Rd pt. Abraham Lincoln
7. Av. Mohammed V
8. Rue Oqbah
9. Av. Oumam al-Mouttahide
10. Av. des Nations Unies
11. Av. Bin al-Ouidane

Place Bir Anzarine
HAY AL-MASSIRA

Témara —— Casablanca

sur l'estuaire de Salé. Thé à la menthe pâtisseries marocaines. Très touristiq mais venez-y au moins une fois.

▶ *Dans la ville nouvelle*

Pâtisseries et salons de thé - Salon d thé La Comédie, 269 av. Mohammed *(Plan II B4)*, ☏ 037 72 14 90. Grand moderne. Pâtisseries marocaines variée viennoiseries.

Pâtisserie-salon de thé Majestic, 14 av. Allal ben Abedellah *(Plan II B3)*, ☎ 037 20 71 86. Excellentes pâtisseries marocaines.

Salon de thé Lina, 45 av. Allal ben Abedellah *(Plan II B4)*, ☎ 037 70 72 91. Cadre et clientèle très stylés. Pâtisseries marocaines raffinées.

Cinéma 7ᵉ Art, av. Allal ben Abedellah *(Plan II B4)*, ☎ 037 73 38 87. Tlj 6h30-23h. Très agréable jardin en pleine ville avec terrasse pour prendre un café ou un snack.

Pâtisserie-traîteur Maymana, 5 rue Haouara, cité administrative *(Plan I D3)*, ☎ 037 65 27 14. Les pâtisseries marocaines de Mme Berrada sont uniques. Clientèle sélecte et prix élevés.

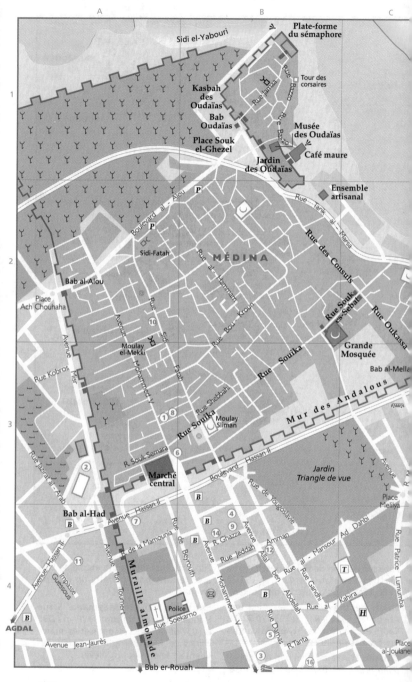

Plate-forme du sémaphore

Sidi el-Yabouri

Kasbah des Oudaïas

Bab Oudaïas

Place Souk el-Ghezel

Tour des corsaires

Musée des Oudaïas

Café maure

Jardin des Oudaïas

Ensemble artisanal

Rue Tenk al-Marsa

Boulevard al-Alou

MÉDINA

Rue des Consuls

Sidi-Fatah

Rue al-Lammam

Rue Bou-Kroun

Bab al-Alou

Place Ach Chouhaha

Rue Oukassa

Avenue Misr

Avenue Mohammed V

Moulay el-Mekki

Rue Souïka

Rue Souk-es-Sebat

Grande Mosquée

Bab al-Mella

Rue Kobros

Mur des Andalous

Rue Shebbahi

Rue Souïka

Moulay Sliman

R. Souk Semara

Rue Lazirat al-Arab

Marché central

Boulevard Hassan II

Rue de Yougoslavie

Jardin Triangle de vue

Place Melilya

Bab al-Had

Avenue Hassan II

Rue de la Mamounia

Rue de Beyrouth

R. Ghazza

Rue Jeddah

Avenue Allal ben Abdellah

Amman

Rue Mansour Ad Dahbi

Rue Gandhi

Rue Patrice Lumumba

Avenue Hassan II

Impasse Guessous

Avenue Ibn-Toumert

Muraille almohade

Rue Soekarno

Police

Rue Mohammed V

Rue Damas

R. Tanta

Rue al-Kahira

AGDAL

Avenue Jean-Jaurès

Bab er-Rouah

Place al-Joulane

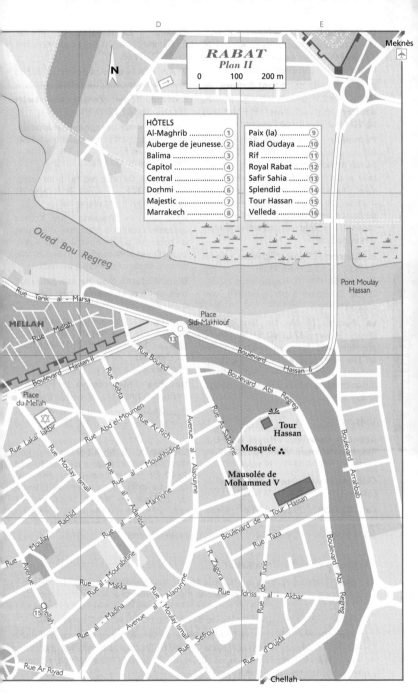

RABAT
Plan II

0   100   200 m

HÔTELS

Al-Maghrib .... ①
Auberge de jeunesse. ②
Balima .... ③
Capitol .... ④
Central .... ⑤
Dorhmi .... ⑥
Majestic .... ⑦
Marrakech .... ⑧

Paix (la) .... ⑨
Riad Oudaya ...... ⑩
Rif .... ⑪
Royal Rabat .... ⑫
Safir Sahia .... ⑬
Splendid .... ⑭
Tour Hassan ...... ⑮
Velleda .... ⑯

Meknès

Oued Bou Regreg

Pont Moulay Hassan

Rue Tarik - al - Marsa

MELLAH

Rue Mellah

Place Sidi-Makhlouf

Place du Mellah

Rue Boured

Boulevard Hassan II

Boulevard Abi Regreg

Boulevard Hassan II

Rue Sebta

Rue Abd el-Moumen

Rue Ar Rich

Avenue al - Alaouyne

Rue As Saadiyne

Tour Hassan

Mosquée

Mausolée de Mohammed V

Boulevard Arrahbab

Rue Lakaï Takbir

Rue Moulay Ismaïl

Rue al - Mouahhidine

Rue al - Adarissa

Rue al - Marinyne

Boulevard de la Tour Hassan

Rue Taza

Rue Rachid

Rue Moulay

R. Zagora

Rue de Tunis

Boulevard Abi Regreg

Rue al - Makka

Rue al - Mourabitrine

Rue al - Alaouyne

Rue Idriss - al - Akbar

Avenue Chellah

⑮

Rue al - Medina

Avenue al - Moulay Ismaïl

Rue Sefrou

Rue d'Oujda

Rue Ar Riyad

Chellah

Dolce Vita, 6 rue Tanta (ex-Paul Tirard), ville nouvelle *(Plan II B4)*, ☎ 037 70 73 29/23 00. D'après les Rbati, ce sont les meilleures glaces de la ville.

Bars - Terrasse de l'**hôtel Balima**, av. Mohammed V *(Plan II B4)*. ☿ ☕ Un des lieux les plus fréquentés et les plus agréables à l'heure de l'apéritif.

Pachanga, 10 pl. Alaouites *(Plan II B4, en direction)*, ☎ 037 26 29 31. ☿ Fermé le dimanche. Restaurant-bar installé à deux pas de la gare de Rabat Ville. Une ambiance animée vous attend dans un joli décor ocre et orange orné de ferronnerie. Mezzanine et salle en sous-sol. Musique. Un peu enfumé mais très sympa.

El Rancho, 30 rue Michlifen, Agdal *(Plan I C3)*, ☎ 037 67 33 00. ☕ ☿ ☒ Tlj 11h-15h/19h-1h. Happy hour 19h30-20h30, DJ latino à partir de 21h, voir « Se restaurer ».

Le Puzzle, 79 av. Ibn Sina, Agdal *(Plan I C3)*, ☎ 037 67 00 30. ☿ ☒ La première salle de ce restaurant accueille un bar assez chic et branché. Concert certains soirs, karaoké mercredi et dimanche à partir de 21h, voir « Se restaurer ».

Loisirs

Activités sportives - Royal Golf Dar Essalam, av. Imam Malik, route de Zaer, km 8, ☎ 037 75 58 64. 18 trous.

Club équestre Oued Ykem, route côtière Skhirat, ☎ 037 74 91 97.

La Kasbah, Rose Marie plage, ☎ 037 74 91 33. Promenades à cheval sur la plage.

Cinéma - La Renaissance, 266 av. Mohammed V, à côté de la poste centrale, ☎ 037 72 21 68.

7ᵉ Art, av. Allal ben Abedellah, ☎ 037 73 38 87. Grande cafétéria dans le jardin.

Cinéma Royal, Zenkat Abdelkader Tourris, ☎ 037 72 41 18.

Centre cinématographique marocain, av. al-Majd, quartier industriel *(Plan I B4)*, ☎ 037 28 08 78. Un film par semaine. Mini-musée du Cinéma.

Complexe Dawliz, bd du Bouregreg, Salé, ☎ 037 88 32 77/78. Trois salles de cinéma, bowling et piano-bar.

Hammams - Marassa, rue Kobros (perpendiculaire à l'avenue d'Égypte, à l'extérieur des remparts) *(Plan II A3)*. Le meilleur de la médina. Grand et très propre, vestiaires. De 5h à minuit.

Bain Moderne Douche, rue Sahraoui, médina. Réservé aux femmes. De 5h30 à 21h30.

Chorfa, impasse hammam Chorfa (perpendiculaire à la rue de même nom), médina. Joli hammam. 9h15-19h pour les femmes, 5h-9h/19h-23h pour les hommes.

Douches el-Mamouniya, bd Hassan II, à côté de l'hôtel Majestic *(Plan II A4)*.

Discothèques - L'entrée en discothèque coûte en général 100 DH et donne droit à une boisson.

L'Amnesia, 18 rue Monastir (non loin de l'hôtel Royal) *(Plan II B4)*, ☎ 037 78 18 60. Un train et une voiture décorent ce cadre original où se retrouve toute la jeunesse de Rabat. Vous pouvez aussi aller boire un verre et danser au **Pachanga** ou à **El Rancho** (voir « Sortir, boire un verre »).

Si vous passez 2 jours à Rabat

1ᵉʳ jour - Flânerie dans les ruelles de la kasbah des Oudaïas avec un arrêt au Café Maure, promenade et déjeuner dans la médina (petit tour au marché central), visite du Musée archéologique, balade sur l'esplanade de la mosquée de Yacoub el-Mansour (tour Hassan et mausolée de Mohammed V) en fin d'après-midi.

2ᵉ jour - Promenade dans le Chellah, visite de Salé (flânerie dans la médina, visite de la médersa, vue du borj Nord-Ouest). En fin d'après-midi, allez prendre un verre dans le centre de Rabat, ou sur les plages du sud (Témara-Plage) si vous êtes motorisé et qu'il fait beau.

Achats

Marchés - Le **marché central**, av. Hassan II *(Plan II A3)* et le **marché de l'Agdal**, pl. Rabia al Addaouiya, quartier de l'Agdal *(Plan I C3)* proposent de tout (légumes, fruits, viandes, poissons, fleurs), ils ne fonctionnent que le matin. Le **marché aux fleurs**, place Pietri, offre un vaste et superbe choix.

Antiquité et artisanat - Tous les jeudis se tient un important marché aux tapis sur la rue des Consuls dans la médina. Marchandez sans scrupule.

Ensemble artisanal, rue al-Marsa, médina *(Plan II B2)*, lundi-samedi 10h-13h/16h-19h. Choix varié de tapis *rbati*. Prix fixes et étudiés.

Dans ces quelques boutiques, l'artisanat est de premier choix et les prix justifiés :

MTO (Merveille des Tapis des Oudaïas), 6 rue al-Marsa *(Plan II B2)*, médina, ☎ 037 20 86 09. Tapis.

Maison d'Argent, 244 rue des Consuls, médina *(Plan II B2)*, ☎ 037 72 38 28. Artisanat et antiquités. Magnifiques bijoux.

La Lyre, 384 av. Mohammed V, ville nouvelle *(Plan II B2)*, ☎ 037 74 12 57/87. Magasin d'antiquités qui vaut le coup d'œil. Tenu par un artiste-peintre passionné d'astronomie.

Aujourd'hui comme Hier, centre Fadila, lotissement Zouhrah n° 86, Harhoura, Témara, ☎ 037 64 13 64. 10h-13h/15h-19h. Fermé le lundi. La grande boutique, sur 2 niveaux, renferme des trésors de Rabat et de Fès : tables, coffres, broderies, poteries…

Galerie d'art - Nouiga, 2 rue Jamaa *(Plan II B1)*. Tlj 9h30-19h. Miloudi Nouiga, aquarelliste, expose ses peintures et les œuvres d'autres artistes sur la Maroc. Café littéraire, cartes postales, reproductions.

Librairies - Éditions Laporte, librairie Aux Belles Images, 281 av. Mohammed V, près de l'hôtel Balima *(Plan II B4)*, ☎ 037 70 99 58. Lundi-samedi 9h-12h/15h-19h. Très beaux ouvrages sur le Maroc, guides de voyages, grand choix de romans.

Livres Service, 46 av. Allal ben Abdellah *(Plan II B4)*, ☎ 037 72 44 95.

Kalila Wa Dima, av. Mohammed V *(Plan II B4)*, ☎ 037 72 24 78.

Bouquiniste du Chellah, 34 av. du Chellah, face au lyçée Hassan II *(Plan II C4)*, ☎ 037 73 05 84.

HISTOIRE

Sala, Sala Colonia, Chellah, Salé, al-Mahdiyya, Ribat al-Fath, Salé-le-Neuf, Rabat : les noms successifs portés par la capitale du Maroc nous rappellent que son histoire, quoique entrecoupée de longues périodes de décadence, s'étend sur près de trois millénaires.

Sala Colonia

Les premières traces indubitables d'occupation humaine à Rabat datent du 8e ou du 7e s. av. J.-C. À 3 km en retrait de l'océan, la colline de **Sala** (qui deviendra **Chellah**) se dressait en bordure de l'estuaire du Bou Regreg, alors accessible aux navires ; escarpée, facile à défendre et possédant une source abondante, c'était l'endroit idéal pour établir un comptoir. Ce que firent les Phéniciens, auxquels succédèrent les Carthaginois, puis les Maurétaniens : un peu avant notre ère, **Juba II** y établit l'une de ses résidences. Devenue romaine sous le nom de **Sala Colonia**, elle se para de monuments et fut entourée d'un rempart en 140 av. J.-C. Sala Colonia était la ville la plus méridionale du Maroc romain ; à quelques kilomètres au sud, le *limes* protégeait la frontière de l'Empire contre les tribus barbares : son fossé, appelé localement *seguia Firaoun* (« le canal du Pharaon »), a été repéré sur une bonne longueur. Malgré le retrait de l'administration romaine au 4e s., il semble que Sala Colonia soit restée dans la mouvance byzantine jusqu'à l'arrivée des musulmans.

Un « couvent » qui prend une ampleur inattendue

Après la fondation de Salé, au début du 11e s., la petite cité de Chellah fut partiellement abandonnée avant d'être détruite par les Almoravides. Mais, entre-temps, les habitants de Salé avaient créé sur la rive gauche (probablement à l'emplacement actuel de la kasbah des Oudaïas), un *ribat (voir p. 66)*, d'où une troupe de pieux volontaires menaient le *djihad* contre les **Berghouata**, une confédération adepte d'une religion bizarre dérivée du *khârijisme* En 1150, après la soumission définitive des Berghouata, le premier sultan almohade, **Abd el-Moumen**, choisit le *ribat* comme lieu de concentration des armées qu'il allait envoyer à plusieurs reprises en Espagne.

L'éphémère grandeur almohade

Outre l'immense campement militaire, le sultan fit édifier une véritable petite ville qu'il nomma **al-Mahdiyya** en souvenir de son maître, Ibn Toumert. Ses successeurs immédiats, et plus particulièrement son petit-fils, **Yacoub el-Mansour** (1184-1199), en fit une véritable capitale, qui prit le nom de **Ribat al-Fath** (« le couvent de la Victoire ») à la suite de la brillante victoire d'Alarcos (1195) remportée sur les Espagnols. Des **constructions pharaoniques**, encore visibles aujourd'hui, furent entreprises : une muraille en béton de plus de 5,5 km de long, munie de tours et de portes monumentales, une mosquée qui devait être la plus grande du monde islamique avec son gigantesque minaret (la tour Hassan), etc. Mais la mort de Yacoub el-Mansour fut suivie de la décadence rapide de la dynastie almohade : la population, établie de fraîche date, se retrouvait très au large dans les 450 ha *intra muros* et les monuments grandioses restèrent, à jamais, inachevés. Privilégiée par la dynastie suivante, Salé reprit rapidement le pas sur Rabat. Cependant, les Mérinides firent de Chellah leur nécropole royale.

L'arrivée des Andalous

Dès le 13ᵉ s., l'éphémère capitale de Yacoub el-Mansour n'était plus qu'une modeste forteresse à moitié vide. En 1610, le roi Philippe III décida d'expulser les **morisques**, musulmans restés en Espagne après la Reconquête et convertis de force au catholicisme.

Quelque 300 000 **Andalous** furent chassés dans des conditions dramatiques. Une partie d'entre eux trouvèrent refuge à Tetouan et à Fès, tandis que les autres aboutirent à Salé et à Rabat ; mais sur les rives du Bou Regreg, ils furent accueillis sans aménité par leurs coreligionnaires. Ils repeuplèrent rapidement Rabat, mais, séparés par le célèbre **mur des Andalous** qui marque encore la limite de la médina, ils vécurent à part du reste de la population et conservèrent leur langue espagnole.

La « république des Deux-Rives »

Les nouveaux venus prirent une éclatante revanche, tant sur leurs anciens persécuteurs espagnols que sur leurs concitoyens peu accueillants. Sous la haute direction des *Hornachuelos*, émigrés volontaires venus au cours du 16ᵉ s., les Andalous se livrèrent avec frénésie à la course en mer, capturant les galions espagnols arrivant d'Amérique, et plus tard s'attaquant aux navires anglais ou français. **Salé-le-Neuf**, comme les Européens appelaient Rabat, devint un objet de terreur et de fascination pour les marins (les mésaventures de Robinson Crusoé commencent par deux ans de captivité à Salé !). Cette activité, très lucrative leur assura la suprématie politique dans cette **république des Deux-Rives**, petite mais très riche, qui échappait largement à la suzeraineté du sultan.

Les Alaouites tentèrent d'en reprendre le contrôle, dans le seul but de récupérer une partie des bénéfices, mais sans grand succès jusqu'au règne de **Mohammed ben Abdallah**. Ce sultan essaya, un temps, d'organiser la piraterie salétine à son profit, ce qui lui valut des représailles (bombardement de Laranche par une flotte française en 1765). Il préféra alors mettre fin à cette activité, déclenchant ainsi le déclin de Rabat et de Salé.

Décadence et renouveau

Pendant tout le 19ᵉ s. et jusqu'à l'établissement du protectorat, les deux villes rivales connurent une longue et profonde décadence qui ne fit qu'exacerber leur haine réciproque.

La France choisit Rabat pour y installer la capitale administrative du Maroc avec la **Résidence générale**, la capitale impériale restant à Marrakech. Disposant de vastes espaces vides, l'urbanisme de **Prost** et, plus tard, d'**Écochard** put développer de larges avenues ombragées, de grands blocs aérés et de nombreux espaces verts, tout en respectant la médina et les ensembles monumentaux anciens. Ce qui fait, qu'aujourd'hui encore, malgré son demi-million d'habitants, Rabat est une ville assez agréable à vivre. On ne peut pas en dire autant de Salé qui, en dépit d'une population de plus de 300 000 habitants, n'est qu'une ville-satellite.

VISITE DE RABAT

LA KASBAH DES OUDAÏAS★★

(Plan II B1). Comptez 3h.

Attention, le jardin ferme la nuit. Des personnes vous proposeront leurs services pour vous guider dans la kasbah mais c'est inutile ici.

Construite sur un promontoire, la kasbah domine l'Atlantique et l'embouchure du Bou Regreg. Isolé du tumulte de la ville par ses murailles, ce minuscule quartier est le plus charmant de la capitale, avec ses fenêtres à moucharabiehs et ses habitants paisibles qui déambulent dans les ruelles dallées. Les façades blanchies à la chaux et l'encadrement bleuté des portes créent une atmosphère méditerranéenne. Des jardinets suspendus au-dessus des murailles dégringolent des cascades de volubilis.

Il semble que le quartier doive son nom actuel à une tribu arabe *guich* installée là par un sultan alaouite pour contrôler la population turbulente de Salé-le-Neuf. Mais ses origines sont beaucoup plus anciennes : Abd el-Moumen transforma le *ribat* primitif, construit au 11e s. en une puissante kasbah, noyau de sa future capitale ; vers 1195, Yacoub el-Mansour la dota d'une magnifique porte fortifiée.

▶ Juste avant d'entrer dans la kasbah, remarquez à votre gauche la **porte des Oudaïas★★** *(Plan II B1)*, chef-d'œuvre de l'art almohade. Elle impressionne par sa puissance et sa décoration. Entre deux saillants s'ouvre un passage en arc brisé outrepassé d'un bel arc festonné doublé d'entrelacs ; deux grosses palmettes jaillissent des écoinçons envahis par des arabesques végétalisantes. Le reste de la surface est décoré d'une frise de palmettes, d'un bandeau épigraphique en coufique fleuri, et d'une frise supérieure aux motifs complexes. Derrière la porte, trois salles forment un passage en baïonnette (expositions temporaires) qui débouche à l'intérieur de la kasbah par une seconde **porte★★** *(toujours fermée)* au décor presque identique.

▶ On entre par la **rue Jamaa**, qui traverse toute la kasbah ; la **mosquée** sur la gauche est la plus ancienne de Rabat, elle a été fondée vers 1150. Au bout de la rue Jamma, vous atteignez la **plateforme du sémaphore** *(Plan II B1)*, une **belle vue★** s'étend sur l'océan, l'estuaire, la *skala* et le cimetière musulman. Vous pouvez assister à la fabrication de tapis de Rabat dans l'atelier situé au début de la plate-forme.

Redescendez par la ruelle qui passe devant la tour des Corsaires, où elle rejoint la rue Bazzo, qui conduit jusqu'au jardin et au Café Maure.

▶ Protégé par de hauts murs, le **jardin des Oudaïas★★** *(entrée libre, fermé le soir) (Plan II B1)*, est un merveilleux jardin andalou en terrasses, créé en 1915-1918 sur l'emplacement de l'ancienne cour du palais. Irriguées par des *seguia*, les plantes les plus variées y prospèrent ; la luxuriance de la végétation et le calme des allées attirent des groupes de femmes qui passent volontiers des heures à deviser. En période d'examens, vous verrez aussi des étudiants réviser sur les bancs et les rebords des fontaines.

▶ En haut du jardin, au pied d'une tour, s'élève une ancienne résidence du sultan Moulay Ismaïl, transformée plus tard en *médersa* et qui abrite aujourd'hui le **musée des Oudaïas★** *(tlj sauf mardi, 9h-12h/15h-17h30 ; 10 DH. Comptez 3/4h)*. Ce petit musée d'**arts marocains traditionnels** vaut autant pour le charme des bâtiments que pour la richesse de ses collections. Dans l'entrée, remarquez une astrolabe du 14e s., des corans et des instruments d'écriture. Puis vous passez dans une **cour**★ pavée de zelliges avec un bassin central en marbre ; elle est entourée d'une jolie colonnade en pierre jaune et, de part et d'autre, des loggias surélevées abritent une collection de céramiques de Fès et une série d'instruments de musique andalous et gnaoui. D'autres salles sont consacrées aux bijoux et aux costumes citadins, ainsi qu'à une reconstitution d'un salon marocain. Un autre corps de bâtiment abrite le **musée des costumes ruraux** et celui des instruments de musique *(le ticket d'entrée est valable pour toutes les sections).*

▶ Dans un coin du jardin des Oudaïas, une petite porte donne accès au **Café Maure**★ *(Plan II B1)* niché au sommet de la muraille qui domine le Bou Regreg. L'envie vous prend de passer un bon moment, assis sur une natte posée sur les zelliges verts d'une banquette, à siroter des thés à la menthe accompagnés de « cornes de gazelle » ou d'autres pâtisseries exquises. Vous contemplez alors la **vue**★ sur les murailles de Salé la blanche et ses grands cimetières, avec, au premier plan, les barques noires à la proue relevée qui font la navette entre les deux rives.

En sortant de la kasbah, traversez la rue Tarik al-Marsa, l'une des entrées de la médina est juste en face.

LA MÉDINA★

Comptez 1h

▶ Face à l'entrée de la kasbah, sur la petite place du **souk el-Ghezel** *(Plan II B1)*, le commerce de la laine a cédé la place aux antiquaires qui occupent aussi le début de la **rue des Consuls**★ *(Plan II B2)*. Au 18e et 19e s., les consulats européens et les demeures bourgeoises bordaient cette artère noble. Aujourd'hui ce ne sont plus que boutiques pour touristes ; sur le côté gauche de la rue, enfoncez-vous dans les passages obscurs qui donnent accès à des *kissaria* et des fondouks où s'activent des nuées d'artisans (maroquiniers, tailleurs, etc.). Le fondouk aux tissus est particulièrement bien conservé.

▶ Plus loin, sur la droite, vous croiserez la **rue Souk es-Sebat** *(Plan II B2, C2)* prolongée par la **rue Souika** *(Plan II B3)*. Cette artère principale, très populaire et animée même le soir, traverse toute la médina et aboutit au **marché central** *(Plan II A3)* près de Bab al-Had. D'une propreté impeccable, le marché présente une grande variété de produits frais et appétissants ; les poissons et les crustacés font particulièrement envie. Étroite mais très animée, la rue Souika est surtout consacrée aux commerces alimentaires et aux petits cafés, mais la partie proche de la Grande Mosquée, Souk es-Sebbat, abritée du soleil par des cannisses, est spécialisée dans les objets en cuir.

▶ Reprenez la rue Souika en sens inverse jusqu'au croisement, à droite, avec la **rue Oukassa** (prolongement de la rue des Consuls) *(Plan II C2)* qui longe le **mellah** *(Plan II C2)*, construit au début du 19e s. et déserté par les juifs. Dans les hautes maisons de ce quartier vit aujourd'hui une population nombreuse et pauvre.

Sortez de la médina par Bab al-Mellah et remontez le bd Hassan II vers l'ouest.

LE TOUR DES MURAILLES★

Comptez 2h30 avec la visite du musée.

▶ Le boulevard Hassan II longe le **mur des Andalous**★ *(Plan II B3, C3)*, construit au début du 17e s. pour séparer les anciens habitants et les immigrés venus d'Espagne, deux populations qui ne s'aimaient guère ! Le quartier moderne situé au sud du boulevard et le long de l'avenue Mohammed V n'est pas tellement attrayant, mais présente l'avantage de regrouper les principaux commerces.

▶ **Bab al-Had** *(Plan II A4)* franchie, vous vous retrouvez à l'extérieur des remparts ; si vous voulez faire le tour complet de la **muraille almohade**★ il vous faut prendre la voiture. Mais vous pouvez en faire une partie à pied, entre Bab al-Had et Bab er-Rouah, en suivant l'avenue Ibn Toumert ; des arbres majestueux bordent le puissant mur de pisé rougeâtre. Quittez l'av. Ibn Toumert au bout de 600 m et prenez, en biais sur la droite, la rue Abou Chouib ad Doukkali qui rejoint l'av. An Nasr. De cette avenue, vous aurez une bien meilleure perspective sur Bab er-Rouah.

▶ **Bab er-Rouah★** *(Plan I C2)*, la « porte des Vents », construite par Youssef, le fils d'Abd el-Moumen, est la plus imposante des portes fortifiées almohades. Flanquée de deux puissants bastions carrés, elle comporte un passage unique, dont la voûte en plein cintre est entourée de deux arcs festonnés concentriques et inscrits dans un rectangle. Les écoinçons contiennent une palmette au milieu d'arabesques florales. Le tout est bordé par un bandeau épigraphique de style coufique. Comme dans la plupart des portes almohades, le système défensif incluait une succession de pièces formant des chicanes ; on peut visiter ces salles à coupole à l'occasion des expositions d'artistes marocains contemporains qui s'y tiennent régulièrement.

Franchissez la porte et remontez l'av. Moulay Hassan sur 500 m. Prenez à droite la rue d'Ifni et faites 150 m ; l'entrée du musée se trouve au 23 de la petite rue al-Brihi, qui dessine un demi-cercle.

Le Musée archéologique★★

(Plan I C2)

Comptez 1h30.

☎ 037 70 19 19. Tlj sauf mardi, 9h-11h30/14h30-17h30 ; 10 DH. Visites guidées à 10h et à 16h sauf le week-end.

Créé en 1931-1932 pour regrouper les objets provenant des fouilles de Banasa et de Thamusida, le musée a été agrandi à plusieurs reprises, notamment en 1957, pour recevoir la collection des bronzes de Volubilis. Malheureusement, ni les bâtiments ni la présentation ne sont à la hauteur de ces chefs-d'œuvre.

Dans l'entrée, un étonnant **ciste★** en plomb entièrement décoré provient de Zilil. La première salle, où se dresse une belle **statue★** en marbre de Ptolémée, fils de Juba II, explique par ailleurs de manière assez claire les différentes périodes de la préhistoire marocaine (admirables **galets★** creusés et polis pour faire des vases). À l'étage une suc-

cession de vitrines présentent très succinctement le site romain de Sala Colonia et les sites islamiques de Sijilmassa, la ville circulaire de Ksar es-Seghir, les **sucreries** de Chichaoua (en activité de la fin du 9e s. jusqu'au 16e s.), ainsi que les monnaies islamiques.

Redescendez dans la salle centrale qui est entourée de deux patios. Ceux-ci sont consacrés à l'épigraphie ; passez vite devant les inscriptions romaines pour vous intéresser aux **stèles libyques★** et surtout aux **gravures rupestres★★** de la région du Drâa.

Traversez le jardin extérieur en suivant un chemin bordé d'éléments lapidaires. Demandez à ce que l'on vous ouvre la salle des bronzes, qui est habituellement fermée en l'absence de visiteurs. Cette vaste **salle des bronzes** a été construite spécialement pour recevoir la collection exceptionnelle de **statues en bronze★★★** provenant de Volubilis. Juba II avait rassemblé dans son palais un grand nombre de chefs-d'œuvre hellénistiques et, longtemps après lui, les patriciens de la ville gardèrent l'habitude d'orner leurs villas avec des œuvres venues des meilleurs ateliers de l'Empire. On trouve donc ici à la fois des pièces authentiquement hellénistiques (le **Vieux Pêcheur★**), des œuvres contemporaines de Juba II, comme son célèbre **buste★★★** réalisé à l'époque de son mariage, vers 25 av. J.-C., l'**Éphèbe couronné de lierre★★**, ou encore un très beau **Cheval★★** et enfin des productions datant du 1er ou du 2e s. : un **buste de Caton d'Utique★★** miraculeusement retrouvé en place sur son piédestal, le **Chien attaquant★★** ou le **Cavalier★★**.

D'autres vitrines contiennent de nombreuses **statuettes en bronze★** et plusieurs jolis petits marbres (**Papposilène endormi★**). Les grandes vitrines périphériques présentent les différents aspects de la vie quotidienne en Maurétanie tingitane à l'époque romaine. On retiendra la robinetterie en bronze, les instruments d'arpentage et de construction, un fragment de **cuirasse★** décorée de têtes de lions et d'éléphants, et surtout, plusieurs **plaques de bronze**

inscrites★ provenant de Banasa : le diplôme militaire d'un ancien soldat, un édit de Caracalla concédant une remise d'impôt à la ville et la fameuse **Table de Banasa★★** qui comporte deux lettres de l'empereur Marc Aurèle accordant la citoyenneté romaine à un chef de tribu.

▶ En sortant du musée, prenez l'av. Yacoub al-Mansour *(en voiture de préférence)*, qui longe les murs du palais royal. Le **palais du Roi** *(Plan I C2-3)*, construit en 1864, sur les ruines d'une demeure de la fin du 18ᵉ s. ne se visite pas. Il renferme le Cabinet royal, le ministère de la Maison royale et du Protocole et les services du Premier ministre.

Au bout de l'avenue Yacoub al-Mansour, vous sortez de l'enceinte par Bab Zaers. Prenez alors à gauche en direction de Chellah.

CHELLAH★★

Comptez 2h.

Tlj 8h30-18h ; entrée payante.

Une fois franchie la porte d'entrée, l'agitation de la ville est totalement oubliée et l'on se retrouve dans un havre de paix. Ne faites pas attention au temps et promenez-vous au hasard dans ce **luxuriant jardin★** parsemé de murailles, de ruines et de tombes en vous laissant aller aux sentiments nostalgiques que suscitent ces lieux un peu à l'abandon mais si fortement chargés d'histoire et de légendes. Les cigognes, perchées au sommet des arbres ou du minaret vous accompagnent dans cette romantique balade.

Histoire

Le site antique de Sala et la première ville musulmane n'étaient plus que ruines quand, vers la fin du 13ᵉ s., les sultans **mérinides** décidèrent de transformer Chellah en **nécropole royale** en réutilisant les pierres des monuments romains. Le premier sultan mérinide, Abou Youssef Yacoub, mort à Algésiras en 1286, y fut enterré auprès de son épouse. Mais, c'est le grand sultan bâtisseur, **Abou el-Hassan**, qui fit édifier un magnifique ensemble de

monuments protégés par une superbe enceinte (achevée en 1339) : deux mosquées, une médersa, une bibliothèque et, bien sûr, des chapelles funéraires *(koubba)*. Son fils, **Abou Inan**, bien que révolté contre lui, fit ramener sa dépouille à Chellah où elle fut ensevelie dans un élégant tombeau. Abou el-Hassan fut ainsi le dernier des Mérinides à reposer dans cette nécropole. Des soufis y installèrent une zaouïa, mais Chellah périclita assez vite et sa nécropole fut pillée pendant l'anarchie qui a marqué la fin des Mérinides. Plus tard, au 17ᵉ s., ses murailles abritèrent une tribu de pillards.

D'importantes fouilles archéologiques, entreprises au début du 20ᵉ s., ont permis d'identifier les monuments mérinides, de dégager la ville romaine et de remonter jusqu'au passé le plus ancien de Rabat.

Visite

Une enceinte de couleur rougeâtre clôt entièrement Chellah. On y pénètre par une **porte fortifiée★★**, véritable chef-d'œuvre de l'art mérinide dans sa maturité. Ici la grandeur austère de l'art almohade s'est quelque peu adoucie et les tourelles apportent une note de fantaisie, pour ne pas dire d'étrangeté, par leur passage d'un plan hexagonal à un carré en débord soutenu par une succession de stalactites. En bas de l'allée principale, sur la droite, se dressent plusieurs **koubba** dont on ne sait plus très bien, avec le temps, si elles abritent la tombe d'un prince ou d'un derviche... Jetez un coup d'œil (et une pièce de monnaie) au bassin aux anguilles sacrées avant de gagner, sur la gauche, la **tombe d'Abou el-Hassan★**, au décor finement sculpté mais effacé par les siècles. La mosquée contiguë est assez délabrée, mais non sans charme. Un peu plus loin, les ruines de la **zaouïa**, dont l'architecture s'apparente à celle d'une médersa (remarquez la cour pavée de zelliges et son bassin rectangulaire), sont dominées par un élégant **minaret★** qui sert de perchoir aux cigognes.

Mosquée de Yacoub el-Mansour

Au nord de ces deux derniers monuments s'étendait le centre de l'ancienne **Sala Colonia** ; une partie des ruines de la ville romaine ont été dégagées et sont actuellement accessibles au public : forum, soubassements de l'arc de triomphe, bases de statues, nymphée (fontaine monumentale) et boutiques.

En sortant de Chellah, prenez à droite le bd Moussa ibn Nossaïr, puis le bd Tariq ibn Ziyad pour gagner le quartier de la tour Hassan. Arrivé au rond-point Abraham Lincoln, tournez dans la seconde rue à droite, le bd Abi Regreg, où vous pourrez garer votre voiture.

ESPLANADE DE LA MOSQUÉE DE YACOUB EL-MANSOUR★★

Comptez 1h au total.

L'accès à l'esplanade de la mosquée almohade est libre jusqu'à la nuit tombée. Mausolée de Mohammed V ouvert tlj 8h-18h30 ; entrée gratuite (seuls les musulmans peuvent accéder à la mosquée attenante au mausolée).

La douce lumière dorée de fin d'après-midi renforce encore l'impression mystérieuse qui se dégage de la vaste esplanade parsemée de colonnes tronquées et dominée par un minaret inachevé. C'est l'un des lieux de promenade favoris des Rbati, qui l'ont plaisamment surnommé « nos colonnes de Buren ». Chaque fin de journée, une foule décontractée y déambule tranquillement.

▶ Au sommet de la gloire après la victoire d'Alarcos, le sultan **Yacoub el-Mansour** décida de bâtir la plus grande **mosquée★** *(Plan II E3)* de l'Occident musulman. Rappelons toutefois qu'en Orient, il existait, depuis le milieu du 9e s., plusieurs édifices beaucoup plus vastes, comme les deux gigantesques mosquées de Samarra, en Irak.

D'épais murs en béton délimitaient un rectangle de 186 m sur 143 m, soit une superficie de plus de 2,6 ha, dont la majeure partie était occupée par une salle de prière hypostyle (c'est-à-dire dont le plafond est soutenu par des colonnes) comportant quelque **441 colonnes**, courtes (6,4 m) et robustes. La mort de Yacoub el-Mansour, en 1199, entraîna l'abandon de ce chantier démesuré, qui servit désormais de car-

rière aux habitants de Rabat. Fouillé, un peu hâtivement, en 1914-1915, puis restauré en 1934, l'ensemble, quoique très dépouillé, reste impressionnant.

▶ Le puissant minaret en pierre se dresse sur le côté nord de la mosquée **Yacoub el-Mansour**. Venant après la Koutoubia de Marrakech et la Giralda de Séville, la **tour Hassan★★** (la « belle Tour ») *(Plan II E3)* est l'un des symboles de la grandeur almohade. Bien qu'inachevé, lui aussi, c'est le monument le plus grandiose de Rabat ; qu'on en juge : 16 m de côté à la base, 44 m de hauteur (terminé, il aurait dû dépasser les 65 m), la rampe intérieure, large de 2 m, permettait de monter à cheval jusqu'au sommet ! Trop de visiteurs ayant succombé à l'attrait du vide, l'accès en est désormais interdit... La sobre décoration consiste en grands arcs polylobés ou lambrequinés, différents sur chacune des faces, surmontés d'un entrelacs d'arcatures imbriquées les unes dans les autres. Elle a été réalisée en méplats suffisamment épais pour la rendre lisible malgré la grande hauteur.

▶ À l'opposé de la tour Hassan, le **mausolée de Mohammed V** *(Plan II E3)* dresse son élégante silhouette blanche coiffée de vert. Ce « chef-d'œuvre » de l'académisme alaouite moderne, achevé en 1971, abrite la tombe du père de l'indépendance marocaine et, depuis 1999, celle de son fils Hassan II. En général, une foule nombreuse, encadrée par des militaires en grande tenue, fait la queue pour pénétrer à l'intérieur du monument. Dans un tel endroit on s'attendrait au dépouillement, en fait la décoration est opulente, presque oppressante ; remarquez dans la salle funéraire la coupole d'acajou et de cèdre. On fait le tour de la salle par une galerie-balcon qui surplombe le tombeau de Mohammed V.

SALÉ★★

Comptez une demi-journée.

Salé la blanche, reliée à Rabat par un pont, s'étend sur la rive droite du Bou Regreg

C'est un plaisir de se promener dans sa médina, restée authentique. Il y règne une sorte d'intemporalité paisible, faite de réserve, presque de recueillement.

Histoire

La ville a probablement été fondée au 11e s. par les Banou Achara venus de Chellah. Sous les Almoravides, elle prospéra rapidement mais, s'étant opposée aux Almohades, ces derniers détruisirent ses murailles et établirent leur capitale sur l'autre rive, à Ribat al-Fath. Cependant Salé reprit vite le dessus.

Une fête gâchée

En 1260, les Castillans s'emparèrent de la ville par surprise, à l'occasion de la fête de l'Aïd es-Seghir, la pillèrent et massacrèrent une partie de la population. Le premier sultan mérinide, Abou Youssef Yacoub, se porta au secours de Salé et fit reconstruire ses remparts, fâcheusement abattus par les Almohades.

Des sultans bâtisseurs

Dès lors, les **Mérinides** y édifièrent d'importants monuments : portes monumentales, arsenal, mosquées, médersas, zaouïa, *maristan* (hôpital). Pendant plusieurs siècles, la cité resta très prospère grâce à de nombreuses activités alimentant le commerce international : pêche à l'alose, culture du coton et du lin, artisanat (céramique, maroquinerie, tissage, broderie, nattes et tapis, etc.). Malgré la défectuosité du port qui s'ensablait inexorablement, les échanges maritimes avec l'Espagne restèrent très actifs. La ville reçut plusieurs vagues de réfugiés venus d'Espagne, morisques et juifs séfarades. Entre 1471 et 1541, Salé étant l'un des rares ports restés aux mains des Marocains, son importance s'accrut.

Les fameux pirates

Au 17e s., Salé, comme sa consœur et rivale de la rive gauche, profita largement de la piraterie. Les Alaouites complétèrent et renforcèrent ses remparts ; mais Mohammed ben Abdallah provoqua son déclin en interdisant la course et en créant un port concurrent à Essaouira. Au début du 20e s., le déclin s'accéléra : la concurrence des produits manufacturés européens tua l'artisanat. Salé devint une simple annexe de Rabat. Si la médina a gardé son caractère traditionnel, la ville est désormais entourée de cités-dortoirs et de bidonvilles qui ont pris la place des cultures maraîchères.

Après avoir franchi l'oued Bou Regreg sur le pont Moulay Hassan, commencez la visite par la porte monumentale.

Bab Mrisa★★ et les remparts★★

▸ L'imposante « porte du Petit Port », **Bab Mrisa★★**, construite par Abou Youssef Yacoub entre 1260 et 1270, est le plus ancien monument mérinide connu, encore empreint de la sévérité almohade. Flanqué par deux tourelles carrées, le passage est surmonté d'un arc brisé outrepassé, inscrit dans un bel encadrement sculpté en méplat d'entrelacs végétaux et entouré d'un bandeau épigraphique de style coufique. Telle quelle, cette porte paraît déjà très haute et pourtant nous n'en voyons pas la totalité puisque son seuil est enterré à 4 ou 6 m sous le niveau actuel du sol ! En fait, au 13e s., elle enjambait un canal qui allait de l'estuaire du Bou Regreg au port des barcasses situé à l'intérieur des murailles. L'emplacement de cet ancien port comblé et de l'**arsenal** est occupé depuis le début du 19e s. par le **mellah**, long rectangle desservi par une unique rue centrale sur laquelle se greffent des impasses perpendiculaires. Toujours très animé, le quartier a toutefois perdu beaucoup de son pittoresque depuis le départ des juifs pour Israël.

▸ Moins spectaculaire, le reste des **murailles★** mérite cependant qu'on en fasse le tour en voiture (*comptez 30mn avec la circulation*). Longs de plus de 4 km, ces remparts délimitent un vaste rectangle contenant la médina et un grand cimetière. Renforcée par une quarantaine de tours carrées, l'enceinte est percée d'une dizaine de portes : outre les deux **portes marines** jumelles de Bab Mrisa et Bab el-Mellah, remarquez surtout **Bab Fès★** et Bab Sebta. Face à l'océan, plusieurs forts datent de la période alaouite. Du haut de la plateforme du **borj Nord-Ouest**, allez admirer la **vue★** sur l'estuaire du Bou Regreg, le cimetière et la kasbah des Oudaïas.

▸ Le borj Nord-Ouest abrite le **musée régional de la Céramique★** (*tlj sauf mardi, 9h-12h/15h-17h30 ; entrée payante.*

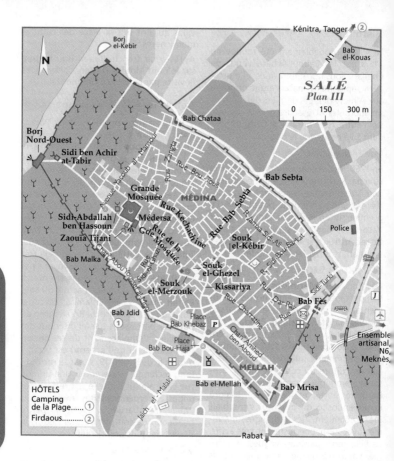

Kénitra, Tanger ②

Borj
el-Kebir

N1

Bab
el-Kouas

SALÉ
Plan III

0   150   300 m

Borj
Nord-Ouest

Sidi ben Achir
at-Tabir

Bab Chataa

Bab Sebta

Grande
Mosquée

MÉDINA

Rue Kechachine

Rue Bab Sebta

Avenue Jacoub al-Mansour

Rue Zniqat

Rue Bou-Jrouti

R. Jamaa Sidi-Ali

Sidi-Abdallah
ben Hassoun

Médersa

Rue de la
Gde Mosquée

Souk
el-Kébir

Police

Zaouïa Tijani

Rue Sidi el-Ghazal

Bab Malka

Chari Abou Touachi el-Mîri

Souk
el-Ghezel

Kissariya

R. Sidi-Ali Barkat

R. Bou-Barkat

Souk
el-Merzouk

Rue Charratine

Rue Dar-Raï

Sidi Turki

Bab Fès

J

Bab Jdid
①

Place
Bab Khebaz   P

Chari Amhed
ben Aboud

Ensemble
artisanal,
N6,
Meknès,

Place
Bab Bou-Haja

MELLAH

Jaich el-Malaki

Bab el-Mellah

Bab Mrisa

Rabat

HÔTELS
Camping
de la Plage......①
Firdaous..........②

Comptez 15mn). Ce modeste musée présente surtout la production de Salé : poteries utilitaires variées sans glaçure, mais avec un décor géométrique noir, brun ou rouge ; d'autres céramiques populaires, sans décor, proviennent de différentes régions du Maroc. Vous verrez également des **margelles de puits★** almohades, à glaçure verte, provenant de Chellah et des jarres mérinides.

▶ À proximité du musée, dans l'immense cimetière à l'abandon, le **marabout de Sidi ben Achir at-Tabib**, célèbre et savant ermite du 14ᵉ s., attire une foule pittoresque de dévots en attente de guérison miraculeuse (*entrée interdite aux non-musulmans*).

La médina★

Comptez 2h sans les visites de monuments.

Vous ne risquez pas trop de vous perdre dans la médina, il n'est donc pas nécessaire de prendre un guide.

C'est peut-être à cause de la longue et lente décadence de cette ville riche et bourgeoise que la médina de Salé a pu garder une grande authenticité et son atmosphère très particulière, imprégnée de piété tranquille.

Si vous avez une voiture, laissez-la à l'extérieur des murailles, dans les rues calmes du quartier moderne proche de l'hôpital. Franchissez les remparts par Bab bou Haja, puis longez le côté gauche de la place Bab Khebaz pour prendre la rue du même nom.

▶ La rue traverse d'abord le quartier consacré à l'habillement ; plutôt moderne et sans grande originalité, cette **kissariya** est très animée. Remarquez les caftans brodés, spécialité traditionnelle de Salé.

▶ Si vous ne vous égarez pas trop dans les ruelles adjacentes, vous parvenez assez vite à la petite place plantée d'arbres du **souk el-Ghezel**, pittoresque marché de la laine, où, à vrai dire, les écheveaux colorés pesés sur des balances romaines cèdent de plus en plus la place aux fripiers. À proximité se trouve le **souk el-Merzouk**, rue couverte où se serrent les bijouteries et les boutiques de broderies. À l'extrémité de la rue, sur la droite, remarquez la belle porte du **fondouk al-Askour**. Fondé par Abou Inan au milieu du 14e s., le lieu avait à l'origine fonction de *maristan* (hôpital).

▶ Les deux passages sous voûte marquaient l'entrée du **vieux mellah**, la ruelle fait ensuite deux coudes successifs pour aboutir au départ de la **rue de la Grande Mosquée**. Cette longue ruelle, très calme, est le siège de l'activité placide et industrieuse des brodeurs et des passementiers. Les jeunes apprentis dévident des fils de soie colorés sur plusieurs dizaines de mètres.

Suivez la rue jusqu'au bout pour atteindre la placette triangulaire sur laquelle donnent les deux principaux monuments de la médina.

▶ Construite en 1341 par le sultan Abou el-Hassan, la **médersa**★★ (*actuellement fermée pour travaux*) est le plus beau monument mérinide de la ville. Il est empreint d'une grâce que l'on ne trouve ni dans les puissantes fortifications ni dans l'austère mosquée voisine.

Un superbe **porche**★ en pierre sculptée, surmonté d'un auvent en bois de cèdre, donne accès à une merveilleuse petite **cour**★★, pavée de zelliges noirs et blancs, au centre de laquelle une vasque laisse échapper un filet d'eau.

Au fond, s'ouvre la salle de prière (remarquez le **mihrab** et le **plafond à coupole**). La décoration raffinée de la galerie qui entoure la cour s'ordonne suivant trois registres aux couleurs bien différenciées : 16 colonnes, recouvertes de zelliges où dominent le vert et le noir, supportent des arcs surmontés de hautes impostes décorées de stuc blanc finement ciselé, le tout protégé des intempéries par des auvents dont les corbeaux et les frises *(izar)* sont délicatement sculptés en bois de cèdre, noirci par les siècles.

Revenu près de l'entrée, prenez l'étroit escalier qui monte aux deux étages de minuscules cellules où logeaient les étudiants (remarquez les arcs polylobés des portes, ainsi que la balustrade et les linteaux en cèdre) ; puis grimpez jusqu'à la terrasse, pour apprécier le **panorama**★★ qui embrasse toute la médina de Salé et les quartiers anciens de Rabat, avec, au premier plan, la cour de la médersa et les toits en bâtière de la Grande Mosquée.

▶ En sortant de la médersa, la Grande Mosquée est sur votre gauche. En dehors des heures de prière, vous pourrez pénétrer discrètement à l'intérieur pour jeter un coup d'œil à l'architecture. Malgré les restaurations, la **Grande Mosquée**★ a gardé sa pureté almohade : 12 rangées de 7 puissants piliers de pierre, habillés de nattes, supportent les arcs outrepassés enduits de plâtre sur lesquels repose la charpente. Le minaret, situé au milieu de la cour nord, a été reconstruit au 19e s. dans le style d'origine.

▶ Passez entre la médersa et l'angle de la mosquée et tournez immédiatement à droite. Sur votre gauche, admirez la **porte** de la **zaouïa Tijani** et poursuivez la rue jusqu'au **marabout de Sidi Abdallah ben Hassoun**★, dont on voit les deux coupoles pyramidales couvertes de tuiles vertes. Aujourd'hui encore, le saint patron de Salé, qui vécut au 16e s., est l'objet d'une grande vénération ; elle se manifeste notamment lors de la **procession des Cires**★ *(voir encadré)*.

La procession des Cires

La veille du Mouloud (anniversaire de la naissance du Prophète), les représentants de la corporation des barcassiers, tout chamarrés de soie, promènent dans la ville d'énormes lanternes décorées de cires multicolores. Les étrangers ne peuvent pas entrer dans le marabout, mais ils pourront apercevoir par les fenêtres quelques-unes des fameuses lanternes et suivre la procession dans les rues.

Pour atteindre le musée de la Céramique, poursuivez tout droit sur 400 m. Sinon, prenez à droite l'av. Yacoub al-Mansour, puis tournez de nouveau à droite de manière à longer le côté nord de la Grande Mosquée.

▶ Après un passage sous voûte, la rue Kechachine vous ramènera au **quartier des souks**. Cette rue est essentiellement consacrée au petit commerce alimentaire, mais, au fond de modestes impasses, quelques détails – un encadrement de porte taillé dans la pierre, des moucharabiehs raffinés ou une corniche sculptée dans du bois de cèdre – rappellent la présence, derrière les façades discrètes, des riches demeures de l'ancienne bourgeoisie salétine. Un peu avant d'atteindre le **souk el-Kebir**, l'ancien marché aux esclaves chrétiens, vous croiserez la **rue Bab Sebta**, étroite et populeuse, qui conduit jusqu'à la porte du même nom ; si vous ne craignez pas la promiscuité de la foule, les odeurs fortes et les flaques de boue, suivez la rue jusqu'au bout : le spectacle est haut en couleur.

▶ Pour découvrir les productions artisanales de Salé, gagnez l'Ensemble artisanal, qui se trouve sur la route de l'aéroport, à 2 km environ. L'**Ensemble artisanal de Salé** (☏ 037 81 00 96, tlj sauf dimanche, 8h30-19h) est aménagé dans un bâtiment moderne où divers ateliers sont affectés aux productions traditionnelles de Salé : tissage, broderie, fabrication des nattes, zelliges, etc.

LES ENVIRONS DE RABAT

Comptez une demi-journée.

Les plages du sud

Plutôt que de prendre l'autoroute, suivez la route côtière vers le sud jusqu'à Témara-Plage *(15 km au sud de Rabat).*

Pour être plus tranquille, surtout si vous avez des enfants, préférez les plages au sud de Rabat : davantage protégées, elles sont plus sûres. Au nord, les courants et les rouleaux rendent parfois la baignade dangereuse. Soyez prudent.

Trois plages se succèdent : celles de **Témara-Plage**, les **Contrebandiers** et les **Sables d'Or**, et un peu plus au sud, le **Val d'Or**. Sable fin, baie protégée, les lieux sont agréables pour la baignade. Vous pourrez aussi profiter des petits restaurants et cafés le long de mer. Allez en particulier prendre un verre au bar-restaurant La Felouque (Sables d'Or), avec sa terrasse face à l'océan et sa piscine. Sachez toutefois que cette partie de la côte est très fréquentée le week-end, surtout en été.

La côte nord

Après avoir dépassé les banlieues sinistres de Salé, la route de Kénitra traverse **Sidi Bouknadel** où sont installés les ateliers où l'on taille la **pierre de Salé**, un calcaire coquillier abondamment utilisé dans les bâtiments de la capitale. La route est bordée de nombreuses pépinières qui fournissent les luxuriants jardins de Rabat.

▶ Suivez la route de Kénitra, à Sidi Bouknadel, un panneau sur la gauche *(km 9)* indique les jardins exotiques. En 1951, un horticulteur français, M. François, a rassemblé dans les **jardins exotiques**★ *(tlj 9h-12h/14h-17h30 ; 10 à 20 DH. Comptez entre 30mn et 1h)* quelque 1 500 variétés d'arbres et de plantes provenant du monde entier, qu'il a essayé de regrouper par types de paysages. Aujourd'hui, ce jardin exotique dépend du ministère de l'Intérieur (!) et il est un peu négligé, ce qui donne parfois au visiteur l'impression excitante de progresser au cœur de la jungle ! Plusieurs parcours sont fléchés, mais on regrette l'absence d'une signalétique qui donnerait le nom des plantes.

▶ Reprenez la route de Kénitra sur 4 km, jusqu'au croisement avec la route de la plage. En face du départ de la route de la plage des Nations arrêtez-vous au **musée Dar Belghazi**★★ (☎ 037 82 21 78/20 58. Tlj 8h30-18h30 ; 40 DH, 15 DH pour les étudiants. Comptez 2h, et plus si vous voulez visiter les réserves, il faut alors payer 100 DH au total). Après avoir fait fortune dans la menuiserie d'art, Mohammed Abdelilah Belghazi, issu d'une vieille famille fassi, décida de transformer son usine en un **musée ethnographique** privé reconnu par l'État. Sur 5 000 m², il expose des milliers d'objets qui ne représentent pourtant qu'une partie d'une gigantesque collection accumulée au cours de trois générations. Par la variété et la qualité des pièces présentées, cette institution privée surclasse nettement les musées publics (comme celui des Oudaïas) et une visite approfondie s'impose à tout amateur d'art marocain. Vous serez certainement subjugué par la beauté et la rareté des objets.

Dans la cour et dans l'entrée remarquez des **chevaux en métal**★ sur lesquels paradaient les mariés au 4e jour de la noce. Les pièces maîtresses de la première salle sont une **koubba**★ en cèdre peint de Meknès (17e s.), deux grandes lanternes de Marrakech (19e s.), huit *mahfa* (étagères) de Meknès. La seconde salle est dévolue au bois : un **palanquin** carré pour transporter la mariée *(aâmmariates)*, des colonnes et des portes peintes provenant d'une synagogue. La troisième salle contient des **objets juifs** d'origines diverses : armoire pour la Torah, lampes de Hannouka, vêtements d'apparat du nord du Maroc (17e-19e s.), alambic pour distiller la *mahia*, etc. La quatrième pièce est également consacrée au bois : fines **colonnes sculptées**★, **moucharabiehs**, **portes peintes**★ du 18e s. (Fès, Chaouèn, Meknès). Dans la cinquième salle vous trouverez des **textiles**, des **céramiques**, des instruments de cuisine, des bijoux, des selles et des armes. La sixième salle consacre plusieurs vitrines aux **céramiques anciennes**★ (17e-19e s.) de Fès ou de Meknès, mais aussi aux instruments de musique, aux tapis, aux tentures murales, etc. Près des ateliers de menuiserie, dans la cour, ne manquez pas la reproduction d'un lourd **carrosse** fassi du 18e s.

▶ Revenez sur la route principale et suivez en face la route qui conduit à la plage. La route traverse une forêt d'eucalyptus avant de redescendre jusqu'à la **plage des Nations**★, immense plage de sable fin qui s'étend sur près de 15 km jusqu'à Mehdya-Plage. En été, il y a foule du côté de l'hôtel Firdaous, mais il suffit de marcher un quart d'heure pour se retrouver seul (faites attention aux rouleaux et aux courants).

▶ Reprenez l'axe principal jusqu'à Kénitra. À l'est de cette route s'étend l'immense **forêt de la Maâmora**★ (134 000 ha), connue pour ses peuplements de chêne-liège et d'eucalyptus. C'est un peu la forêt de Fontainebleau des Rbati. On va y pique-niquer le dimanche lorsque la saison des plages est terminée.

▶ Aujourd'hui capitale économique du Rharb et 6e port du Maroc, **Kénitra** (**Knitra**, « le Petit Pont ») se réduisait à une modeste kasbah lorsqu'en 1913 les Français décidèrent de construire un port sur l'oued Sebou. À 17 km de l'océan, le fleuve, large de 250 m, était encore suffisamment profond pour accueillir des navires de haute mer et **Port-Lyautey** connut un développement rapide comme en témoigne encore son architecture des années 1930.

▶ *Rejoignez Mehdya, à 7 km de Kénitra.* Ancien comptoir carthaginois créé par Hannon à l'embouchure de l'oued Sebou, **Mehdya** (anciennement nommé al-Maâmora) fut, au 12e s., l'un des principaux chantiers navals almohades ; devenu un repaire de pirates aux 16e et 17e s., le port fut âprement disputé entre flottes européennes et aventuriers jusqu'à ce que Moulay Ismaïl s'en empare en 1681. La **kasbah**★ *(entrée gratuite, donnez un pourboire au gardien ; comptez 30mn)* qui domine le fleuve n'est autre que la forteresse construite par les Espagnols en 1614. L'imposante **Bab Jedid**★ est due au grand sultan alaouite ; à l'intérieur les bâtiments sont en partie ruinés mais l'endroit mérite une brève visite, ne serait-ce que pour la **vue**★.

▶ Sortez de Kénitra en direction de Souk-el-Arba-du-Rharb ; environ 500 m après être passé sous l'autoroute, prenez à gauche une piste sableuse qui longe quelques maisons.

Au second embranchement, dirigez-vous vers un marabout voisinant avec quelques palmiers. Les ruines de Thamusida se trouvent à 17 km au nord-est de Kénitra. Étape sur la voie qui descendait de Tingis à Sala Colonia par Banasa, cet ancien camp romain, situé en bordure du Sebou, devint une ville assez importante au 2e s ap. J.-C., sous le nom de **Thamusida**. Fouillé dans les années 1930, le site est très vaste mais plutôt décevant ; on suivra assez aisément l'enceinte et quelques-unes des rues orthogonales, mais la plus grande partie des ruines sont arasées et dépassent à peine au milieu des palmiers nains. Jolie vue sur le Sebou.

CASABLANCA★

(icon) **L'architecture Art déco et néomauresque du centre-ville**

(icon) **Bruits de circulation**

> Capitale économique - 93 km de Rabat, 241 km de Marrakech - Plus de 4 000 000 hab. - Climat tempéré, très humide - Carte Michelin n° 742 plis 5, 7, 20 et 21.
>
> **À ne pas manquer**
>
> La mosquée Hassan II.
> L'ancienne médina et le port.
>
> **Conseils**
>
> Prenez un verre le long de la corniche au coucher du soleil.
>
> Allez au marché central, tôt le matin.
>
> Dégustez des poissons et crustacés.

Quatrième plus grande ville d'Afrique, première du Maghreb et capitale économique du Maroc, la « ville blanche » figure au palmarès des gigantesques métropoles. Avec ses industries de pointe, son commerce maritime, ses hôtels luxueux et son aéroport international, elle représente le Maroc de l'avenir, tournée vers l'Occident et la modernité. Vous plongez ici dans une ville animée et contrastée qui accueille beaucoup d'expatriés et de voyageurs de passage. Le paysage se compose de buildings, de larges avenues, de places aérées, d'une jetée immense s'avançant dans l'océan, d'une médina ancienne et de la corniche, centre balnéaire et lieu d'animation nocturne.

À l'économie s'ajoute un attrait essentiel : l'architecture moderne. D'abord, la mosquée Hassan II, édifice démesuré s'élevant sur l'eau, seule mosquée du Maroc accessible aux non-musulmans. Amateur d'architecture, vous apprécierez aussi Casablanca pour son ensemble de bâtiments allant de l'Art déco et du néo-mauresque des années 1920

et 1930 au modernisme contemporain, en passant par le style bateau propre aux buildings des années 1950. Promenez-vous, levez la tête (mais restez prudent !) et vous pourrez contempler les façades ouvragées de certains édifices du centre-ville, avec leur décoration de coupoles, de balcons, de colonnes.

Arriver ou partir

En avion - Aéroport international Mohammed V, ☎ 022 53 90 40/91 40. À 30 km au sud-est de Casablanca. 7 vols quotidiens avec Royal Air Maroc (RAM) et Air France relient Casablanca à Paris (3 h de trajet). En haute saison, les charters sont nombreux. D'autres compagnies aériennes desservent Casablanca : Air Afrique, Tunis Air, Alitalia, GB Airways, Swiss Airlines, Iberia, Lufthansa, etc. Quelques exemples sur RAM : Paris-Casablanca, 3 vols par jour ; Marseille-Casablanca et Lyon-Casablanca, 1 vol quotidien ; Bordeaux-Casablanca, 4 vols par semaine ; Strasbourg-Casablanca, 2 vols par semaine ; Toulouse-Casablanca, 5 vols par semaine ; Genève-Casablanca et Bruxelles-Casablanca, 1 vol quotidien ; Montréal-Casablanca, 4 vols par semaine. RAM assure aussi plusieurs vols intérieurs : Marrakech (4 vols quotidiens, 40mn), Agadir (4 à 5 vols par jour, 1h), Tanger (1 à 2 vols, 50mn), Fès (1 à 2 vols, 45mn), Oujda (1 vol, 60mn). Dans l'aéroport vous trouverez une dizaine d'agences de **location de voitures**, **3 banques** (2 guichets de retrait automatique), une poste, 2 bureaux d'informations, une agence **CTM** et une boutique **GSM Al-Maghrib** (☎ 022 29 72 32) si vous souhaitez acheter une carte pré-payée pour votre téléphone portable.

De l'aéroport au centre-ville - Un **train** de l'ONCF, www.oncf.ma, relie l'aéroport aux gares ferroviaires Casa-Voyageurs et Casa-Port 12 fois par jour entre 7h30 et 23h30 (30 à 45mn de trajet, 30 DH). Très pratique. L'**Aérobus**, ☎ 022 36 33 17/21, fait la liaison entre l'aéroport et différents grands hôtels de Casablanca et de la corniche (10 fois par jour entre 5h et 22h30, 40 DH).

Une autre navette de bus, ☎ 022 54 10 10, relie l'aéroport et la gare **CTM** de Casablanca (12 bus par jour entre 7h30 et minuit, 45mn de trajet, 40 DH). En **taxi**, comptez 200 DH la course pour le centre-ville.

En train - Casa-Voyageurs *(Plan I E3)*, bd Bahmad, ☎ 022 22 05 25, assure les principales destinations. 8 départs quotidiens pour Marrakech (4h), Meknès (3h) et Fès (4h), 3 pour Tanger (6h) et Taza (7h). Pour vous rendre à la gare, prenez un bus ou un taxi dans le centre-ville. Les trains partant de **Casa-Port** *(Plan II D2)*, bd Houphouët-Boigny (plus proche du centre-ville que la gare Casa-Voyageurs), ☎ 022 22 05 25, desservent entre autres l'aéroport Mohammed V, Mohammedia (22 fois/jour, 20mn), Rabat (22 fois/jour, 50mn) et Kénitra (18 fois/jour, 1h30). Tabac-presse, buvette mais pas de consignes pour les bagages.

En bus - Gare routière CTM *(Plan II D2-3)*, 23 rue Léon l'Africain, ☎ 022 54 10 10, www.ctm.co.ma Tabac, journaux et consignes. 4 bus par jour pour Tanger (6h de trajet) et 3 bus pour Tetouan, avec plusieurs arrêts dont Rabat (1h30). Sur les 12 bus quotidiens qui partent en direction d'Al-Hoceima, 11 s'arrêtent à Rabat et à Meknès (4h), 12 à Fès (5h), 6 à Taza et 2 à Al-Hoceima. Sur les 7 bus par jour qui longent la côte atlantique, 6 s'arrêtent à El-Jadida (2h), un à Oualidia (3h30), 7 à Safi (4h30), 2 à Essaouira (7h) et un poursuit jusqu'à Agadir puis Tiznit. Deux bus quotidiens pour Marrakech (4h) et Ouarzazate (7h30). Deux bus quotidiens pour Azrou (5h30) via Rabat et Meknès, un poursuit jusqu'à Tinerhir (12h30).

Gare routière de Ouled Ziane *(Plan I E3)*, route de Ouled Ziane. Cette gare accueille les bus d'autres compagnies. Les départs sont plus fréquents, les prix inférieurs à ceux de la CTM mais le confort est parfois limité (bus bondés aux heures de pointe) et la plupart des chauffeurs conduisent dangereusement. Les bus desservent les mêmes destinations que celles de la CTM mais les horaires sont très variables.

En taxi collectif - Les taxis garés en face de la gare routière CTM mènent à Mohammedia, ceux qui stationnent derrière la gare ferroviaire Casa-Voyageurs, sur le bd Hassan Seghir, conduisent à Rabat.

Comment circuler

En bus - Le principal arrêt se trouve sur la place Oued el-Makhazine *(Plan II B3)*. Les bus les plus utiles sont le n° 9 qui conduit à Aïn Diab, le n° 5 à la place de la Victoire et le n° 15 à la mosquée Hassan II.

En taxi - Les petits taxis casablancais sont rouges. On trouve des stations un peu partout dans la ville, notamment près des gares et des grands hôtels. Veillez à ce que le compteur soit bien mis en marche dès le départ. Tarif majoré de 50 %, de 20h à 6h en hiver et de 21h à 6h en été.

En voiture - Importants embouteillages aux environs de 8h, entre 11h30 et 12h30, puis entre 17h et 19h. Le reste du temps la circulation est assez aisée. Prévoyez de la monnaie (2 ou 3 DH) pour laisser aux gardiens de parking. Soyez prudent aux heures tardives (minuit-6h) car bon nombre d'automobilistes conduisent en état d'ivresse et ignorent les feux rouges et les stops.

Location de voitures - Europcar, tour des Habous, av. des F. A. R., ☎ 022 31 37 37. **Avis**, 19 av. de l'Armée Royale, ☎ 022 45 07 08. **Budget**, av. des F.A.R., ☎ 022 31 31 24. **Ada**, 4 rue Abou Faraj Asbahani, ☎ 022 36 60 09. **First Car**, 157 bd Hassan Seghir, ☎ 022 31 87 88. Toutes ces compagnies disposent d'un bureau à l'aéroport Mohammed V.

Adresses utiles

Délégation régionale du tourisme - 55 rue Omar Slaoui *(Plan II C4)*, ☎ 022 27 11 77. Lundi-vendredi, 9h-12h/15h-18h30, samedi 9h-12h/15h-17h. Peu d'informations. En été lundi-vendredi 8h30-15h.

Syndicat d'initiative - 98 bd Mohammed V *(Plan II D3)*, ☎ 022 22 15 24. Lundi-samedi 8h30-12h/15h-18h30. Peut organiser une visite de

Casablanca en voiture avec un guide officiel sur une demi-journée : comptez 450 DH (1 à 3 pers.).

Banque / Change - Les banques ne manquent pas et la plupart des grands hôtels possèdent un bureau de change.

BMCE, 241 bd Mohammed V, ☎ 022 30 41 80. **Crédit du Maroc** *(Plan II C3)*, av. Hassan II (en face de la poste). **American Express** (agence Schwarz), 112 rue du Prince Moulay Abdallah, ☎ 022 22 29 46/29 47.

Poste centrale - À l'angle du boulevard de Paris et de l'av. Hassan II *(Plan II C3)*. Lundi-vendredi 8h-18h30, samedi 9h-12h.

Téléphone - Ceux de la poste (bd de Paris) fonctionnent 24h/24. Vente de télécartes.

Internet - **Cyber Club Wintel**, 64 rue Nationale *(Plan II C3)*. Tlj 10h jusque tard le soir, 1h de connexion, 10 DH. **First System**, 62 rue Allal ben Abdallah *(Plan II C2)*. Tlj 9h-21h, 10 DH/h.

Représentations diplomatiques - Consulat de France, rue Prince Moulay Abdallah, ☎ 022 48 93 00. **Consulat de Belgique**, 13 bd Rachidi, ☎ 022 22 30 49. **Consulat de Suisse**, 43 bd d'Anfa, ☎ 022 20 58 56.

Urgence / Santé - SOS Médecins, 82 rue Soumya, ☎ 022 82 82 82. **Pharmacie de garde**, place Mohammed V, ☎ 022 26 94 91. **Médecins de garde**, Croissant Rouge, ☎ 022 25 25 21.

Compagnies aériennes - Royal Air Maroc, 44 av. des F. A. R., ☎ 022 31 11 22. **Air France**, 15 av. des F.A.R., ☎ 022 29 40 40. **Swissair**, tour des Habous, ☎ 022 31 32 80.

Agence de voyages - S'Tours, 23 rue Léon l'Africain, ☎ 022 44 83 77. Propose une visite de Casablanca sur 1/2 journée (80 DH) et des excursions d'une journée à Rabat et à Marrakech.

Se loger

Env. 50 DH (5 €) à deux avec 1 tente et 1 véhicule

Camping de l'Oasis, av. Omar el-Khayam (ex-Mermoz), quartier Beau Séjour, à env. 5 km du centre-ville en direction d'el-Jadida, ☎ 022 23 42 57.

Agréable site ombragé de ficus, sanitaires propres et commerces à proximité.

▸ *Dans la médina*

Nous vous déconseillons de loger dans la médina. On trouve certes quelques hôtels bon marché (50-80 DH) mais ils sont pour la plupart dans un piteux état, à l'exception de l'auberge de jeunesse, une bonne adresse. De plus, il faut être prudent si vous vous promenez dans ce quartier le soir.

Entre 45 et 60 DH (4,5 à 6 €) par personne

Auberge de jeunesse, 6 pl. Ahmed el-Bidaoui, accessible par le bd des Almohades puis par Bab el-Bahr, ☎ 022 22 05 51 - 80 lits. 6 dortoirs pour 10 pers., 2 ch. pour 3 pers. et 4 ch. doubles. L'auberge, très bien tenue, dispose aussi d'un salon marocain, d'une cuisine pour les préparations individuelles et d'une terrasse. Sanitaires communs très propres. Douche et petit-déjeuner compris dans le prix. Esprit convivial et chaleureux.

▸ *Dans la ville nouvelle*

Environ 130 DH (13 €)

Hôtel Mon Rêve, 7 rue Chaouia (ex-Colbert), ☎ 022 31 14 39 - 46 ch. Vous voici dans un décor traditionnel avec revêtement mural surchargé. Les chambres, spartiates et colorées, sont ornées d'un joli lavabo en céramique mais la literie et les sanitaires mériteraient d'être changés. Douche commune, eau froide. Pas de petit-déjeuner.

Environ 160 DH (16 €)

Hôtel de Séville, 19 rue Nationale, ☎ 022 27 13 11 - 14 ch. Dans une rue calme à côté du secteur piétonnier, l'hôtel abrite des chambres sommaires et propres. La moitié d'entre elles sont dotées de douche et certaines disposent d'un balcon. Douche et WC à la turque dans le couloir. Bonne adresse dans sa catégorie. Pas de petit-déjeuner.

Entre 160 et 200 DH (16 et 20 €)

Hôtel de Foucauld, 52 rue Araïbi Jilali (ex-Foucauld), ☎ 022 22 26 66 - 22 ch. L'hôtel a adopté le style marocain dans l'entrée : plafond en stuc et moucharabieh. Les chambres sont convenables, la moitié comportent douche et WC. Dommage que le mobilier soit si abîmé.

Hôtel Rialto, 9 rue Salah ben Bouchaib, ☎ 022 27 51 22 – 21 ch. 🍴 L'hôtel est bien tenu, il abrite des chambres simples donnant sur une cour intérieure assez agréable ou sur la rue. Sanitaires communs, WC dans certaines chambres. Eau chaude de 6h à minuit. C'est l'une des meilleures adresses dans sa catégorie.

Environ 200 DH (20 €)

Hôtel du Palais, 68 rue Farhat Hachad, ☎ 022 27 61 91 – 32 ch. 🍴 Cet établissement, récemment rénové, dispose de chambres spacieuses et propres, certaines sont prolongées d'un balcon. Projet d'aménager un restaurant.

Entre 360 et 370 DH (36 à 37 €)

Hôtel de Paris, 2 rue Ech-Cherif Amziane, à l'angle de la rue du Prince Moulay Abdallah, ☎ 022 27 42 75/38 71 - 36 ch. 🍴 📺 Agréable hôtel de 6 étages (ascenseur). Les chambres, au mobilier un peu vieillot, sont confortables. Celles côté rue peuvent être un peu bruyantes (demandez les derniers étages), celles côté cour sont plus calmes mais aussi plus sombres.

Hôtel Plaza, 18 bd Houphouët-Boigny, ☎ 022 29 78 22/76 98 - 27 ch. Face à l'ancienne médina, ce spacieux hôtel est un peu triste mais bien tenu. Les chambres sont grandes et agréables, et certaines disposent d'une salle de bains avec baignoire. Chaque étage comporte une douche et des toilettes, très propres. Chauffage et eau chaude. Ascenseur. Accueil sympathique.

🐌 **Hôtel Astrid**, 12 rue 6 novembre (ex-Ledru-Rollin), ☎ 022 27 78 03/22 02 24, hotelastrid@hotmail.com - 22 ch. 🍴 📺 La peinture orange vif rend l'entrée pétillante. Les chambres sont vastes et joliment décorées ; celles donnant sur la rue ont un balcon. Petit-déjeuner dans votre chambre ou au salon de thé. Le personnel est très chaleureux. Très bon rapport qualité-prix. Réservez.

Environ 400 DH (40 €)

Hôtel Majestic, 57 bd Lalla Yacout, ☎ 022 31 09 51 – 100 ch. 🍴 📺 ✕ 🍸 🆑 Une fois franchi la porte en bois massif, on entre dans le Casablanca des années 1920 : zelliges, vitraux colorés,

plafond en stuc et colonnes en marbre. L'ensemble, un peu suranné, conserve un certain charme. Préférez les chambres côté cour, plus calmes que sur le boulevard.

Environ 540 DH (54 €)

Hôtel Ibis Moussafir, pl. de la Gare Casa-Voyageurs, ☎ 022 40 19 84 - 97 ch. 🍴 📺 ✕ 🍸 🆑 Clair et spacieux. Jolie décoration marocaine agrémentée de mosaïque blanche et bleue. Le restaurant avec terrasse donne sur un beau jardin. Grand bar. Chambres agréables aux coloris pastel. Accueil très chaleureux.

Hôtel Guynemer, 2 rue Mohammed Belloul (ex-Pégoud), ☎ 022 27 57 64 /76 19, www.geocities.com/guynemerhotel - 29 ch. 🍴 📺 ✕ 🍸 🆑 En plein centre-ville, cet hôtel familial entièrement rénové offre des chambres de tailles différentes, confortables, propres et bien équipées. Certaines comportent un petit salon marocain. Accueil chaleureux. Bonne cuisine marocaine. Possibilité de garer sa voiture devant l'hôtel.

Environ 650 DH (65 €)

Hôtel Transatlantique, 79 rue Chaouia (ex-Colbert), ☎ 022 29 45 51/29 52 04 - 65 ch. 🍴 ▦ 📺 ✕ 🍸 🆑 Ce bel immeuble des années 1920 abrite des chambres confortables, réparties sur 3 niveaux, un agréable jardin intérieur couvert de zelliges, deux restaurants et un bar. Décoration marocaine avec une couleur dominante à chaque étage. Charme un peu désuet. Discothèque à côté.

Environ 1 000 DH (100 €)

Hôtel Ramada, av. Moulay Hassan Ier, ☎ 022 22 05 05 - 138 ch. 🍴 ▦ 📺 ✕ 🆑 Couleurs chaudes, salons douillets et magnifiques tableaux, le cadre est oriental et reste intime malgré la dimension de l'établissement. Le jardin d'hiver et le salon marocain sont ravissants. Très jolies chambres colorées et lumineuses. Coffee-shop et piano bar.

Mosquée Hassan II

Entre 3 300 et 4 600 DH (330 à 460 €)

Hôtel Le Royal Mansour Meridien, 27 av. des F.A.R., ☎ 022 31 30 11/21 12 - 182 ch. ⌁ 🍽 📺 ✕ ❢ 🅒🅒 Vous voici dans le palace de Casablanca. Couleurs, mobilier, étoffes : ici, tout n'est que luxe et volupté. Des chambres de rêve avec salle de bains en marbre, club de sport, hammam, sauna, piano-bar et terrasse offrant une vue magnifique sur la mosquée Hassan II. À défaut d'y résider, venez prendre un verre dans le jardin d'hiver ou dîner au restaurant marocain, réputé pour sa cuisine authentique et ses animations musicales. Clientèle d'hommes d'affaires.

▶ *Sur la corniche*

Environ 620 DH (62 €)

Hôtel Bellerive, 38 bd de la Corniche, Aïn Diab, ☎ 022 79 75 04/16 - 35 ch. ⌁ 📺 ✕ 🛁 🐾 🅒🅒 Établissement fréquenté par les Casablancais. On traverse une entrée décorée à la marocaine puis l'on rejoint un grand café, plein à craquer en été, qui s'étend sur une terrasse offrant une belle vue sur le jardin et sur la mer. Grillades à partir de 19h30. Chambres agréables, demandez celles côté mer. L'accès à la mer n'est pas direct. Ambiance conviviale.

Environ 1 200 DH (120 €)

Hôtel Suisse, bd de la Corniche, Aïn Diab, ☎ 022 36 02 02/39 60 61 - 192 ch. ⌁ 🍽 📺 ✕ ❢ 🛁 🐾 🅒🅒 Ce vaste hôtel confortable se dresse un peu à l'écart de la corniche, il propose de nombreux services. Joli patio orné d'une fontaine, chambres avec balcon et, pour certaines, vue sur la mer. Salle de sport, billard, discothèque et piano-bar.

Environ 2 330 DH (233 €)

Hôtel Riad Salam, bd de la Corniche, ☎ 022 39 13 13 – 202 ch. ⌁ 🍽 ✕ 📺 ✕ ❢ 🛁 🐾 🅒🅒 Hôtel réputé pour son centre de thalassothérapie. Vous trouverez une brasserie, un restaurant marocain, une pizzeria et un restaurant espagnol. Pour les soirées, vous avez le choix entre un cabaret oriental, un night-club et un bar anglais. La plupart des chambres et des bungalows comportent une terrasse ou un balcon avec une vue splendide sur la mer et la mosquée Hassan II. Magnifique piscine et accès direct à la plage.

Se restaurer

▶ *Dans la ville nouvelle*

Moins de 50 DH (5 €)

Plusieurs rôtisseries entourent le marché central (bd Mohammed V) où vous sont proposés poulets à la broche, accompagnés de riz ou de frites. Vous pouvez aussi acheter du poisson frais au marché (avant 13h) et demander aux petits restaurants de la rue Allal ben Aballah de vous le préparer.

Es Sâada, 56 bd de Bordeaux *(Plan II A2)*. Assurément, les meilleurs sandwichs (viande, kefta, foie...) de la ville. Certains regretteront l'absence de frites.

Aladdin 1, 39 rue Mohammed Sidki (rue perpendiculaire au bd d'Anfa) *(Plan I C3)*, ☎ 022 29 86 45. Tlj de 12h à 1h du matin. Les *chawarmas*, sandwichs libanais, sont un vrai régal.

Aladdin 2, 26 rue Abbés Mahmoude el-Akkad *(Plan I C-D3)*, ☎ 022 47 12 86. Tlj de 12h à 1h. Situé à quelques mètres de « Aladdin 1 », celui-ci est spécialisé dans les brochettes de viande accompagnées de salade et de frites.

Pueblo, 9 bis rue Abbés Mahmoude el-Akkad *(Plan I C2-3)*, ☎ 022 26 40 45. On vient y manger des crêpes variées et des paninis.

Entre 50 et 100 DH (5 à 10 €)

La Java, bd Abdellatif ben Kaddour *(Plan I C3)*, centre Galaxie (face au vélodrome), ☎ 022 94 27 11. ❢ 🅒🅒 La Java fait un tabac auprès d'une clientèle jeune et branchée qui apprécie les tapas et la paella à petit prix. La salle, aux murs rouge et saumon, comprend un bar et des petites tables. C'est le lieu de passage obligé avant d'aller à la discothèque Vanity. À partir de 19h.

Entre 100 et 200 DH (10 à 20 €)

Bodega, 129-133 rue Allal ben Abdellah *(Plan II D3)*, ☎ 022 54 18 42 ❢ 🅒🅒 Cuisine espagnole dans un joli cadre assorti. Formule pour le déjeuner (environ 100 DH) et tapas le soir. Si vous avez envie de danser, gagnez la cave. Ambiance jeune, conviviale et très animée. Difficile de trouver une place en fin de semaine.

Le Kim-Mon, 160 av. Mers Sultan *(Plan II C4)*, ☎ 022 26 32 26. ♥ ⦿ Fermé le lundi. Très bonnes spécialités asiatiques copieusement servies. Salle simple et propre.

⦿ **Le Port de Pêche**, port de pêche *(Plan II C1)*, ☎ 022 31 85 61. ♥ ⦿ Spécialisé dans les poissons et les fruits de mer, le « restau du port » est toujours bondé, et un peu bruyant. On y vient pour la qualité et la fraîcheur de ses produits : fritures de poisson, calamars, crevettes, poissons grillés. Excellent rapport qualité-prix.

Taverne du Dauphin, 115 bd Houphouët-Boigny *(Plan II C2)*, ☎ 022 22 12 00. ♥ ⦿ Ouverte en 1958, la Taverne appartient toujours à la même famille marseillaise. Dans la petite salle sans prétention on sert des poissons et des fruits de mer. C'est probablement l'un des meilleurs restaurants dans sa spécialité. Fermé le dimanche.

Toscana, 7 rue Yaala Elifrani, Racine *(Plan I C3)*, ☎ 022 36 95 92/94 07 35 ♥ Les pizzas sont très bonnes et les pâtes al dente. Le cadre spacieux et moderne attire une clientèle décontractée. La terrasse est couverte. Bon rapport qualité-prix.

i III Cammelli's, 5 rue Al Moutanabi (ex-des Rosiers) *(Plan II A3)*, Gautier, ☎ 022 49 15 65. ♥ ⦿ Fermé samedi midi et dimanche. Spécialités italo-américaines. La limousine qui trône à l'intérieur fait penser au New York mythique, mais les plats de pâtes vous emportent vers le Naples authentique. Bon rapport qualité-prix et service agréable.

Environ 250 DH (25 €)

Al Mounia, 95 rue du Prince Moulay Abdallah *(Plan II C4)*, ☎ 022 22 26 69, fermé le dimanche. ♥ ⦿ Cet excellent restaurant marocain, l'un des meilleurs de la ville, a été aménagé dans une belle maison traditionnelle avec terrasse où trône un majestueux faux poivrier.

Service attentionné. Deux salles climatisées. Réservez le soir en semaine.

Entre 250 et 300 DH (25 à 30 €)

Chalutier, Centre 2000 *(Plan II D2)*, ☎ 022 20 34 55. ♥ ⦿ Fermé le dimanche. Spécialités de poissons et de fruits de mer. Les propriétaires étant espagnols, on ne s'étonne pas de la qualité de la paella ! Terrasse très agréable.

Ostréa, port de pêche *(Plan II C1)*, ☎ 022 44 13 90. ♥ ⦿ On oublie vite la décoration kitsch lorsqu'on savoure les plats de poissons et de fruits de mer. Établissement réputé, entre autres, pour ses huîtres en provenance de Oualidia.

Ryad Zitoun, 31 bd Rachidi *(Plan II A3)*, ☎ 022 22 39 27/48 18. ♥ ⦿ Fermé samedi midi et dimanche midi. Le restaurant occupe le rez-de-chaussée d'un immeuble moderne. Choisissez entre l'agréable salle joliment décorée d'objets locaux et le petit jardin pour savourer une cuisine marocaine préparée avec soin. Pastilla et tajine à l'honneur. Réservez le soir.

Environ 300 DH (30 €)

Brasserie Bavaroise, 133 rue Allal ben Abdallah *(Plan II D3)*, à côté du marché central, ☎ 022 31 17 60. ♥ ⦿ Fermée samedi midi et dimanche. Restaurant apprécié pour ses viandes et ses poissons. Le chef français change la carte 3 ou 4 fois par an. Si vous avez encore un petit creux, laissez-vous tenter par un dessert, ils sont tous exquis.

Le Balcon 33, bd de la Corniche, Aïn Diab, ☎ 022 79 72 05/83 93. ♥ ⦿ C'est avant tout une discothèque à l'ambiance feutrée, où règne un esprit de club. C'est aussi l'une des meilleures tables de la ville aux spécialités renommées : le soufflé au fromage et le filet au poivre vert sont les plus demandés.

La Tonkinoise, av. de la Côte d'Émeraude, Aïn Diab *(Plan I B3)*. ♥ ⦿ Cette belle villa à proximité de la mer vous propose une cuisine asiatique. C'est bon, mais peu copieux et assez cher.

Le Rétro 1900, Centre 2000, à l'angle du bd Moulay Abderrahmane et du bd Houphouët-Boigny *(Plan II D2)*, ☎ 022 27 60 73/20 58 28. ♥ ⦿ Fermé samedi midi et dimanche. Cuisine française gastronomique. Cadre élégant et intime. Le menu dégustation (6 plats, un dessert) est conseillé.

▸ *En bord de mer*

Moins de 50 DH (5 €)

Sur la corniche, en face de l'hôtel de la Côte, se succèdent des petits restaurants de brochettes ou de fritures de poissons. Tous valent le coup, notamment **Abou Lachbal** (chez Ahmed), où les brochettes sont exquises et la terrasse du haut très agréable.

Schlotzsky's Déli, Complexe Dawliz, bd de la Corniche *(Plan I B2)*, tlj 11h-minuit. Fast-food très animé. Salades, pizzas, hamburgers et sandwichs. Agréable terrasse face à la mer.

Plus de 300 DH (30 €)

La Réserve, bd de la Corniche, Aïn Diab. ☂ CC Fermé le samedi. Cuisine française, rustique. Le bâtiment des années 1930 est un pur joyau du style Art déco. Une splendide vue sur la mer compense le cadre austère. Excellent service. Peu de monde en général, peut-être en raison des prix légèrement exagérés.

La Mer, bd de la Corniche, phare d'el-Hank *(Plan I C2)*, ☎ 022 36 33 15/12 71. ☂ CC Spécialités de poissons et de fruits de mer que l'on déguste face à l'Océan. Excellente adresse, du même style que son voisin « Le Cabestan », mais moins chic.

☺ **Le Cabestan**, bd de la Corniche, phare d'el-Hank *(Plan I C2)*, ☎ 022 39 11 90. ☂ CC Fermé le dimanche. Depuis 1965, la propriétaire, Mme Viot, reçoit avec discrétion une clientèle fidèle qui vient autant pour être vue que pour se régaler de poissons et de fruits de mer. Une élégante salle surplombe la mer. Loup mariné, pavé de saumon ou huîtres tièdes, tout est d'un raffinement suprême. De nombreux repas d'affaires.

☺ **À ma Bretagne**, bd de l'Océan Atlantique, Sidi Abd er-Rahmane *(Plan I A3)*, ☎ 022 36 21 12. ☂ CC Fermé le dimanche. L'un des meilleurs restau-

rants de la ville, il propose une cuisine française dans un cadre chic. La baie vitrée s'ouvre sur un joli jardin fleuri face à la mer. André Halbert, le maître cuisinier français, a choisi la perfection.

Sortir, boire un verre

Cafés et salons de thé - Les terrasses se succèdent le long de la corniche. Si vous voulez vous mettre dans l'ambiance typiquement casablancaise, allez absolument prendre un thé ou un jus de fruit face à la mer, en couple de préférence !

☺ **Louisiana**, bd Abdellatif ben Kaddour *(Plan I C3)*, centre Galaxie (face au vélodrome), ☎ 022 94 91 13. Café-galerie d'art très en vogue actuellement. Le cadre est tropical : couleurs chaudes, tables et fauteuils anciens, plantes et perroquets. Ouvert de 14h à 20h.

Thé o'reme, Espace porte d'Anfa, vélodrome *(Plan I C3)*, ☎ 022 36 93 30. À l'intérieur du centre commercial. Un des points de rendez-vous de la jeunesse. Bonnes crêpes et glaces.

Pâtisserie, salon de thé La Colombe d'Or, angle rue de l'Atlas et Ibnou Nafiss, Mâarif *(Plan I C3)*, ☎ 022 25 85 65. Excellentes pâtisseries marocaines et françaises. Salle moderne et très propre.

Salon de thé du Dawliz, bd de la Corniche, ☎ 022 39 69 43. Terrasse très spacieuse avec vue sur l'océan. Bonnes pâtisseries françaises.

Oliveri 132 av. Hassan II ☎ 022 27 60 75. Les meilleures glaces de la ville ont clôturé bien des repas de mariage ! Goûtez en particulier la vanille...

Bars - Jazz club Amstrong, rue Quiberon, la Corniche, Aïn Diab, ☎ 022 39 76 56. ☂ Très en vogue actuellement. Groupes de jazz internationaux.

Le Casablanca, hôtel Hyatt Regency, place Mohammed V *(Plan II C3)*, ☎ 022 26 12 35. ☂ Les héros du film de Curtiz peuplent les murs. Pas désagréable de boire avec Humphrey Bogart et Ingrid Bergman... Chic et cher.

Loisirs

Discothèques - Le Vanity, bd de la Corniche, Aïn Diab. Cette boîte fait le bonheur de la jeunesse dorée.

La Notte, bd de la Corniche, Aïn Diab. Clientèle jeune et endiablée.

Villa Fadango, rue de la mer Égée, la Corniche *(Plan I B2)*, ☎ 022 39 85 08. Très belle décoration. Les tables sont réparties entre la salle de danse et la terrasse couverte, ornée de plantes et d'une superbe cheminée. Ambiance folle et décontractée. On sélectionne à l'entrée.

Hammams - Les Bains Ziani, 59 rue Abou Rakrak (ex-rue Verdun), ☎ 022 31 96 95. Tlj 7h-22h, lundi-jeudi, 30 DH, vendredi-dimanche, 40 DH. Une salle pour les femmes, une autre pour les hommes. Magnifique hammam. Bain de vapeur, gommage, massage, Jacuzzi, relaxation, musicothérapie. Plus cher que les autres mais plus luxueux et impeccable. **Hammam Anfa**, quartier Beauséjour (à côté du club sportif CAFC). Authentique et très propre. Dans la médina, vous trouverez des hammams à côté de la place de l'Amiral Philibert.

Piscines - En été, vous pourrez nager dans toutes les piscines-plages privées de la Corniche : Tahiti, Miami, Tropicana…

Cinémas - Dawliz, bd de la Corniche, ☎ 022 39 69 43. Des films récents sont programmés dans l'une des quatre salles. **Dawliz** (2 salles), 48 av. des F.A.R., tour Habous, ☎ 022 31 48 22.

Sports - Société nautique de Casablanca, jetée Delure, ☎ 022 22 57 21.

Golf Royal d'Anfa, rampe d'Anfa, ☎ 022 25 10 26.

Achats

Marché central *(Plan II D3)*, bd Mohammed V. Ouvert tlj, le matin uniquement. Viandes, poissons, fruits de mer, fruits, légumes et fleurs. Quantité et qualité sont au rendez-vous. Les amateurs d'olives pourront se rendre au souk du quartier des Habous.

Pâtisseries – Bennis, 2 rue Fkih el-Gabbas, quartier des Habous, *(Plan I E3)* ☎ 022 30 30 25. Pâtisseries marocaines parmi les meilleures et les plus authentiques de la ville. On trouve 3 autres boutiques Bennis : 122 bd Khalil, 112 av. du 2 mars et 26 r. Constantinople.

Pâtisserie Sekkat, angle bd Gandhi et rue Ibnou Majah *(Plan I C3)*, ☎ 022 36 11 04. Excellentes pâtisseries marocaines, tout spécialement les cornes de gazelle.

Le Petit Gourmet, 24 Abou Hayan al-Gharnati (à côté de la clinique Maghreb), ☎ 022 23 44 30. Les pâtisseries marocaines sont un enchantement. Quelques gâteaux français et des viennoiseries.

LP, 215 bd d'Anfa, ☎ 022 94 05 00. Épicerie fine et pâtisserie française de premier choix.

Traiteur Tazi, 54 bd Moulay Youssef, bâtiment C *(Plan II B4)*, ☎ 022 27 33 05/ 22 47 14. Les pâtisseries marocaines de Tazi ont circulé dans bien des mariages ! Un pur régal.

Antiquités et artisanat - Le quartier des Habbous reste le haut lieu de l'artisanat marocain. Mais tout achat nécessite un long et redoutable marchandage… Bonne chance ! Sinon, allez dans la médina (rue Arsalane et rue de Fès) ou sur le boulevard Houphouët-Boigny, qui longe l'enceinte.

Exposition nationale d'artisanat *(Plan II C3)*, 3 av. Hassan II, ☎ 022 26 70 64. Tlj 8h30-12h30/14h30-20h. Boutiques sur 3 étages : poteries, maroquinerie, tapis, couvertures… prix fixes.

Librairies - Le Carrefour des Livres, à l'angle de la rue des Landes et de la rue Vignemale, Mâarif *(Plan I C3)*, ☎ 022 25 87 81. Très grand choix de littérature française et internationale. Conférences et expositions temporaires. **Carrefour des Arts**, angle rue Sanâani et rue el-Koutbari (ex-rue de Chevreuil), quartier Bourgogne *(Plan I C2)*, ☎ 022 29 43 64. Petite librairie spécialisée dans les livres d'art. Expositions temporaires. **Art et Culture**, 309 bd Ziraoui, ☎ 022 20 20 87. Grand choix de littérature. **Librairie des Écoles**, 12 av. Hassan II, ☎ 022 22 15 34. Nombreux romans.

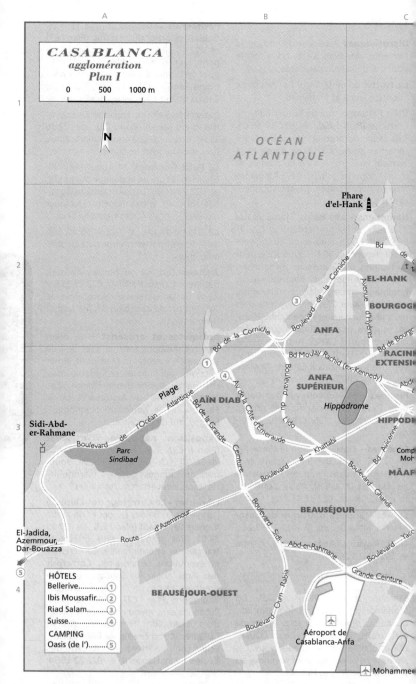

CASABLANCA
agglomération
Plan I

0   500   1000 m

N

OCÉAN ATLANTIQUE

Phare d'el-Hank

Bd de

EL-HANK

BOURGOGI

Avenue d'Hyères

Boulevard de la Corniche

ANFA

Bd de Bourgo

RACINE
EXTENSI

Bd de la Corniche

Bd Moulay Rachid (ex-Kennedy)

ANFA
SUPÉRIEUR

Abd

HIPPODR

Boulevard du Lido

Hippodrome

Plage

①

④

AÏN DIAB

Av. de la Côte d'Émeraude

Bd de la Grande Ceinture

Atlantique

de l'Océan

Boulevard

Sidi-Abd-
er-Rahmane

Parc
Sindibad

Boulevard

Boulevard al - Khattabi

Bd Avicenne

Comp
Moh

MÂAR

Boulevard Ghandi

BEAUSÉJOUR

Boulevard Sidi

Boulevard Yaco

Route   d'Azemmour

El-Jadida,
Azemmour,
Dar-Bouazza

Abd-er-Rahmane

Grande Ceinture

⑤

Boulevard Osm-Rabia

BEAUSÉJOUR-OUEST

HÔTELS
Bellerive..............①
Ibis Moussafir.....②
Riad Salam..........③
Suisse.................④
CAMPING
Oasis (de l')........⑤

Aéroport de
Casablanca-Anfa

Mohamme

234

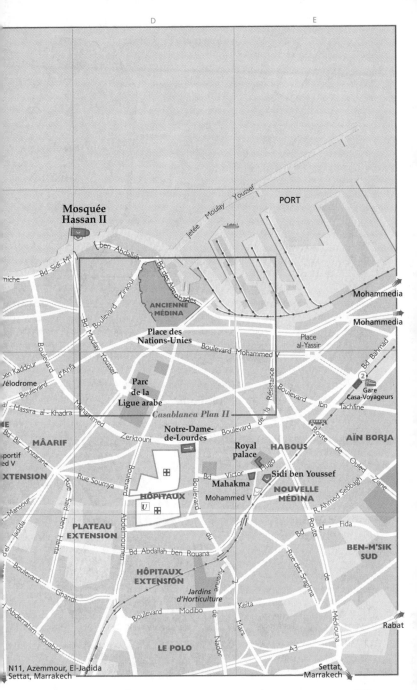

Mosquée
Hassan II

PORT

Jetée Moulay Youssef

Bd. Sidi Md

ben Abdallah

miche

Mohammedia

Boulevard Ziraoui

Bd des Almohades

ANCIENNE
MÉDINA

Mohammedia

Place des
Nations-Unies

Boulevard Mohammed V

Place
al-Yassir

Bd Bahmad

Boulevard d'Anfa

Bd Moulay Youssef

Boulevard

Boulevard

de la Résistance

Gare
Casa-Voyageurs

ben Kaddour

Vélodrome

2

al - Massira al - Khadra

Parc
de la
Ligue arabe

Mohammed

Casablanca Plan II

Ibn

Tachfine

Route

AÏN BORJA

Bd - Bir - Anzarane

MÂARIF

Zerktouni

Notre-Dame-
de-Lourdes

Boulevard de la Résistance

de

Ouled

portif
ed V

Rue Soumya

Royal
palace

HABOUS

Ziane

XTENSION

Boulevard

Rue Said

Victor

Hugo

Sidi ben Youssef

R. Ahmed Sebbagh

Mansour

ben Harta

HÔPITAUX

Bd

Mahakma
Mohammed V

NOUVELLE
MÉDINA

U

Abdelmoumen

el - Jadida

PLATEAU
EXTENSION

Bd Abdallah ben Rouana

Bd

Route

el - Fida

de

BEN-M'SIK
SUD

Boulevard

Ghandi

HÔPITAUX
EXTENSION

Avenue

du

Rue des Sraghna

Abderrahim Bouabid

Jardins
d'Horticulture

2

de

Mediouna

Rabat

Boulevard

Modibo

Keita

Mars

A3

LE POLO

Nador

Settat,
Marrakech

N11, Azemmour, El-Jadida
Settat, Marrakech

D

E

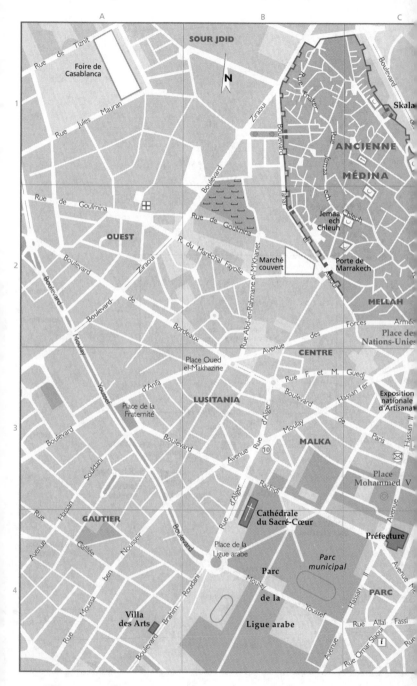

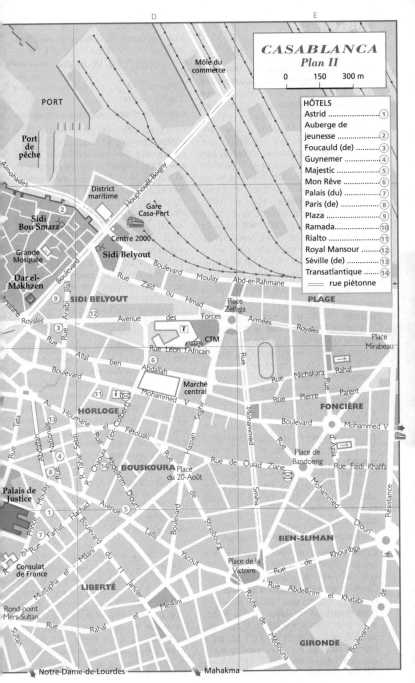

CASABLANCA
Plan II

0   150   300 m

HÔTELS

Astrid ....①
Auberge de jeunesse ....②
Foucauld (de) ....③
Guynemer ....④
Majestic ....⑤
Mon Rêve ....⑥
Palais (du) ....⑦
Paris (de) ....⑧
Plaza ....⑨
Ramada.....................⑩
Rialto ....⑪
Royal Mansour ....⑫
Séville (de) ....⑬
Transatlantique ....⑭

═══ rue piétonne

PORT

Mölê du commerce

Port de pêche

Almohades

Sidi Bou Smara ②

Grande Mosquée

Dar el-Makhzen

Royales

District maritime

Gare Casa-Port

Centre 2000

Sidi Belyout

Houphouët-Boigny

Boulevard Moulay Abd-er-Rahmane

Rue Zaïd ou Hmad

PLAGE

Boulevard Jilal

⑨ SIDI BELYOUT

Araibi Jilal

Rue

⑫

③

Avenue des Forces Armées

Place Zellaga

Royales

Place Mirabeau

T

CTM

Allal ben Abdallah

Rue Léon l'Africain

⑥

Boulevard

Rue

Rahal

Nichakara

Rue

Pierre Parent

FONCIÈRE

Rue Mohammed V

HORLOGE

⑪ i ✉

Mohammed V

Marché central

Boulevard Mohammed V

Rue Seghir

Hassan

Humane el (ex. Colbert)

Fétouaki

⑬

Tata

Av. Nationale

④

⑧

R. Rahal

R. Seguela

Chaouia

Abdelkrim Diouri

⑭

BOUSKOURA Place du 20-Août

Rue de Oulad Ziane

Place de Bandoeng

Rue Faidi Khalifa

Smiha

✉

Mohammed

Diouri

Résistance

Palais de Justice

①

⑦

Prince Moulay Abdallah

Farhat Hachad

Boulevard el-Maani

Avenue ⑤

Lalla

de Strasbourg

Boulevard

Yacout

BEN-SLIMAN

Rue de Khouribga

Consulat de France

Mustapha el Maani

du II Janvier

Meskini

el

Place de la Victoire

Rue Abdelkrim el Khatabi

LIBERTÉ

Rond-point Mers-Sultan

Rue Rahal

Sultan

Route de Médiouna

Boulevard

GIRONDE

⚓ Notre-Dame-de-Lourdes   ⚓ Mahakma

237

HISTOIRE

Une capitale berbère

Hostile à l'islamisation du Maghreb, la tribu berbère des Berghouata bâtit au 7e s. un État indépendant autour de la colline d'**Anfa** (au sud de l'actuelle Casablanca). Si l'on en croit les textes de Léon l'Africain, la ville s'enrichit rapidement grâce à la fertilité des terres environnantes, propices aux cultures céréalières. Le développement du port et de la piraterie intensifia les échanges commerciaux avec l'Espagne, l'Italie et le Portugal. Mais en 1468, les Portugais envoyèrent une flotte de 50 vaisseaux et de 10 000 hommes pour mettre à sac l'État berghouata. Désemparés, les habitants s'enfuirent vers Rabat et Salé. Anfa fut désertée durant trois siècles.

L'essor du commerce maritime

Le sultan Mohammed ben Abdallah ordonna en 1770 la reconstruction de la ville qu'il baptisa **Dar el-Beïda** (qui signifie la « Maison Blanche » en arabe, « Casa Blanca » en espagnol). Il voulait en faire un site militaire et un lieu de commerce maritime. L'entreprise s'avérait au départ difficile mais le projet se concrétisa au milieu du 19e s., lorsque la ville fut proclamée comptoir européen en Afrique du Nord. Les principaux partenaires étaient la France, importatrice de laine et de céréales, et l'Angleterre qui acheminait du coton et de la laine vers ses entreprises textiles de Manchester. En 1912, cinq ans après l'intervention militaire française, le maréchal **Lyautey** entreprit la construction d'un port moderne.

L'urbanisme sous le protectorat

L'attribution d'un rôle pour chaque grande ville marocaine par le pouvoir colonial joua de manière décisive sur l'évolution de Casablanca. Celle-ci devint capitale économique, tandis que l'activité politique se concentrait à Rabat et la base militaire à Kénitra. L'accroissement effréné de la population, dû à l'exode rural et à l'émigration citadine des familles commerçantes, notamment de Fès, imposa une politique d'urbanisme novatrice et adaptée. En 1912, sous l'autorité de Lyautey devenu résident général, la tâche incomba à l'architecte **Henri Prost**. Un second plan, celui du Grand Casablanca, fut élaboré par l'urbaniste M. Écochard dans la période d'après-guerre.

Les défis d'une mégapole moderne

Lorsqu'en 1956, le Maroc acquiert son indépendance politique, Casablanca est menacé par une extension chaotique et des disparités sociales de plus en plus marquées. Face aux mouvements de révolte qui éclatent – émeutes étudiantes en 1965, émeutes générales en 1981 et 1984 – et aux émigrations massives (et clandestines) qui en découlent, l'État réagit. Il convoque un nouvel architecte français, **Michel Pinseau**, qui établit un plan d'action sur vingt ans dont les lignes directrices concernent le développement des transports et des établissements publics, l'extension de la ville vers Mohammedia et l'intégration des bidonvilles, l'amélioration des conditions d'hygiène, la division du corps administratif en cinq grandes préfectures. Le défi à relever est de taille, mais à travers Casablanca, qui compte aujourd'hui plus de quatre millions d'habitants, s'en va l'avenir du Maroc. Le port concentre une grande partie des échanges économiques. Le trafic est très important : phosphate, manganèse et agrumes à l'exportation, produits énergétiques et industriels à l'importation.

La ville s'étend sur une vingtaine de kilomètres le long de l'océan et sur une dizaine à l'intérieur. Elle s'ordonne autour de différents quartiers : dans le **centre**, vous visiterez à pied l'ancienne médina puis, juste à côté, la ville nouvelle autour des places des Nations-Unies et Mohammed V. À l'est de la médina, en bord de mer, s'élève la mosquée. Pour accéder à la **nouvelle médina** (quartier des Habous), au sud-est du centre-ville, prenez votre véhicule ou un taxi. L'ouest de la cité se compose de zones résidentielles, dont **Anfa**, lieu d'habitation de la bourgeoisie marocaine et étrangère ; l'est regroupe des quartiers industriels et populaires.

Comptez une demi-journée. Circuit à pied et en voiture.

L'ancienne médina et le port

(Plan II C1-2, D2)

On ressent moins à Casablanca que dans les villes impériales une séparation nette entre ville ancienne et moderne. L'**ancienne médina★** se concentre à proximité du port et dans le quartier commercial.

▶ Partiellement ceinte de hauts remparts, elle renferme dans son enchevêtrement de ruelles des commerces variés, notamment d'artisanat et de vêtements. La médina grouille de vie. De belles maisons, construites autour de la **rue de la Marine**, côtoient les monuments les plus anciens de Casablanca : la **mosquée Dar el-Makhzen** bâtie dans la deuxième moitié du 18e s. sur ordre du sultan Mohammed ben Abdallah, le **marabout de Sidi Belyout** et, au centre d'une petite place ombragée par un magnifique figuier banian, la **koubba de Sidi Bou Smara**. De la **skala**, bastion fortifié du 18e s., vous pourrez contempler l'océan Atlantique et le port de pêche.

▶ Allez faire un tour dans le **port de pêche★**, le matin de préférence lors de la vente à la criée. Le port est protégé par une jetée longue de 3 km et s'ordonne autour de plusieurs bassins, d'une gare maritime, de chantiers navals, d'un port de plaisance et d'un port de pêche.

Descendez à pied le boulevard Houphouët-Boigny pour rejoindre la place des Nations-Unies.

La ville nouvelle

▶ Centre névralgique de la ville, la **place des Nations-Unies** *(Plan II C2)* portait auparavant le nom de place de France, puis, peu après 1956, de place Mohammed V. Construite en 1907, elle fait le lien entre l'ancienne médina et la ville nouvelle. Les grandes artères de la ville, av. Hassan II, bd Mohammed V, av. des F.A.R., bd Houphouët-Boigny, s'articulent autour de cette place très

moderne. Vous êtes au cœur du quartier des affaires (nombreuses banques et autres entreprises) et du quartier commerçant, avec ses magasins mais aussi ses brasseries, ses agences de voyages et ses cinémas. Sur la place, vous remarquerez la **tour de l'Horloge**, élevée en 1911 sur ordre du commandant Dessigny et, dans un style tout à fait différent, qui a soulevé bien des polémiques, le bâtiment moderne de l'hôtel Hyatt Regency. Installez-vous à une terrasse de café à proximité de la place pour observer l'animation permanente qui règne dans le centre de « Casa » et saisir les contrastes. De nombreux bâtiments très modernes font face à quelques constructions traditionnelles, des modes de vie s'opposent, les djellabas côtoient les vêtements européens.

▶ Faites un petit tour à pied le long du bd Mohammed V et de la rue parallèle (rue Allal ben Abdallah) pour admirer les immeubles des années 1920 et 1930. Puis revenez sur vos pas pour rejoindre la rue du Prince Moulay Abdallah *(piétonne)* que vous empruntez sur votre gauche.

▶ La **rue** piétonne du **Prince Moulay Abdallah** *(Plan II C3)*, appelée ici « **plateau piétonnier** », prolonge la place des Nations-Unies par un grand centre commercial, luxueux et moderne. L'espace est entièrement dallé et décoré de bassins et de jets d'eau. Autrefois envahie par des boutiques de vêtements et d'objets de marque, la rue accueille aussi aujourd'hui de nombreux cafés et glaciers. Les Casablancais viennent y faire des achats mais surtout flâner et se détendre.

▶ Anciennement nommée place des Nations-Unies, la **place Mohammed V★** *(Plan II C3)* constitue le centre administratif de la ville. Entre les photographes qui jettent des graines de maïs aux pigeons, les marchands de friandises, les femmes qui appliquent du henné, l'animation bat son plein. Quelques beaux édifices se dressent autour d'une fontaine qui, à ses heures, offre des jeux d'eau et de lumière accompagnés de musique. Construits entre le début du protectorat et les années 1930, tous les bâtiments –

excepté la Banque d'État – sont d'un style arabo-islamique ou néo-mauresque. Le plus ancien (1918) est la **Grande Poste**, dont la façade comporte des mosaïques et des arcs en plein cintre soutenus par des colonnes en pierre. Bâti en 1925, le **palais de justice** est doté d'une gigantesque porte inspirée de l'iwan persan et d'une frise de zelliges d'un magnifique vert turquoise. Remarquez à côté le jardin du consulat de France qui renferme la statue équestre de Lyautey, œuvre de François Cogné. La **préfecture** (1930), dite **la Wilaya**, se reconnaît à sa tour, haute de 50 m. Elle affiche un mélange étonnant d'architecture néo-gothique et de décoration marocaine. Le style néo-mauresque apparaît sur la façade et sur les nombreuses colonnes ornées de zelliges à l'intérieur de l'édifice. Entrez dans le hall, vous aurez le plaisir de découvrir deux peintures de **Jacques Majorelle**. La Banque d'État, avec sa façade en pierre taillée et en marbre, est le plus récent bâtiment de la place.

▶ Descendez l'avenue Hassan II jusqu'au parc. Aménagé au début du 20ᵉ s., le **parc de la Ligue arabe★** (Plan II B4), « poumon » du centre-ville, offre, entre ses hauts palmiers-dattiers, un ensemble de perspectives séduisantes : avis aux photographes. En bordure du parc, s'élève la **cathédrale du Sacré-Cœur** (ne se visite pas), construite en 1930 dans le style Art déco.

▶ Quittez le parc du côté de la place de la Ligue arabe puis prenez le bd Brahim Roudani. Au cœur de la cité, la **Villa des Arts★** (Plan II A4) (30 bd Brahim Roudani, ☎ 022 29 50 87, mardi-samedi 11h-19h ; 10 DH, comptez 30mn) abrite depuis peu un musée d'art contemporain créé par une fondation privée. La collection, exposée dans une magnifique demeure des années 1930, présente toute l'évolution des arts plastiques des années 1950 à nos jours (voir « La peinture » p. 117). Sont ainsi réunies les œuvres des plus grands artistes, dont Jilali Gharbaoui, Ahmed Charkaoui, Mohamed Abouelouakar, Fatima Hassan El Farouj, Mohamed Chebaa, Fouad Bellamine...

▶ Prenez ensuite un taxi ou votre véhicule. Longez le boulevard Mohammed Zerktouni vers l'est en direction de la nouvelle médina. Arrêtez-vous en route, au rond-point de l'Europe pour visiter l'église Notre-Dame-de-Lourdes. De l'extérieur, l'**église Notre-Dame-de-Lourdes** (Plan I D3) (1956) est une masse de béton brut. Entrez dans l'édifice, vous serez alors surpris : 800 m² de **vitraux★** éclairent l'intérieur ! Réalisées par Gabriel Loire, maître verrier à Chartres, ces verrières rappellent les couleurs des tapis marocains.

▶ Reprenez la route en direction de la nouvelle médina par le bd du 2 mars puis le bd Victor Hugo. La **nouvelle médina**, communément appelée le **quartier des Habous★★** (Plan I E3), fut construite dans les années 1920. De style hispano-mauresque, les bâtiments alternent pierre, marbre et bois ; le quartier regroupe des placettes et des ruelles bordées d'arcades. La **mahakma**, autrefois tribunal et salon officiel de réception du pacha, est richement décorée de stuc, de bois sculpté, de grilles en fer forgé ; elle a été conçue par l'architecte Cadet dans les années 1950. Quant à la **mosquée Sidi Ben Youssef**, à défaut de pouvoir y pénétrer, vous en admirerez la façade finement ouvragée. Installé derrière le palais royal, le **souk** (évitez d'y venir le lundi, il y a peu d'ambiance) est bâti conformément au plan des anciennes médinas. Le long de ses ruelles étroites à arcades, se succèdent des boutiques d'artisanat proposant des produits variés et de qualité ; le marché aux olives est particulièrement réputé des Casablancais. Thé à la menthe et marchandage font partie du plaisir de l'achat.

LE TOUR DE LA CORNICHE★★

15 km aller-retour. Comptez 2h, plus si vous souhaitez profiter de la plage.

En voiture, quittez le centre-ville en direction du port puis tournez à gauche. Vous longez le front de mer par le bd des Almohades puis le bd Sidi Mohammed ben Abdallah.

▶ « À quiconque bâtit une mosquée où le nom divin est évoqué, Dieu édifiera une demeure au paradis. » Ce *hadith*, énoncé par le prophète Mahomet, figure sur tous les diplômes remis aux donateurs qui ont contribué à l'édification de la **mosquée Hassan II**★★★ *(Plan I D2) (visites guidées tlj sauf le vendredi à 9h, 10h, 11h et 14h ; 100 DH, durée 1h)*, deuxième plus grande mosquée du monde, après celle de La Mecque. 10 000 artisans et 35 000 ouvriers ont participé à la construction de ce monument de 20 000 m², conçu par le Français Michel Pinseau et inauguré en 1993. Le minaret, haut de 200 m, est équipé d'un rayon laser de près de 40 km de portée dirigé vers La Mecque. Il domine une salle de prière pouvant accueillir jusqu'à 25 000 fidèles et l'esplanade qui peut en contenir 80 000. 50 lustres de verre de Venise, pesant jusqu'à 1 200 kg, diffusent leur douce lumière. L'emplacement de ce chef-d'œuvre d'art islamique, au bord de l'océan, est porteur d'un message hautement symbolique : celui de l'islam ouvert sur le monde. Avec sa *médersa*, son musée, ses salles de conférences, et sa bibliothèque, la mosquée a aussi une fonction de centre théologique. Vous serez saisi par l'immensité de cet édifice et par la beauté des décorations de zelliges, de fresques, de stucs et d'arabesques. Le rouge des zelliges, couleur dominante à l'intérieur, s'appelle désormais le « rouge de Casablanca ».

▶ Continuez sur le boulevard de la Corniche. Vous longez le bord de mer et découvrez sur votre droite le **phare d'el-Hank**. C'est quelques kilomètres plus loin, lorsque la route prend le nom de boulevard de l'océan Atlantique que débutent les plages.

▶ Tous les jours, au coucher du soleil, familles, couples et bandes de jeunes se pressent à la **station balnéaire d'Aïn Diab**★★ *(Plan I B2)* pour envahir les terrasses des cafés surplombant l'océan. En été l'animation est à son comble. Les plages se couvrent de parasols et les piscines privées accueillent des milliers de jeunes Casablancais et des touristes. Jeux de cartes, football sur sable, concert de musique et regards séducteurs font partie du spectacle… Le soir, les discothèques attirent du monde. Si vous voulez connaître un peu l'ambiance casablancaise, venez absolument vous promener le long de la corniche, surtout entre mai et octobre.

▶ À quelques kilomètres d'Aïn Diab, un petit îlot rocheux abrite la **koubba du marabout de Sidi-Abd-er-Rahmane** *(Plan I A3)*. De nombreux malades viennent se recueillir sur la tombe de ce saint réputé pour ses pouvoirs de guérison.

▶ Revenez sur la colline d'Anfa. Lieu de résidence de la bourgeoisie de Casablanca, le **quartier d'Anfa** *(Plan I B2-3)* est un ensemble de villas toutes plus opulentes les unes que les autres et de larges avenues fleuries. On est loin de l'habitat traditionnel. Le patio est devenu un grand jardin et la fontaine une piscine ! Le **Golf Royal d'Anfa** accueille la clientèle du quartier. À proximité, se trouve le célèbre **hôtel d'Anfa** où s'est déroulée la conférence historique de janvier 1943, dite **conférence de Casablanca**, au cours de laquelle Roosevelt, Churchill et de Gaulle fixèrent la date du débarquement en Normandie de juin 1944.

LES CITÉS PORTUAIRES★★

DE CASABLANCA À ESSAOUIRA

 La lagune de Oualidia, propice à la baignade

Quelques repères

Itinéraire de deux jours et demi au départ de Casablanca le long de la côte atlantique – Environ 370 km, sans compter l'excursion à Boulâouane – Carte Michelin n° 742, plis 4, 19 et 20, plans d'El-Jadida p. 245-246 et de Safi p. 252.

À ne pas manquer

La médina d'Azemmour.

La ville portugaise d'El-Jadida et sa célèbre citerne.

La colline des Potiers et le musée de la Céramique à Safi.

Conseils

Soyez prudent entre Casablanca et El-Jadida, la route est très dangereuse.

Si vous avez l'intention de séjourner à El-Jadida en août, réservez longtemps à l'avance.

Mangez du poisson à El-Jadida et à Safi et des huîtres à Oualidia.

Sur plus de 370 km, cette portion de la côte atlantique offre des paysages variés, ponctués par les coupoles blanches de nombreux marabouts. La côte est plus sauvage à partir d'El-Jadida. Dans les embruns, souvent mêlés à la brume, il n'est pas rare d'apercevoir un dromadaire veillant sur un troupeau de moutons face aux reflets de l'océan ! Les plages sont magnifiques, étendues et battues par les flots, mais parfois difficiles d'accès (ce qui présente l'avantage de les protéger du saccage touristique).

L'intérêt majeur de cet itinéraire reste les chefs-d'œuvre d'art militaire que sont Azemmour, El-Jadida (Mazagan) et Safi. Remarquablement bien conservées, ces trois cités témoignent, ainsi que plusieurs fortins moins connus, de la débordante activité commerciale et militaire du Portugal au début du 16e s.

Se repérer

Quittez Casablanca par la N1 en direction de l'ouest. Après environ 80 km sur cette route très fréquentée, notamment par de nombreux camions surchargés de marchandises, la forteresse d'Azemmour se dresse sur la droite. Vous pouvez aussi choisir de prendre la route côtière.

AZEMMOUR★

Comptez 1h pour visiter la ville.

Voir la rubrique « Se restaurer » sous El-Jadida.

Si vous arrivez par la route côtière, arrêtez-vous juste avant le pont.

Admirez la **vue**★ sur la médina et la muraille orientale qui, à marée haute, se reflètent dans les eaux de l'oued Oum er-Rbia, le plus long fleuve du Maroc. Dans l'estuaire, on pratiquait activement la pêche à l'**alose**, un poisson marin de la famille du hareng qui vient frayer, chaque hiver, dans les eaux fluviales. La construction d'une série de barrages, dans les années 1950, a sonné le glas de cette activité séculaire.

Se restaurer à Azemmour

De 120 à 180 DH (12 à 18 €)

La Perle, sur la plage d'Haouzia (à 2 km du centre d'Azemmour), ✆/Fax 023 34 79 05. ♟ La terrasse ombragée de palmes est plus agréable que la salle intérieure, assez kitch. Spécialités de poisson.

Histoire

L'histoire d'Azemmour (« olivier sauvage » en berbère) n'est bien connue qu'à partir de 1486, quand le petit port des **Doukkala** passe sous suzeraineté portugaise et doit payer un tribut.

Azemmour devient alors une **feitoria** (factorerie), avec un *feitor,* agent commercial représentant le roi. Le commerce du blé et de l'alose y est actif, malgré la médiocrité du port. Après une tentative malheureuse en 1508, les Portugais, commandés par le duc de Bragance en personne, s'emparent de la ville en 1513, et édifient les puissantes fortifications de la kasbah. Mais très vite, Azemmour se révèle une position bien moins favorable que Mazagan, toute proche, et elle est définitivement abandonnée en 1541. Les Saâdiens en font un **centre de guerre sainte** contre Mazagan, et étendent considérablement ses murailles pour y englober la médina.

Visite de la ville

Traversez le pont et montez par l'av. Mohammed V jusqu'à Bab Djiaf. De là, longez en voiture la face ouest, puis nord des remparts.

▶ De couleur ocre rose, les **remparts★★** ont été récemment restaurés. À l'angle sud-ouest des murailles, **Bab Djiaf★** donne accès à la **médina**, de même que les deux portes suivantes, Bab el-Pacha et Bab es-Souk. Plus loin, **Dar el-Baroud★**, puissant bastion circulaire muni de mâchicoulis, marque le début de la partie portugaise des fortifications : la disposition des embrasures de tir des canons montre bien qu'avant 1541, la citadelle s'arrêtait là.

Un peu avant d'atteindre l'angle nord-est de la muraille, tournez à droite sous une arche et garez la voiture sur le terre-plein à l'intérieur des remparts.

▶ Un gardien pittoresque, Zilali, vous ouvrira la porte du chemin de ronde, qui surplombe l'enchevêtrement de terrasses du **mellah★**, interrompu parfois par la verdure d'un patio bordé d'arcades anciennes. Après la tour d'angle nord-ouest *(passage périlleux)*, dirigez-vous vers Dar el-Baroud, et descendez dans les ruines de la **maison du Gouverneur**, aux fenêtres gothiques, pour regagner votre point de départ en traversant le lacis de ruelles et d'impasses du *mellah*. Depuis la vague d'émigration des juifs vers Israël, dans les années 1950, le quartier tombe en ruine, et a été partiellement réinvesti par des musulmans. Au cours de votre promenade, remarquez les **portes en bois peint** surmontées de belles impostes à arcatures géminées, ainsi que d'étonnantes mitres de cheminée. Si vous vous égarez dans ce labyrinthe, ne vous inquiétez pas, Zilali surgira pour vous guider vers la sortie !

Reprenez la P8 vers l'ouest sur 16 km.

EL-JADIDA★

Comptez 3h.

Flâner dans la vieille cité portugaise est un plaisir. Il se dégage une atmosphère paisible qui contraste avec l'agitation du reste de la ville. Du haut des remparts qui dominent l'océan, vous apprécierez d'autant plus le charme et la spécificité d'El-Jadida : ensemble harmonieux de ruelles, d'arcades et d'anciennes demeures portugaises aux jolies façades décrépites d'où émergent le fronton d'une chapelle baroque, un minaret pentagonal et des bastions.

Histoire

En dépit de son nom – El-Jadida signifiant « la Neuve » –, la ville est ancienne. Simple mouillage dans l'Antiquité, **Mazagan** (ancien nom de la cité) resta pendant tout le Moyen Âge un modeste hameau de pêcheurs.

Après la prise d'Azemmour, les Portugais décidèrent en 1514 de construire à Mazagan un château, qui existe encore aujourd'hui.

En 1541, après la perte d'Agadir, le roi du Portugal se résigna à abandonner Azemmour et Safi, pour concentrer ses forces sur une position plus facile à défendre. Mazagan fut donc fortifiée en conséquence, et ses puissantes murailles permirent aux Portugais de se maintenir pendant deux siècles et demi, malgré un blocus terrestre quasi permanent organisé par les tribus **doukkala**. Finalement, Mazagan ne fut prise qu'en 1769, par le sultan **Mohammed ben Abdallah** *(voir encadré page suivante)*.

La ville était en si triste état, qu'on l'appela **al-Mahduma** (« la Ruinée »). Ce n'est qu'en 1825 qu'elle fut désignée sous le nom d'**El-Jadida**, après avoir été

Un départ de mauvaise grâce

Au 18e s., conserver Mazagan était devenu pour le Portugal une source d'ennuis plus qu'un atout. Aussi, dès que le siège se révéla sérieux, le marquis de Pombal préféra s'arranger à l'amiable avec Mohammed ben Abdallah, et prit des dispositions pour faire évacuer la ville. Mais la population, furieuse de devoir abandonner une partie de ses biens aux Marocains, préféra les détruire, et mina une portion de la ville avant de s'embarquer pour Lisbonne. Certains des conquérants, trop avides de pillage, périrent dans l'explosion ; le sultan, lui, se retrouva avec une ville désertée et dévastée. Quant aux habitants de Mazagan, ils furent relogés en Amazonie !

restaurée et repeuplée grâce au caïd des Doukkala. Elle connut une extension rapide sous le protectorat, période pendant laquelle elle fut rebaptisée Mazagan et qualifiée de « **Deauville marocaine** » par Lyautey.

Plus récemment, la construction du grand port de Jorf Lasfar, à une vingtaine de kilomètres au sud-ouest, a permis la création d'un important complexe chimique.

Arriver ou partir

En voiture - Casablanca est à 1h15 par la N1 ; comptez 30mn de plus par la route côtière qui est peu roulante. Il faut plus de 2h pour atteindre Safi par la route côtière (R301). On peut rejoindre Marrakech en 3h par la N1 puis la N7.

En bus - La gare routière est située sur l'av. Mohammed V, à 1 km environ de la pl. Mohammed V *(C5, en direction),* ☎ 023 34 38 41. Au moins 5 bus par jour desservent Casablanca, 11 Marrakech et 4 Safi et Essaouira.

En taxi collectif - Les grands taxis (vert foncé avec toit jaune citron) sont très pratiques pour se rendre à Azemmour et à Casablanca. Ils partent de la gare routière.

En train - La gare ferroviaire se trouve à la sortie d'El-Jadida sur la route de Marrakech, ☎ 023 34 32 70. Deux trains par jour (un tôt le matin, un dans l'après-

midi) pour Azemmour (10mn de trajet) et Casablanca (1h10). Ensuite, en changeant de train à Casablanca, vous pourrez poursuivre vers Rabat (2h15 de trajet depuis El-Jadida), Meknès (4h45) et Fès (5h30). Pour vous rendre à la gare ferroviaire du centre-ville, prenez un petit taxi (10 DH) ou le bus qui part de la citerne portugaise.

Comment circuler

El-Jadida est assez étendue : la voiture peut donc être utile ; mais la disposition des rues est trompeuse, et il vaut mieux circuler en petits taxis (beiges). En été, ils sont rarement libres, et il est courant de partager le véhicule avec d'autres personnes qui vont dans la même direction.

Adresses utiles

Syndicat d'initiative et de tourisme *(B3)* - Pl. Mohammed V. Tlj 9h-12h30/15h-19h. La secrétaire est pleine de bonne volonté, mais elle ne dispose pas du téléphone, et les informations ne sont pas toujours fiables.

Délégation du tourisme *(B4)* - Av. el-Jaich el-Malaki (en face du tribunal), ☎ 023 34 47 88, lundi-vendredi 8h30-12h/14h30-18h30.

Banque / Change *(B3)* - Les banques se regroupent autour de la poste : sur la pl. Mohammed V, sur l'av. Jamia al-Arabia ou sur l'av. Mohammed er-Rafy. La plupart possèdent un distributeur automatique.

Poste / Téléphone - La poste centrale se trouve pl. Mohammed V.

Se loger

Le climat frais d'El-Jadida et son immense plage sont très appréciés des Marrakchi ; aussi il est très difficile de trouver une chambre d'hôtel, surtout bon marché, pendant la période estivale.

Env. 65 DH à deux avec 1 tente et 1 véhicule (6,5 €)

Camping international, 1 av. des Nations Unies (à 400 m du front de mer), ☎ 023 34 27 55. Ombragé d'eucalyptus et fleuri de gros hibiscus. Les sanitaires

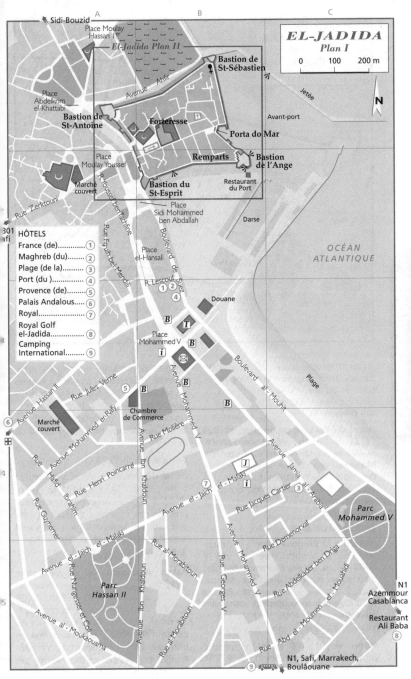

EL-JADIDA
Plan I

0   100   200 m

N

Sidi-Bouzid
Place Moulay Hassan I er
El-Jadida Plan II
Avenue Ahfir
Bastion de St-Sébastien
Jetée
Avant-port
Place Abdelkrim el-Khattabi
Bastion de St-Antoine
Forteresse
Porta do Mar
Remparts
Bastion de l'Ange
Place Moulay Youssef
Marché couvert
Bastion du St-Esprit
Restaurant du Port
Rue Zerktouni
Place Sidi Mohammed ben Abdallah
Darse
301 afi
R. Youssef ben Tachfine
OCÉAN ATLANTIQUE
Rue Fquih bel Mehdi

HÔTELS

France (de) .... ①
Maghreb (du) .... ②
Plage (de la) .... ③
Port (du) .... ④
Provence (de) .... ⑤
Palais Andalous ..... ⑥
Royal .... ⑦
Royal Golf el-Jadida .... ⑧
Camping International .... ⑨

Place el-Hansali
Boulevard de Suez
R. Lescout
① ②
④
Douane
B
T
Place Mohammed V
B
i
B
Avenue Hassan II
Rue Jules Verne
⑤ B
Chambre de Commerce
B
Boulevard al-Mouhit
Plage
Avenue Mohammed er-Rafy
Rue Henri Poincarré
Rue Ibn Khaldoun
Rue Molière
Avenue Mohammed V
J
⑥
Marché couvert
Rue Larbi Ibrahim
⑦
i
Avenue el-Jaïch el-Malaki
Rue Jacques Cartier
③
Avenue Jamia al-Arabia
Parc Mohammed V
Rue Guynemer
Avenue el-Jaïch el-Malaki
Rue al-Morabitoun
Avenue Mohammed V
Rue Demenorval
Avenue Ibn Khaldoun
Rue Nungasser et Coli
Parc Hassan II
Rue Georges V
Rue Abdelkader ben Driga
Avenue al-Moulaouama
Rue al-Morabitoun
Rue Abd el-Moumen el-Mouahidi
N1 Azemmour Casablanca
Restaurant Ali Baba ⑧
N1, Safi, Marrakech, Boulâouane
⑨

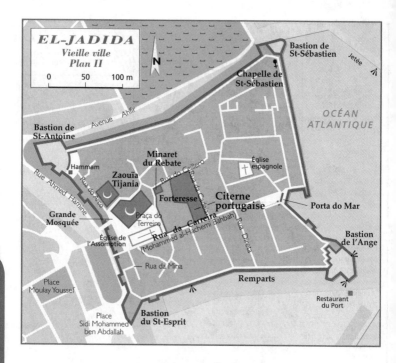

EL-JADIDA
Vieille ville
Plan II

0 50 100 m

N

Bastion de
St-Sébastien

Jetée

Chapelle de
St-Sébastien

OCÉAN
ATLANTIQUE

Avenue Ahfir

Bastion de
St-Antoine

Hammam

Rue Ahmed Hamine

Rue do Arco

Zaouïa
Tijania

Minaret
du Rebate

Rua do Cailloro

Église
espagnole

Forteresse

Citerne
portugaise

Porta do Mar

Grande
Mosquée

Praça do
Terreiro

Rua da Carreira
(Mohammed al-Hachemi Bahbah)

Rua Direita

Bastion
de l'Ange

Église de
l'Assomption

Rua da Mina

Remparts

Place
Moulay Youssef

Restaurant
du Port

Place
Sidi Mohammed
ben Abdallah

Bastion
du St-Esprit

auraient besoin d'un peu plus d'entretien. Une vingtaine de bungalows, équipés ou non d'une cuisine, sont en location (entre 230 et 310 DH pour 2, 420 DH pour 4). Restaurant et épicerie.

Hôtel du Port, 56 bd de Suez, ☎ 023 34 21 73 - 30 ch., **Hôtel de France**, ☎ 023 34 21 81 - 40 ch. et **Hôtel du Maghreb** (entrée sur la rue Lescoul). Ces trois hôtels extrêmement simples (douches froides communes) occupent un bel immeuble du début du siècle face au port.

Environ 80 DH (8 €)

Hôtel de la Plage, av. Jamia al-Arabia (entrée 5 rue Jacques Cartier), ☎ 023 34 26 48 - 10 ch. ✗ 🛥 Ce minuscule hôtel bien situé possède une jolie façade, mais son confort reste limité. Pas de petit-déjeuner mais on peut le prendre au restaurant d'à côté.

Entre 200 et 305 DH (20 à 30,5 €)

Hôtel Royal, 108 av. Mohammed V (en face de la station Shell), ☎ 023 34 28 39/34 11 00, – 18 ch. ☂ Belle entrée

décorée defontaines en zelliges verts. Grandes chambres ; certaines équipées de sanitaires individuels. Mais vous risquez d'être gêné par le bruit car la principale activité de l'établissement est le bar qui occupe plusieurs cours d'un agréable jardin.

Environ 305 DH (30,5 €)

Hôtel de Provence, 42 av. Mohammed er-Rafy, ☎ 023 34 23 47/34 41 12 – 16 ch. ☝ ✗ ☂ 🆑 Cet hôtel des années 1920 propose des chambres grandes et simples avec des sanitaires anciens mais en bon état. Personnel prévenant.

Environ 450 DH (45 €)

Palais Andalous, bd Dr de Lanoe (près des urgences de l'hôpital Mohammed V), ☎ 023 34 37 45 – 28 ch. ☝ 📺 ✗ ☂ Si vous rêviez de dormir dans un palais, en voici l'occasion : celui du pacha d'El-Jadida a été transformé en hôtel en 1985. La cour est un enchantement avec ses arcs en stuc, ses zelliges et ses plafonds en bois peint. Mais les

246

chambres auraient bien besoin d'être rénovées. En été, préférez celles dont les fenêtres donnent sur l'extérieur. Évitez le restaurant.

Environ 1 840 DH (184 €)

🏨 **Le Royal Golf Hôtel El Jadida**, à mi-chemin entre Azemmour et El-Jadida, ☎ 023 35 41 41/48 – 105 ch. 🏧 ▤ 📺 ✕ 🍽 🏊 🎿 CC Le plus luxueux des hôtels de la région est idéalement placé, entre l'immense plage d'Haouzia et les pelouses ombragées d'eucalyptus du Royal Golf. Il dispose de tous les équipements (minibar et coffre-fort dans chaque chambre, hammam, salle de gymnastique, discothèque, etc.) Réservez 2 ou 3 mois à l'avance pour la haute saison.

Se restaurer

Environ 50 DH (5 €)

Dans la ville moderne, et surtout sur le front de mer, vous n'aurez aucune peine à trouver des restaurants bon marché, des pizzerias ou des snacks. Près du port, sur le bd de Suez, une sorte de cour très enfumée regroupe une douzaine de gargotes. Il ne faut pas craindre l'odeur du poisson frit !

Entre 100 et 180 DH (10 à 18 €)

Restaurant de Provence, (voir l'hôtel du même nom) *(A3)*. 🍽 CC La tonnelle de cet établissement est très appréciée à El-Jadida ; en revanche, la salle intérieure, climatisée, est un peu triste. Cuisine moyenne.

Au Restaurant du Port, après l'entrée du port, tournez à gauche avant la darse des bateaux de pêche et allez jusqu'au bout *(Plan vieille ville)*, ☎ 023 34 25 79. 🍽 Fermé le dimanche soir et pendant le Ramadan. Vue imprenable sur le bastion de l'Ange et le port de pêche. Spécialité de poissons et de fruits de mer. Un peu cher. Bar sympathique.

🏨 **Ali Baba**, sur la N1, à la sortie est de la ville en direction de Casablanca *(C5, en direction)*, ☎/Fax 023 34 16 22. 🍽 CC Formé à Bruxelles, Abdelouafi Obbad a su faire de son restaurant un lieu recherché de la bonne société d'El-Jadida. Le

cadre est confortable (tableaux aux murs et flambée dans la cheminée), l'accueil chaleureux et le service stylé. La cuisine, savoureuse, fait surtout appel aux produits de la mer, et vous changera des tajines et des couscous.

Sortir, boire un verre

Bars - Le Tit, sur l'av. Jamia al-Arabia *(B3)*, est très fréquenté. L'**Hôtel Royal** *(B4)* attire la clientèle populaire ; les bars du **Restaurant du Port** *(Plan vieille ville)*, du **Palais Andalous** *(A4, en direction)* et, surtout, d'**Ali Baba** *(C5, en direction)* sont plus distingués.

Cafés – Très nombreux près du front de mer et sur la place el-Hansali *(B2)*.

Loisirs

La « Deauville marocaine » possède des haras et un champ de course : l'**hippodrome SAR Lalla Malika** est à 4 km du centre, sur la route de Casablanca. Le **Royal Golf** (18 trous), à Haouzia (à 8,5 km du centre d'El-Jadida), est l'un des plus beaux du Maroc. Et la plage de sable fin s'étend sur 15 km, depuis le port jusqu'à Azemmour.

Achats

Librairies - Papeterie du Sud, pl. Mohammed V, en face du théâtre municipal *(B3)*.

Vous trouverez quelques boutiques de souvenirs dans la cité portugaise, rua da Carreira.

Visiter la ville portugaise★★

(Plan II)

Laissez la voiture sur la place Sidi Mohammed ben Abdallah, au pied des murailles. Franchissez la porte la plus au sud puis tournez immédiatement à droite dans la rua da Mina ; passez une porte et montez la rampe.

▶ Très bien conservés, les **remparts★★**, avec leur quatre puissants bastions triangulaires, représentent l'une des attractions majeures de la vieille ville. Ce chef-d'œuvre d'art militaire mérite d'être parcouru sur toute sa longueur (environ 1 200 m). Construit entre 1541 et 1543, sur les plans d'un ingénieur italien, il témoigne d'une conception étonnamment moderne pour l'époque. Les murs, épais de 3 m, étaient précédés d'un profond fossé rempli par la mer à marée haute. Un cinquième bastion, celui du **Gouverneur**, défendait l'entrée de la ville côté terre ; détruit par l'explosion d'une mine en 1769, il ne reste plus, aujourd'hui, qu'une porte double surmontée de l'écusson royal portugais et d'une longue inscription.

▶ À partir du **bastion du Saint-Esprit★**, qui domine la place du Marché, le chemin de ronde, large de près de 6 m, surplombe la darse des bateaux de pêche (la seule portion du fossé qui ait subsisté), et conduit jusqu'au **bastion de l'Ange★★** *(baluarte do Anjo)*. Les embrasures des plates-formes de tir, qui offrent une belle **vue** sur le port, servent de plongeoirs aux garçons du quartier. Ensuite, on redescend devant la **Porta do Mar**, grand arc en plein cintre, dont la herse laisse voir le petit port qui était la seule voie d'approvisionnement en cas de siège.

▶ Remontez sur le chemin de ronde et continuez sur la muraille qui fait face à l'océan. Juste avant le **bastion de Saint-Sébastien★**, la chapelle du même nom dresse son haut fronton aveugle *(ne se visite pas)*. La muraille nord, peu fréquentée, permet d'atteindre le **bastion de Saint-Antoine** *(attention au puits sans garde-fous)*, et de revenir au point de départ.

▶ Descendez par une rampe qui mène vers les coupoles blanches d'un hammam. La rua do Arco passe devant la belle porte de la **zaouïa Tijania** avant de rejoindre la praça do Terreiro où s'élèvent, côte à côte, une grande mosquée et l'église de l'Assomption, cette dernière ne conservant plus grand chose du bâtiment du 17e s.

▶ À gauche, la **rua da Carreira** (ou rue Mohammed al-Hachemi Bahbah) traverse la ville de part en part jusqu'à la Porta do Mar. Vers le milieu de cette rue sur la gauche, subsiste en grande partie la **forteresse** construite en 1514, avec ses quatre tours d'angle. L'étrange **minaret★** de la mosquée n'est autre que l'ancienne tour de guet du Rebate.

▶ Au centre du château, la **citerne portugaise★★★** *(tlj 8h-18h30, 15 DH)* est l'un des monuments les plus fascinants du Maroc. À l'origine, l'immense salle souterraine de 1 125 m² devait être un **grenier** où l'on entreposait le blé des Doukkala avant de l'acheminer vers le Portugal ; plus tard, il semble qu'elle ait servi de citerne. Vingt-cinq piliers et colonnes en pierre soutiennent un réseau de nervures ogivales sur lesquelles s'appuient des voûtes en brique. Au centre de la voûte, un **oculus** de 3,5 m de diamètre laisse pénétrer la lumière solaire qui, en se réfléchissant dans un bassin, éclaire la salle d'une lueur étrange semblant provenir d'en bas. La présence au sol d'une mince nappe d'eau ajoute à la confusion visuelle : les **arcs gothiques** s'y reflètent avec une étonnante précision et, au bout de quelques minutes de contemplation, cette image prend plus de consistance et de profondeur que l'architecture concrète elle-même. Ce lieu est magique, vous le quitterez difficilement.

▶ Suivez la rua da Carreira jusqu'à la Porta do Mar, et revenez en flânant par les petites rues. Passez sur le côté nord du château *(à l'opposé de l'entrée de la citerne)*. Au 19e s., la vieille ville fut transformée en *mellah*, et l'on peut voir quelques belles **maisons juives**, malheureusement laissées à l'abandon ou squattées. Signalons, par exemple, dans la rue Joseph Nahon *(derrière la citerne)*, un imposant immeuble, daté de 5652/1898 (la date de 5652 correspond au calendrier juif), dont la cour intérieure est ornée de remarquables arcs festonnés.

Quittez El-Jadida. Si vous avez un peu de temps, la visite de la kasbah de Boulâouane mérite le détour.

KASBAH DE BOULÂOUANE★

Env. 81 km d'El-Jadida.

Prenez la N1 puis la R315. Arrivé à Boulâouane, tournez à droite et poursuivez jusqu'à la R314 *(env. 5 km)* que vous empruntez sur la gauche. Un peu plus loin *(env. 4 km)*, une petite route se détache sur la gauche et mène à la kasbah.

Le nom de Boulâouane évoque surtout le fameux **vin gris** produit dans la région, sur le plateau des Rehamma. Mais Boulâouane, est aussi une majestueuse **kasbah★** édifiée par Moulay Ismaïl en 1710, au sommet d'un mont rocheux. De la forteresse vous admirerez la **vue★★** sur l'oued Oum er-Rbia, l'orangeraie et sur l'ensemble de la région. Une porte monumentale marque l'entrée de la kasbah, un peu plus loin sur la droite s'élèvent les ruines de la maison du sultan : cour intérieure carrée couverte de mosaïques, quatre vastes salles de chaque côté et probablement les restes d'un hammam. De la mosquée, il ne subsiste que le minaret. Un programme de fouilles et de restauration de la forteresse est en cours d'étude.

De Boulâouane, vous regagnez la côte par le même trajet qu'à l'aller jusqu'à El-Jadida (81 km) ; vous pouvez également rejoindre Oualidia (126 km) en passant par Sidi-Bennour.

D'EL-JADIDA À OUALIDIA PAR LA CÔTE ★

76 km. Comptez 1h30 avec les arrêts.

Quittez El-Jadida par la route côtière R301.

▶ Au bout de 3 km, vous pouvez faire une pause baignade sur la belle plage de **Sidi-Bouzid**.

▶ 9 km après Sidi-Bouzid, arrêtez-vous à **Moulay Abdallah★**. L'ancienne **Tit** était un *ribat* (couvent fortifié), fondé au 12e s., qui joua un rôle important jusqu'à la déportation de ses habitants à Fès, en 1517. Aujourd'hui, ce n'est guère plus qu'un gros village, très au large à l'intérieur des anciens **remparts** ; les

tours et les portes sont anciennes, mais les quelque 3 km de courtine ont été reconstruits assez récemment. Observez le beau **minaret★** almohade qui jouxte les trois marabouts de la **zaouïa★ de Moulay Abdallah Amghar** *(entrée strictement interdite)* ; un autre minaret de la même époque se dresse à l'opposé de la côte. Au mois d'août, le moussem est l'occasion de fantasias, qui se déroulent sur un terrain spécialement aménagé, proche de l'océan.

▶ Les rochers plats et déchiquetés du littoral forment, à marée basse, des sortes de vasques où les villageoises, en djellaba de couleur vive, récoltent des algues destinées à l'industrie cosmétique. Quelques kilomètres plus loin, la **vue★** des falaises du **cap Blanc** embrasse la **baie de Jorf Lasfar** et ses installations portuaires.

▶ Un peu avant **Sidi Moussa**, commence l'**Oulja★**, écosystème formé d'une longue série de **lagunes★** étroites séparées de l'océan par un cordon de dunes, parfois couvertes de pinèdes. Cette zone, large de 1 à 3 km seulement, est en voie d'assèchement naturel : les débouchés des lagunes s'ensablent, celles-ci se transforment en zones marécageuses encore sillonnées de chenaux d'eau libre ; puis l'homme y crée des **marais salants** qui, pour finir, cèdent la place à des cultures maraîchères protégées par des haies de roseaux.

OUALIDIA★

La localité tire son nom de **Oualid**, un des derniers sultans saâdiens, qui y fit construire une kasbah. C'est aujourd'hui une **station balnéaire**, très fréquentée par les Marocains pendant la période estivale, et un centre d'**ostréiculture** (vous pouvez aller voir les parcs à huîtres et à moules au nord de la ville). Le souk se tient le samedi. Tous les jours, des pêcheurs se promènent en bord de mer et autour des villas pour vous proposer d'appétissants poissons, des coques, des oursins, des couteaux, tout juste sortis de l'eau. La grande **lagune★**, protégée des vagues, se pare de splendides teintes au coucher du soleil ; avec sa

plage★ de sable fin, elle constitue un agréable lieu de baignade. Peut-être serez-vous tenté d'aller surfer sur les hautes vagues très proches ou encore de vous faire accompagner en barque par un pêcheur pour observer de près les oiseaux aquatiques. Profitez ensuite d'une dégustation d'**huîtres**.

Se loger

▶ *À Sidi Moussa*

Environ 250 DH (25 €)

Villa La Brise, à 37 km au sud d'El-Jadida, ☎ 023 34 69 17 - 22 ch. 🛏 ✕ 🍽 ⚒ Cet hôtel-restaurant-bar a ouvert en 1947 ; depuis, la décoration et l'atmosphère n'ont guère changé. Les chambres sont très simples, on aperçoit la mer d'une partie d'entre elles. Demi-pension : 450 DH pour deux.

▶ *À Oualidia-Plage*

Si vous venez hors saison, vous rencontrerez certainement quelqu'un près de la lagune qui vous proposera la location d'une maison en bordure de mer. Formule sympathique et économique si vous êtes à plusieurs. Les tarifs d'hébergement varient beaucoup selon la saison. Comme toujours, nous mentionnons ici les tarifs haute saison.

Environ 50 DH (5 €)

Camping Oualidia. En été, cette immense agglomération populaire est un spectacle en soi. Nombreuses petites épiceries et restaurants à l'entrée.

Environ 600 DH (60 €) en 1/2 pension

À l'Araignée Gourmande, bd Moulay Rachid, ☎ 023 36 64 47 - 15 ch. 🛏 ✕ 🐾 🆑 Surtout connu pour son restaurant, l'établissement propose également des chambres d'un bon rapport qualité-prix. Préférez celles sur mer et réservez le week-end. Demi-pension obligatoire en été.

Environ 1 300 DH à deux en 1/2 pension (130 €)

🐾 **L'Hippocampe**, rue du Palais Royal, ☎ 023 36 64 99 - 24 ch. 🛏 ✕ 🍽 🐾 ⚒ 🆑 Demi-pension obligatoire. Réservez pour juillet-août et tous les week-ends.

Établissement de charme faisant face à la lagune ; il se compose de quelques bungalows noyés dans un magnifique jardin fleuri. Les 2 suites sont superbes, les autres chambres impeccables.

Se restaurer

Entre 100 et 250 DH (10 à 25 €)

À l'Araignée Gourmande, voir l'hôtel du même nom. 🍽 🆑 Agréablement installés face à l'entrée de la lagune, les amateurs y dégustent les spécialités locales : huîtres, moules, palourdes, coques, couteaux et oursins. On peut également manger langoustes ou homards grillés pour un prix raisonnable.

Environ 200 DH (20 €)

🐾 **L'Hippocampe**, voir l'hôtel du même nom. 🍽 🆑 Spécialités de poissons et de fruits de mer (huîtres nature ou gratinées et autres coquillages), que l'on savoure sur la terrasse face à la lagune ou dans une vaste salle avec cheminée.

DE OULIDIA À SAFI★

66 km. Comptez 1h30 avec les arrêts.

Prenez la route R301 en direction du sud.

Dans un paysage ingrat, souvent noyé dans la brume, surgit le **phare du cap Beddouza (cap Cantin)** ; environ 4 km avant, on aperçoit un instant le **marabout de Sidi Chechkal★**, juché sur un rocher isolé au milieu de l'estran d'une plage sans fin.

▶ Pour voir le marabout, faites encore 1 km et prenez à droite un chemin de terre pour atteindre le bord de la falaise qui domine la plage. La route, assez sauvage et peu fréquentée, traverse un plateau calcaire dénudé, entrecoupé de murets de pierres sèches, qui s'effondre dans l'océan par d'impressionnantes **falaises★**. Les paysages sont particulièrement attachants et étonnants à la lumière dorée du soleil couchant.

▶ Les marabouts de **Lalla Fatna** et **Sidi Bouzid**, qui bénéficient d'une **vue★** sur la baie de Safi, méritent un bref arrêt.

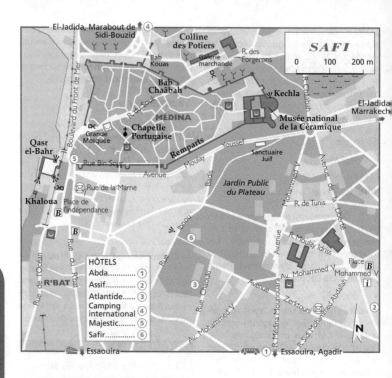

SAFI★

Comptez une demi-journée.

Ne vous arrêtez pas aux aspects peu engageants de cette grande ville industrielle et portuaire spécialisée dans la sardine et l'exportation du phosphate (pollution et saleté). Il fait bon se promener dans la médina très animée et découvrir les beaux vestiges portugais qui font face à l'Atlantique. Safi est aussi connue pour ses céramiques, le quartier des potiers s'étend sur une colline au nord du centre-ville.

Arriver ou partir

En voiture - Casablanca est à 3h par la N1 ; Marrakech à 2h par la R204. Il faut près de 2h pour rejoindre Essaouira par la route côtière R301.

En bus - La gare routière est située sur l'av. Kennedy, à environ 2,5 km au sud du centre historique. Nombreux bus pour Casablanca, Marrakech et les différentes villes de la côte sud.

En taxi collectif - Les grands taxis partent de la gare routière.

En train - La gare, qui sert essentiellement au transport de marchandises, se trouve dans un quartier industriel peu engageant la nuit, à environ 3 km au sud de la médina. Des petits taxis font le trajet vers le centre-ville, pl. de l'Indépendance ou pl. Mohammed V. Il existe un train par jour pour Marrakech, Casablanca et Rabat, avec correspondance à Benguerir. Comptez environ 4h pour Marrakech, 4h30 pour Casablanca, 5h30 pour Rabat.

Comment circuler

La ville moderne de Safi est vaste, elle s'étend sur des collines et les rues partent dans tous les sens : on aura donc souvent de la peine à s'orienter. En revanche, nul besoin d'un véhicule pour visiter le centre historique ni même pour faire le tour complet des murailles.

Adresses utiles

Syndicat d'initiative - À côté de l'av. de la Liberté et de la place Mohammed V. Tlj 9h-12h/15h-18h30.

Délégation provinciale du tourisme - 26 rue Imam Malek, ☎ 044 62 24 96, Fax 044 62 45 53.

Banque / Change - La plupart des banques possèdent une agence sur la pl. de l'Indépendance ou à proximité immédiate. La **BMCE** et le **Crédit du Maroc** disposent d'un distributeur automatique de billets.

Poste / Téléphone - Vous trouverez la poste centrale près de la pl. Mohammed V, à l'angle des avenues Zerktouni et Sidi Mohammed Abdallah. Un bureau de poste annexe se trouve sur la pl. de l'Indépendance.

Se loger

Quel que soit votre budget, vous trouverez facilement à vous loger à Safi. Mais la plupart des hôtels modernes sont assez éloignés du centre historique.

Env. 70 DH à deux avec 1 tente et 1 véhicule (7 €)

Camping international, sur une colline au nord de la ville (à 900 m à l'est de la route d'El-Jadida, à 2,5 km du centre). C'est l'un des campings les mieux aménagés du Maroc (grands pins parasols, piscine, restaurant). Malheureusement, il est très isolé et peu pratique pour les personnes non motorisées.

Environ 70 DH (7 €)

Majestic Hôtel, rue Bin Sour (rue des Remparts), ☎ 044 46 40 11 – 25 ch. Cet établissement, qui offre des prestations minimales, est très représentatif des nombreux petits hôtels du bas de la médina de Safi. Bien que sa façade donne sur le bd du Front de Mer, seules quelques chambres disposent de la vue sur l'océan. Deux douches communes. Pas de petit-déjeuner.

Entre 320 et 370 DH (32 à 37 €)

Hôtel Assif, av. de la Liberté, ☎ 044 62 23 11/62 29 40 – 62 ch. ⌇ 🟰 📺 ✕ Moderne, assez confortable et sans charme. Parking fermé.

Environ 430 DH (43 €)

Hôtel Abda, av. Kennedy (à 500 m environ de la gare routière), ☎ 044 61 02 02/62 26 37 – 38 ch. ⌇ 📺 ✕ 🆑 À défaut de charme ou seulement de bon goût, il offre le confort d'un hôtel tout neuf.

Hôtel de l'Atlantide, rue Chaouki, ☎ 044 46 21 60/61 – 46 ch. ⌇ ✕ 🍸 🏊 🆑 Ce prestigieux hôtel de la Compagnie Paquet a été racheté par l'Office chérifien des phosphates pour y accueillir ses cadres dirigeants ; mais, en été, il accepte les touristes. Construit en 1920, le bâtiment a été restauré avec goût. Les chambres, qui offrent différents niveaux de confort, ont conservé leur mobilier d'époque. Belle vue sur Safi. Personnel accueillant.

Environ 840 DH (84 €)

Hôtel Safir, av. Zerktouni, ☎ 044 46 42 99 – 90 ch. ⌇ 🟰 📺 ✕ 🍸 🏊 🆑 Admirablement situé sur une colline dominant la ville, et récemment restauré, cet hôtel d'affaires possède tous les équipements souhaitables (salle de conférence, discothèque, boutiques...), mais n'a pas le cachet de son voisin.

Se restaurer

Environ 50 DH (5 €)

Vous pouvez prendre un repas léger dans l'un des nombreux snacks et pâtisseries du centre moderne. Vous trouverez plusieurs restaurants bon marché sur le bd du Front de Mer, près de la pl. de l'Indépendance, et dans la rue du R'bat.

Entre 50 et 90 DH (5 à 9 €)

Restaurant du Potier, 7 souk de Poterie. 🆑 Bien pratique après la visite de la colline des Potiers. Terrasse très agréable et cuisine simple : salades, grillades, tajines.

Entre 120 et 250 DH (12 à 25 €)

Gegene, 8 rue de la Marne (à 50 m de la pl. de l'Indépendance, derrière l'ancienne poste), ☎ 044 46 33 69. 🍸

ᴄᴄ Fermé le dimanche et pendant le Ramadan. Le meilleur rapport qualité-prix de la ville. Cadre agréable et cuisine familiale. Poissons et spécialités françaises et italiennes.

Entre 150 et 180 DH (15 à 18 €)

La Trattoria (chez Yvette), 2 rue de l'Aouinat (près de l'École maritime), ☎ 044 62 09 59. ♈ ᴄᴄ La patronne, une Italienne chaleureuse, propose une cuisine franco-italienne familiale (notamment des pizzas) à une clientèle de notables et de couples cherchant la discrétion.

Le Refuge, Sidi Bouzid (à 3,5 km du centre sur la route d'El-Jadida), ☎ 044 66 80 86. ♈ Fermé le lundi et pendant le Ramadan. Restaurant de poisson réputé. Il faut absolument y venir à midi : la vue sur la rade de Safi est superbe ; le soir, la grande salle est un peu triste.

Sortir, boire un verre

Bars - Safi est un port important : les bars ne manquent pas. Si l'on veut éviter les endroits mal fréquentés, il vaut mieux aller dans les bars des meilleurs hôtels, en particulier ceux de l'**Atlantide** et du **Safir**.

Cafés - Nombreux dans le centre moderne, sur le bd du Front de Mer et près de la pl. de l'Indépendance.

Discothèques - La discothèque de l'**Hôtel Safir** est nettement mieux fréquentée que **Le Golden Fish**, rue Ibn Zeidoun.

Cinémas - L'**Hôtel de l'Atlantide** possède une salle de cinéma d'époque qui vaut le coup d'œil, indépendamment du programme annoncé.

Achats

Vous ne pouvez pas repartir de Safi sans avoir acheté quelques céramiques. Le choix le plus grand (le pire comme le meilleur) se trouve au **souk des potiers**, à l'extérieur de Bab Chaâbah, au pied de la colline des Potiers. Des guides essayeront de vous entraîner dans des « coopératives », en vous faisant miroiter des prix à la production, en fait plus élevés que le juste prix.

Histoire

Le port d'**Asfi** existe au moins depuis le 11ᵉ s. Au début du 13ᵉ s., le cheikh Abou Mohammed Saleh y créa un couvent fortifié *(ribat)*, qui donna son nom au quartier du R'bat. La ville, passée sous la suzeraineté portugaise vers 1480, fut conquise, en 1508, à la faveur des rivalités entre familles dirigeantes. Les Portugais construisirent en peu de temps d'imposantes fortifications : le château de la Mer, sur le port, la Kechla, citadelle sur une colline élevée, et, entre les deux, 1,5 km de remparts enserrant la ville.

Pendant une dizaine d'années, grâce à l'alliance d'un capitaine portugais, **Nuno Fernandes de Ataide**, et d'un chef berbère, **Yahya ben Tafouft**, Safi connut un grand rayonnement commercial, politique et militaire. Mais cette période faste ne dura guère : la ville, assiégée à partir de 1534, dut finalement être évacuée en 1541.

Sous les Saâdiens, Safi devint le port de Marrakech, et les commerçants européens continuèrent d'y être très actifs ; le premier consul venu représenter la France au Maroc s'y installa en 1577. Mais, délaissée par les Alaouites au profit de Rabat, son déclin, entamé au 18ᵉ s., s'accéléra au 19ᵉ s. La colonisation française lui redonna vie, grâce, notamment, à la construction d'un port en eaux profondes, à l'exploitation du phosphate de Youssoufia, et au développement des conserveries de sardines.

Visite de la ville

Laissez votre voiture sur le parking qui se trouve devant l'entrée de la Kechla.

▸ Rien ne saurait mieux matérialiser la puissance du Portugal au 16ᵉ s. que l'énorme **bastion semi-circulaire★** de la **Kechla★** *(tlj sauf mardi 8h30-12h/ 14h30-18h, 10 DH comprenant l'entrée au musée national de la Céramique)*, hérissé de canons et muni d'échauguettes. Montez sur la plate-forme pour profiter du **superbe panorama★★** : à gauche, le haut minaret du **R'bat**, au centre, la médina qui, canalisée par ses remparts, dévale jusqu'au château de la Mer, et à droite la colline des Potiers.

À partir du 18e s., la forteresse, dont le nom turc signifie caserne, perd son caractère purement militaire pour devenir un **Dar el-Makhzen**, palais gouvernemental, qui déploie ses nombreux bâtiments à toits de tuiles vertes autour d'une vaste cour. Au centre, une charmante petite **mosquée**★ se blottit contre un gigantesque caoutchouc, tandis que deux ailes abritent le **musée national de la Céramique**★. Paradoxalement, alors que la céramique de Safi est connue bien au-delà des frontières du Maroc, le musée qui lui est consacré est un peu décevant (*il mérite tout de même 1h de visite*), la présentation n'étant pas à la hauteur de la richesse des collections (absence de logique muséographique, manque d'explications techniques). À gauche de l'entrée se succèdent sept salles consacrées à la production safiote, caractérisée par sa couleur bleue ; chefs-d'œuvre anciens et modernes se côtoient. On retiendra les noms de **Serghini**, **Ben Brahim** ou **Lamali** (qui heureusement n'a pas produit que les pièces de la dernière salle !). À droite de l'entrée sont exposées de belles pièces anciennes provenant des autres grands centres de fabrication de céramique du Maroc : dans un couloir, des poteries vert foncé de **Tamegroute** (lampes à huile), et, autour d'un joli **patio**★, des plats polychromes *(makhfia)* de **Meknès**, des céramiques bleues et des *jebbana* polychromes de **Fès**.

▶ En ressortant du musée, tournez à droite dans un jardin public, et descendez l'avenue Moulay Youssef, le long du rempart sud, jusqu'au château de la Mer. On y accède en passant sous la voie de chemin de fer.

Particulièrement bien conservés, les **remparts**★ de pierre sont très élevés et précédés d'un glacis fort raide au niveau de la Kechla. Ils sont renforcés par des tours semi-circulaires en saillie ; plusieurs portes ou poternes donnent accès à la médina. Vers le bas de l'avenue, des hommes jouent au jeu de dames, accroupis sur le trottoir, utilisant le pavage comme damier et des capsules de boissons gazeuses en guise de pions !

▶ Passez sous la voie de chemin de fer. Entrez dans **Qasr el-Bahr, le château de la Mer**★★ *(tlj 8h30-12h/14h30-18h30 ; 10 DH)*, belle forteresse portugaise du début du 16e s. Plusieurs portes se succèdent. Un puissant **donjon carré** domine le château, offrant une superbe **vue**★★ sur le port, la médina et la Kechla. À l'intérieur de l'enceinte, autour d'une vaste cour dallée, on trouve le petit marabout de Tahar Bel Kebir, un puits, et une série de casemates. Celle-ci supporte une longue **plateforme de tir** dont les 10 canons sont braqués sur l'océan ; une rampe assez raide donne accès à cette plate-forme et au chemin de ronde nord, intéressant pour la **vue**★. À l'extrémité sud de la plate-forme, une seconde rampe enjambe une grande arche ouvrant sur la mer pour atteindre une tour avancée. Là encore, on apprécie la **vue**★ sur les falaises qui s'effondrent par blocs dans l'océan et sur un curieux petit bâtiment, la **khaloua**, lieu de retraite d'al-Djazouli, prédicateur et mystique du 15e s.

▶ Revenez à l'entrée en suivant le chemin de ronde. Au pied du château, la place de l'Indépendance, très animée, jouxte le quartier populaire du **R'bat**, où se dresse la mosquée construite par le sultan Abou el-Hassan près du tombeau d'Abou Mohammed Saleh (mort en 1233).

▶ Le boulevard du Front de Mer s'élargit en une sorte de place, grouillante de vie, d'où part la **rue du Souk**★, axe principal de la **médina**, qui remonte jusqu'à Bab Chaâbah. Sur toute sa longueur, cette rue étroite est bordée d'échoppes, abritées par de jolis auvents en bois découpé vert clair, où, en fin d'après-midi, se presse une foule très dense.

▶ Immédiatement après la Grande Mosquée, tournez à droite sous une porte voûtée surmontée d'une fenêtre géminée, et suivez la ruelle qui longe la mosquée. À gauche, en contrebas, s'ouvre une petite cour avec des arcs gothiques. Ne manquez pas de jeter un coup d'œil à la **chapelle portugaise** *(tlj 8h30-18h ; entrée payante)*. Une fois la lumière allumée par le gardien, vous aurez la surprise de découvrir une belle voûte de style manuélin★, dont le réseau de nervures en étoile porte neuf cabochons (écussons du Portugal, du roi Manuel Ier, du Saint-Siège, etc.). Il s'agit là, non pas d'une chapelle, mais du chœur de la cathédrale de Safi, construit en 1519. En continuant un peu la même ruelle, vous atteindrez un beau **minaret** en pierre, de style almohade.

▶ Revenez sur vos pas ou bien risquez-vous dans une ruelle parallèle à celle du Souk. Ballotté par la foule, vous aboutirez peut-être dans une ruelle couverte où s'en-tassent de pittoresques bouis-bouis proposant du poisson frit. Ou bien, vous préférerez échapper à la cohue en prenant l'une des ruelles quasi désertes, qui rejoint la muraille nord. Ensuite, gagnez **Bab Chaâbah**. Au-delà de cette porte commence le quartier des potiers.

La colline des Potiers★★ (Chaâbah)

Comptez 1 ou 2h. Visite libre.

Attestée dès le 12e s., l'activité des potiers de Safi a connu une impulsion notoire avec l'arrivée massive d'**artisans fassi**, au milieu du 19e s. Puis, à partir de 1918, **Lamali**, un Kabyle de formation française, insuffla une nouvelle vie à la production safiote.

Aujourd'hui, la colline des Potiers est une véritable ruche où, autour du **marabout** du saint protecteur, l'on s'active de toutes parts. En général, les artisans sont fiers d'expliquer les nombreuses phases successives de leur travail : préparation de la terre, tournage, séchage (1h), tournissage (finition au tour à l'aide d'une pièce de bois), trempage dans le kaolin, première cuisson dans un feu de genêt (3h à 1 000 °C), décoration réalisée par le maître *(maâllem)* et ses apprentis (à l'aide de pinceaux faits de poils d'âne fixés dans un vieux stylo Bic), trempage dans l'émail, et enfin seconde cuisson (3h30 à 1 200 °C) soigneusement contrôlée. Bien sûr, toutes ces opérations ne se font pas en même temps dans le même

atelier, et il vous faudra en visiter une demi-douzaine si vous voulez tout voir. Vous pouvez prendre un guide improvisé *(environ 20 DH)* pour suivre le processus dans l'ordre sans perdre trop de temps mais vous n'échapperez pas aux traditionnelles visites de magasins où l'on vous incite, parfois lourdement, à dépenser.

DE SAFI À ESSAOUIRA PAR LA CÔTE★

125 km. Comptez 3h avec quelques arrêts.

▶ Au sud de Safi, la route côtière, étroite et dégradée, longe des falaises basses, puis franchit un petit col (**vue★**), avant de redescendre sur un paysage de champs pelés bordés de murets de pierres sèches.

▶ Au km 30, prenez à droite une piste qui se détache de la route principale ; suivez-la sur environ 300 m : elle traverse un petit bois de mimosas avant d'aboutir au port. **Souira Kédima★** est un hameau de pêcheurs, installé près des ruines d'un fortin portugais dont la haute enceinte crénelée est assez bien conservée. Le mouillage, peu profond, abrite une centaine de barques noires et vertes. Vous pouvez observer les préparatifs de la pêche ou le déchargement du poisson depuis la terrasse de l'un des petits cafés qui dominent la belle plage.

▶ La route pénètre assez loin à l'intérieur des terres pour contourner l'estuaire de l'oued Tensift (peuplé d'oiseaux aquatiques), puis remonte jusqu'à **Dar Caïd Hadji** *(prenez la piste à droite sur 300 m et laissez la voiture à l'extérieur des murailles)*. La résidence du caïd, qui date de 1919, est abandonnée et en partie ruinée. (Trouvez le gardien pour visiter les salles d'apparat. Attention aux serpents dans les ruines).

Au-delà, la route longe généralement la côte d'assez loin tout en la dominant. On profite alors de **belles vues★** sur les dunes qui bordent l'océan. Les plages immenses restent le plus souvent inaccessibles même si, parfois, une piste semble y conduire (prenez garde aux ensablements).

▶ On peut, par exemple, atteindre **Bhibah** *(à 2 km de la route ; prudence car la lagune asséchée se transforme parfois en piège par temps de pluie)*, grève protégée par une barre rocheuse, où s'entassent les casiers à langoustes.

▶ Après le **cap Hadid** *(à environ 40 km au nord-est d'Essaouira)*, le paysage change : vous traversez une zone inhabitée où pousse une forêt clairsemée d'arganiers sauvages, de genévriers, et surtout de thuyas dont le bois alimente les ébénistes d'Essaouira. Une plate-forme offre une **vue**★★ sur Essaouira.

ESSAOUIRA★★

😊 **Climat agréable en toute saison**

😬 **Une baie ventée aux courants parfois dangereux**

Quelques repères

330 km de Casablanca, 175 km de Marrakech ou d'Agadir – 63 000 hab. – Carte Michelin n° 742 plis 4 et 19 – Climat doux et humide toute l'année, mais très venté.

À ne pas manquer

Flâner sur le port, les remparts et dans la médina.

L'arrivée des bateaux de pêche et la vente du poisson à la criée.

Manger des poissons grillés sur le port.

Conseils

Pour les festivals et l'été, réservez votre hôtel à l'avance.

Prenez une laine pour le soir.

Attention aux courants sur la plage !

Profitez des jours sans vent pour visiter l'arrière-pays à vélo.

À quoi tient donc la magie d'Essaouira « la blanche » ? Est-ce à son improbable architecture européenne, ou à ses remparts admirablement conservés ? Pour une part, sans doute. Bien sûr, il y a tout le pittoresque de la vie traditionnelle : l'animation du port, les étals colorés des souks, les vieux ébénistes, les tireurs de petites charrettes, les silhouettes en djellabas sur l'immensité de la plage. Mais il y a d'autres raisons, impalpables, indicibles : la force irrésistible des vents alizés, la lumière changeante de l'Atlantique, la présence obsédante des mouettes, l'ambiance paisible, l'odeur du bois de thuya. Et puis aussi, derrière l'austérité du haïk, la fascination de certains regards. La foule a envahi Essaouira, et pourtant le charme demeure…

Arriver ou partir

En avion - Un petit aérodrome se trouve à une quinzaine de kilomètres, en direction d'Agadir, ☎ 044 47 67 09. **Safars Tours** (agence à Paris), ☎ 00 33 1 44 70 44 62 62, assure tous les vendredis un vol direct Paris-Essaouira (160 à 320 €, tarif plus intéressant si l'on réserve à l'avance) et une liaison Essaouira-Marrakech.

En voiture - Il faut moins de 3h pour atteindre Marrakech (N8) ; mais évitez cette route la nuit car la conduite est très pénible à partir de Chichaoua (à cause des camions venant d'Agadir). Casablanca est à 5h par la P8, beaucoup plus rapide que la route côtière. Comptez près de 4h pour atteindre Agadir.

En bus - La **gare routière**, ☎ 044 47 27 65, est située à env. 500 m au nord-est de Bab Doukkala, dans une rue qui ne porte pas de nom. Plusieurs compagnies, dont CTM et SATAS, assurent des trajets pour Marrakech, Safi, El-Jadida, Casablanca, Rabat, Agadir, Tiznit, Taroudant et Tafraoute. Les bus pour Marrakech sont plus nombreux (une dizaine par jour, durée du trajet 3h30 à 4h, env. 40 DH avec un bagage) que ceux pour Agadir (environ 6) ou Casablanca. Vous trouverez des petits taxis à la gare routière, le trajet jusqu'au centre-ville coûte 10 DH.

Supratours assure un service rapide et confortable pour Marrakech. 3 bus par jour (durée du trajet 2h30, 55 DH). Départ des bus de Bab Marrakech. Achetez votre billet la veille au kiosque en face de Bab Marrakech, côté ville nouvelle *(C2-3)*, ☎ 044 47 53 17, lundi-vendredi 9h30-12h15/15h30-18h30, samedi et dimanche 10h-12h/15h30-18h.

En taxi collectif - Les grands taxis stationnent à côté de la gare routière.

Comment circuler

Dans la médina vous vous promènerez uniquement à pied ; il y a de vastes parkings payants près de Bab Sebaa et un portefaix se chargera d'emmener vos bagages jusqu'à l'hôtel à l'aide d'une petite charrette. La principale station de calèches se tient à l'extérieur de Bab Doukkala, le long du cimetière chrétien. Les petits taxis (bleus) sont rares et ne circulent que dans la ville moderne.

Location de voitures - **Tassourt Cars, Quartier des Dunes**, 38 rue My Ali Echrif, ☎/Fax 044 47 42 42, ☎ 062 29 34 48. **Essaouira Wind Car**, quartier des Dunes, rue Princesse Lalla Amina, ☎ 044 47   28 04/044 78   44 44/061 34 71 34. **Avis**, Bab Marrakech, à gauche en sortant de la médina, ☎ 044 47 52 70.

Location de vélos - **Chez Bounar Saïd**, 131 rue Mohammed el-Qory, près de Bab Marrakech *(B-C2)*, ☎ 044 47 37 38, tlj 8h30-20h (fermé entre 12h et 15h le vendredi). Vélo avec antivol et petit outillage, 50 DH la journée, 30 DH la demi-journée. Bon accueil et matériel de qualité. Voir aussi la rubrique « Loisirs ».

Adresses utiles

Office du tourisme - Délégation régionale du Tourisme et syndicat d'initiative, 10 rue du Caire, dans la médina, ☎ 044 78 35 32, tlj sauf samedi et dimanche, 9h-12h/15h-18h30, www.mogadoressaouira.com Vous y trouverez un plan de la ville (15 DH) et des informations sur les activités sportives et culturelles dans la région.

Poste - À l'angle des avenues el-Mouqaouama et Lalla Aïcha, à 2mn du bd Mohammed V.

Banque / Change - Plusieurs banques avec distributeur sont regroupées à proximité immédiate de la place Prince Moulay Hassan : **Banque populaire**, **Banque commerciale du Maroc**, **Crédit du Maroc** et **BMCE** (sur la petite rue Hajjali) ; **Wafa Bank** av. Oqba ben Nafi, **Société Générale** av. Oqba ben Nafi côté pl. Orson Welles.

On trouve aussi une **Banque populaire** avec distributeur av. al-Massira al-Khadra. Si les distributeurs sont à sec (ce qui arrive parfois pendant le week-end), vous pouvez changer de l'argent dans un grand hôtel.

Internet - Téléboutique, rue du Caire, à côté du syndicat d'initiative. Tlj 9h-23h, cabines téléphoniques au rez-de-chaussée et une dizaine d'ordinateurs avec accès Internet au 1er étage, 10 DH/h. Essaouira Informatique Cyber, 127 rue Med El Qorry, 10 DH/h.

Louer un appartement ou une maison

Entre 300 et 1 200 DH (30 à 120 €)

Jack's Apartments, réservation auprès de Jack's Kiosk, 1 pl. Moulay Hassan, ☎ 044 47   55 38, www.essaouira.com/apartments, ou de l'agence Karimo, ☎ 044 47   45 00, www.karimo.net – 9 appartements aménagés dans 2 beaux bâtiments situés rue Ibn Zohr (impasse perpendiculaire à la rue de la Skala). De taille variable (2 à 8 pers.), les logements, mignons et confortables, sont tous dotés d'une salle de bains et d'une cuisine équipée, certains d'une cheminée, d'autres d'une terrasse. Quelques-uns offrent une vue superbe sur les murailles et l'océan. Le ménage est fait quotidiennement. L'agence loue également des riads entiers dans la médina (150 à 200 €env. 6 pers.)

Entre 800 et 2 000 € la semaine

Essaouira Home Collection, ☎ 044 44 75 00, www.essaouirahomecollection.com - Une dizaine de demeures de charme (5 à 10 pers.) installées au cœur de la médina ou dans les environs d'Essaouira, au milieu des oliviers et des arganiers. Idéal pour un séjour en famille ou avec un groupe d'amis. Service hôtelier. Tarif incluant le petit-déjeuner.

Loger à l'hôtel

Les petits hôtels de charme constituent l'un des agréments d'Essaouira. Ils comportent généralement moins d'une vingtaine de chambres. Pendant les festivals et les mois d'été, prenez la précaution de réserver. Il en est de même pour les locations d'appartements ou de riads.

▸ *Dans la médina*

Entre 130 et 200 DH (13 à 20 €)

Hôtel Smara, 26 rue de la Skala, ☎ 044 47 56 55 – 19 ch. Situé face au rempart maritime, il dispose d'une belle vue depuis la terrasse mais 5 chambres seulement donnent sur la mer (plus chères). Elles sont assez grandes et simplement équipées d'un lavabo. Douches et toilettes communes. C'est l'adresse favorite des routards ; réservez impérativement car l'hôtel affiche toujours complet.

Hôtel Tafraout, 7 rue de Marrakech, ☎ 044 47 62 76 – 27 ch. Pas de petit-déjeuner. Hôtel simple et propre, agencé autour d'un patio couvert. La moitié des chambres sont équipées d'une douche, les autres d'un lavabo et d'un bidet. Sanitaires communs corrects. Préférez les chambres ouvrant sur l'extérieur. Accueil chaleureux.

Hôtel Cap Sim, 11 rue Ibn Rochd, ☎/Fax 044 78 58 34 – 27 ch. ⌨ (commission de 5 %). Les chambres se répartissent sur 4 étages autour d'un patio couvert. 10 d'entre elles disposent d'une salle de bains privée avec toilettes. Optez de préférence pour une chambre avec fenêtre ouvrant sur l'extérieur (la plupart donnent uniquement sur le patio). Petit-déjeuner servi dans le salon marocain au rez-de-chaussée. Pas de charme particulier, mais bon rapport qualité-prix.

Hôtel Souiri, 37 rue el-Attarine, ☎/Fax 044 78 30 94, ☎/Fax 044 47 53 39, souiri@menara.ma – 39 ch. ⌨ (commission de 5 %). Vous avez le choix entre les chambres de 1re catégorie (mobilier en rotin et fer forgé, salle de bains privée, 310 DH), celles de 2e catégorie, un peu moins jolies mais aussi agréables (mobilier en bois, salle de bains privée, 250 DH) et les chambres avec sanitaires communs (150 DH). L'ensemble est bien tenu et l'accueil sympathique. Terrasse sur le toit. Si vous êtes 4 personnes, vous pouvez louer le petit appartement de 2 chambres avec cuisine (600 DH par jour).

Dar Halima, 33 rue Qadi Ayad, ☎/Fax 044 47 60 17, http://site.voila.fr/darhalima - 5 ch. ⌨ ✕ Un vieux passage couvert typiquement souiri mène à cette maison et table d'hôte. On mange dans le patio ou les petits salons marocains qui l'entourent. Les chambres se trouvent au 1er, spacieuses, ornées de carrelages, tapis, coussins… quelque peu hétéroclites. Grande salle de bains commune carrelée d'un blanc impeccable.

Hôtel Sahara, av. Oqba Ben Nafia, ☎ 044 47 52 92 – 60 ch. ⌨ À l'entrée de la médina côté plage, cet hôtel vaut pour son rapport qualité-prix. Entièrement peint en blanc et bleu, il dispose de chambres claires, assez spacieuses et confortables. 2 petits salons marocains et un patio agrémentent les lieux.

Hôtel du Mechouar, av. Oqba Ben Nafia, ☎ 044 47 58 28 – 22 ch. ⌨ ✕ 🍴 Juste à côté du précédent, cet hôtel offre des prestations similaires. Les chambres sont simples et propres ; certaines disposent d'un balcon, donnant sur le jardin ou sur la place de l'Horloge. Salle de restaurant aux voûtes de pierre et terrasse ombragée par une treille.

Résidence el-Mehdi, 15 rue Sidi Abdesmih, ☎/Fax 044 47 59 43, res.el.meh@menara.ma – 19 ch. ⌨ ✕ 🍴 ⌨ Cet établissement, simple mais suffisamment confortable, n'est pas dénué de charme, avec son patio ouvert et sa collection de cartes postales anciennes accrochées au mur. Les grandes chambres blanches donnent sur une galerie intérieure, certaines ont la télévision. Vous pouvez aussi louer l'un des 2 appartements pour 4 pers. qui comprend 2 chambres, un salon et une cuisine (de 800 à 1 000 DH à 4).

Hôtel Sidi Magdoul, 21 rue Sidi Abdesmih, ☎ 044 47 48 47, www.hotelsidimagdoul.com - 8 ch. ⌨ ⌨ Petit hôtel joli et propret, aménagé sur 2 étages. Les chambres, sans fenêtre extérieure, donnent sur le patio, clair. Lits en fer forgé, belles salles de bains carrelées blanc et bleu. On prend le petit-déjeuner sur le toit ou dans le patio.

Vol de mouettes au-dessus d'Essaouira

Hôtel Emeraude, 228 rue Chbanate, ✆/ Fax 044 47 34 94, www.essaouirahotel. com – 12 ch. 🛏 ✕ 🍽 💳 À 2mn à pied de Bab Marrakech, ce dar du 18e s. abrite des chambres très propres aménagées autour du patio. Accueil charmant. Petit-déjeuner sur la terrasse au 4e étage avec vue sur la médina. Repas sur demande (env. 120 DH). Bon rapport qualité-prix.

Entre 400 et 600 DH (40 à 60 €)

Hôtel Al Fath, 6-8 rue Skala, ✆ 044 47 44 92 – 12 ch. 🛏 ✕ 💳 Tout près de la pl. Moulay Hassan, cette vieille demeure, récemment aménagée en hôtel, offre une vue imprenable sur le port et l'océan. S'il ne reste qu'une chambre sur cour, vous vous consolerez sur la splendide terrasse panoramique. Zelliges fassi et tapis berbères donnent un certain charme à l'ensemble.

Entre 410 et 650 DH (41 à 65 €)

Bio-Hôtel Lalla Mira, 14 rue d'Algérie, ✆ 044 47 50 46, www.lallamira.ma – 13 ch. 🛏 📺 ✕ 💳 À 100 m de Bab Marrakech, cette maison écolo et raffinée propose 3 catégories de chambres, en fonction de leur taille et de l'étage, réparties sur 3 niveaux autour d'un patio. Chacune a sa couleur, déclinée en tedlakt, zelliges, tissus et bois peint. Chauffage et hammam (voir Loisirs ci-après) à énergie solaire, accès internet, restaurant bio (menu végétarien).

Entre 420 et 550 DH (42 à 55 €)

⊛ **Hôtel les Matins Bleus**, 22 rue du Drâa, ✆/Fax 044 78 53 63, www. les-matins-bleus.com – 9 ch. 🛏 ✕ Au cœur de la médina, cette maison de famille souirie a été récemment restaurée : murs blancs, balustrades et portes bleues, mobilier en bois ou en rotin égaient les lieux. 4 des chambres ouvrent sur la terrasse, les autres sur le patio. Calme et propreté garantis. Accueil chaleureux des 3 frères propriétaires des lieux. Dîner sur commande.

⊛ **Dar Al Bahar**, 1 rue Touahen (quartier San Dion), ✆/Fax 044 47 68 31, www.daralbahar.com – 10 ch. 🛏 ✕ À 2 pas des remparts maritimes, cette maison d'hôtes se cache dans un quartier paisible, à l'écart des flots de touristes.

Décorée avec goût et originalité, elle est impeccablement tenue et le service y est attentionné. Les chambres donnent sur l'océan déchaîné (attention au vent !), les remparts ou une ruelle. Également un duplex douillet pour 2 pers. avec salon et cuisine équipée (950 DH).

Environ 450 DH (45 €)

Riad Hôtel Dar El Qdima, 4 rue Malek Ben Rahal (av. de l'Istiqlal), ✆ 044 47 38 58, www.darqdima.com – 14 ch. 🛏 ✕ 💳 Plafonds en eucalyptus, portes en noyer, sols en zelliges fassi, salles de bains en tedlakt… Cette « ancienne maison » (dar el qdima) a été restaurée dans le respect de la tradition. D'une sobriété apaisante, les chambres s'agencent sur 2 étages autour d'un patio ou sur la terrasse. Repas sur commande.

Entre 500 et 700 DH (50 à 70 €)

⊛ **Palazzo Desdemona**, 12-14 rue Youssef el-Fassi, ✆ 044 47 22 27 – 14 ch. 🛏 ✕ 💳 Les 14 grandes chambres de cette vieille demeure sont équipées de lits à baldaquin et de sanitaires modernes. Chacune se distingue par sa décoration ou par un meuble original : magnifique table en thuya, fauteuils en fer forgé, penderie à moucharabieh ou fontaine en zelliges. La salle à manger a beaucoup de caractère avec ses trois arches en pierre et sa grande cheminée ; les non-résidents peuvent y dîner sur commande.

Entre 550 et 650 DH (55 à 65 €)

⊛ **Villa Bagdad**, 12-14 rue de Bagdad, ✆ 044 47 20 23/070 96 60 73, www. essaouira.org – 8 ch. 🛏 ✕ 🍽 💳 Voici sans doute la plus belle maison d'hôte d'Essaouira ! L'ancien riad du caïd de la ville et la douria contiguë, restaurés avec soin dans le respect de l'architecture d'origine et admirablement décorés par un collectionneur d'art africain franco-kabyle. Confortables chambres à thème, de différentes tailles, dont 2 magnifiques suites avec cheminée (1 000 DH). Autour du patio, envahi par une végétation tropicale, s'ouvrent plusieurs salons avec cheminée. Comme dans les chambres, on y retrouve les plafonds en thuya, les ornements en plâtre ciselés, les zelliges et les murs en tedlakt. Terrasses panoramiques et hammam traditionnel complètent le tableau. Si vous n'avez pas la chance de loger là, essayez au moins d'y dîner (commandez à l'avance) : vous profiterez d'un cadre magique en savourant une cuisine marocaine raffinée. Ambiance décontractée, accueil chaleureux, service discret et attentionné. À ne pas manquer, d'autant que les prix restent sages.

Entre 550 et 750 DH (55 à 75 €)

Dar Adul, 63 rue Touahen (perpendiculaire à la rue Laâlouj), ☎/Fax 044 47 39 10, ☎ 071 52 02 21, www.dar-adul. com – 5 ch. ⚑ ✗ Maison d'hôte intime et harmonieuse installée tout près des remparts maritimes. Pièces confortables – dans les tons bleu, blanc et ocre – agencées autour du patio et meublées avec soin par les propriétaires, Marie et Caroline. Jolies salles de bains en zelliges. Terrasse sur le toit offrant une vue magnifique sur l'océan. Repas sur demande (150 DH). Accueil chaleureux.

Environ 600 DH (60 €)

La Casa del Mar, 35 rue d'Oujda, ☎ 044 47 50 91/068 94 38 39, www. lacasa-delmar.com – 4 ch. ⚑ ✗ D'un blanc immaculé et conçue autour d'un puits de lumière, cette maison sent bon le soleil. Sanam et Tolo, un sympathique couple de trentenaires venus de Majorque, occupent le 1er étage, tandis que les chambres, spacieuses et claires, se répartissent entre le 2e et le 3e niveau. Le personnel jovial, l'atmosphère décontractée et la bonne humeur ambiante font que l'on se sent vite chez soi.

Entre 650 et 800 DH (65 à 80 €)

Riad Al Zahia, 4 rue Mohammed Diouiri, ☎ 044 47 35 81, www.riadal-zahia.com – 8 ch. ⚑ Cette belle maison traditionnelle, tenue par Pascale et Alain Crozet, abrite un salon marocain avec cheminée où il fait bon lire (bibliothèque à disposition). Les chambres, harmonieusement décorées et toutes différentes, entourent le patio aux 1er et 2e étages. Terrasse panoramique sur le toit avec vue sur l'océan et la médina.

Entre 670 et 870 DH (67 à 87 €)

Hôtel Riad al-Madina, 9 rue el-Attarine, ☎ 044 47 59 07, www.riadalmadina.com

– 49 ch. ⚑ ✗ 🍷 📺 Cet élégant hôtel est organisé autour d'un grand patio dont les arcades de pierre supportent une galerie en bois. Au centre, une fontaine rafraîchit les consommateurs du bar. Les chambres et les suites sont décorées avec goût : jolis carreaux de Fès, baignoire en tedlakt, mais certaines sont exiguës. Plusieurs petites salles à manger chauffées par des cheminées assurent l'intimité des convives.

Entre 750 et 1 300 DH (75 à 130 €)

Dar Loulema, 2 rue Souss, ☎/Fax 044 47 53 46, ☎ 061 2476 61, www.darloulema. com – 7 ch. ⚑ ✗ Élégance et confort caractérisent cette maison d'hôte. Chambres à thème (Mogador, Souira, Marrakech, Todra, Agadir, Majorelle, Zagora) comprenant un petit coin salon. Tout est en harmonie : les zelliges font écho aux rideaux, les couvre-lits aux murs. Vue somptueuse sur l'Océan, le port et la médina de la terrasse au 4e niveau.

Entre 850 et 1 500 DH (85 à 150 €)

Villa Maroc, 10 rue Abdallah ben Yassine, ☎ 044 47 61 47, www.villa-maroc. com – 20 ch. ⚑ ✗ 🍷 📺 Ce délicieux hôtel de charme se compose de quatre riads du 18e s. contigus et restaurés avec beaucoup de goût. C'est un dédale de vieux escaliers, de patios noyés de verdure, de petits salons où l'on sert les repas au coin du feu (180 DH), de terrasses et de recoins intimes. Les chambres, décorées et équipées avec simplicité, possèdent chacune leur originalité.

Entre 1 000 et 1 200 DH (100 à 120 €)

Madada Mogador, 5, rue Youssef el Fassi, ☎ 044 47 55 12/061 77 53 13, www. madada.com – 6 ch. ⚑ 🖵 ✗ 🍷 📺 On entre par une porte bleue dans une ancienne demeure souiri. Au 1er étage, le décor change. Conçue par le décorateur du Comptoir Paris-Marrakech, cette maison d'hôte tranche par la modernité de son style, qui met les matériaux traditionnels au service des lignes épurées et de l'harmonie des tons : brun sombre du palissandre, tedlakt beige et ivoire, vasques et interrupteurs en laiton vieilli, couvre-lits en sabra ocre et rouge... Confort et élégance sont ici les maîtres mots. Une vaste terrasse domine les remparts, entre la plage et le port. Certaines chambres ont, en plus, une terrasse privative. Dîner sur commande.

▶ *Dans la ville nouvelle*

Environ 390 DH (39 €)

Hôtel Tafoukt, 58 bd Mohammed V (à côté de la station Mobil), ☎ 044 78 45 04, www.hotel-tafoukt.com – 40 ch. ⌐ ✗ ▮ ☚ 🆑 L'hôtel a déjà une vingtaine d'années, mais offre un confort suffisant (chauffage central appréciable en hiver). Chambres de couleurs différentes avec mobilier en fer forgé. Pour les chambres avec vue et balcon sur la mer, comptez un supplément de 150 DH. Bruit de circulation le matin.

Entre 420 et 510 DH (42 à 51 €)

Résidence Vent des Dunes, villas n° 20 et n° 26, quartier des Dunes, ☎/Fax 044 4753 91, www.essaouiranet.com/ventdesdunes – 17 ch. dans la villa n° 20, 11 studios dans la villa n° 26 ⌐ 📺 ✗ À 5mn à pied de la plage, 15mn du centre, dans un quartier résidentiel. Des chambres simples, claires et très propres, certaines avec salon ou balcon, sont installées dans une paisible villa couverte de bougainvillées. On prend le petit-déjeuner sous une tente caïdale sur la terrasse. La villa d'en face abrite d'agréables studios avec coin cuisine. Dîner sur commande (70 DH). Patron belge très accueillant. Prix réduits en basse saison. Bon rapport qualité-prix.

Entre 450 et 600 DH (45 à 60 €)

Riad Zahra, 90 quartier des Dunes, ☎ 044 47 48 22, www.riadzahra.com – 22 ch. ⌐ 📺 ✗ ☚ 🆑 Inspirée de l'architecture traditionnelle, cette maison d'hôte possède un joli patio à arcades. Plus ou moins spacieuses, les chambres, aux tons pourpres et verts, sont confortables et très bien tenues. Les plus chères jouissent d'une vue sur la mer. Grande terrasse sur le toit et belle piscine. Accueil chaleureux des propriétaires, un jeune couple québécois. Repas sur commande.

Entre 670 et 810 DH (67 à 81 €)

Villa Quieta, 86 bd Mohammed V (entrée rue Moulay Ali Chérif), ☎ 044 78 50 04/05, www.villa-quieta.com – 14 ch.

⌐ ☚ 🆑 Cette opulente villa, achevée en 1980, a été transformée en maison d'hôte en 1996. Grand confort, ambiance feutrée et accueil distingué sont les qualités dominantes qu'apprécie une clientèle d'habitués. Fastueux salon marocain et terrasse avec vue sur la mer. Pour y séjourner durant l'été, réservez dès le mois de mars.

Entre 2 000 et 2 550 DH (200 à 255 €)

Sofitel Mogador, bd Mohammed V, ☎ 044 47 90 00/90, www.sofitel.com – 117 ch. ⌐ 📼 📺 ✗ ☚ ☚ 🆑 Sa façade pourpre, clin d'œil à la couleur originale de Mogador, se dresse sur le front de mer, à 5mn à pied du centre-ville. Renommé pour son institut de thalassothérapie, cet établissement offre des chambres tout confort dotées d'un balcon et d'une belle salle de bains avec zelliges. De jolies photos sur le Maroc ornent les couloirs. 2 restaurants dont un en front de mer.

▶ *À l'extérieur de la ville*

Environ 50 DH à deux avec 1 tente et 1 voiture (5 €)

⌐ **Camping Le Calme**, Idaogord, à 15mn d'Essaouira prenez la route d'Agadir jusqu'au village de Ghazoua, puis à gauche la route Casablanca-Marrakech sur 4 km, et enfin à droite la route d'Idaogord (4 km), ☎/Fax 044 47 61 96, ☎ 060 26 77 24/063 72 48 20, www.essaouiranet.com/le-calme ✗ ⌐ Calme absolu, espace et propreté font de ce camping une halte reposante. Outre les emplacements ombragés par les arganiers, il dispose d'appartements et de bungalows (chambre, salon, cuisine et douche-WC, env. 400 DH). Repas sur commande. Excellent accueil.

L'**Auberge Tangaro** (*voir ci-dessous*), près de Diabat, propose également quelques emplacements de camping agréables.

Environ 250 DH (25 €)

Dar Salsa, Ghazoua, env. 9 km au sud d'Essaouira par la route d'Agadir. Au restaurant Le Km 8, signalé par une borne, suivez la piste à droite sur env. 1 km, ☎ 062 20 18 98, www.capessaouira.com – 5 ch. ⌐ Une maison d'hôte où l'on se sent vite chez soi. Dans le calme de la campagne souiri, cette bâtisse blanche aux volets bleus abrite des chambres simples, confortables et propres, avec 2 salles de bains communes. Cuisine, coin salon intérieur, cour ombragée d'une paillote pour les repas, barbecue, cheminée pour les soirées d'hiver, terrasse-solarium et petite piscine sont à votre disposition. *(Voir aussi Cap Sim Trekking à la rubrique « Loisirs »).*

Entre 250 et 350 DH (25 à 35 €)

◉ **La Maison du Chameau**, prenez la route de Marrakech sur 7 km puis tournez à droite et suivez la piste sur 2 km, ☎ 044 78 50 77, ☎/Fax 044 78 59 62, www.maisonduchameau.com – 10 ch. ⎉ Un havre de paix au milieu des oliviers, des thuyas et des arganiers. Vous logerez dans l'une des trois maisons berbères aux murs d'une blancheur étincelante, agencées autour d'un patio avec salle de bains commune. Chambres simples et agréables, dotées pour certaines d'un joli plafond en bois. Vous pouvez partir à la découverte de la région sur l'un des 8 chameaux de course de la famille. Balade de 1 heure à 1 journée ou stage à la semaine. Dîner à 70 DH en demi-pension.

Entre 300 et 600 DH (30 à 60 €)

Dar Kenavo, Bouzema, commune d'Ida Ougourd (à 13 km d'Essaouira, sur la route entre Ounara et l'aérodrome), ☎ 061 20 70 69, www.darkenavo.com – 12 ch. ✗ ⌧ Maison d'hôte campagnarde, idéale pour ceux qui souhaitent s'isoler quelques jours dans une ambiance familiale. Les chambres, d'une simplicité monacale, donnent sur les arcades d'un grand patio fleuri. Seule la moitié dispose de douche et WC privés. Également d'agréables bungalows (500 DH). Beau hammam. Dîner pour les résidents (80 DH).

Entre 500 et 700 DH (50 à 70 €)

◉ **Baoussala**, Ghazoua, env. 11 km au sud d'Essaouira par la route d'Agadir. Au niveau du restaurant Le Km 8, signalé par une borne, suivez la piste à droite sur env. 3 km, ☎ 044 47 43 45/066 30 87 46, www.baoussala.com – 6 ch. ⎙ ✗ ⌧ Sur un vaste terrain isolé et planté d'euca-

lyptus s'étend une charmante maison. L'architecture traditionnelle s'accompagne d'une note de modernité, tout en courbes. Grand salon convivial avec cheminée. Dans le jardin, chaque chambre a sa couleur et sa personnalité : camaïeux de rouge et de rose dans l'une, cheminée et coin salon dans l'autre, plafond percé de verres colorés dans la 3e, maisonnette pour couple avec enfants… Possibilité de dormir sous la tente berbère en été (env. 6 pers.) Dîner sur commande (130 DH). Tranquillité absolue et accueil de qualité. Une excellente adresse, notamment pour les familles.

800 DH à deux en 1/2 pension (80 €)

◉ **Auberge Tangaro**, à env. 6 km d'Essaouira par la route d'Agadir. 500 m après le pont sur l'oued Ksob tournez à droite sur la route de Diabat et continuez sur 700 m, ☎ 044 78 47 84 – 18 ch. ⎙ ✗ ♈ Dans cette auberge isolée en plein maquis, le propriétaire, un cinéaste italien passionné de peinture, refuse totalement la mauvaise fée Électricité. Les chambres, simples et agréables, occupent plusieurs petits bâtiments de plain-pied, disséminés autour d'une cour ombragée de mimosas et d'eucalyptus. Les murs sont décorés de tableaux, et chaque chambre possède sa cheminée et sa propre terrasse. L'ambiance paisible, intemporelle, qui règne ici, inciterait à n'en plus bouger !

Entre 800 et 1 200 DH (80 à 120 €)

◉ **Le Jardin des Douars**, Sisi Yassine, à env. 13 km d'Essaouira (prenez la route d'Agadir sur 10 km puis, après el Ghazoua, celle de Marrakech ; la maison apparaît sur la gauche après 3 km), ☎ 044 47 6492/064 24 00 05, www.jardindesdouars.com – 14 ch. ⎙ ✗ ♈ ⌧ ⎉ Aurélio et Jean vous reçoivent dans leur splendide maison d'hôte, conçue comme une véritable kasbah autour de 2 patios arborés. Le charme opère dès l'entrée, élégante, avec son bassin émeraude. Tout en tedlakt, les chambres et salles de bains déclinent des tons pourpre, rose, beige et ivoire. Mais le plus remarquable vous attend dehors, où un jardin paysager dévale la pente jusqu'à l'oued, avec une belle piscine en point d'orgue.

Se restaurer

Peu de petites villes marocaines disposent d'une telle variété de restaurants intéressants. Profitez-en pour faire une cure de bonne cuisine !

Les numéros accolés au nom des restaurants renvoient à leur situation sur le plan.

▸ *Dans la médina*

Quelques dirhams

Vous trouverez des vendeurs de maïs grillé rue Mohammed el-Qory, à côté de Bab Marrakech.

Moins de 50 DH (5 €)

Mareblù ⓮, 2 rue Sidi Ali Ben Abdellah, ☎ 067 64 64 38. Fermé le mercredi. Une petite gargote toute simple pour manger, selon la carte du jour, une soupe, une salade, des pâtes, ou autre plat à dominante italienne. Très bon marché et sain.

Environ 50 DH (5 €)

🍴 **Café Berbère, chez Mohammed** ❸, 11 rue Tanger, à côté du souk aux poissons, ☎ 044 47 58 33. Adresse simple et conviviale pour déguster des plats traditionnels berbères. Mohammed et quelques femmes cuisinent sur commande (passez la veille ou quelques heures avant le repas). Fraîcheur et saveur garanties. Vous pouvez aussi acheter des crevettes ou du poisson au souk et demander qu'on vous les mitonne. On entre par la cuisine et l'on s'attable dans l'une des salles du 1er ou du 2e étage ; il est aussi possible d'emporter ou de se faire livrer. Couscous le vendredi.

Environ 80 DH (8 €)

Chez Françoise ❺, 1 rue Hommane el-Fetoiki (perpendiculaire à la rue Mohammed ben Abdallah). Fermé le dimanche et certains samedis. Formule à 75 DH comprenant des salades variées ou une soupe de légumes, une tarte salée, une tarte sucrée ou un gâteau. Tout est fait maison, préparé avec amour chaque jour à l'aube. Vous pouvez choisir une table dans la ruelle ou vous installer dans la petite salle bleu outremer et jaune. Le restaurant est

parfois fermé le soir lorsque tout a été dévoré dans la journée.

Entre 75 et 120 DH (7,5 à 12 €)

🍴 **Les Alizés Mogador** ❶, 26 rue de la Skala (à côté de l'hôtel **Smara**), ☎ 044 47 68 19. Dans une jolie petite salle à trois arcs outrepassés, un gentil couple marocain vous propose une délicieuse cuisine familiale. Pastilla aux fruits de mer sur commande. Une bonne adresse à prix doux (menu à 75 DH). Fermé pendant le Ramadan.

Dar Baba ❼, 2 rue de Marrakech, ☎ 044 47 68 09. 🍷 Dîner uniquement, fermé le dimanche. Un bon petit restaurant, simple et pas cher, tenu par une Italienne. Bonnes pâtes et fromages maison. Décor agréable (salle au 1er étage) et personnel très serviable.

Les 3 Portes ⓬, 34 rue Lattarine, ☎ 066 64 62 61. 🍷 Fermé le lundi. Pour changer de la cuisine marocaine, ce petit restaurant, meublé de tables en zelliges jaunes et bordeaux, propose de bonnes pizzas à pâte fine, des pâtes, du risotto, ainsi qu'un excellent café.

Ferdaouss (chez Souad) ❾, 27 rue Abdessiam Lebadi (ruelle perpendiculaire à la rue Mohammed ben Abdallah), ☎ 044 47 36 55. [CC] Tlj midi et soir. Réservez pour le dîner. Au 1er étage, une jolie salle centrale aux couleurs jaune et bleu vous attend, et de part et d'autre un salon marocain. Ambiance intime et dîner aux chandelles. Très bonne cuisine locale concoctée par Souad, la patronne des lieux. Formule entrée-plat-dessert (env. 80 DH) : poivrons grillés, gratin d'aubergine ou soupe de potiron, tajine, couscous, ou bœuf aux figues et aux pruneaux...

Dar Loubane ❽, 24 rue du Rif, ☎ 044 47 62 96. 🍷 [CC] Un cadre très agréable (ancien riad joliment restauré et décoré), une clientèle distinguée, un accueil chaleureux, mais la cuisine n'est pas tout à fait à la hauteur du prix.

Entre 90 et 170 DH (9 à 17 €)

Le Sirocco ⓲, 3 rue Ibn Rochd (derrière la place Moulay Hassan, juste à côté de l'hôtel Cap Sim), ☎ 044 47 23 96, fermé le mardi. 🍷 Dans un cadre agréable et

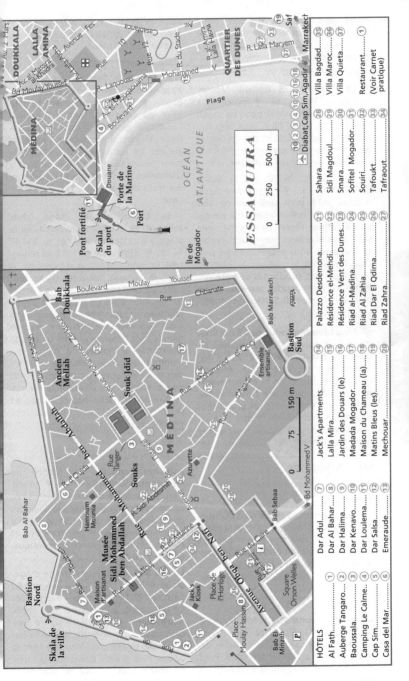

ESSAOUIRA

0 — 250 — 500 m

HÔTELS

Al Fath	(1)	Dar Adul	(7)	Palazzo Desdemona	(14)
Auberge Tangaro	(2)	Dar Al Bahar	(8)	Résidence el-Mehdi	(15)
Baoussala	(3)	Dar Halima	(9)	Jardin des Douars (le)	(16)
Camping Le Calme	(4)	Dar Kenavo	(10)	Madada Mogador	(17)
Cap Sim	(5)	Dar Loulema	(11)	Maison du Chameau (la)	(18)
Casa del Mar	(6)	Dar Salsa	(12)	Matins Bleus (les)	(19)
		Emeraude	(13)	Mechouar	(20)
Jack's Apartments	(7)				
Lalla Mira	(8)				

Sahara	(21)	Villa Bagdad	(35)
Sidi Magdoul	(22)	Villa Maroc	(36)
Smara	(23)	Villa Quieta	(37)
Sofitel Mogador	(24)		
Souiri	(25)	Restaurant	(1)
Tafoukt	(26)		
Tafraout	(27)	(Voir Carnet pratique)	

- Palazzo Desdemona (14)
- Résidence el-Mehdi (15)
- Résidence Vent des Dunes (16)
- Riad al-Madina (17)
- Riad Al Zahia (18)
- Riad Dar El Qdima (19)
- Riad Zahra (20)

coloré, vous choisirez entre une cuisine locale et quelques recettes françaises de qualité satisfaisante. Le premier menu à 95 DH s'avère très honorable.

Entre 130 et 200 DH (13 à 20 €)

☺ **Le Patio** ⑯, 28 bis rue Moulay Rachid, ☎ 044 47 41 66. 🍴 🆑 Fermé à midi et le lundi. Dans le patio de ce joli riad, tout de rouge paré, vous dégusterez de délicieux tapas et des spécialités de la mer, la carte variant au gré de la pêche du jour. Accueil charmant.

La Licorne ⑬, 26 rue de la Skala, ☎ 044 47 36 26. 🍴 🆑 Fermé lundi midi et jeudi midi ainsi que certains jours pendant le Ramadan. Une atmosphère intime règne dans cette jolie salle à arcades avec pierres apparentes et bois brut. Vous apprécierez les pastillas, les tajines, le couscous, les plats de poisson (soupe, brochettes de lotte aux épices, etc.), les viandes, servis dans une belle vaiselle de Safi. Service distingué.

Entre 250 et 350 DH (25 à 35 €)

☺ **Riad Bleu Mogador** ⑰, 23 rue Bouchentouf (accès par r. Mohammed el-Qory), ☎ 044 47 40 10/78 41 28. 🍴 🆑 Uniquement sur réservation. Mignon riad bleu et blanc, un brin mystérieux, où vous dégusterez une cuisine variée et inventive servie avec un grand sens esthétique. Produits de la mer et plats marocains sont à l'honneur, mais le chef y mêle volontiers des influences extérieures au gré de son inspiration. Menus enfant et végétarien.

▸ *Sur la plage ou sur le port*

Moins de 50 DH (5 €)

☺ Les **gargotes** ⑪ en plein air, alignées entre la place Moulay Hassan et la porte de la Marine, sont très bon marché et le poisson ne saurait être plus frais puisqu'il sort des barques de pêche. Les prix officiels sont affichés sur un panneau juste en face.

Entre 50 et 80 DH (5 à 8 €)

Océan Vagabond ⑮, bd Mohammed V, ☎ 061 34 71 02. Tlj 9h-18h. Bicoque en bois très conviviale et bien située, sur la plage face à l'île de Mogador. Pour prendre un petit-déjeuner, grignoter ou

boire un cocktail de fruits frais. Sandwiches, salades, omelettens, poulet-frites, plat du jour (50 DH).

Entre 85 et 200 DH (8,5 à 20 €)

Chez Sam ⑥, au fond du port de pêche, au bout de la jetée intérieure, ☎ 044 47 62 38. 🍴 🆑 Extérieurement le bâtiment est assez laid, mais à l'intérieur l'ambiance est plus intime et chaleureuse : vieilles photos, tableaux et objets anciens. Ce restaurant est particulièrement recommandé pour un dîner aux chandelles. Vous y mangerez du poisson, des fruits de mer ou de la cuisine française.

☺ **Le Chalet de la Plage (chez Jeannot)** ④, 1 bd Mohammed V (sur la plage, à la sortie de la médina), ☎ 044 47 64 19. 🍴 🆑 Fondé en 1893, ce restaurant est une institution d'Essaouira. À midi, la terrasse, couverte d'une tonnelle, est une merveille : la vue s'étend sur des kilomètres de plage et à marée haute les vagues viennent mourir à vos pieds. Le soir, la salle intérieure, décorée dans le style « marine », offre un refuge chaleureux, à l'image du patron qui montre une grande sollicitude pour ses clients. Poissons grillés, crustacés et fruits de mer sont les spécialités de la maison. Tout cela attire beaucoup de monde (et hélas quelques groupes) et il est donc prudent de réserver.

▸ *À l'extérieur de la ville*

Environ 150 DH (15 €)

Auberge Tangaro, voir l'hôtel du même nom, ☎ 044 78 47 84. 🍴 Le soir, l'auberge accepte quelques clients non-résidents désireux de dîner à la lueur des chandelles dans un décor raffiné. Cuisine gastronomique (italienne, française et marocaine) et ambiance romantique. Réservez avant 16h.

Le Km 8 ⑩, à 8 km sur la route d'Agadir, ☎ 066 25 21 23. Fermé le lundi. En petit taxi 40 DH AR, en bus 4 DH l'aller. Ce restaurant, annoncé par une imposante borne kilométrique sur le bas-côté gauche de la route, est tenu par un couple de Français. Madame tient la cuisine avec grande passion. À la carte, européenne et marocaine, s'ajoutent d'appétissantes suggestions du jour. Monsieur, ancien maître fromager, se consacre aussi à la sélection des produits. Agréable salle ornée d'une cheminée et de tableaux (régulièrement renouvelés) d'artistes locaux. Quelques tables à l'extérieur. Très bon rapport qualité-prix.

Environ 200 DH (20 €)

Ⓐ **Le Val d'Argan, « Chez Rasades »** ⑲, à 35 km d'Essaouira (prenez la route de Marrakech jusqu'au carrefour d'Ounagha, puis la route de Casablanca sur 500 m), ☎ 044 78 42 51/060 27 90 24 (réservez). Productrice de châteauneuf-du-pape sur son domaine français, la famille Melia perpétue le savoir-faire ancestral sur ses terres marocaines. Elle vous propose une formule originale, où chaque plat est un prétexte à la dégustation des produits de la vigne, des oliviers et des arganiers du domaine. Cuisine rurale savoureuse et vins de qualité. À découvrir.

Sortir, boire un verre

Cafés - La place Prince Moulay Hassan *(B2)* est presque entièrement occupée par les terrasses des cafés, fréquentées à toutes heures par une foule où les touristes sont aussi nombreux que les Souiri. Le **Restaurant de l'Horloge**, sur la paisible petite place du même nom, étale ses tables à l'ombre d'un énorme ficus. Malgré un service peu efficace, c'est l'endroit idéal pour prendre le petit-déjeuner tout en observant tranquillement le va-et-vient de la foule. La terrasse du **Ficus** voisin est également agréable.

Bars - Ⓐ **Taros Café** ❷, 2 rue de la Skala, dans la médina, ☎ 044 47 64 07. ✗ �! 11h-16h et 18h-23h env., fermé le dimanche. Dans le cadre agréable d'une maison ancienne, le Taros est une institution d'Essaouira où vous vous nourrirez l'esprit autant que le corps. Une galerie accueille des expositions temporaires d'artistes locaux. Plusieurs bibliothèques sont à votre disposition et vous pouvez bouquiner au soleil sur la superbe terrasse panoramique en buvant un verre ou en déjeunant (un

peu cher, 140 à 280 DH). Concerts les vendredis et samedis soir dans la salle de restaurant.

Côté Plage, bar-restaurant de l'hôtel Sofitel Mogador, ☎ 044 47 90 00. ✗ �! ￼ Emplacement idéal : sur la plage face au port. Bien agréable pour prendre un apéritif accompagné de tapas en fin de journée.

Parmi les bars des restaurants et des hôtels, ceux du **Chalet de la Plage**, de **Chez Sam** et du **Riad al-Madina** comptent parmi les plus plaisants.

Loisirs

Plage - Elle est immense car l'estran forme une pente très douce. Notez qu'elle est très ventée et qu'il n'y fait jamais très chaud.

Planche à voile, surf, flysurf - Les alizés sont propices à la pratique des sports à voile en été (flysurf et planche à voile) et des sports de glisse en hiver (surf). Nombreux loueurs sur le front de mer, notamment au niveau du Sofitel. **UCPA**, sur la plage en face de l'hôtel Tafoukt *(B3)*, ☎ 044 47 65 28, www.ucpa.com ; stage de planche à voile à la semaine (env. 2 000 DH), location de planches, env. 100 DH/h. **Association des surfeurs et flysurfeurs**, sur la plage à côté de l'UCPA, location de surfs et flysurfs avec combinaison (env. 50 DH pour 1h, 150 DH la journée) et cours.

Promenade en mer - Embarquez sur le **Ciel et Mer** (sur le port, près du restaurant Chez Sam, ☎ 044 47 46 18) pour une excursion d'une heure autour des îles voisines (1h30 avec déjeuner à bord) ou une partie de pêche (1/2 journée). 60 à 100 DH

Randonnées - Ⓐ **Cap Sim Trekking** (voir « Loger à l'hôtel », Dar Salsa), organise des randonnées à la carte, à pied, à cheval, à dos de dromadaire ou en VTT, pour découvrir une région souvent méconnue. Le **Ranch de Diabat**, ☎ 062 29 72 03, propose des promenades équestres sur la plage ou dans l'arrière-pays souri, de 1 heure à plusieurs jours.

⊛ Plus original, les chameliers aguerris de **La Maison du Chameau** (voir « Loger à l'hôtel » ci-dessus) vous initient à cette drôle de monture avant de vous emmener en balade.

Festival gnaoua et musiques du monde - Il se déroule sur 4 jours en juin, www.festival-gnaoua.co.ma ; les « performances » de rue sont gratuites. Le festival est l'occasion d'un colloque sur la musique « gnaoui » et d'une « lila », nuit rituelle de transe. En septembre, l'**Université conviviale d'Essaouira** réunit les artistes et intellectuels originaires de la ville.

Printemps musical des alizés - Ce festival met en scène de jeunes talents et des virtuoses de la musique de chambre. Les concerts, gratuits, attirent une foule de mélomanes sur la place Chefchaouni et à Dar Souiri, pendant 4 jours en mai.

Barbier - Les adeptes de ce plaisir se doivent d'aller dans la minuscule échoppe de **Saïd Ikharti**, au 98 de la rue Mohammed ben Abdallah.

Hammam - ⊛ **Hammam Lalla Mira**, attenant à l'hôtel du même nom (voir Où loger ci-dessus). Récemment restaurés, les plus vieux bains publics d'Essaouira sont aussi les premiers du Maroc à utiliser l'énergie solaire. Beaux, propres et écolo. Femmes 8h30-17h30, hommes 18h-minuit, 10 DH. Massages sur RV 50 DH.

Hammam Mounia, rue Oum-Errabii, ☎ 067 23 65 05, femmes 12h30-18h30, hommes 18h30-22h30. Ancien hammam restauré, d'une propreté irréprochable. Un peu plus cher que le précédent, mais une plus large gamme de soins.

Achats

Antiquités / Artisanat - Depuis quelques années, la médina d'Essaouira est envahie par les boutiques. Les objets proposés sont souvent tentants et le chaland peut regarder assez tranquillement sans être harcelé par des rabatteurs ou des bazaristes. **La Maison d'artisanat**, 11 bis rue Laâlouj, ☎ 044 47 64 23, tlj 9h-19h. Spacieux magasin consacré aux objets en fer forgé (miroirs, tables...), aux poteries de Safi, aux articles en bois de thuya, au mobilier en zelliges. **Chez les Hommes Bleus**, 19 rue de la Skala, ☎ 044 47 54 60, tlj 8h-20h. Tenue par une famille berbère, la boutique propose des bijoux anciens, de jolis coffres en bois, des miroirs, etc.

Marqueterie - Impensable de quitter Essaouira sans acheter des objets en bois de thuya ; cela va de la minuscule pyxide en bois tourné (15 à 25 DH) à la magnifique table en marqueterie de thuya/citronnier/ébène qui peut atteindre plusieurs milliers de dirhams. Les artisans ébénistes sont principalement regroupés rue de la Skala, côté bastion Nord.

Outre les bonnets et les vestes en laine tricotés sur place, vous trouverez également une grande variété de beaux objets provenant de toutes les régions du Maroc.

Galeries de peinture - Les multiples brassages ethniques et culturels, la beauté de la ville et l'intensité de la lumière ont favorisé l'élan artistique. Il existe à Essaouira une forte densité de créateurs, notamment de peintres.

La **Galerie d'art Frédéric Damgaard**, av. Oqba ben Nafi, ☎ 044 78 44 46, entrée libre, tlj 9h-13h/15h-19h. 🆚 C'est assurément la plus renommée, sans être forcément la plus chère. Frédéric Damgaard, personnalité locale, collectionneur de peintures, critique d'art et écrivain, encourage les artistes souiri depuis une trentaine d'années. Il expose et vend les œuvres de peintres locaux autodidactes et aujourd'hui reconnus. Le courant se caractérise par une peinture extrêmement colorée, marquée par la spiritualité des lieux et par le patrimoine culturel. Boujemâa Lakhdar (1941-1989), peintre et sculpteur, est considéré comme le pionnier des artistes d'Essaouira. Dans la galerie, vous admirerez par exemple des tableaux de Mohammed Tabal, peintre

Dans les souks

gnaoui, qui utilise des couleurs vives et met en scène des êtres surnaturels, des musiciens, des animaux. Vous verrez les œuvres d'autres artistes renommés comme Ali Maimoune, Fatima Ettalbi, qui utilise dans ses peintures les techniques du décor au henné, Rachid Amarhouch...

Plantes médicinales, huile d'argan - **Azurette**, 12 rue Malek ben Mourhal (rue perpendiculaire à l'av. de l'Istiqlal qui rejoint la rue d'Agadir), ☎ 044 47 41 53, tlj 9h30-20h. Très jolie boutique à arcades tenue par Rachid et Ahmed. Les rayons sont couverts de bocaux contenant une multitude de plantes, d'épices, d'huiles naturelles. Vous trouverez aussi de l'huile d'argan, vendue en bidon d'un litre (160 DH).

Objets en rafia - De nombreuses boutiques de la médina proposent des chaussures, sacs à main et abat-jour en rafia tressé de différentes couleurs. Voici deux adresses parmi tant d'autres. **Rafia Craft**, 82 rue d'Agadir (côté Bab Marrakech), ☎ 044 78 36 32, lundi-samedi 10h-13h/15h-19h30. Articles un peu chers mais originaux et colorés, notamment les jolies babouches (350 DH), les mules et les mocassins. **Raphia Souiri**, 54 rue Mohammed ben Abdallah, tlj 9h-21h. Beaux modèles de chaussures en rafia ou rafia et cuir.

Librairies - **Jack's Kiosk** propose, dans sa minuscule boutique de la pl. Prince Moulay Hassan, ☎ 044 47 55 38, un large éventail de la presse internationale, ainsi que des livres variés sur le Maroc, tlj 10h-23h30. [cc] Très beau choix de cartes postales.

Plusieurs **kiosques** vendent également quelques journaux étrangers et des cartes postales.

La **Galerie Aïda**, 2 rue de la Skala, ☎ 044 47 62 90 [cc] est un incroyable bric-à-brac où, à côté de bibelots hétéroclites, les fouineurs dénicheront des ouvrages, anciens ou récents, souvent difficiles à trouver ailleurs.

Dans la médina, deux ou trois bouquinistes plus modestes proposent des vieilles revues étrangères ainsi que des romans.

Avec de la patience, on y fait parfois des découvertes étonnantes.

Marchés - Dans le registre alimentaire, on ne manquera pas d'aller au **souk Jedid**.

Sur la place Orson Welles, quelques paysans proposent discrètement une ou deux bouteilles d'huile d'argan et quelques pots de miel.

HISTOIRE

L'archéologie a montré que le site d'Essaouira avait été occupé dès l'époque préhistorique, mais la ville que nous voyons aujourd'hui est relativement récente, puisque les premiers travaux ne commencèrent qu'en 1764.

Les îles Purpuraires

Grâce à sa pointe rocheuse et au chapelet d'îlots qui la prolonge jusqu'à l'île de Mogador, la baie d'Essaouira est très bien abritée des vents violents qui balayent la côte. Pendant 25 siècles, tant que le tonnage des navires resta faible, elle était considérée comme l'un des meilleurs mouillages de la côte atlantique du Maroc. **Hannon**, au cours de son périple (5e s. av. J.-C.), ne s'y trompa pas

---

L'or rouge

Pendant toute l'Antiquité, la pourpre a été le colorant le plus recherché, tant pour la beauté de ses teintes que pour leur stabilité. Elle provient du « murex » et du « purpura », deux mollusques très communs dans toute la Méditerranée et que l'on trouve en abondance dans les rochers d'Essaouira. Une corporation très fermée pêchait les coquillages en hiver, en extrayait le suc, puis, par des procédés longs et complexes dont on a perdu le secret, en tirait des couleurs variées (violet, vert, jaune, etc.) utilisées pour teindre laine et soie. La plus appréciée était une variété de rouge ; son prix pouvait atteindre celui des métaux précieux : les empereurs romains s'en réservaient l'usage exclusif. Par une ironie du sort, le fils de Juba II, Ptolémée, fut assassiné par Caligula sous le prétexte qu'il avait eu l'audace de porter dans Rome un manteau de couleur pourpre !

---

et choisit d'y établir un comptoir. Vers la fin du 1er s. av. J.-C., **Juba II** fonda sur les îles Purpuraires une fabrique de **pourpre** (voir encadré) dont la production, exportée vers Rome, lui assurait un revenu important.

Mogador

Au Moyen Âge, Sidi Mogdoul, un saint local dont on peut voir le tombeau au bout de la plage, donna son nom à la localité. Plus tard, ce nom berbère fut transcrit en **Mogador** par les Portugais. Ce mouillage naturel servait de port à toute la région, mais il n'y avait pas de ville à proprement parler. En 1506, le roi du Portugal y fit construire une forteresse, Castelo Real de Mogador ; mais les Portugais ne tinrent pas plus de quatre ans, face à la vive résistance des tribus locales, animée par la confrérie des **Regraga**.

Au cours du 17e s., l'Espagne, l'Angleterre, la Hollande et même la France tentèrent de s'emparer des lieux. Entre 1626 et 1629, **Richelieu** échafauda des plans très sérieux pour s'emparer de Mogador et y créer un comptoir ! En vain, et l'endroit resta presque désert. La baie n'était fréquentée que par les navires de commerce qui venaient charger du sucre de canne, et par les corsaires qui y trouvaient refuge pour réparer leurs avaries.

Essaouira, la « bien dessinée »

La véritable création de la ville ne date que de la seconde moitié du 18e s. Devenu sultan en 1757, **Mohammed ben Abdallah** décida de recentrer son royaume vers sa façade atlantique et de s'imposer aux nations européennes par une diplomatie énergique et un accroissement du commerce. Il choisit le site de Mogador afin d'y créer ex nihilo un port et une ville bien protégés. Il confia les plans et la réalisation de fortifications modernes à un ingénieur français, **Théodore Cornut** (voir l'encadré), ainsi qu'à des architectes et techniciens européens. Appelée à l'origine **Souira** (la petite forteresse), la ville devint **es-Saouira** (la bien dessinée) en raison de son tracé soigné.

Mohammed ben Abdallah favorisa le peuplement de la ville nouvelle, notamment par des juifs, et l'établissement de marchands étrangers (ils étaient un millier en 1780 !) ; en outre, il obligea les nations européennes à y construire des consulats. Malgré cette politique volontariste, le développement de la ville resta en deçà des espérances du sultan ; après sa mort, elle commença à décliner car elle était trop à l'écart des grandes routes caravanières traditionnelles. En 1844, Essaouira fut bombardée, puis brièvement occupée par la marine française.

Aujourd'hui, la concurrence de Safi et d'Agadir a réduit l'activité du port à peu de chose, mais l'ébénisterie, soutenue par l'afflux de touristes, prospère.

VISITE DE LA VILLE

LE PORT ET LES REMPARTS★★

Comptez 2 à 3h.

Le plan général des fortifications, inspiré des œuvres de Vauban, a été conçu par Théodore Cornut. Longs de plus de 2 km, les remparts étaient renforcés par les batteries du port et de la ville pour parer aux attaques navales et par le bastion Sud pour se prémunir contre un éventuel assaut terrestre. Un réseau de fortins et de batteries placés sur les îlots, l'île de Mogador et la plage de Diabat venait compléter le dispositif défensif.

Laissez la voiture sur l'un des parkings proches de Bab Sebaa et dirigez-vous vers le port.

▶ Passé le bâtiment de la douane, vous franchissez la **Porte de la Marine★** *(plan général)*, belle construction néoclassique (datée de 1769), plus décorative que véritablement défensive malgré la présence des deux **échauguettes** ; côté port, deux colonnes cannelées supportent un fronton sous lequel sont gravés trois croissants de lune, symbole du sultan Mohammed ben Abdallah.

▶ Prenez le petit escalier à gauche, juste derrière la porte. Entrée payante pour les étrangers *(10 DH)*. Un beau **pont fortifié★** permet d'accéder à la skala du port en passant sous une grosse **tour carrée★**. Gagnez le sommet de la tour pour admirer la **vue panoramique★★** qui englobe la médina, le port, la skala, et, noyées dans les embruns, Diabat et l'île de Mogador. On ne se lassera pas d'observer le ballet des mouettes qui, après s'être longuement laissé porter par les alizés, aiment venir se reposer un instant sur le pinacle de l'une des quatre échauguettes. Attardez-vous à guetter le retour des bateaux de pêche.

En contrebas de la tour s'étend la **skala du port★** *(plan général)*, longue plateforme crénelée où sont disposés, face au large, une douzaine de canons en bronze ; elle se termine par un rondpoint conçu pour manœuvrer les lourdes pièces d'artillerie. Souvenez-vous du film *Othello*. Orson Welles utilisa la plate-forme et les remparts d'Essaouira pour tourner certaines scènes ; le film obtint la Palme d'or au Festival de Cannes en 1952.

▶ La *skala* offre un excellent **point de vue★** sur le petit **port★** de pêche, blotti au pied des fortifications. Allez y flâner un moment, de préférence le matin lorsque l'activité bat son plein, pour goûter à son atmosphère unique. Les barques et chalutiers colorés, les femmes raccommodant les filets, les pêcheurs déchargeant les sardines et les maquereaux en font un lieu très vivant. Si vous avez un petit creux, vous pourrez vous régaler d'une friture de sardi-

nes toutes fraîches. Le spectacle le plus fascinant se passe à la **criée**, lorsque des escadrilles de mouettes, dans un concert de cris, viennent piller sous leurs yeux les étals des pêcheurs.

▶ Après le marché aux poissons, traversez l'esplanade Moulay Hassan et tournez à gauche dans la rue de la Skala. Cette rue très étroite longe l'intérieur du rempart où s'alignent de hautes façades blanches à fenêtres bleues ; quelques ruelles couvertes se détachent sur la droite, avant d'atteindre la *skala* de la ville. Naguère, les anciennes casemates voûtées servaient d'ateliers aux ébénistes *(voir l'encadré)* et il s'en échappait la fumée des feux de copeaux. Si, aujourd'hui, l'air est toujours chargé de l'odeur du bois de thuya et de l'huile de lin, la plupart des ateliers sont transformés en boutiques et les véritables artisans se font rares dans le quartier.

▶ Prenez la longue rampe qui donne accès à la skala de la ville *(tlj 8h30-18h)*. Une belle **porte★**, encadrée de deux échauguettes, ouvre sur la plate-forme circulaire où l'on manœuvrait les canons du **bastion Nord** (plan médina). La **vue**★★ s'étend sur les remparts et la médina. Un escalier descend sur l'impressionnante **skala de la ville**★★ (B2), muraille longue de 200 m et armée d'une vingtaine de canons, fondus, pour la plupart, à Barcelone et à Séville, à la fin du 18ᵉ s.

Entrez dans la médina par la rue Laâlouj.

LA MÉDINA★

Plan médina. Comptez 2h.

En chargeant des ingénieurs et des architectes européens de créer une ville *ex nihilo*, le sultan leur fournit une occasion unique de mettre en pratique les théories de l'urbanisme du siècle des Lumières. Essaouira est bien ainsi la seule médina du Maroc à posséder un **plan orthogonal**, avec des artères inhabituellement larges et parfaitement rectilignes. L'axe principal, orienté au nord-est, se compose de l'avenue Oqba ben Nafi et de la rue Mohammed ben Abdallah qui sont coupées à angle droit par les rues el-Attarine et Mohammed el-Qory. Mais, à l'intérieur de chacun des îlots, cette rigueur est tempérée par la fantaisie, tout orientale, des ruelles couvertes et des impasses biscornues. Et derrière la noblesse austère des façades blanches, le visiteur un peu curieux découvrira le grouillement coloré d'une vie mystérieuse.

▶ La rue Laâlouj est l'une de ces artères larges et droites ; elle passe devant le musée, avant de croiser la rue Mohammed ben Abdallah où elle prend le nom de rue el-Attarine.

▶ Installé dans un beau riad le **musée Sidi Mohammed ben Abdallah**★ (tlj, sauf mardi, 8h30-12h/14h30-18h30 ; le vendredi l'interruption dure de 11h30 à 15h ; entrée payante. Comptez 1h. Actuellement fermé pour travaux) présente les arts et traditions de la région. Le rez-de-chaussée rassemble des instruments de musique propres aux différentes confréries, à commencer par les **Gnaoua**, et aux différents styles. Au 1ᵉʳ étage, de grands tapis et des tentu-

res exécutés par les tribus chiadma et oulad bousbaa ornent la galerie. Une seule salle est consacrée à la spécialité d'Essaouira, la **marqueterie** et l'**incrustation** : à côté de quelques réalisations, on y voit les motifs, les outils et les matériaux utilisés ; le travail du bois peint, **zouaq**, est également bien représenté. Dans les autres salles du 1ᵉʳ étage sont exposés des vêtements, des bijoux et des armes décorées.

▶ Dans la longue **rue Mohammed ben Abdallah**★, étroite et très animée, cohabitent harmonieusement petits commerces traditionnels (épiceries, barbiers, herboristes, gargotes, etc.) et boutiques pour touristes ; la jupe hippie bariolée côtoie sans complexe la monacale djellaba brune ou l'austère haïk de laine blanche. La plupart des échoppes sont minuscules et les marchandages se déroulent dehors.

▶ Au bout de la rue, après une jolie fontaine publique, on atteint l'ancien **mellah**, et ses ruelles sombres où, vers 1900, s'entassait 40 % de la population de la ville. On y comptait une quarantaine de distilleries dans lesquelles se préparait un alcool de figue anisé, la **mahia**, distribuée dans tout le Sud-Ouest du Maroc.

▶ Retournez sur vos pas jusqu'au début de la rue et tournez à gauche dans la rue el-Attarine qui débouche sur l'av. Oqba ben Nafi. Très large, l'**avenue Oqba ben Nafi** (l'ancien méchouar) a plutôt l'aspect d'une place, bordée d'un côté par les remparts de l'ancienne kasbah, de l'autre par plusieurs hôtels. Ceux qui s'intéressent à la peinture ou à l'Art brut ne manqueront pas de visiter la **Galerie d'art Frédéric Damgaard**★ (tlj 9h-13h/15h-19h ; entrée libre, voir carnet pratique) tenue par un Danois, grand spécialiste de l'école d'Essaouira. Cette peinture locale, en fait, fort diversifiée, est connue au-delà des frontières du Maroc.

▶ L'avenue se rétrécit (elle prend alors le nom de « l'Istiqlal ») et passe sous une belle **porte à trois arches**. Là s'ouvrent les **souks**★, avec leurs arcades en pierre reconstruites en 1945 : à gauche le souk aux épices, le marché aux poissons et de pittoresques boutiques d'alimentation. Sur la droite, entre le souk des bijoutiers et le marché aux herbes, la rue Mohammed el-Qory, longue, étroite et très animée, conduit jusqu'à Bab Marrakech. Non loin de cette porte se dresse l'énorme **bastion circulaire Sud**, près duquel se trouve l'**Ensemble artisanal**.

▶ Revenez sur l'artère principale qui se poursuit sous le nom d'avenue Zerktouni, jusqu'à **Bab Doukkala**★. Derrière cette porte fortifiée, vous pourrez voir, sur la gauche, le **cimetière chrétien** *(simplement indiqué par un « Pax » au-dessus de la porte)* dont les tombes sont presque à l'abandon. Une lecture attentive des inscriptions funéraires instruit sur la présence diplomatique européenne à Essaouira et sur les conditions sanitaires qui ont dû régner jusqu'à la fin du protectorat…

DUNES DU CAP SIM

Comptez au moins une demi-journée pour atteindre le cap et revenir (une partie de l'itinéraire se fait à pied), mais vous pouvez faire une balade moins longue et néanmoins intéressante. Voir carte p. 279.

Il est facile de se perdre, munissez-vous donc d'une boussole, d'une réserve d'eau et d'un pique-nique.

Environ 14 km séparent Essaouira du cap Sim *(par la route puis par la piste)*. Vous pouvez aussi faire une partie de cette excursion à pied, il faut compter une heure pour la plage pour rejoindre le village de Diabat. En voiture, quittez Essaouira par la route d'Agadir. Remarquez tout de suite dans la baie l'île de Mogador. Environ 500 m après le pont moderne sur l'oued Ksob, prendre à droite une petite route goudronnée qui passe devant Tangaro et atteint, au bout de 3 km, le village de Diabat.

▶ C'est sur l'**île de Mogador** que se trouvent les ruines des établissements maurétaniens et romains, fouillées dans les années 1950. Il y a également six **fortins** du 18e s. qui défendaient l'accès du port d'Essaouira, ainsi qu'un ancien pénitencier. Il est actuellement interdit d'aller sur cette île inhabitée sans une autorisation spéciale, afin de ne pas troubler les oiseaux qui nichent dans cette réserve naturelle, les **faucons Éléonore**, en particulier.

▶ Le village de **Diabat**, marqué par la haute silhouette blanche de son minaret, a connu une certaine célébrité avec les hippies, à la fin des années 1960. Jadis charmant, il ne présente plus guère d'intérêt si ce n'est la **vue**★ sur la ville et le port d'Essaouira, et les ruines de Dar Soltane.

▶ Laissez votre véhicule dans le village. Marchez jusqu'à l'ancien pont coupé et prenez un sentier qui part à gauche en direction de la plage. Il faut environ 10mn pour atteindre les ruines. **Dar Soltane** était un **palais** de plaisance construit pour Mohammed ben Abdallah, où l'on reconnaît l'influence européenne des bâtisseurs d'Essaouira. Les vestiges sont noyés dans la végétation et en partie ensablés, mais certaines portions sont conservées jusqu'au toit avec leur décoration de zelliges et de stucs. En poursuivant jusqu'à la plage, vous verrez les restes du **fortin**, qualifié à tort de portugais, qui fermait le dispositif défensif d'Essaouira. Signalons qu'au début avril, le *moussem* de la confrérie regraga attire sur la plage de Diabat une foule extrêmement pittoresque qui vient rendre hommage à Sidi Mogdoul dont le marabout se dresse non loin du phare.

▶ Faites demi-tour jusqu'à Tangaro. À peu près en face de Tangaro, prenez l'ancienne route empierrée construite par l'armée française ; au bout de 3 km vous arriverez à une bifurcation. À droite, une piste en terre rejoint la mer *(2 km)* et se poursuit le long de la côte *(fort danger d'ensablement)* sur près de 2 km. Continuez sur la route principale en direction du sud : après 2 ou 3 km, elle devient impraticable même pour un 4x4 ! Il faut continuer à pied pour aller jusqu'au cap Sim. Vous serez ravi par cette belle excursion en pleine nature.

Jadis providence des cinéastes qui voulaient tourner des scènes de désert sans trop se fatiguer, les célèbres **dunes du cap Sim★** ont disparu depuis quelques décennies sous une épaisse végétation. Eucalyptus, thuyas, mimosas et grands genêts forment une sorte de **maquis** où l'on peut se perdre facilement. Ne soyez pas surpris si vous vous retrouvez nez à nez avec un sanglier ou quelque autre animal sauvage car la région est quasi inhabitée. Seuls la fréquentent les charbonniers, dont vous verrez les meules, et les quelques pêcheurs qui vivent dans des cabanes au bord de l'immense plage déserte battue par les vents (malheureusement elle est très sale…).

▶ Montez à pied jusqu'à une maison forestière en ruine d'où vous aurez une belle **vue★**. Vous apercevez, sur une éminence au loin, le **phare** du cap Sim, tour carrée peu élevée, au centre d'une enceinte fortifiée.

Du phare, descendez jusqu'à la mer et regagnez Diabat et Essaouira *(si vous souhaitez poursuivre vers le sud à Sidi Kaouki, voir le chapitre suivant).*

D'ESSAOUIRA À AGADIR★

Quelques repères

Itinéraire de 175 km sans les excursions - Comptez une journée avec les arrêts - Carte Michelin n° 742 plis 4, 19 et 31.

À ne pas manquer

La plage de Sidi-Kaouki, en particulier pour les véliplanchistes.

Le spectacle des chèvres broutant les arganiers.

Le paysage du rond-point d'Igui-n-Tama.

Conseils

Achetez de l'huile d'argan à Tamanar, et des petites bananes vertes à Tamri ou à Tamrhakht.

Cet itinéraire, fatigant pour le conducteur, vous fera découvrir la beauté âpre du pays Haha, terre d'élection de l'arganier (voir encadré), avant d'aborder, au-delà du cap Rhir, les grandes plages populaires fréquentées par les habitants d'Agadir. La côte nord est plus sauvage et difficile d'accès, mais si vous ne craignez pas de prendre les routes et les pistes défoncées, vous serez récompensé et peut-être tenté de rester (si vous avez des provisions) ! La route traverse une région dont la principale culture est l'arganier. Vous assisterez certainement au spectacle, toujours plaisant, d'un troupeau de chèvres escaladant allègrement les plus hautes branches, pour aller y brouter les feuilles tendres et « cueillir » leurs baies préférées.

SIDI-KAOUKI★

Comptez 1h.

Excursion de 22 km AR à partir de la N1. D'Essaouira, prenez la N1 vers Agadir. 8 km après l'embranchement de Diabat, prenez à droite.

Après une zone d'arganiers, où errent des dromadaires en semi-liberté, l'étroite route traverse une forêt de thuyas puis descend jusqu'à la mer.

▶ Quelques petits cafés en plein air et quelques maisons basses en pierres sèches se serrent à proximité du marabout de **Sidi-Kaouki★** *(ce lieu saint ne se visite pas ; un moussem a lieu mi-août)*. L'étrange architecture qui surgit des nappes de brouillard, fréquentes dans la région, semble tout droit sortie d'une gravure de Piranèse : le tombeau à coupole blanche est accolé à une tour ancienne, en partie ruinée, autour de laquelle se sont agglutinées quelques cellules pour les membres de la zaouïa. Au-delà s'étend la **plage★** immense et balayée par les vents, dangereuse pour les nageurs (courants), mais idéale pour les véliplanchistes.

Avec un 4x4, vous pouvez poursuivre le long de la côte sur env. 15 km. Sinon, rebroussez chemin pour revenir sur la route d'Agadir.

Se loger, se restaurer

Environ 40 DH (4 €)

Env. 500 m après le marabout, un **camping** semi-sauvage s'étend sur des kilomètres le long de la plage. Il y a un gardien et des sanitaires sommaires (eau froide) ; des vendeurs viennent approvisionner les campeurs. Ambiance plutôt sympathique de camaraderie sportive.

Environ 260 DH (26 €)

Résidence Le Kaouki, à env. 300 m au sud-est du marabout, ☎ 044 78 32 06, www.sidikaouki.com – 10 ch. ✗ ⚓ Cette auberge faisant à face l'océan abrite des chambres sobres et propres. Pas d'électricité sauf en cuisine. Cuisine marocaine, repas à la chandelle le soir.

Environ 360 DH (36 €)

Auberge de la Plage, à 100 m du marabout, ☎ 044 47 66 00 – 10 ch. ✗ ⚓ Tenue par un Turinois, cette agréable auberge qui reste simple (douches communes, pas d'électricité) est cependant plus confortable que les précédentes. Belle chambre claire avec cheminée au 2e étage. Cuisine italo-marocaine. Réservez pour Pâques et pour l'été.

SMIMOU

Peu avant Smimou, une vue se dégage sur le **jbel Amsittene**, éperon calcaire perpendiculaire à la côte.

▶ La rue principale de cette bourgade est bordée de très longues arcades, recouvertes de carreaux bleu vif, qui accueillent le **souk★** du dimanche. Ne vous étonnez pas de voir des dromadaires « garés » dans la rue : c'est le point d'arrivée habituel des grandes **excursions chamelières** parties d'Essaouira.

De Smimou, prenez la petite route vers l'est jusqu'à Souk-et-Tnine-Imi-n-Tlit pour rejoindre ensuite jbel Amsittene.

JBEL AMSITTENE★

Circuit d'env. 50 km, dont 28 km de pistes nécessitant un 4x4. Comptez 3h. Les bons marcheurs pourront faire l'excursion à pied, en un journée.

▶ Vous passez d'abord par **Souk-et-Tnine-Imi-n-Tlit** où se tient, chaque lundi, un **souk★** d'une telle authenticité que, sans la présence de deux ou trois 403 déglinguées, on se croirait replongé dans la vie campagnarde des années 1940.

▶ La **maison forestière d'Imgrad** est chargée de surveiller les pilleurs qui extraient, à la pioche et à la hache, les racines de thuya.

Environ 500 m avant, prenez, sur la droite, une piste forestière escaladant le jbel Amsittene jusqu'à son point culminant (905 m), où s'élève une tour destinée à détecter les incendies, et offrant une belle **vue★★**. La piste, qui serpente au milieu de **forêts de thuyas**, de chênes verts et de pins, procure de **superbes panoramas★★** (parfois vertigineux !) sur

la région des Haha. Vous êtes absolument seul en pleine nature, dans un silence total, au milieu d'un maquis qui embaume.

▶ Une grande descente vous ramène sur la route d'Agadir, au niveau de la **maison forestière de Tizrharine**.

Reprenez la route d'Agadir et tournez à droite environ 4 km plus loin.

D'ESSAOUIRA À AGADIR

0   10   20 km

Safi
Safi
J. Hadid 725
R301
Cap Hadid
Belvédère de Chicht
M.F. Inspecteur-Watier
Ounara
Marrakech
N1
R207
Essaouira
Ile de Mogador
Diabat
Arba-des-Ida
Cap Sim
Sidi-Kaouki
N1
J. Amardma 655
Souk-et-Tnine-Imi-n-Tlit
Smimou
M. F. d'Imgrad
M. F. de Tizrharine 905
J. Amsittene
Cap Tafelney
Pays Haha
Tamanar
▲ 1010
Á. n'Srou
N1
Á. Tamsoult
Imsouane
Gouffre d'Agadir Imoucha
Rond-point d'Igui-n-Tama
Áït Ameur
Tamri
Tinkert
Cascades ▲ 1408
Bananeraie
Cap Rhir
Imouzzèr-des-Ida-Outanane
Tamrhakht
Taghazout
Tamrhakht
Oulma
Jbel Lgouz
Marrakech
Agadir
N8
O. Sous
Inezgane
Taroudant
N1
R105
Tiznit
Tafraoute

1000 m
500
200
0

PLAGE DE TAFELNEY★

Excursion d'env. 20 km aller-retour.

De nombreuses sections de l'étroite route goudronnée ont été emportées par l'oued. Attention, évitez d'effectuer ce parcours de nuit car il est extrêmement dangereux.

▶ Du haut d'un promontoire, le **cap de Tafelney**, on découvre la plage dans toute sa beauté, avec ses grosses barques tirées sur le sable. Il vaudrait mieux ne pas aller plus loin car, en descendant au niveau de la mer, on s'aperçoit que la falaise cache, en plus de quelques cabanes de pêcheurs troglodytiques, une construction en béton fort laide !

L'arganier, un arbre précieux.

L'arganier (*Argania sederoxylon*) est un arbre spécifique au sud-ouest du Maroc. Jeune et sauvage, c'est un arbrisseau informe et couvert d'épines qui pousse en « forêts » très clairsemées sur des terres ingrates ; âgé et cultivé, il prend l'allure majestueuse d'un vieil olivier. Son feuillage persistant, de couleur vert sombre, forme alors une boule régulière ne dépassant guère 6 m de hauteur. Le tronc, noueux et très dur, servait pour la menuiserie ; il donne un excellent charbon de bois. Son fruit, l'argan, est une drupe vert tendre de la taille d'une très grosse olive, qui fait les délices des chèvres et des dromadaires ; ceux-ci digèrent la pulpe, juteuse et sucrée, et rejettent les noyaux dans leurs crottes, noyaux soigneusement recueillis par les villageoises qui en extraient une huile très appréciée dans la région. Mais l'opération est longue et pénible : il faut d'abord casser les noyaux, petits et coriaces, ou les faire éclater par trempage et séchage, pour en retirer l'amande qui est ensuite broyée à l'aide d'une meule en pierre mue à la main. Mélangée à de l'eau chaude, cela donne une sorte de pâte malaxée pendant des heures pour en faire sortir l'huile goutte à goutte. En une journée, une femme ne produit pas plus d'un demi-litre du précieux liquide brunâtre !

▶ Revenez sur la N1. « Capitale du pays des arganiers », c'est à **Tamanar** que vous pourrez vous procurer cette fameuse huile si parfumée. Env. 20 km plus loin, tournez à droite et faites un petit détour jusqu'au **rond-point d'Igui-n-Tama.**

ROND-POINT D'IGUI-N-TAMA

▶ Suivez la piste carrossable sur 4,5 km. En vous promenant au milieu d'arganiers majestueux, vous vous retrouverez tout à coup au bord d'une falaise, où la **vue★★**, qui domine l'océan de 350 m, est superbe. En bas, on aperçoit le **port de pêche d'Imsouane**, accessible par une autre route.

Reprenez la route d'Agadir. Une grande descente ramène presque au niveau de la mer, dont on est séparé par une vaste zone sauvage de dunes recouvertes de hauts genêts.

▶ À **Tamri**, la route décrit une vaste boucle pour contourner la **bananeraie★** qui occupe toute la plaine alluviale de l'oued Tinkert, avant de se rapprocher à nouveau de l'océan (remarquez les roches érodées), et d'atteindre le secteur désolé du **cap Rhir★**. Ce cap marque un important changement de direction de la côte, qui se traduit immédiatement dans le climat et la végétation.

▶ Après quelques kilomètres d'une côte encore sauvage apparaissent les grandes plages de **Taghazout** et **Tamrhakht** (bordée de bananeraies et de nombreux restaurants), où se presse la foule des touristes et des **Gadiri** (habitants d'Agadir).

Se loger à Tamrhakht

Environ 290 DH (29 €)

Auberge du Littoral, Aourir, à 12 km au nord d'Agadir, ☎ 048 31 47 26/31 43 54 - 28 ch. ⚑ 📺 ✕ 🆒 (+5 % de com.) Hôtel loin de la mer et en bordure de la route nationale (préférez les chambres de derrière). Grandes chambres agréables. Évitez le restaurant.

Chèvre dans un arganier

5 jours	🏛 Villes impériales et cité romaine (Fès, Meknès, Volubilis)
3 jours à Fès (p. 306) puis boucle d'env. 140 km	**1er jour** : visite de Fès el-Bali (médersa Bou Inania, Talaa Kebira, place Nejjarine, Zaouïa Moulay Idriss, quartier de la Karaouiyne). En fin d'après-midi, faire le tour des murailles de la ville (borj Sud, borj Nord et arrêt aux tombeaux mérinides).
	2e jour : visite des tanneries de Fès el-Bali, de la médersa Attarine, promenade dans le quartier des Andalous, visite de la médersa Cherratine. Après-midi consacrée à Fès el-Jédid (mellah, méchouar, jardin de Bou Jeloud).
	3e jour : visite du musée Dar Batha le matin, petit tour dans les souks, trajet Fès-Meknès en fin d'après-midi. Nuit à Meknès.
	4e jour : découverte de Meknès (p. 286), visite de la cité impériale le matin, tour des remparts et promenade dans la médina l'après-midi. Nuit à Meknès.
	5e jour : visite de Moulay Idriss (p. 300) puis du site voisin, Volubilis (p. 302). Retour à Fès.
Transports	À pied dans Fès el-Bali et Fès el-Jédid, à pied ou en petit taxi dans la ville nouvelle de Fès.
	Trajet Fès-Meknès en bus ou en train (1h). De Meknès, possibilité de se rendre à Moulay Idriss en bus.
Conseils	À Fès, ne craignez pas de vous perdre dans la médina.
3 jours	**Séjour nature (cèdres et lacs)**
Boucle (env. 325 km)	**1er jour** : trajet Fès-Ifrane avec arrêt à Immouzèr-du-Kandar et ascension du jbel Abad (p. 334), promenade autour du lac Âaoua puis du lac Ifrah (p. 338). Soirée à Ifrane (p. 335).
	2e jour : circuit et promenade dans la forêt de cèdres autour d'Azrou (p. 343). Nuit à Azrou.
	3e jour : retour à Fès en passant par la R707 puis la R503, arrêt à Sefrou (p. 334).
Transports	Location d'une voiture indispensable.
Conseils	Venez au printemps et faites quelques randonnées.

Mosquée Karaouiyne

FÈS ET LE MOYEN ATLAS

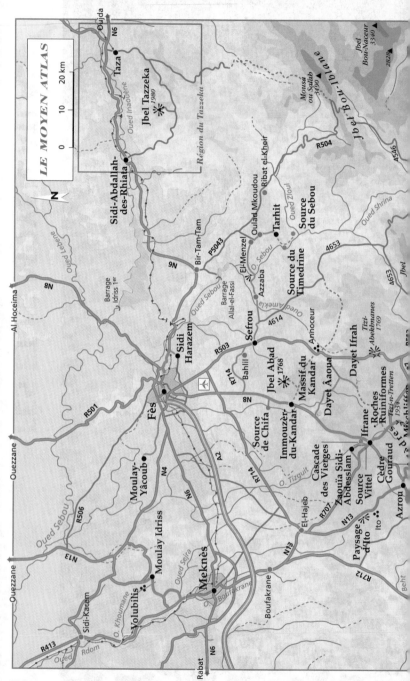

LE MOYEN ATLAS

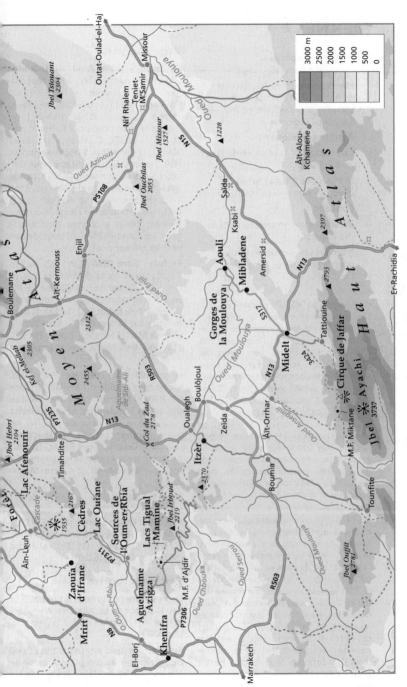

285

MEKNÈS★★

Quelques repères

Chef-lieu de la province de Meknès - 60 km de Fès, 140 km de Rabat - 750 000 hab.- Alt. 550 m - Carte Michelin nº 742 plis 5, 22 et 27 et carte p. 284.

À ne pas manquer

L'animation de la place el-Hédime au crépuscule.

Le mausolée Moulay Ismaïl, ouvert aux non-musulmans.

Conseils

Déplacez-vous en calèche dans la cité impériale.

Prévoyez une lampe de poche pour la visite de la prison des Chrétiens.

Cité impériale depuis seulement trois siècles, Meknès n'a pas la prétention d'égaler ses rivales. Condamnée à jouer les seconds rôles, dans l'ombre de Fès, elle connut pourtant son heure de gloire au 17e s. sous le règne de Moulay Ismaïl. Pendant près de soixante ans, elle éclipsa sa brillante voisine. L'ayant choisie pour capitale, le grand sultan édifia, à l'extérieur des remparts, de grandioses monuments, à la mesure de son ambition. De cette histoire détournée de son cours, il résulte une ville attachante, à taille humaine, constituée de quartiers comme juxtaposés, dans lesquels le plaisir de la découverte se prolonge et se renouvelle.

Cinquième ville du Maroc par sa population, Meknès, comme autrefois, puise son opulence dans les riches plaines qui l'entourent, et tire profit de sa position privilégiée sur l'axe de communication entre l'est et l'ouest du pays. La médina, juchée sur une éminence, et le secteur moderne se font face, séparés par une étroite vallée où coule l'oued Boufekrane. La ville « européenne », fondée par les Français au début du siècle, regroupe la plupart des hôtels et des restaurants. Elle n'offre rien de particulièrement remarquable, mais l'atmosphère décontractée de ses avenues est propice à la flânerie.

Arriver ou partir

En train - Gare Amir Abdelkader *(Plan II E2)*, rue parallèle à l'av. Mohammed V, ville nouvelle, ☎ 055 52 27 63. Consigne (10 DH), buvette, journaux, station de petits et de grands taxis. 7 départs quotidiens pour Rabat (durée du trajet 2h30), Casablanca (3h30) et Marrakech (env. 7h) ; 9 départs pour Fès (1h), 3 pour Oujda (6h30) et 3 pour Tanger, via Sidi-Kacem (env. 4h30). **Grande gare ferroviaire**, av. du Sénégal *(Plan II E3, en direction)*, ☎ 055 52 06 89. Cette gare étant assez éloignée du centre-ville, mieux vaut vous rendre à la gare Amir Abdelkader. Les deux desservent les mêmes villes.

En bus - Gare CTM *(Plan I D2)*, av. des F. A. R., sur la route de Meknès à environ 1 km du centre, ☎ 055 52 25 85. Six par jour pour Casablanca (durée du trajet, 4h) via Rabat (3h). 3 départs quotidiens pour Tanger (5h), 1 pour Agadir (7h) via Marrakech (5h), 2 pour Fès (1h) et 2 pour Beni-Mellal avec changement à Fès (6h).

La grande gare routière *(Plan I A3)*, située sur l'avenue du Mellah (en face de Bab el-Khemis) regroupe les bus des autres compagnies. Les tarifs étant moins élevés que ceux de la CTM, les bus sont souvent bondés. 12 départs par jour pour Casablanca et Rabat, 10 pour Tanger, 2 pour Agadir avec ou sans passage par Beni-Mellal et 4 pour Marrakech.

En taxi collectif - Les grands taxis stationnant en face de la grande gare routière *(Plan I A3)* mènent à Rabat (40 DH), Ifrane (16 DH), Fès (16 DH), Sidi-Kacem (12 DH), Khemisset (15 DH), Khénifra (30 DH) et Azrou (16 DH).

Comment circuler

En bus - Retenez surtout le bus nº 2 (de Bab Mansour au bd Allal ben Abdellah) et le nº 7 (de Bab Mansour à la gare routière CTM).

En taxi - Le tarif des petits taxis (bleu ciel) est affiché au compteur. À partir de 20h en hiver et de 21h en été le coût est majoré de 50 % jusqu'à 6h. **Stations de taxis**, place de l'Atlas, à l'angle de l'av. des F. A. R. et de l'av. Mohammed V *(Plan II E3)*, près de la gare CTM ; à la gare Amir Abdelkader.

Location de voitures - Boussole, 14 rue de Paris, ☎ 055 52 45 05. Agence de voyages et location de voitures.

En calèche - Visite de Meknès au départ de la place el-Hédime. Petit tour touristique (env. 45mn, 60 DH) ou grand tour (env. 1h30, 120 DH).

Adresses utiles

Office de tourisme - Place Batha l'Istiqlal, ville nouvelle *(Plan II D2-3)*, ☎ 055 52 44 26. Lundi-vendredi 8h30-12h/14h30-18h30 ; en été 8h-15h.

Syndicat d'initiative - Esplanade de la Foire, ☎ 055 52 01 91 *(Plan II D2)*. Mêmes horaires qu'à l'Office de tourisme.

Banque / Change - BMCE, 66 rue Rouamzine, médina *(Plan II B3)*, ☎ 055 53 08 72. **BMCE**, 98 av. des F. A. R. *(Plan II E3)*, ☎ 055 52 03 52/53. **BMCE**, av. Mohammed V, pl. de Mauritanie *(Plan II E2)*, ☎ 055 52 84 33/34.

Crédit du Maroc *(Plan II E2)*, 28 av. Mohammed V, ☎ 055 52 11 39/29 00 (distributeur et change).

Crédit agricole *(Plan II E2)*, 22 av. Mohammed V (change).

À côté de la poste, dans la rue face à la bibliothèque municipale, plusieurs banques (distributeur et/ou bureau de change) se succèdent : BMCI, Crédit agricole et BCM. À gauche du syndicat d'initiative, la Société Générale dispose d'un bureau de change.

Poste centrale - Place Batha l'Istiqlal, ville nouvelle *(Plan II D2)*. Lundi-vendredi 8h30-12h/14h30-18h30 ; en été 8h-15h. Dans la médina, il existe une poste rue Dar Smen (près de l'hôtel Régina).

Téléphone - Partout dans la ville, vous trouverez des téléphones publics. Les cabines téléphoniques de la poste sont accessibles de 8h à 21h. On trouve également une téléboutique dans la médina, sur la place Bab bou Ameïr, en face de la station d'autobus.

Internet - Cyber de Paris, rue d'Accra, près de l'hôtel de Nice *(Plan II E2)*, ☎ 063 44 02 37. **Cyber Club Jumalira**, rue de Paris, près de la pl. de Mauritanie *(Plan II E2)*, ☎ 055 52 79 86.

Centre culturel - Institut français, à l'angle de l'av. Moulay Ismaïl et de la rue Farhat Hachad *(Plan II D2)*, ☎ 055 52 40 71. Lundi-samedi 8h30-12h/14h30-18h30. En été 8h-14h. Cinéma, spectacles.

Urgence / Santé - Pharmacie centrale, 15 av. Mohammed V *(Plan II E2)*, ☎ 055 52 11 81. Lundi-vendredi 9h-12h30/15h30-20h, samedi 9h-13h.

Pharmacie de nuit, Hôtel de ville *(Plan II E2)*, ☎ 055 52 26 64. 20h30-8h30. **Hôpital Mohammed V**, ☎ 055 52 11 34. **Hôpital Moulay Ismaïl** *(Plan II E3-4)*, ☎ 055 52 28 05. **Polyclinique Cornette-de-Saint-Cyr**, 22 esplanade du Docteur Giguet, ☎ 055 52 02 62/63, dirigée par des Français. **Clinique dentaire du Centre**, à l'angle de l'av. Allal ben Abdellah et de la rue de Paris *(Plan II E2)*, ☎ 055 52 77 64/78 20.

Compagnies aériennes - Royal Air Maroc, 7 av. Mohammed V *(Plan II E2)*, ☎ 055 52 09 63/09 64. Lundi-vendredi 8h30-12h15/14h-19h, samedi 8h30-12h15/15h-18h.

Se loger

Env. 60 DH (6 €) à deux avec 1 tente et 1 véhicule

Camping Agdal, à côté du bassin de l'Agdal, route de Rabat *(Plan I C4)*, ☎ 055 55 53 96. Du centre-ville prenez le bus n° 2 ou 3 (arrêt à 500 m du camping). Restaurant, bar, épicerie. Installé dans l'enceinte impériale, le camping offre un site très agréable et unique.

▶ *Dans la médina*

Environ 120 DH (12 €).

☺ **Maroc hôtel**, 7 av. Rouamzine, Derb Ben Brahim, ☎ 055 53 00 75 - 31 ch. Le meilleur des hôtels de la médina. Les chambres, modestes et très propres, donnent presque toutes sur le jardinet. En été, vous pouvez dormir sur un matelas installé sur la grande terrasse. Petite cuisine à la disposition des clients et possibilité de petit-déjeuner. Un lavabo dans chaque chambre, douches (3 dont 1 chaude) et toilettes communes. Accueil chaleureux.

Environ 750 DH (75 €)

Maison d'hôtes Riad, 79 Ksar Chaacha, Dar Lakbira, ☎ 055 53 05 42 - 6 ch. ⚐ ✗ ▲CC Ce pavillon, bâti au 17e s., faisait partie du premier palais royal de Moulay Ismaïl. Le propriétaire a restauré les anciens plafonds, sauvegardé les portes et la mosaïque, aménagé les jardins et les chambres pour en faire une jolie maison d'hôte. À chaque chambre son style. La terrasse offre une superbe vue sur la médina et le Moyen Atlas. Très agréable jardin pour prendre les repas *(voir Se restaurer)*.

▶ *Dans la ville nouvelle*

Entre 45 et 60 DH (4,5 à 6 €) par pers.

Auberge de jeunesse, rue Oqba ben Nafaa, ☎ 055 52 46 98 - 3 dortoirs, 2 ch. doubles, 5 ch. triples et 1 ch. pour 4. L'auberge, en très bon état, s'organise autour d'un joli jardin planté d'un citronnier et d'un oranger. L'établissement met à disposition une petite cuisine et une buanderie. Grand salon marocain équipé d'une télévision. Réservez en juillet et août.

Entre 120 et 130 DH (12 à 13 €)

Hôtel Toubkal, 49 av. Mohammed V, ☎ 055 52 22 18 - 24 ch. L'un des moins chers de la ville nouvelle, cet établissement ancien est attentif à la propreté. Chambres convenables avec lavabo ; une douche et 2 WC à la turque en commun. Seul défaut et non le moindre : le bruit dans les chambres, surtout celles donnant sur l'av. des FAR Accueil sympathique. Pas de petit-déjeuner.

Hôtel Touring, 34 bd Allal ben Abdellah, ☎ 055 52 23 51 - 35 ch. Les fauteuils en cuir et les tapis de l'entrée ont vécu ! Les chambres, sombres mais assez grandes, sont correctes ; certaines donnent sur la cour et la plupart (27) sont pourvues d'une salle de bains. Pas de petit-déjeuner.

Entre 140 et 165 DH (14 à 16,5 €)

Hôtel Continental, 92 av. des F. A. R., ☎ 055 52 54 71 - 43 ch. Cet hôtel propose des chambres spacieuses et propres, certaines avec douche et WC, les autres avec sanitaires en commun. Préférez celles donnant sur la cour, les autres sont trop bruyantes. Le petit salon marocain à l'étage dispose de la télévision et d'un bar. Pas de petit-déjeuner.

Environ 225 DH (22,5 €)

Hôtel Palace, 11 rue du Ghana, ☎ 055 52 04 07 - 40 ch. ⚐ ▤ ✗ CC Simple et propre, l'hôtel dispose de chambres assez grandes dans les tons pastel. Bar très sombre à l'étage et salon plus lumineux au rez-de-chaussée. Pas de petit-déjeuner.

Environ 270 DH (27 €)

Hôtel Majestic, 19 av. Mohammed V, ☎ 055 52 20 35/03 07 - 47 ch. Petit hôtel au charme désuet datant des années 1930. Les chambres du 1er et du 2e étage, un peu vieillottes, offrent différents niveaux de confort : certaines disposent d'une salle de bains, d'autres de sanitaires en commun dans le couloir. Préférez les chambres côté cour ou celles, toutes neuves, du 3e étage. Très agréable patio où l'on prend le petit-déjeuner. L'hôtel accueille une clientèle cosmopolite.

Environ 450 DH (45 €)

Hôtel Akouas, 27 rue Amir Abdelkader *(Plan II E3, en direction)*, ☎ 055 51 59 67/68 - 62 ch. ⚐ ▤ TV ✗ ☍ ☍ CC Les arabesques qui courent de porte en porte donnent une note de gaieté à tous les étages de cet hôtel finement décoré. Les chambres, où se dégage une douce atmosphère, sont de taille variable, coquettes et confortables ; certaines comportent un salon et un balcon. Groupes et hommes d'affaires parmi la clientèle.

Environ 510 DH (51 €)

Hôtel Ibis Moussafir, av. des F. A. R., près du carrefour de Bou-Ameïr, ☎ 055 40 41 41 - 104 ch. ⚐ ▤ TV ✗ ☍ ☍ CC Bien situé à 5mn à pied de la médina, le bâtiment, d'inspiration mauresque, abrite des chambres standardisées, modernes et confortables. Belles salles de bains carrelées ocre et vert. Agréable terrasse autour de la piscine.

Autour de 620 DH (62 €)

Hôtel Rif, rue Accra, ☎ 055 52 25 91 à 94 - 120 ch. ⌗ 🖻 📺 ✕ 🍸 ⌿ 🆑 Grand bâtiment en béton sur 4 étages. De beaux objets et des tableaux orientaux ornent cet hôtel un peu suranné. À chaque étage sa couleur. Les chambres, petites, donnent sur la rue ou sur la piscine. Le soir, vous avez le choix entre le salon marocain, le bar et la discothèque. Nombreux groupes.

Autour de 860 DH (86 €)

Hôtel Transatlantique, rue el-Meriniyine, ☎ 055 52 50 50 à 55 - 120 ch ⌗ 🖻 📺 ✕ 🍸 ⌿ 🆑 Vue splendide sur la médina et sur la ville nouvelle. Grand jardin, deux piscines, un restaurant proposant une cuisine internationale et un bar. La moitié des chambres sont de style marocain. Les autres sont moins jolies mais aussi confortables et agréables.

Autour de 1 100 DH (110 €)

Hôtel Zaki, bd el-Massira (à 3 km, sur la route d'Azrou), ☎ 055 51 41 46 à 49 - 163 ch. 🖻 📺 ✕ 🍸 ⌿ 🆑 Ce complexe hôtelier, d'architecture marocaine, offre une très belle vue. Les chambres, élégantes, sont prolongées par une terrasse. Bar et discothèque parmi les plus fréquentés de la ville. Parking. Accueil impersonnel.

Se restaurer

▸ *Dans la médina*

En face de Bab Mansour, les vendeurs de la place el-Hédime proposent des sandwichs de merguez, de foie et de rognons grillés. Si vous avez envie de beignets frits de pomme de terre, allez dans l'un des nombreux petits restaurants de la rue Rouamzine.

Moins de 80 DH (8 €)

Snack Sindibad, 103 rue Rouamzine (attenant au Maroc hôtel) *(Plan II C3)*. Dans une salle petite et simple, vous dégusterez des fritures de poisson, de la paella, des brochettes et, sur commande, du couscous.

Entre 100 et 200 DH (10 à 20 €)

Zitouna, 44 Jamaâ Zitouna *(Plan II B3)*, ☎ 055 53 02 81. 🆑 Voilà un superbe restaurant, installé dans une authenti-

que maison avec un décor de rêve, où l'on sert une cuisine marocaine. Mais les tables sont trop entassées. Une des adresses les plus fréquentées par les groupes de touristes.

Le Collier de la Colombe, 67 rue Driba *(Plan II B3)*, ☎ 055 55 50 41. 🆑 Menu du jour à 95 DH. Gagnez le premier étage qui offre une magnifique vue sur la ville impériale. La cuisine marocaine est authentique. Goûtez la truite de l'Atlas, spécialité de la maison. Très bon accueil.

Le Riad, 79 Ksar Chaacha Dar Lakbira *(Plan II B4)*, ☎ 055 53 05 42/13 20. 🆑 *(Voir Se loger)*. Menu à partir de 110 DH. Palais du 17e s. transformé en restaurant et maison d'hôte. Les tables sont disséminées entre les salons et le joli patio fleuri, sous les remparts crénelés. Très bonne cuisine marocaine, à un prix très convenable. Accueil prévenant.

▸ *Dans la ville nouvelle*

Moins de 80 DH (8 €)

Sanae, 26 av. Mohammed V *(Plan II E2)*. Tlj 9h-minuit. Entre les poulets rôtis, les frites et les sandwichs variés, vous serez bien rassasié !

Marhaba, 23 av. Mohammed V *(Plan II E2)*. Tlj 12h-21h. Si vous êtes à la recherche d'un décor et d'une ambiance on ne peut plus marocains, venez donc déguster tajines et brochettes dans cette grande salle.

Hamburgers La Perle, 14 bd Allal ben Abdellah *(Plan II E2)*. Installez-vous dans la petite salle décorée de céramique et de moucharabiehs. Au menu : hamburgers biens épicés, salades variées, poulet rôti…

Restaurant Chez Mimi, 4 rue du Ghana *(Plan II D2)*, ☎ 055 52 84 66. Quelques tables à l'extérieur et salle ventilée à l'étage. Vous avez le choix entre des plats très variés : salades, brochettes de viande, spaghettis, tajines…

Pizzeria Le four, 1 rue de l'Atlas, à proximité de la gare Amir Abdelkader *(Plan II E2)*, ☎ 055 52 08 57. 🍸 🆑 Heureusement, le bar et le restaurant sont séparés. Le premier est bondé et mal fréquenté, le second petit, rustique et charmant. Bonnes pizzas, servies sur des planches en bois. Salades, potages, viandes et pâtes complètent la carte.

Entre 150 et 200 DH (15 à 20 €)

Le Dauphin, 5 av. Mohammed V, entrée par le côté gauche *(Plan II E2)*, ☎ 055 52 34 23. 🍷 📷 Toutes les variétés de poissons sont proposées dans cet établissement, réputé pour la qualité de sa cuisine et de son service.

Sortir, boire un verre

Cafés, pâtisseries et salons de thé - Ismailia (carrefour de Bou-Ameïr) *(Plan II C3)*. Café avec terrasse surplombant la rue. **Pâtisserie** (sans enseigne), 53 rue Rouamzine, médina, ☎ 055 55 93 32. Pâtisseries marocaines d'une saveur suprême, yaourts maison et jus de fruits.

Café-glacier Le Rex, 1 pl. de Mauritanie, ville nouvelle *(Plan II E2)*, ☎ 055 52 14 40. Sur la place piétonne. Très animé, c'est l'un des points de rencontre de la jeunesse meknassi qui vient y déguster des pâtisseries marocaines et occidentales et fréquenter la salle de jeux.

Café-pâtisserie Alpha 56, 16 av. Mohammed V *(Plan II E2)*, ☎ 055 52 26 13. Grand et plein à craquer, le café attire pour ses bonnes glaces et ses pâtisseries marocaines.

La Tulipe, café-glacier-pâtisserie, pl. Maarakat Lahri *(Plan II E2)*. Tlj 5h30-21h. Grande terrasse, agréable et calme. Excellent petit-déjeuner (15 DH) avec boisson chaude, jus d'orange frais et viennoiseries.

Pâtisserie d'Agadir, 18 av. Yacoub el-Mansour, ville nouvelle *(Plan I D2)*, ☎ 055 52 15 61. Pâtisseries marocaines très raffinées. On se bouscule pour les jus de fruits.

MEKNÈS
agglomération
Plan I

0   250   500 m

N

Bab Berdaïne

Sidi Mohammed ben Aïssa

Bab el-Jdid

MÉDIN

BERRIMA

Avenue du Mellah

ANCIEN MELLAH

Bab el-Khemis

N6, Rabat

Sidi-Saïd

NOUVEAU MELLAH

Muraille des Riches

BENI M'HAMM

SBATA

CAMPING
Agdal.................. ①

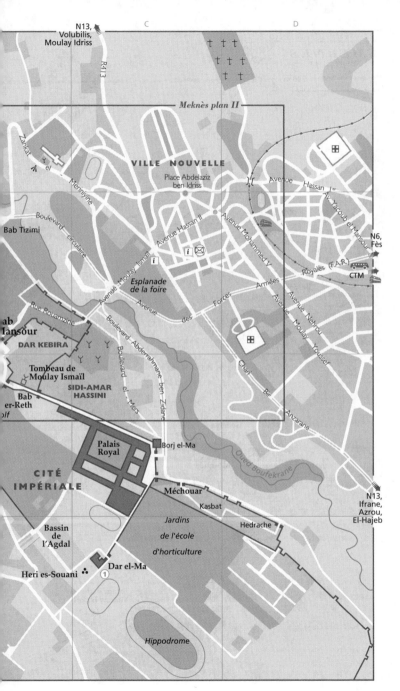

N13,
Volubilis,
Moulay Idriss

R413

Meknès plan II

Zankat el Mennyine

VILLE NOUVELLE

Place Abdelaziz
ben Idriss

Boulevard circulaire

Bab Tizimi

Avenue Moulay Ismaïl

Avenue Hassan II

Avenue Mohammed V

Avenue Hassan I

Avenue Al-Yacoub el-Mansour

Avenue Nehrou

Royales (F.A.R.)

N6,
Fès

CTM

*Esplanade
de la foire*

Avenue des Forces Armées

Avenue Moulay Youssef

**ab
lansour**

Rue Rouamzine

DAR KEBIRA

Boulevard Abderrahmane ben Zidane

Chafi

Bir

**Tombeau de
Moulay Ismaïl**

**SIDI-AMAR
HASSINI**

Boulevard el-Mes

**Bab
er-Reth
olf**

Ancarane

Palais
Royal

Borj el-Ma

Oued Boufekrane

**CITÉ
IMPÉRIALE**

Méchouar

Kasbat

Hedrache

N13,
Ifrane,
Azrou,
El-Hajeb

**Bassin
de
l'Agdal**

*Jardins
de l'école
d'horticulture*

Heri es-Souani

Dar el-Ma
①

Hippodrome

C

D

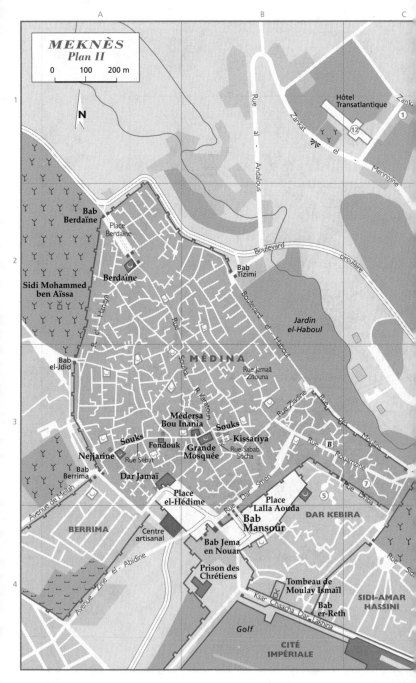

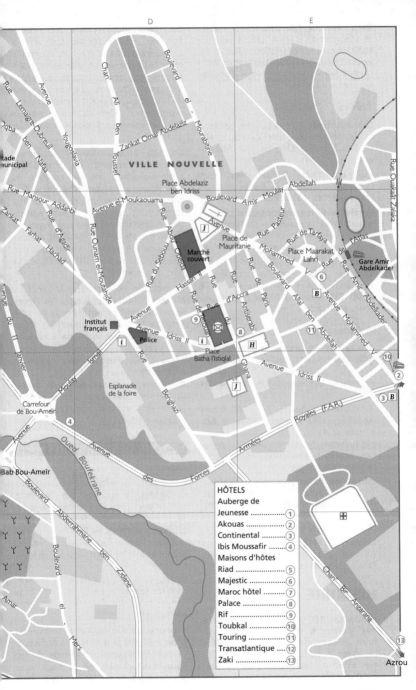

VILLE NOUVELLE

Place Abdelaziz ben Idriss

Marché couvert

Institut français

Police

Place de Mauritanie

Place Maarakat Lahri

Gare Amir Abdelkader

Place Batha l'Istiqlal

Esplanade de la foire

Carrefour de Bou-Ameïr

Bab Bou-Ameïr

HÔTELS

Auberge de
Jeunesse .... ①
Akouas .... ②
Continental .... ③
Ibis Moussafir .... ④
Maisons d'hôtes
Riad .... ⑤
Majestic .... ⑥
Maroc hôtel .... ⑦
Palace .... ⑧
Rif .... ⑨
Toubkal .... ⑩
Touring .... ⑪
Transatlantique .... ⑫
Zaki .... ⑬

Azrou

Bars - Les quelques bars fréquentables se trouvent dans les hôtels. À vous de choisir entre les hôtels Zaki *(Plan II E4, en direction)*, Transatlantique *(Plan II C1)* ou Bab Mansour (38 rue Amir Abdelkader) *(Plan II E2)*.

Loisirs

Discothèques - Vous pouvez danser à la discothèque de l'hôtel Zaki ou à celle de Bab Mansour (38 rue Amir Abdelkader).

Piscines - L'hôtel Transatlantique met ses deux piscines à la disposition des non-résidents, 100 DH/pers. *(Plan II C1)*.

Festivals - Fêtes des fantasias, commémoration de la naissance du Prophète : la date varie en fonction du calendrier musulman. Nombreuses fantasias et danses de la confrérie des Aïssaoua.

Cinémas - Camera, rue Tazi Alaoui, av. Hassan II, ville nouvelle, ☏ 055 52 20 00. **Rif,** nouveau Mellah, ville nouvelle, ☏ 055 53 77 50/51.

Achats

Antiquités et artisanat - Ensemble artisanal (coopérative d'État) *(Plan II A4)*, av. Riad, ☏ 055 53 08 08/07 84. Moins intéressant que ceux des autres grandes villes.

Artisanat moderne, 6 av. Allal ben Abdellah, ville nouvelle *(Plan II E2)*, ☏ 055 52 41 22/12 80 Artisanat ancien et moderne : tapis, maroquinerie, poteries, bijoux, portes... Très beaux objets, la plupart assez chers.

Librairies - Dar al-Kitab al-Watani, 10-12 bd. Allal ben Abdellah, ville nouvelle *(Plan II E2)*, ☏ 055 52 12 80. Grande et belle librairie. Ouvrages sur le Maroc, romans, essais et poésie.

Librairie des Écoles, 2 bd Allal ben Abdellah *(Plan II E2)*, ☏ 055 52 26 40. Quelques romans classiques.

HISTOIRE

Fondée au 10ᵉ s. par la tribu berbère des Meknassa, qui lui a donné son nom, Meknès n'échappa pas aux aléas des guerres de succession entre dynasties. Elle fut partiellement détruite en 1069 par les conquérants almoravides, qui rebâtirent la cité dans une enceinte fortifiée. Deux siècles plus tard, elle fut à nouveau mise à sac lors du conflit entre Almohades et Mérinides. Vainqueurs, ces derniers contribuèrent à la reconstruction et à l'embellissement de la médina, y faisant élever plusieurs mosquées et *médersas*. Mais c'est sous les Alaouites que Meknès connut son apogée.

En 1672, l'accession de **Moulay Ismaïl** au pouvoir propulsa donc cette ville provinciale au rang de capitale du royaume. La personnalité du sultan laissa sur ces lieux une empreinte profonde, tant matérielle – par l'édification d'une somptueuse cité impériale – que morale. En témoignent les centaines de légendes qui nous sont parvenues sur la férocité de ce personnage hors du commun.

Sa mort, en 1727, marqua le déclin de Meknès qui fut délaissée par les successeurs. Le tremblement de terre de 1755 accéléra la ruine des quartiers impériaux. La ville retomba dans l'anonymat pendant plusieurs siècles, jusqu'à l'arrivée des Français. Les nouveaux maîtres s'installèrent à l'écart de la cité historique, sur la rive droite de l'oued. Ils firent de Meknès une base militaire importante et une ville économiquement prospère.

LE TOUR DES REMPARTS★★

Comptez 1h.

Ce circuit, à effectuer en voiture, contourne la médina par le nord, offrant des points de vue insolites sur le vieux quartier. Il aborde également les différents secteurs de la ville, et donne une idée juste de son échelle ; c'est une bonne entrée en matière pour se repérer dans la cité. Venez de préférence le matin, quand les rayons du soleil éclairent les remparts de la médina d'une lumière favorable aux amateurs de photographie.

▶ Gagnez la rue Zankat el-Meriniyine *(Plan II B1-C1)* puis la rue al-Andalous. La rue Mériniyine surplombe l'oued Boufekrane et ménage un magnifique **panorama★★** sur les remparts de la vieille cité. Elle conduit, après la traversée de l'oued, au pied des murailles.

▸ Longez les remparts vers le nord jusqu'à la porte Berdaïne. Construite au 17ᵉ s. par Moulay Ismaïl, **Bab Berdaïne★** *(Plan II A2)* domine de sa silhouette massive le nord de la médina. Disposées de chaque côté, deux épaisses tours crénelées accentuent l'aspect redoutable de l'édifice, atténué toutefois par la délicate décoration de céramique au-dessus de l'arc. Dans l'ouverture se détache le minaret de la **mosquée Berdaïne**, sur la place du même nom.

▸ Poursuivez sur le boulevard circulaire, qui longe le plus ancien **cimetière** de la ville. À 300 m environ de Bab Berdaïne, apparaissent, au milieu des tombes blanches, les toits verts du **tombeau de Sidi Mohammed ben Aïssa** (koubba) *(Plan II A2)*. Ce monument sacré, interdit aux étrangers, est le point de rassemblement des **Aïssaoua** lors de leur *moussem*. Fondé par Sidi Aïssa, l'ordre est célèbre pour ses rituels sanglants, inspirés de l'un des miracles accomplis par le saint. Celui-ci voulant tester la foi de ses – trop – nombreux disciples, leur enjoignit de sacrifier leur vie à Allah. Quarante seulement acceptèrent, les autres fuyant avec effroi. Les quarante valeureux furent bien entendu ressuscités et formèrent les premières cohortes des Aïssaoua.

Quelques kilomètres plus loin, le boulevard circulaire rejoint, à l'entrée du *mellah* et à proximité de la médina, la **porte el-Khemis★** *(Plan I A3)*. Bâtie sur le même modèle que Bab Berdaïne, elle constitue le seul élément encore visible du quartier « des jardins » édifié par Moulay Ismaïl. Cette partie de la ville impériale fut rasée en 1729 par Moulay Abdallah, fils d'Ismaïl, en réaction à l'accueil moqueur des habitants à son retour d'une bataille perdue contre les Berbères.

Tournez après Bab el-Khemis dans la 2ᵉ rue à droite, et longez les remparts jusqu'à une route à quatre voies. Pour regagner la ville moderne, empruntez cet axe sur la droite et contournez la cité de Moulay Ismaïl par les boulevards extérieurs.

Pour vous rendre dans la cité impériale, tournez à gauche dans la « quatre-voies », puis bifurquez immédiatement à droite. La route franchit la muraille des Riches ; 500 m plus loin, prenez l'une des petites rues sur votre gauche pour rejoindre l'enceinte impériale et le bassin de l'Agdal.

LA CITÉ IMPÉRIALE★★

Comptez 3h. L'enceinte est vaste : si vous la parcourez à pied, prévoyez 1h de plus.

Classée au Patrimoine mondial de l'Unesco en 1996, la cité, très endommagée par le tremblement de terre de 1755, a bénéficié ces dernières années de nombreuses rénovations. Une partie des édifices renaissent de leurs ruines, retrouvant un aspect proche de leur splendeur d'antan. Inhabitée, livrée aux touristes et aux vendeurs de souvenirs, la cité ne conserve de son passé que des traces architecturales. Ces vestiges, à l'échelle de la démesure de leur concepteur, forment un ensemble unique.

Autour du Dar el-Ma★

▸ Implanté au sud de l'enceinte impériale, le **bassin de l'Agdal★** *(Plan I B4)*, immense réservoir rectangulaire, aux proportions harmonieuses, était utile en cas de sécheresse ou de siège, et servait accessoirement à l'irrigation des jardins royaux. Les épouses du sultan, dit-on, prenaient plaisir à se promener sur ses rives.

▸ Surplombant le réservoir, le **Dar el-Ma★** *(8h30-12h/15h-19h en été, 8h30-12h/15h-18h en hiver ; 10 DH) (Plan I C4)*, littéralement le « palais de l'Eau », servait d'entrepôt. À son extrémité nord-ouest, des citernes d'une profondeur de 40 m assuraient l'alimentation de la ville. Toujours visible, un système de **noria**, actionné par des ânes ou des chevaux, permettait de puiser l'eau. Pour accéder au bâtiment, il faut passer par une petite porte presque dérobée, le long de la muraille. L'intérieur, baigné d'ombre et de fraîcheur, présente une succession de **hautes**

Un chantier gigantesque

La construction de la cité impériale, le Dar el-Makhzen, fut décidée par Moulay Ismaïl dès le début de son règne, en 1672. Le chantier prit fin après sa mort, un demi-siècle plus tard. Il avait nécessité le labeur de 3 000 prisonniers chrétiens, ainsi que d'environ 30 000 captifs berbères, issus des tribus rebelles vaincues par le sultan. Le site romain de Volubilis et le palais el-Badi de Marrakech furent pillés pour fournir la nouvelle cité en matériaux nobles.

salles voûtées★★, aux épais murs de pisé, au sol de terre battue. Cette architecture, dépouillée de tout artifice, pare d'une austère beauté ce lieu singulier. Remarquez, dans la salle centrale, la massive **porte de bois sculpté★★**.

▶ Contigu au « palais de l'Eau », le **Heri es-Souani★** (*mêmes horaires que le Dar el-Ma. Le ticket d'entrée est commun aux deux lieux*) (*Plan I B4, C4*) est appelé indifféremment « grenier » ou « écurie » de Moulay Ismaïl. La légende rapporte que le bâtiment contenait jusqu'à 12 000 chevaux ; le rôle d'écurie qu'aurait joué l'endroit n'a pas été confirmé par les historiens. En piètre état, l'édifice se résume aujourd'hui à une série d'arches de belles dimensions, envahies par les herbes folles.

Le quartier du mausolée★

Une partie des constructions de la cité impériale reste fermée au public, soit pour des raisons de sécurité, soit parce que les bâtiments ont toujours le statut de résidence royale. En vous rendant au tombeau de Moulay Ismaïl, vous longerez d'énigmatiques murailles et des portes closes.

Empruntez la rue face à l'entrée du Dar el-Ma.

▶ On traverse le **méchouar** (*Plan I C3*), place d'armes ceinte de hauts murs. À gauche de l'esplanade s'ouvre la principale **porte du palais royal★** (*fermé au public*) (*Plan I C3*). Un passage permet d'accéder à une rue bordée des deux côtés de remparts crénelés. La monotonie des parois de pisé est rompue çà et là par des portes de bois, ornées de céramiques.

▶ Poursuivez sur plusieurs centaines de mètres, jusqu'à l'arrivée à Bab er-Reth. Construction atypique, la **porte er-Reth★** (*Plan II B4*), d'une épaisseur peu commune, forme au-dessus de la route un passage voûté de plusieurs mètres de long. Deux rangées de colonnes de marbre agrémentent l'intérieur.

▶ Sitôt la porte franchie, vous distinguez sur la droite le tombeau de Moulay Ismaïl. Le **tombeau de Moulay Ismaïl★★** (*9h-12h/15h-18h, fermé le vendredi matin ; entrée libre*) (*Plan I B3*), dernière demeure du souverain de Meknès, est l'un des très rares monuments religieux ouverts aux non-musulmans : ne le manquez pas ! L'édifice, construit en 1703, restauré en 1960, offre un aperçu de la vie la plus secrète du Maroc, dans une ambiance de ferveur que l'on se doit de respecter. Une enfilade de patios bordés de murs aveugles conduit à la **cour aux ablutions★★**, entourée d'une colonnade. Le long des murs court une **frise en stuc.** La salle du mausolée est séparée en deux parties, l'une profane, l'autre sacrée. À droite se situent les **tombeaux royaux★★**, que seuls les fidèles d'Allah peuvent approcher. Moulay Ismaïl y repose, entouré de membres de sa famille. Aux angles de la pièce se dressent quatre **horloges comtoises**, offertes au sultan par Louis XIV. Sur le mur du fond, l'arbre généalogique des Alaouites est déroulé à l'horizontale. À gauche, une **salle★★** merveilleusement ornée fait office d'antichambre. Une délicate **fontaine** de marbre, dans un bassin en forme de **sceau de Salomon**, occupe le centre de la pièce. Admirez le **plafond de cèdre★★** richement travaillé, datant du 17e s.

▶ À la sortie du mausolée, passez sous la haute porte à trois arches et traversez la petite place qu'elle délimite, pour atteindre la prison des Chrétiens. À gauche de la prison des Chrétiens, se

dresse un petit édifice couronné d'un dôme, la **Koubba el-Khayatine** *(9h-12h/15h-18h30)*. Cet ancien « pavillon des Ambassadeurs » est aujourd'hui dépourvu de toute ornementation... et de véritable intérêt. Il servait de salle de réception pour les dignitaires étrangers.

▶ Ce bâtiment souterrain, appelé la **prison des Chrétiens★** *(tlj 9h-12h/15h-18h30 ; 10 DH. Apporter une lampe de poche) (Plan II B4)*, fut vraisemblablement conçu et utilisé comme un espace de stockage du grain. Une légende persistante – relayée par l'Office de tourisme – le présente comme une gigantesque prison. Celle-ci aurait été réalisée par un captif portugais auquel Moulay Ismaïl aurait promis la liberté s'il parvenait à construire une geôle contenant 40 000 personnes. On y accède par un escalier aux marches irrégulières qui s'enfonce dans le sol. Un **vaste espace voûté★★** s'ouvre devant vous, chichement éclairé par de petites ouvertures pratiquées dans le plafond. Une partie seulement des salles est visible, le reste se trouvant en trop mauvais état. Les souterrains originels auraient atteint 7 km de long.

Dos à la prison des Chrétiens, engagez-vous dans la rue sur votre gauche, par laquelle vous rejoindrez la place Lalla Aouda.

LA MÉDINA★★

Comptez 2h.

La médina de Meknès a subi, plus que les autres villes impériales, les outrages du temps et des hommes. Elle ne possède pas l'unité architecturale qui contribue à la réputation de son illustre voisine, Fès. Il ne faut pas pour autant sous-estimer ses attraits : la partie sud de la vieille cité, la mieux préservée, renferme de remarquables monuments ; le quartier nord, moins intéressant sur le plan architectural, est imprégné d'une atmosphère plaisante, exempte de pression touristique.

Les abords★★

▶ Bordée de tous côtés par de hauts remparts percés de passages voûtés, la **place Lalla Aouda★** *(Plan II B3-4)* est le point de départ de la visite. Elle donne accès, au sud-est, à la cité impériale, et au nord-ouest, à la médina. Vous pouvez y garer votre véhicule. Sur le côté est, remarquez la petite **mosquée Lalla Aouda** ; elle aurait été construite, par la princesse du même nom, comme acte de contrition après avoir rompu le Ramadan en mangeant une pêche.

▶ À l'extrémité ouest de la place se dresse la monumentale **porte Mansour★★★** *(Plan II B4)*. Dernière réalisation de Moulay Ismaïl, achevée après sa mort par son fils, elle marque l'entrée de la cité impériale. Réputée comme l'une des plus belles d'Afrique du Nord, elle aurait eu pour architecte un chrétien converti à l'islam, d'où son nom de « porte du Renégat ». L'édifice, qui s'ouvre sur la vaste place el-Hédime, fut conçu comme une manifestation de puissance et de faste, et non comme un ouvrage défensif.

Les **bastions en avancée** construits de part et d'autre ne disposent même pas de postes de tir ! Ces deux tours massives reposent sur de gracieuses **colonnes de marbre**. Leur décoration de stuc et de céramique reprend les motifs du corps central, formant des entrelacs d'une extraordinaire finesse.

▶ Juste à côté de ce chef-d'œuvre architectural, la discrète **porte Jema en-Nouar★** *(Plan II B4)*, également ornée de céramiques, pâtit inévitablement de la comparaison.

▶ **La place el-Hédime★** (ou Lahdime) *(Plan II A3, B4)* surprend par ses vastes proportions. Vous aurez plaisir à y prendre un verre tout en observant l'animation. Les lieux se transforment à la tombée du jour en un véritable champ de foire, but de promenade favori des Meknassi. Vous pourrez admirer Bab Mansour nappée d'une lumière dorée par les derniers rayons de soleil. Les étals à même le sol présentent des contrefaçons plus ou moins fidèles de grandes marques, ou des produits d'artisanat « traditionnel ». On fait cercle autour des prédicateurs, des bateleurs ou des cracheurs de feu. Cette ambiance bon enfant fait le bonheur des vacanciers, comme de ceux qui tirent leur subsistance du tourisme : marchands de souvenirs, mais aussi faux guides, voire pickpockets…

Le cœur de la médina★★

▶ **Le palais Dar Jamaï**★ *(lundi-vendredi 8h-12h/14h30-18h ; entrée payante) (Plan II A3)*, demeure du 19e s., abrite le **musée régional d'Ethnographie**★. Son entrée donne sur la place el-Hédime, à l'extrémité opposée de Bab Mansour. Édifié en 1882 par le grand vizir Sidi Jamaï, tombé en disgrâce peu après, le bâtiment fut converti en hôpital militaire en 1912, avant d'être consacré en 1920 à l'exposition d'art décoratif marocain. Un long couloir mène à un très beau **jardin intérieur**★ de style andalou. Autour des fontaines ornementées croissent bananiers, palmiers, rosiers et orangers. À droite de l'entrée, une terrasse décorée de bois peint servait d'estrade de réception. À gauche se trouvait la mosquée du palais. Le rez-de-chaussée présente de belles **collections d'artisanat**★ : mobilier en bois travaillé, jarres et plats de céramique, tapis et tissus, broderies de Meknès, bijoux traditionnels. Remarquez le superbe **minbar**★ de la fin du 17e s. l'une des pièces maîtresses du musée. La section ethnographique est également digne d'intérêt : une modeste **habitation berbère**★, fidèlement reconstituée, ainsi qu'un atelier de ferronnerie sont exposés. À l'étage, le luxueux **salon d'apparat**★★ du grand vizir a été restauré. Le plafond à coupole, en bois de cèdre, et la décoration murale, faite de zelliges délicats et de stuc finement ciselé, sont de toute beauté.

Prenez une ruelle à gauche du palais Jamaï, puis tournez à nouveau à gauche dans un passage couvert pour rejoindre, à l'extrémité du passage, la rue Sebat.

▶ La **rue Sebat** *(Plan II A3)* regroupe la plupart des **souks**★ *(Plan II A3, B3)*. Souvent couvertes de treilles ou de roseaux, les ruelles sont tour à tour plongées dans l'ombre et la lumière, créant une atmosphère un peu mystérieuse. L'activité est intense. À votre gauche se trouve le **souk Nejjarine**, spécialisé dans le bois. Un peu plus loin dans la même rue s'élève la **mosquée Nejjarine**★ *(Plan II A3)*, monument almoravide du 12e s. Revenez sur vos pas pour rejoindre le **souk Sebat**, qui expose des habits et des objets d'artisanat. En remontant la rue de la Grande Mosquée, on trouve sur la droite un **fondouk**★ *(Plan II A3)* réunissant de petits ateliers de menuiserie.

Poursuivez dans la rue Sebat jusqu'à la médersa Bou Inania, dont la porte de bois surmontée d'un auvent est visible sur la gauche.

MEKNÈS

Si vous passez 2 jours à Meknès et dans les environs

1er jour - Tour des remparts en voiture ou en calèche, le matin pour profiter de l'orientation du soleil sur les murailles ; promenade le long du bassin de l'Agdal ; visite de Dar el-Ma et de Heri es-Souani.

Déjeuner près de Bab Mansour. Visite du tombeau de Moulay Ismaïl et de la prison des Chrétiens l'après-midi. Flânerie sur la place el-Hédime à la tombée de la nuit pour l'ambiance.

2e jour - Petit tour dans la médina le matin avec visite du palais Dar Jamaï. Départ pour Moulay Idriss en fin de matinée (prenez un grand taxi), déjeuner sur place.

Prévoyez au moins 2h dans l'après-midi pour découvrir Volubilis (situé à 5 km de Moulay Idriss) et arrangez-vous pour assister au coucher du soleil sur le site archéologique. Il est possible de loger à Volubilis *(voir p. 302)*.

▶ Construit par le sultan mérinide Abou Inan au milieu du 14e s., la **médersa Bou Inania**★★ *(tlj 9h-12h/15h-18h, entrée payante) (Plan II B3)* est sans doute l'édifice le plus remarquable de la vieille ville. La **cour intérieure**★★ accueille le traditionnel bassin aux ablutions. Elle est entourée d'arcades aux colonnes ornées de zelliges. Des **moucharabiehs**★★★ de cèdre ouvragé séparent le patio du déambulatoire, sur lequel s'ouvrent de petites pièces carrées. Le premier étage donne sur des rangées de cellules dans lesquelles les étudiants étaient logés. D'environ deux mètres sur deux, elles sont réparties de part et d'autre d'une galerie centrale. Celles tournées vers le patio disposent de petites fenêtres, les autres sont aveugles. Gagnez la cellule du fond et regardez par la fenêtre : vous pourrez observer, du dessus, l'activité du souk. La **terrasse**, à l'étage supérieur, offre une **vue**★★ sur les toits de tuiles vertes et le minaret de la **Grande Mosquée**★ *(Plan II B3)*. Interdite aux non-musulmans, la mosquée est difficile à contempler en raison de l'exiguïté des ruelles qui l'entourent. Érigée au 12e s. par les Almoravides, c'est l'une des plus anciennes de Meknès.

▶ Continuez dans la rue qui longe la médersa, puis tournez à droite dans la rue Sabab Socha, en contournant la Grande Mosquée. Sur votre gauche se trouve la **kissariya**★ *(Plan II B3)*, marché couvert consacré au textile.

Reprenez la rue Sabab Socha ; elle rejoint à son extrémité sud la rue Dar Smen. Si vous tournez à droite, vous atteignez la place el-Hédime. Si vous prenez à gauche puis, au bout, à droite dans la rue Rouamzine, vous regagnez la ville moderne par l'av. Moulay Ismaïl.

MOULAY IDRISS★

Comptez 3h, 60 km aller-retour. Souk le samedi.

Éblouissante de blancheur sur un fond de collines boisées, Moulay Idriss *(23 600 hab.)* apparaît, à l'issue d'un virage, comme suspendue sur le flanc abrupt d'un éperon rocheux. La cité occupant deux monticules voisins, sa forme sinueuse évoque celle d'un dromadaire couché. Abritant la sépulture du premier roi du Maroc, Idriss, elle est la plus sacrée des villes saintes marocaines. Un *moussem* s'y déroule tous les ans, attirant des milliers de pèlerins. En contrebas, à 5 km, se trouve l'ancienne ville romaine de Volubilis, choisie par Idriss Ier comme capitale.

Vraisemblablement fondée par Idriss Ier à la fin du 8e s., la cité connut un développement important à partir du 18e s., grâce à Moulay Ismaïl qui puisa largement dans les matériaux de Volubilis toute proche pour embellir la ville sainte. Moulay Idriss resta interdite aux non-musulmans jusqu'au protectorat français, en 1912. Les étrangers sont aujourd'hui tolérés hors du périmètre des lieux saints, mais il leur est toujours impossible de passer la nuit dans la cité.

De Meknès, prenez la route en direction de Sidi-Kacem. À 15 km, tournez à droite pour Moulay Idriss et Oualili (Volubilis). 15 km plus loin, un embranchement conduit au pied de la ville sainte. Celle-ci, de dimensions restreintes, se visite facilement sans guide.

Le moussem d'Idriss el-Akhbar (le Grand)

Considéré comme le fondateur du pays et l'un des premiers à y prêcher l'islam, Idriss Ier descendait en droite ligne de Fatima, la fille du Prophète, et d'Ali, son disciple. Vénéré par les Marocains, il est célébré fin août par un moussem très réputé et une fantasia haute en couleur. Le pèlerinage commence le dernier jeudi du mois, et se poursuit pendant plusieurs semaines, chaque région du Maroc bénéficiant de « sa » semaine de fête. La cité, sanctifiée par la présence du tombeau, ne comporte ni hôtel ni débit de boissons alcoolisées, et les règles de l'islam y sont respectées strictement. Pour le croyant, le voyage à Moulay Idriss est une affaire sérieuse. Il est dit, d'ailleurs, que celui qui effectue 7 fois le pèlerinage dans la ville sainte s'attire autant de bienfaits qu'en se rendant à La Mecque.

▶ Une grande place à l'entrée de la ville sert de gare routière et abrite le marché du samedi. Au-dessus se dresse la **zaouïa de Moulay Idriss★**, reconnaissable à ses toits verts et à la foule qui s'y presse. L'édifice actuel, accessible aux seuls musulmans, date du règne de Moulay Ismaïl. Une poutre de bois en barre l'entrée à environ 1,50 m du sol, obligeant les fidèles à s'incliner en entrant, et les rappelant, ce faisant, à la nécessaire humilité devant Dieu. À proximité du mausolée se tiennent les souks habituels des lieux de pèlerinage : bougies, foulards, nougats et sucreries…

Dirigez-vous vers le quartier qui s'étend sur la colline de gauche et empruntez la rue principale, qui vous mènera aux terrasses panoramiques.

▶ En chemin, vous passerez devant le **minaret★** de la ville, de forme cylindrique, en opposition à la tradition marocaine privilégiant la base carrée. Les habitants affirment que c'est le seul de ce type dans tout le pays. Construit en 1939 par un homme très religieux, qui avait effectué plusieurs fois le pèlerinage de La Mecque, il est inspiré du minaret du tombeau du prophète Mohammed, en Arabie Saoudite. Les céramiques vertes et blanches dont il est orné reproduisent des versets du Coran.

Les hauteurs de Moulay Idriss offrent une belle **vue★★** sur le mausolée ainsi que sur l'enchevêtrement des ruelles et des maisonnettes qui l'entourent.

VOLUBILIS★★
(OUALILI)

Quelques repères

Province de Meknès - 31 km de Meknès - Alt. 390 m - Hébergement sur place (un seul hôtel) ou à Meknès - Carte Michelin n° 742 plis 5, 9 et 27 et carte p. 284.

À ne pas manquer

Le coucher du soleil sur les ruines du capitole.

Les mosaïques de la maison de Vénus.

Conseils

Munissez-vous d'un chapeau et d'une bouteille d'eau.

Respectez les barrières qui protègent les mosaïques du piétinement.

Si vous êtes pressé, prenez un guide, qui vous montrera les principaux édifices.

Masquée par un repli de terrain, la ville romaine de Volubilis surgit au dernier moment devant vous. Les colonnes en marbre blanc de son temple et la silhouette altière de l'arc de triomphe tranchent sur les teintes plus sombres de la plaine s'étirant vers le sud. Au nord, les monts boisés du massif du Zerhoun cernent la ville sainte de Moulay Idriss (voir p. 300), dont la blancheur semble refléter l'éclat du marbre romain.

Volubilis est le site archéologique le plus vaste du Maroc, avec 18 ha accessibles au public sur une surface totale estimée à 40 ha. Inscrit au Patrimoine mondial de l'Unesco en 1997, le site doit sa renommée aux nombreuses mosaïques qui ornent les antiques demeures. Les archéologues les attribuent à des artisans locaux, en raison de la simplicité du décor et de leurs motifs souvent géométriques, semblables à ceux des tapis tissés par les nomades berbères. Leur état de conservation est assez inégal : certaines

pièces du quartier nord sont remarquablement préservées, mais la plupart sont incomplètes, et leurs teintes originales se sont affadies. Leur présence contribue néanmoins à recréer l'atmosphère et le faste des villas romaines. Prenez le temps de flâner dans ce dédale de ruines antiques.

Arriver ou partir

En bus - À Meknès, prenez un bus en direction de Moulay Idriss (un par heure de 7h à 19h). Demandez au chauffeur de vous déposer à l'embranchement en contrebas de la ville sainte et poursuivez à pied sur 3 km. Pour le retour, procédez à l'inverse ou tentez votre chance auprès de touristes motorisés.

En taxi - Des grands taxis font le trajet entre Meknès et Moulay Idriss, départ face au commissariat (Plan II D2), env. 10 DH/pers. Prenez ensuite un autre grand taxi entre Moulay Idriss et Volubilis. Si vous êtes plusieurs, louez un grand taxi qui vous attendra ; comptez env. 250 à 300 DH l'aller-retour.

Se loger

Env. 50 DH (5 €) à deux avec 1 tente et 1 véhicule

Camping Bellevue Zerhoun, route de Meknès. ✗ ⌧ À 9 km de Volubilis en direction de Meknès, à l'écart de la route. Salle de restaurant et terrasse autour de la piscine. Sanitaires propres, mais pas d'eau chaude. Accueil chaleureux.

Entre 730 et 930 DH (73 à 93 €)

Hôtel Volubilis Inn, Moulay Idriss Zerhoun, ☎ 055 54 44 05/06 - 48 ch. ⌧ ▤ ▥ ✗ ⌧ ⌧ ⌧ Le seul hôtel de la zone, bâti à flanc de colline au milieu de vergers, surplombe la ville romaine. Ce privilège a son prix : les chambres avec vue sur les ruines coûtent 200 DH de plus que celles donnant sur le jardin. Beau panorama du bar et des deux restaurants.

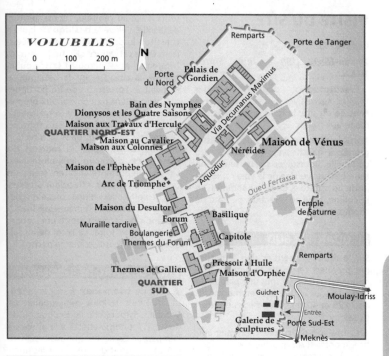

VOLUBILIS

0   100   200 m

N

Remparts — Porte de Tanger

Porte du Nord — Palais de Gordien

Via Decumanus Maximus

Bain des Nymphes
Dionysos et les Quatre Saisons
Maison aux Travaux d'Hercule
QUARTIER NORD-EST
Maison au Cavalier
Maison aux Colonnes

Néréides

Maison de Vénus

Maison de l'Éphèbe

Aqueduc

Oued Fertassa

Arc de Triomphe

Maison du Desultor

Forum — Basilique

Muraille tardive
Boulangerie
Thermes du Forum

Capitole

Temple de Saturne

Remparts

Thermes de Gallien

Pressoir à Huile
Maison d'Orphée

QUARTIER SUD

Guichet — P — Moulay-Idriss

Entrée

Galerie de sculptures — Porte Sud-Est

Meknès

Se restaurer

Environ 60 DH (6 €)

L'unique café-restaurant, la **Corbeille Fleurie**, propose, à l'entrée du site, des boissons et une cuisine simple et correcte à des prix très raisonnables.

HISTOIRE

Les recherches archéologiques, commencées au 19e s. et toujours en cours, permettent de dater l'occupation humaine du lieu à 6 000 ans av. J.-C.

En 25 av. J.-C., le roi maure **Juba II** fit de Volubilis une ville phare du royaume de Maurétanie. Ce souverain érudit – élevé à Rome où il épousa Cléopâtre Séléné, la fille de Cléopâtre et d'Antoine – était un allié fidèle de la puissance impériale. Le territoire devint romain en 40 ap. J.-C., lorsque **Caligula** annexa l'Afrique du Nord à l'Empire, après avoir fait assassiner à Lyon le fils et successeur de Juba II, Ptolémée. Sous l'administration romaine,

le commerce de l'huile d'olive assura la prospérité de la région ; une cinquantaine d'huileries ont été mises sur le site. Les plus beaux monuments, comme le capitole, furent construits au cours des 2e et 3e s.

La ville fut abandonnée par l'occupant en 285, dans le grand mouvement de repli des forces romaines en Afrique du Nord. Le latin continua à être utilisé dans les actes officiels, et une communauté chrétienne se maintint jusqu'à l'arrivée de l'islam au 7e s. La cité se développa au-delà des limites de la ville romaine. Le souverain **Idriss Ier**, fondateur de la nation marocaine, fit de Oualili (« lauriers-roses »), nom arabe de Volubilis, sa capitale en 788. Elle le resta jusqu'en 808, date à laquelle **Idriss II** transféra le centre du pouvoir à Fès. Le 18e s. marqua son déclin. Pillée par **Moulay Ismaïl** au profit de la construction de la cité impériale de Meknès, elle fut, de plus, partiellement détruite, en 1755, par un tremblement de terre.

VISITE DU SITE

Comptez 2h.

Tlj 8h-18h30 (19h en été). Entrée 10 DH.

Les **sculptures★** dégagées lors des fouilles successives ont été réunies à l'entrée du site, le long du passage qui mène aux ruines.

Après le petit pont sur l'oued Fertassa, prenez à gauche vers le quartier sud de la ville. Poursuivez sur un sentier de terre battue, vestige de la voie romaine, jusqu'au capitole érigé au sommet de la colline, puis en direction de l'arc de triomphe.

LE QUARTIER SUD

Sur la droite du sentier, une sépulture des premiers temps de la période islamique est préservée sous une plaque de verre. Le squelette d'une femme, morte entre 25 et 40 ans, y repose en position fœtale.

▶ La **maison d'Orphée★**, premier édifice important du quartier sud, est facilement repérable grâce aux trois thuyas qui la dominent. Elle tient son nom du thème de la plus grande de ses **mosaïques** : le musicien Orphée charmant de son chant les animaux sauvages qui l'entourent. Dans l'Antiquité, on exportait du Maroc des éléphants, des tigres et des lions pour les jeux du cirque de Rome. Une seconde mosaïque représente, dans une composition géométrique, neuf dauphins jouant dans les vagues.

▶ L'allée longe le système de chaufferie des **thermes de Gallien**, dont on aperçoit les bains en contrebas. En face, un **pressoir à huile**, reconstitué à l'identique, expose les mécanismes en bois et en pierre de l'époque.

AUTOUR DU FORUM

À 50 m des thermes sur la droite, le **capitole★★** a gardé de son architecture originelle une impressionnante colonnade. Ce temple, construit au cœur de la cité, qu'il dominait de sa hauteur, témoignait de la puissance des dieux et des empe-

reurs. Face au capitole, centre spirituel de la ville, s'élève la **basilique★**, qui en constitue le pôle administratif et législatif. Dans cet édifice civil siégeaient les tribunaux, et se déroulait la vie publique de la cité. Devant la basilique se trouvait le **forum**, bordé de portiques qui procuraient de l'ombre aux promeneurs. Les habitants s'y retrouvaient pour discuter ou pour se distraire. Dix mètres plus loin, dans la direction de l'arc de triomphe, la **maison du Desultor★** découvre deux mosaïques. La plus importante met en scène un cavalier, le *desultor*, effectuant un exercice de voltige lors d'une course de chevaux dont le monde romain était friand. Il brandit de sa main droite une coupe, signe de sa victoire. La seconde mosaïque représente une scène de pêche.

PRÈS DE L'ARC DE TRIOMPHE

▶ L'**arc de triomphe★★** est le monument public le plus remarquable de Volubilis. Symbole de la domination de Rome, il fut édifié en 217 à la gloire de l'empereur Caracalla, qui avait octroyé (en 212) le droit de cité à tous les hommes libres de l'Empire. Sa voûte a été en partie restaurée ; elle était à l'origine surmontée d'une sculpture en bronze figurant six chevaux attelés à un char.

▶ En contrebas, trois pièces de la **maison de l'Éphèbe★** sont pavées de mosaïques représentant les **Néréides**, **Bacchus sur son char** et une **Barque de pêcheurs**. Ce bâtiment doit son nom à la statue d'éphèbe qui y fut découverte en 1932 (conservée au Musée archéologique de Rabat).

▶ En face de l'arc de triomphe, au nordest, débute l'artère principale de la cité, le *Decumanus Maximus*. Les plus belles demeures sont rassemblées de part et d'autre de cette rue, que vous pouvez remonter jusqu'à la porte de Tanger.

LE QUARTIER NORD-EST

▶ Le quartier nord-est de Volubilis était le lieu de résidence de l'aristocratie locale. À gauche du *Decumanus Maximus* se trouvent trois villas opulentes. La **maison aux Colonnes**, reconnaissable aux colonnades de sa façade, jouxte la **maison au Cavalier**, qui soumet une mosaïque représentant **Bacchus et Ariane**. Dans la propriété voisine, dite aux **Travaux d'Hercule★★**, une grande composition retrace en douze médaillons les exploits du demi-dieu.

▶ Quelques mètres plus haut sont conservées, dans deux habitations voisines, un **Bain des nymphes** et un **Dionysos et les Quatre Saisons**. En face, à droite du *Decumanus Maximus*, une petite villa abrite, autour d'un bassin, de délicates mosaïques représentant les **Néréides★**. Près de la porte de Tanger s'élève l'imposant **palais de Gordien**, siège des gouverneurs de la province.

Face au palais, prenez à droite une rue perpendiculaire à l'artère principale. Continuez le long d'un aqueduc jusqu'à la maison de Vénus.

▶ La **maison de Vénus★★★** conserve les plus belles mosaïques du site. Les tesselles ont gardé une grande fraîcheur de coloris. Les sols sont pavés de mosaïques figurant des motifs géométriques ou des scènes inspirées de la vie des Dieux : **Bacchus et les Quatre Saisons**, l'**Enlèvement d'Hylas par les nymphes** et le **Bain de Diane**. Des chaînes interdisent l'entrée de la villa, mais une plate-forme à l'extérieur du mur ouest permet de contempler les mosaïques.

FÈS ★★★

😊 **L'authenticité**

😟 **Le manque d'entretien d'une partie du patrimoine architectural**

Quelques repères

Chef-lieu de la province de Fès - 60 km de Meknès, 347 km d'Oujda, 489 km de Marrakech - 920 000 hab. - Alt. 415 m - Carte Michelin n° 742 plis 5, 10 et 28 et carte régionale p. 284.

À ne pas manquer

L'ensemble Nejjarine dans la médina.

La vue sur la médina depuis les tombeaux des Mérinides et le borj Sud.

Le quartier de la Karaouiyne au moment de la prière du vendredi.

Conseils

Attention à l'orientation : les noms de rues ne sont indiqués qu'en arabe.

Prenez garde aux ânes chargés et pressés qui surgissent dans les ruelles de la médina !

Une fourmilière géante dans laquelle tout le monde s'affaire dans un apparent désordre. Fès déstabilise, Fès subjugue. Symbole du Maroc traditionnel que l'on pourrait penser immuable, la cité est un tourbillon de vie, de bruits, d'odeurs et de couleurs. Bien loin de l'image figée de « monument historique » qu'on lui attribue parfois.

Fès la mythique, au prestigieux passé, à l'aura religieuse et artistique sans égale, n'est pas ville à dévoiler aisément ses trésors. Dissimulée derrière de hautes murailles, la métropole culturelle du Maroc ressemble, au premier regard, à un immense agglomérat de maisons uniformes, aux toits hérissés d'antennes de télévision et de paraboles, d'où pointent les minarets.

Immergez-vous dans la vieille ville – inscrite depuis 1980 au Patrimoine mondial de l'Unesco – pour découvrir la richesse architecturale, la diversité de la plus vaste et de la plus ancienne des médinas. Aventurez-vous dans l'enchevêtrement de ruelles, de cours et de passages obscurs pour vous imprégner d'une ambiance intimiste, d'une atmosphère unique qui renvoient, par beaucoup d'aspects, aux temps médiévaux.

À trois reprises capitale du pays, surnommée l'« Athènes de l'Afrique », Fès n'a jamais renoncé à sa vocation de phare spirituel, intellectuel et politique, à l'origine du sentiment de supériorité développé aujourd'hui encore par sa bourgeoisie. Elle fut ainsi le berceau, au 9e s., de la première université au monde, la Karaouiyne, précurseur de la Sorbonne à Paris ou d'Oxford en Angleterre, dont la réputation s'étendit au Moyen Âge jusqu'en Occident.

En dépit d'une importante fréquentation touristique, Fès a conservé son authenticité.

Arriver ou partir

En avion - Aéroport de Fès-Saïs, route d'Imouzzer (15 km au sud de la ville) *(Plan II B5, en direction)*, ☎ 055 62 48 00/47 12. Majorité de vols intérieurs. De Paris, vols directs assurés par Royal Air Maroc les lundi et vendredi. Pas d'agence de location de voitures à l'aéroport. Le bus n° 16 assure la liaison jusqu'à la gare ferroviaire de Fès (toutes les 30mn, env. 3 DH) ; vous pouvez aussi prendre un grand taxi (comptez env. 120 DH pour gagner le centre-ville). Un bureau de change BMCE fonctionne aux heures de départ et d'arrivée des avions.

En train - Gare ferroviaire, rue Imarate Arabia dans la ville nouvelle *(Plan II A3)*, ☎ 055 93 03 33/65 26 16. Tabac, journaux, snack, consigne (10 DH). 7 liaisons quotidiennes entre Fès et Casablanca (4h15 de trajet) via Meknès (1h) et Rabat (3h15). Pour Marrakech (8h), il existe 2 trains directs par jour, sinon il faut changer à Casablanca ou à Rabat. 3 départs quotidiens pour Tanger (6h) et 3 pour Oujda (6h). Trains supplémentaires en haute saison.

En bus - Gare routière CTM, bd Dhar Mahres (place de l'Atlas), au sud-est de la ville nouvelle *(Plan II B5)*, ☎ 055 73 29 84/29 92. Liaisons avec Meknès (1h), Rabat (3h30), Casablanca (4h30), Tanger (6h), Marrakech (8h), Agadir (12h). Les bus qui empruntent la ligne Fès-Meknès-Rabat-Casablanca ne s'arrêtent pas forcément dans chaque ville. La ligne Fès-Tanger passe soit par Chefchaouèn et Tetouan soit par Asilah. Une autre ligne assure les trajets vers Ifrane, Azrou, Midelt, Rich, Er-Rachidia (8 à 9h), Erfoud et Rissani (11h). Mieux vaut acheter son billet à l'avance, sur place.

Gare routière, en face de Bab Mahrouk *(Plan III A2)*. Cette grande gare accueille quelques bus de la compagnie CTM mais surtout ceux d'autres compagnies. Liaisons avec Meknès, Rabat, Casablanca, Tanger, Marrakech... Renseignez-vous sur place à l'avance.

En taxi collectif - Vous trouverez une station de taxi face à la gare CTM *(Plan II B5)* ; ils conduisent à Immouzer, Azrou et Ifrane. Pour Rabat, Casablanca, Nador, Meknès et Taza, prenez les taxis de la station Bab Bou Jeloud *(Plan III A3)*. Il y a également une station en face de la gare ferroviaire (pour Meknès, Rabat et Casablanca) et une à Bab el-Ftouh (pour le Nord et l'Est : Taza, Al Hoceima, etc.). Les tarifs sont fixés.

Se repérer

La cité se découpe en trois quartiers : à l'est, la médina de Fès el-Bali, la partie la plus ancienne et la plus belle, juste à côté, Fès el-Jédid, la ville des Mérinides avec son palais royal et l'ancien quartier juif, et, au sud, la ville moderne qui présente peu d'intérêt.

Comment circuler

En voiture - Il n'est pas évident de circuler avec son propre véhicule car les noms de rues ne sont souvent inscrits qu'en arabe. Nous vous conseillons de laisser votre voiture au parking et de circuler à pied, en bus et en petit taxi. Vous trouverez des parkings aux principales portes de la médina.

En bus - Le bus reste le moyen de transport le moins cher, mais aussi le moins confortable, surtout aux heures de pointe. Retenez que le n° 12 effectue le trajet entre Bab bou Jeloud et Bab el-Ftouh, le n° 18 entre Bab el-Ftouh et Batha (place de l'Indépendance) et le n° 10 entre la gare ferroviaire et Sidi Bou Jida *(Plan III E1)* en passant par Bab Bou Jeloud. Pour un tour panoramique de la ville, prenez le bus n° 3 place de la Résistance (s'asseoir du côté gauche pour profiter de la vue) jusqu'à Bab Ftouh, ensuite montez dans le n° 12 jusqu'à Bab Bou Jeloud.

En taxi - Tarifs affichés au compteur. Majoration de 50 % de 20h à 6h du 1er octobre au 30 avril, de 21h à 6h du 1er mai au 30 septembre.

Location de voitures - Hertz, 7 rue Lalla Meriem, ☎ 055 62 28 12. **Europcar**, 47 av. Hassan II *(Plan II B4)*, ☎ 055 62 65 45/64 51. **Avis**, 50 bd Chefchaouni *(Plan II B4)*, ☎ 055 62 69 69. **Budget**, av. Lalla Asma, ville nouvelle *(Plan II A3)*, ☎ 055 94 00 92. **Centa Car**, 35 av. es-Slaoui, ville nouvelle (à côté de l'hôtel du Maghreb) *(Plan II A5, B4)*, ☎ 055 65 49 96. **Gold Car**, 6 rue Abdelkrim el-Khattabi, ville nouvelle *(Plan II A4, B4)*, ☎/Fax 055 62 04 95.

Adresses utiles

Délégation régionale du tourisme *(Plan II B3)* - Place de la Résistance, ville nouvelle, ☎ 055 62 34 60. Lundi-vendredi 8h30-12h/14h30-18h30, en été 8h-15h. Bon accueil, nombreuses informations et liste de guides officiels pour visiter la médina.

Syndicat d'initiative *(Plan II B4)* - Pl. Mohammed V, ville nouvelle, ☎ 055 62 34 60. Horaires identiques à ceux de l'Office de tourisme, ouvert également le samedi de 8h30 à 12h.

Banque / Change - BMCE, à l'angle de l'av. es-Slaoui et du bd Mohammed V *(Plan II B4)*, ☎ 055 62 23 14/15. Les banques se regroupent presque toutes dans la ville nouvelle, sur l'av. Hassan II et le bd Mohammed V.

Poste / Téléphone *(Plan II A4, B4)* - **Poste centrale**, à l'angle de l'av. Hassan II et du bd Mohammed V. Lundi-vendredi 8h30-18h15, samedi 8h-11h ; téléphones accessibles tlj de 8h à 21h.

Internet - Cyber Café LafiatNet, 66 av. Hassan II, au sous-sol du café, ville nouvelle *(Plan II A4, B3)*. **Cyber Café Mounia**, bd Chefchaouni, à côté du parking du marché central *(Plan II B4)*. Une quizaine d'ordinateurs au 1ᵉʳ étage du café, 7 DH de l'heure.

Consulat de France - Av. Bnou el-Jarrah, ville nouvelle *(Plan II A4)*, ☎ 055 62 55 47/48.

Institut français - 33 rue Loukili, à côté de la rue des États-Unis, ville nouvelle *(Plan II A3, B3)*, ☎ 055 62 39 21. Lundi-samedi 8h30-12h15/14h30-18h30. Conférences, bibliothèque.

Compagnies aériennes - Royal Air Maroc, 54 av. Hassan II *(Plan II B4)*, ☎ 055 62 55 16/17. Lundi-vendredi 8h30-12h/14h30-19h, samedi 8h30-12h15/15h-18h, jours fériés 9h-12h/15h-18h.

Agences de voyages - Objectif Maroc, 9 rue de Libye *(Plan II A4)*, ☎ 055 65 28 16/17/18. Organise des excursions et des randonnées. **Number One**, 41 av. es-Slaoui, à l'angle avec l'av. Mohammed V *(Plan II B4)*, ☎ 055 62 12 34/35. Service de billetterie sur différentes compagnies aériennes, y compris Air France.

Supermarchés - Makro, en périphérie de la ville (au sud-ouest), sur la route de Ben Souda. On trouve tout dans cet hypermarché, y compris de l'alcool. Il faut présenter son passeport.

Se loger

Env. 70 DH (7 €) à deux avec 1 tente et 1 véhicule

Camping du Diamant Vert, forêt d'Aïn Chkeff (à 6 km au sud de la ville) *(Plan II B5, en direction)*, ☎ 055 60 83 69/67. ✗ ⌿ De Fès, prenez le bus n° 17 av. Hassan II, en face de l'hôtel Sofia (30mn de trajet). Blotti au fond d'une vallée, le camping est bien ombragé. Piscine et toboggans praticables uniquement en haute saison.

Env. 130 DH (13 €) à deux avec 1 tente et 1 véhicule

Camping international, route de Séfrou (à 4 km au sud de la ville, à côté du stade) *(Plan II B5, en direction)*, ☎ 055 61 80 61. ✗ ⌿ Prenez le bus n° 38 sur la pl. de l'Atlas (ville nouvelle), direction Ain Baida. Plus cher que les autres, ce camping est aussi plus luxueux et le prix inclut l'utilisation de la piscine et des douches chaudes. Cuisines communes, bar, boutiques.

▸ *Dans Fès el-Bali (Plan III)*

Dans la médina, vous trouverez soit des établissements très simples, soit des riads assez luxueux. Pour avoir un choix plus vaste, reportez-vous aux adresses de la ville nouvelle.

Environ 120 DH (12 €)

Hôtel Cascade, 26 Serrajine Bou Jeloud, ☎ 055 63 84 42 - 18 ch. Aménagées sur 2 étages, les chambres, assez propres, sont dotées d'un mobilier rudimentaire. Lors de récentes rénovations la literie a été changée et les douches sont chaudes. Les amoureux de la belle étoile pourront utiliser les quelques matelas alignés sur la terrasse. Douche et toilettes à la turque à chaque étage. De la terrasse du haut, vue exceptionnelle sur la médina. Accueil chaleureux. Pas de petit-déjeuner.

Hôtel Lamrani, 3 rue Talaa Seghira, ☎ 055 63 44 11 - 16 ch. Très sobre et propre. Les petites chambres se répartissent autour d'une cour intérieure, certaines disposent d'un lavabo. Trois WC à la turque et 2 douches communes, eau froide. Hammam en face de l'hôtel. Pas de petit-déjeuner.

Environ 180 DH (18 €)

☻ **Pension Batha**, 8 Sidi el-Khiyat, Batha, ☎ 055 74 11 50 - 5 ch. ⌓ Cette étroite maison de 3 étages abrite des chambres de taille variable, très lumineuses et propres. L'une est ornée d'un plafond en stuc. Agréable terrasse sur

le toit pour le petit-déjeuner. Parking à côté (5 à 10 DH). Réservez.

Environ 220 DH (22 €)

🛇 **Pension Campini**, 15 rue Campini, Batha, à côté du commissariat, ☎ 055 63 73 42/062 53 04 07 - 8 ch. Dans un quartier calme à 3mn à pied de la médina. Ancienne maison familiale transformée en une agréable et accueillante pension. Six chambres au 1er étage, réparties autour du salon et deux sur la terrasse au 2e étage. Deux chambres ont une salle de bains commune à l'extérieur, les autres disposent de sanitaires privés. Très bon petit-déjeuner servi au salon ou sur la terrasse avec vue sur le palais royal.

Environ 455 DH (45,5 €)

Hôtel Batha, place el-Batha, ☎ 055 63 48 60/74 10 77 - 61 ch. 🔰 ▤ 📺 ✕ ▼ ⊐ 🆑 Bien situé à l'entrée de la médina, cet hôtel spacieux offre une grande cour lumineuse avec fontaine en zelliges, un salon marocain, deux restaurants, l'un marocain, l'autre européen, un bar. Les chambres sont très propres et décorées de tissus. Certaines comportent un balcon. On note malheureusement un certain laisser-aller dans l'entretien général de l'hôtel et on déplore le petit-déjeuner, très médiocre. L'établissement fonctionne surtout avec les groupes.

Entre 750 et 1 250 DH (75 à 125 €)

🛇 **Riad al Bartal**, 21 rue Sournas, Bab Ziat, ☎/Fax055 63 70 53, GSM 063 84 13 76, www.riadalbartal.com - 6 ch. 🔰 ▤ ✕ 🆑 Parking à côté (20 DH par jour). Mireille et Christian Laroche ont fait restaurer avec goût un ancien palais de la médina. Leur maison d'hôtes est un mélange harmonieux d'architecture traditionnelle, d'artisanat marocain, de tableaux d'artistes locaux et de mobilier européen. Belles salles de bains en tedlakt. Terrasse fleurie sur le toit offrant une vue superbe sur la médina. Cuisine marocaine le soir pour les résidents (190 DH).

Entre 800 et 1 900 DH (80 à 190 €)

Ryad Mabrouka, Derb el-Miter n° 25, parking Aïn Azlite, Talaa Kebira,

☎ 055 63 63 45, www.ryadmabrouka. com - 7 ch. 🔰 ▤ ✕ ⊐ 🆑 Luxueuse maison de style arabo-andalou, où règne une paisible atmosphère. Chambres spacieuses et confortables ornées de zelliges, de stucs et de bois de cèdre. Contrairement à de nombreux riads, celui-ci est très lumineux car il est ouvert sur l'extérieur : magnifique jardin fleuri et terrasse au 1er avec verrière. Hammam. Vue exceptionnelle sur la médina. Dîner pour les résidents. Formule demipension.

Entre 1 900 et 2 800 DH (190 à 280 €)

🛇 **La Maison Bleue** (maison d'hôte), 2 place de l'Istiqlal, Batha, ☎ 055 63 60 52/74 06 86 - 6 suites. 🔰 ▤ 📺 ✕ 🆑 Un cadre des Mille et Une Nuits. Cette authentique résidence de la noblesse fassi date de 1920. Elle dispose de six suites où lits à baldaquin, toiles de maître, meubles d'époque et tapis anciens composent un majestueux décor. Le jardin d'hiver offre une vue imprenable sur la médina.

Entre 2 200 et 2 500 DH (220 à 250 €)

Hôtel des Mérinides, Borj Nord, ☎ 055 64 52 26/62 18/60 99 - 103 ch. 🔰 ▤ 📺 ✕ ⊐ 🆑 L'établissement offre tout le confort classique de cette catégorie d'hôtel, le décor est cependant un peu impersonnel. L'accueil est courtois et le service impeccable. En prime, vous bénéficiez d'une des plus belles vues sur toute la médina.

Entre 2 600 et 3 200 DH (260 à 320 €)

🛇 **Palais Jamaï**, Bab Guissa, ☎ 055 63 43 31 - 142 ch. 🔰 ▤ ✕ ▼ ⊐ 🆑 Un joyau serti de verdure dominant la médina. Le palais Jamaï fut construit en 1879 pour le grand vizir Jamaï du sultan Moulay Hassan Ier (1830-1894). Sa transformation en palace dans les années 1930, puis son agrandissement en 1970, ont mis en valeur son style originel arabo-mauresque. Hôtel mythique imprégné de ses anciennes splendeurs, il dispose de trois restaurants dont un de spécialités marocaines *(voir Se restaurer)*, d'un piano-bar et d'une terrasse panoramique dominant la vieille ville.

▶ Dans Fès el-Jédid (Plan II)

Environ 90 DH (9 €)

Hôtel du Commerce, pl. des Alaouites (ancienne pl. du commerce), ☏ 055 62 22 31 - 29 ch. L'hôtel est bien situé (20mn à pied de l'ancienne médina et en face du palais royal), sûr, propre et à un prix imbattable. Petites chambres équipées d'une literie convenable, d'un lavabo et d'une table. Deux douches (chaudes) et 3 toilettes communes. Quelques inconvénients : le manque de lumière et le bruit dans certaines chambres. Vous pouvez prendre le petit-déjeuner au café attenant.

▶ Dans la ville nouvelle (Plan II)

Entre 45 et 65 DH (4,5 à 6,5 €) par pers.

☖ **Auberge de jeunesse**, 18 rue Abdeslan Serghine, ☏/Fax 055 62 40 85 - 5 dortoirs, 1 ch. familiale, 1 ch. pour 3 et 3 ch. doubles, 50 lits. ✗ Fermeture à minuit l'été, à 22h le reste de l'année. L'auberge est éclatante de propreté. Dans un décor fassi, le vert court entre les zelliges et les tuiles, le bleu cobalt entre les céramiques accrochées au mur. Un petit salon marocain rassemble filles et garçons que les dortoirs et les douches séparent. En face, un adorable jardin est habité par des tortues !

Environ 90 DH (9 €)

Hôtel Savoy, 16 bd Abdellah Chefchaouni, devant la station-service, ☏ 055 62 06 08 - 19 ch. Chambres propres avec lavabo, literie convenable et joli carrelage ancien au sol. Pour le calme, choisissez une chambre sur la cour. Douches communes (1 chaude et 1 froide), 1 WC à la turque, 1 à l'européenne. La terrasse domine le boulevard et la mosquée de Tunis. Pas de petit-déjeuner mais café à côté.

Hôtel Renaissance, 29 rue Abdelkrim el-Khattabi, ☏ 055 62 21 93 - 28 ch. Établissement ancien, propre mais sombre. Réparties sur deux étages, la plupart des chambres donnent sur la rue. Pour obtenir l'une des cinq donnant sur la cour, réservez des semaines à l'avance. À l'intérieur, placard, lavabo et literie convenable. Deux douches (1 chaude, 1 froide) et toilettes à

la turque communes. Grande terrasse ensoleillée. Bon accueil. Pas de petit-déjeuner.

Environ 140 DH (14 €)

Hôtel Royal, 36 rue du Soudan, ☏ 055 62 46 56 - 22 ch. ⌂ Établissement ancien d'un bon rapport qualité-prix. Les chambres, sur la cour ou sur la rue, sont spacieuses et claires, la plupart avec toilettes. Entretien impeccable. Accueil très chaleureux. Pas de petit-déjeuner.

Hôtel Kairouan, 84 rue du Soudan, ☏ 055 62 35 90 - 12 ch. Hôtel ancien non dénué de charme, installé tout près de la gare ferroviaire. Les chambres, grandes et bien tenues, sont dotées d'une bonne literie et d'un lavabo. Le café d'à côté vous accueille pour le petit-déjeuner (non compris dans le prix de la nuit).

Environ 240 DH (24 €)

Hôtel Amor, 31 rue d'Arabie Saoudite, ☏ 055 62 27 24/33 04 - 35 ch. ⌂ ✗ Établissement bien tenu, doté d'un petit patio verdoyant et lumineux. La belle salle de restaurant n'ouvre apparemment que lorsqu'il y a des groupes. Préférez les chambres sur cour, plus calmes. Bon rapport qualité-prix.

Entre 350 et 410 DH (35 à 41 €)

☖ **Hôtel Olympic**, bd Mohammed V, ☏ 055 93 26 82 - 31 ch. ⌂ ▤ ⊡ ✗ Bien situé à côté du marché central. Des petites chambres coquettes, un joli salon marocain, des murs tapissés de reproductions d'affiches des années 1930, l'hôtel, récemment rénové, offre un décor simple et raffiné. Déjeuner ou dîner sur commande (cuisine internationale). Bon rapport qualité-prix.

Splendid Hotel, 9 rue Abdelkrim el-Khattabi, ☏ 055 62 21 48/65 02 83 - 70 ch. ⌂ ▤ ⊡ ✗ ⊿ ⌸ Hôtel des années 1980, sans charme mais confortable, accueillant et très bien tenu. Agréables chambres dans les tons pastel.

Entre 510 et 540 DH (51 à 54 €)

Hôtel Nouzha, 7 rue Hassan Dkhissi, pl. de l'Atlas, ☏ 055 64 00 02/12 - 59 ch. ⌂ ▤ ⊡ ✗ ⌸ L'entrée, spacieuse, est aménagée en salon marocain avec de

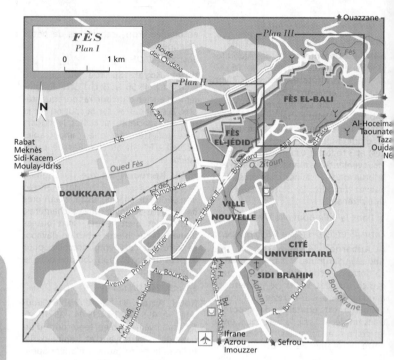

FÈS
Plan I
0   1 km

Ouazzane

Plan III

O. Fès

FÈS EL-BALI

Al-Hoceima
Taounate
Taza
Oujda
N6

Plan II

Av. 200

FÈS
EL-JÉDID

Route
des Oudaïas

N6

Rabat
Meknès
Sidi-Kacem
Moulay-Idriss

Oued Fès

DOUKKARAT

Av. des
Almohades

Boulevard

O. Ztoun

VILLE
NOUVELLE

Av. Hassan II

F.A.R.

CITÉ
UNIVERSITAIRE

Avenue   des

Avenue Prince Héritier

Av. Bourkaïs

Av. H.
et Jordane

O. Adham

SIDI BRAHIM

R. Ibn-Rochd

O. Boufekrane

Av. Hadj
Mohammed Bahnini

Bd
M. Abdallah

Ifrane
Azrou
Imouzzer

Sefrou

---

grands tapis, du bois peint et des zelliges en abondance. Décoration marocaine dans les chambres, confortables. La nuit, les climatiseurs sont parfois bruyants. Bar, discothèque et terrasse panoramique au 7ᵉ étage. Nombreux groupes.

Grand Hôtel de Fès, bd Abdellah Chefchaouni, ☎ 055 93 20 26/62 32 45 - 84 ch. ⚐ ▤ ✕ cc Au cœur de la ville nouvelle, cet hôtel spacieux et lumineux se distingue par son architecture traditionnelle, avec zelliges, fontaine et stucs. Un salon marocain vous accueille dans l'entrée. Chambres claires, joliment décorées et confortables, certaines avec la télévision. Le restaurant propose une cuisine fassi et internationale. Bar, discothèque, parking. Accueil convivial.

Hôtel Ibis Moussafir, av. des Almohades, place de la Gare, ☎ 055 65 19 02 à 07 - 123 ch. ⚐ ▤ ▦ ✕ ❢ ⌇ cc Bien pratique si l'on arrive à Fès en train. Derrière la façade d'inspi-

ration maure se cachent des chambres confortables et standardisées avec salle de bains carrelée bleu et blanc. Grand jardin entourant la piscine.

Environ 760 DH (76 €)

Hôtel Sofia, 3 rue d'Arabie Saoudite ☎ 055 62 42 65 à 68 - 102 ch. ⚐ ▤ ▦ ✕ ❢ ⌇ cc Les restaurants, le bar, le coffee-shop et la piscine, ravissent une clientèle cosmopolite et amatrice de farniente. Chambres agréables dans les tons saumon. En soirée, la discothèque de l'hôtel, l'une des plus prisées de la ville, fait durer le plaisir et l'animation.

Environ 900 DH (90 €)

Hôtel Wassim, à l'angle de l'av. Hassan II et de la rue du Liban, ☎ 055 65 49 39 - 104 ch. ⚐ ▤ ▦ ✕ ❢ cc Hôtel moderne tout confort. L'entrée donne directement sur un salon central surélevé, mêlant harmonieusement une décoration traditionnelle fassi à un confort moderne. Les chambres, dont les tons ocre s'accordent avec le bois clair, offrent toutes les commodités. Le 1er étage est consacré aux restaurants et à la salle de réunion. Parking, discothèque.

Autour de 1 050 DH (105 €)

Hôtel Volubilis, av. Allal Ben Abdellah, ☎ 055 62 11 26/93 10 45 - 130 ch. ☐ 📺 ✗ ⌂ 🆑 Un beau jardin fleuri entoure ce grand établissement. Salon central, orné de mosaïque et de tapis fassi. Les chambres, coquettes, reprennent les couleurs estivales du reste de l'hôtel. Nombreux services : mini-club, garderie, salle de fitness, salle de jeux, hammam, discothèque...

Autour de 1 400 DH (140 €)

Hôtel Menzeh Zalagh, 10 rue Mohammed Diouri, ☎ 055 93 22 34/62 55 31 - 150 ch. dans un bâtiment, 114 ch. dans l'autre. ☐ 📺 ✗ 🍽 ⌂ 🆑 Bénéficiant d'un emplacement central et d'une vue exceptionnelle sur la médina, l'hôtel dispose de chambres spacieuses et très confortables. Une grande annexe de l'hôtel, le Zalagh 2, s'est ouverte dans la rue en face, les deux bâtiments sont reliés par un tunnel. Les terrasses et petits jardins andalous sont pleins de charme. Le soir, thé à la menthe en compagnie de musiciens locaux, détente au piano-bar ou discothèque.

Se restaurer

▸ *Dans Fès el-Bali (Plan III)*

Dans les nombreuses échoppes de la médina on sert du poisson, des frites, des sandwichs et des brochettes à petits prix. Sachez que pour les restaurants, il est toujours préférable de réserver quelques heures à l'avance, en particulier si vous souhaitez une pastilla.

Moins de 70 DH (7 €)

Restaurant des Jeunes, 16 Serrajine Bou Jeloud, face à Bab Bou Jeloud *(Plan III A3)*, ☎ 062 01 33 54. Situé à deux pas du fameux collège Moulay Idriss, ce restaurant, toujours fréquenté par les étudiants, sert de bons tajines, des brochettes et du couscous. Menu à partir de 35 DH.

Restaurant Guennoun, 32 Serrajine, Talaa Kebira *(Plan III A3, B3)*. Un peu plus cher que le restaurant des Jeunes, mais la carte est plus variée. Vaste terrasse.

Entre 200 et 250 DH (20 à 25 €)

😊 **Restaurant Asmae**, 4 Derb Jeniara, près de la médersa Cherratine *(Plan III C2)*, ☎ 055 74 12 10. 🆑 Réservez. On vous donnera un lieu de rendez-vous car le restaurant n'est pas facile à trouver. Vous savourerez une cuisine traditionnelle dans l'un des salons marocains ou dans le patio d'une belle maison fassi accueillante et assez intime. Farandole de petites salades marocaines, pastilla, tajine, oranges à la cannelle présentés dans une jolie vaisselle bleue de Fès.

Entre 200 et 300 DH (20 à 30 €)

Palais des Mérinides, 36 rue Talaa Kebira *(Plan III C2)*, ☎ 055 63 40 28. 🍽 🆑 Ce palais du 16e s., récemment restauré, s'élève en pleine médina. Les tables sont élégamment dressées dans la cour centrale et dans les salons, ornés de superbes tentures murales. Le méchoui et la pastilla au pigeon doivent être commandés à l'avance. Pour qui souhaite prendre un thé, manger à une heure inhabituelle, ou simplement visiter, l'établissement reste ouvert toute la journée. Cuisine et accueil de qualité. Demandez à jeter un coup d'œil à la terrasse sur le toit, vous ne serez pas déçu.

😊 **Palais Mnebhi**, 15 Souikat ben Safi *(Plan III B2)*, ☎ 055 63 38 93. 🆑 Réservez impérativement. Menu à 200 DH. Bâtie au 19e s., cette ancienne et vaste demeure d'une famille fassi a accueilli nombre de notables, dont le maréchal Lyautey : c'est ici que fut signé en 1912 le traité de Fès instaurant le protectorat français. Le palais fut entièrement restauré et converti en restaurant après l'indépendance. Bonne cuisine marocaine : couscous royal, pastilla, tajine poulet-citron, etc.

Environ 450 DH (45 €)

😊 **Palais Jamaï, restaurant el-Fassia**, palais Jamaï, Bab Guissa, *voir Se loger (Plan III C1)*, ☎ 055 63 43 31. 🍽 🆑 De l'accueil au service, tout exprime

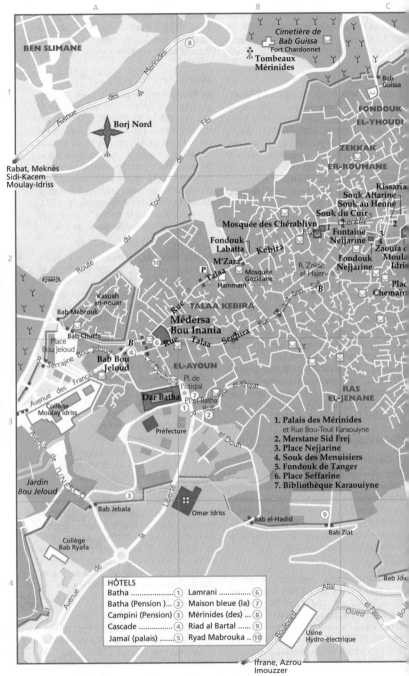

BEN SLIMANE

Avenue des Mérinides

(8)

Cimetière de Bab Guissa
Fort Chardonnet
Tombeaux Mérinides

Bab Guissa

FONDOUK EL-YHOUDI

Borj Nord

ZEKKAK

ER-ROUMANE

Route du Tour de Fès

Rabat, Meknès
Sidi-Kacem
Moulay-Idriss

Kissaria
Souk Attarine
Souk au Henné
Souk du Cuir
Chérabliyn

Mosquée des Chérabliyn

Fondouk Labatta
Kebira
M'Zara

(10)

Talaa

Fontaine Nejjarine

Zaouïa de Moulay Idriss

Fondouk Nejjarine

Place Chemaïne

P

Mosquée Gazléane
Hammam

R. Zekak el-Hajer
R. Zekak ben...

B

Kasbah en-nouar

TALAA KEBIRA

Bab Mahrouk

Médersa Bou Inania

Bab Churfa

B

Place Bou Jeloud

(4)

R. Serrajine

Rue Talaa Seghira

Bab Bou Jeloud

R. Bou Jeloud

(6)

Rue Talaa

EL-AYOUN

Avenue des Français

Collège Moulay Idriss

Pl. de l'Istiqlal

(7)

Dar Batha

Pl. el-Batha

(1) (2)

R. el-Khiyat

Rue el-Douh

RAS EL-JENANE

Avenue de l'UNESCO

Jardin Bou Jeloud

Préfecture

(3)

Bab Jebala

Rue de la Liberté

Omar Idriss

Bab el-Hadid

Bab Ziat

1. Palais des Mérinides
   et Rue Bou-Touil Karaouiyne
2. Merstane Sid Frej
3. Place Nejjarine
4. Souk des Menuisiers
5. Fondouk de Tanger
6. Place Seffarine
7. Bibliothèque Karaouiyne

Collège Bab Ryafa

Avenue de...

HÔTELS

Batha	(1)	Lamrani	(6)
Batha (Pension)	(2)	Maison bleue (la)	(7)
Campini (Pension)	(3)	Mérinides (des)	(8)
Cascade	(4)	Riad al Bartal	(9)
Jamaï (palais)	(5)	Ryad Mabrouka	(10)

(9)

Boulevard Allal el-Fassi

Oued

Bab Jdic

Usine Hydro-électrique

Ifrane, Azrou
Imouzzer

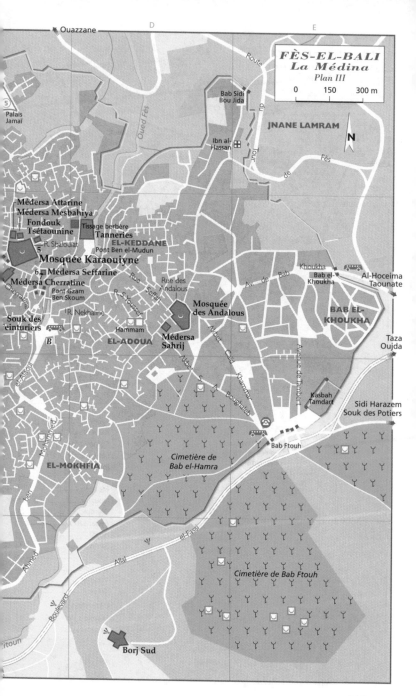

FÈS-EL-BALI
La Médina
Plan III

0   150   300 m

N

Ouazzane

Route

Oued Fès

Bab Sidi
Bou Jida

JNANE LAMRAM

Ibn al-
Hassan

Tour

de

Fès

Palais
Jamaï

Médersa Attarine
Médersa Mesbahiya
Fondouk
Tsétaounine
Tissage berbère
Tanneries
R. Shalouïat
EL-KEDDANE
Pont Ben el-Mudun

Mosquée Karaouiyne

6 Médersa Seffarine
Médersa Cherratine
Pont Gzam
Ben el Skoum

Souk des
ceinturiers

Khoukha
Bab el-
Khoukha

Al-Hoceima
Taounate

Rue Seffah

Rue des
Andalous

R. Youssef

R. Nekhaline

Hammam

B

EL-ADOUA

**Mosquée
des Andalous**

Av. de Bab

BAB EL-
KHOUKHA

Taza
Oujda

**Médersa
Sahrij**

Abed Crim Khammar

el-Atouf

Mohammed

Ben

EL-MOKHFIA

Abderr S. A. Boughaleb

Avenue de Tambert

Kasbah
Tamdart

Sidi Harazem
Souk des Potiers

Bab Ftouh

*Cimetière de
Bab el-Hamra*

Ahmed

el-Fassi

Allal

Cimetière de Bab Ftouh

Boulevard

itoun

Borj Sud

315

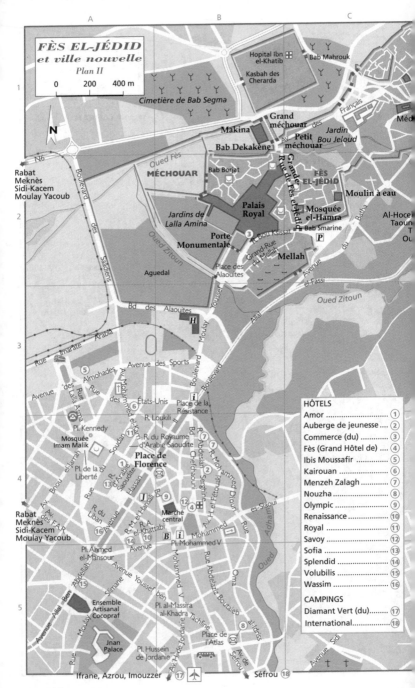

FÈS EL-JÉDID
et ville nouvelle
Plan II

0   200   400 m

N

Cimetière de Bab Segma

Hopital Ibn el-Khatib
Bab Mahrouk
Kasbah des Cherarda

Grand méchouar
Makina
Petit méchouar
Bab Dekakène
Jardin Bou Jeloud

MÉCHOUAR
Bab Borjat

FÈS EL-JÉDID

Moulin à eau

Grand-Rue de Fès el-Jédid

Jardins de Lalla Amina
Palais Royal
Mosquée el-Hamra
R. Bou Ksissat
Bab Smarine
Porte Monumentale
P

Aguedal
Grand-Rue du Mellah
Mellah

Place des Alaouites

Oued Zitoun

Bd des Alaouites
H

Rabat
Meknès
Sidi-Kacem
Moulay Yacoub

Rue Imarate Arabia

Avenue des Sports

Avenue des Almohades

i
Place de la Résistance

Pl. Kennedy
Mosquée Imam Malik

R. Loukili
R. du Royaume d'Arabie Saoudite

Place de Florence

Pl. de la Liberté

Marché central

Rabat
Meknès
Sidi-Kacem
Moulay Yacoub

J
B
i
Pl. Mohammed V

Pl. Ahmed el-Mansour

Ensemble Artisanal Cocopraf

Avenue Youssef ben

Jnan Palace

Pl. al-Massira al-Khadra

Pl. Hussein de Jordanie

Place de l'Atlas

Ifrane, Azrou, Imouzzer

Séfrou

HÔTELS
Amor .... ①
Auberge de jeunesse .... ②
Commerce (du) .... ③
Fès (Grand Hôtel de) .... ④
Ibis Moussafir .... ⑤
Kairouan .... ⑥
Menzeh Zalagh .... ⑦
Nouzha .... ⑧
Olympic .... ⑨
Renaissance .... ⑩
Royal .... ⑪
Savoy .... ⑫
Sofia .... ⑬
Splendid .... ⑭
Volubilis .... ⑮
Wassim .... ⑯

CAMPINGS
Diamant Vert (du) .... ⑰
International .... ⑱

le raffinement de la culture fassi. La musique s'élève de plus en plus fort, les plats délicieux se succèdent harmonieusement. Menu à 430 DH.

Palais de Fès, 15 rue Makhfia R'cif, à l'entrée de la médina, près de la mosquée Karaouiyne *(Plan III C2)*, ☎ 055 76 15 90/26 95. 🍴 📠 Magnifique maison du 17e s. dont la terrasse domine les toits de la médina et la mosquée Karaouiyne. Cuisine marocaine bonne mais chère. Orchestre de musique traditionnelle le soir. Menu à 240 ou 280 DH le midi et 350 DH le soir.

La Maison bleue, 2 place de l'Istiqlal, Batha, *voir Se loger (Plan III B3)*, ☎ 055 63 60 52/74 06 86. 🍴 📠 Haut lieu de l'architecture fassi. Vous serez accueilli dans l'un des trois salons traditionnels, où tissus d'ameublement et zelliges bleus, blancs et verts se marient élégamment. Vous savourerez une cuisine marocaine composée d'un assortiment de salades raffinées, de tajines de viande rouge ou de poulet, de pastilla au lait, d'une crème de lait à la fleur d'oranger et aux amandes… Déjeuner à 250 DH, dîner international à 290 DH, dîner marocain à 430 DH.

▶ *Dans la ville nouvelle (Plan II)*

Environ 60 DH (6 €)

Restaurant Florence, 39 av. Hassan II *(Plan II B3-4)*, ☎ 055 93 21 27. Petit restaurant discret et authentique tenu par une famille sympathique qui vous propose des plats marocains simples et variés, à des prix imbattables.

Restaurant Bajelloul, 2 rue du Soudan, à côté de la pl. de Florence *(Plan II A4)*. Tlj midi-minuit. Une excellente adresse pour un repas rapide à petit prix. C'est l'effervescence à l'heure du déjeuner. Très bons sandwichs et viandes grillées. Goûtez l'assiette variée : *kefta* grillée, côtelette, merguez, tomates, pommes de terre et œuf sur le plat.

👍 **Chez Debbagh - Al-Alea**, 52 pl. de l'Atlas *(Plan II B5)*. Ce restaurant populaire et méconnu des touristes propose de délicieuses brochettes de *kefta*, des saucisses, de la *tangia* (spécialité marrakchi), des têtes de mouton et du foie

de veau, accompagnés de riz, de purée d'aubergine ou de frites. La boucherie est à l'intérieur du restaurant ! Excellente adresse pour les petites faims de nuit, car Chez Debbagh, le service ne s'interrompt qu'entre 6h et 8h du matin. Plein à craquer le midi. Très bon accueil.

Sicilia, 4 bd Chefchaouni *(Plan II B4)*, ☎ 055 62 52 65. Tlj 12h-23h. Agréable et accueillant petit restaurant aménagé sur 2 niveaux. La salle du haut possède une cheminée décorative. Au menu : pizzas, sandwichs et snacks.

Al-Khozama, 23 av. Mohammed es-Slaoui, en dessous de l'hôtel du Maghreb *(Plan II B4)*. Ce petit restaurant propre et agréable vous propose salades, crêpes, grillades, pizzas et poissons. Menu marocain à 60 DH comprenant tajine ou couscous. Terrasse couverte sur l'avenue.

Entre 150 et 220 DH (15 à 22 €)

Assouan, 4 av. Allal Ben Abdellah *(Plan II A5)*, ☎ 055 62 51 51. Pour certains Fassi, le centre Assouan est le lieu de sortie par excellence. Le soir, Mercedes décapotables et chevelures gominées sont au rendez-vous ! À vous de choisir entre les plats marocains, espagnols, italiens ou vietnamiens, de qualité variable. Par contre, les pâtisseries orientales et le petit-déjeuner fassi (viande séchée et thé) sont délicieux.

Restaurant Zagora, 5 bd Mohammed V, imm. Tlemsani, au fond d'un passage *(Plan II B5)*, ☎ 94 06 86/96 20 23. 🍴 📠 Investi pour le déjeuner par les hommes d'affaires, le restaurant accueille le soir, à la lueur des chandelles, une clientèle éclectique. Dans une vaste salle décorée d'une peinture murale naïve un peu kitsch, vous apprécierez la cuisine marocaine (menu à 140 DH) et française.

La Cheminée, 6 av. Lalla Asma (à proximité de la gare ferroviaire) *(Plan II A3)*, ☎ 055 62 49 02. Tlj 11h30-13h30/18h30-22h30. 🍴 📠 Sans la cheminée, le cadre de ce restaurant qui se veut chic serait quelconque. Cuisine franco-marocaine copieuse et service distingué.

Sortir, boire un verre

▶ *Dans la médina (Plan III)*

Cafés, salons de thé, pâtisseries - Goûtez le thé à la menthe de **Saïd Alaoui**, 11 pl. Nejjarine. Le **Café Alassala**, rue Chérabliyn, face au n° 19 (Talaa Kebira) *(Plan III C2)* est l'un des rares cafés spacieux de la médina. Décoration marocaine. Vous trouverez d'autres cafés du même genre (sans enseigne) au 43 rue Haddadine (Talaa Kebira), au Kantrat Bourous (juste avant la rue Chérabliyn, sur la rue Talaa Kebira), ou encore au 33 rue Zkak el-Maa (perpendiculaire à la Talaa Kebira).

▶ *Dans Fès el-Jédid (Plan II)*

Cafés, salons de thé, pâtisseries - **Café La Noria** (en arabe, se prononce « El-Naora »), jardin Massira el-Khadra *(Plan III A3)*. Enfoui dans le parc où les étudiants venaient autrefois couper des roseaux pour leurs exercices de calligraphie. Dans la salle, zelliges, banquettes et larges tables. Terrasse très agréable, éloignée du tumulte de la médina.

▶ *Dans la ville nouvelle (Plan II)*

Cafés, salons de thé, pâtisseries - **Laiterie Royale**, 18 pl. de Florence *(Plan II A4)*. Un véritable régal pour quelques dirhams. Au choix, lait caillé, petit lait… accompagnés de délicieuses galettes *(harcha)* et de crêpes moelleuses *(mlawi)*. Salle exiguë ornée de zelliges.

Glacier Le Bouquet, 7 av. de Palestine, ☏ 055 65 19 99. Spécialités de glaces italiennes et de tartes aux fruits. Petit-déjeuner accompagné de viennoiseries. **Crèmerie Skali**, 126 bd Mohammed V, à gauche de l'entrée principale du marché central, ☏ 055 65 46 34/94 21 92. Régalez-vous à petit prix. Spécialités marocaines au petit-déjeuner (viande séchée, toast à l'huile d'olive…), milk-shakes (amande, banane, avocat…), jus, pâtisseries orientales (cornes de gazelle, *makrouttas*…) et occidentales (brioches, croissants, gaufrettes).

Salon de thé La Esmerald, 23 rue Lakhdar Ghilan, ☏ 055 94 11 22. Tlj 6h-21h. Avec son mobilier en bois et en cuir marron, ce salon tranquille s'apparente à un bistro moderne. Il ne lui manque plus que de la bière. Clientèle décontractée.

Bars - Vous ne trouverez pas de bar dans Fès el-Jédid ni dans la médina (à l'exception de celui de l'hôtel Batha). Dans la ville nouvelle, il y a les bars des grands hôtels mais l'ambiance n'est pas très authentique. Sinon voici deux adresses.

Bar du Centre, 105 bd Mohammed V *(Plan II B4)*, ☏ 055 62 65 04. ♟ Cet ancien bistrot-restaurant n'est plus qu'un bar et accueille les piliers de comptoir.

Pub Calla Iris, 26 av. Hassan II *(Plan II A4)*, ☏ 055 62 20 31. ♟ Fermeture vers 23h. Un *irish pub* s'est frayé un chemin à Fès. Différentes bières et tous les alcools, accompagnés de sandwichs variés. En soirée, préférez la salle du haut, plus calme.

Si vous passez 3 jours à Fès

1er jour - Journée consacrée à Fès el-Bali : médersa Bou Inania, Talaa Kebira, place Nejjarine (dont la visite du musée des Arts et Métiers du bois), zaouïa Moulay Idriss et quartier de la Karaouiyne.

2e jour - Visite des tanneries de Fès el-Bali, de la médersa Attarine, promenade dans le quartier des Andalous, visite de la médersa Cherratine. Après-midi consacrée à la ville mérinide, Fès el-Jédid (mellah, méchouar, jardin de Bou Jeloud).

3e jour - Visite du musée Dar Batha. En fin d'après-midi, faire le tour des murailles de la ville (borj Sud, borj Nord et arrêt aux tombeaux mérinides). Vous pouvez effectuer ce parcours panoramique en petit taxi ou en bus : prenez le bus n° 3 qui longe les remparts sud de la médina jusqu'à Bab Ftouh (s'asseoir du côté gauche pour profiter de la vue), montez ensuite dans le bus n° 12 pour le côté nord jusqu'à Bab Bou Jeloud.

Hammams

Ils sont surtout fréquentés par les autochtones. Ils sont propres et à un prix modique (env. 6 DH l'entrée, 15 à 20 DH le massage). Dans la médina : **Hammam Kantrat Bourous**, Talaa Kebira, *(Plan III A2, B2)*, pour les hommes seulement ; **Hammam Bou Souifa**, Talaa Kebira *(Plan III B2)*, femmes 9h-21h, hommes 21h-8h ; **Hammam Sidi Azouz**, à côté du cinéma Bou Jeloud *(Plan III A3)*, femmes 11h-21h, hommes 21h-10h.

Dans la ville nouvelle : **Hammam el-Alami**, 6 rue de l'Algérie (à côté de l'hôtel Sofia) *(Plan II A4)*, femmes 12h-20h, hommes 20h-minuit et 6h-12h ; **Hammam CTM**, 54 av. Mohammed V. De 6h à 20h. Un côté femmes, un côté hommes.

Loisirs

Discothèques - C'est dans les grands hôtels que l'on trouve les meilleures discothèques. Voici les plus réputées : **Jnan Palace** *(Plan II A5)*, av. A. Chaouki, ☎ 055 65 22 30. **Hôtel Volubilis**, av. Allal ben Abdellah *(Plan II A5)*, ☎ 055 62 11 26. **Hôtel des Mérinides**, Borj Nord *(Plan III B1)*, ☎ 055 64 52 26 (fermée le dimanche). **Hôtel Menzeh Zalagh**, 10 rue Mohammed Diouri *(Plan II B4)*, ☎ 055 93 22 34.

Festivals - Son et lumière de Fès, Borj Sud, route de Bab Ftouh *(Plan III D4)*, ☎ 055 76 36 52/53. Douze siècles de l'histoire de Fès défilent en 45mn. Spectaculaires jeux de lumière sur des sites sélectionnés de la médina, projections d'images sur écrans géants et effets laser. Versions en arabe, français, anglais ou espagnol ; deux langues par soir, 100 DH/pers.

Festival des musiques sacrées. Chaque année, fin mai-début juin, Fès devient la terre de rencontre des musiques religieuses des cinq continents. Une semaine de concerts, conférences, expositions et projections dans les lieux les plus prestigieux de la ville. Renseignements auprès de l'association Fès-Saïss, ☎ 055 74 05 35, www.fezfestival.org.

Fêtes des cerises à Séfrou (26 km au sud de Fès), 2e semaine de juin, ☎ 055 66 00 61/01/03.

Fête du cheval à Tissa (près de Fès), dernière semaine de septembre ou 1re d'octobre, ☎ 055 62 73 55.

Cinémas - Cinéma Boujloud, à côté de Bab Bou Jeloud *(Plan III A3)*, ☎ 055 63 30 90/90 30. **L'Empire**, 60 av. Hassan II, ☎ 055 64 90 46. **Rex**, à l'angle de l'av. Mohammed es-Slaoui et bd Mohammed V *(Plan II B4)*, ☎ 055 62 24 96/26 96. **Astor**, av. es-Slaoui, à côté du cinéma Rex *(Plan II B4)*.

Achats

▸ *Dans la médina (Plan III)*

Antiquités et artisanat - Les antiquaires les plus réputés sont, entre autres, **La Maison Berbère**, 4 riad Jouha, à côté de la médersa Attarine *(Plan III C2)* ; **Dar Sâada**, place Nejjarine *(Plan III C2)* et **La Maison el-Firdaouss**, à côté du palais Jamaï *(Plan III C1)*.

Parmi les nombreuses boutiques de bronzes et cuivres, nous vous conseillons de visiter : **L'Art du Bronze**, 35 Talaa Seghira, en face de Agoual Sfili ; **Dar Moulay Abdelkader**, Bab Bou Jeloud *(Plan III A3)* ; **La Maison du Bronze** (Darb Charaj) et **La Maison Bounania**, Talaa Kebira. Plusieurs palais de la médina proposent de somptueux tapis. Allez voir aux **Dar Mansour**, **Andalous**, **Ouatassine**, **Sentissi** et **Karaouiyne**.

▸ *Dans la ville nouvelle (Plan II)*

Marchés - Marché central *(Plan II B4)*, av. Mohammed V. Vendredi 7h-11h, les autres jours 7h-14h. On y trouve de tout : viandes, poissons, fruits, légumes, épices, fleurs, alcool…

Antiquités et artisanat - Complexe d'artisanat marocain, av. Allal Ben Abdellah (à côté de l'hôtel Volubilis) *(Plan II A5)*, ☎ 055 62 53 52/54. Tlj 8h30-12h/14h30-18h30. Prix fixes, choix limité. **Tapis Bouzoubaa**, 119 bd Mohammed V (boutique) *(Plan II B5)*, ☎ 055 64 27 45, Jnane Lahrichi Ben Debab (usine), ☎/Fax 055 65 54 88, fermé le dimanche. Grand fabricant de tapis (trophée international de la qualité en 1989 et médaille d'or Madrid en 1990). La boutique ne présentant que très peu de modèles, et pas forcément les plus jolis, mieux vaut vous rendre à l'usine. **Souk des potiers**, Aïn Nobki *(Plan III E3, en direction)*. Choix varié des fameuses poteries de Fès.

Librairies - Librairie-papeterie du Centre, 134 av. Mohammed V, ☎ 055 62 25 69. Petite librairie ancienne et authentique. Choix important d'ouvrages sur le Maroc, de romans et d'essais. **Librairie-papeterie el-Fikr el-Moaser**, parking du marché central, à côté du Grand Hôtel de Fès *(Plan II B4)*. Presse française, guides de voyage, ouvrages sur le Maroc. **Librairie papeterie des Écoles**, av. Mohammed V, à côté de la pl. Mohammed V. Quelques romans classiques.

HISTOIRE

Andalous et Kairouanais

« La plus impériale des villes impériales », selon le slogan de l'Office du tourisme marocain, est issue d'une rivalité originelle entre deux cités jumelles. En 789, Idriss Ier fonda « Madinat al-Fas », bourgade berbère, sur la rive droite de l'oued Fès. En 809, son fils Idriss II lui adjoignit, sur la rive opposée, le quartier Al-Aliya, dont il fit sa capitale. Avec l'arrivée, en 818, de près de 1 400 familles musulmanes fuyant l'Andalousie, Madinat devint le quartier des Andalous, *adoua el-Andalus*. Al-Aliya, elle, prit le nom de quartier des Kairouanais, *adoua el-Karaouine*, après l'installation, vers 825, de réfugiés arabes, riches commerçants et artisans, expulsés de Kairouan (dans l'actuelle Tunisie). Ces deux secteurs, où chaque communauté conservait ses traditions techniques et culturelles, connurent un développement séparé jusqu'à la fin du 11e s. Leur rivalité est symbolisée par les deux lieux de prière érigés au 9e s., qui se dressent de part et d'autre de l'oued, la mosquée des Andalous et la Karaouiyne. Fès fut unie dans une même muraille fortifiée, vers 1070, par le sultan almoravide Youssef ben Tachfine.

L'apogée mérinide

À la fin du 12e s. sous la dynastie almohade, la cité, opulente, comptait 120 000 maisons. À l'avènement des Mérinides, en 1250, Fès retrouva son rang de capitale. Une « ville nouvelle », Fès el-Jédid, fut édifiée hors des remparts almoravides, devenus trop étroits pour les ambitions des nouveaux souverains. Un palais royal y fut construit, des mosquées, des casernes, de somptueuses demeures s'élevèrent dans ses murs. Le premier *mellah* du Maroc rassembla à sa porte la prospère communauté juive. Cette dernière, jusqu'alors installée dans la « vieille ville », Fès el-Bali, fut ainsi placée sous la protection du sultan… et sous surveillance.

Les trois siècles mérinides incarnèrent l'âge d'or de Fès. Capitale politique, elle était aussi le centre intellectuel, religieux et économique du pays : étudiants et lettrés se bousculaient dans les nombreuses *médersas* construites pour les accueillir ; des fondouks furent bâtis pour abriter marchands et caravanes, qui commerçaient avec la Chine, l'Inde ou la Perse. Son prestige spirituel et culturel s'étendait bien au-delà des frontières du royaume, dans tout le monde musulman.

Une couronne partagée

Fès dut, après l'ère mérinide, renoncer à être le seul centre du pouvoir politique. Les Saâdiens choisirent Marrakech. Le premier des Alaouites, Moulay Ismaïl, lui préféra Meknès. Ses successeurs se partagèrent entre Marrakech et Fès, dont l'éclat spirituel et intellectuel perdura malgré tout jusqu'au début du 20e s. La résidence habituelle du sultan y était traditionnellement fixée. Au 19e s., la grande bourgeoisie fassi dominait économiquement et administrativement le pays.

En 1911, dépassé par les révoltes berbères, le sultan Moulay Hafiz fit appel à la France. En mars 1912, le traité de Fès fut signé, qui établit un protectorat français sur le royaume alaouite. Le sultan transporta sa cour à Rabat, nouvelle capitale du pays. À Fès, sous l'administration française, se développa à partir de 1916 un quartier moderne, à l'extérieur de la cité historique : la « ville européenne ».

VISITE DE FÈS

FÈS EL-BALI★★★

Consacrez-y au moins une journée (plus vous y passerez de temps, plus vous l'apprécierez).

Un bon cicérone peut rendre encore plus passionnante votre visite de la médina. Il aura mille anecdotes à raconter. Il vous emmènera, bien sûr, dans les boutiques et les restaurants de ses amis, mais avec tact et sans insister devant un refus. La visite au pas de course avec un « mauvais guide », préoccupé uniquement par les commissions qu'il percevra sur vos achats (30 % environ), est une expérience frustrante. Choisissez un professionnel agréé par les autorités municipales, et prenez le temps de discuter avec ceux qui se proposent. Renseignez-vous auprès de l'Office de tourisme ou du syndicat d'initiative. Les tarifs sont standards : 120 DH pour une demi-journée, 150 DH pour une journée. Attention aussi à la durée de la prestation : convenez à l'avance avec votre accompagnateur du nombre d'heures que vous passerez ensemble.

D'emblée, la médina fascine. Ses labyrinthes et ses splendides édifices, mais plus encore la vie qui s'y déroule vous emportent dans une sorte de tourbillon où l'on s'égare aisément. Les sens sont simultanément charmés et agressés par les couleurs, les odeurs, les bruits. On prend plaisir à s'attarder parmi les minuscules échoppes, les marchés, les *médersas*, la foule en permanente activité. N'hésitez pas à déambuler au hasard des rues. Raffinement et dénuement se côtoient. Ici une porte en bois finement ouvragé, un palais couvert de mosaïques, là une vieille femme vendant à même le sol quelques morceaux de pain alors qu'un enfant, très jeune, plie sous le poids des peaux qu'il porte sur le dos.

C'est la seule médina du Maroc à avoir traversé les siècles en conservant intact l'ensemble de son périmètre : 350 ha de ruelles, de passages inattendus, de placettes ombragées, de hauts murs per-

« Balak ! Balak ! »

« Attention », « Prenez garde »... Soyez attentif à ce cri qui résonne du matin au soir dans les ruelles de la médina. Il retentit tout à coup, se répète sur un ton impatient : vous gênez, vous allez sans tarder être bousculé par un âne chargé, mené au pas de course par un marchand pressé. Ce sésame ouvre le passage dans les foules les plus denses. En entendant « Balak, balak » votre réaction doit être rapide : plaquez-vous le long des murs, serrez-vous contre vos voisins.

cés de portes basses. On pénètre dans la vieille ville par huit portes différentes, et l'on prie dans 185 mosquées. 150 000 personnes vivent dans ses murs, imprimant à la cité un rythme binaire : à l'intense activité des souks matinaux succède la torpeur de l'après-midi, où s'égrènent les heures chaudes au murmure des fontaines. Puis le déclin du soleil ranime les énergies, la ville bruit, jusqu'aux premières heures de la nuit, de rires et de conversations, avant de recouvrer le calme.

Sauver Fès el-Bali

Faut-il maintenir la vieille ville en l'état, avec les problèmes de pollution et de salubrité que ses multiples activités engendrent ou, au contraire, la transformer en musée à ciel ouvert ? La question se pose depuis le classement de la médina par l'Unesco au Patrimoine mondial, et à ce jour les autorités marocaines n'ont pas véritablement tranché. Une option médiane semble être privilégiée. Un schéma directeur a été mis en place dans les années 1980. Il prévoit d'abaisser le nombre d'habitants à 80 000, de mieux les répartir entre les quartiers à faible densité et ceux actuellement surpeuplés. Il planifie la délocalisation des professions les plus polluantes. Les potiers ont déjà déménagé, les dinandiers devraient bientôt suivre. À l'extérieur de la ville, un lotissement est en cours d'aménagement pour recevoir les tanneurs.

Ces dernières décennies, la médina s'est lentement paupérisée, avec le départ des classes aisées pour les quartiers périphériques et pour Casablanca, et leur remplacement par des familles à revenus modestes. Ce flux migratoire met en péril l'avenir de la vieille ville. Les derniers arrivants n'ont pas les moyens d'entretenir les anciennes demeures qui, peu à peu, tombent en ruine.

Le quartier de Talaa Kebira★★

(Plan III A3, B2) Comptez 1h30.

▶ La monumentale **Bab Bou Jeloud**★ *(Plan III A3)*, datant de 1913, est l'entrée principale de la médina. Elle s'orne de faïences bleues à l'ouest, du côté el-Jédid, et vertes à l'est, du côté el-Bali. La petite porte à sa gauche est l'entrée originelle, édifiée au 9e s. Les **remparts**, dont les murs font 2 m d'épaisseur, ont été maintes fois mis à mal et reconstruits depuis leur fondation au 11e s. Sur la vaste esplanade qui fait face à la porte, les Fassi vendent toutes sortes d'objets, neufs ou d'occasion, à même le sol. Les femmes, alignées par terre, participent aussi à l'activité. On trouve le coin chaussures, le coin marmites, les vêtements, et, en contrebas, le marché aux fruits et aux légumes. Voici un avant-goût de l'ambiance de la vieille ville.

▶ Franchissez la porte, puis tournez dans la première rue à gauche pour déboucher dans la rue Talaa Kebira (la grande montée). Poursuivez sur votre droite. Vous vous rendez rapidement compte que, à l'échelle de la médina, la **Talaa Kebira**★ *(Plan III A2, B2)* est une voie de dimensions honorables. Avec la **Talaa Seghira**★ (la petite montée) *(Plan III A3, B3)*, elle constitue l'un des principaux axes de la cité. Elle permet notamment d'atteindre la plupart des monuments mérinides. Couverte d'un toit de roseaux sur la plus grande partie du parcours, elle est envahie dès le petit matin par une multitude de marchands et de badauds, qui s'abritent de l'ardeur solaire. Au hasard de votre balade, vous apercevrez peut-être des hérissons en vente sur les étals. Leur chair est réputée bénéfique pour les asthmatiques. Si vous disposez de peu de temps, privilégiez l'itinéraire des deux **Talaa**, qui forme une bonne introduction à la vieille cité.

▶ Tout de suite à droite se trouve l'entrée de la médersa Bou Inania. Construite de 1350 à 1358 par le sultan Abou Inan, la **médersa Bou Inania**★★★ *(tlj sauf le vendredi, 10h-17h ; 10 DH, provisoirement fermée) (Plan III A2)* est l'un des plus beaux monuments mérinides et la plus grande *médersa* de la ville. On la considère comme le modèle des médersas mérinides. Sa mosquée est toujours en activité, mais il est interdit d'y accéder. On visite cependant le reste des bâtiments religieux dans lesquels les étudiants vivaient jusque dans les années 1940. La **porte**, en bronze et bois de cèdre, donne accès à un vestibule au plafond rehaussé d'une **voûte de stalactites**★★, les *moukarnas*. La **cour intérieure**, aux murs décorés de zelliges, est ornée de la traditionnelle **fontaine aux ablutions**★★. Sur les murs à hauteur d'yeux, entre zelliges et stuc, les versets du Coran sont gravés sur une étroite frise en plâtre. Au fond de la cour, un canal (aujourd'hui à sec) alimenté par l'oued fournissait l'eau courante. Ce système existait à l'époque mérinide dans les demeures et les édifices importants. Aux étages étaient distribuées les cellules d'étudiants ; le rez-de-chaussée accueillait les salles de cours et de prière.

▶ Faites un crochet dans une ruelle à droite, juste après une boutique de broderie. Au fond de l'impasse se tient un **atelier de fabrication de nattes**★ en paille (qui garnissent notamment le sol des mosquées), réalisées sur des métiers à tisser.

▶ Reprenez la descente de la rue Talaa Kebira. À droite, un banc carrelé protégé d'un auvent, la **M'Zara**, marque l'endroit où, selon la légende, Idriss Ier se serait arrêté pour fonder Fès. Plus loin sur la gauche, un ancien caravansérail, le **fondouk Labatta**★, regroupe les petits ateliers d'artisans couturiers, cordonniers et peaussiers. Le bâtiment est repérable à sa porte rouge au-dessus de laquelle sont accrochées des peaux de mouton, et à la forte odeur qui s'en dégage. N'hésitez pas à entrer ; quelqu'un de sympathique et de volubile se présentera certainement pour vous expliquer le travail effectué sur les peaux. C'est une bonne introduction à la visite des tanneries qui aura lieu par la suite.

▶ Continuez dans la Talaa Kebira. À l'apogée de l'art mérinide, la **mosquée des Chérabliyn**★ (« fabricants de babouches »), avec son remarquable **minaret**★ décoré de faïences vertes et blanches, date de 1342. Quelques mètres plus bas le **restaurant des Mérinides** vous accueillera dans un opulent palais. L'aimable personnel de l'établissement vous laissera accéder à la terrasse sur le toit pour admirer le **panorama**★★ sur l'ensemble de la médina. Vous pouvez aussi en profiter pour faire une pause accompagnée d'un thé à la menthe et de délicieuses pâtisseries.

▶ Reprenez la rue Talaa Kebira. À cette hauteur, la rue devient le domaine des marchands de cuir. Les **enchères** dans le **souk du cuir**★ sont des moments d'intense activité, qui valent une halte. Celles du cuir brut ont lieu vers 11h30, celles des babouches vers 15h *(sauf le vendredi)*.

▶ L'artère principale, qui porte à ce niveau le nom de rue Chérabliyn, se termine à l'entrée du souk Attarine. Prenez à droite avant ce dernier. Légèrement à l'écart, une petite place abrite à l'ombre de ses deux arbres le discret **souk au henné**★★, qui présente un large assortiment de poudres et produits cosmétiques. En face, remarquez le premier hôpital de Fès, **Merstane Sid Frej**, fondé en 1281 par Youssef ibn Jacob, et dans lequel Léon l'Africain aurait travaillé et enseigné au 16e s.

Un passage couvert, qui traverse le souk des menuisiers, donne accès à la place Nejjarine.

La place Nejjarine★★

(Plan III C2) Comptez 1h.

La « place des menuisiers », avec son architecture très homogène, possède un charme unique, lié à l'activité dont elle est le siège depuis des siècles le travail

du bois. Un riche mécène, Mohammed Karim Lamrani, a financé sa restauration, qui a duré huit ans et s'est achevée en 1998. À son initiative, un musée a été aménagé dans le fondouk Nejjarine.

▶ Presque dissimulé dans un étroit passage qui relie la place à la rue Chérabliyn, le **souk des menuisiers**★ regroupe ébénistes, menuisiers et marchands de meubles. Les habiles artisans utilisent encore des outils traditionnels, semblables à ceux exposés dans le musée.

▶ Remarquez, à la sortie du souk, la splendide **fontaine Nejjarine**★★, fontaine murale aux dimensions imposantes, ornée de zelliges et surmontée d'un auvent. Sa construction, comme celle des bâtiments qui l'entourent, date du 18e s.

▶ Les généreuses proportions du **fondouk Nejjarine**★★ (☎ 055 74 05 80. *Tlj sauf mardi 10h-17h ; 10 DH)* en faisaient l'un des plus grands caravansérails de la ville. Ce bâtiment, édifié en 1711, a été magnifiquement restauré. On peut notamment admirer les superbes **balustrades de cèdre sculpté**★★ qui surplombent la petite cour pavée. L'immense **balance**★ à marchandises, attribut traditionnel des fondouks, trône en bonne place. La terrasse, sur laquelle est ouvert un salon de thé, offre une **vue**★★ splendide sur les toits de la médina. Une petite exposition retrace la restauration de l'ensemble Nejjarine.

▶ Le **musée des Arts et Métiers du bois**★★ *(mêmes horaires que le fondouk Nejjarine ; entrée libre)* a été aménagé dans l'enceinte du fondouk en 1998. Une succession de petites salles présente, en trois thèmes, les différents usages du bois au Maroc : le bois domestique, le bois d'architecture et le bois liturgique. La collection de meubles peints et sculptés *(au 1er étage)*, qui comprend des étagères et des coffres anciens de bois précieux, très ouvragé, est particulièrement intéressante.

Sortez de la place Nejjarine par la rue qui fait face au fondouk, en direction du mausolée de Moulay Idriss.

Autour de la zaouïa Moulay Idriss★★

(Plan III C2) Comptez 1h.

▶ Deux souks se tiennent aux abords du mausolée : à droite, un petit **souk aux nougats** ; à gauche, comme à proximité de tous les lieux saints, le **souk aux bougies★**.

Tournez à gauche dans une rue barrée, à environ 1,50 m de hauteur, par une grosse poutre de bois. La poutre marque l'entrée du *horm*, le quartier saint : elle empêche l'accès aux animaux de bât et oblige à se courber humblement. La rue était jadis un refuge pour des hors-la-loi, venus profiter du droit d'asile du *horm*. À l'extrémité de la rue, l'on distingue les portes du mausolée, qui dateraient du 11e s.

▶ Construite pour la majeure partie au 18e s., la **zaouïa Moulay Idriss★★**, abrite le tombeau d'Idriss II, longtemps considéré comme le fondateur de Fès. Le sultan est vénéré comme un saint, et un *moussem* lui est consacré le 17 septembre. Les non-musulmans sont tolérés dans l'enceinte, même si les abords directs du tombeau leur sont interdits. Une succession de courettes, de couloirs et de portes donnent accès à la **mosquée★**, richement décorée ; pour l'anecdote, cette dernière conserve une horloge comtoise offerte par Louis XIV. Notez les proportions harmonieuses du **patio★** qui la précède et de la fontaine aux ablutions, inscrite dans le traditionnel **anneau de Salomon**, en forme d'étoile.

▶ Derrière la *zaouïa* se tient la **kissariya★**, le marché couvert, spécialisé dans le textile. Ce bâtiment aux murs de béton fut construit en 1954, après l'incendie qui ravagea les lieux. Les étalages de tissus chamarrés et de fines broderies, les camaïeux composés par les bobines de fils multicolores sont ravissants.

▶ Dans le prolongement de la *kissariya*, vous rejoignez le **souk Attarine★**, le plus important de la médina. Ce marché aux épices et aux produits frais est rempli de senteurs exotiques et brille de toutes les couleurs.

Retraversez les marchés en direction de la mosquée Karaouiyne.

Le quartier de la Karaouiyne★★

(Plan III C2, D2) Comptez 3h.

Cœur historique et spirituel de la médina, la mosquée Karaouiyne n'est malheureusement pas accessible aux touristes, qui doivent se contenter de coups d'œil lancés *(avec discrétion)* par l'une de ses nombreuses portes. Autour de ce pôle religieux et intellectuel gravitaient de nombreuses *médersas*.

▶ Construite en 1325, la **médersa Attarine★★** *(8h30-13h/14h30-18h, fermée le vendredi matin ; 10 DH)*, de dimensions modestes, est un joyau d'art mérinide. Dans la cour dallée trône une **fontaine de marbre★**, d'une forme délicate de fleur stylisée. Les *zelliges* qui couvrent la partie inférieure des murs sont d'une complexité rarement atteinte, tandis que, plus haut, le plâtre et le bois travaillés forment une dentelle murale d'une grande finesse. Dans la mosquée, qui n'est plus en service depuis les années 1940, vous apercevrez le *mirhab*, entouré de piliers de marbre noir.

▶ À la sortie de la médersa, tournez à gauche, puis encore à gauche pour atteindre la rue Bou-Touil, qui longe la mosquée Karaouiyne et dessert sa porte principale. Longtemps la plus grande mosquée d'Afrique du Nord (titre qui lui fut ravi par la mosquée Hassan II de Casablanca), la **mosquée Karaouiyne★★** peut accueillir plus de 20 000 pèlerins. Ses quatorze portes s'ouvrent toutes le vendredi, donnant l'occasion d'apercevoir la vaste cour intérieure et ses trois magnifiques fontaines. Édifié en 859 à l'initiative d'une femme originaire de Kairouan, Fatima al-Fihria, le bâtiment originel a totalement disparu. Son **minaret★★**, construit en 956, est vraisemblablement le plus ancien du Maroc. Chaque dynastie a laissé sa marque sur la construction. Les Almoravides ont procédé à son agrandissement, les Almohades l'ont dotée d'un monumental bassin aux ablutions, les Mérinides ont décoré patio et minaret, les Saâdiens ont bâti le pavillon. L'université de la Karaouiyne fut pendant des siècles un des grands pôles intellectuels du monde islamique.

Les érudits Maimonide (12e s.), Ibn Khaldoun (13e s.) ou encore Léon l'Africain y ont étudié. Elle reste aujourd'hui encore un centre renommé d'enseignement coranique.

▶ Faites le tour de la mosquée en empruntant la rue Sbalouïat, qui borde son mur est. À gauche s'ouvre la porte ancienne (1325) du **fondouk de Tsétaounine★**, où se regroupaient les voyageurs en provenance de Tetouan. Trente mètres plus bas se dresse le **fondouk de Tanger**.

▶ Le bruit nous conduit ensuite à la **place Seffarine★**, la place des dinandiers. On y pratique le travail artisanal du métal, le martèlement des célèbres plateaux marocains. La prestigieuse **bibliothèque Karaouiyne★**, fondée en 1349, se trouve sur la droite (entrée libre). La **médersa Seffarine** (à gauche), construite en 1271, est la plus ancienne des *médersas* fassi.

▶ Traversez la place. La rue qui descend sur la gauche conduit à l'oued Fès, et au **souk des teinturiers★**, où se déploie la palette multicolore des écheveaux de laine, de coton et de soie. Versés à même la rivière, colorants et produits chimiques sont évacués par le courant.

▶ De là, remontez la rue Cherratine jusqu'à la médersa du même nom. La **médersa Cherratine★** (tlj sauf les jours fériés, 10h-17h ; 10 DH), bâtie en 1670, est l'une des deux *médersas* non mérinides sur la dizaine que compte la cité. La simplicité de la construction et le dépouillement du décor lui confèrent un charme austère.

▶ Revenez sur vos pas jusqu'à la place Seffarine et prenez à droite la rue Mechatine, qui mène au quartier Chouara, siège des tanneries. Excentré à cause de la pollution qu'il produit, le **quartier des tanneurs★** (Plan III D2) (allez-y de préférence le matin car les tanneurs travaillent jusqu'à 13h) est néanmoins au cœur de l'activité touristique. Deux vastes terrasses surplombent les bassins nauséabonds dans lesquels les artisans, mal protégés des éclaboussures de chaux, travaillent selon des techniques ancestrales. Spectacle dérangeant en raison du décalage de situation entre les touristes confortablement installés sur la terrasse, certains respirant une feuille de menthe pour ne pas être perturbés par les odeurs, et les tanneurs qui s'affairent sous une chaleur torride en été. En même temps, c'est fascinant. La beauté des lumières et des couleurs est saisissante. Nous sommes face à une immense palette de peintures, le jaune du safran, le bleu de l'indigo, le vert de l'amande, le rouge du coquelicot et le marron du bois de cèdre. Dans les cuves de teinture, hommes et enfants répètent les mêmes mouvements, piétinant avec ardeur les peaux de chèvre, de mouton, de vache ou de dromadaire. Sur les terrasses, des maroquiniers tiennent boutique. Certains voudront vous donner des explications intéressantes sur le travail des tanneurs, en espérant bien sûr que vous leur achèterez ensuite quelques objets (babouches, portefeuilles, étuis, poufs, etc.) mais personne ne vous y oblige.

Revenez sur vos pas durant une centaine de mètres, et franchissez l'oued par le pont Ben el-Mudun. Si vous souhaitez interrompre ici votre visite, regagnez Bab Bou Jeloud en passant par la place Seffarine, puis en longeant la Karaouiyne pour atteindre la rue Talaa Seghira que vous remontez.

FÈS

Le quartier des Andalous★★

(Plan III D2) Comptez 1h.

Plus ancien, le quartier des Andalous, fondé par Idriss Iᵉʳ, est moins bien préservé et moins étendu que le quartier des Kairouanais. Déserté par les touristes, il offre un contraste reposant avec son ancien rival et possède un plaisant aspect « village ». Ses deux monuments valent le détour.

Après le pont Ben el-Mudun, remontez la rue Seffah jusqu'au cœur du quartier, la mosquée des Andalous. Vous pouvez également l'aborder par l'extérieur. Depuis Bab Ftouh, descendez la rue Akbet Caïd Khammar jusqu'à la mosquée.

▶ Édifiée en 861, reconstruite et agrandie par les Almohades, la **mosquée des Andalous★** *(interdite aux non-musulmans. D'importants travaux de restauration y sont entrepris)* fut restaurée au 17ᵉ s. par Moulay Ismaïl. Son minaret vert et blanc fut érigé au 10ᵉ s. sur le modèle de celui de la Karaouiyne ; son plus remarquable attribut est la porte monumentale datant du 13ᵉ s., surmontée d'un auvent de bois sculpté.

▶ Face à la porte, prenez à droite la rue qui contourne la mosquée, puis la première voie à gauche. L'entrée de la médersa se trouve à 100 m. Vouée au silence et à la contemplation, la **médersa Sahrij★★** *(8h30-12h/15h-18h, sauf le vendredi matin ; 10 DH)* possède un bassin rectangulaire qui occupe le centre du patio. Le bâtiment, de dimensions modestes, date de 1321. La porte de cèdre sculpté de la salle de prière se reflète dans une eau teintée de vert par les céramiques du bassin. Devant les salles du rez-de-chaussée, des arcades, protégées des regards indiscrets par de hauts moucharabiehs, forment un déambulatoire ombragé.

Rejoignez Bab Ftouh et prenez à gauche à la sortie de la médina. Pour vous rendre aux fabriques de poteries (Aïn Nobki), situées à environ 4 km à l'est de Fès, en direction de Sidi Harazem, il vous faut un véhicule. Vous pouvez prendre le bus n° 28 *(direction Sidi Harazem)*, mais vous risquez d'attendre longtemps, ou demandez à un taxi rouge de vous y conduire. Les panaches de fumée noire qui s'élèvent au-dessus des toits vous serviront de point de repère.

Le souk des potiers★ (Aïn Nobki)

(Plan III E3, en direction) Comptez 30mn.

Exilées de la médina pour cause de pollution trop importante, les fabriques de faïence ont été rassemblées dans ce quartier à l'écart de la ville. Une féroce concurrence règne, et vous êtes sollicité de tous côtés pour visiter les installations. Les techniques des potiers sont encore proches des méthodes traditionnelles. Ils utilisent notamment, en guise de combustible, des noyaux d'olive concassés qui produisent l'épaisse fumée planant sur le secteur. Les poteries de Fès sont réputées et l'on comprend pourquoi : elles sont solides, magnifiquement décorées à l'aide de couleurs intenses, ce fameux bleu, obtenu à partir du cobalt, mais aussi le vert venant du cuivre et le jaune du chrome. Le circuit s'achève bien entendu dans la boutique, d'où l'on repart souvent chargé.

FÈS EL-JÉDID★★

(Plan II) Comptez une demi-journée.

La ville mérinide, bâtie à quelques encablures de la médina, fut créée en 1276 par le prince Abou Youssef. Elle conserve, dans les larges proportions des avenues et la décoration soignée des bâtiments, un reflet de son faste d'antan.

La place des Alaouites en marque l'entrée. Le **palais royal★** *(Plan II B2)*, Dar el-Makhzen *(interdit au public)*, construit au 14ᵉ s., se dresse à son extrémité nord. Les trois portes monumentales qui ornent sa façade sont récentes.

Quartier des tanneurs

Parcours dans la ville mérinide★

Comptez 2h.

De la place des Alaouites, prenez à droite la Grand-Rue du Mellah, qui vous conduit au cœur du quartier juif.

▶ Premier ghetto du Maroc, le **mellah★** *(Plan II B2, C2)* compte encore quelques habitants juifs. Les **balcons de bois et de fer forgé** sont typiques des maisons du *mellah*. Elles se distinguent des habitations musulmanes par leurs nombreuses ouvertures sur l'extérieur. Le quartier est réputé pour ses orfèvres, rassemblés au pied de la porte **Bab Smarine**.

▶ Franchissez Bab Smarine et remontez la **rue de Fès el-Jédid** *(Plan II C2)*, l'artère commerçante d'el-Jédid. Vous longez, sur votre droite, la **mosquée el-Hamra** (14e s.). Plus loin, quelques marches conduisent à un ancien **moulin à eau★** au bord de l'oued. Un petit café-restaurant judicieusement situé permet de profiter de la fraîcheur de l'onde.

▶ Reprenez la rue principale jusqu'au méchouar. Ancien terrain militaire, le **petit méchouar** *(Plan II C1)* est surplombé par la monumentale porte **Dekakène★** *(Plan II B1)* et entouré de remparts, récemment rénovés, sur lesquels nichent des cigognes. À 20 m au nord se trouve le **grand méchouar**.

▶ Engagez-vous à droite dans l'avenue des Français. Cette rue paisible mène à la médina. Le **jardin public de Bou Jeloud★** *(Plan II C1)* s'ouvre sur la droite, figurant, avec ses allées ombragées et ses jeux d'eau, une version moderne et élargie du patio andalou. Les Fassi s'y réfugient volontiers lors des après-midi caniculaires que connaît la ville en été.

Poursuivez l'avenue des Français jusqu'à la porte Bou Jeloud, puis longez sur votre droite les remparts de la médina pendant 200 m, pour atteindre le palais Batha.

Le musée Dar Batha★★

(Plan III A3) Comptez 1h.

Tlj sauf mardi 8h30-12h/14h30-18h ; 10 DH.

Palais royal, érigé à la fin du 19e s. entre Fès el-Bali et Fès el-Jédid, il abrite le musée des Arts marocains. Sa vocation première de lieu de réception, de « palais d'apparat », explique l'étendue du splendide **jardin intérieur★★**, le *riad*, et les proportions majestueuses des **galeries★★** à colonnade. Les hautes salles aux plafonds de bois peint et, à l'étage, le salon de réception permettent d'imaginer le luxe qui entourait le sultan.

Vitrine des arts décoratifs fassi, la collection éclectique du musée procure un intéressant panorama de l'artisanat traditionnel de la cité. La **céramique★** est sans doute l'art le plus connu de la ville impériale. Vous verrez de beaux exemples du « bleu de Fès » très renommé et de faïence polychrome. Les enluminures précieuses des **manuscrits anciens★**, les volutes des meubles en cèdre ouvragé, les ornements des grilles en fer forgé rappellent les origines du mot « arabesque ». Le **textile** – costumes, tissus, broderies fines et tapis – est également bien représenté. Une collection d'**astrolabes★**, datant du 11e au 18e s., témoigne de l'importance de la science dans la civilisation arabe. Le premier instrument de ce type aurait d'ailleurs été créé à Fès.

LE TOUR DE LA VILLE★★

Circuit de 15 km. Comptez 2h.

Pour cette promenade en voiture, privilégiez la fin d'après-midi, afin de profiter de la lumière dorée du crépuscule. Vous pouvez effectuer ce circuit en guise d'introduction à la ville impériale, mais il semble profitable de l'accomplir après un premier repère dans la médina. Vous serez ainsi à même de distinguer, au milieu des toits, les quartiers et les monuments visités, et de prendre conscience de l'immensité de cette merveilleuse vieille cité.

De la ville nouvelle, prenez le bd Hassan II vers la médina, puis continuez dans son prolongement sur la P1 *(direction Taza et Oujda)*. Faites une halte au pied du Borj Sud.

Le Borj Sud★

(Plan III D4)

▶ Cette forteresse en pisé se dresse au sommet d'une colline plantée d'oliviers, offrant un beau **panorama★** sur la ville. Construite par les Saâdiens pour surveiller une population fassi encline à la rébellion, elle est aujourd'hui à l'abandon. Sur la colline se déroule un **spectacle son et lumière** retraçant l'histoire de la ville *(voir partie pratique)*.

▶ Reprenez la P1. La route longe les **remparts★** sud de la médina. La muraille, vestige des fortifications établies à la fin du 11e s., s'achève après la porte Ftouh.

▶ À 500 m après les remparts, prenez à un rond-point la route de gauche. La voie descend vers le lit de l'oued Fès, traversant les quartiers populaires bâtis à l'est de la médina. Après une place où stationnent de nombreux bus, empruntez sur votre gauche une rue montante qui rejoint les remparts à hauteur du palais Jamaï. Tournez encore à gauche à l'intersection suivante, après ce palais et **Bab Guissa**. La route à flanc de colline offre de jolies **perspectives★** sur la vieille ville.

Poursuivez jusqu'à l'intersection avec la gare routière. Tournez alors à droite *(direction hôtel des Mérinides)* pour rejoindre, en longeant un jardin public très fréquenté, le Borj Nord et la nécropole mérinide.

Le Borj Nord★

(Plan III A1)

8h30-12h/14h30-18h, 10 DH, fermé le mardi.

Accessible par le bus n° 20 de la place de Florence.

Mieux préservé que son jumeau du sud de la ville, ce bastion accueille un **musée d'Armes**, qui séduit les amateurs d'art militaire. Parmi les pièces présentées dans les salles voûtées du fortin, ne manquez pas la belle collection de sabres et de poignards marocains.

Les tombeaux mérinides★

Les princes mérinides ont conçu leur dernière demeure avec autant de soin que leurs palais et *médersas*, choisissant pour ériger leur mausolée une éminence qui domine toute la vallée de Fès.

De la route, un agréable sentier mène aux ruines. La **vue★★★** sur la ville y est exceptionnelle, tout particulièrement au coucher du soleil.

Faites demi-tour pour rejoindre la gare routière et poursuivez votre chemin le long de la kasbah des Cherarda (ou kasbah al-Khemis). Au rond-point, prenez à gauche pour regagner la ville nouvelle par le bd des Saâdiens.

LA VILLE NOUVELLE

(Plan II)

Construite par les Français, la ville moderne possède de larges avenues rectilignes, bordées d'arbres, sous lesquels s'installent les terrasses des cafés. Elle s'ordonne autour de la vaste **place de Florence** *(Plan II A4)*, de l'axe principal, l'**avenue Hassan II** et de l'**avenue Mohammed es-Slaoui**. L'ensemble offre un important contraste avec la vieille ville, et dégage une atmosphère plaisante qui semble calme après l'effervescence de la médina. Les administrations et les services touristiques, des loueurs de voiture à l'Office du tourisme, sont regroupés dans ce quartier. La plupart des hôtels s'y trouvant également, vous y séjournerez probablement. Il n'y a toutefois guère de raison de flâner dans ces quartiers : les attraits de Fès sont réunis dans la cité historique.

LES VILLES THERMALES★

Qu'elle soit source ou rivière, qu'elle dorme dans un bassin ou jaillisse d'une fontaine, l'eau joue un rôle de premier plan dans l'histoire et le développement de la plaine fassi.

Moulay Yacoub comme Sidi Harazem se sont créées autour de sources aux vertus curatives. Ces deux localités dévoilent des facettes méconnues de la vie marocaine.

MOULAY YACOUB★

22 km à l'ouest. Comptez une demi-journée.

Empruntez la N6 de Fès vers Meknès, puis bifurquez sur la S308 à hauteur d'une station-service. La voie se termine 15 km plus loin, à Moulay Yacoub. La route depuis Fès traverse le massif du Cheraga, un paysage prérifain de relief très doux. Elle ménage de beaux **panoramas★** sur les collines arides et lunaires, qui justifieraient à eux seuls le voyage.

Le **village★**, accroché au flanc abrupt d'une colline, apparaît tout à coup au détour d'un virage. Il faut arpenter ses ruelles escarpées pour saisir l'ambiance si particulière de cette station thermale populaire.

La source chaude de Moulay Yacoub est appréciée depuis des siècles. L'eau, salée et riche en soufre qui lui confère une odeur caractéristique, sort de terre à la température de 54 °C et au débit de 8 litres par seconde. Elle est réputée pour ses vertus thérapeutiques en rhumatologie et en ORL. Deux établissements en dispensent les bienfaits. Au cœur du village, les **thermes★** gérés par la **Sothermy** sont les plus anciens et connaissent une grande affluence. D'un confort rudimentaire, ils accueillent des patients d'un milieu modeste, venus, souvent en famille, profiter de la piscine ou des bains.

En contrebas, la **Nouvelle Station thermale★** propose, dans un environnement luxueux, des soins et des formules de remise en forme. La **piscine**, bassin circulaire entouré d'une colonnade et aux murs carrelés de bleu, est particulièrement réussie.

Arriver ou partir

Taxis - De nombreux grands taxis relient Fès à Moulay Yacoub ; le départ a lieu de Bab Bou Jeloud.

Se loger à Moulay Yacoub

Environ 250 DH (25 €)

Hôtel de la Paix, rue principale, au centre du village, ☎ 055 69 41 91 - 8 ch. ⌐ 🖿 📺 Chambres propres et confortables. Pas de petit-déjeuner.

Environ 370 DH (37 €)

Hôtel A Léonard, ☎ 055 69 40 20/26 - 17 ch. ⌐ 🖿 📺 ✕ À proximité du parking principal, l'hôtel est situé au 2e étage d'un bâtiment comprenant, au rez-de-chaussée, un salon de thé, et au 1er un restaurant. Chambres spacieuses et confortables.

Environ 800 DH (80 €)

⊛ **Hôtel Moulay Yacoub**, à l'entrée du village, ☎ 055 69 40 35/70 - 60 ch. et 60 bungalows. ⌐ 🖿 📺 ✕ ⊒ 🆑 Au sommet de la colline, cet établissement sélect propose une gamme complète de services, dans un cadre soigné. Belles chambres ou bungalows, espaces communs vastes et chaleureux. Formule demi-pension, env. 1 000 DH pour deux.

Se restaurer à Moulay Yacoub

Au cœur du village plusieurs échoppes proposent de la nourriture bon marché. L'alternative réside entre le restaurant de l'hôtel A Léonard et celui du Moulay Yacoub.

Loisirs

Thermalisme - Sothermy, ouvert tlj 6h-22h. Piscine 5 DH (fermée le mercredi), bain individuel 10 DH. **Nouvelle Station thermale**, à l'entrée de la ville en venant de Fès, ☎ 055 69 40 66, tlj sauf lundi 9h-18h (nocturne vendredi et samedi jusqu'à 20h). Piscine ou bain individuel 80 DH, vaporarium 60 DH.

Golf - Practice à côté de la Nouvelle Station Thermale.

SIDI HARAZEM

12 km à l'est. Comptez 2h.

Sortez de Fès en direction de Taza, puis tournez à droite après une dizaine de kilomètres. L'itinéraire est bien indiqué. Le bus n° 28 parcourt régulièrement ce trajet.

L'eau minérale la plus célèbre du pays jaillit d'une fontaine publique, au milieu d'une vaste et sévère esplanade bétonnée, de style soviétique. La foule s'y presse autour et remplit bidons et récipients divers. Des gamins dépenaillés vendent l'eau à la tasse pour quelques piécettes. En contrebas, une **piscine** est alimentée par la même source *(l'été tlj 7h-18h, adulte 15 DH, enfant 10 DH)*. La location de serviettes et de maillots de bain est assurée à l'entrée. L'usine d'embouteillage de Sidi Harazem se situe à quelques kilomètres des installations ouvertes au public, sur la route de Taza.

LE SEBOU ET LE KANDAR★

😊 **Une température agréable en été**

> **Quelques repères**
>
> Province de Fès – Circuit de 185 km – Carte Michelin n° 742 plis 28 et 29 et carte régionale p. 284.
>
> **À ne pas manquer**
>
> Les sources de l'oued Sebou.
>
> L'ascension du jbel Abad.
>
> **Conseils**
>
> Comptez 2 jours.

À l'intersection des plaines fertiles du pays fassi et des rudes plateaux du Moyen Atlas, la vallée du Sebou et le massif du Kandar sont réputés pour leur douceur de vivre. Alors que Fès et Meknès suffoquent sous la canicule estivale, une agréable température règne dans ces vallées verdoyantes. Reposante et facile à parcourir, cette région de moyenne altitude offre de beaux paysages d'oueds encaissés et de cultures en terrasse d'oliviers ou d'arbres fruitiers. Ne manquez pas deux cités à l'ambiance tranquille et décontractée, Sefrou et Immouzèr. N'hésitez pas à vous aventurer sur les pistes, en véhicule ou à pied, pour rejoindre notamment le belvédère du secteur, le jbel Abad.

Arriver ou partir

En bus - Gare routière de Sefrou, pl. Moulay Hassan. Bus pour Fès toutes les heures.

Station de bus d'Immouzèr, pl. du Marché. Les bus entre Fès et Marrakech y font une halte. Accès facile à toutes les villes situées sur cette route.

En taxi - À Sefrou, les taxis attendent sur la place Moulay Hassan, à l'opposé de la gare routière ; ils se rendent à Fès, Immouzèr, Ifrane, el-Menzel.

Adresses utiles

Banque / Change - À Sefrou, **BMCE**, bd Mohammed V.

Poste / Téléphone - Poste de Sefrou, bd Mohammed V.

Se loger

▶ *À Sefrou*

Environ 190 DH (19 €)

Hôtel La Fresnaie, rue de Fès, à l'entrée de la ville en venant de Fès, ☎ 055 66 10 27 - 7 ch. Située près de la médina, cette jolie bâtisse blanc et vert est plus attrayante de l'extérieur qu'à l'intérieur. Les chambres sont monacales, et la literie fatiguée. Douche et toilettes, propres, sur le palier. Bon accueil. Tarif réduit à partir de la 2e nuit.

Environ 240 DH (24 €)

Hôtel Sidi Lahcen el-Youssi, rue Sidi Ali Boussaghine, ☎ 055 68 34 28 - 16 ch. ⌂ ✗ ⌸ Les chambres, claires et agréables, s'ouvrent soit sur le jardin, soit sur la piscine ; 10 d'entre elles possèdent un balcon. Eau chaude matin et soir. La piscine est accessible aux non-résidents moyennant 15 DH.

▶ *À Immouzèr-du-Kandar*

Environ 240 DH (24 €)

😊 **Hôtel Les Truites**, route de Fès, ☎ 055 66 30 02 - 13 ch. ✗ ☗ À la sortie de la ville, cet établissement sympathique propose des grandes chambres installées au fond du jardin, et d'autres dans le bâtiment principal. La moitié des chambres disposent de douche et toilettes individuelles. Vous pouvez vous désaltérer sur une terrasse couverte entourée de verdure. Petit restaurant (10 tables) à l'ambiance familiale.

Hôtel Chambotte, av. Mohammed V, ☎ 055 66 33 74 - 7 ch. ⌂ ✗ ☗ Vous repérerez facilement cette villa à sa couleur rose et à son entrée surmontée d'une treille. Les chambres, récemment rénovées, sont équipées de douche et de WC. L'hôtel loue aussi 5 bungalows (jusqu'à 5 pers.), disposant chacun d'une salle de bains, pour env. 300 DH.

Environ 370 DH (37 €)

Hôtel Chahrazed, 2 pl. du Marché, ☎ 055 66 30 12/36 70 - 40 ch. ⌂ 📺 ✗ ☗ 🆑🆑 Selon que vous privilégiez le pittoresque ou la tranquillité, vous choisirez une chambre donnant sur la place du Marché (avec balcon) ou sur l'arrière. Les chambres sont aménagées sans grande recherche, mais les espaces collectifs sont agréables.

Se restaurer

▶ *À Sefrou*

Environ 55 DH (5,5 €)

Café-restaurant Oumnia, rue Oukhouane, ☎ 055 66 06 79. Tlj 6h-22h. Accueil chaleureux et décor marocain pour l'établissement chic de la ville. Le rez-de-chaussée est consacré au salon de thé, la mezzanine accueille les 5 tables du restaurant. Petit choix de salades, omelettes, viandes grillées ou tajines.

▶ *À Immouzèr-du-Kandar*

À partir de 80 DH (8 €)

☺ **Restaurant Les Truites**. La salle offre une jolie vue sur la plaine de Fès. Bonne cuisine française ou marocaine (sur commande), truites à 65 DH, tajines à 85 DH. Goûtez la savoureuse spécialité maison : le jambon de l'Atlas, jambon de sanglier préparé par le patron.

Sortir, boire un verre

▶ *À Immouzèr-du-Kandar*

Salon de thé La Chaumière, bd Mohammed V, ☎ 055 66 30 54. Du 1er juillet au 15 sept. 8h30-13h/15h-22h. On y sert au milieu du jardin des coupes de glace, des boissons chaudes et froides dont un bon lait d'amandes.

Loisirs

Activités sportives - Piscine municipale de Sefrou, juillet et août, 9h30-16h. Entrée 5 DH. Les 2 bassins sont alimentés par l'oued Aggaï.

Piscine municipale d'Immouzèr, ouverte en principe du 1er juillet au 8 septembre, 9h-17h30, fermée le mercredi. Mais elle est fermée certaines années en raison du manque d'eau dans la région. Entrée 5 DH. Alimentée par l'eau de la rivière, la piscine d'Immouzèr est plus vaste et plus propre que la précédente. Petit café avec terrasse.

LA VALLÉE DU SEBOU★

Comptez une demi-journée.

65 km de Fès aux sources du Sebou. Sortez de Fès par l'est vers Sidi Harazem.

Après l'embranchement pour Sidi Harazem, la route monte à l'assaut des premières collines. À Bir-Tam-Tam, engagez-vous à droite sur la R504 en direction de Ribat el-Kheir. Prenez ensuite à droite pour el-Menzel, puis à gauche après la station-service, en direction des sources du Sebou. Après Oulad-Mkoudou, bifurquez à droite pour atteindre le village de Tarhit, à 4 km.

Tarhit★

Les maisons ocre et blanc, aux toits plats, sont étagées à flanc de colline. En contrebas, la mosquée, fraîchement badigeonnée de blanc, se détache sur un fond de végétation. Après la traversée du village, la route descend jusqu'au lit d'un oued enserré dans des falaises à reflets ocre et gris, puis rejoint une seconde vallée, au fond de laquelle brille le Sebou.

Continuez sur l'étroite voie jusqu'à son terme, à 30 m des sources.

Les sources du Sebou★★

▶ À l'arrivée aux sources, le goudron cède la place à un chemin qui s'élève vers les collines. Dès leur sortie de terre, les ondes claires du Sebou se mêlent à celles moins limpides d'un affluent, l'oued Zloul. Autour de la source, de petits barrages créent un bassin dans lequel enfants et adolescents se baignent l'été.

Reprenez la route en direction de Tahrit. À hauteur d'une passerelle sur l'oued Sebou, engagez-vous à gauche sur une piste carrossable, délimitée par des palissades. Suivez-la sur 1 km.

▶ À proximité de celles du Sebou jaillit la **source du Timedrine★**. Le chemin traverse des plantations d'amandiers, puis atteint une plage de galets, de l'autre côté de laquelle se dresse une belle villa. L'oued Timedrine sourd en une multitude de ruisselets de la plage, pour se jeter en **cascade** dans le Sebou.

▶ Regagnez el-Menzel, puis prenez la direction de Sefrou. L'itinéraire d'el-Menzel à Sefrou traverse les gorges du Sebou, puis longe l'oued Amekla. Le barrage Allal-el-Fassi, petite retenue aux eaux turquoise, est visible sur la droite avant l'arrivée au village d'Azzaba. 49 km séparent les sources du Sebou de Sefrou.

SEFROU★ ET SES ENVIRONS

Comptez 3h.

▶ Cité paisible où il fait bon flâner, Sefrou, qui abrita la plus grande communauté juive du pays, sombre dans un oubli immérité. Des six hôtels ouverts dans les années 1970, il n'en reste que deux en activité. Surnommée le « jardin du Maroc », la ville est célèbre pour ses vergers. La récolte des cerises donne lieu, en juin, à un *moussem* réputé.

Laissez votre véhicule sur la place Moulay Hassan. Ceinte de remparts du 19ᵉ s. bien préservés, la **médina★★** est traversée par l'oued Aggaï, qui sépare le **mellah★** du quartier musulman. Des maisons aux balcons de bois sont encore visibles dans le quartier juif, relié à la partie musulmane de la vieille cité par plusieurs ponts de pierre.

▶ Remontez l'avenue Moulay Hassan puis bifurquez au panneau signalant la cascade. En longeant le ksar par la droite, vous atteindrez la piste qui mène aux chutes *(parking payant)*. Comptez 20mn à pied de la vieille ville. En amont du centre-ville, l'oued Aggaï dégringole du haut d'une falaise de 20 m ; la **cascade** tombe dans un bassin entouré d'un muret de pierre.

▶ À la sortie de Sefrou, quittez la R503 pour la R714 en direction de Bahlil. Après 20 km environ, vous croisez la N8. Tournez alors à gauche pour rejoindre Immouzèr-du-Kandar, à 16 km. Vous pouvez aussi faire un détour par la 4633 pour visiter Aïn Chifa. Cette source, **aïn Chifa★**, au fond du vallon, alimente une grande piscine *(du 1ᵉʳ juill.*

au 15 sept., 8h-17h30, 4 DH). Les abords ombragés du cours d'eau constituent une promenade et une aire de pique-nique appréciés par la population locale.

LE KANDAR★

Comptez une journée.

Le massif du Kandar, premier contrefort du nord du Moyen Atlas, culmine, avec le jbel Abad, à 1 768 m. L'ascension du jbel, couvert de chênes verts, ne présente pas de difficultés.

Immouzèr-du-Kandar★

À 36 km de Fès, Immouzèr, petite station d'altitude (1 350 m), vit principalement du tourisme. Ses capacités d'hébergement sont d'ailleurs remarquables pour une localité de taille modeste. L'été et les week-ends, elle se peuple de Fassi, à la recherche d'un peu de fraîcheur, et de groupes d'enfants en colonies de vacances. La ville s'ordonne autour de la grand-rue, bordée de terrasses de cafés. Un **plan d'eau** artificiel a été construit en plein centre. Derrière la place du marché *(souk le lundi)*, la **kasbah★** dissimule d'anciennes habitations troglodytiques. La vieille cité fortifiée, bâtie au bord du plateau, bénéficie d'une vue imprenable sur la plaine de Fès.

Le jbel Abad★★

À Immouzèr, empruntez la rue qui débute entre la station Mobil et l'hôtel Chahrazed. Poursuivez sur une large piste. Au 1ᵉʳ embranchement, à hauteur d'une construction inachevée, prenez à gauche. Un cube de béton marque le 2ᵉ embranchement. Tournez à gauche sur une piste étroite qui conduit au pied du jbel. 2 km plus loin, garez-vous dans une vaste clairière, et poursuivez à pied *(1h de marche AR).* La piste s'élève jusqu'à un petit col, d'où l'on aperçoit la cime du jbel, surmontée d'une tour de garde. Au sommet du mont Abad, un **panorama★★** à 360° s'offre au regard. Au nord s'étend la plaine de Fès, au sud se dressent les monts boisés du Moyen Atlas.

IFRANE ET SES ENVIRONS★

Quelques repères

Chef-lieu de la province d'Ifrane – 63 km de Fès – 11 000 hab. – Alt. 1 650 m – Station d'altitude et de sports d'hiver – Carte Michelin nº 742 plis 5, 23 et 41 et carte du Moyen Atlas p. 284.

À ne pas manquer

Le circuit des lacs.

Le ski sur les pentes du cratère de Mischliffen.

Conseils

Louez un véhicule à Fès pour découvrir la région.

Des chalets, des petits lacs, de grandes allées fleuries très ordonnées, l'herbe soigneusement tondue, on ne se croirait vraiment pas au Maroc, mais plutôt dans un village de montagne en Europe. Ne vous attendez pas à trouver ici la densité d'habitation et la joyeuse animation qui caractérisent les villes marocaines ; le contraste est saisissant. Capitale touristique du Moyen Atlas, Ifrane a été construite par les Français, en 1929, sur le modèle des villages de Savoie et des Alpes. Les chalets aux toits pentus ornés de tuiles rouges et de nids de cigognes se nichent au fond d'un ancien cratère, entouré de montagnes boisées. Le centre dégage une atmosphère décontractée, reposante après la cohue des grandes cités. Des espaces verts, aménagés à proximité de l'Office de tourisme et de l'oued Tizguit, incitent à la flânerie. Salons de thé, restaurants et boutiques de souvenirs attendent les touristes.

Cette station d'altitude est un des hauts lieux marocains de sports d'hiver et un séjour de villégiature apprécié l'été en raison de son climat. L'air est pur et frais. Un imposant palais royal domine la ville et de somptueuses villas sont disséminées dans la campagne voisine. Ifrane est tout entière consacrée aux loisirs : randonnée, ski, VTT, pêche…

Arriver ou partir

En bus - Gare routière, bd Mohammed V, à 1 km du centre. Départ toutes les heures pour Fès. 5 bus par jour à destination de Rabat, 4 bus par jour pour Azrou et Marrakech. Liaisons quotidiennes avec Agadir (en soirée), Oujda (à la mi-journée), Khenifra (l'après-midi) et Nador (le soir).

Adresses utiles

Office de tourisme - Av. Prince Moulay Abdallah, ☎ 055 56 68 21. 8h30-12h/14h-18h30, ouvert aussi le week-end en été. Précieuses informations sur les excursions dans la région d'Ifrane ou d'Azrou, et l'hébergement chez l'habitant. Organise des randonnées via l'Association des guides de montagne d'Ifrane.

Banque / Change - **Banque populaire**, rue perpendiculaire à la rue des Érables.

Poste / Téléphone - Poste rue des Lilas, téléboutique rue des Érables.

Se loger

▶ *À Ifrane*

À part le camping, il n'existe pas d'hébergement bon marché à Ifrane. Les prix des locations d'appartements sont également élevés, mais cette option se révèle intéressante pour un petit groupe ou une famille. La **résidence Squalli Inn**, rue des Tilleuls, ☎ 055 56 71 71, propose des appartements pour 2 à 10 personnes.

Env. 50 DH (5 €) à deux avec 1 tente et 1 véhicule

Camping municipal, bd Mohammed V. Ouvert toute l'année. Installé à l'extérieur de la ville sur un terrain boisé, il dispose de 2 blocs sanitaires dont la propreté laisse à désirer. Douches chaudes à 5 DH. Épicerie.

Environ 400 DH (40 €)

⌂ **Hôtel Le Chamonix**, av. de la Marche Verte, ☎ 055 56 60 28/68 25 - 64 ch. ▮ 🖵 ✕ 🍷 Chambres claires et bien agencées. Le bar-restaurant attenant possède une terrasse.

Entre 460 et 500 DH (46 à 50 €)

Hôtel Les Tilleuls, rue des Tilleuls, ☎ 055 56 66 58/39 – 44 ch. ♒ 📺 ✕ Cet hôtel, qui a connu des jours meilleurs, pratique les tarifs les moins élevés de la ville. Réduction de 25 % à partir de la 2e nuit.

Hôtel Perce-Neige, rue des Asphodelles, Hay Riad, ☎ 055 56 63 50/51 – 27 ch. ♒ 📺 ✕ 🍷 📟 Standing un peu supérieur aux précédents. Salons aux couleurs pastel, bar, restaurant proposant une cuisine internationale. Demandez l'une des 5 chambres du 1er étage avec une grande terrasse ensoleillée.

▶ *À Dayet Âaoua*

Environ 270 DH (27 €)

Hôtel-restaurant Le Chalet du Lac, ☎/Fax 055 66 31 97 – 20 ch. ✕ 🍷 Sur la rive ouest du lac Âaoua, l'établissement offre une belle vue et un calme absolu dans un cadre bucolique à souhait. La salle de restaurant et les chambres dégagent un charme suranné. Douches chaudes à l'étage. Restaurant un peu cher servant une cuisine française.

Environ 400 DH (40 €) pour 2 à 4 pers.

Le Gîte, ☎ 055 60 48 80, aouagite@yahoo.com – 5 appartements. ♒ 📺 ✕ Sur la rive est du lac (à l'opposé de l'établissement précédent). Location de coquets appartements avec chambre, salon. Décoration d'inspiration berbère. Salle de restaurant, jardin, location de vélos et de matériel de pêche. Le personnel, accueillant, organise des randonnées à pied, à cheval, en VTT, ou en canoë. Pas de vue sur le lac. Le coin cuisine a été supprimé. Trois restaurants, dont une hutte et une tente d'inspiration berbère, ouverts selon le temps.

Se restaurer

▶ *À Ifrane*

Environ 50 DH (5 €)

Le Croustillant, rue des Lilas, ☎ 055 56 60 68. Tlj 6h30-18h (22h l'été). Ce salon de thé propose, dans un cadre chaleureux de bois clair, un grand choix de pâtisseries marocaines et de viennoiseries. Une excellente adresse bon marché pour le petit-déjeuner.

Salon de thé - pizzeria Cookie Craque, av. des Tilleuls, ☎ 055 56 71 71. Tlj 7h-22h. Le café sélect de la ville sert de très bonnes pâtisseries, mais aussi des mets plus consistants : sandwichs (20 DH), salades, pâtes, pizzas (de 30 à 45 DH) et plats du jour (60 DH).

Restaurant La Rose, 7 Hay Riad, ☎ 055 56 62 15. Petit établissement au cadre rustique, très fréquenté par la population locale. On y mitonne une cuisine familiale à des prix raisonnables, tajines à 45 DH, truites en papillote à 55 DH, menus à 60 DH.

À partir de 80 DH (8 €)

🍽 **Restaurant La Paix**, av. de la Marche Verte, ☎ 055 56 66 75. Plus chic et un peu plus cher. Grande salle avec cheminée, vaste terrasse. On y déguste des plats marocains, mais aussi français ou italiens. Bonnes pizzas au feu de bois et desserts savoureux.

Sortir, boire un verre

Bars – La seule alternative aux bars des hôtels Chamonix et Perce-Neige est le **Complexe Aguelmame**, ☎ 055 56 68 79. Surplombant l'étang à l'entrée de la ville, il bénéficie d'une jolie vue. Boissons et snacks. Parking payant.

Loisirs

Piscine – **Piscine municipale**, sur la route de Fès, à 500 m du centre. Ouverte en juillet-août. Entrée 10 DH.

Randonnées – Pédestres, équestres, à skis ou en VTT. Des guides-accompagnateurs diplômés proposent des circuits d'une demi-journée à 12 jours : 150 DH la demi-journée journée, 200 DH la journée. L'Office de tourisme vous recommandera un guide.

Ski – Location de matériel à l'**hôtel Chamonix**, à Ifrane, ou au **Ski Club**, à Mischliffen.

LE VAL D'IFRANE ★

Comptez 2h30 pour un parcours de 18 km.

Sortez d'Ifrane par la route de Meknès.

Une verte vallée s'étend le long de l'**oued Tizguit**, ombragé par des sau-

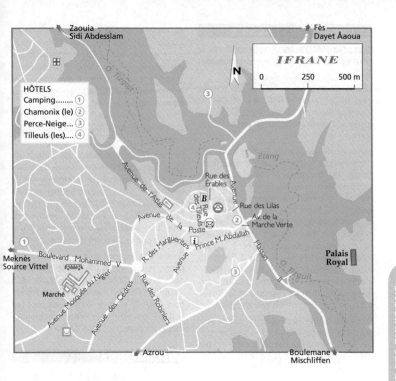

les et des peupliers. Vous pouvez vous y promener et pique-niquer au bord de l'eau, dans des paysages bucoliques, rares au Maroc.

La source Vittel

À 3 km d'Ifrane, la source « Vittel » est signalée par un panneau placé à droite de la chaussée. Un parking gardé (et cher) permet de s'en approcher en voiture. Vous pouvez aussi vous garer au bord de la route et continuer à pied.

Cette petite source jaillit de la roche, au bas d'une falaise. Elle est très fréquentée par la population locale, qui vient y puiser une eau théoriquement pure, mais aussi s'y détendre et passer la journée en famille.

Longez la rivière vers le sud sur 500 m pour rejoindre la **cascade des Vierges**, qui murmure au milieu des futaies. L'ensemble constitue un but de promenade

facile à atteindre depuis Ifrane, en marchant le long du Tizguit.

Reprenez la route de Meknès jusqu'à l'embranchement pour la zaouïa Sidi Abdesslam *(8 km d'Ifrane)*.

La zaouïa Sidi Abdesslam★

Bâti sur les rives du Tizguit, ce village accueillit au 16e s. le marabout Sidi Abdesslam, qui y finit ses jours et lui donna son nom. La localité, considérée depuis comme un sanctuaire, abrite la tombe du saint homme, vénéré par les fidèles. On peut voir, en contrebas des logements modernes, une cinquantaine de **maisons troglodytiques**. Autrefois seuls lieux d'habitation, elles préservaient des rigueurs climatiques grâce à leurs épaisses parois rocheuses. Elles sont maintenant utilisées comme entrepôts, mais les propriétaires continuent volontiers à s'y réfugier l'été pour échapper à la canicule.

LE CIRCUIT DES LACS★★

Comptez une journée pour explorer le secteur et faire quelques promenades à pied.

La région des lacs est délimitée par les axes N8 à l'ouest et R503 à l'est. Depuis Ifrane, suivez sur 16 km la route de Fès, jusqu'à l'embranchement pour le lac Âaoua.

Sur la route, des vendeurs de poteries et de minéraux invitent, parfois avec insistance, les touristes à s'arrêter devant leurs petits stands de fortune. Au nord d'Ifrane s'étend un plateau aride et caillouteux, bientôt remplacé par un paysage verdoyant, bordé de douces collines boisées. Les lacs *(dayèt)*, qui occupent les dépressions du terrain, sont le plus souvent asséchés ou réduits à l'état de mares boueuses. Leur lit fertile accueille alors cultures et troupeaux. Les deux plus importants, le Dayèt Âaoua et le Dayèt Ifrah, valent la visite en toute saison.

Prenez à droite la route qui suit la rive nord du Dayèt Âaoua. Une petite voie sur la droite vous permet, moyennant paiement *(3 DH)*, de faire le tour du lac par sa rive sud.

Le Dayèt Âaoua★

Ce petit lac est le plus accessible de la région et le seul à offrir des possibilités de restauration et d'hébergement. Il s'étire en longueur dans un paysage champêtre et verdoyant. Son rivage ombragé en fait un lieu idéal pour la promenade et l'observation des oiseaux aquatiques. Si vous souhaitez y passer la nuit en saison estivale, n'oubliez pas de réserver.

Reprenez la route à l'extrémité est du lac. Poursuivez le long d'une vallée agricole jusqu'à une intersection. Tournez alors à droite en direction du Dayèt Ifrah, puis encore à droite sur une toute petite route qui se transforme en piste à l'arrivée au lac.

Le Dayèt Ifrah★★

Après la traversée d'une forêt de pins et de chênes verts, le contraste avec l'aridité des abords du lac est surprenant. De forme circulaire, le Dayèt Ifrah

est entouré de collines à l'aspect lunaire, où dominent les tons ocre et blanc de la terre et des roches. Un **hameau**, blotti sur la rive, dégage une impression de fragilité et d'isolement extrêmes face à une nature difficile. L'endroit, d'une beauté sauvage, est loin des circuits touristiques, et les habitants manifestent une certaine méfiance vis-à-vis des visiteurs.

Le hameau est le point de départ de deux pistes, qu'il est conseillé de n'emprunter qu'en 4x4. La première fait le tour du lac. La seconde traverse les collines et rejoint la R503. Si vous poursuivez la route 3325, qui devient rapidement une piste, vous déboucherez sur la route de Mischliffen, à 6 km d'Ifrane.

Si vous êtes équipé d'un véhicule de tourisme, rejoignez Ifrane par le même itinéraire qu'à l'aller, ou remontez la 3325 jusqu'à la R503. Tournez à droite *(direction Midelt)* puis, à 20 km, empruntez la R707, qui vous mènera, à travers une forêt de cèdres, jusqu'à Ifrane.

MISCHLIFFEN★

Comptez une demi-journée.

À 6 km d'Ifrane par la R707, prenez à gauche une petite route asphaltée. Garez votre voiture 2 km plus loin, lorsque le goudron disparaît. La piste, difficilement carrossable pour un véhicule de tourisme, se poursuit jusqu'au lac Ifrah, par de très belles forêts de cèdres.

Les roches ruiniformes★

▶ Des blocs de roches évoquant les ruines d'un village sont visibles sur la gauche, au milieu des bosquets de chênes verts et de genévriers. En une demi-heure de marche facile, vous parviendrez au pied de ces falaises qui s'élèvent de 5 à 10 m de hauteur, que l'érosion a sculptées en forme de colonne ou de champignon.

▶ Reprenez la route en direction de Midelt. La route franchit le **col de Tizi-n-Tretten** (1 934 m), qui découvre un

panorama★★ à 180° sur les forêts de cèdres environnantes et, à l'arrière-plan, sur les monts les plus hauts du Moyen Atlas, le **massif du Tichchoukt**.

Mischliffen★

Principale **station de ski** du Moyen Atlas, Mischliffen offre, en regard de ses consœurs européennes, des installations de dimensions modestes. Ses pistes, à flanc d'un ancien volcan, sont peu nombreuses, et son enneigement se limite à la période de janvier à mars, les meilleures années. Le chalet du Ski Club d'Ifrane, repérable à un pylône rouge et blanc, annonce l'arrivée à la station, dominée par le mont Mischliffen (2 036 m). Une petite route à gauche, en sens unique, donne accès aux téléskis installés au fond du cratère. Les forêts de cèdres, alentour, abritent des groupes de turbulents singes de Barbarie.

Quelques kilomètres séparent Mischliffen de la station voisine installée sur le **jbel Hebri** (2 104 m), qui dispose d'une remontée mécanique et de deux pistes tracées dans les bois. La zone est composée de plateaux arides, déboisés, et de formations rocheuses d'origine volcanique, dont les sommets sont recouverts de forêts originelles de cèdres et de chênes verts. Elle est propice aux promenades. Des nomades berbères y installent leurs campements d'été et y font pâturer leurs troupeaux.

LE PAYS DES CÈDRES ET DES LACS★★

D'AZROU À KHENIFRA

Quelques repères

Provinces d'Ifrane et de Khenifra – Itinéraire en boucle au départ d'Azrou – Carte Michelin n° 742 pli 22 et carte régionale p. 284.

À ne pas manquer

Le lac Afenourir.

L'itinéraire reliant Azrou à Khenifra par Âïn-Leuh.

Conseils

Goûtez la délicieuse truite d'Azrou.

Cette région de forêts, de lacs majestueux et de cours d'eau impétueux, est la plus belle, et sans doute la plus méconnue, du Moyen Atlas. Facile à explorer, tant en voiture qu'à pied, elle déroule des paysages de moyenne montagne rudes et sauvages, de vastes étendues d'herbe rase alternant avec de profonds sous-bois. Faiblement peuplée, elle forme le territoire traditionnel de tribus semi-nomades, les Beni Mguild, installés autour d'Azrou, et les Zaïane, près de Khenifra. À la belle saison, vous croiserez ces Berbères qui vivent sous de grandes tentes de toile sombre, les *khaïma*, dressées à proximité d'un point d'eau. Les troupeaux de moutons et de chèvres, qui pâturent alentour, constituent leur seule richesse.

Si vous disposez d'un peu de temps, profitez-en pour découvrir la forêt de cèdres et pour effectuer le trajet Azrou-Khenifra, non par la route la plus rapide, mais par celle des lacs et des sources.

Arriver ou partir

En bus - Gare routière d'Azrou, bd Moulay Abdelkader. Départs pour Fès (16 bus par jour), Meknès (17), Marrakech (3), Khenifra (2, dans l'après-midi), Rabat, Midelt, Beni Mellal, er-Rachidia (15), Erfoud, Rissani.

Gare routière de Khenifra, bd Zerktouni. De nombreux bus partent en direction d'Azrou, de Meknès, de Fès, de Marrakech et de Beni-Mellal. Des liaisons quotidiennes se font avec Tanger, Tétouan, Oujda, Ouarzazate. Plusieurs départs quotidiens ont lieu pour Casablanca, er-Rachidia et Agadir.

En taxi - À Azrou comme à Khenifra, les grands taxis stationnent devant la gare routière et desservent les villes des environs.

Adresses utiles

Banque / Change - La **BMCI**, bd Mohammed V, à Khenifra, dispose d'un distributeur de billets.

Poste / Téléphone - La **poste de Khenifra** se trouve bd Mohammed V.

Se loger

▶ *À Azrou*

Environ 60 DH (6 €)

Hôtel Ziz, 83 place Moulay Hachem, ☎ 055 56 23 62 - 22 ch. Une adresse calme et bien tenue au cœur de la médina. L'ameublement des chambres est sommaire. Une douche commune (froide), sanitaires propres. Pas de petit-déjeuner.

Environ 150 DH (15 €)

Hôtel des Cèdres, pl. Mohammed V, ☎ 055 56 23 26 - 9 ch. ✗ Les chambres sont toutes équipées d'un lavabo et d'un bidet. Celles qui donnent sur la place partagent une grande terrasse. Douche chaude payante (10 DH).

Environ 200 DH (20 €)

Hôtel Azrou, route de Khenifra, ☎ 055 56 21 16 - 10 ch. ✗ ☂ Plus agréable que le précédent, mais souvent complet. Sept chambres sont équipées de douche (dont trois avec WC). Eau chaude matin et soir. Le restaurant dispose d'une agréable terrasse ombragée. Le bar attenant est bruyant, évitez la chambre au-dessus.

Entre 420 et 450 DH (42 à 45 €)

🐌 **Hôtel Le Panorama**, ☎ 055 5620 10/
22 42 - 38 ch. 🛏 ✗ 🍽 CC Au rez-de-
chaussée, un salon avec grande cheminée, une salle de restaurant de style
Belle Époque (menu à 130 DH) et un bar
vous accueillent. Les chambres, moins
agréables que les parties communes,
sont confortables. La plupart ont un
balcon avec vue sur le jardin.

Hôtel Amros, rte de Meknès, ☎ 055 56
36 63 -68 ch. 🛏 📺 ✗ 🍽 🛁 CC Situé à
6 km d'Azrou, cet hôtel haut de gamme
dispose d'une grande piscine, d'une discothèque et d'un bar. Les tarifs sont un
peu élevés par rapport aux chambres,
assez ordinaires. Pas de demi-pension
pour les particuliers.

▸ *À Khenifra*

Environ 100 DH (10 €)

Hôtel Aregou, 9 bd Zerktouni, ☎ 055 58
64 87 - 15 ch. ✗ À proximité de la gare
routière, la réception reste ouverte toute
la nuit. Petites chambres propres, douches (eau chaude aléatoire) et toilettes
sur le palier. L'accueil est sympathique et
le restaurant, correct. Petit-déjeuner non
inclus dans le prix (à la carte).

Environ 200 DH (20 €)

🐌 **Hôtel-restaurant de France**, quartier des FAR, ☎ 055 58 61 14 - 11 ch. 🛏
✗ Cet établissement au charme désuet
loue de grandes chambres un peu sombres avec douche et WC. Eau chaude
le matin et le soir. Le restaurant, qui
dispose d'une jolie terrasse sous une
tonnelle, sert un excellent couscous.
Bon rapport qualité-prix.

Environ 360 DH (36 €)

Hôtel Mouha ou Hammou Zayani,
cité Amal, ☎ 055 58 60 20 - 58 ch. 🛏
✗ 🍽 🛁 CC Perché sur une colline
qui domine la ville, cet hôtel serait très
attrayant si son entretien n'était pas
aussi négligé. Les chambres, disposant
chacune d'un coin-salon, présentent
une belle vue sur la ville (côté piscine)
ou sur les collines (côté parking).

Autour de 420 DH (42 €)

Hôtel Najah, bd Zerktouni, ☎ 055 58
83 31/32 - 21 ch. 🛏 🚿 📺 ✗ CC Plus
cher, le Najah n'est pas plus plaisant.

De petites chambres impersonnelles
donnent sur la rue ou sur une arrière-
cour étroite. Le restaurant fait aussi
salon de thé.

Se restaurer

▸ *À Azrou*

Les restaurants populaires sont rassemblés sur la place Hassan II.

▸ *À Khenifra*

On ne trouve pas de restaurants dignes
de ce nom en dehors de ceux des hôtels.
Pour une petite faim, allez près du marché où quelques échoppes proposent
des brochettes et des sandwichs.

Sortir, boire un verre

▸ *À Azrou*

Café Pâtisserie Azrou, place Hassan II,
☎ 055 56 22 81. Ouvert 24h/24. Non
loin de la gare routière, ce salon de thé
est le plus chic d'Azrou. Grande terrasse,
salle fonctionnelle sans charme. On y
sert des jus de fruits frais, et un large
assortiment de gâteaux.

Discothèque Vénus, hôtel Amros,
☎ 055 56 36 63, à partir de 22h, entrée
50 DH par pers., accès gratuit pour les
résidents.

▸ *À Khenifra*

Salon de thé La Colombe, 325 bd
Zerktouni, ☎ 055 28 38 82. Ouvert de
4h30 à 2h. Un bon choix de pâtisseries
et de viennoiseries à déguster dans une
grande salle couverte de miroirs, ou sur
la terrasse.

Bar de la Poste, quartier des FAR,
☎ 055 58 62 92. Ouvert de 10h à 23h
Le seul débit de boissons alcoolisées de
la ville, à côté de l'hôtel de France, est
le lieu de détente des soldats de la
caserne voisine. En face, une petite épicerie vend de l'alcool à emporter.

Loisirs

**Activités sportives - Piscine munici-
pale d'Azrou**, à côté de l'hôtel Azrou,
ouverte du 16 juillet au 30 août, de 9h
à 17h.

Randonnées - Randonnées pédestres ou équestres. L'Office de tourisme

d'Ifrane, ☎ 055 56 68 21, dont les compétences s'étendent à Azrou, est de bon conseil dans le choix des itinéraires comme des guides.

AZROU

Comptez 1h.

51 700 hab. - Alt. 1 250 m - Souk le mercredi.

▶ Au fond d'un large cirque, les toits verts de la ville se fondent dans un arrière-plan de forêts. L'agglomération, d'un intérêt mineur, constitue une base idéale pour découvrir la région. Un grand roc, emblème d'Azrou (en berbère, rocher se dit *azrou*), marque l'entrée dans la localité. En face, place Hassan II, la masse imposante de la **Grande Mosquée★**, luxueux édifice flambant neuf, domine la petite cité. Ses splendides **linteaux★** de cèdre sculpté sont dignes des ouvrages d'antan. Sur la même place, un centre artisanal produit des tapis et des objets en bois de cèdre. À 50 m, la **place Mohammed V** et la petite *médina*, où se tiennent les traditionnels souks d'épices et de tapis, forment la principale zone commerçante de la cité.

▶ Avant d'entamer un circuit dans les forêts de cèdres, faites un crochet pour aller admirer le **paysage d'Ito** *(17 km au nord-ouest d'Azrou, sur la route de Meknès).* En bordure d'une cassure du plateau d'el-Hajeb, une **vue★★** à 180° se déploie sur une succession de pitons rocheux plantés au milieu de champs de céréales, qui s'étendent jusqu'à l'horizon.

AUTOUR D'AZROU★★

Environ 90 km pour effectuer un circuit dans la forêt de cèdres. Comptez 3h.

Toutes les excursions dans la région vous procureront l'occasion de découvrir des arbres majestueux. La forêt qui s'étend autour du cèdre Gouraud est l'une des plus belles.

▶ Sortez d'Azrou par l'est et prenez la route de Midelt (N13). À 4,5 km, tournez à gauche sur une petite route marquée

⊛ La survie des cèdres

Jusqu'à une date récente, les cèdres étaient exploités de manière intensive et menacés, à terme, de disparition. Le tourisme a peut-être sauvé cette essence parfumée en incitant les autorités à réglementer sa gestion. L'abattage demeure important pour alimenter notamment l'artisanat, mais il est désormais contrôlé.

par un panneau « cèdre Gouraud ». La route goudronnée cesse à hauteur de ce dernier. Le **cèdre Gouraud★** est l'arbre le plus célèbre du Moyen Atlas. Un muret de pierre blanche entoure son tronc multiséculaire. Orné comme une idole, il porte, cloué à hauteur d'yeux, un panneau indiquant son identité. Il est environné de petites échoppes vendant boissons ou minéraux. Des singes de Barbarie se montrent à l'heure du pique-nique, mendiant ou chapardant des bribes de nourriture.

▶ La piste se prolonge dans la **forêt★★**, offrant d'agréables promenades sous les frondaisons. On peut y observer, plus tranquillement, de beaux **spécimens de cèdres★★** aux branchages harmonieux.

▶ Revenez sur la N13, toujours en direction de Midelt. À 2,5 km, tournez à droite sur la route touristique des Cèdres, signalée par un grand panneau. Poursuivez, dans un paysage où alternent bois de cèdres et de chênes verts et plateaux arides. À 16 km de la N13, empruntez à droite sur 3 km une piste caillouteuse, mais carrossable. Splendide lac d'altitude (1 800 m), le **lac Afenourir★★** occupe le fond d'un large cratère, jonché de roches basaltiques. Ses eaux peu profondes servent d'étape, en saison de migration, à de nombreux oiseaux. Flamants roses, oies et canards sauvages, hérons, cigognes s'y procurent une nourriture abondante. L'été, les rives du lac accueillent quelques familles berbères et leurs troupeaux.

Regagnez la route touristique des Cèdres qui débouche, 25 km plus loin, sur la S303, à proximité d'Âïn-Leuh. De là, vous rallierez Azrou en 33 km par la S303 puis la N8. Vous pouvez aussi prendre les chemins de traverse, en suivant la petite route panoramique 3398. À la sortie d'Aïn-Leuh, prenez alors à droite une voie étroite, qui débouche sur la N13 à 3 km au sud d'Azrou.

▶ La **route panoramique 3398★** s'élève à flanc de colline, dans des forêts de chênes verts, puis de cèdres à mesure que l'on prend de l'altitude. Des trouées permettent des **échappées★** vers la **plaine d'Azrou★**, que l'on surplombe, puis vers la ville même.

D'AZROU À KHENIFRA★

Itinéraire de 82 km par la route de Mrirt. Comptez une demi-journée.

La N8, qui relie Fès à Marrakech, est l'itinéraire le plus rapide pour atteindre Khenifra. Elle traverse un paysage de plateaux arides, descend ensuite vers des reliefs plus chaotiques : une succession de petites collines coniques, d'origine volcanique.

La zaouïa d'Ifrane★

À 39 km d'Azrou, un panneau indique sur la gauche la direction de la zaouïa. Suivez une bonne piste sur 16 km pour atteindre le village.

Petit bourg isolé, la zaouïa est agrémentée d'une jolie **cascade★**. Les eaux de l'oued Ifrane arrosent le village ainsi que les cultures situées en amont de la chute. Celle-ci est particulièrement spectaculaire le vendredi, jour chômé pendant lequel le système d'irrigation ne fonctionne pas. On peut observer dans le village des habitations troglodytiques.

Reprenez la N8 jusqu'à la ville de Mrirt, 12 km plus loin.

Mrirt

La ville n'a de véritable intérêt que le jeudi matin, jour de **souk★**. Sur une grande esplanade à l'entrée de l'agglomération se déploient une centaine d'auvents de couleur claire, qui protègent chalands et marchandises du soleil. Les vendeurs de glaces déambu-

lent dans les allées, un klaxon à la main pour attirer l'attention.

Poursuivez jusqu'à Khenifra, à 28 km. Au village d'el-Borj, la route rejoint l'oued Oum er-Rbia.

Khenifra★

Comptez 2h.

77 000 hab. - Alt. 850 m.

Traversé par l'Oum er-Rbia, l'un des plus longs fleuves du Maroc, Khenifra semble directement surgi de la terre rouge qui l'entoure, la terre de la tribu zaïane. Murs et bâtiments en déclinent les nuances, du vieux rose au sang-de-bœuf. Les rues de ce poste de garnison sont bordées de palmiers, qui lui confèrent un petit air d'oasis.

Une **promenade★★** est aménagée sur la rive de l'Oum er-Rbia, depuis le jardin public, près de la caserne, jusqu'au boulevard Mohammed V. Cette voie piétonne longe les murs extérieurs de la **médina★**, et rejoint le **pont de pierre★** construit au 17e s. par **Moulay Ismaïl**. La saleté du fleuve, proche de sa source et déjà transformé en égout à ciel ouvert, ne dissuade pas la population d'y pêcher, ni même de s'y baigner. À l'intersection avec le boulevard Mohammed V se tient un **souk de tapis★**. On y trouve les célèbres tapis zaïanes qui, comme la région et la ville, sont à dominante rouge. Vingt mètres plus loin sur le boulevard, la rue commerçante **Bir Anzaram★**, artère principale de la médina, débute juste après le marché couvert. À son extrémité, la **vieille mosquée★★** domine le quartier ancien de son minaret de brique orné de céramiques vertes.

DE KHENIFRA À AZROU★★

Itinéraire de 130 km, par une route parfois défoncée. Comptez une grosse journée.

Attention : il n'y a ni hébergement ni station-service entre les 2 villes.

Les lacs Tigual Mamine★★

Quittez Khenifra par la route 3485. À 20 km, prenez à droite en direction d'Ajdir. Parcourez 9 km sur un plateau déboisé. À la maison forestière d'Ajdir, tournez à droite sur une route étroite en mauvais état. Faites attention aux camions de débardage qui circulent à vive allure. À 10 km de la maison forestière, une piste, sur la droite, donne accès aux lacs. Ce chemin est déconseillé aux voitures de tourisme. 40mn de marche aller-retour.

Le chemin de terre mène au fond du vallon, où apparaissent, au détour d'un virage, ces deux petits lacs circulaires. Leurs eaux turquoise et leurs berges herbeuses confèrent au lieu une beauté sereine. Quelques maisons sur la rive abritent des familles berbères, seuls habitants du secteur.

Regagnez la 1re intersection, prenez à droite en direction d'Aïn-Leuh, puis encore à droite sur une petite route en bon état qui rejoint le lac Azigza.

L'aguelmame Azigza★

Ce lac de cratère (en berbère, *aguelmame* signifie lac) est surplombé par de hautes **falaises★** de roche rouge, au sommet desquelles poussent des cèdres. La route longe la rive sud ombragée et permet d'atteindre l'autre extrémité du lac, où une **plage** accueille les baigneurs. L'été s'installent sous les pins de petites buvettes et des campeurs. L'endroit commence à souffrir de l'absence de sanitaires et de ramassage des ordures. L'intersaison est la période idéale pour profiter de la quiétude du lieu.

Les sources de l'Oum er-Rbia★★

Poursuivez en direction d'Aïn-Leuh (route n° 3211) pendant 20 km.

▶ La route descend rapidement à la rencontre du fleuve, offrant par instants, au travers des forêts de chênes verts, des **vues★** sur la plaine en contrebas.

▶ Garez votre véhicule au niveau du pont qui enjambe le cours d'eau. Parking payant. Un chemin de terre conduit aux sources *(20mn de marche AR)*. Les sources jaillissent au pied d'une paroi rocheuse. Le débit de ces résurgences, important même en saison sèche, attire de nombreux Marocains. Le lieu est bondé en période de vacances. Construites au ras de l'eau, des plates-formes de ciment, recouvertes de nattes de roseaux, sont aménagées en salons de thé. Les familles viennent y passer la journée et s'y reposent à l'ombre, bercées par le bruit de l'Oum er-Rbia. Ces paillotes, à l'esthétique discutable, gênent l'observation des sources.

▶ En voiture, traversez le pont puis engagez-vous sur l'autre versant de la vallée. Le revêtement de la chaussée, détérioré, incite à la prudence. Une succession de douces vallées, de villages berbères à flanc de coteau, s'offre au regard. Les cultures composent un camaïeu de verts et de jaunes. Sur la roche rouge se détachent çà et là des traînées blanches, laissées par l'eau salée de ruisseaux intermittents. À 20 km des sources de l'Oum er-Rbia apparaît le **lac de Ouiouane**, bordé de peupliers. Moins pittoresque que les précédents, mais d'accès plus facile, il est très fréquenté. Peu après, la route traverse une **forêt de cèdres★**. Avant l'arrivée à **Aïn-Leuh**, remarquez sur la droite un **champ de roches** aux formes étranges. Ces pierres calcaires, qui rappellent des colonnes ou des champignons géants, sont sculptées par l'érosion.

Après Aïn-Leuh, poursuivez pendant 13 km sur la S303. Bifurquez à droite sur la N8 pour rejoindre Azrou, distant de 17 km.

MIDELT ET SES ENVIRONS★

Quelques repères

Province de Khenifra – 125 km d'Azrou, 141 km d'er-Rachidia – 49 500 hab. – Alt. 1 488 m – Hivers froids – Carte Michelin n° 742 plis 5 et 23 et carte régionale p. 284.

À ne pas manquer

Le cirque et les gorges de Jaffar.

Le site des anciennes mines d'Aouli.

Conseils

Prenez un 4x4 et un guide pour visiter Jaffar.

Entre Moyen et Haut Atlas, Midelt permet une étape reposante sur le chemin du Grand Sud, ou une base de départ pour des randonnées dans la région. Établie à l'extrémité d'un plateau aride, qui cède brutalement la place aux contreforts du Haut Atlas, elle est dominée par la silhouette imposante du jbel Ayachi (3 737 m), point culminant de la région. Les gisements de minerais que renferme le sous-sol sont à l'origine de sa prospérité passée. Bien que fermées depuis 1983, les mines continuent à ravitailler, illégalement, de nombreux étals de minéraux.

Arriver ou partir

En bus - Gare routière, av. Mohammed V (sous le marché couvert). 4 bus par jour pour Casablanca, 14 pour Meknès, 17 pour Azrou. 2 départs par jour pour Khenifra, 7 pour Rissani et pour Erfoud, un bus quotidien pour Beni-Mellal (en fin de soirée) et pour Oujda (tôt le matin, 10h de trajet). Pas de bus direct pour Fès, il faut changer à Meknès.

En taxi collectif - Le départ des grands taxis s'effectue dans une petite rue parallèle à l'av. Mohammed V, derrière le commissariat. Ils relient tlj Midelt à Fès, Meknès, Azrou, er-Rachidia ou Erfoud.

Adresses utiles

Banque / Change - Deux établissements pratiquent le change : la **BMCI**, rue Hassan II, et la **Banque populaire**, av. Mohammed V (à la sortie de la ville, direction Azrou).

Poste / Téléphone - La **poste** est installée dans une rue perpendiculaire à l'av. Hassan II. Remontez cette dernière en direction de l'hôtel Kasbah et tournez à droite 50 m après le commissariat. **Téléboutique** à côté de la BMCI, av. Hassan II.

Santé - Dr Mohammed Setihe, médecin diplômé de la faculté de Montpellier, exerce au 13 av. Mohammed V, ☎ 055 58 03 80/05 20.

Se loger

▶ *À Midelt*

Entre 100 et 220 DH (10 à 22 €)

Hôtel Boughafar, 7 av. Mohammed V, ☎ 055 58 30 99 - 18 ch. ✗ Au cœur de la ville, à côté de la gare routière. Large gamme d'hébergement, depuis le lit en petit dortoir jusqu'à la chambre avec salle de bains. L'ensemble est propre. Choisissez votre chambre avec soin : certaines n'ont pas de fenêtre. Restaurant familial au rez-de-chaussée.

Entre 160 et 240 DH (16 à 24 €)

⊛**Hôtel Le Roi de la Bière**, 1 av. des FAR, ☎/Fax 055 58 26 75 - 15 ch. ✗ CC Il offre le meilleur rapport qualité-prix de Midelt. Chambres spacieuses et très propres (6 avec salle de bains), installations sanitaires irréprochables. Un confortable salon marocain est équipé d'une télévision.

Environ 420 DH (42 €)

Hôtel Kasbah Asmaa, rte d'er-Rachidia, ☎ 055 58 04 08 - 20 ch. ✎ ✗ ⧠ ⚒ CC À 3 km du centre, véhicule indispensable. Décoration inspirée du style andalou. Les chambres côté piscine ont une vue splendide sur le Haut Atlas. Bonne cuisine locale servie dans trois salons marocains. 10 % de réduction sur les prix des chambres en basse saison (novembre, juin, juillet). Demi-pension à 600 DH pour deux personnes.

Hôtel el-Ayachi, rue d'Agadir, ☎ 055 58 21 61 - 28 ch. 📶 📺 ✕ 🍽 🆑 Le bâtiment de béton est typique des constructions des années 1950. L'établissement, confortable, se distingue surtout par son jardin, dans lequel un bar est installé, et par la tente berbère, annexe du restaurant.

▶ *À Zeïda*

Entre 70 et 160 DH (7 à 16 €)

Centre Timnay Inter-Cultures, route d'Azrou, à 20 km de Midelt, ☎ 055 36 01 88. ✕ 🏊 Plusieurs possibilités d'hébergement : un camping équipé de fontaines (18 DH/pers., 15 DH par tente et 15 DH par véhicule) ; 10 bungalows (avec salle de bains - 2 à 6 pers.) à 50 ou 80 DH/pers. selon la catégorie ; ou de confortables chambres chez l'habitant, pour 60 DH/pers. Un restaurant, une épicerie et un bazar complètent le dispositif. Si vous n'avez pas de véhicule, appelez le centre qui viendra vous chercher à Midelt.

Se restaurer

Environ 80 DH (8 €)

Restaurant Le Roi de la Bière, 1 av. des F.A.R., ☎/Fax 055 58 26 75. À côté de l'hôtel du même nom. Contrairement à ce que l'on pourrait penser, il ne sert pas d'alcool. La grande salle meublée de bois clair est accueillante. Menu unique, simple et copieux.

🕲 **Restaurant de Fès**, rue Lalla Aïcha. 7h-22h en été, 7h-20h30 en hiver. Cette bonne adresse se dissimule dans une ruelle derrière l'hôtel Boughafar. Tenu depuis 1975 par une famille fassi, l'établissement a les faveurs de la population locale et des voyageurs. Succulente cuisine et présentation soignée des mets. Plats accompagnés d'un assortiment savoureux de légumes de saison.

Loisirs

Excursions / Randonnées - L'**hôtel Kasbah** et l'**hôtel el-Ayachi** organisent des excursions en 4x4 au cirque de Jaffar. Le **Centre Timnay Inter-Cultures** propose des circuits et des randonnées d'une demi-journée à plusieurs jours. Les guides, sympathiques et compétents, connaissent parfaitement la région. Parmi les parcours proposés : les mines d'Aouli (1/2 j., 120 DH/pers.), le cirque de Jaffar (1 j., 300 DH/pers.), le canyon de Tatrout (1 j., 380 DH/pers.), etc. Les prix (4 personnes minimum) comprennent les trajets en 4x4, les repas et, s'il y a lieu, l'hébergement chez l'habitant.

VISITE DE MIDELT

La ville moderne se répartit de part et d'autre d'une artère centrale, route principale entre Meknès et er-Rachidia. À quelques centaines de mètres du centre, une vieille **kasbah** témoigne de l'ancienneté de la cité. La petite médina abrite un **souk de tapis**. À l'écart de la Grand-Rue, des franciscaines tiennent un **atelier de tissage★** *(8h-12h/14h-17h30, sauf vendredi, dimanche, les jours de fêtes religieuses catholiques et musulmanes et le mois d'août)*. Vous observerez des tisserandes à l'œuvre sur leurs métiers manuels. La laine, achetée brute, est transformée sur place jusqu'au produit fini, de grande qualité. La vente des couvertures de laine vierge, des tentures murales et des tissus ornés de délicates broderies représente la principale source de revenus de l'institution. Les religieuses organisent également des classes de soutien scolaire et d'alphabétisation.

LE CIRQUE DE JAFFAR★★

110 km AR. Consacrez-y une journée.

Au pied du **jbel Ayachi★★**, le cirque de Jaffar est l'excursion la plus célèbre de la région. L'itinéraire traditionnel part de Midelt en direction de **Tattiouine**, puis bifurque à 7 km sur la 3424. Cette piste, en très mauvais état, est difficile, même avec un véhicule tout-terrain, et impraticable par temps de pluie. Il est donc conseillé de privilégier l'accès par les **gorges de Jaffar★**, plus facile, bien que nécessitant aussi un 4x4. Les gorges elles-mêmes valent le coup d'œil.

Empruntez la N13 en direction d'Azrou. À 15 km, engagez-vous à droite sur une petite route partiellement goudronnée, la 3421. Au village d'Aït-Orrhar, empruntez sur la gauche une piste, longeant l'oued Ansegmir, qui conduit au hameau d'Aït-Ouidène. À hauteur des habitations, tournez à gauche. Après 20 km, bifurquez à gauche au niveau de la maison forestière de Mitkane. La piste rejoint le canyon de Jaffar. Un chemin escarpé, praticable à pied ou en 4x4, permet de descendre jusqu'aux gorges. Attention, de nombreuses pistes transversales rendent l'orientation malaisée. Faites le plein de carburant avant le départ et n'hésitez pas à demander votre chemin. Des gorges, comptez 1h de marche jusqu'au cirque.

Les gorges de Jaffar★

Un oued, le plus souvent à sec, a creusé cet étroit passage dans la roche. Les falaises ocre atteignent par endroits 100 m de haut. Des genévriers, dont le bois répand une odeur poivrée, poussent dans les anfractuosités. À la sortie des gorges, un édifice blanc renferme la dépouille du marabout Sidi Jaffar, qui a donné son nom au site. Un chemin en pente douce mène au cirque.

Le cirque de Jaffar★★

Enserré par les parois abruptes des cimes du Haut Atlas, le cirque présente un paysage d'une sévère beauté. Autrefois couvert de cèdres, il a subi, dans les trente dernières années, un déboisement intensif. Quelques familles berbères y vivent, été comme hiver, dans un grand dénuement. Cette vallée est le point de départ pour l'ascension du jbel Ayachi.

LES ANCIENNES MINES D'AOULI★★

60 km aller-retour. Comptez 3h.

Prenez, au centre de Midelt, la S317, qui débute dans la rue Mohammed V, à hauteur de la Banque populaire.

À 15 km de Midelt, on traverse un premier village de mineurs, **Mibladene**.

Fouilles clandestines dans les mines

Tous les vendeurs l'affirment la main sur le cœur : leurs minéraux sont issus de stocks constitués avant la fermeture des mines. En réalité, une grande partie des articles exposés provient de prélèvements effectués illégalement dans les puits désaffectés. L'opération est périlleuse. Munis de simples cordes et de lampes, les pillards descendent dans les galeries, le plus souvent de nuit, pour extraire à la pioche les précieux cailloux. Les gardiens négligent de surveiller les lieux ou, dit-on, ferment les yeux en l'échange de bakchichs. La vanadinite, aux tons brun-roux, est la pierre la plus recherchée.

Peu après, la route rejoint le lit de l'oued Moulouya, qu'elle traverse à plusieurs reprises. Attention, les gués peuvent être difficiles à franchir. Le mauvais état de la chaussée témoigne de la violence des crues.

La région est marquée par l'activité minière. Les terrils s'intègrent dans un paysage de reliefs très doux. La terre, aux teintes contrastées, blanches, rouges ou brunes, est parsemée d'une végétation rare. Le trajet rejoint les **gorges de la Moulouya★**, bordées de lauriers-roses. Dans les falaises, en approchant du village d'Aouli, apparaissent d'anciens **puits de mine**.

Le « nouveau » village d'Aouli★

Construit par les Français, ce village minier installé dans le canyon est abandonné. Des rails de chemin de fer courent au milieu des constructions. Un pont et deux passerelles permettent de franchir la rivière et de rejoindre un tunnel creusé dans la roche, entrée de l'une des mines désaffectées. Les seuls habitants du lieu sont les gardiens et leurs familles.

Le vieux village d'Aouli★★

Le chemin descend vers un **cirque★★★** spectaculaire, entouré de falaises aux roches multicolores, teintées par des minerais rouge sombre, ocre, et gris aux reflets bronze. Au fond du cirque apparaît, comme un mirage, une petite **kasbah★**, construite sur un éperon rocheux. Une quarantaine de personnes vivent dans des maisonnettes en pisé, disposées autour de la kasbah. Au pied du village coule la Moulouya : sur ses rives, des vergers et des potagers forment une oasis d'un vert lumineux.

En poursuivant sur la piste en bon état, qui s'élève peu à peu au-dessus du cours d'eau, vous découvrirez un beau **panorama★** sur le canyon. À la hauteur de terrils de gravillons blancs, engagez-vous sur la piste de droite.

LE VILLAGE D'ITZÈR★

100 km aller-retour depuis Midelt. Comptez une demi-journée.

Allez-y le samedi, jour de souk. À 45 km de Midelt sur la route d'Azrou, bifurquez à gauche au niveau du village de Oualegh. Suivez l'étroite route jusqu'à Itzèr, à 5 km. Des bus et des grands taxis font le trajet depuis Midelt.

Construit sur un plateau, Itzèr domine un oued bordé de peupliers. Le village s'étire en longueur de chaque côté de la petite route. Le **souk du samedi**, haut en couleur, attire les habitants des villages avoisinants. Le textile y occupe une place de choix : vêtements et chaussures envahissent les étals. Des artisans tressent et vendent de beaux chapeaux de paille et des paniers pour tous les goûts. Ne manquez pas l'**atelier de teinture** de la laine, qui se tient dans un coin de la place du marché. Les écheveaux écrus apportés par les villageois sont plongés dans des bidons fumants. Au sortir des bains de teinture, la laine s'embellit d'éclatantes couleurs, jaune, rouge vif, violet, qui orneront tapis et vêtements.

TAZA ET LE TAZZEKA★★

😟 **Manque d'infrastructures touristiques**

Quelques repères

Chef-lieu de la province de Taza – 120 km de Fès, 223 km d'Oujda – 99 600 hab. – Alt. 500 m – Carte Michelin n° 742, plis 5, 11 et 30 et carte régionale p. 284.

À ne pas manquer

Des remparts, le coucher du soleil sur les montagnes et la ville nouvelle.

L'impressionnant gouffre du Friouato.

Le jbel Tazzeka et son panorama.

Conseils

Prévoyez des chaussures de marche et une lampe pour visiter le gouffre.

Faites le plein d'essence avant d'entreprendre le circuit du Tazzeka.

Au point de rencontre des massifs du Rif et du Moyen Atlas, Taza occupe un site grandiose qui révèle toute sa beauté et sa diversité au lever et au coucher du soleil. La médina, ceinte de 3 km de remparts, concentre l'essentiel des richesses historiques et culturelles. Érigée sur une terrasse, elle domine de 200 m la ville nouvelle, relativement étendue et sans grand intérêt. C'est néanmoins dans ce quartier de construction récente que vous trouverez à vous loger et à vous restaurer. Souvent absente des circuits organisés, excentrée par rapport aux cités impériales de Fès et de Meknès, Taza demeure peu visitée. Bien que pénalisée par un manque d'infrastructures touristiques, elle mérite une halte. Cette ville attachante, parmi les plus anciennes du Maroc, permet, en outre, d'accéder à la belle région du Tazzeka.

Arriver ou partir

En bus - Située sur la grand-route Fès-Oujda, et assez éloignée de la ville nouvelle, la gare, ou plutôt l'arrêt, est également utilisée par les grands taxis. Les liaisons est-ouest sont fréquentes : un bus toutes les heures pour Fès (2h de trajet) et pour Oujda (4h). Vers le nord, 3 bus par jour pour Al Hoceima (3h). Les bus CTM partent et arrivent de la place de l'Indépendance.

En train - La gare ferroviaire se trouve à 100 m de la gare routière. 4 liaisons par jour, dont 3 climatisées et 2 de nuit avec couchettes, pour Oujda (3h20 de trajet) et Fès (3h) avec continuation possible sur Tanger, Casablanca et Marrakech. Informations, ☎ 055 62 50 01.

Adresses utiles

Banque / Change - La **BMCE**, av. Mohammed V, et la **Banque Populaire**, av. Moulay Youssef, sont situées à proximité de la place de l'Indépendance. On peut changer de l'argent à l'hôtel Friouato.

Poste / Téléphone - Les bureaux se trouvent à l'angle sud-est de la place de l'Indépendance.

Se loger

Les hôtels, peu nombreux, ne constituent pas le point fort de la ville. Ils subissent en outre les fréquentes coupures d'eau provoquées par la vétusté du réseau municipal de distribution. À l'exception d'un camping, il n'existe aucun hébergement dans le Tazzeka.

Environ 40 DH (4 €)

Hôtel de l'Étoile, pl. Moulay el-Hassan, ☎ 055 27 01 79 - 12 ch. L'unique hôtel de la médina ne manque pas de charme. Les chambres, sommaires mais pourvues d'un lavabo, donnent sur une agréable cour intérieure peinte en rose et à l'ombre d'un noyer. Une seule douche, froide, installée… au-dessus d'un WC à la turque !

Environ 200 DH (20 €)

Hôtel du Dauphiné, pl. de l'Indépendance, ☎ 055 67 35 67 - 25 ch. 🛏 ✗ Aménagé dans une agréable demeure coloniale, cet établissement, propre et confortable, propose des chambres avec douche et toilettes. Certaines d'entre elles donnent sur la place, et les autres, plus calmes, sur une arrière-cour. Bar et restaurant.

Environ 440 DH (44 €)

Hôtel Friouato, bd Bel Hassan el-Ouazzani, ☎ 055 67 25 93 - 58 ch. 🛏 📺 ✗ 🍽 🏊 📺 Le seul hôtel de catégorie supérieure disposant d'une citerne, ce qui le met à l'abri (en théorie) des coupures d'eau. Entre médina et ville nouvelle, ce parallélépipède en béton de 2 étages est situé dans un petit parc calme et mal entretenu. La climatisation, vieillotte, n'est mise en marche qu'à 20h.

Se restaurer

Taza n'est pas une halte gastronomique. Inutile d'y chercher une excellente adresse…

Environ 50 DH (5 €)

Le Majestic, av. Mohammed V. L'établissement le plus connu. Pas cher (salades à env. 10 DH, viandes à 30 DH, couscous, sur commande, à 40 DH) et pas extraordinaire ! Quelques tables en terrasse, une salle austère avec une mezzanine et un ventilateur pour les journées torrides de l'été.

Pizzeria du Jardin, av. Sultan Abou el-Hassan, ☎ 055 25 29 22. Une adresse aux prix raisonnables (pizzas et tajines à env. 30 DH) et au cadre plus soigné, avec une mezzanine agréable, des tables style bistrot et des tableaux aux murs.

Sortir, boire un verre

Café-pâtisserie du Palais, av. Allal ben Abdallah, pas de téléphone. Cette institution dispose d'une grande salle au plafond décoré de stuc. Pains au chocolat et aux raisins.

Café Marie-Claire, 30, av. Mohammed V, ☎ 055 67 32 05. Tlj 5h-23h.

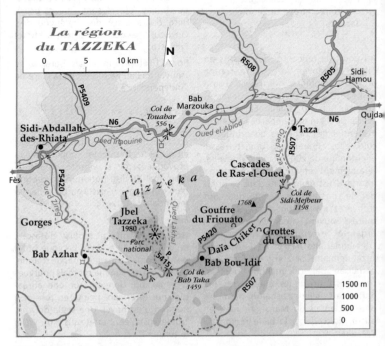

L'adresse chic de la ville est climatisée. La terrasse est dallée et les tables sont équipées de parasols. Les prix restent doux : petit-déjeuner à 10 DH.

Loisirs

Piscine - Suite aux problèmes d'eau, la piscine municipale est fermée depuis plusieurs années. Reste celle de l'hôtel Friouato, prise d'assaut les jours de canicule par les jeunes gens de la ville. Entrée 30 DH (adultes), 15 DH (enfants) pour les non-résidents.

Randonnées - Installée à la sortie de Bab Bou-Idir, direction Sidi-Abdallah, la Maison du parc national (pas de téléphone, heures d'ouverture aléatoires) a répertorié 7 parcours, de 20mn à 4h30 de marche.

HISTOIRE

Un couloir montagneux stratégique

De sa place forte, la médina domine un col, appelé **trouée de Taza**. Ce passage obligé entre l'est et l'ouest, entre les steppes arides de la province d'Oujda et les plaines fertiles du pays fassi, a longtemps représenté un enjeu stratégique majeur. Qui désirait asseoir sa domination sur le Maroc devait, au préalable, contrôler ce couloir montagneux. Les Romains puis les conquérants arabes l'empruntèrent dans leur marche vers l'ouest.

Fondée au 10ᵉ s. par les Berbères de la **tribu meknassa**, Taza s'est développée autour d'un couvent fortifié. Les Almohades, les Mérinides et, en dernier lieu, les Alaouites s'en emparèrent. Sous l'autorité de la dynastie almoravide à partir de 1074, la citadelle tomba aux mains du sultan almohade **Abd el-Moumen**, en 1132. Celui-ci en fit provisoirement la capitale du Maroc et ordonna la construction d'une muraille circulaire. Ces remparts furent agrandis au 14ᵉ s. par les Mérinides. Deux siècles plus tard, les Saâdiens les renforcèrent pour stopper l'avancée turque.

Une vocation militaire

Chargée de défendre la porte orientale du pays, Taza eut également pour mission de pacifier les tribus berbères des montagnes voisines. De leurs nids d'aigles, souvent inexpugnables, ces rebelles ne cessèrent de contester le pouvoir central. Au début du 20ᵉ s., ils ont ainsi apporté leur soutien à un imposteur, « **El-Rogui** » **bou Hamara** (« l'homme à l'ânesse »).

Taza retrouva le calme. Pas pour longtemps. Sous **domination française** à partir de mai 1914, elle servit de base arrière pour vaincre une nouvelle rébellion des tribus du Rif. Développée sous le protectorat, Taza a rompu avec un passé mouvementé et changé de vocation. C'est aujourd'hui une cité administrative et tranquille.

VISITE DE TAZA

Comptez 1h.

Les remparts★

En venant de la ville nouvelle, la muraille apparaît en surplomb. On suit l'avenue Moulay Youssef puis, on pénètre dans la médina par la rue Bab el-Guebour.

À la suite de nombreux sièges, les remparts ont été partiellement détruits. La partie la mieux préservée se trouve à **Bab er-Rih★**, la « porte du Vent », ainsi appelée en référence à la brise d'ouest qui la traverse. Très fréquentée le soir, la promenade le long de cette porte offre les **vues★★** les plus belles et les plus étendues. Au coucher du soleil, c'est une véritable palette de couleurs qui flamboie. À gauche dominent les verts en dégradé des versants boisés du massif du Tazzeka et des jardins de l'oued Taza. Au premier plan la ville nouvelle renvoie un blanc lumineux alors qu'à l'arrière-plan, les contreforts arides du Rif s'irisent en jaune.

À l'extrémité nord des remparts se dresse la **tour sarrasine**, semi-circulaire et d'époque almohade. Au sud-est, ne manquez pas le **bastion★**, édifice carré du 16ᵉ s. construit par les Saâdiens pour renforcer la défense de la ville. À l'époque, on considérait que ses murs de 3 m d'épaisseur pouvaient défier l'artillerie.

La médina★

Rectangle imparfait de 300 m de large sur 800 m de long, la médina se décline en jaune. La partie nord-ouest, la plus tranquille et la plus riche sur le plan architectural, compte de belles portes cloutées et de petites fenêtres fermées par des moucharabiehs. On y trouve la **médersa d'Abou el-Hassan** (1323) qui s'ouvre sur une cour en mosaïques. À quelques pas, on pourra admirer l'extérieur de la **Grande Mosquée**, fondée en 1135 par Abd el-Moumen puis agrandie un siècle plus tard sous la dynastie mérinide.

Depuis cet édifice, l'artère principale, qui s'appelle successivement rue Kettanine, rue Nejjarine, rue Koubet et rue Sidi Ali Derrar, traverse la vieille ville en son milieu et conduit aux souks.

Protégés du soleil par des claies en roseaux, les étals proposent des nattes, des tapis et des bijoux fabriqués par les tribus berbères de la région. Ne manquez pas dans ce quartier la **mosquée du Marché**, et son minaret au sommet plus large que la base. À gauche s'étend la *kissariya*, le marché couvert.

En poursuivant par l'artère principale, on découvre le *méchouar* puis la **mosquée des Andalous** avec son minaret du 12e s. Non loin se trouve la maison, en ruine, de Bou Hamara.

LA RÉGION DU TAZZEKA★★

Itinéraire de 84 km. Comptez une journée.

La route, étroite et souvent sinueuse, est en bon état. Si vous n'êtes pas motorisé, les transports se révèlent aléatoires. Un minibus dessert une fois par jour le village de Bab bou-Idir. Il part en matinée de la gare routière de Taza, lorsqu'il est plein. Il existe également des grands taxis. Le stop n'est vraiment envisageable que l'été et lors des vacances scolaires.

Quittez Taza par la R507 vers le sud.

En venant des steppes arides de la vallée, le dépaysement est immédiat. Dès la sortie de Taza, la route s'élève en lacet dans le massif.

Les cascades de Ras-el-Oued★

À environ 10 km de Taza, faites une première halte à Ras-el-Oued. De la route, un sentier d'environ 200 m conduit aux cascades. Spectaculaires en hiver, pendant la saison des pluies *(de novembre à mai)*, les cascades se tarissent en été. Conséquence d'une résurgence de la *daïa* Chiker *(voir ci-dessous)*, elles s'écoulent dans un vallon et irriguent des jardins en terrasses et des vergers.

Quelques kilomètres plus loin, la route cesse de monter. Après le col de Sidi-Mejbeur (1 198 m), suivez, à droite au croisement, la direction de Bab bou-Idir.

La daïa Chiker★

La formation géologique de cette vaste cuvette est due à l'infiltration d'eaux souterraines riches en gaz carbonique dans la roche calcaire. Celles-ci alimentent un *lac (daïa)*, dont le niveau varie en fonction des saisons. Souvent sec

Paysage du Tazzeka

😊 Le retour du cerf de Berbérie

Disparu de la contrée depuis deux siècles, le cerf de Berbérie est de retour. Dans le cadre d'une réintroduction de l'espèce dans le parc national du Tazzeka, plusieurs animaux ont été lâchés en 1994 près de Bab bou-Idir. Il est possible de les observer dans une réserve clôturée. À terme, le grand cervidé est censé repeupler la région. Créé en 1950, sur un territoire de 680 ha, le parc avait pour vocation initiale de protéger la forêt de cèdres. Il a été porté à 12 000 ha en 1989. Sa flore, avec 506 plantes recensées, est particulièrement colorée de mai à juillet. La faune est moins variée. Le sanglier, qui abonde dans le massif, cohabite avec le porc-épic, la genette, le chacal, l'écureuil de Barbarie et le renard. Trois espèces, la panthère, la hyène rayée et le lynx caracal ne font plus partie, hélas, de l'inventaire.

en été *(de juin à septembre)*, la *daïa* se couvre alors de cultures et de pâturages pour les troupeaux des nomades de la région du Galdamane.

Les grottes du Chiker

À l'extrémité nord du lac, au bas d'une maison forestière, surgit un **aven** de 70 m de profondeur. La visite des grottes est réservées aux spéléologues. La descente, par un escalier en mauvais état, est périlleuse. Une corde et un équipement sont nécessaires pour explorer les galeries donnant accès à une rivière souterraine de 12 km de long, qui sort à Ras-el-Oued. Non gardées, ces grottes peuvent à tout moment se remplir d'eau et sont ainsi noyées l'hiver.

En reprenant la R507, on longe sur la gauche la daïa Chiker puis, au premier croisement, on tourne à droite avant d'atteindre, après 900 m de montée, le Friouato.

Le gouffre du Friouato★★

Comptez de 1h à 4h de visite.

8h-19h. Entrée payante.

Munissez-vous de chaussures de marche, le sol étant glissant et parfois escarpé, ainsi que d'une lampe, si possible frontale, afin

de garder les mains libres dans les passages difficiles (claustrophobes s'abstenir). Le gardien, Mostopha Lachhab, gère un petit café à l'entrée du site. Sérieux et expérimenté, il propose 2 itinéraires guidés. L'un, de base, à 100 DH, dure 2h ; l'autre, à 200 DH, parcourt, en 4h, 2 km de grottes et de galeries secondaires. Les prix, compte tenu de la difficulté à visiter seul, sont justifiés.

Ce gouffre est le plus célèbre du Maroc. Très impressionnant, il débute par un abîme de 125 m de profondeur et se poursuit par une série de grottes non équipées et, pour les plus lointaines, inexplorées. Pour le spéléologue **Norbert Casteret**, qui découvrit le Friouato en 1934, c'est « le plus beau gouffre qui se puisse contempler ». Plongé dans un clair-obscur qui renforce la sensation d'écrasement, le puits d'accès (40 m de diamètre) se descend par 520 marches. L'escalier mène à un sas, un passage étroit dans la roche, à partir duquel une lampe est indispensable. De là, 200 marches supplémentaires permettent de parcourir facilement les premières salles à stalactites et stalagmites. La progression ensuite devient difficile et glissante. L'ascension, au retour des 720 marches, est assez éprouvante. Attendez-vous à ressortir les mains et les vêtements boueux. Au-delà de ces circuits *(hors plan)* se succèdent un lac avec passage à gué, une salle magnifiquement ouvragée puis d'autres petits lacs. À ce jour, nul ne sait jusqu'où s'étend le Friouato.

▶ Reprenez la R507. Cette route s'élève jusqu'au village de vacances de **Bab bou-Idir**, le seul du secteur à disposer d'un camping *(voir partie pratique)* et de quelques échoppes. Les plateaux calcaires et les chênes verts cèdent la place aux collines en schiste et aux chênes-lièges.

▶ Continuez en direction de Sidi-Abdallah. Après le **col de Bab Taka** (1 459 m), quittez la route et prenez à droite jusqu'au point culminant et peu accidenté du **Tazzeka★** (1 980 m). Praticable pendant la saison sèche, cette piste de 9 km est à déconseiller aux véhicules de tourisme, au moins dans sa partie supérieure. Pour les visiteurs ne possédant pas de 4x4, il est recommandé de laisser la voiture à mi-parcours et de terminer à pied *(1h de marche aller)*. Suivez alors le chemin en crête, puis coupez par un sentier à travers une épaisse forêt de cèdres. À partir de 1 600 m, ces arbres majestueux couvrent le sommet du Tazzeka. Un relais de télévision y est installé et dévoile un panorama à 360° sur le Rif et le Moyen Atlas.

▶ De retour sur la route, la descente vers **Bab Azhar** ménage également quelques belles **échappées★** sur les montagnes. Vous traverserez une vaste forêt de chênes-lièges, entrecoupée de champs de fougères.

▶ Entre deux falaises rouge brique, vous franchirez les **gorges de l'oued Zireg**, avant de regagner l'axe Fès-Taza à **Sidi-Abdallah-des-Rhiata**.

3 jours	⚜ Marrakech (p. 360)
Suggestion de promenade	1er jour : visite des tombeaux saâdiens, promenade autour de la Koutoubia, flânerie dans les souks, dîner sur la place Jemâa el-Fna. 2e jour : visite du quartier des tanneurs, de la médersa ben Youssef et du palais de la Bahia. 3e jour : jardin Majorelle, promenade dans la Ménara puis dans la palmeraie.
Transports	À pied dans la médina, en bus, à pied ou en calèche pour le jardin Majorelle, la Ménara et la palmeraie.
Conseils	Réservez votre hébergement quelle que soit la saison.
4 jours	**Traversée du Haut Atlas** **(au départ de Marrakech)**
Boucle (env. 650 km)	1er jour : route du Tizi-n-Test (p. 416) avec arrêt à la mosquée de Tinmel. Nuit à Ouled Berhil (p. 473). 2e jour : trajet Ouled Berhil-Taliouine (p. 476), visite de la coopérative de safran, promenade à pied autour de Taliouine. Nuit à Taliouine. 3e jour : Taliouine-Âït-Benhaddou par la N10. Visite d'Âït-Benhaddou (p. 415) et nuit sur place. 4e jour : retour à Marrakech par la route du Tizi-n-Tichka avec excursion à Télouet (p. 414).
Transports	Location d'une voiture.
Conseils	Soyez très prudents sur la route et renseignez-vous sur la météo : les routes du Tizi-n-Test et du Tizi-n-Tichka sont parfois fermées en hiver et les cols sont fréquemment dans le brouillard. Si vous avez plus de temps, combinez cet itinéraire avec ceux des vallées du Drâa et du Dadès (p. 420).
2 jours ou plus	**Vallée de l'Ourika et Oukaïmeden** **(au départ de Marrakech)**
Circuit (env. 170 km AR)	1er jour : Tnine-de-l'Ourika (p. 405), déjeuner à Setti-Fatma et promenade jusqu'aux cascades de l'Ourika (p. 406). Nuit dans la vallée. 2e jour : l'Oukaïmeden (p. 406), panorama du Tizerag, gravures rupestres, randonnée ou ski selon la saison (p. 408).
Transports	En grand taxi ou mieux, en voiture de location.
Conseils	Effectuez ce circuit un lundi, jour du souk de Tnine-de-l'Ourika. Réservez un hébergement à l'avance en saison (fin mai à fin octobre). Prévoyez une laine pour le soir et de quoi vous couvrir en hiver.

MARRAKECH ET LE HAUT ATLAS

MARRAKECH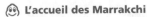

😊 L'accueil des Marrakchi

😦 **Le prix exorbitant de certains riads et restaurants**

Quelques repères

Chef-lieu de province - 241 km de Casablanca, 334 km de Rabat - 750 000 hab. - 1,5 million pour l'agglomération - Carte Michelin n° 742 plis 4, 20 et 51.

À ne pas manquer

La place Jemâa el-Fna en fin d'après-midi.

Une journée dans les souks.

La palmeraie et la Ménara au coucher du soleil.

La médersa Ben Youssef et le palais de la Bahia.

Conseils

Dînez sur la place Jemâa el-Fna et dans un grand restaurant marocain de la médina.

Marchandez fermement, sans toutefois sous-estimer le travail des artisans.

Ocre, rose, ou rouge selon la lumière et l'heure, Marrakech se déploie entre sa palmeraie, le désert et les sommets enneigés du Haut Atlas. L'architecture de la ville justifie à elle seule le voyage, mais c'est sûrement pour ses habitants que vous l'aimerez : la prédominance berbère, le mélange d'influences maghrébine, saharienne et de l'Afrique noire font des Marrakchi une population à part, ouverte, accueillante, d'une grande joie de vivre. Haut lieu d'échange commercial depuis sa fondation – les souks sont parmi les plus fascinants du Maroc –, Marrakech vit aujourd'hui plutôt du tourisme. Un tourisme qui présente de multiples facettes puisque s'y croisent les routards, qui logent dans les petits hôtels de la médina, les groupes, dans les immenses ensembles plus ou moins luxueux du Guéliz ou de l'Hermitage et enfin, les membres de la jet-set, qui viennent résider quelque temps dans leurs luxueuses demeures de la palmeraie ou occupent de somptueux riads. Ne vous étonnez donc pas de rencontrer des célébrités à Marrakech.

Deux villes se côtoient : la médina, enserrée dans ses remparts, et la ville moderne, avec les quartiers du Guéliz et de l'Hermitage qui gagnent tous les jours sur le désert.

Arriver ou partir

En avion - Aéroport Marrakech-Ménara *(Plan II A 4 en direction)*, ☎ 044 44 78 65/79. À 6 km au sud-ouest de la ville. Vols intérieurs et internationaux.

De l'aéroport au centre-ville - Des taxis assurent la liaison entre l'aéroport et la ville, comptez entre 60 et 80 DH. Fixez le prix avant si le compteur n'est pas mis en route (c'est souvent le cas à l'arrivée).

En train - Gare ferroviaire *(Plan I B2)*, av. Hassan II, Guéliz, ☎ 090 20 30 40. Pour vous y rendre, prenez le bus n° 14 ou le n° 28, face à la grande poste, ou le n° 8, pl. Jemâa el-Fna. 7 départs quotidiens pour Casablanca (3h) et Rabat (4h), 3 pour Fès (8h) et Meknès (7h), 3 pour Tanger (9h) et Oujda (14h).

En bus - Gare routière *(Plan II A 2)*, pl. el-Mourabitène, Bab Doukkala, ☎ 044 43 39 33. Les bus de la **CTM**, ☎ 044 43 44 02, assurent : 4 départs quotidiens pour Casablanca (3h30), 2 pour Rabat (5h) et Fès (8h), 1 pour Meknès (8h30) et Tanger (10h), 4 pour Agadir (4h) et Ouarzazate (4h30) et 1 pour Essaouira (3h30).

Les bus **Supratours** (bus climatisés), ☎ 044 43 55 25, partent de la **gare ferroviaire** : 3 bus par jour pour Essaouira (2h30 de trajet, 55 DH), 4 pour Agadir (4h).

En taxi collectif - Pour une excursion aux environs de Marrakech (vallée de l'Ourika, Asni...), prenez un taxi en face de Bab er-Rob *(Plan II B4)*.

Comment circuler

En bus - Les plus utiles sont le n° 1 (de Jemâa el-Fna à la palmeraie), le n° 3 (de Jemâa el-Fna à la poste centrale, en passant par la gare routière), le n° 8 (de Jemâa el-Fna à la gare ferroviaire, via l'av. Mohammed V et Bab Doukkala), le n° 11 (de Jemâa el-Fna à l'aéroport en passant par la Ménara) et les n° 5, 9 et 15 (tour des remparts à partir de Jemâa el-Fna).

En taxi - Le chauffeur est tenu de mettre son compteur en marche (ce dernier doit afficher 1,40 DH au départ). S'il efuse de le faire, changez simplement de taxi. Le prix minimum d'une course est de 5 DH. Les tarifs doublent la nuit. Les petits taxis prennent 3 personnes au maximum et effectuent un trajet inférieur à 40 km. Pour une distance plus longue, prenez un grand taxi. En taxi collectif, comptez environ 15 DH par personne pour vous rendre dans la vallée de l'Ourika.

Location de voitures - De nombreuses agences se trouvent dans le quartier du Guéliz. Vous pouvez aussi vous adresser à votre hôtel ou maison d'hôte. Parmi les adresses recommandables : **Beautiful Car**, 92 av. Zerktouni, n° 2 *(Plan I, quartier de Guéliz)*, ☎ 044 44 99 87, 068 96 47 15, agence locale professionnelle et pratiquant des prix intéressants. **KAT**, 92 av. Zerktouni, n° 7 *(Plan I quartier de Guéliz)*, ☎ 044 43 01 75, 061 18 66 88, prestations similaires à celles de l'adresse ci-dessus. **Europcar**, 63 bd Mohammed Zerktouni *(Plan I B2)*, ☎ 044 43 12 28. **Hertz**, 154 av. Mohammed V *(Plan I B2)*, ☎ 044 43 46 80. **Avis**, 137 av. Mohammed V *(Plan I B2)*, ☎ 044 43 37 27. **Nomade Car**, 112 av. Mohammed V *(Plan I B2)*, ☎ 044 44 71 26/44 73 75. **Set Car**, 79 av. Mansour Eddahbi *(Plan I B2)*, ☎ 044 43 09 96.

En calèche - Stations en face de la plupart des grands hôtels, sur la place Jemâa el-Fna et à Bab Doukkala. N'oubliez pas de fixer le prix de la course avant le départ et de marchander fermement si besoin. Dans tous les cas, le tarif horaire ne devrait pas dépasser 80 DH.

Adresses utiles

Office de tourisme *(Plan I B2)* - Place Abdel Moumen ben Ali, Guéliz, ☎ 044 43 61 31. Lun.-ven., 8h30-12h/14h30-18h30. Peu utile !

Syndicat d'initiative, 176 av. Mohammed V, ☎ 044 43 08 86. Mêmes horaires qu'à l'Office de tourisme.

Banque / Change - Possibilité de change au syndicat d'initiative jusqu'à 19h et à la réception des grands hôtels. Dans le Guéliz *(Plan I B2)* : **BMCI**, 35 bd Mohammed Zerktouni, ☎ 044 44 81 09 (change jusqu'à 20h). **BMCE**, 114 av. Mohammed V, ☎ 044 43 19 49. **American Express**, rue de Mauritanie, immeuble el-Moutawakil, ☎ 044 43 30 22. Proche de la médina *(Plan III)* : **Banque al-Maghrib**, pl. Jemâa el-Fna, ☎ 044 44 20 37 et plusieurs banques, dont la **BMCE**, dans la rue Moulay Ismaïl et le long de la rue Bab Agnaou.

Poste / Téléphone - **Poste centrale** *(Plan I B2)*, pl. du 16 novembre, Guéliz, 8h30-18h45 ; accès aux téléphones tlj 8h30-21h. Dans la médina, pl. Jemâa el-Fna *(Plan III)*, 8h30-18h45.

Représentations diplomatiques - **Consulat de France**, 1 rue Ibn Khaldoun *(Plan II B3)*, médina, ☎ 044 38 82 00. Lun.-ven., 8h30-11h30. **Institut français**, route de Targa, Guéliz (derrière l'école Victor Hugo), ☎ 044 44 69 30. Lun.-ven., 8h-14h.

Compagnies aériennes - **Royal Air Maroc**, 197 av. Mohammed V *(Plan I B2)*, Guéliz, ☎ 044 42 55 00/01.

Internet - Vous trouverez de nombreux cyber-cafés dans la médina ; un peu moins dans la ville nouvelle. Env. 10 DH/h. **Cyber,** 41 rue Bani Marine, médina *(Plan III)*, 9h30-23h30. L'un des rares de la ville à avoir une connexion ADSL ; également équipé d'un graveur de CD. **Cyber Kennaria**, 123 rue Kennaria, médina *(Plan II B3)*, 8h-20h. **Askmy c@fe,** 6 bd Zerktouni, Guéliz *(Plan I)*.

Guides - Si vous souhaitez visiter la ville ou ses environs avec un guide, contactez l'Office de tourisme : 150 DH la demi-journée, 250 DH la journée pour la découverte de Marrakech ; 350 DH la journée pour l'Ourika. Vous pouvez aussi vous renseigner dans votre hôtel.

Se loger

▸ *Dans la ville nouvelle (plan I)*

C'est là que se concentrent les grands hôtels qui accueillent des groupes.

Environ 60 DH à deux avec 1 tente et 1 véhicule (6 €)

Camping Ferdaous, route de Casablanca, à 13 km au nord de la ville, ☎ 044 30 40 90. Douches, eau chaude. Possibilité de louer des caravanes pour 5 personnes au prix de 80 DH la nuit.

Environ 100 DH (10 €) à deux

Auberge de jeunesse, rue al-Jahed, quartier industriel, Hivernage, ☎/Fax 044 44 77 13 - 57 lits. Bâtiment moderne, entièrement rénové, situé dans un quartier calme et isolé. Propreté impeccable. Dortoirs spacieux avec lits superposés pour la plupart, pour les hommes au rez-de-chaussée, pour les femmes à l'étage. Douches payantes, eau chaude. Petit salon avec télévision (côté hommes), terrasse (côté femmes). Cuisine à disposition. Priorité aux membres des Auberges de Jeunesse en cas d'affluence.

De 150 à 200 DH (15 à 20 €)

Hôtel des Voyageurs, 40 bd Mohammed Zerktouni, Guéliz, ☎ 044 44 72 18 - 26 ch. Les chambres sont propres, mais la peinture s'écaille et les salles de bains sont en piètre état. Préférez les chambres à l'étage, donnant sur un petit jardin ou sur la rue ; elles sont claires et hautes de plafond, alors que celles du rez-de-chaussée s'ouvrent sur un couloir sombre. L'endroit est calme, mais mériterait d'être sérieusement rafraîchi. Pas de petit-déjeuner.

Hôtel Franco-Belge, bd Mohammed Zerktouni, Guéliz, ☎ 044 44 84 72 - 21 ch. Cet hôtel, construit au début du siècle, doit son nom à la présence d'officiers français et belges dans l'établissement durant les deux guerres mondiales. Dommage qu'il ne soit pas

entretenu, car l'atmosphère y est paisible, en retrait du boulevard. Une allée bordée d'orangers mène à une cour. Les chambres de plain-pied sont grandes et propres, mais vieillottes, avec un mobilier très délabré. 7 chambres sont dotées de douche et toilettes.

Hôtel Toulousain, 44 rue Tariq ibn Ziad, Guéliz, ☎ 044 43 00 33, www.geocities.com/hotel_toulousain - 31 ch. Situé en plein centre-ville, ce petit hôtel sans prétention est charmant. De chaque côté de l'entrée, deux patios verdoyants sont entourés de chambres impeccables, colorées, spacieuses et recouvertes de beaux carreaux. Un climat serein règne au milieu des palmiers, des cactus et des petites tortues ! Chambres avec lavabo et bidet. Douches collectives, eau chaude. Télévision dans l'entrée. Souvent complet, réservez.

De 200 à 250 DH (20 à 25 €)

Hôtel Oasis (et Négociants), 50 bd. Mohammed V, Guéliz ☎ 044 44 71 79 - 25 ch. ✗ Sombre et tristounet, sans souci décoratif, sinon la vitrine de bijoux anciens à l'entrée. Les chambres sont propres mais bruyantes. Celles équipées de douche et toilettes coûtent plus cher. Accueil très chaleureux.

Environ 400 DH (40 €)

Résidence Ezzahia, av. Abdelkrim el-Khattabi, Guéliz, ☎ 044 44 62 44/54 ou 044 43 78 15, www.ezzahia.com - 51 ch. ⌐¶ ▤ ▣ ✗ ⊒ ▥ Chambres de différentes tailles, confortables et d'une propreté irréprochable. Également des appartements avec cuisine et salon. Double-vitrage du côté rue. Belle piscine avec verdure et petite fontaine ornée de zelliges. À côté, vous trouverez un restaurant-cafétéria, un peu bruyant. Promotions hors saison.

Hôtel du Pacha, 33 rue de la Liberté, Guéliz, ☎ 044 43 13 27 - 37 ch. ⌐¶ ▤ ▣ ✗ ▥ Si vous préférez le charme suranné au confort moderne, ce vieil hôtel est pour vous. Demandez une chambre donnant sur le patio, rafraîchi par une petite fontaine et fleuri de bougainvillées, géraniums et autres plantes vertes. Accueil charmant. Prix dégressifs selon la durée et la saison.

De 400 à 690 DH (40 à 69 €)

Hôtel Tafoukt, Place du Petit Marché, 116 camp el-Ghoul, route de Targa, Guéliz, ☏ 044 43 55 10/11, www.ilove-marrakesh.com/hoteltafoukt - 17 ch. ⚑ 🖹 📺 ✗ ⚒ 🆑 Petit hôtel fonctionnel et propre, au cadre assez original. Les 10 suites sont colorées en fonction de leur nom (la Ménara en rouge, la Mogador en bleu…) Les chambres ouvrent sur une cour extérieure, à proximité de la piscine (très petite), où se reflète une réplique en miniature de la Ménara ! Inconvénients : décoration un peu kitsch et tarifs trop élevés. Accueil chaleureux. Restaurant marocain.

Environ 500 DH (50 €)

Hôtel Amalay, 87 bd Mohammed V, Guéliz, ☏ 044 44 86 85/90 23, www.amalay-tachfine.ma - 40 ch. ⚑ 🖹 📺 ✗ 🆑 Des chambres lumineuses et propres, dont certaines avec balcon, mais bruyantes pour celles qui donnent sur le boulevard. Salles de bains en céramique blanche et bleue. L'établissement comporte un petit salon et deux restaurants : l'un, côté boulevard, pour prendre le petit-déjeuner, l'autre, avec une terrasse couverte, proposant grillades, poissons, tajines et pizzas.

Environ 550 DH (55 €)

Hôtel Le Grand Imilchil, av. Echouada, Hivernage, ☏ 044 44 76 53, hotel_lmilchil@maroc.zzn.com - 97 ch. ⚑ 🖹 📺 ✗ ⚒ 🆑 Installé dans un quartier administratif, aéré et tranquille, cet hôtel est propre et agréable. Joli décor marocain avec zelliges et pièces artisanales. Chambres agréables, certaines avec un balcon et d'autres avec une vue sur la Koutoubia. Accueil sympathique. Restaurant marocain et international avec terrasse panoramique au 7e étage.

Environ 600 DH (60 €)

Hôtel Ayoub, lotissement Iamhita, Semlalia, en face de la faculté de médecine, ☏ 044 44 80 66/99 - 110 ch. ⚑ 🖹 📺 ✗ ⚒ 🆑 Dans un quartier résidentiel aéré, cet hôtel dispose d'une piscine agréable et d'un restaurant proposant une cuisine internationale. Les chambres, réparties sur trois niveaux autour

d'un grand patio, sont décorées dans le style marocain. Bon rapport qualité-prix et excellent accueil.

Environ 640 DH (64 €)

Hôtel Amine, av. Abdelkrim el Khettabi, Semlalia, ☏ 044 43 63 76/81 45, www.hotel-amine.com - 195 ch. ⚑ 🖹 📺 ✗ ⚒ 🆑 Bien qu'il soit très fréquenté par les groupes, cet hôtel propose d'excellentes prestations pour un prix très raisonnable. Les chambres, aux tons roses, avec petite terrasse, s'agencent autour de cours arborées. L'endroit est calme, agrémenté d'un vaste jardin avec une petite aire de jeux pour enfants et une grande piscine. Hammam, salle de gym, ping-pong…

Environ 700 DH (70 €)

Hôtel Diwane, 24 rue de Yougoslavie, Guéliz, ☏ 044 43 22 16, www.diwanehotel.com - 115 ch. ⚑ 🖹 📺 ✗ ⚒ 🆑 Ce nouvel hôtel, situé en plein cœur de Guéliz, est sans doute la meilleure adresse dans cette catégorie. Doté de tout le confort moderne, il est décoré dans un style traditionnel (zelliges, tedlakt, bejmat) qui lui confère un certain caractère.

Environ 860 DH (86 €)

Hôtel Meryem, 154 rue Mohammed el-Bequal, Guéliz, ☏ 044 43 70 62 à 65, www.hotelmeryem-marrakech.com - 182 ch. ⚑ 🖹 📺 ✗ ⚒ 🆑 Hôtel moderne, propre et fonctionnel, totalement dénué de charme. Agréable piscine. La clientèle se compose majoritairement de groupes et l'accueil s'en ressent… Un peu cher.

Environ 1 200 DH (120 €)

Hôtel Kenzi Semiramis, route de Casablanca, quartier Semlalia, ☏ 04 43 13 77/66 65/82 25, www.kenzi-hotels.com/hotels/marrakech - 182 ch. ⚑ 🖹 📺 ✗ ⚒ 🆑 Ce grand hôtel de la chaîne Kenzi Palace est implanté au centre d'une palmeraie de 4 ha. Outre une magnifique piscine chauffée, de nombreux loisirs vous sont proposés : tennis, tir à l'arc, etc. Tout est spacieux et luxueux. Les chambres sont dotées d'un balcon donnant sur des jardins intérieurs. 4 restaurants.

Environ 1 700 DH (170 €)

Hôtel Impérial Borj, av. Echchouhada, Hivernage, ☎ 044 44 73 22, www.nettensift.com/borj - 207 ch. ♪¶ 🔲 📺 ✕ ⤢ 🆑 Ce grand bâtiment cache une immense piscine (mais on regrette que le jardin soit si petit) et un luxueux hall en marbre décoré de fontaines et de plantes luxuriantes. Les chambres, grandes et lumineuses, mais impersonnelles, sont dotées d'un mobilier laqué et de salles de bains entièrement recouvertes de marbre. 3 restaurants, piano-bar et discothèque. Récemment rénové, l'endroit est un peu froid.

De 1 800 à 2 500 DH (180 à 250 €)

Hôtel Es-Saadi, av. el-Qadissia, Hivernage, ☎ 044 44 88 11/70 10, www.essaadi.com - 149 ch. ♪¶ 🔲 📺 ✕ ⤢ 🆑 Ce 5-étoiles bénéficie d'un magnifique parc fleuri de 4 ha, planté d'orangers, de palmiers et de bougainvillées. Mais l'intérieur, certes luxueux, manque de caractère. Néanmoins, certaines chambres offrent une vue sublime sur le parc avec, en arrière-fond, les montagnes de l'Atlas. Outre une très belle piscine, l'hôtel comprend un spa oriental, un casino, un snack-bar et 2 restaurants, dont un marocain avec dîner-spectacle aux chandelles.

▸ *Dans la médina et à ses abords (plan III et plan II)*

On y trouve surtout des adresses très bon marché *(plan III)* et des centaines de riads transformés en maisons d'hôte.

Environ 130 DH (13 €)

Hôtel Medina, 1 derb Sidi Bouloukat, riad Zitoun el-Kedim, *(plan III)*, ☎ 044 44 29 97 - 16 ch. L'une des meilleures adresses dans cette catégorie. Petites chambres spartiates, très bien tenues, avec un lavabo. Douches collectives payantes. Cour centrale avec zelliges et quelques plantes, jolies portes colorées. Terrasse en partie couverte. Petit-déjeuner et repas sur commande.

Hôtel Challah, 14 riad Zitoun el-Kedim, derb Skaya *(plan III)*, ☎ 044 44 29 77 - 9 ch. Cet hôtel, tranquille, offre un bon rapport qualité-prix. Il possède une grande cour, plantée d'orangers et encadrée de salons marocains. À l'étage, petites chambres propres avec lavabo, table et jolies fenêtres avec grilles en fer forgé. Salles de bains communes (douches payantes). Belle terrasse.

Hôtel Imouzzer, 74 derb Sidi Bouloukat, riad Zitoun el-Kedim, *(plan III)*, ☎ 044 44 53 36 - 26 ch. Sympathique petit hôtel organisé autour d'un patio carrelé avec fontaine et plantes. Les chambres sont petites mais correctes, équipées d'un lavabo. Une douche (eau chaude payante) et un WC par étage. Bon petit-déjeuner sur la terrasse, en partie couverte. Vous pouvez aussi commander un repas à l'avance.

Hôtel Essaouira, derb Sidi Bouloukat, 3 riad Zitoun el-Kedim, *(plan III)*, ☎ 044 44 38 05, www.jnanemogador.com - 30 ch. Murs décorés de zelliges et plafond en bois peint. Petites chambres propres avec lavabo. Les sanitaires et le mobilier gagneraient cependant à être rafraîchis. Vous pouvez prendre le petit-déjeuner sur la terrasse dominant la médina et profiter de l'exposition des toiles d'un peintre résidant dans l'hôtel à l'année. Possibilité de commander un plat.

Hôtel Mimosa, 16 rue des Banques, Quenaria *(plan III)*, ☎ 044 42 63 85 - 22 ch. (dont 2 avec douche). Cet établissement, proche de la place Jemâa el-Fna, est sommaire mais propre. Les petites chambres, dotées d'un lavabo, d'un placard, d'une table et d'une literie convenable, sont décorées de mosaïque polychrome. Petit-déjeuner servi sur une terrasse ornée de céramique colorée, d'où l'on jouit d'une belle vue sur la place.

Hôtel Eddakhla, 43 riad Zitoun el-Kedim, *(plan III)*, ☎ 044 44 23 59/061 51 41 75 - 46 ch. Carrelage et plâtre sculpté décorent les murs de la cour et des chambres. Celles-ci sont équipées d'un lavabo et d'un bidet, d'une douche pour certaines, d'une literie en bon état, mais les tables et les chaises sont prêtes à lâcher ! Douche payante. Terrasse offrant une belle vue panoramique. Accueil décontracté et convivial.

De 130 à 180 DH (13 à 18 €)

Hôtel el Atlal, 48 rue de la Recette *(plan III)*, ☎ 044 42 78 89 - 16 ch. Simple et très bien tenue, voici une excellente adresse pour les petits budgets. Chambres avec salle de bains ou lavabo uniquement (les moins chères), literie correcte et sanitaires en bon état. Accueil charmant.

Environ 150 DH (15 €)

Hôtel La Gazelle, 12 rue Bani Marine *(plan III)*, ☎ 044 44 11 12 - 28 ch. Situé non loin de la place Jemâa el-Fna, cet hôtel, bien entretenu mais sans grand charme, loue des chambres au confort rudimentaire (lavabo, placard et table). Douches communes et toilettes à chaque étage. Terrasse avec vue sur la Koutoubia.

Environ 160 DH (16 €)

🅰 **Hôtel Souria**, 17 rue de la Recette *(plan III)*, ☎ 044 42 67 57/067 48 21 31, souria@yahoo.fr - 10 ch. Simple et bien tenu, calme et chaleureux, ce petit hôtel familial est bien sympathique. Les chambres s'étagent autour d'un agréable patio verdoyant. Les propriétaires vivent dans la maison contiguë. Douches et baignoire collectives, eau chaude payante. Très agréable terrasse ornée d'un patchwork de carrelages, avec vue sur les toits de la médina. Souvent complet, réservez.

De 180 à 330 DH (18 à 33 €)

🅰 **Hôtel Central Palace**, 59 Sidi Bouloukat (rue de Bab Agnaou) *(plan III)*, ☎ 044 44 02 35/061 58 27 65, www.hotel-centralpalace.com - 40 ch. 🗷 🗔 Réservez. À 2 pas de la place Jemâa el-Fna, cet hôtel ne désemplit pas. Il faut dire qu'il offre à la fois le charme d'une ancienne demeure et un accueil aimable, à un prix intéressant. Joli cadre déclinant des tons harmonieux à dominante de beige et de vert, autour d'un patio avec fontaine. La moitié des chambres dispose d'une salle de bains. Elles sont ventilées ou climatisées et certaines ont une TV.

Environ 200 DH (20 €)

Hôtel Ali, rue Moulay Ismaïl *(plan III)*, ☎ 044 44 49 79, hotelali@hotmail.com - 46 ch. 🗷 🗔 🗶 Fréquenté en majo-

rité par de jeunes routards du monde entier, cet hôtel est idéalement situé (à 2 pas de la place Jemâa el-Fna), aéré et coloré. Les chambres sont simples, d'une propreté irréprochable. Demandez celles qui ouvrent sur la cour, les autres sont bruyantes. Salons marocains et superbe terrasse donnant sur la place Jemâa el-Fna. Restaurant *(voir ci-après)*, cybercafé (inclus dans le prix de la chambre), bureau de change, hammam prévu et agence de voyages *(voir p. 382)*.

De 260 à 400 DH (26 à 40 €)

Dar al Badii, 3 derb Lakhdar, riad ez-Zitoun el-Kédim, *(plan III)*, ☎ 044 42 65 39/061 34 52 45, www.ifrance.com/dar-albadii - 4 ch. 🗷 🗶 🗶 Une maison sans prétention, agréable et bien tenue, composée d'un petit patio carrelé de blanc et bleu, de chambres coquettes et d'une terrasse conviviale. Repas sur commande.

Riad Hiba, 29 derb Lakhdar, riad ez-Zitoun el-Kédim, *(plan III)*, ☎/Fax 044 44 05 74, ☎ 066 70 62 72, riadhiba@yahoo.fr - 7 ch. 🗷 🗶 Vous profiterez ici, pour un prix très raisonnable, d'un décor traditionnel (sols en zelliges, murs en tedlakt, portes en bois peint, grilles en fer forgé, stuc sculpté, lavabos en cuivre). Certes, le patio et les chambres ne sont pas grands, mais l'endroit a du charme.

De 300 à 700 DH (30 à 70 €)

🅰 **Hôtel Sherazade**, derb Jemâa 3 riad ez-Zitoun el-Kédim *(plan III)*, ☎/Fax 044 42 93 05, www.hotel-sherazade.com - 22 ch. 🗷 🗶 🗶 🆑 Voici un lieu enchanteur qui mérite bien son nom, tant pour le cadre, conçu dans le style traditionnel marrakchi, que pour l'accueil. Les chambres, toutes différentes, se répartissent sur 3 niveaux. Vous pourrez vous détendre dans les deux patios, verdoyants et fleuris de bougainvillées, dans les salons marocains, ou sur la grande terrasse, d'où le coucher de soleil sur la Koutoubia est somptueux. Le prix des chambres varie selon l'étage, le confort (certaines sont climatisées) et la saison. 4 d'entre elles partagent une salle de bains. Évitez celles qui sont collées à la mosquée voisine ! Réservez des mois à l'avance.

De 330 à 360 DH (33 à 36 €)

⊕ **Hôtel Belleville**, 194 riad ez-Zitoun el-Kédim *(plan III)*, ☎/Fax 044 42 64 81/061 19 32 18, hotelbelleville@yahoo.fr - 9 ch. ⊣ 㳄 Un petit hôtel de charme, intime et paisible malgré l'animation ininterrompue de la rue voisine. Murs en tedlakt beige, sols en bejmat de Fès, mobilier en fer forgé, salles de bains ornées de zelliges : la décoration a été choisie avec goût. Patio et terrasse aménagée contribuent aussi à l'agrément des lieux.

Jnane Mogador Hôtel, derb Sidi Bouloukat, 116 riad ez-Zitoun el-Kédim *(plan III)*, ☎/Fax 044 42 63 23, www.jnanemogador.com - 17 ch. ⊣ 㳄 🖵 ✘ 🆑 À deux pas de la place Jemâa el-Fna, poussez une magnifique porte du 19e s. Meublées de fer forgé, les chambres s'agencent autour d'un joli patio couvert de zelliges, avec fontaine et colonnes en tedlakt. Quelques plats marocains sur commande. Terrasse et solarium.

⊕ **Hôtel Assia**, 32 rue de la Recette, riad el Mokha *(plan III)*, ☎ 044 39 12 85, hotelassia@yahoo.fr - 26 ch. ⊣ 🖵 ✘ 🆑 Hôtel bien situé, dans une ruelle calme et centrale. Accueil attentionné et souriant. Très soigné, le cadre allie confort et matériaux traditionnels. Bejmat et zelliges, fer forgé et cuivre, bois et tedlakt jouent sur les camaïeux de beiges et de bruns. Beau patio et terrasse avec vue sur la Koutoubia et l'Atlas.

Environ 400 DH (40 €)

⊕ **Le Gallia**, 30 rue de la Recette *(plan III)*, ☎ 044 44 59 13/044 39 08 57, www.ilove-marrakech.com/hotelgallia - 19 ch. ⊣ 🖵 🆑 À proximité de la place Jemâa el-Fna, ce petit hôtel de charme est plein de raffinement. Son vaste patio, où murmure une fontaine, à l'ombre d'un majestueux palmier et de bananiers, est un havre de fraîcheur. Marbre, céramique et grilles en fer forgé blanc aux fenêtres concourent aussi à cette élégance orientale. Les chambres sont spacieuses, sobres et décorées avec goût. Réservez 1 à 2 mois à l'avance.

De 1 300 à 2 300 DH (130 à 230 €)

⊕ **La Maison arabe**, 1 derb Assehbe, Bab Doukkala *(plan II)*, ☎ 044 38 70 10, www.lamaisonarabe.com - 13 ch. ⊣ 🖵 🖵 ✘ 🍽 🆑 Cet ancien restaurant légendaire, créé par deux Françaises dans les années 1940, et fréquenté à cette époque par d'illustres personnalités, a ressuscité sous forme d'un luxueux hôtel. Ses 13 chambres, dont 7 suites avec terrasse (et certaines avec cheminée), portent chacune un nom emprunté aux contes orientaux et s'articulent autour de 2 patios où embaume le jasmin. Les salons, aux couleurs chaudes, abondent d'objets précieux. Excellent restaurant *(voir « Se restaurer »)*. Hammam traditionnel et massage. Navette gratuite (10mn de trajet) pour un magnifique jardin où vous pourrez profiter de la piscine, réservée exclusivement aux clients de l'hôtel, et déjeuner sur place. Stage de cuisine marocaine sur inscription.

De 3 500 à 6 500 DH (350 à 650 €)

Hôtel La Mamounia, av. Bab el-Jdid, *(plan II)*, ☎ 044 38 86 00, réservation (appel gratuit) en France ☎ 0800 136 136, www.mamounia.com - 171 ch. ⊣ 🖵 🖵 ✘ 🏊 🆑 Ce somptueux palace, édifié en 1923, fut fréquenté par une pléiade de célébrités comme Churchill, Pasolini..., et bénéficie toujours d'une renommée internationale. Toutefois, la rénovation de 1986 lui a fait perdre l'essentiel de son cachet. Fort heureusement, le plafond de Majorelle, les peintures de Jean Besancenot et les jardins grandioses sont encore là pour honorer le passé. Si votre portefeuille ne vous permet pas d'y séjourner, venez au moins y prendre un verre et profitez-en pour le visiter *(voir p. 392)*. Casino ouvert aux non-résidents.

Agences de location de riads dans la médina

Marrakech Riads, 8 derb Cherfa Lakbir, Mouassine, dans un superbe riad transformé en café littéraire : Dar Cherifa *(voir « Boire un verre »)*, ☎ 044 39

Place Jemâa el-Fna

16 09/044 42 64 63, www.marrakech-riads. net Abdellatif Aît Ben Abdallah restaure remarquablement d'anciennes demeures. Elles peuvent accueillir de 2 à 12 pers. et sont classées en 4 catégories (de 2 à 4 lanternes) selon leur aménagement : de 500 à 1 500 DH (50 à 150 €) la chambre et de 1 500 à 5 400 DH (150 à 540 €) pour le riad complet. Les prix sont majorés de 20 % en haute saison.

Marrakech-médina, 102 rue Dar el-Pacha, dans un ancien caravansérail, ☎ 044 44 24 48 (Marrakech), ☎/Fax 01 43 25 98 77 (Paris), www.marrakech-medina. com Location, vente et rénovation d'une vingtaine de riads au cœur de la médina. En haute saison comptez en moyenne de 1 600 à 6 000 DH (160 à 600 €) la chambre et de 5 000 à 8 000 DH (500 à 800 €) le riad entier (10 personnes).

Riads au Maroc, 1 rue Majhoub Rmiza Marrakech Menara Guéliz, ☎ 044 43 19 00, www.riadomaroc.com Propose des locations sur l'ensemble du Maroc. Grande fourchette de prix allant en haute saison de 350 à 3 000 DH (35 à 300 €) la chambre. Possibilité de réserver un riad entier.

Maisons d'hôte et riads dans la médina

Les prix indiqués ci-dessous correspondent à une chambre double ou une suite avec petit-déjeuner en haute saison. En basse saison comptez en moyenne 20 % de réduction. Dans la plupart des cas il est aussi possible de louer le riad entier, se renseigner auprès du propriétaire.

Environ 250 DH (25 €)

☺ **Dar Bleu**, 63 derb el Franne, riad el-Arous *(plan II)*, ☎/Fax 044 38 30 26/063 59 92 23, www.darbleu.com - 6 ch. ⛱ ✗ Voici sans doute la plus authentique des maisons d'hôtes de la médina. Kamal, la trentaine, vous reçoit ici en toute simplicité. Ses amis ou ses proches viennent parfois partager le thé, un tajine ou un couscous préparés par Najate. Dans ce petit riad, soigné et plein de charme, pas de luxe

dans le décor, pas de chichis. Dans une ambiance décontractée – et parfois festive – on partage la salle de bains du RDC ; on dîne volontiers ensemble, à la marocaine ; et le matin, on se retrouve sur l'agréable terrasse pour un copieux petit-déjeuner. Une adresse à préserver. Organisation d'excursions *(voir site Web)*.

De 300 à 600 DH (30 à 60 €)

La Maison Alexandre-Bonnel, 4 derb Sania, El Ksour *(plan II)*, ☎/Fax 044 42 98 33 - 3 ch. ⛱ ▤ ✗ Malgré la proximité de la place et des souks, vous serez ici au calme. On vous y accueillera avec simplicité et convivialité, dans une jolie maison bien tenue. Une chambre non climatisée avec salle de bains séparée fera le bonheur des voyageurs à budget serré.

De 350 à 850 DH (35 à 85 €)

☺ **Riad Ker Saâda**, 28 derb el Arsa, quartier Kennaria *(plan II)*, ☎ 044 42 63 40/070 95 75 66, www.riadkersaada. com - 5 ch. ⛱ ☷ ✗ Dans un quartier paisible, entre la place Jemâa el-Fna et le musée Dar Si Saïd. Voilà une maison d'hôte où il fait bon vivre ! L'accueil discret et attentionné de Cheriff y est pour beaucoup. Les chambres, très gaies, décorées avec goût, s'organisent autour du ravissant patio. À l'ombre des bananiers, ce dernier fait office de salon et de salle à manger, lorsque la terrasse est trop chaude. L'hiver, vous dînerez plutôt dans le salon intérieur. Goûtez les petits plats concoctés par Saïda et Naïma : un régal.

De 450 à 650 DH (45 à 65 €)

Riad Kh'Missa, 1 Kaa el Houma, riad ez-Zitoun el-Jdid *(plan II)*, ☎/Fax 044 38 69 85/070 01 73 67, www.riad-khmissa. com - 4 ch. ⛱ ☷ ✗ Vous vous sentirez vite chez vous dans cette maison d'hôte où l'ambiance décontractée et conviviale attire une clientèle plutôt jeune. Dans le grand patio, bâché l'hiver pour maintenir une température idéale, les tortues évoluent en liberté autour des orangers et bananiers. Chambres sobres, salon cosy, terrasse bien aménagée : l'ensemble est très soigné.

De 450 à 800 DH (45 à 80 €)

🐌 **Riad Chouia-Chouia**, 40 rue Fahel Zefriti, El Ksour *(plan II)*, ☎ 062 09 36 29/ 044 42 66 34, http://chouiachouia.online. fr - 7 ch. 🍴 📺 ✖ 🏊 Tout près de la place Jemâa el-Fna : ambiance détendue et sympathique, sans prétention, qui séduit particulièrement les familles. Agréable terrasse donnant sur la Koutoubia, piscine chauffée. Chambres simples dont certaines avec cheminée, d'autres partageant une salle de bains. Également une suite avec hammam.

De 500 à 600 DH (50 à 60 €)

Dar Zouar, Bab Taghzout, derb Mahrouk n° 14 *(plan II)*, ☎ 044 38 22 85/ 061 24 16 96, www.darzouar.com - 5 ch. 🍴 🌳 ✖ Bien situé (bus, taxis et parking à proximité), confortable, Dar Zouar offre un bon rapport qualité-prix. Grand patio décoré de plantes et de peintures colorées, salon avec cheminée, belle terrasse, chambres (dont 2 avec cheminée) restaurées avec goût. Copieux petit-déjeuner. Ambiance décontractée.

Environ 600 DH (60 €)

Dar Soukaina, 19, derb el Ferrane, riad el-Arous *(plan II)*, ☎ 044 37 60 55, darsoukaina@hotmail.com - 5 ch. 🍴 🌳 ✖ Sésame, girofle, marjolaine, muscade ou poivre, le choix sera difficile : ces 5 chambres aux noms d'épices sont toutes aussi cosy. Un petit riad d'un blanc éblouissant, décoré avec élégance et sans chichi. Salon avec cheminée, terrasse, solarium. Accueil souriant et service attentionné. Bonne table. Parking à proximité.

De 600 à 920 DH (60 à 92 €)

Tamkast, 10-12 derb Sidi Bou Amar Zaouiat Lahdar *(plan II)*, ☎ 044 44 01 89/063 44 57 95, www.tamkast.co.ma - 3 ch. 🍴 🌳 ✖ 🆑 Cachée au fond d'une ruelle près de la médersa Ben Youssef, cette maison d'hôte présente une architecture originale. L'une des chambres est dotée d'une délicieuse courette privative avec carrelage, banquettes et plantes. Sa salle de bains a en outre été conçue comme un hammam. Un autre chambre possède un balcon. Salles de bains privatives ou communes à 2 chambres.

De 600 à 950 DH (60 à 95 €)

Riad Al Nour, 7 derb Haj Housseine, Bab Doukkala *(plan II)*, ☎ 044 38 72 38/ 064 91 00 61, www.riadalnour.com - 4 ch. 🍴 🌳 ✖ La fraîcheur du joli patio ombragé par les orangers est un vrai bonheur. Chambres agréables et bien tenues, certaines avec cheminée, climatisation, télévision. Décor et accueil raffinés.

De 600 à 1 050 DH (60 à 105 €)

🐌 **Ryad Esmeralda**, 44 derb Draoua, quartier Sidi Ben Slimane *(plan II)*, ☎/Fax 044 38 63 64, 06 12 33 33 99 (GSM France), 064 76 32 96 (GSM Maroc), www.ryadesmeralda.com - 5 ch. 🍴 🌳 ✖ 🏊 Les portes de ce riad du 17e s. s'ouvrent sur un superbe patio avec piscine. Tout ici a été pensé pour respecter la tradition. Depuis les trois terrasses vous découvrirez la médina, l'Atlas et la palmeraie. Les 3 suites ont une cheminée. Accueil très chaleureux et repas marocain exquis. Hammam.

De 600 à 1 200 DH (60 à 120 €)

🐌 **Riad Samsara**, 6 derb el Aarsa, Bab Tarzout, Sidi Bel Abbès Zaouia Al Abassia *(plan II)*, ☎ 044 37 86 05/070 95 72 24, www.riadsamsara.com - 3 ch. 🍴 📺 ✖ Au nord de la médina. Calme et sérénité sont les atouts de l'endroit, restauré avec beaucoup de goût : bois de cèdre sculpté, fer forgé, zelliges, marbre. Magnifique patio fleuri, chaleureux salon marocain avec cheminée et chambres raffinées. Jolie vue sur la mosquée Sidi bel Abbès depuis la terrasse. Délicieuse cuisine marocaine. Hammam. Accueil très soigné.

De 600 à 1 300 DH (60 à 130 €)

🐌 **Riad Zinoun**, derb Ben Amrane, riad ez-Zitoun Lakdim *(plan III)*, ☎/Fax 044 42 67 93 ou 061 14 55 14, www.riadzinoun. com - 8 ch. 🍴 🌳 📺 ✖ On se sent vite chez soi dans le grand patio aménagé en salon-salle à manger. Michelle et Saïd vous accueillent comme des amis. Convivialité et bonne humeur sont ici de mise. Grandes tablées d'hôtes, soirées de contes orientaux, chants berbères, musique arabo-andalouse ou gnaoua, virées dans les souks ou au hammam rythment la vie du riad. À moins que vous ne préfériez le farniente sur la terrasse, ou l'intimité de votre chambre. Stages de peinture et de tedlakt *(voir site Web).*

De 800 à 1 000 DH (80 à 100 €)

💧**Dar Bamileke**, derb Dabachi, 17 derb Jamaa *(plan II)*, ☎/Fax 044 42 66 85 ou 062 54 48 81, www.darbamileke.com - 3 ch. ⌐| ▤ ✕ Tenu par un jeune couple d'Italiens simples et bons vivants, amoureux du Maroc et du continent africain, ce riad est une vraie galerie d'art africain. Vous choisirez l'une des 2 élégantes suites (l'une au RDC, l'autre au 1er), au luxe discret, dotées d'une cheminée et d'une superbe salle de bains. Un escalier privatif mène à la douyria (4 pers.) Cadre intimiste, ambiance conviviale, service prévenant et accueil personnalisé.

De 850 à 1 400 DH (85 à 140 €)

Dar Hanane, 9 derb Lalla Azzouna *(plan II)*, ☎ 044 37 77 37 ou 063 83 92 92, www.dar-hanane.com - 5 ch. ⌐| ⊼ ✕ [cc] Proche de la médersa Ben Youssef, cette élégante demeure est des plus reposantes. Son décor dépouillé, composé de matériaux traditionnels aux tons essentiellement naturels, pourrait être qualifié de « maroco-zen ». Le joli patio arboré, bordé de 2 salons en alcôve, et la confortable terrasse, invitent à la lecture ou à la sieste. Un peu cher cependant.

De 1 150 à 1 750 DH (115 à 175 €)

Riad Moucharabieh, 27 derb l'hôtel, Bab Doukkala *(plan II)*, ☎ 044 38 72 12, www.moucharabieh-riadmarrakech. com - 9 ch. ⌐| ⊼ ▤ ✕ Cette ancienne demeure des années 1930 a été luxueusement restaurée. Les salons marocains spacieux, le patio et la terrasse avec Jacuzzi, les chambres avec cheminée, rien n'a été laissé au hasard. Une très belle adresse.

À partir de 1 700 DH (170 €)

💧 **Riad el Arsat**, 10 bis derb Chemaa, Arset Loughzail *(plan II)*, ☎ 044 38 75 67/061 58 27 49, www.riad-elarsat-marrakech.com - 8 ch. ⌐| ▤ ✕ ⊻ Une incroyable oasis au cœur de la médina !

Imaginez le pavillon d'été, avec son magnifique plafond en cèdre, et le pavillon d'hiver, avec ses cheminées, délimitant un immense jardin fleuri avec piscine. Un havre de paix au milieu des orangers, citronniers, bambous, bougainvillées, figuiers et jasmins odorants. Côté architecture, cette luxueuse propriété mêle avec bonheur les styles européens et orientaux d'inspiration Art déco. Une maison d'hôte de grande qualité.

› *Dans la palmeraie*

À partir de 1 950 DH (195 €)

💧**Les Deux Tours**, douar Abiad, à 6 km au nord du centre-ville, après 1 km de piste à partir du circuit de la Palmeraie *(plan I)*, ☎ 044 32 95 25/26/27, www.les-deux-tours.com - 24 ch. ⌐| ▤ ✕ ⊻ [cc] Ces 6 luxueuses villas, disséminées sur 3 ha de palmeraie, roseraie, oliveraie et orangeraie, ont été conçues par Charles Boccara, l'architecte du futur Opéra de Marrakech, qui s'est inspiré de l'art hispano-mauresque du 14e s. et des riads de la médina. Chacune s'organise autour d'une cour et d'un jardin embaumant le jasmin et les bougainvilliers, d'un bassin où se rafraîchir, d'un salon avec cheminée et de 3 à 5 chambres ou suites, dont certaines avec terrasse et cheminée.

À partir de 3 600 DH (360 €)

Le Palmeraie Golf Palace, les jardins de la Palmeraie, circuit de la Palmeraie, ☎ 044 30 10 10, www.pgp. co.ma - 314 ch. ⌐| ▤ [tv] ✕ ❢ ⊻ [cc] Somptueux complexe bâti en bordure d'un golf de 18 trous. Les balcons des chambres et des suites donnent sur les jardins et les piscines. Centre de remise en forme avec hammam traditionnel, restaurants, night-club. Cet hôtel est plus particulièrement recommandé l'été pour les familles avec enfants, quand les prix sont plus intéressants et les activités variées. Idéal pour prendre un verre après la visite de la palmeraie.

› *À l'extérieur de Marrakech*

Entre 300 et 450 DH/pers. en demi-pension (30 à 45 €)

💧**Le Relais du Lac**, barrage de Lalla Takerkoust *(voir carte p. 403)*, ☎ 044 48 49 24/061 24 24 54, www.hotel-relaisdu-

MARRAKECH

lac-marrakech.com - 9 ch. 🛏 📠 ✕ 🍷 ♨ cc À 30mn au sud-ouest de Marrakech par la route en direction d'Amizmiz (40 km). Si vous n'êtes pas véhiculé, prenez un taxi collectif à Bab er-Rob (10 DH/pers. à 6 pers.). Réservez, surtout le week-end. Calme et décontraction garantis dans cet accueillant relais, installé au bord d'un lac couleur émeraude. Vous avez le choix entre l'auberge, aux chambres claires et confortables, et l'une des tentes berbères équipées de matelas (2 à 4 pers.) Nombreuses activités : canoë, pédalo, quad… Très bonne cuisine marocaine et française, pain maison.

Se restaurer

Il est prudent de réserver dans la plupart des restaurants. Dans les maisons d'hôte, où le repas sera spécialement préparé pour vous, il faut commander à l'avance.

▸ *Dans la ville nouvelle*

Sur la place Abdel Moumen ben Ali, vous trouverez de nombreux cafés pour manger sur le pouce.

Environ 30 DH (environ 3 €)

L'Escale, rue Mauritania, Guéliz *(Plan I, agrandissement)*, ☎ 044 43 34 47 🍷 Fermé les jours fériés. Une adresse toute simple, qui ne désemplit pas depuis 1947. Quelques tables en terrasse, une modeste salle de bistro et dans l'assiette, de savoureuses grillades, accompagnées d'une délicieuse sauce tomate et de frites croustillantes.

Entre 80 et 150 DH (8 à 15 €)

Le Catanzaro, rue Tariq Ibn Ziad, Guéliz *(Plan I, agrandissement)*, ☎ 044 43 37 31 🍷 cc Fermé le dimanche. Pas étonnant que ce restaurant soit comble midi et soir. Les pizzas, cuites au feu de bois, sont croustillantes et à prix raisonnable. Les autres plats franco-italiens sont tout aussi bons et copieux. Bon rapport qualité-prix. En plus, vous serez accueilli avec le sourire, dans un cadre rustique et convivial. Une valeur sûre. Réservez impérativement.

Environ 90 DH (environ 9 €)

La Taverne, 23 bd. Mohammed Zerktouni (en face du cinéma « Le Coli-

sée »), Guéliz *(Plan I, agrandissement)*, ☎ 044 44 61 26 🍷 cc On entre par une salle qui ne paie pas de mine, mais un charmant patio se cache derrière. Endroit calme, pas trop touristique, avec une petite fontaine ombragée d'un beau caoutchouc. Les plats marocains sont bons et les prix très raisonnables.

Entre 90 et 420 DH (9 à 42 €)

Le Jacaranda, 32 bd Mohammed Zerktouni, Guéliz *(Plan I, agrandissement)*, ☎ 044 44 72 15 🍷 cc Quittez un moment l'agitation du centre-ville pour vous attabler dans ce lieu calme et climatisé. Ce restaurant français sert des plats recherchés, comme le gratin d'araignée ou la fricassée de cailles aux framboises. La salle est aussi un lieu d'exposition de peinture contemporaine.

Entre 120 et 250 DH (12 à 25 €)

Rôtisserie de la Paix-Jardin d'été, 68 rue de Yougoslavie, Guéliz *(Plan I agrandissement)*, ☎ 044 43 31 18 🍷 cc En été, vous pourrez vous restaurer dans un agréable patio verdoyant décoré d'une fontaine. La salle, ouverte l'hiver, est moins plaisante. Choisissez parmi les salades, les grillades et les pizzas au feu de bois, les fruits de mer, les tajines.

Bagatelle, 101 rue de Yougoslavie, Guéliz *(Plan I agrandissement)*, ☎ 044 43 02 74 🍷 cc Fermé le mercredi. Ce restaurant propose une cuisine de qualité. Des plats aussi divers que le confit de canard aux pommes ou la tajine de poulet au citron raviront vos papilles. En saison, vous mangerez sous une agréable tonnelle de treille. Accueil sympathique et cadre soigné.

Entre 180 et 250 DH (18 à 25 €)

Les Jardins du Guéliz, 21 bis rue de la Liberté (angle rue Tarik ibn Ziad) *(Plan I, agrandissement)*, ☎ 044 4462 38/065 97 48 62 🍷 cc Fermé le lundi. Ce petit havre de paix situé au cœur du Guéliz est tenu par un cuisinier français qui a officié pendant plusieurs années dans le Sud-Ouest de l'Hexagone. Le décor du restaurant allie élégance et simplicité ; ses baies vitrées s'ouvrent sur un agréable jardin. Mais l'atout majeur de

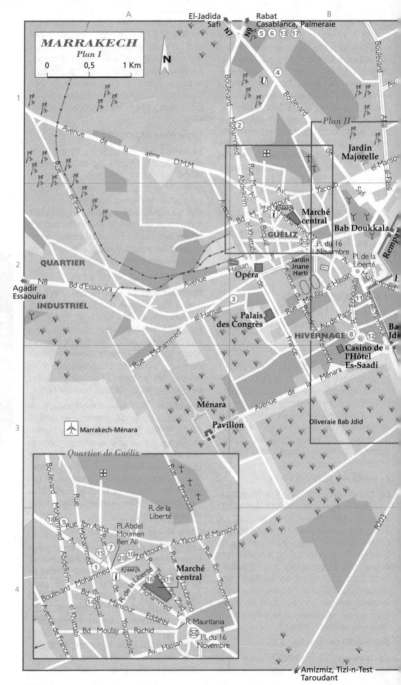

MARRAKECH
Plan I

0   0,5   1 Km

N

A   B

El-Jadida — Safi — N7 — N9 — Rabat, Casablanca, Palmeraie ⑤ ⑥ ⑬ ⑰

U ④

②

Plan II

Jardin Majorelle

Boulevard Mohammed

Avenue de la 4ème DMM

Rue el Eraq

Rue Abdelkrim el-Khattab

Av. M. el-Bec, Zerktouni

i

GUÉLIZ

Marché central

Bab Doukkala

Pl. du 16 Novembre

Pl. de la Liberté

QUARTIER

Bd d'Essaouira

N8

Agadir — Essaouira

INDUSTRIEL

Avenue

Rue Mohammed

al-Hansali

Opéra

Jardin Jnane Harti

③

Palais des Congrès

HIVERNAGE ⑧ ⑪ ⑫

Casino de l'Hôtel Es-Saadi

Rue de France

Rue de la Ménara

Ménara Pavillon

Avenue de la Ménara

Oliveraie Bab Jdid

R03

✈ Marrakech-Ménara

Quartier de Guéliz

Boulevard Mohammed

Rue Ibn Aïcha

⑱ ⑨

Rue Mohammed

Av. Mohammed

R. Errouda

R. de la Liberté

Pl. Abdel Moumen Ben Ali

⑮ ⑦ ㉑ ⑩

Zerktouni

Av. Yacoub el-Mansour

Rue Ibn Toumert

Marché central

Boulevard Abdelkrim

Bd el-Becal

i

⑯ ⑲

① ⑭

R. de la Liberté

R. Tarik Ibn Ziad

R. Loubnane

Bd Moulay Youssef

Mansour Eddahbi

R. Mauritania

Avenue de France

Rachid

Bd Hassan

Pl. du 16 Novembre

Amizmiz, Tizi-n-Test — Taroudant

372

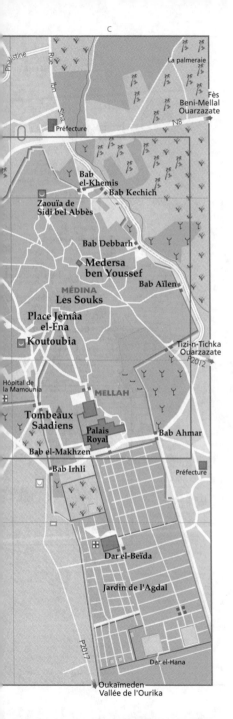

C

La palmeraie

Fès
Beni-Mellal
Ouarzazate
N8

Préfecture

Bab
el-Khemis
Bab Kechich

Zaouïa de
Sidi bel Abbès

Bab Debbarh

Medersa
ben Youssef

Bab Aïlen

MÉDINA
Les Souks

Place Jemâa
el-Fna
Koutoubia

Tizi-n-Tichka
Ouarzazate
P2012

Hôpital de
la Mamounia

MELLAH

Tombeaux
Saadiens

Palais
Royal

Bab Ahmar

Bab el-Makhzen

Bab Irhli

Préfecture

Dar el-Beïda

Jardin de l'Agdal

Dar el-Hana

Oukaïmeden
Vallée de l'Ourika

MARRAKECH

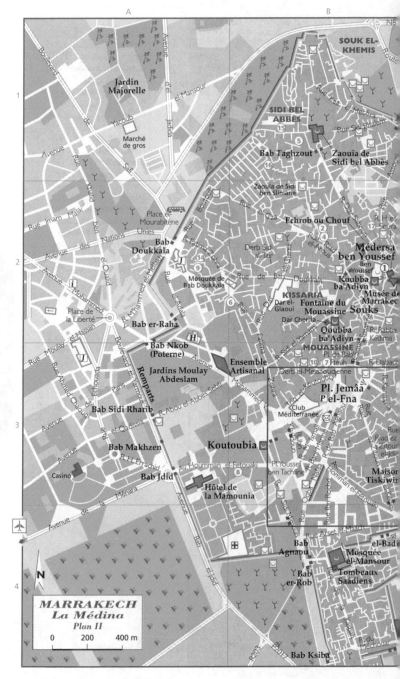

MARRAKECH
La Médina
Plan II
0   200   400 m

N

A

B

Jardin Majorelle

Avenue de el-Mansour

Avenue Yacoub el Mansour

Marché de gros

SOUK EL-KHEMIS

Route

SIDI BEL ABBÈS

Rue Kaa el-Machra

Rue Sidi Rhalem

Bab Taghzout

Zaouïa de Sidi bel Abbès

Rue Bab el-Khemis

Rue de Baroudienne

Avenue des Nations Unies

Rue Imam Malik

Avenue de el-Ouald

Rue Moulay Ismaïl

Avenue Mohammed V

Zaouïa de Sidi ben Slimane

Echrob ou Chouf

Rue el-Gza

R. H. es Soura

Bab Doukkala

R. Fatima Zohra

Derb Sidi al-Jair

Médersa ben Youssef

Ben Youssef

Place el-Mourabitène Unies

Mosquée de Bab Doukkala

Rue de Bab Doukkala

Rue Riad el Arous

KISSARIA

Koubba ba'Adiyn

Musée de Marrakech

Dar el-Glaoui

Fontaine du Mouassine

Souks

Place de la Liberté

Bab er-Raha

Rue Bab er-Raha

Dar Cherifa

Qoubba ba'Adiyn

Pl. Rahba Kedima

Rue Moulay el-Hassan

Bab Nkob (Poterne)

MOUASSINE

Pl. de Bab Fteuh

R. Dabachi

Rue Sidi el-Yamami

Ensemble Artisanal

Derb el-Messaoudienne

Pl. Jemâa el-Fna

Jardins Moulay Abdeslam

R. Abou el-Abbé-Sabti

Avenue Mohammed V

Club Méditerranée

Rue de Bab Agnaou

Bab Sidi Rharib

Remparts

Avenue el-Qadissia

Koutoubia

Pl. Youssef ben Tachfine

Maison Tiskiwin

Bab Makhzen

Av. Houmman el-Fetouaki

Casino

Bab Jdid

Hôtel de la Mamounia

Avenue de la Ménara

Rue Arset el-Maach

Bab Agnaou

el-Badi

Mosquée el-Mansour

Tombeaux Saâdiens

Bab er-Rob

Bab Ksiba

374

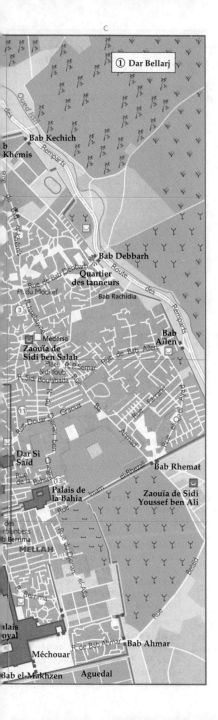

① Dar Bellarj

Oued Issil
des
Bab Kechich
b Khémis
Remparts
Rue de Bab el Khémis
Bab Debbarh
Route
des
Quartier
des tanneurs
Pl. du Moukef
Bab Rachidia
Remparts
③
Lissebtyate
Medersa
Bab
Aïlen
Zaouïa de
Sidi ben Salah
Place R. P. Semar
R. Sidi Toub
R. Sidi Boulabada
Rue
Rue de Bab Aïlen
Rue
Rue Farrane
⑪
Rue Douar Derari ben Chergui
Rue Giraoua
Rue
Ahmad
Rue el Qadi
Bab
Dar Si
Saïd
el Rhezal
Bab Rhemat
Rue
de la Bahia
⑬
Palais de
la Bahia
Imam
Zaouïa de Sidi
Youssef ben Ali
Rue
des
rblantiers
b Berrima
MELLAH
Rue du Derari el Afia
Beahb
Berrima
alais
oyal
Méchouar
R. de Bab Ahmar
Bab Ahmar
Bab el-Makhzen
Aguedal

MARRAKECH

HÔTELS ET RIADS		Challah	⑤	Gallia (le)	⑩	Mimosa	⑮
Ali	①	Dar al Badii	⑥	Gazelle (la)	⑪	Riad Hiba	⑯
Assia	②	Eddakhla	⑦	Imouzzer	⑫	Riad Zinoun	⑰
Belleville	③	El Atlal	⑧	Jnane Mogador	⑬	Sherazade	⑱
Central Palace	④	Essaouira	⑨	Medina	⑭	Souria	⑲

l'adresse est incontestablement sa goûteuse cuisine parfumée et soignée qui marie avec bonheur recettes françaises et influences marocaines.

Entre 230 et 450 DH (23 à 45 €)

🍽 **La Trattoria**, 179 rue Mohammed el-Beqal, Guéliz *(Plan I, agrandissement)*, ☎ 044 43 26 41 ⏻ CC Fermé le dimanche, excepté en haute saison. Un chaleureux décor mêlant les influences hispano-mauresques et Art déco ; chaque salle ou salon, la piscine et le jardin, créant autant d'atmosphères différentes. On en oublierait presque la carte, qui propose tous les grands classiques italiens, pas donnés certes, mais savoureux.

Le Jardin des Arts, 6,7 rue Sakia El Hamra, quartier Semlalia *(Plan I B1)*, ☎ 044 44 66 34 ⏻ CC Dîner uniquement ; sur réservation. Cet agréable restaurant (essayez de dîner en terrasse), vient d'être repris par Fabrice Maillot, un ancien de chez Robuchon. Inventive et subtile, sa cuisine se veut « entre le bistro et le gastro ». Belle carte de vins français et marocains également.

Plus de 300 DH (30 €)

🍽 **Al Fassia**, 232 av. Mohammed V, Guéliz *(Plan I B2)*, ☎ 044 44 72 37/ 43 40 60 ⏻ CC Cet excellent restaurant marocain, renommé pour ses spécialités de Fès, se distingue par le raffinement des plats. Le service assuré par des femmes vêtues de caftans est remarquable. Ne manquez pas la pastilla maison. Même s'il donne sur l'avenue, le jardin est plaisant. Les salons marocains sont climatisés.

La Note Gourmande, av. de France, quartier de l'Hivernage *(Plan I B1)*, ☎ 044 43 85 95 ♟ 🆑 Fermé le lundi midi. Le côté sympathique de ce restaurant tient autant à la qualité des plats, qu'au cadre élégant et à l'ambiance du piano-bar (19h-1h du matin). Dommage que la terrasse soit bruyante.

▸ *Dans la médina et à ses abords*

Entre 10 et 40 DH (1 à 4 €)

Au hasard de vos balades dans les souks, vous tomberez peut-être sur l'une de ces gargotes 100 % marrakchi, qui servent généralement d'excellentes grillades en journée. Vous partagerez sans doute votre table avec d'autres clients (on mange de la main droite à l'aide d'un bout de pain). L'affluence est le meilleur moyen de dénicher une bonne adresse. Le midi, à l'entrée des souks (près des terrasses de l'Alhambra), vous pourrez goûter un authentique méchoui.

☻ **Place Jemâa el-Fna** *(Plan III)*, entre le crépuscule et minuit environ. Dînez-y au moins une fois pendant votre séjour. Plus que pour la qualité de la nourriture, c'est pour l'ambiance qu'il faut absolument venir. Au choix, selon les étals : salades et brochettes, *harira* (la soupe traditionnelle), escargots, tête de mouton, etc. Sans parler des oranges pressées, du thé à la menthe, des pâtisseries. C'est l'occasion de partager un moment inoubliable avec des Marrakchi.

Entre 30 et 60 DH (3 à 6 €)

Café-crémerie Toubkal, 46-48 pl. Jemâa el-Fna *(Plan III)*, ☎ 044 24 22 62. Une des meilleures adresses à petit prix de la place Jemâa el-Fna, proposant salades, grillades, tajines, couscous. La *harira* est servie aux environs de 16h. Goûtez les délicieux yaourts faits maison ou les pâtisseries orientales, et au

petit-déjeuner, les crêpes marocaines. Terrasse ou salle à l'étage.

Chez Chegrouni, pl. Jemâa el-Fna *(Plan III)*, ☎ 061 87 38 04. Cuisine marocaine : salades, poulet, brochettes, tajines, couscous. Terrasse donnant sur la place. Un bon rapport qualité-prix dans cette catégorie.

Haj Brik, rue Bani Marine (juste à côté de l'hôtel La Gazelle) *(Plan III)*. Fermé vendredi et jours fériés. Le cadre ne paie peut-être pas de mine, mais la viande, grillée au feu de bois sous vos yeux, est fondante à souhait.

☻ **El Bahja, chez Ahmed**, 41 rue Bani Marine, immeuble Hadj Radi *(Plan III)*, ☎ 044 44 03 43. Juste à côté du précédent et dans le même genre. Grande salle carrelée, propre mais un peu sombre, avec plafond en plâtre sculpté et nappes en plastique. Musique arabe. Savoureuses grillades d'agneau, la spécialité de la maison. Sur commande, vous pourrez vous faire préparer la *tangia*, plat marrakchi à base de mouton et d'épices et cuit à l'étouffée.

Entre 50 et 100 DH (5 à 10 €)

Restaurant de l'hôtel Ali, rue Moulay Ismaïl *(Plan III)*, ☎ 044 44 49 79. Buffet, menus ou repas à la carte : il y en a pour tous les goûts. Cuisine marocaine et internationale, pizzas au feu de bois. On mange dans le salon marocain du RC ou en haut, sur la terrasse. L'établissement accueille certains soirs un orchestre de musique traditionnelle.

Café Palais el-Badia, 4 rue Berrima, Bab Mellah *(Plan II C3)*, ☎ 044 38 99 75. Une bonne adresse, économique et peu touristique, pour manger un tajine au poulet-citron ou un kefta aux œufs, en contemplant, de la terrasse, les cigognes du palais. Grand choix de salades fraîches, petits gâteaux croustillants servis avec le thé. Accueil discret et chaleureux.

Café Arabe, 184 rue el-Mouassine *(Plan II, B2)*, ☎ 044 42 97 28. ♟ De 10h à 20h. Voici une halte reposante au beau milieu des souks. Plutôt un café qu'un restaurant, joliment aménagé dans le patio et les différents salons de la maison. La propriétaire étant italienne, vous trouverez là du bon café italien et, pour déjeuner léger, un assortiment de tartes salées, de salades et de gâteaux.

Entre 90 et 150 DH (9 à 15 €)

Argana, 1-2 pl. Jemâa el-Fna *(Plan III)*, ☎ 044 44 53 50. Ce restaurant très touristique mérite le détour seulement pour ses pâtisseries et sa terrasse.

Entre 100 et 170 DH (10 à 17 €)

Dar Mimoun, 1 derb Ben Amrane, riad ez-Zitoun Kédim *(Plan III)*, ☎ 044 44 33 48 (réservation conseillée). Installez-vous dans le patio arboré, le jardin d'hiver ou un salon marocain. Dans ce cadre bien agréable, on vous servira l'un des menus, qui comportent notamment un bon choix de tajines et de couscous. Une bonne adresse… qui ne sert hélas pas d'alcool.

Entre 170 et 250 DH (17 à 25 €)

☺ **Dar Mima**, 9 derb Zaouia el Kadiria, riad ez-Zitoun el-Jdid *(Plan III)*, ☎ 044 38 52 52. 🍷 Réservez ! L'un des rares restaurants de la médina à proposer une cuisine marocaine à la carte. Dans un décor simple (patio, salon avec cheminée ou salles plus classiques), vous dégusterez une cuisine traditionnelle de qualité. La pastilla au pigeon est particulièrement savoureuse. Service essentiellement féminin. Excellent rapport qualité-prix.

Entre 180 et 300 DH (18 à 30 €)

Bab Firdaus, 57-58 rue Bahia *(Plan II C3)*, ☎ 044 38 00 73. 🍷 ᴄᴄ Fermé le lundi. Réservation conseillée. Une partie de cette ancienne demeure abrite un restaurant de charme. Dans la salle, les petits salons ouverts, ou sur la terrasse, les tables sont dressées avec une élégance qui sied bien au cadre. Grillades berbères et cuisine aux accents méditerranéens vous sont proposées à la carte. Ambiance feutrée.

Entre 200 et 400 DH (20 à 40 €)

Le Fondouk, 55 souk Hal Fassi, Kat Bennahïd, près du musée de Marrakech *(Plan II B2)*, ☎ 044 37 81 90. 🍷 ᴄᴄ Fermé le lundi. Réservez. L'un des restaurants tendance de Marrakech, installé dans un ancien fondouk. Plats légers le midi. Bonne table mais un peu chère, belle carte des vins. Très beau décor, raffiné et volontairement épuré.

Entre 220 et 350 DH (22 à 35 €)

Le Marrakchi, place Jemâa el-Fna, 52 rue des Banques *(Plan III)*, ☎ 044 44 33 77. 🍷 ᴄᴄ Avec ses 2 salles panoramiques, confortables et joliment aménagées, ce restaurant propose l'une des meilleures tables de la place Jemâa el-Fna. On y dîne ou déjeune dans une ambiance feutrée, en observant l'activité frénétique des passants. Carte ou menus, essentiellement marocains.

Entre 220 et 420 DH (22 à 42 €)

Dar Moha, 81 rue Dar el Bacha *(Plan II B2)*, ☎ 044 38 64 00. 🍷 ᴄᴄ Construite pour le secrétaire du pacha du Glaoui, puis propriété du styliste Pierre Balmain, cette luxueuse demeure abrite désormais le restaurant de Moha. Dans une ambiance feutrée, ce chef marrakchi formé à Genève vous convie dans un salon chinois, une salle à manger avec cheminée, le salon Balmain (son ancienne chambre), ou mieux, autour de la piscine. Sur des airs arabo-andalous ou gnaoui, vous dégusterez un menu fixe (hélas !), assez léger le midi, trop copieux le soir. De belles saveurs néanmoins.

Entre 350 et 550 DH (35 à 55 €)

☺ **Ksar Es Saoussan**, 3 derb el-Messaoudyenne, accès par la rue des Ksour, au nord de la place Jemâa el-Fna *(Plan II B3)*, ☎ 044 44 06 32. 🍷 ᴄᴄ Dîner uniquement, fermé le dimanche et en août. Ce restaurant de charme, l'un des moins chers de sa catégorie, bénéficie d'un cadre exceptionnel : imaginez une maison au cœur de la médina, au décor harmonieux et verdoyant, où des cantates de Bach se mêlent au murmure d'une fontaine. Vous choisirez entre 3 menus copieux. Cuisine de qualité.

Entre 400 et 700 DH (40 à 70 €)

Riad Tamsna, près de la place Jemâa el-Fna, 23 derb Zanka Daika, accès par Riad ez Zitoun el-Jdid *(Plan III)*,

☎ 044 38 52 72 ♟ cc Ouvert de 10h à 19h. Pas de panneau sur la belle porte, mais n'hésitez pas à sonner, on viendra vous ouvrir. Dans une belle demeure aménagée dans un style mixte design et mobilier traditionnel marocain, vous pouvez prendre un brunch, déjeuner ou simplement commander un thé.

☺ **La Maison Arabe**, 1 derb Assehbe, Bab Doukkala *(Plan II B2)*, ☎ 044 38 70 10, www.lamaisonarabe.com *(voir « Se loger »)* ♟ cc Charme discret, accueil attentionné, musique traditionnelle jouée par un trio à cordes. Vous dégusterez d'inoubliables pastillas (aux fruits de mer, au lait) arrosées de très bons vins, dans le cadre raffiné de cette demeure mythique.

Environ 600 DH (60 €)

Dar Marjana, 15 derb Sidi Ali Tair, Bab Doukkala *(Plan II B2)*, ☎ 044 38 51 10/ 57 73. ♟ cc Dîner uniquement, fermé le mardi. Dans le cadre raffiné d'une demeure traditionnelle au 19e s., vous prendrez l'apéritif dans le patio, sur fond de musique andalouse, puis dînerez dans l'un des salons, sur des rythmes gnaoua. Au menu (obligatoire, hélas !), une succession de plats : salades marocaines + pastilla + tajine + couscous + pastilla à la crème + salade d'oranges + pâtisseries ! Les prix sont en conséquence.

Sortir, boire un verre

▶ *Dans la ville nouvelle*

Cafés, salons de thé, pâtisseries - Pâtisserie du Guéliz, 84 bd Mohammed V, Guéliz *(Plan I, agrandissement)*. Excellentes pâtisseries marocaines.

Amandine, 177 rue Mohammed el-Bequal, Guéliz *(Plan I, agrandissement)*. Pâtisseries marocaines et françaises très raffinées, viennoiseries, glaces.

Hilton, 32 rue de Yougoslavie, Guéliz *(Plan I, agrandissement)*. Bonnes pâtisseries marocaines, moins fines que celles d'Amandine. Choix varié de spécialités salées et sucrées.

▶ *Dans la médina et à ses abords*

☺ **Dar Cherifa**, 8 derb Cherfa Lakbir, Mouassine *(Plan II B3)*, ☎ 044 42 64 63.

Ce riad, transformé en café littéraire et en espace culturel, est un lieu enchanteur. Il date de la fin du 15e s.-début 16e s. et a été restauré de façon fabuleuse par Abdelllatif Aît ben Abdallah (bois de cèdre sculpté, zelliges, hautes colonnes). Une adresse à ne pas manquer.

Pâtisserie des Princes, rue Bab Agnaou, (2mn à pied de la place Jemâa el-Fna) *(Plan III)*. Vaste choix de bonnes pâtisseries orientales (130 DH/kg) et occidentales.

Pour observer l'animation de la place Jemâa el-Fna, choisissez, en fonction de la position du soleil, l'un des cafés avec terrasse : **Argana** *(voir « Se restaurer »)*, **café de France**…

Bars - Grand Hôtel Tazi, à l'angle de l'av. el-Mouahidine et de la rue Bab Agnaou (à 5mn à pied au sud de la place Jemâa el-Fna) *(Plan III)*, ☎ 044 44 27 87. Le bar situé au rez-de-chaussée de cet hôtel confortable et suranné sert de l'alcool (bières, vin) jusqu'à 1h du matin environ. Clientèle tant marocaine qu'étrangère.

Le Comptoir Darna Paris-Marrakech, av. Echouada, Hivernage *(Plan I B2)*, ☎ 044 43 77 02/10 ♟ cc Un des lieux les plus branchés de Marrakech, joliment décoré avec un tedlakt couleur prune. Vous pourrez assister chaque soir à 2 spectacles de danse orientale. Cuisine marocaine et internationale correctes. Salon de thé et bar. Agréable patio. Boutique d'artisanat.

Montecristo Café, 20 rue Ibn Aïchal, Guéliz *(Plan I B2)*, ☎ 044 43 90 31. ♟ cc Ouvert jusqu'à 2h du matin. Il y en a pour tous les goûts, dans ce lieu branché qui a récemment changé de direction. Restaurant et bar à tapas, mais aussi bar où l'on se déhanche volontiers sur des rythmes endiablés, et paisible terrasse où il fait bon prendre un verre.

Loisirs

Discothèques - Le **Théâtro**, av. el-Quadissia, Hivernage *(Plan I B3)*, jouxte le casino de l'hôtel Es-Saadi. Une ambiance festive dans une ancienne salle de music-hall transformée en boîte branchée. L'une des dernières-nées dans l'univers de la nuit marrakchi est également devenue l'une des plus prisées. Le **Paradise**, hôtel Mansour Eddahbi (ancien hôtel Pullman), av. de France *(Plan I B3)*, ☎ 044 44 82 22. Point de rencontre de la jeunesse dorée marrakchie, elle demeure l'une des boîtes les plus fréquentées ; évitez les baskets. Le **New Feeling**, au Palmeraie Golf Palace *(Plan I B1 en direction)*, ☎ 044 30 10 10. **Cotton Club**, hôtel le Tropicana, route de Casablanca *(Plan I en direction)*, ☎ 044 44 74 50 ; plus chic que les autres.

Casinos - Grand Casino de La Mamounia, hôtel La Mamounia, av. Bab el-Jdid *(Plan II A3)*, ☎ 044 44 45 70. Machines à sous à partir de 18h, les autres jeux à partir de 19h. Tenue élégante de préférence. **Casino de l'hôtel Es-Saadi**, av. el-Quadissia, Hivernage *(Plan I B3)*, ☎ 044 44 88 11/044 44 70 10. À partir de 21h.

Hammams - N'hésitez pas à allez au hammam « du quartier ». C'est en général très bon marché, propre et animé, et c'est là que vous vivrez l'expérience la plus authentique. **Hammam Dar el-Bacha**, 20 rue Fatima Zohra *(Plan II B3)*, 12h-19h pour les femmes, 4h-12h/19h-minuit pour les hommes. Plafond recouvert de zelliges et grande salle de repos. **Hammam Sidi el-Hassan ou Ali**, en face de la mosquée du même nom, Bab Doukkala *(Plan II A 2-B2)*. 12h-19h pour les femmes, 8h-12h/19h-23h pour les hommes. Fréquenté essentiellement par des Marrakchi. Plafond en bois de cèdre et plâtre sculpté dans le vestiaire (5 DH). **Hammam Hilton**, 230 route de Targa, Guéliz *(Plan I, agrandissement)*, ☎ 044 49 31 29. Tlj 6-22h. Plus luxueux que les précédents, vous y serez bichonné(e) à souhait. 30 DH. **Les Bains de Marrakech**, 2 derb Sedra, Bab Agnaou, Kasbah *(Plan II, B4)*, ☎ 044 38 14 28. Un luxueux établissement qui propose, outre le hammam traditionnel (70 DH), toutes sortes de soins du visage et du corps, ainsi que différents types de massages. Divin !

Festivals - Festival de Marrakech. Au début de l'été (dates irrégulières), musiciens et danseurs de toutes les régions du Maroc se réunissent dans l'enceinte du palais el-Badi. Renseignez-vous auprès de l'Office de tourisme.

Festival international du film de Marrakech, ☎ 044 42 02 00, www.festival marrakech.wanadoo.ma Le Palais des congrès, av. de France (9h30-22h30), rassemble l'ensemble des services du Festival, notamment la billetterie. Tous les ans en septembre ou octobre, et durant 5 jours. Les projections ont lieu dans les grandes salles de cinéma, au palais El-Badi, et quelques-unes en plein air, place Jemâa el-Fna.

Achats

▸ *Dans la médina*

Antiquités / Artisanat - Les souks proposent, à profusion, tous les produits de l'artisanat marocain. La qualité est variable d'une échoppe à l'autre ; le thé à la menthe et le marchandage font partie du rituel d'achat.

Dar el-Kasbah, 41 rue de la Radima, Arset el-Maach *(Plan II B4)*. Grand choix de tapis anciens et modernes. Le vendeur déroulera ceux de votre choix sur un carrelage blanc, sous un superbe plafond en bois peint et sculpté. Carte Visa et chèques acceptés.

▸ *Dans la ville nouvelle*

Antiquités / Artisanat - Extrême Sud Artisanal, 198-200 bd Mohammed V *(Plan I B2)*, ☎ 044 43 08 81. Véritable caverne d'Ali Baba où sont entassés poteries, tapis, tables, luminaires, miroirs… Quelques beaux objets à prix corrects. Accueil très courtois. **Bazar el-Jazira**, 29 bis bd Mansour Eddahbi, Guéliz *(Plan I B2)*, ☎ 044 43 28 27. Petite boutique. Beaux bijoux en argent, prix convenables. **Artisanat Marocain**, 27 av. Mohammed V, *(Plan I B2)*. Belle et spacieuse boutique. Objets variés mais classiques. Prix fixes et raisonnables. **Amazonite**, 94 bd Mansour Eddahbi, Guéliz *(Plan I*

Mosquée dans la médina

B2), ☎ 044 44 99 26. Un des meilleurs antiquaires de la ville. Bijoux en or et en argent, poteries, broderies, tapis, armes, tableaux orientalistes. La propriétaire vous racontera l'histoire de chacun de ses trésors. Prix fixes. 9h30-12h30/15h30-9h30, fermé le dimanche. **Art & Craft**, 54 bd Moulay Rachid, Guéliz *(Plan I B2)*, ☎ 044 43 16 93/79. Boutique spacieuse et très élégante. Anciennes poteries de Fès, broderies de Rabat et de Fès, portes berbères, plafonds des 18e et 19e s., tableaux orientalistes… Le prix de ces merveilles vous obligera peut-être à vous contenter du « plaisir des yeux ».

Maroquinerie - Galerie Birkemeyer, 165-167 rue Mohammed el-Beqal, ☎ 044 44 69 63/044 44 92 97. Divers articles de maroquinerie, vêtements, chaussures de bonne qualité, mais démodés. Prix corrects. Carte Visa acceptée. Du lundi au samedi, 8h30-12h30/15h-19h30, le dimanche 9h-12h30. **Marrakech Cuir**, 65 bd Mansour Eddahbi, Guéliz *(Plan I B2)*, ☎ 044 43 92 58. Même style que le précédent.

Librairies - Chatr, 19-21 av. Mohammed V, Guéliz, *(Plan I B2)*, ☎ 044 44 79 97/044 44 89 01. Choix important de littérature française et internationale. **Benzda**, 44 av. Mohammed V, Guéliz *(Plan I B2)* ☎ 044 43 40 40/044 43 59 13. Livres d'art, quelques romans.

Excursions

Hôtel Ali, rue Moulay Ismaïl *(Plan II B3)*, ☎ 044 44 49 79. Organisation de circuits , randonnées à dos de dromadaire au sud du Maroc et excursions dans les montagnes (Toubkal, Imlil, Zagora, les gorges du Dadès et du Todra et les dunes de Merzouga). Tarif spécial étudiants.

Pierre-Yves Marais, ☎/Fax 044 44 73 75, 061 08 44 39, py.marais@iam.net.ma, vous propose « une journée » au départ de Marrakech (randonnée pédestre, 4x4 ou quad) pour Essaouira, les cascades d'Ouzoud et le lac de Bin-el-Ouidane, le village de Ouirgane, Asni, la vallée de l'Ourika. Comptez 60 à 100 € (repas compris) par personne suivant la formule et la destination choisies. Tarifs dégressifs en fonction du nombre de participants.

HISTOIRE

Ville impériale, Marrakech (Makhzen), qui a donné son nom au Maroc, se construit depuis un millier d'années. Son destin suit celui des dynasties souveraines qui l'ont tour à tour magnifiée et laissée à l'abandon.

Un fondateur saharien

En 1060, des Berbères Sahariens de la tribu des Sanhadja descendent dans le Haouz et s'installent à proximité de la colline du Guéliz. Contraint de repartir en Mauritanie pour assagir ses sujets belliqueux, le chef de la tribu, Abou Bekr, confie en 1062 son pouvoir et sa femme Zineb à son cousin **Youssef ben Tachfine**. Folle imprudence ! Ces deux années d'absence suffirent à Youssef pour légitimer son pouvoir et séduire la belle Zineb. À son retour, l'ancien chef ne peut que rebrousser chemin. Sous le règne de l'Almoravide, l'ancien campement de toile devient une cité prospère, enrichie par l'or et l'ivoire des caravaniers. Pour pallier les problèmes de sécheresse, des canalisations souterraines, les *khettaras* amènent l'eau des nappes phréatiques à la surface du sol. Les pierres roses du Guéliz servent à édifier kasbah, palais et mosquées, et la ville se dote d'une luxuriante palmeraie. Marrakech devient la capitale d'un vaste empire s'étendant de l'océan à Alger, et de l'Èbre à Tafilalt.

La gloire almohade

Après la mort de l'Almoravide Ali ben Youssef, en 1143, s'ensuit une période de déclin dont profitent les Berbères almohades pour, en 1147, s'emparer de Marrakech. Dès le début de son règne, **Abd el-Moumen** ordonne la destruction de nombreux monuments de la ville. Sur les décombres du palais almoravide, il élève la première Koutoubia. On lui doit aussi les jardins de l'Agdal et de la Ménara. Ancien gouverneur de Séville, le fils d'Abd el-Moumen, Youssef, transforme Marrakech en un foyer culturel de la civilisation arabo-andalouse où se fréquentent les plus grands savants et hommes de lettres, dont le célèbre Averroès. Le troisième souverain, **Yacoub el-Mansour**, « le Victorieux », marque l'apogée du règne almohade. Il achève la Koutoubia et la Giralda de Séville, entamée par Youssef, et bâtit à Rabat la plus grande mosquée de l'Occident dont il ne subsistera que le minaret (la tour Hassan). Son armée contrôle l'Afrique du Nord jusqu'à Tripoli.

L'éclatement de l'empire

Après la mort de Yacoub el-Mansour en 1199, la ville entre dans une période agitée qu'enveniment les aspirations au pouvoir et les sombres complots. C'est dans ce climat d'insécurité que les **Mérinides** et leur chef **Abou Youssef Yacoub** s'emparent du pouvoir en 1269. Pour la première fois, Marrakech perd son statut de capitale au profit de Fès. La nouvelle piste saharienne Fès-Gao l'empêche momentanément d'accéder à l'or africain, et les guerres menées contre le Portugal et l'Espagne après la chute du royaume de Grenade sèment un regain de religiosité renforcé par les discordes entre marabouts.

La renaissance saâdienne

Descendants des Chorfas du Souss et, de ce fait, du prophète Mahomet, les conquérants du bonheur *(sâad)* remontent de la vallée du Drâa pour s'emparer de Marrakech en 1524 et lui rendre, à juste titre, son rang de capitale du Maroc. Sous le règne des Saâdiens, la ville perd sa relative tranquillité. Meurtres et massacres inaugurent ce volet de l'histoire marqué par la « bataille des Trois Rois » qui déboute les Portugais du territoire occupé. Surnommé el-Dehbi (« le Doré »), en raison de son immense richesse, **Ahmed el-Mansour** est l'auteur du palais d'**el-Badi**, des tombeaux saâdiens, et de nombreuses mosquées, fontaines et médersas.

Les Alouites

L'unité du royaume, qui s'effrite après la mort de Ahmed « le Doré », se reconstitue au 17e s. avec l'arrivée des Alaouites, descendants de Ali, le gendre du Prophète, et de sa fille Fatima. Sous leur règne, Marrakech est détrônée par Meknès qui lui vole, en plus de son titre de capitale du royaume, les luxueux matériaux du palais d'el-Badi. La ville ne reviendra à l'honneur que sous Mohammed III et Moulay Hassan : le premier en fait sa capitale, le second y est couronné sultan en 1873. Le protectorat français continue de l'ignorer au profit de Rabat jusqu'à ce qu'un scandale historique y éclate : de connivence avec la France, le pacha Glaoui de Marrakech participe à l'exil du roi Mohammed V dont il implorera le pardon à son retour en 1955.

VISITE DE LA MÉDINA★★★

Comptez 2 jours.

Enchâssée dans ses remparts, la médina a la forme d'un bouchon de champagne, au bout en pointe. Au centre se trouve la place Jemâa el-Fna, grand point de repère au milieu du dédale de ruelles. On finit toujours par y aboutir. Au sud se trouvent la Koutoubia, les tombeaux saâdiens, les palais et les musées ; au nord les souks et la médersa Ben Youssef.

Si vous séjournez 3 jours à Marrakech

1er jour - Visite des tombeaux saâdiens, promenade autour de la Koutoubia, flânerie dans les souks, fin d'après-midi et dîner sur la place Jemâa el-Fna.

2e jour - Visite du quartier des tanneurs, de la médersa Ben Youssef et du palais de la Bahia.

3e jour - Visite du jardin Majorelle, promenade dans la Ménara puis dans la palmeraie.

PLACE JEMÂA EL-FNA★★★

(Plan II B3)

Si vous découvrez la place Jemâa el-Fna en milieu de journée, vous vous demanderez d'où vient sa célébrité : la Banque du Maghreb et la poste centrale de style néo-mauresque, le restaurant Argana, l'ancienne gare de la CTL et le café de France bordent un vaste espace désert que domine la Koutoubia. Revenez en fin d'après-midi et, là, vous serez immédiatement séduit. Installez-vous sur l'une des terrasses de café en hauteur et contemplez le spectacle. On se croirait dans une immense cantine à ciel ouvert. Dans le contre-jour, les fumées s'élèvent au-dessus des grils où brochettes et merguez grésillent. Les clients installés sur les bancs attendent, devant les têtes de mouton qui trônent au milieu de certaines tables. Le pourtour de la place est occupé par les marchands de jus d'oranges et de fruits secs. Des musiciens gnaoua donnent l'aubade sur les *qraqeb* (crotales en métal), un poète chantonne au rythme du *guembri*, un charmeur de serpents sort avec beaucoup d'effets le reptile de son panier, souffle dans sa *ghaita* et l'excite avec un bâton, les vendeurs d'eau en grande tenue prennent la pose pour les photographes (moyennant quelque menue monnaie). Plus loin, l'arracheur de dents expose des canines, la diseuse de bonne aventure essaie de vous prendre la main, mais elle est aujourd'hui sérieusement concurrencée par les jeunes filles qui y dessinent au henné d'élégantes arabesques.

La place des Criminels

Quand on leur demande ce que signifie « Jemâa el-Fna », les poètes répondent « place du Néant », les historiens « réunion des trépassés ». Cette dernière explication, la plus communément admise, renvoie à l'époque où les sultans y suppliciaient les rebelles et y exposaient leurs têtes.

LE SUD DE LA MÉDINA★★★

Prenez la rue qui mène à la Koutoubia. À droite se trouve le Club Méditerranée.

La Koutoubia★★★

(Plan II B3)

Visite interdite aux non-musulmans.

Avec son minaret presque aussi célèbre que la tour Eiffel, la Koutoubia doit son nom (dérivé d'*al-Koutoubiyyin* : libraires) aux nombreux marchands de manuscrits qui s'étaient autrefois établis autour de la mosquée. Chef-d'œuvre de l'art hispano-mauresque, la belle andalouse est née du caprice d'un homme, le sultan almohade Abd el-Moumen, qui avait rasé le palais de l'Almoravide Abou Bakr, pour élever sur ses ruines cette mosquée. Achevé par le petit-fils du sultan, Yacoub el-Mansour, le minaret de la Koutoubia, haut de 69 m, est surmonté de quatre boules de cuivre, la plus grande ayant 2 m de diamètre. La légende raconte que les quatre boules proviennent des bijoux en or de Zineb, la charmante épouse de Youssef ben Tachfine. Chaque côté de la façade du minaret qui a servi de modèle à la Giralda de Séville, présente une décoration différente de motifs floraux et de subtils entrelacs sculptés. Le sommet de la tour, couronné de fins merlons, est parcouru par une frise en zelliges blancs et vert turquoise.

De la grande place pavée en face de la mosquée, empruntez le passage à gauche de la première porte (en bois et cloutée) qui s'ouvre sur un petit jardin. Traversez la place Youssef ben Tachfine et prenez la rue Sidi Mimoun.

▶ Passez devant la porte almohade **Bab Agnaou★** *(Plan II B4)* ou « porte du bélier sans cornes » que franchissait Yacoub el-Mansour pour aller à la kasbah. Ce nom surprenant qui a alimenté bon nombre de légendes serait dû à l'existence, dans le passé, de deux tours (les cornes) qui ont disparu. Cette porte accède à la **mosquée d'el-**

Mansour, qui porte le nom de son fondateur. Il ne reste que peu d'éléments de la mosquée originelle du 12e s. dont les non-musulmans ne peuvent voir que l'extérieur.

À droite de la mosquée, un long couloir exigu, percé dans la muraille, mène à l'entrée des tombeaux saâdiens.

Les tombeaux saâdiens★★

(Plan II B4)

8h30-11h45/14h30-17h45, entrée 10 DH.

Ils témoignent de l'histoire de la dynastie saâdienne, qui s'apparente à une fiction moderne où meurtres et trahisons furent perpétuellement présents. Tous ces enfants de la malédiction se retrouvent aujourd'hui dans ces mausolées, bâtis au 16e s. par Ahmed le Doré. Quand, un siècle plus tard, le sultan alaouite Moulay Ismaïl accéda au pouvoir, il n'osa pas les détruire, mais les entoura d'une enceinte pour qu'on ne puisse y accéder que par la mosquée. Le passage qui permet désormais l'accès des tombeaux aux non-musulmans ne fut aménagé qu'en 1917, lorsque l'on redécouvrit, par hasard, leur existence.

Le haut couloir obscur débouche sur un ravissant cimetière, véritable havre de paix, égayé par les touches pastel des roses trémières, les taches mauves des bougainvillées et les reflets rouges des hibiscus. Les mausolées, construits de part et d'autre, frappent par l'alternance des murs blancs et des matériaux finement travaillés : dentelle de stuc, plafonds et poutres en cèdre sculpté.

Le mausolée principal *(sur la gauche en entrant)* comprend trois salles. Dans la **salle du mihrab**, rythmée par quatre colonnes de marbre, reposent surtout des tombes d'enfants, ainsi que des tombes alaouites ajoutées au 18e s. Admirez le mihrab et les portes en cèdre massif ! Véritable chef-d'œuvre de l'art hispano-mauresque, la seconde salle compte **douze colonnes** en marbre de Carrare, soutenant une coupole de cèdre sculpté et doré. Les trois tombeaux abritent les sépultures d'Ahmed el-Mansour, de son fils et de son petit-

fils, tandis que les autres membres de la famille reposent au pied des murs. Enfin, la **salle des Trois Niches**, richement décorée, réunit les tombes des enfants, des femmes et des concubines des princes. Au milieu du jardin, un autre mausolée abrite la **koubba de Lalla Messaouda**, la très vénérée mère de Ahmed el-Mansour. À côté de la cour reposent les serviteurs et les soldats les plus fidèles.

Revenez sur la rue de la Kasbah. Empruntez la première rue à droite en face de Bab Agnaou. Franchissez la deuxième porte et prenez la première rue à droite. Au bout de la rue, prenez la petite bifurcation vers la gauche. Sur la place des Ferblantiers, une pancarte indique l'emplacement du palais el-Badi que l'on rejoint par une ruelle à droite.

Palais el-Badi★

L'histoire du palais el-Badi *(Plan II B4, C4) (8h30-11h45/14h30-17h45, entrée 10 DH)* pourrait se résumer par « grandeur et décadence ». Après sa victoire sur les Portugais lors de la bataille des Trois Rois en 1578, le roi sâadien Ahmed el-Mansour décida de faire construire un palais digne des Mille et Une Nuits : 360 pièces, 20 coupoles, une cour de 135 m sur 110 m, un bassin de 90 m sur 20 m... Et comme la folie des grandeurs n'a pas de limite, les matériaux n'étaient autres que du marbre d'Italie, de l'onyx d'Inde ou du granit d'Irlande. Les chroniqueurs de l'époque le décrivent comme l'une des merveilles du monde musulman. Mais le palais connut un bien triste sort. En 1683, le sultan alaouite Moulay

---

Une dynastie à la Agatha Christie

Sur les treize sultans qui régnèrent, cinq seulement connurent une mort naturelle. Mohammed ech-Cheikh, frère cadet du premier sultan sâadien Ahmed el-Arej, fut sauvagement assassiné sur l'ordre de Soliman le Magnifique. S'il semble qu'Ahmed el-Mansour, l'auteur du palais el-Badi, fut touché par la peste, certains attribuent son trépas au doux poison offert par une de ses maîtresses.

Ismaïl le dépouilla pour orner ses palais de Meknès. C'est ainsi que s'anéantirent 25 ans de travaux en 10 ans de démolition.

Aujourd'hui, le palais el-Badi se réduit à une immense enceinte de pisé dont les créneaux sont ponctués par les nids de cigogne. À l'intérieur, des orangers et des caroubiers entourent les bassins. Seules les dimensions de l'enceinte permettent d'imaginer ce qu'a pu être el-Badi au temps de sa splendeur. Chaque année en juin, le Festival national du folkore redonne vie aux lieux le temps de quelques soirées.

Au fond de la vaste cour, un pavillon abrite l'ancien **minbar de la Koutoubia**★★★ *(entrée 20 DH)* récemment restauré. Orné de marqueterie et de calligraphie coufique, superbement sculpté, ce *minbar* du 12e s. n'a cessé d'inspirer les poètes arabes et espagnols. Son histoire nous est dévoilée par les quelques inscriptions. On apprend qu'il fut fabriqué à Cordoue, sur la commande de l'Almoravide Ali ben Youssef (1106-1143), puis transporté à Marrakech pièce par pièce pour être installé dans la mosquée du souverain. Lorsqu'en 1147 l'Almohade Abd el-Moumen s'empara de la ville et construisit la Koutoubia, il y établit le minbar qui fut alors sorti tous les vendredis pour la prière jusqu'en 1962.

Reprenez la ruelle qui vous a mené au palais. Suivez la direction du palais de la Bahia indiquée par des panneaux.

▸ Entre le palais el-Badi et celui de la Bahia se trouve le **mellah** *(Plan II B4, C4)*, le quartier juif que rien ne signale particulièrement si ce n'est le souk des bijoutiers près de la **place des Ferblantiers** *(au début de la rue Riad ez-Zitoun el-Jdid)*. Ce quartier, dangereux la nuit, abrite une synagogue et un cimetière juif.

Après être passé devant le restaurant marocain Douirya et des boutiques d'épices, tournez à gauche. La rue bifurque vers la droite. Face à la nouvelle kissariya (boutiques de vêtements) apparaît le portail du palais de la Bahia.

Le palais de la Bahia★★

(Plan II C3)

8h45-11h45/14h45-17h45, entrée 10 DH. Il fut construit à la fin du 19e s. par Ba Amhed, vizir des sultans Moulay Hassan et Abdelaziz. Ce puissant personnage était fort gourmand en argent et en amour – il avait 4 femmes légitimes et 24 concubines ! Ce qui explique la taille gigantesque de cette demeure, véritable dédale de jardins, de cours et de salons. Il la baptisa Bahia ou « la Belle » du nom de sa première épouse. Chaque pièce du palais avait sa fonction particulière. La première cour était entourée d'une salle de réception, d'une salle d'attente et d'un bureau. C'est là que travaillait le maître de maison. Derrière, un patio donnait accès aux quatre chambres des femmes légitimes, la plus belle étant bien sûr celle de la Bahia. La cour suivante réunissait les appartements des concubines et de leurs enfants. La dernière était entourée d'une mosquée, d'une école coranique et de l'appartement privé du maître. La décoration de l'ensemble s'inspire des styles arabe, turc et européen. Les murs du premier patio sont ornés de bois de cèdre et de stuc travaillé durant 16 années. Les plafonds, tous différents les uns des autres et sous forme de nefs renversées, sont colorés à l'aide de produits naturels : henné, safran, grenade, jaune et blanc d'œuf. Le résident général Lyautey, qui avait fait de ce palais sa résidence lors de ses séjours à Marrakech, fit ajouter les cheminées, le chauffage et l'électricité.

Prenez la rue à gauche de la porte d'entrée du palais de la Bahia *(rue Riad ez-Zitoun el-Jdid)*.

Le harem du vizir

La vie dans le palais de la Bahia était régentée par des lois très strictes : les femmes légitimes n'avaient pas le droit de quitter la demeure ; quant aux concubines, elles devaient sortir le matin et revenir impérativement avant la tombée de la nuit. Lors des fêtes, pour que les femmes du maître des lieux puissent danser loin de tout regard indiscret, on ne faisait venir que des musiciens aveugles.

On passe devant des boutiques d'artisanat et des marchands de tapis. À droite se succèdent de belles portes traditionnelles. Plus loin se trouve la préfecture de la Médina de Marrakech, en face d'un petit jardin public.

Prenez à droite la rue de la Bahia qui précède la préfecture, après la téléboutique-photocopies. On aperçoit l'enseigne jaune en fer forgé de la maison Tiskiwin.

La maison Tiskiwin★

(Plan III)

9h30-12h30/15h30-17h30, entrée 15 DH. Un conseil : lisez la documentation disponible à l'accueil avant de visiter.

La maison doit son nom à une danse du Haut Atlas. Le Hollandais Bert Flint a mis en place dans cette belle demeure hispano-mauresque du début du 20e s. une exposition permanente intitulée : « L'art de la parure au Sahara, Magrheb et Sahel. » Sous forme d'un voyage imaginaire le long des anciennes pistes reliant Marrakech à Tombouctou, elle met en valeur les liens culturels des différentes populations de l'espace saharien.

En sortant de la maison Tiskiwin, prenez la première rue à gauche, vers Dar Si Saïd.

▶ Admirez la superbe **fontaine**. Les inscriptions qui y figurent signifient « la baraka de Mahomet ». Au bout de la rue, un portail noir annonce Dar Si Saïd.

Dar Si Saïd★★

(Plan II B3, C3)

Cette demeure porte le nom du ministre qui le fit construire à la fin du 19e s. ; celui-ci n'était autre que le frère du propriétaire de la Bahia. Son palais, qui supporte la comparaison avec son célèbre voisin, fut transformé en 1912 en **musée d'Art régional du Sud marocain** *(9h-12h15/15h-18h15, fermé le mardi, entrée 20 DH)*. Le musée abrite régulièrement des expositions temporaires.

Le long du couloir d'entrée, attardez-vous sur les portes en bois des kasbahs du Sud. Vous arrivez ensuite dans le riad, planté de grenadiers, de cyprès, de palmiers, de bougainvillées. Sur le côté s'ouvrent les anciennes pièces de réception, dont les plafonds en bois peint ou en cèdre brut, les zelliges, et surtout les incroyables dentelles de stucs colorés, sont des modèles du genre.

La première salle abrite des parures en argent, dont des boucles d'oreilles, des colliers, des fibules, des bracelets et des anneaux de cheville. Les motifs sont gravés, ciselés et enrichis d'ambre, de corail, de coquillage, de clou de girofle ou de pièces de monnaie. Dans la seconde, on trouve toutes sortes d'objets domestiques en terre cuite : amphores, cruches, jarres utilisées pour le transport et le stockage de l'eau, ustensiles pour filtrer les matières grasses. La salle de la dinanderie présente des pièces en cuivre jaune et rouge de Marrakech. À côté, on trouve de la céramique de Tamgrout, rainurée et uniquement vert émeraude, et de Safi, ornée de motifs colorés sur émail blanc. À l'étage, un grand salon de style hispano-mauresque exhibe une chaise de mariée en bois de cèdre peint, de magnifiques tapis rbati et une collection de maroquinerie.

Au deuxième étage sont exposés des tapis et tissages des régions du Tensift et de Boujad (14e s. et 16e s.). Leur couleur rouge est extraite de la garance, abondante sur les rives de l'oued Tensift. Derrière, un autre patio réunit des moucharabiehs et des portes en bois de cèdre provenant de maisons de Marrakech. Vous remarquerez celle qui ornait autrefois le palais d'el-Badi.

De Dar Si Saïd, rejoignez à travers les ruelles la rue Riad ez-Zitoun el-Kedim, prenez là à droite, elle vous ramènera à la place Jemâa el-Fna.

LES SOUKS★★★

(Plan II B2-3). Comptez une demi-journée.

Les souks sont ouverts de 8h30 à 20h. De nombreux artisans ne travaillent pas le vendredi.

Vieux de huit siècles, les souks de Marrakech servaient, à l'origine, de point de rencontre pour les caravaniers en partance vers les grandes routes du sud. Plus tard, des artisans, surtout des tisserands et des tanneurs occupèrent les lieux. Ils sont aujourd'hui des milliers à travailler calmement à l'ombre des lattis de roseaux, dans le brouhaha des passants et des commerçants. Les souks sont organisés par corporation. Même si vous disposez du plan de ce labyrinthe, vous aurez beaucoup de mal à vous y retrouver. Ici, les sons, les parfums, les sensations vous guident. À chacun donc de créer son itinéraire. Si vous craignez de vous perdre ou de manquer une partie de la visite, vous pouvez faire appel à un guide officiel en vous adressant à l'Office de tourisme. Le départ a lieu place Jemâa el-Fna, face au café de France.

▶ On commence par le **souk Feharine (des potiers)**. Plats à tajine, bougeoirs, vases, cendriers et cruches se répandent des échoppes sur le pavé. Les poteries fassi sont bleu cobalt, les poteries berbères décorées avec la croix du sud ou le losange nomade (signe des quatre directions de la terre), celles de Safi sont polychromes.

▶ Puis voici le **souk Attarine (des épices)**. Posés à même le sol ou sur une table, des sacs de papier débordent de poudres, de plantes ou de graines, toutes colorées et odorantes : du cumin, de la cannelle, de la menthe, du *ras-el-hanout*, du safran, du piment etc.

▶ Dans la *kissariya* moderne, les échoppes du **souk Smarine** sont entièrement drapées. Les plus élégantes s'ornent de douces soieries ou de mousselines transparentes, les plus modestes de tissus synthétiques. À côté sont suspendus des caftans brodés au fil d'or.

▶ Non loin de là, les **apothicaires** concoctent des philtres d'amour pour raviver les passions attiédies. C'est simple : une once de *ras-el-hanout*, un peu de curry, quelques pistils de safran et un gramme de secret. Tous les maux trouvent remèdes. Rhume, toux, problèmes de poids, anxiété, adultère, autant de soucis qui en quelques plantes peuvent être chassés ! Mais les meilleures ventes se font sur tout ce qui touche à la beauté.

▶ Les murs du **souk Zrabi** sont recouverts de somptueux tapis. Épais et très colorés, les tapis rbati ont le style des riches demeures. Ceux des nomades du Haut Atlas portent les dégradés de l'horizon et des montagnes. Les sédentaires ont opté pour des tons vifs contrastant avec la blancheur des murs des douars. De Marrakech à Ouarzazate, les tapis dits « glaoua » ont un fond noir. Entre la place Rabba Kédima et le souk Zrabi a lieu tous les jours *(sauf le vendredi)* la criée berbère. Vers 16h, les tapis sont dépliés sur le sol avant que ne s'élève l'incroyable polyphonie des enchères. Un moment unique à ne pas manquer.

▶ Plus haut, dans le **souk Sebbaghine (des teinturiers)**, des bras nus plongent et replongent dans de gigantesques chaudrons. Rouge vermeil, orange fruité ou jaune citron, indigo, des écheveaux de laine ou des fils synthétiques sèchent librement au soleil.

▶ Le **souk Smata** regorge de **babouches** simples ou brodées. Essayez-en une paire, marchez un peu et vous sentirez le dilettantisme marrakchi.

▶ Les bruits de marteau signalent les dinandiers du **souk Seffarine (du cuivre)** qui transforment des plaques rouges ou jaunes en lanternes ou plateaux à thé.

▶ Puis, le **souk Cherratine** embaume le cuir frais. C'est là que les tanneurs de Bab Debbagh apportent sur des charrettes les peaux travaillées que les artisans

Jardin Majorelle

du souk se chargent de métamorphoser en sacs, sacoches, porte-monnaie, poufs ou cartables.

▶ Enfin, voici le **souk Haddadine**, le domaine des ferronniers et des forgerons. Ces magiciens du fer brut transforment le métal en lanternes, grillages, serrures et panneaux routiers.

AUTOUR DE LA MÉDERSA BEN YOUSSEF★★★

Comptez 1h (2h avec le musée).

En sortant des souks du côté nord, vous vous trouvez en face d'une koubba à demi enfouie dans une sorte de fosse. Il s'agit de la koubba ba'Adiyn.

Koubba ba'Adiyn★

(Plan II B2)

9h-13h/14h-18h30, entrée 10 DH.

Unique vestige de l'art almoravide (12ᵉ s.), la koubba fut exhumée dans les années 1950. On peut ainsi voir que le niveau du sol à Marrakech était nettement plus bas qu'aujourd'hui. Attenante à la première mosquée ben Youssef, la koubba servait de lieu d'ablutions avant les heures de la prière. Sur 80 km, l'eau parvenait des montagnes de l'Atlas par des conduits souterrains ! Un escalier en pierre vous conduira à la fosse où se trouve la coupole. De plan rectangulaire et construite en pierre et en brique, celle-ci présente sur ses quatre faces des ouvertures à arcs polylobés ou en fer à cheval, et est surmontée d'un dôme orné de chevrons en relief. Sous la coupole subsiste une cuve à ablutions. La salle du fond servait à stocker l'eau qui était acheminée par des conduits vers la mosquée et trois fontaines.

Musée de Marrakech★

(Plan II B2)

9h-13h/14h-18h30, fermé le 1ᵉʳ mai et les jours de fêtes religieuses, entrée 30 DH, librairie et café en terrasse.

Installé dans le palais arabo-andalou M'Nebhi, restauré sous l'égide de la Fondation Omar Benjelloun, le musée de Marrakech accueille uniquement des expositions temporaires. Elles mettent en valeur le patrimoine historique, mais aussi la création contemporaine. Des manifestations culturelles (soirées musicales et poétiques, colloques, séminaires...) s'y tiennent également.

Autour du vaste patio central, couvert d'un vélum et dotée d'un impressionnant lustre en métal ouvragé, plusieurs salles contiennent des pièces anciennes (monnaies, manuscrits arabes, céramiques, armes, bijoux, etc.), provenant pour la plupart du riche fonds des collections nationales et de la Fondation. Au fond à gauche se trouve un beau **hammam**, récemment restauré.

Mosquée ben Youssef

De la première **mosquée ben Youssef** *(Plan II B2)*, il ne reste que le nom. L'œuvre des Almoravides fut entièrement démolie et reconstruite par les Almohades, en hommage à Sidi Youssef ben Ali, un des sept patrons de la ville. Le minaret, haut de 40 m, sert de repère quand on se promène dans la médina.

Médersa ben Youssef★★★

(Plan II B2)

9h-13h/14h-18h30, entrée 20 DH.

Flambeau de la dynastie sâadienne, la *médersa* fut fondée au milieu du 14ᵉ s. par le sultan mérinide Abou el-Hassan. Elle n'était à l'origine qu'une simple université coranique, mais, en 1564-1565, le sultan sâadien Moulay Abdallah la transforma en une institution dont la célébrité allait s'étendre aux confins du Maghreb. 132 chambres, dont la petitesse et la simplicité contrastent avec le raffinement andalou du reste de l'établissement, occupent l'étage et abritèrent jusqu'à 900 étudiants. En 1960, la *médersa* fut désaffectée puis restaurée ; il fallut attendre 22 ans pour qu'elle soit de nouveau ouverte au public.

Une fois franchie la porte aux lourds battants en bronze surmontée d'un linteau en cèdre, on traverse un sombre couloir décoré de mosaïques et de poutres sculptées. Vous pénétrez ensuite dans une **cour** rectangulaire, au centre de laquelle se trouve un bassin de marbre blanc destiné aux ablutions. Le soubassement des murs est orné d'une frise de zelliges colorés surmontés de stuc finement ciselé. Au fond de la cour, un magnifique portail donne accès à la **salle de prière**. Divisée en trois parties par une double colonnade de marbre, la salle est surmontée d'une coupole pyramidale en cèdre ; 24 petites fenêtres en plâtre ajouré éclairent la pièce. Le *mihrab* est revêtu d'une dentelle de stuc ouvragé. Les cellules donnent soit sur le patio central, soit sur l'une des sept courettes, bordées, à l'étage, de balustrades en bois tourné. Les chambres du haut, plus grandes (environ 9 m²) et pourvues de fenêtres, étaient destinées aux étudiants les plus privilégiés.

Allez à droite en sortant de la médersa.

Dar Bellarj★

(Plan II B2)

9h-18h, entrée 15 DH.

La Fondation pour la culture au Maroc a ouvert ses portes en 1999 dans cette « maison des Cigognes ». Construite sur l'emplacement d'un ancien fondouk dont le dernier étage abritait un hôpital pour cigognes, la Fondation propose deux expositions thématiques par an. Elle organise, en parallèle, des ateliers d'écriture, de peinture, de musique et de modelage.

Prenez la rue Hart es-Soura, puis tournez à gauche.

▶ Vous tombez sur une fontaine monumentale, dotée d'un linteau portant des inscriptions coufiques, surmontée d'un auvent en bois de cèdre sculpté et couvert de tuiles : c'est la **fontaine Echrob ou Chouf** *(Plan II B2)*, autrement dit : « Bois et admire. »

Prenez la rue Diat Saboun, qui mène à Bab Taghzout.

▶ **Bab Taghzout** *(Plan II B1)*, l'une des portes de l'ancienne enceinte almoravide, donne accès au quartier Sidi Bel-Abbès.

QUARTIER SIDI BEL ABBÈS

(Plan II B1) Comptez une demi-heure de visite pour les non-musulmans.

Sidi Bel Abbès (1130-1205) est le plus célèbre des sept saints de Marrakech. Ancien enseignant entièrement dévoué à l'islam, il secourait les mendiants et rendait la vue aux aveugles. Tous les jours, des fidèles déposent dans la **zaouïa** de multiples offrandes ; le soir, les dons sont distribués aux déshérités et aux aveugles qui forment une véritable cour des miracles aux abords du bâtiment. En face se dresse la superbe **fontaine de Sidi Bel Abbès**. Récemment restaurée, elle exhibe une très belle grille ouvragée et un auvent entièrement recouvert de zelliges colorés et de plâtre sculpté qu'entoure une frise calligraphique. La **mosquée** et la **médersa** ont été bâties en 1605 sous le règne du Saâdien Abou Farès. Au nord de la mosquée s'entrelacent des ruelles marchandes et animées où le touriste se fait rare.

AUTOUR DE LA MÉDINA★★

Comptez une demi-journée en voiture (avec arrêts), 2 à 3h. en calèche (sans arrêts).

LE TOUR DES REMPARTS ET DES JARDINS★★

En voiture : prenez l'avenue Mohammed V vers la Koutoubia. Arrêtez-vous à Bab Nkob, et tournez à droite pour longer les remparts. En calèche : à partir de la place Jemâa el-Fna ou de Bab Nkob, mais cette formule est peu conseillée en

---

La cité des saints

Sept saints patrons sont enterrés à Marrakech et leurs mausolées servent de jalons à un pèlerinage. Il y a Sidi Bel Abbès (né à Ceuta en 1130), surtout vénéré des aveugles, des paysans et des marchands, Sidi Youssef ben Ali, le protecteur des lépreux, Cadi Ayad, le juste, Mohamed ben Slimane el-Djazouli, grand mystique du 14ᵉ s., Sidi Abd el-Aziz, Sidi Abdallah el-Ghezouani, l'ascète, qui mourut en 1528 après avoir prophétisé la décadence de Fès, et, enfin, l'imam Assouheili, qui avait été ramené d'Espagne par Abou Yacoub Youssef.

raison des nombreux arrêts incontournables ; comptez 200 DH.

L'idée de construire des **remparts** autour de la ville pour la protéger des incursions ennemies revient à l'Almoravide Ali ben Youssef. La superbe muraille en pisé s'édifia en 1132, mais les autres dynasties – almohade et saâdienne – n'eurent de cesse de l'agrandir et de la restaurer. Longs de 19 km, les remparts sont flanqués de 202 tours carrées et percées de neuf portes. Tout de ocre vêtus, ils passent du rose, au rouge, au brun, au gré de l'ombre et de la lumière qui s'y déposent.

▶ **Bab Nkob**, la Poterne, n'est en fait qu'une percée dans les remparts, effectuée sous le protectorat pour permettre la circulation entre la vieille ville et le quartier moderne, passage qu'emprunte la large avenue Mohammed V. À côté s'étendent les agréables **jardins de Moulay Abdeslam** *(Plan II A3)*.

▶ À côté, sur l'avenue Mohammed V, se trouve le nouvel **Ensemble artisanal** *(Plan II A3, B3) (9h-13h/14h30-20h)*. Délocalisé du quartier de Guéliz, ce bâtiment moderne réunit de nombreuses boutiques. On y rencontre boisseliers, passementiers, bijoutiers, menuisiers, fabricants de soufflets, de lanternes, relieurs, maroquiniers, calligraphes et « animaliers sur métaux ». C'est l'occasion d'admirer ces artisans au travail, en toute tranquillité, loin de l'agitation des souks. Les prix fixes sont en général raisonnables. Le centre comprend une banque et un café.

▶ La partie des remparts qui relie Bab Nkob à **Bab Sidi Rharib** est l'une des plus anciennes et des mieux conservées.
▶ La porte suivante, **Jdid**, est réputée pour son emplacement à proximité de l'**hôtel de la Mamounia** *(Plan II A3)*. Édifié en 1923 par les architectes Prost et Marchisio, ce prestigieux palace a attiré de nombreuses célébrités, parmi lesquelles Winston Churchill, Maurice Chevalier, Joséphine Baker, Édith Piaf, Ray Charles... À l'intérieur, visitez le grand salon orné des peintures de Jean Besancenot et le restaurant « L'Impériale » dont le plafond est l'œuvre de

Jacques Majorelle. Quant au vaste jardin de l'hôtel, on y accède par une petite porte, dite Bab Mamounia, située à 200 m de Bab Jdid.

▶ La suivante, **Bab er-Rob**, porte un bien joli nom qui signifie « porte du jus de raisin ». C'est de là que, sous le règne de Yacoub el-Mansour, les autorités contrôlaient l'entrée du vin cuit des vignobles de l'oued N'Fis. Passage obligé entre Marrakech et ses environs (l'Ourika), cette porte assurait la protection de la ville.

▶ À côté se présente un chef-d'œuvre de l'art almohade, **Bab Agnaou** *(voir p. 384)*. À droite de la kasbah, **Bab Ksiba** et **Bab Irhli** vous conduiront toutes deux au cœur de la médina. C'est l'occasion de découvrir les quartiers les plus authentiques de la ville et de visiter la place du **Grand Méchouar** *(Plan II C4)* où s'offraient autrefois aux sultans de fulgurantes fantasias.

▶ De là, gagnez **Bab el-Makhzen** (ou **porte de l'Agdal**) pour admirer le **palais royal** *(Plan II B4, C4) (entrée interdite)* et empruntez la route qui mène au jardin de l'Agdal.

Le jardin de l'Agdal★

(Plan I C4)

Ce verger fut créé au 12e s. par l'Almohade Abd el-Moumen. Sept siècles plus tard, les Alaouites se chargèrent de l'agrandir, d'y creuser un autre bassin et de l'entourer d'une muraille dotée de tours et de portes. Étendu sur près de 3 km, le jardin présente de nombreuses espèces d'arbres fruitiers, en majorité des oliviers.

▶ À droite du palais royal, **Bab Ahmar** *(Plan II C4)*, la « porte Rouge », accueillait les sultans de passage à Marrakech. Après avoir longé les cimetières et être passé devant la *zaouïa* de **Sidi Youssef ben Ali** *(Plan II C3)*, saint lépreux et ascète vénéré des mendiants, on arrive à **Bab Rhemat**. Son nom est emprunté à un ancien village berbère, situé sur la route de l'Ourika, dont les premiers habitants émigrèrent vers Marrakech. C'est la porte la plus proche du **palais de la Bahia** et du **musée Dar Si Saïd**.

Plus haut, **Bab Aïlen** *(Plan II C2)* date de l'époque almoravide. Peu endommagée par les siècles, celle-ci peut s'enorgueillir d'avoir arrêté en 1129 les Almohades venus conquérir Marrakech.

Le quartier des tanneurs★

(Plan II C4)

En longeant l'oued Issil, on arrive à **Bab Debbarh**, la porte des Tanneurs. Cinq fois coudée, cette porte est l'une des mieux protégées de la ville. Moins impressionnant que celui de Fès, le quartier des tanneurs de Marrakech n'en demeure pas moins un lieu étonnant. Mis à part les odeurs que certains jugent désagréables, voire pestilentielles, il est intéressant de découvrir cette activité singulière et ancestrale. Un guide, ou de préférence un tanneur, vous expliquera les différentes étapes de fabrication du cuir. Pour ne rien manquer, il est préférable d'y aller tôt le matin.

▶ Après **Bab Kechich**, on arrive à la dernière porte qui côtoie l'oued Issil, **Bab el Khemis** *(Plan II B1, C1)*. Cette « porte du Jeudi » doit son nom à l'ancien souk aux chameaux qui s'y tenait toutes les semaines. Encadrée de deux bastions, elle permettait l'accès au nord de la médina.

▶ L'almoravide **Bab Doukkala** *(Plan II A 2)* porte le nom d'une tribu berbère vivant à proximité de l'oued Tensift. Décorée plus discrètement que ses consœurs, elle évoque la simplicité royale.

▶ Dernière perle de ce long collier en pisé, **Bab er-Raha** *(Plan II A 2)*, avec ses deux imposants bastions crénelés, se trouve à côté de l'hôtel de ville.

LA VILLE MODERNE

Comme toutes les villes nouvelles du Maroc, celle de Marrakech est née de la volonté du résident général Lyautey qui en confia la conception à l'architecte **Henri Prost**. Celui-ci dessina les plans des quartiers du Guéliz et de l'Hivernage.

LE QUARTIER DU GUÉLIZ

(Plan I B1-2)

Son nom vient de la colline située à l'ouest de la ville, où des carrières ont permis la construction de plusieurs bâtiments. Le quartier se compose d'avenues très larges, bordées d'immeubles qui s'articulent en étoile, et sont reliées par un réseau de rues plantées pour la plupart de jacarandas aux ravissantes fleurs mauves. C'est ici que sont installés les sièges des sociétés, les agences de voyages, les banques, les compagnies aériennes, les commerces de luxe et de nombreux hôtels et restaurants.

▶ L'axe principal, l'**avenue Mohammed V** (autrefois avenue du Guéliz), est ponctué de trois places où se concentrent les principales terrasses de café : il s'agit de la place de la Liberté, de la place du 16 novembre et de la place de Abdel Moumen ben Ali.

▶ Au **marché central** *(Plan I B2)*, vous trouverez des fruits et légumes, des fleurs et autres produits frais, ainsi que de l'artisanat.

▶ Sur l'avenue Hassan II, vous apercevrez l'**Opéra de Marrakech** *(Plan I B2)*, conçu par l'architecte Charles Boccara pour accueillir 1 200 spectateurs.

▶ Une autre fierté de la ville moderne est le vaste **palais des congrès** *(Plan I B2)*, où furent conclus en 1994 les accords du GATT.

L'HIVERNAGE ET LA MÉNARA

(Plan I B2-3)

Au quartier du Guéliz, Henri Prost ajouta une zone de villégiature, réservée aux diplomates ou officiels qui venaient passer l'hiver à Marrakech,

MARRAKECH

d'où son nom d'**Hivernage**. La plupart des élégantes villas de ce quartier ont été remplacées par de grands hôtels de luxe.

La Ménara★★

Vous pouvez vous y rendre en taxi ou dans une calèche *(env. 80 DH)* que vous trouverez sur le grand terrain de Bab Jdid. *8h30-11h45/14h30-17h45, entrée 10 DH.*

Le pavillon de la Ménara se reflétant au coucher du soleil dans l'eau limpide du bassin avec, en arrière-plan, les monts enneigés de l'Atlas, est l'une des visions les plus connues de Marrakech. On attribue la construction du bassin central aux Almohades. La dynastie des Saâdiens, puis celle des Alaouites, transformèrent ce lieu en un magnifique jardin, ceint d'une muraille en pisé longue de 4 km. Élevé en 1866, le pavillon était le lieu de rendez-vous des sultans et de leur élues. On raconte même que, à l'aube, l'un d'eux poussait dans le bassin sa compagne de la nuit !

Dotée d'un bon système d'irrigation, la Ménara est aujourd'hui exploitée comme verger d'essai.

AUTOUR DE BAB DOUKKALA

Comptez 2h.

Le jardin Majorelle★★

(Plan II A1)

9h-12h/15h-19h en été, 9h-12h/14h-17h en hiver, entrée 20 DH.

Ce jardin doit son nom au peintre français Jacques Majorelle, qui découvrit Marrakech en 1917. Venu pour y soigner sa tuberculose, il s'installa en 1922, et jusqu'en 1962, dans la maison que l'on aperçoit à travers les grilles. Pour la petite histoire, sachez qu'elle a ensuite appartenu à Pierre Bergé et Yves Saint-Laurent, puis à Bernard Tapie, avant d'être rachetée par un riche Marocain.

Le jardin frappe surtout par sa palette de couleurs : on y reconnaît l'œuvre d'un coloriste, qui rapporta de ses voyages exotiques une variété incalculable de plantes, de fleurs et d'essences : cactus, hibiscus, bambous, yuccas, palmiers nains, orangers, bananiers, cocotiers, oliviers, rosiers, bougainvillées, cyprès et d'autres encore. Et pour parfaire le tableau, le peintre a rehaussé les lieux de tons vifs : bleu cobalt pour l'atelier et les bassins, touches de jaune soufre, de vert et de rouge sur les fenêtres, les grands pots en terre et les allées.

L'ancien atelier du peintre a été transformé en **musée d'Art islamique** *(entrée 15 DH)*. La première salle est consacrée à Majorelle. Des reproductions de ses aquarelles, notamment sur le Sud marocain, accompagnent un tableau original (*Femme berbère*, huile sur toile, Marrakech, 1921). La suivante est dédiée à la femme : bijoux citadins et berbères, ceintures tissées en soie du nord du Rif (fin 19e s.) et coffre de mariée en bois de cèdre du nord du Rif (18e s.) Le bleu cobalt des poteries de Fès du 18e s. illumine la 3e salle. La 4e salle abrite des portes du Sud marocain ornées de pièces en bois de cèdre (18e et 19e s.) et une somptueuse collection de tapis de Tazenakhl (Haut Atlas), Rabat, Chichaouas, Zemmour... La visite se termine par une salle touareg, avec de superbes bijoux, des poteries, des sacs, des nattes...

▶ Juste avant la visite du jardin Majorelle, vous pouvez aller faire un tour au **marché de gros** *(7h-10h) (Plan II A1)* qui se tient en face du jardin, de l'autre côté de l'av. Yacoub el-Mansour. Tôt le matin, les restaurateurs et les commerçants de la ville viennent s'approvisionner ; les particuliers n'ont pas droit à l'achat, mais la visite vaut le détour. On y rencontre de nombreux paysans venus des environs de Marrakech, la plupart à dos d'âne, pour vendre leurs récoltes de dattes et de blé en grande quantité. À côté sont étalés toutes sortes de fruits et de légumes. Très animés, les échanges se font autour d'un verre de thé à la menthe.

DE BAB DOUKKALA À LA PALMERAIE

Comptez 2 à 3h.

Prenez une calèche à Bab Doukkala, le prix ne devrait pas dépasser 200 DH. Circuit de 22 km. En voiture, vous quittez le centre-ville en direction du nord-ouest, par la route de Casablanca, puis juste avant le pont sur l'oued Tensift, prenez à droite la petite route sinueuse qui s'enfonce dans la palmeraie. Le circuit est indiqué.

Quelle est l'origine de cette **palmeraie★** *(Plan I B1 en direction)*, incontestablement la plus belle du Sud marocain ? La légende raconte que, installées dans la plaine du Haouz, les tribus nomades de Abou Bakr et Youssef ben Tachfine se délectèrent des nombreuses dattes ramenées des oasis sahariennes.

Et que, des noyaux crachés sur la terre, naquit la palmeraie !

Étendue sur près de 14 000 ha, la palmeraie compte plus de 100 000 arbres de diverses espèces, entre lesquels se nichent des jardins maraîchers, des vergers d'arbres fruitiers et des champs de blé, d'orge et de maïs. Le débit de l'oued Tensift étant insuffisant, l'irrigation se fait par des *khettaras*, systèmes de canalisation qui amènent l'eau des nappes phréatiques à la surface du sol. Mais ce système utilisé dès la fondation de la ville tombe en désuétude. La plupart des *khettaras* étant épuisées, la sécheresse devient menaçante. Autrefois immense jardin tropical, la palmeraie appâte aujourd'hui de nombreux promoteurs qui y implantent des hôtels de luxe ou de somptueuses demeures pour la jet-set.

MARRAKECH

DE MARRAKECH À BENI-MELLAL★★

MARRAKECH À BENI-MELLAL

Quelques repères

Itinéraire d'environ 320 km - Carte Michelin n° 959 plis 20 et 21, 51 et 52.

À ne pas manquer

Les cascades d'Ouzoud.

L'étonnant pont naturel d'Imi-n-Ifri.

Conseils

Si vous voulez tout parcourir dans la journée, partez tôt le matin.

Se loger, se restaurer

▶ *Près du pont naturel d'Imi-n-Ifri*

Environ 80 DH (8 €)

Auberge-restaurant Imi-n-Ifri, ☎ 044 45 66 05 - ✗ 3 ch. Chambres des plus rudimentaires. Repas en terrasse, avec vue sur la vallée et les oliviers. Au menu : omelette, pain et thé. Tajine et brochettes sur commande.

Environ 170 DH (17 €)

Gîte d'étape Kasbah, chemin à droite au milieu du village d'Imi-n-Ifri, ☎/Fax 044 45 64 73/062 10 51 68 - 3 dortoirs de 6 à 8 lits env. ✗ Une maison d'une propreté immaculée, dans le calme de la campagne. Douches chaudes dans le jardin, hammam. Diverses possibilités de randonnées. Bon accueil.

En quittant Marrakech, la route de Beni-Mellal pénètre dans un paysage où l'eau est reine. Entre les barrages (Aït-Aadel, Hassan Ier et Bin-el-Ouidane), les chutes d'eau vertigineuses et les gorges abruptes, s'étendent de vastes espaces verdoyants, des champs de blé, d'oliviers, de noyers et d'amandiers, des lauriers-roses et des palmiers. L'itinéraire vous conduit à des curiosités naturelles impressionnantes, telles les cascades d'Ouzoud et le pont naturel d'Imi-n-Ifri.

Arriver ou partir

Pour suivre entièrement cet itinéraire, il faut être véhiculé : voiture de location ou grand taxi. Si vous réservez un grand taxi pour vous seul(s), le forfait d'une journée (de 7h à 20h environ) ne devrait pas dépasser 600 DH. Le départ se fait de Bab Doukkala.

Vous pouvez cependant vous rendre uniquement aux cascades d'Ouzoud en autobus. De la gare routière de Marrakech, prenez le bus de Ouarzazate jusqu'au village de Taguella (2 bus par jour, 3h, 30 DH env.), puis un grand taxi jusqu'au village d'Ouzoud (env. 7 DH/pers.)

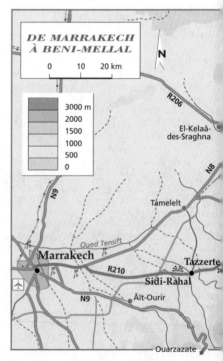

DE MARRAKECH À BENI-MELLAL

0   10   20 km

N

3000 m
2000
1500
1000
500
0

El-Kelaâ-des-Sraghna

Tamelelt

Oued Tensift

Marrakech

R210

Tazzerte

Sidi-Rahal

Aït-Ourir

N9

Ouarzazate

▶ Aux cascades d'Ouzoud

Vous trouverez de nombreux campings aux installations sommaires et des petites gargotes servant essentiellement des tajines, dans le village d'Ouzoud et sur le pourtour des cascades.

Entre 60 et 90 DH (6 à 9 €)

Restaurant-camping Imouzzer, accessible uniquement à pied, adressez-vous à l'hôtel Chalal *(ci-dessous)* - 4 ch. ✕ Douche froide, hammam traditionnel, électricité solaire. C'est de là que vous aurez la plus belle vue, face aux cascades, assis à l'ombre des treilles de vigne et du caroubier. Vous pourrez planter votre tente dans le jardin de la charmante famille qui vit ici, ou dormir dans l'une des chambres en bambous, sur un matelas posé par terre. Tajines, couscous (30 DH), etc.

Environ 120 DH (12 €)

Hôtel-camping Dar Essalam @ 023 45 96 57/071 28 01 53 - 20 ch. ✕ Les chambres, très sommaires, se répartissent autour d'une grande cour plantée d'un bel oranger. Douches et toilettes communes, eau chaude. Le restaurant se trouve dans un jardin qui donne sur les cascades. Cuisine marocaine sur commande. Les campeurs peuvent utiliser les sanitaires de l'hôtel.

Environ 190 DH (19 €)

Hôtel-restaurant Chalal (des Cascades), @/Fax 023 45 96 60 ou 072 38 47 91 - 15 ch. ✕ Récemment repris par une famille d'anciens nomades, cet hôtel s'agrandit et fait peu à peu peau neuve. Petites chambres meublées simplement, douches et toilettes communes, eau chaude. Une grande tente berbère aménagée en dortoir devrait bientôt permettre de profiter des lieux

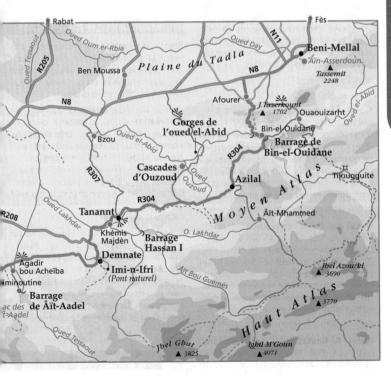

à moindre coût. Vous prendrez vos repas dans le salon ou sur la terrasse, décorés de tapis et objets berbères. Mais c'est surtout pour la qualité de l'accueil qu'il faut venir ici. Prenez votre temps ; vous serez reçus comme des rois. Après le dîner, les hommes du villages y improvisent souvent des petits concerts autour d'un thé à la menthe…

Environ 250 DH (25 €)

Hôtel France ☎ 023 45 90 17/068 02 47 79 - 40 ch. ✗ Situé tout au bout du village, dans un jardin calme, cet hôtel propose des chambres simples, dotées d'une bonne literie, mais d'une propreté quelque peu douteuse. Plus confortable que les 2 adresses précédentes néanmoins.

Entre 600 et 750 DH (60 à 75 €)

Riad Cascades d'Ouzoud ☎ 023 45 96 58/062 14 38 04 - 6 ch. ⚏ ✈ ✗ Cette maison de charme, d'architecture traditionnelle en pisé rouge, jouit du meilleur emplacement du village, juste derrière les cascades. Chambres rustiques avec cheminée, plafonds en bois, tapis berbères, joli patio et agréable terrasse. Dommage que l'accueil ne soit pas un peu plus personnalisé.

▸ **À Beni-Mellal**

Environ 200 DH (20 €)

Hôtel Âïn Asserdoun, av. des F. A. R., ☎/Fax 023 48 34 93 - 24 ch. ⚏ ✗ Proche du souk. Ce vieil hôtel n'a rien de très séduisant, avec ses chambres vétustes, bruyantes sur l'avenue, plus calmes sur cour ou jardin. Certaines ont un balcon et la moitié sont climatisées. L'accueil n'en demeure pas moins sympathique.

Environ 290 DH (29 €)

Hôtel de Paris, nouvelle médina Ibn Sina, ☎ 023 48 22 45/023 42 31 83, hotel_paris@menara.ma - 10 ch. ⚏ ▤ ▦ ✗ cc Récemment rénové, cet hôtel est propre, fonctionnel, mais totalement impersonnel. Le restaurant, climatisé, reçoit beaucoup de groupes le midi autour d'un immense buffet (100 DH).

Environ 420 DH (42 €)

Hôtel Al-Bassatine, Ouled Hamdane, route de Fkih Ben Salah, ☎ 023 48 22 47/68 05, www.bassatine.fr.st - 90 ch.

⚏ ▤ ▦ ✗ ⌥ cc L'établissement n'est plus ce qu'il était, mais il a conservé un certain charme. Chambres spacieuses et confortables. La cuisine est tout juste correcte.

Environ 750 DH (75 €)

Hôtel Chems, route de Marrakech km 2, ☎ 023 4834 60/30 08, www.chemshotel. com - 80 ch. ⚏ ▤ ▦ ✗ ▼ ⌥ cc Un grand hôtel tout confort, récemment rénové. Toutes les chambres, avec balcon, donnent sur le jardin et la piscine. Tennis, bar et discothèque. Une adresse sans surprise.

Environ 950 DH (95 €)

Hôtel Ouzoud, route de Marrakech km 3, ☎ 023 48 37 52, www.sogatour. ma - 58 ch. ⚏ ▤ ▦ ✗ ▼ ⌥ cc Le cadre est spacieux et reposant ; les chambres, classiques et confortables. La cuisine du restaurant est généreuse. Magnifique jardin, bar. Tarifs promotionnels à certaines périodes.

DE MARRAKECH À DEMNATE

Prenez la direction de Fès. La route traverse la palmeraie, puis passe devant l'oued el-Hadjar. Un joli village en pisé apparaît. Plus loin, un panneau indique Sidi-Rahal, tournez à droite.

▸ À 50 km de Marrakech, le village de **Sidi-Rahal** abrite la **zaouïa** du saint Moulay Rahal *(visite interdite aux non-musulmans)*. La légende attribue à ce saint des vertus bien étranges : on raconte qu'il parcourait la région à dos de lion, et qu'il avait le pouvoir d'éteindre le feu en ne prononçant qu'un seul mot : « *zam !* » Un souk se tient dans le village le vendredi.

▸ Revenez sur vos pas et suivez la route principale en direction de l'est. Autrefois, **Tazzerte** *(souk le lundi)* était la résidence du pacha Glaoui de Marrakech et de son cousin. Des quatre kasbahs qui leur appartenaient, une seule a résisté aux assauts du temps : vous pouvez visiter la cour et les étages de galeries.

Un panneau indique le barrage Âït-Aadel (ou Moulay Youssef), tournez à droite. Ici, la nature est riche en oliviers, palmiers et lauriers-roses. Vous pouvez faire une halte au café du charmant village d'**Agadir bou Acheïba**. En contrebas de la route, bordée de noyers, coule l'**oued Tessaout**. Des douars en pisé prolongent la roche ocre.

▶ À proximité du village de Timinoutine, le **barrage de Âït-Aadel** (ou Moulay Youssef) a été bâti sur l'oued Tessaout. Inaugurée en 1970, cette construction en terre compactée retient plus de 200 millions de m³ d'eau, permettant ainsi l'irrigation de toute la plaine du Tessaout (30 000 ha). Si la baignade est interdite dans le lac Âït-Aadel, la pêche est autorisée toute l'année. Le lac est peuplé de nombreuses variétés de poissons, notamment des black-bass.

▶ Retournez sur la route principale et prenez la direction de Demnate. Logée sur les premiers contreforts de l'Atlas, **Demnate★** où résident plus de 10 000 âmes surplombe une vallée verdoyante recouverte d'oliviers. Derrière une muraille (ou du moins ce qu'il en reste) percée d'une porte principale, des constructions nouvelles, dont le caractère austère contraste avec le charme des anciennes, alternent avec de petites échoppes où travaillent quelques menuisiers. Face au marché, réputé pour ses olives et ses poteries vernissées, se trouvait l'ancienne **kasbah du pacha Glaoui**. La porte de la kasbah s'ouvre aujourd'hui sur des habitations en piètre état ; quant à son riad, une partie – bien décevante – est nichée dans une maison (n° 55, à gauche de la porte). L'autre vestige du village, le **palais Moulay Hicham** ne contient, hélas, plus que des ruines. À côté, quelques murs attestent de l'existence lointaine d'une usine d'huile d'olive. Demnate conserve également une jolie mosquée et un ancien quartier juif *(mellah)*, aujourd'hui déserté.

Prenez la petite route qui mène au pont naturel d'Imi-n-Ifri.

PONT NATUREL D'IMNI-N-IFRI★

En cas de fortes averses, fréquentes de septembre à novembre, le pont est impraticable. Comptez 30mn de marche pour parvenir à sa base.

Fruit du lent travail d'érosion de l'oued Masseur dans le calcaire, cette belle arche de pierre, dont le nom signifie « la porte du gouffre » en berbère, est une véritable merveille géologique. Haut de 100 m et large de 50 m, le pont enjambe les parois formant une voûte couverte de stalactites et peuplée de corneilles et pigeons. Sur les rocs tranchants et abrupts, la nature a sculpté un corps de femme ; on distingue son visage et ses seins volumineux ! L'arche ressemble à la façade d'une immense maison percée de fenêtres qui sont en fait des petites grottes assez larges pour qu'on puisse passer à travers. Sous le pont, où tombent des gouttes d'eau, l'atmosphère est surréaliste. En bas des sources se dresse un ancien barrage.

Retournez à Demnate. Prenez la route de Tanannt.

▶ La petite bourgade de **Tanannt** semble une zone sinistrée tant l'habitant se fait rare. Splendide, la **vue** embrasse le jbel Ghat (3 825 m) et le jbel Azourki (3 900 m). Ensuite le paysage devient très coloré. Des amandiers sont dispersés sur les bandes rocheuses jaunes, vertes et ocre.

Tournez à droite, vers le barrage Hassan Ier.

Des villages rouge foncé et bruns apparaissent en hauteur, entre des cultures en terrasses d'amandiers, des champs de blé et des étendues d'oliviers. Quelques cactus et genévriers ponctuent le tableau.

▶ Le **barrage Hassan Ier★** offre une vue imprenable sur le lac avec en arrière plan des mamelons rocheux couverts d'amandiers. Devant, des étendues lumineuses de blé entourent quelques maisons.

Revenez sur la route, reprenez à droite la route d'Azilal puis à gauche la route des cascades d'Ouzoud.

LES CASCADES D'OUZOUD ★★

En bordure du village, de 100 m de hauteur, la chute d'eau relie l'impétueux oued Ouzoud au canyon de l'oued el-Abid. Au pied de la cascade, le spectacle est fascinant, surtout après de fortes pluies. Un chemin à travers les oliviers mène en haut des chutes ; la vue sur le gouffre est impressionnante. Au bord de celui-ci, on trouve encore des moulins à blé enfouis dans de petites cabanes et quelques singes de passage, des magots (ou macaques de Barbarie), aujourd'hui en voie de disparition.

Ouzoud constitue une agréable base pour rayonner dans la région, riche en jolies balades. Vous trouverez conseils, informations et guides à l'hôtel Chalal.

Devant la kasbah d'Ouzoud, prenez la piste qui prolonge la route goudronnée et traverse un petit bassin où se trouvent quelques villages.

▶ Profondes de 400 à 600 m, les **gorges de l'oued el-Abid** ne présentent que leur face ocre et abrupte, creusée par le principal affluent de l'Oum er-Rbia. De la route, les gorges ne sont pas visibles. La piste descend vers l'oued au-dessus des parois verticales puis mène à un pont qui annonce l'entrée du canyon.

Revenez sur la route principale et prenez la direction d'Azilal.

Vous traversez un très beau paysage de champs de blé, d'amandiers et de genévriers puis vous arrivez au village d'**Azilal** (souk le jeudi). Ici, ce n'est plus la rose qui domine, mais le gris des habitations en ciment. De rares maisons en pisé éclairent ce terne cadre. Empruntez la route en lacet qui mène au barrage de Bin-el-Ouidane.

▶ Construit en 1948 sur l'oued el-Abid, le **barrage de Bin-el-Ouidane★** (285 m, 133 m de haut et 28 m de large à la base) est le plus important du Maroc après la toute nouvelle retenue de M'Jarra. Cette œuvre impressionnante permet l'irrigation de la plaine du Tadla, et l'alimentation en électricité de toute la région. En plus de son apport économique, le barrage offre une vue superbe. Petite mer vert émeraude enfoncée dans les terres arides, l'oued circule entre des gorges majestueuses et des falaises verticales *(il est interdit de photographier ; dans ce site stratégique, l'armée veille.)*

Prenez la S508 par Afourer, le paysage en vaut la peine.

BENI-MELLAL

Souk le mardi.

Après avoir déambulé entre les montagnes abruptes et ocre, on découvre une étendue bien irriguée et couverte de vergers : c'est la plaine du Tadla. Si Marrakech a souvent eu soif au cours de son histoire au point d'avoir recours à des canaux souterrains, Beni-Mellal, quant à elle, exhibe fièrement ses sources vauclusiennes qui alimentent toutes sortes d'arbres fruitiers (orangers, oliviers, figuiers, abricotiers, etc.). Juteuses à souhait, ses oranges sont parmi les meilleures du Maroc.

Grâce au barrage de Bin-el-Ouidane, Beni-Mellal s'est rapidement enrichie ces dernières années, comme en témoigne la construction récente de banques et de bâtiments publics. Totalement dénuée d'intérêt, elle vous permettra surtout de faire une halte, à mi-chemin sur la nationale qui relie Fès à Marrakech.

La traversée de l'oliveraie vous mènera à la source d'**Aïn-Asserdoun**, entourée d'un grand jardin public. À 1 km, le **borj Ras el-Aïn**, en partie ruiné, offre une vue imprenable sur la plaine et ses vergers. Beni-Mellal est aussi un point de départ pour les randonnées dans le Moyen Atlas ou le Haut Atlas. C'est l'occasion de découvrir le jbel M'Goun (4 071 m), second point culminant du Maroc.

LES VALLÉES DU HAUT ATLAS★★

😊 **Une bouffée d'air frais**

😟 **Les détritus des randonneurs sur les sentiers et les prix souvent excessifs proposés par les guides**

Quelques repères

Le Toubkal, point culminant du Maroc, alt. 4 167 m - Hiver rigoureux - Carte Michelin n° 959 plis 4, 33 et 51.

À ne pas manquer

Les sept cascades de l'Ourika.

Une randonnée dans le massif du Toubkal ou de l'Oukaïmeden.

Conseils

Choisissez un lundi pour profiter du souk de Tnine-de-l'Ourika.

Passez une nuit dans la vallée de l'Ourika.

😎 Quatre mots peuvent vous aider à vous repérer dans ces vallées : aït = village, azib = bergerie, assif = rivière et tizi = col.

Si, après quelques jours passés au rythme étourdissant et envoûtant de Marrakech, une envie de calme, de fraîcheur et de grands espaces vous gagne, le Haut Atlas offre des possibilités d'excursions dépaysantes : promenade dans la vallée verdoyante de l'Ourika, randonnées dans le massif du Toubkal ou encore descente à skis des pistes de l'Oukaïmeden.

Activités sportives dans les vallées du Haut Atlas

Randonnées - La période idéale pour découvrir le Haut Atlas à pied va de fin mai à fin octobre environ. L'hiver, seules quelques balades sont faisables. De nombreux cols sont fermés et les mulets ne passent pas dans la neige profonde. Les températures sont trop basses pour pouvoir bivouaquer, à moins d'être équipé en conséquence. Même dans ce cas, ne vous aventurez pas sans un guide connaissant parfaitement la région.

Guides de montagne - La possession d'une carte de guide officiel n'est pas toujours une garantie. Le plus sûr est de vous adresser à quelqu'un de confiance, à votre hôtel ou maison d'hôte. Les guides peuvent vous organiser des randonnées de quelques heures à plusieurs jours avec, si vous le souhaitez, muletiers et cuisiniers.

Le **tarif officiel** d'un guide est de 200 à 250 DH par jour, quel que soit le nombre de personnes (certains n'hésiteront pas à vous demander beaucoup plus : refusez ; la concurrence ne manque pas). Vous prendrez également en charge ses repas. Dans les gîtes, l'hébergement des guides et muletiers est généralement prévu (si ce n'est pas le cas, mettez-vous d'accord avant le départ).

Muletier - Comptez 80 à 100 DH par jour, plus les repas.

Matériel - Il est possible d'en louer sur place (notamment à Imlil), mais cela reste assez aléatoire et il est beaucoup plus sûr d'apporter votre propre équipement.

Ski - Vous pourrez dévaler les **pistes** de la station de l'Oukaïmeden une bonne partie de l'hiver (de décembre à avril en principe). Pour pratiquer le **ski de randonnée**, mars et avril sont les mois les plus agréables.

Refuges du Club alpin français - Outre le chalet de l'Oukaïmeden et le refuge d'Imlil *(voir adresses plus loin dans le chapitre)*, le CAF gère 3 refuges dans le massif du Toubkal. Dortoirs avec couchettes sans couvertures (apportez un duvet ; il peut faire froid), douches chaudes uniquement aux refuges de l'Oukaïmeden et de Neltner, cuisines sommaires à disposition (faites vos provisions à Imlil, plats simples sur commande, trousse de premiers soins et matériel de secours).

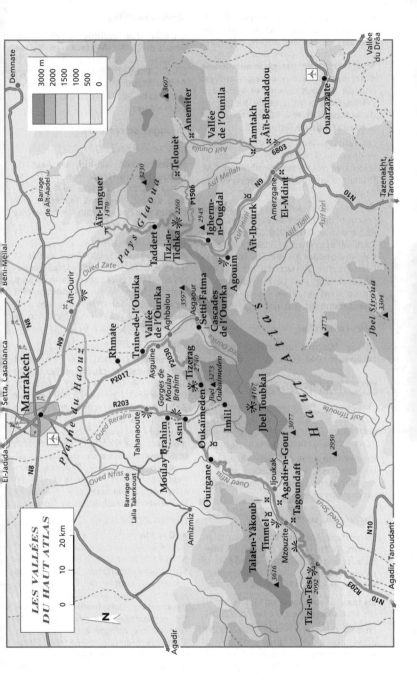

LES VALLÉES DU HAUT ATLAS

3000 m
2000
1500
1000
500
0

0   10   20 km

N

Demnate

Barrage de Aït-Aadel

Setta, Casablanca

Beni-Mellal

Marrakech

El-Jadida

Plaine du Haouz

N8

N9

Aït-Ourir

Rhmate

P2017

R203

Oued Zate

Oued Reraïa

Tahanaoute

Asni

Moulay Brahim

Gorges de Moulay Brahim

Tnine-de-l'Ourika

Vallée de l'Ourika

Asguine

Aghbalou

Asgaour

Setti-Fatma

Cascades de l'Ourika

Tizerag 2740

Oukaïmeden

Jbel Oukaïmeden 3273

Imlil

Jbel Toubkal 4167

P2030

▲ 3597

Aït-Imguer 1470

Taddert

Tizi-n-Tichka 2260

Pays Glaoua

▲ 3236

Igherm-n-Ougdal ▲ 2545

P1506

Agouim

Aït-Ibourk

Amerzgane El-Mdint

N9

Asif Mellah

Asif Imini

Anemifer ▲ 3607

Telouèt

Vallée de l'Ounila

Asif Ounila

Tamtakh Aït-Benhaddou

6803

Ouarzazate

Vallée du Drâa

Tazenakht, Taroudant

N10

Asif Tidili

Asif Imlil

Haut Atlas

Jbel Siroua ▲ 3304

▲ 2773

Asif Tifnoute

Oued Souss

Agadir-n-Gouf ▲ 3077

▲ 2950

Ijoukak

Tagoundaft

Talat-n-Yâkoub

Tinmel

Mzouzite ▲ 3616

Tizi-n-Test 2092

N10

R203

Agadir, Taroudant

Agadir

Amizmiz

Barrage de Lalla Takerkoust

Oued Nfiss

Oued Nfiss

Ouirgane

Oued Ourika

N8

Afin de mieux gérer les pointes de fréquentation, le CAF vous demande de réserver vos nuitées auprès du chalet de l'Oukaïmeden *(voir plus loin)*. Cela ne vous garantit pas pour autant une place, surtout en haute-saison, et il est plus sûr de vous renseigner à Imlil sur l'affluence aux refuges de Neltner et de la Tazaghart et à l'Oukaïmeden sur celle au refuge de Tacheddirt.

Les tarifs varient entre 26 et 130 DH environ, en fonction de la saison, et selon que vous êtes membre du CAF, titulaire d'une carte ISIC, ou ni l'un ni l'autre.

Cartes - Vous aurez du mal à vous procurer des cartes de la région. Il en existe une au 1/100 000 (Oukaïmeden-Toubkal) et une au 1/50 000 (jbel Toubkal), disponibles à Rabat, Division de la Cartographie, av. Hassan II, km 4, ☎ 037 29 50 34. Elles sont parfois vendues en France dans les librairies spécialisées (Vieux Campeur, Astrolabe…).

Adresses utiles

Météo - **Centre national de météorologie,** ☎ 044 43 04 09.

LA VALLÉE DE L'OURIKA★★

Comptez une journée avec l'excursion aux cascades. 66 km entre Marrakech et Setti-Fatma.

Cette vallée verdoyante qui s'enfonce dans le Haut Atlas, à une heure de route de Marrakech, est l'excursion préférée des Marrakchi. Surtout lorsque les grosses chaleurs sévissent.

Arriver ou partir

En voiture - Si vous vous déplacez en voiture, faites le plein d'essence à Marrakech. Gagnez Bab Irhli, au sud de la médina *(Marrakech, Plan I C4)*. Empruntez ensuite la P2017.

En taxi - Si vous louer un taxi, le forfait (de 7h à 18h env.) est d'environ 600 DH.

En taxi collectif, comptez env. 20 DH/pers. jusqu'à Setti-Fatma, 1h15 de trajet. Les grands taxis partent de Bab er-Raha à Marrakech *(Plan II A 2)*.

Adresses utiles

Bureau des guides - 100 m au-dessus de l'hôtel Asgaour, Setti-Fatma, ☎ Fax 044 42 61 13/068 56 23 40. Tlj 9h-17h. Vous y rencontrerez sans doute Abdou Maudili, originaire de l'Atlas, responsable du bureau et passionné de montagne.

Se loger, se restaurer

Moins de 50 DH (5 €)

🍴 **Restaurant Achkid**, en haut du village de Setti-Fatma, rive droite, traverser le 2e pont, en face de l'école. Tlj midi et soir. Très bons tajines et brochettes que l'on déguste sur la terrasse au-dessus de la rivière.

Environ 110 DH (11 €)

Hôtel Asgaour, Setti-Fatma, ☎ 066 41 64 19 - 20 ch. 🍴 Chambres rudimentaires mais bien tenues et équipées de bons matelas ; la moitié d'entre elles donnent sur la rivière. Sanitaires communs avec eau chaude (3 WC et 3 douches). Accueil sympathique. Menu à 50 DH.

Environ 200 DH (20 €)

La Perle d'Ourika, env. 1 km avant Setti-Fatma sur la gauche, ☎/Fax 044 48 52 95 ou ☎ 061 56 72 39 - 6 ch. 🍴 Formule en 1/2 pension à 320 DH pour 2 pers. Kader vous reçoit avec beaucoup de gentillesse sa petite maison qui domine l'oued (une petite porte permet d'accéder à la rivière) et vous propose une cuisine à base de légumes et de fruits de son potager. Chambres sommaires et propres (1 douche et 2 WC en commun), 1 chambre avec douche et WC privés. Bon rapport qualité-prix.

Environ 250 DH (25 €)

🍴 **Dar Piano**, km 52, ☎ 044 48 48 42/061 34 28 84, www.darpiano.com - 5 ch. 🍴 📶 Fermé en juin, juillet, août. Maison d'hôte douillette, tenue par un accueillant couple de Français. Vous logerez soit dans leur maison, dans une des chambres avec douche et WC privatifs, soit dans le petit riad campagnard contigu, qui compte 2 chambres avec sanitaires communs. Bonne table d'hôte (cuisine marocaine et française sur commande). Dîner aux chandelles au coin du feu dans la salle à manger, ou sur la terrasse, face à l'oued.

De 300 à 500 DH (30 à 50 €)

Lion d'Ourika, km 49, ☎ 044 48 42 86/81 - 6 ch. 🛏 ✕ 🛏 CC Chambres confortables, plus ou moins spacieuses, à côté de la piscine, avec vue imprenable sur la vallée. 25 nouvelles chambres devraient ouvrir prochainement dans le bâtiment voisin.

Environ 310 DH (31 €)

Résidence hôtelière Nouzha, km 45, ☎/Fax 044 48 45 56 - 9 ch. 🛏 ✕ 🍽 🛏 Hôtel moderne assez kitsch offrant, du salon et de certaines chambres, une vue panoramique. Agréable terrasse et petite piscine donnant directement sur la vallée.

Environ 600 DH à deux en demi-pension (60 €)

Auberge Le Maquis, km 45, Aghbalou, ☎ 044 48 45 31, www.le-maquis.com - 8 ch. 🛏 ✕ 🍽 CC Ancien repère de chasseurs dans les années 1940, l'auberge est tenue par un sympathique couple franco-marocain. Elle abrite des chambres colorées, toutes différentes et plus ou moins spacieuses, dont une peut accueillir jusqu'à 6 pers. (200 DH/pers. en 1/2 pension à partir de 3 pers.). Agréable restaurant marocain avec cheminée ; hammam en tedlakt rose. Organisation d'excursions multiples. Bon rapport qualité-prix.

Hôtel Ramuntcho, km 50, Aghbalou, ☎ 044 48 45 21/044 43 82 63, www. ramuntcho.ma - 15 ch. 🛏 ✕ 🍽 CC Bel hôtel, fréquenté par les groupes autant que par les voyageurs individuels. Murs en pierre et tapis berbères donnent une atmosphère montagnarde. Les salons sont spacieux et le restaurant, équipé d'une cheminée, offre une vue superbe. Cuisine marocaine et française (menu à 220 DH env.) Les chambres, confortables, sont dispersées dans le jardin.

À voir dans la vallée

Après avoir quitté Marrakech, la route traverse la plaine du Haouz vers les sommets enneigés du Haut Atlas. Après 27 km, si vous disposez d'un peu de

---

Le « docteur » du souk

Un vieux à l'œil malin magnifié par les verres loupes de ses lunettes se trouve au centre d'un attroupement. Chacun à tour de rôle lui tend la main. À l'aide d'une ficelle, il mesure la longueur de chaque doigt et de la paume de la main. Savant calcul ? D'après cette « manipulation », il établit le diagnostic de votre santé : risques de rhumatisme, problèmes urinaires, foie en mauvais état… rien ne lui échappe, chaque doigt représente un organe majeur (estomac, cœur, foie). Ensuite viennent les prescriptions : talismans et animaux empaillés composent le gros de sa pharmacopée !

---

temps, prenez une petite route à gauche qui vous mène au village de Rhmate à 2 km.

▶ La petite bourgade poussiéreuse de **Rhmate** conserve, comme unique témoignage d'un passé prestigieux, le mausolée de Moatamid Ibn Abbad *(visite interdite aux non-musulmans)*. Ce prince, qui régna à Séville au 11e s., fut emprisonné par l'Almoravide Youssef ben Tachfine et mourut à Rhmate.

Revenez sur la route principale en direction de l'Ourika. Si vous voyagez un lundi matin, faites un crochet jusqu'à Tnine-de-l'Ourika pour profiter du souk.

▶ Le principal intérêt de **Tnine-de-l'Ourika** réside en son **souk**, fort pittoresque, qui attire des centaines de paysans de toute la région. Le parking des ânes et des mulets près de l'oued est particulièrement impressionnant. La foule se presse dans le dédale des étals à la recherche d'outils, de vêtements, de chaussures avant de se rendre à la pharmacie ou dans les bureaux de l'administration. C'est aussi l'occasion de retrouver de vieilles connaissances, et les salamalecs vont bon train.

▶ Avant de quitter le village, vous pourrez faire un petit détour par les **Jardins bio-aromatiques de l'Ourika** *(à droite en quittant le souk ; tlj 9h-17h, visite libre 15 DH, visite guidée 120 DH)*. Vous y apprendrez tout sur l'aromathérapie et vous pourrez tester diverses infusions et huiles essentielles issues des plantes du jardin.

De nouveau sur la route de l'Ourika, traversez les villages d'Asquine et d'Aghbalou *(souk le jeudi)*. Sur la droite part la route pour l'Oukaïmeden, suivez celle de gauche.

Après Aghbalou, les vergers et les cultures laissent place à une vallée plus encaissée, et à un paysage spectaculaire : la roche rouge vif par endroits surplombe le fond verdoyant où poussent genêts et oliviers. Quelques villages de terre sont accrochés à la montagne à une altitude qui les protège des inondations. Celle de 1995 fut un véritable désastre : les flots de boue emportèrent les résidences secondaires, les campements proches de l'oued et une partie de la chaussée, coupant toute liaison avec la vallée. Le long de la route se succèdent hôtels, restaurants, cafés, boutiques d'artisanat.

▸ À 1 400 m d'altitude, le village de **Setti Fatma** s'étire le long du torrent. Les petits restaurants à terrasse proposent leurs tajines. Un souk se tient le dimanche matin, et un important *moussem* a lieu en août. C'est d'ici que l'on peut entreprendre l'excursion aux **sept cascades de l'Ourika**★★ *(1h à pied AR pour la première cascade)*. Prévoyez de bonnes chaussures car la montée sur des rochers glissants n'est pas toujours facile. Il est préférable de prendre un guide, surtout si vous souhaitez poursuivre vers les autres cascades. Nombre d'entre eux vous réclameront des prix exagérés. Pour se faire accompagner à la première cascade, comptez env. 50 DH.

Vous pouvez aussi vous rendre au bureau des guides *(voir partie pratique)*. Après avoir traversé le cours d'eau sur un pont de troncs d'arbres, suivez le sentier. Le torrent glacé serpente à travers châtaigniers et noyers centenaires. De petites gargotes proposent des boissons maintenues au frais dans le « réfrigérateur berbère », qui n'est autre que l'eau du ruisseau. La première cascade tombe dans une vasque profonde où de jeunes Marocains n'hésitent pas à se baigner. Plus haut *(passage un peu difficile)*, vous serez accueilli par un ensemble de quatre cascades et, en escaladant encore, trois autres cascades attireront les plus courageux.

L'OUKAÏMEDEN★★

75 km de Marrakech.

Étendue au pied du jbel Oukaïmeden (3 273 m), cette station de sports d'hiver (2 650 m) est la plus haute d'Afrique et la mieux équipée du Maroc. En été, le climat tempéré (environ 25 °C) est propice aux longues randonnées pédestres.

Arriver ou partir

En voiture - Au départ de Marrakech, prenez la route de l'Ourika *(voir la description ci-avant)*. Arrivé à Aghbalou (km 50,5), tournez à droite.

En taxi - Comptez à peu près les mêmes tarifs pour que pour la vallée de l'Ourika (1h30 à 2h de trajet).

Se loger, se restaurer à l'Oukaïmeden

La capacité hôtelière est bien insuffisante en hiver ; il est donc prudent de réserver.

Entre 40 et 140 DH par pers. (4 à 14 €)

🅰 **Refuge du Club alpin français**, ☎ 044 31 90 36/061 18 34 54, www.cafmaroc.co.ma - 158 lits ✕ 🍴 Le prix varie du simple au double en fonction de la saison, et selon que vous possédez la carte CAF, ISIC, ou ni l'une ni l'autre. L'été, il fonctionne en refuge (dortoirs de 10 à 18 pers. avec lits superposés, douches communes) ; le reste de l'année, vous logez en chambres de 4, 6 ou 8. Beau chalet en bois, très propre et agréable, comprenant des salons, un restaurant, une cuisine où vous pouvez préparer vos repas, une salle TV avec bibliothèque et tables de bridge. Ambiance familiale. Très bon rapport qualité-prix.

Environ 240 DH par pers. en demi-pension (24 €)

Hôtel de l'Angour (Chez Juju), ☎ 044 31 90 05 ✕ ☗ - 18 ch. Au petit bonheur la chance : on peut tomber sur une chambre kitsch au mobilier hétéroclite, ou sur un joli décor. 6 d'entre elles ont une douche et des WC. Demi-pension obligatoire.

Environ 560 DH par pers. en demi-pension (56 €)

Hôtel Kenzi-Louka, ☎ 044 31 90 80 à 86, www.kenzi-hotels.com - 100 ch. ☖ 𝖳𝖵 ✕ ☗ ⌁ cc̄ Très grand hôtel aux couleurs et matériaux de la région : pierre, poteries, bois travaillé, tissages pourpre, cannelle et jaune. Le bar est doté d'une cheminée centrale et d'une terrasse, offrant une vue imprenable sur les montagnes. Chambres spacieuses avec balcon. Hammam, sauna, salle de musculation. Multiples activités : escalade, VTT, tir à l'arc, parapente, randonnées chamelières, golf… Tarifs beaucoup plus intéressants en demi-pension ; les prix descendent jusqu'à 450 DH/pers. en basse saison.

À voir dans la vallée

(Pour la description de la première partie du trajet, voir la vallée de l'Ourika au début de ce chapitre).

À partir d'Aghbalou, vous traversez une vallée plantée d'oliviers et de noyers, où se dressent quelques maisons en pisé. Plus loin (km 69) apparaissent des murs en pierre bâtis à flanc de montagne. Ceux-ci servent à protéger des chutes de pierres et de sable. La route serpente entre les montagnes, et s'achève par un étroit passage entre deux parois rainurées, fleuries de genêts en été.

▶ Très bien équipée, l'**Oukaïmeden★★** dite familièrement l'« Ouka » est la **station de sports d'hiver** la plus fréquentée du Maroc. De mi-décembre à mi-avril, de nombreux skieurs marocains et étrangers descendent les pistes de tous niveaux, au moyen de 6 téléskis et d'un télésiège. Ce dernier, qui monte à plus de 3 000 m d'altitude, présente un

sompteux panorama sur le Toubkal et les paysages de l'Atlas.

En été, une **vue★★** splendide s'offre du sommet du **Tizerag** à 2 740 m (2 km de la station puis une demi-heure de marche par le sentier qui part près du relais de télévision).

Le plateau de l'Oukaïmeden abrite par ailleurs des vestiges préhistoriques. Sur les rochers, notamment près de l'hôtel Juju et du petit bureau de poste, vous découvrirez des **gravures rupestres** de l'âge du bronze remontant à 2000-1000 av. J.-C., qui représentent des figures humaines, des animaux et des armes. Pour sauvegarder ce patrimoine, l'État a aménagé en 1994 un Parc national des gravures rupestres dans les provinces de Tahanaoute (comprenant entre autres l'Oukaïmeden et le jbel Yagour) et d'Azilal.

IMLIL ET LE TOUBKAL★★

64 km de Marrakech. Durée variable en fonction du choix des excursions.

Cette excursion intéressera surtout ceux qui souhaitent marcher dans le massif du Toubkal, Imlil étant le point de départ de la plupart des randonnées.

Dans un paysage aride, parsemé d'oliviers, d'eucalyptus et de cactus, se succèdent quelques villages, dont celui de Tahanaoute, où un souk a lieu le mardi. En contrebas, la végétation se raréfie progressivement.

Empruntez la petite route, à droite, qui mène au village de Moulay Brahim.

Arriver ou partir

Comme pour les excursions dans la vallée de l'Ourika ou de l'Oukaïmeden, il est préférable de louer une voiture ou un taxi.

En taxi ou en bus - Pour **Asni** (environ 13 DH/pers., 2h de trajet) et **Imlil** (20 DH/pers., 1h30 à 2h), prenez un grand taxi à Bab er-Rob. Vous trouverez également des bus pour Asni (10 DH/pers., env. 1h30). Attention, des cas de vols et d'arnaques ont été signalés par des touristes arrivant au souk d'Asni en grand taxi. Une certaine vigilance s'impose donc, mais pas de paranoïa inutile, il ne s'agit que d'une petite bande isolée.

En voiture - De Marrakech, prenez la route R203 en direction du sud.

Moulay Brahim

Le village de **Moulay Brahim,** qui mérite une promenade, a une curieuse histoire. En effet ses habitants sont tous issus des quatre familles qui, il y a 400 ans, s'étaient partagées la bourgade. Les autres, arrivés plus tard, ont été cantonnés dans la partie nouvelle, face aux **gorges de Moulay Brahim**, abrupt défilé taillé dans les schistes noirs. Dans le village, entre les habitations berbères, se trouve un ancien hammam, un four collectif et une école. Chaque année à la période du Mouloud (anniversaire du Prophète), un pèlerinage important se déroule autour de la **zaouïa du saint Moulay Brahim**. Vénéré par les femmes, ce saint aurait le pouvoir d'éradiquer la stérilité, et même le célibat. À l'occasion de ce *moussem*, on fait appel à des confréries de Gnaoua ou d'Aïssaoua qui, entre voyantes et « poseuses » de henné, composent une musique lancinante et rythmée. Près d'une grande place où se dressent les tentes des pèlerins, on enchaîne les moutons, les chèvres et les poulets destinés à être sacrifiés.

Se loger, se restaurer à Moulay Ibrahim

Environ 300 DH (30 €)

Hôtel el-Waly (ancien Hôtel Stars), tout en haut du village, dominant la vallée, ☎ 044 48 48 28/065 27 24 74 - 22 ch. ♒ 📺 ✗ Récemment rénové, cet hôtel paisible dispose de chambres propres et confortables avec vue sur la vallée.

Asni

Situé à 1 200 m d'altitude, le village d'**Asni** ne s'anime que le samedi, jour du souk.

Se loger, se restaurer à Asni

Environ 180 DH par pers. en demi-pension (18 €)

☺ **Dar Al Abir**, douar Asni, ☎ 044 48 47 57, www.al-abir.com - 4 ch. ✗ Au cœur du village, la « maison du passant » (Dar Al Abir) justifie à elle seule une halte à Asni. Tenue par un couple franco-marocain, cette maison d'hôtes, toute simple, a été restaurée dans le respect de la tradition berbère. Très impliqués dans la valorisation du patrimoine écologique et culturel de la région et soucieux de développer un tourisme équitable, Jean-Jacques et Saïda ont également installé un campement (l'espace **Al Arkam**) à 1h de marche de là, sur le sentier muletier de Tinzert. Du 15 mai au 15 octobre, cet ensemble de tentes et de constructions traditionnelles (avec fours à pain et à méchoui) constitue un excellent camp de base pour découvrir une région méconnue. Bonne table et accueil de qualité.

Imlil

À 17 km d'Asni.

Oliviers, pommiers et noyers défilent avant que n'apparaissent des jardins maraîchers plantés le long du torrent.

Imlil (1 740 m d'altitude), qui s'étend de part et d'autre de l'oued, est le point de départ de nombreuses balades. Vous y trouverez guides, muletiers et ravitaillements.

Adresses utiles

Internet - Vous trouverez un cybercafé à **Imlil**, dans la téléboutique située sur la rue principale (près de l'hôtel L'Étoile du Toubkal).

Bureau des guides - Sur la place du village d'Imlil, à côté du parking. Tlj 9h-17h. Vous y trouverez une carte du jbel Toubkal et la liste des guides officiels. On pourra vous donner des conseils et vous fournir un guide.

Se loger, se restaurer à Imlil

Entre 65 et 450 DH (6,5 à 45 €)

Atlas Gîte, à la sortie d'Imlil, de l'autre côté de la rivière, ☎/Fax 044 48 56 09

- 7 ch. ✕ Vous aurez ici le meilleur rapport qualité-prix d'Imlil. Dans ce beau gîte, rustique et convivial, il y en a pour toutes les bourses : dortoir d'une dizaine de lits, chambres de 2 à 6 lits avec douche et WC communs, ou studios avec coin salon et salle de bains privée (4 pers.). Lave-linge (env. 30 DH). Une maison où il fait bon s'attabler, en terrasse ou devant la cheminée, au retour d'une randonnée. Un peu bourru au prime abord, Jean-Pierre, le propriétaire des lieux, connaît bien la région et deviendra vite intarissable. Il peut vous organiser des randonnées pour 300 DH/ pers. et par jour tout compris. Bonne cuisine marocaine (menu copieux à 85 DH).

Environ 120 DH par pers. en demi-pension (12 €)

Maison d'hôte Imi N'Ouassif, à droite de la rue principale - 8 ch. Ne vous attendez pas à loger dans une maison familiale ; il s'agit en fait plutôt d'un gîte. Chambres pour 2, 4 ou 6 personnes, simples et bien tenues, dont deux sur le toit-terrasse. Salon, salle à manger, douches et WC à la turque. Excellent accueil.

De 100 à 150 DH (10 à 15 €)

Refuge du Club alpin français, à gauche, juste avant le parking de la place principale. 38 lits superposé dans 3 dortoirs. Réservation au CAF d'Oukaïmeden *(voir adresse ci-dessus)*. Idem pour les refuges du Toubkal (Neltner), de Tazarhat (Lepiney) et de Tachdirt. Les prix varient du simple au double selon que vous êtes ou non adhérents ; tarif spécial avec la carte FUAJ. Cuisine en libre-service. Sommaire et pas très gai, ce gîte ne présente pas grand intérêt. Vous logerez mieux ailleurs pour le même prix.

Environ 110 DH (11 €)

Gîte d'étape Chez Mohammed Ait'idar, à droite après l'école, de l'autre côté de l'oued, ☎/Fax 044 48 56 16 ou 068 04 51 40 - 7 ch. Mohammed et sa femme louent un côté de leur maison. Chambres pour 2 à 6 pers. environ, avec matelas à même le sol ou vrais lits. Plusieurs salons marocains,

cuisine, douches et WC. Hammam beldi en projet dans le jardin. Accueil sympathique.

Environ 120 DH (12 €)

Auberge-camping La Vallée, au bout de la rue principale (piste en direction de la Kasbah du Toubkal), ☎/Fax 044 48 56 22/044 48 52 16, aziambrahim60@ hotmail.com - 5 ch. ✕ Dans un jardin paisible, isolé en bordure du village, ce nouvel établissement dispose de chambres très simples mais propres, avec petit salon chauffé au poêle à bois, 2 douches et 2 WC communs. Emplacements de camping à l'ombre des cerisiers (62 DH/2 pers. tout compris) de l'autre côté du ruisseau et maison (2 ch., salon, salle de bains, cuisine ; 200 DH la nuit) à louer. Accès à Internet et matériel de randonnée. Une bonne adresse.

Environ 130 DH (13 €)

Auberge-Camping Lepiney, au bout de la rue principale, prenez la piste qui quitte le village, à droite, sur env. 100 m, ☎/Fax 044 48 56 88, bouredda@hotmail. com - 9 ch. ✕ Au bord de la piste, cette nouvelle maison bénéficie, de sa terrasse, d'un beau panorama à 360°. Chambres simples, de 2 à 6 lits. Vous pourrez planter votre tente dans le jardin, reposant, qui comporte également une grande tente pour 5. Douches et WC à la turque. Cuisine à disposition, repas sur commande, salon avec cheminée.

Café Aksoual, ☎ 044 48 56 12 - 6 ch. ✕ (en face du CAF). Tenu par les frères Bouinbaden, guides réputés dans la région, ce café propose des chambres très rudimentaires. Sanitaires communs, eau chaude. L'ensemble manque d'entretien, mais des travaux de rénovation sont prévus. Couscous et tajines.

Café Soleil, sur la place du village, à côté du parking, ☎ 044 48 56 22 - 9 ch. ✕ Des chambres simples et correctes, dont 4 avec salle de bains privative, certaines avec un petit balcon. Les sanitaires communs gagneraient à être mieux entretenus. L'endroit est calme, au bord de la rivière. Vous y prendrez vos repas sur l'agréable terrasse ombragée. Sympathique.

Environ 500 DH par personne en demi-pension (50 €)

Samra, douar Tamatart (à 1 km d'Imlil ; transfert des bagages à dos de mule), ☎ 044 37 86 05, www.riadsamsara.com - 10 ch. ⚐ ✗ ♟ 🖭 Restauré dans le plus grand respect de la tradition berbère par les habitants de ce minuscule village, ce douar a été aménagé en un confortable gîte de montagne, avec hammam beldi. Cette réalisation permet de préserver un patrimoine architectural ancestral. Une valorisation de l'artisanat régional est également en projet.

À partir de 1 390 DH (139 €)

La Kasbah du Toubkal, au bout de la rue principale, suivez les pancartes sur env. 200 m (sentier accessible à pied ou à dos de mulet uniquement), ☎ 044 48 56 11, www.kasbahdutoubkal.com - 11 ch. ⚐ ✗ 🖭 Ancienne kasbah du caïd local, le bâtiment principal comporte un beau patio aménagé en salon-salle à manger. Sur le toit, une grande terrasse, couverte de zelliges, tapis et coussins et surmontée d'un petit kiosque, offre une vue imprenable sur la vallée et les sommets enneigés. Elle est hélas souvent prise d'assaut par les groupes du tour-opérateur anglais qui gère l'hôtel ; l'accueil et le service s'en ressentent. Les chambres et les suites se répartissent dans des bâtiments de style traditionnel un peu hétéroclites. Hammam. Repas de 160 à 200 DH pour les hôtes, 300 DH pour les visiteurs (pas d'alcool). Compte-tenu des prix affichés, un vrai jardin avec piscine serait le bienvenu ! Certes, l'hôtel dispose d'une situation privilégiée, perché sur son rocher, mais n'est-ce pas un peu cher payé ?

Autour d'Imlil

Dans les **vallées environnantes**★★ se nichent de minuscules villages berbères de pierre ou de terre, où le temps semble s'être arrêté depuis des siècles. Au fil des saisons, vous découvrirez les activités agricoles qui rythment la vie quotidienne des habitants. Essayez d'être là pendant la récolte du blé *(entre mi-*

avril et début mai en principe), lorsque tout le monde vient prêter main forte, hommes, femmes et enfants, dans une ambiance festive d'une gaieté incroyable. Il peut être utile de partir avec un guide ou un muletier, qui vous servira d'interprète, notamment si vous voulez dormir chez l'habitant.

Les plus sportifs – randonneurs, alpinistes ou skieurs – trouveront leur bonheur dans le **massif du Toubkal**★★, qui compte plusieurs sommets à plus de 4 000 m d'altitude et culmine au sommet du même nom, le plus haut d'Afrique du Nord, à 4 167 m.

L'ascension du jbel Toubkal★★

Praticable de la fin du printemps au début de l'automne, cette randonnée pédestre vous mène en 2 jours du village d'Imlil (1 740 m) au sommet du Toubkal (4 167 m), avec une nuit au refuge Neltner (3 207 m).

Voir informations, conseils, tarifs concernant les randonnées dans la rubrique « Activités sportives dans les vallées du Haut Atlas » au début de ce chapitre, p. 402.

▸ La première journée (1 467 m de dénivelé et env. 5h de marche jusqu'au refuge) ne présente pas de difficulté majeure. À la sortie d'Imlil, prenez le chemin qui part vers la droite quand vous êtes face à Atlas Gîte. Jusqu'au cirque d'Aremd, vous rencontrez de nombreux Berbères allant faire leurs courses ou travailler aux champs. Vous longez ensuite le lit de l'asif n'Ait-Mizane, poursuivant la montée sur un bon sentier muletier. Vous y croiserez sûrement quelques troupeaux de chèvres en quête de pâturage, ainsi que des mules ou des ânes de l'Atlas, particulièrement agiles et robustes.

▸ Après deux bonnes heures de marche, vous apercevez un gros rocher peint en blanc : le **marabout de Sidi Chamarouch**★ *(accès interdit aux non-musulmans)*, édifié dans un minuscule village. Une halte idéale pour boire un thé, à mi-chemin entre Imlil et le refuge. Plus haut, les paysages changent. Les étendues verdoyantes deviennent tâches de végétation éparse, puis laissent place aux pentes granitiques et aux névés.

▸ De difficulté moyenne, la deuxième journée (environ 1 000 m de dénivelé, 3h de montée et 2h de descente pour le sommet, plus 3h pour redescendre à Imlil) est nettement plus éprouvante que la précédente. Plus pentue, l'ascension se fait sur un terrain glissant au début, accidenté par la suite *(attention aux éboulis)*. S'il reste beaucoup de neige, un piolet peut s'avérer utile. Outre la performance sportive, le **panorama**★★★ à 360° qui vous attend au sommet vous récompensera de vos efforts. Par temps clair, la vue s'étend sur les pays Goundafa (à l'ouest) et Glaoua (au nord-est), sur Marrakech et la plaine du Haouz (au nord) et sur le Sud, dominé par la silhouette pyramidale du jbel Siroua.

Autres excursions à partir d'Imlil

Voir informations, conseils, tarifs concernant les randonnées dans la rubrique « Activités sportives dans les vallées du Haut Atlas » au début de ce chapitre, p. 402.

Le plateau de Tazaghart - 2 jours avec une nuit au refuge Lepiney. Env. 1 200 m de dénivelé et 7 à 8h de marche par jour. Franchissement du Tizi-n-Tzikert à 2 930 m. Plus difficile que l'ascension du jbel Toubkal.

Le lac d'Ifni - Départ et arrivée au refuge du Toubkal. 2 jours avec bivouac au bord du lac (bergeries) ou nuit en gîte au village d'Amsouzart (1h de marche). 900 m de dénivelé et 5 à 6h le 1er jour, 1 300 m de dénivelé et 5 à 7h le 2e jour.

La vallée de l'Azzaden - Montée en 3h d'Imlil au col Tizi-n-Zik (2 489 m), puis descente jusqu'aux bergeries Azib Tamsoult. Le lendemain, promenade de 2h jusqu'aux cascades d'Irhoulidene, puis retour à Imlil par le refuge Neltner. Cette randonnée ne présente pas de difficulté.

Le tour du Toubkal - Comptez 5 jours. De Imlil au lac Ifni, 5h de marche, puis nuit sous la tente ; du lac Ifni au village d'Amsouzarte, 4h30, nuit au refuge ou chez l'habitant ; d'Amsouzarte à Azib Likemt, 8h, nuit sous la tente ; d'Azib Likemt à Tacheddirt, 7h en passant par Tizi-n-Likent (3 555 m), nuit chez l'habitant ou au refuge ; de Tacheddirt à Imlil, 4h, passage par le Tizi-n-Tamatent (2 000 m).

Tacheddirt - Perché à 2 314 m, c'est l'un des plus hauts villages berbères de l'Atlas. Au départ d'Imlil, 750 m de dénivelé en 4h, assez facile, par le Tizi-n-Tamatert. Refuge à l'entrée du village. Possibilité de poursuivre vers l'Oukaïmeden.

LE TIZI-N-TICHKA★★

Quelques repères

Itinéraire de 204 km de Marrakech à Ouarzazate - Alt. max. 2 260 m - En cas de tempête de neige, le col peut être fermé pour quelques heures - Carte Michelin nº 742 plis 5, 34 et 52 et carte régionale p. 403.

À ne pas manquer

Le palais du Glaoui à Telouèt.

Le ksar d'Âït-Benhaddou.

Conseils

Comptez au minimum une journée avec les excursions.

Ne vous risquez pas sans 4x4 sur la piste de la vallée de l'Ounila.

La route du Tizi-n-Tichka est le plus oriental des trois itinéraires traditionnels qui, franchissant l'impressionnante barrière montagneuse du Haut Atlas, faisaient communiquer la plaine de Marrakech avec les oasis présahariennes, points de départ des pistes caravanières du Grand Désert. Ce magnifique trajet, plus facile que celui du Tizi-n-Test, permet de visiter deux ensembles architecturaux notoires, le palais du Glaoui à Telouèt et le ksar d'Âït-Benhaddou. Le contraste entre les versants nord et sud de la montagne est frappant, l'un plus vert et plus abrupt, l'autre plus doux et aménagé de cultures en terrasses. Le long de la route, les pierres que brandissent les marchands scintillent dans la lumière. Si vous venez en été, après les chaleurs de Marrakech, vous apprécierez la pureté et la fraîcheur de l'air.

Comment circuler

La route N9 est bonne, il faut 4h de conduite attentive pour rallier directement Marrakech à Ouarzazate. Attention, les postes d'essence sont rares sur le parcours ; faites le plein avant de quitter Marrakech. Les bus CTM et SATAS assurent une demi-douzaine de services quotidiens mais vous devrez faire l'impasse sur Telouèt et Âït-Benhaddou.

Se loger, se restaurer

▸ *À Telouèt*

Entre 100 et 150 DH (10 à 15 €)

Auberge Telouèt, en face du départ du chemin menant au palais du Glaoui, ☏/Fax 044 89 07 17, www.telouet.com - 11 ch. ✗ Auberge toute simple. L'un des deux bâtiments abrite quatre chambres rudimentaires (apportez un sac de couchage) avec douche et toilettes à l'extérieur. Dans l'autre bâtiment, plus récent, les chambres sont équipées de douche et de WC. On déjeune agréablement sous une tente berbère, à condition d'arriver avant les groupes. Deux maisons d'hôte, gérées par l'auberge, dans le village : env. 100 DH/pers.

▸ *À Igherm-n-Ougdal*

Entre 300 et 400 DH par pers. en demi-pension (30 à 40 €)

☏ **i Roccha**, douar Tisselday, Igherm-n-Ougdal (en venant du Tizi-n-Tichka tournez à gauche juste avant l'école et suivez la piste sur env. 400 m), ☏ 067 73 70 02 - 4 ch. ✗ Agrippée à la roche, cette maison en pisé offre une vue magnifique sur les montagnes et la vallée. Catherine et Ahmed vous attendent dans leur havre de paix, qu'ils ont construit avec l'aide des habitants du village. Chambres personnalisées agencées autour du patio, atmosphère cosy et décontractée. La cuisine est à la hauteur du cadre et de l'accueil.

▸ *À Âït-Benhaddou*

Moins de 100 DH (10 €)

Plusieurs auberges, avec quelques chambres sommaires, se trouvent au bord de la route. Choisissez plutôt un hôtel qui donne sur la rivière, face au ksar.

De 150 à 170 DH par pers. en demi-pension (15 à 17 €)

Auberge Bilal, juste à côté de La Kasbah, ☏ 067 96 32 79/068 24 83 70 - 8 ch. ✗ [CC] Grande terrasse donnant sur l'oued, face au ksar. Les chambres, dont la moitié avec salle de bains, sont peut-être un peu proches les unes des autres. Sanitaires communs bien tenus.

Excellent rapport qualité-prix. Sympathique accueil familial.

Environ 360 DH (36 €)

La Kasbah, ☎ 044 89 03 02 - 110 ch. 🍴 🛏 ✕ 🏊 🆑 C'est le plus confortable des hôtels alentour. La terrasse offre une vue superbe sur le ksar. L'établissement, décoré dans l'esprit arabo-andalou, dispose de chambres très bien tenues. La majorité sont climatisées et dotées de salle de bains privative. Nombreux groupes, surtout pour le déjeuner. Formule demi-pension intéressante.

Entre 400 et 600 DH (40 à 60 €)

Dar Mouna, ☎ 044 89 08 40, www.darmouna.com - 12 ch. 🍴 ✕ 🆑 Une maison enduite de pisé, avec un agréable patio, un salon avec cheminée, des chambres rustiques, un hammam et une terrasse face au ksar. L'endroit ne manque pas de charme, mais s'apparente plus à un petit hôtel qu'à une véritable maison d'hôte.

Achats

Sur la route, on trouve de nombreux étals de roches et de fossiles ainsi que divers objets artisanaux. La plupart des améthystes ne sont que des cristaux de roche teints à l'aide d'encre violette !

TRAVERSÉE DU HAUT ATLAS

Quittez Marrakech par la N9 en direction d'Ouarzazate. Après la plaine desséchée du Haouz, le paysage change à partir du **col d'Aït-Imguer** (1 470 m) : on monte lentement à travers des forêts de pins et de chênes. Les villages bordant la route, le **Taddert** (à 1 870 m) entouré de noyers, proposent des restaurants et des cafés aux voyageurs. L'ascension se poursuit par de vastes lacets tracés dans un paysage montagnard assez dégagé, où la végétation se réduit à de maigres prairies (*tichka* en berbère) parsemées de touffes de fleurs.

▸ Le **Tizi-n-Tichka**★ culmine à 2 260 m d'altitude, ce qui en fait le plus haut col routier du Maroc. Arrêtez-vous un instant pour observer le **panorama**★. Encore quelques kilomètres et vous

vous trouvez sur le versant saharien du Haut Atlas.

Environ 5 km après le col, une étroite route asphaltée se détache sur la gauche pour Telouèt (*21 km*).

Excursion à Telouèt★

Comptez 2h AR.

Établi au débouché du col de Telouèt (2 634 m) – l'actuelle route du Tizi-n-Tichka n'existait pas –, ce village fut pendant des siècles le point de passage obligé des caravanes, qui devaient verser une redevance à la tribu des **Glaoua**. Au milieu du 19e s., une famille de caïd en prit le contrôle *(voir encadré p. 427)*, et la vieille kasbah de pisé du 18e s. se transforma en une puissante **forteresse**★ de pierre. Dans la première moitié du 20e s., le célèbre pacha de Marrakech adjoignit un luxueux **palais** à ce poste de commandement.

Vus de loin, les hauts murs sombres, percés d'étroites meurtrières, traduisent bien la fonction guerrière de l'édifice. Passé la première porte, on découvre un incroyable défilé de cours, de cantonnements et d'appartements privés. Mais, à la suite de la disgrâce du Glaoui, ces bâtiments sont à l'abandon et beaucoup d'entre eux sont dans un tel état de décrépitude qu'il serait dangereux de s'y aventurer. Un gardien *(donnez 10 DH)* vous conduira aux **salles d'apparat**★★ qui, seules, sont encore bien conservées. Leur décoration est somptueuse : sol en marbre, murs couverts de **zelliges**★ et de stucs d'excellente facture, **portes et plafonds ouvragés**★★ en bois de cèdre, admirablement peints ou réhaussés d'argent.

Si vous êtes en 4x4 et expert en conduite, vous pouvez rejoindre Aït-Benhaddou par la piste *(voir ci-contre)*.

De retour sur la route principale, peu après un second col à 2 210 m d'altitude, la véritable descente commence et le paysage change complètement : les montagnes arides et rougeâtres sont plus tachetées par quelques rares genévriers ; mais tout au fond des vallées, on aperçoit la verdure éclatante des cultures irriguées.

▶ À gauche, le village d'**Igherm-n-Oug-dal★** *(voir « Se loger »)* conserve un superbe **grenier fortifié★** *(voir p. 478)* qui daterait du 17e s. ; restauré par les soins du **Cerkas** *(voir p. 428)*, c'est l'un des rares *igherm* qui se visite aisément *(faites-vous accompagner par le gardien)*. Une muraille de terre et de pierre, flanquée de quatre tours en saillie, protège les 83 cellules, réparties sur deux niveaux autour d'un puits de lumière. Dans l'étroit passage qui sert d'entrée, remarquez, à droite, le **banc de justice**, siège du chef du village.

▶ L'important village d'**Agouim** *(souk le lundi)*, sur la droite, marque la fin de la descente (point de **vue★**) et un changement de direction de la route qui, désormais, suit la vallée de l'asif Imini jusqu'à Ouarzazate. Au passage, remarquez la curieuse mosquée d'**Aït-Ibourk** et les tours délicatement ouvragées d'une belle **kasbah★** à **el-Mdint**. Au loin, à droite, s'élève le massif volcanique du **jbel Siroua**.

Quelques kilomètres après l'embranchement de la route pour Tazenakht et Taroudant *(à droite)*, la petite route goudronnée 6803 se détache, à gauche, pour Aït-Benhaddou *(environ 10 km)*.

Excursion à Âït-Benhaddou★★

Comptez 2h AR avec la visite.

🦉 Passer la nuit sur place permet de visiter le ksar aux premières heures, avant l'arrivée des cars de touristes.

▶ Deux kilomètres avant le village, un tournant de la route offre une **vue saisissante★★**, immortalisée par une gravure de Majorelle en 1930 : l'imposant *ksar* rouge, hérissé de hautes tours en pisé, se dresse à flanc de colline, sur la rive gauche du Mellah. Stratégiquement situé au débouché des vallées de l'Ounila et du Mellah, ce ksar aurait été fondé à l'époque almoravide (11e s.) pour contrôler la route caravanière qui rejoignait la vallée du Drâa.

▶ Laissez votre véhicule près des auberges et descendez dans l'oued, qui se franchit aisément à gué, pour remonter jusqu'à l'entrée du ksar. On vous demandera 10 DH, en guise de contribution aux travaux de restauration ; enfants et adolescents se battront pour avoir le privilège de vous guider... En bordure de l'oued, le quartier aristocratique possède une demi-douzaine de **hautes kasbahs★★**, datant peut-être du 18e s., dont vous admirerez les façades décorées d'arcatures aveugles et de motifs géométriques, réalisés à l'aide de briques de terre crue. Le caractère exceptionnel de ce village en fait l'un des lieux de tournage favoris des cinéastes (ce qui lui a valu la construction d'une porte babylonienne en ciment armé, bien que le site ait été déclaré Patrimoine mondial de l'Unesco en 1987 !). Malgré quelques travaux de restauration, le ksar est aujourd'hui presque abandonné, et la plupart de ses édifices menacent de tomber. Promenez-vous dans le lacis des ruelles qui escaladent la colline, couronnée par les vestiges d'une forteresse juive préislamique. Le **panorama★** que vous découvrirez du sommet mérite bien un petit effort.

▶ Poursuivez la route jusqu'à la fin du goudron pour jeter un coup d'œil à la **kasbah de Tamtakh★**. D'immenses nids de cigognes sont installés en haut des tours à moitié détruites.

Rebroussez chemin et regagnez la grande route qui mène à Ouarzazate.

De Telouèt à Âït-Benhaddou

Variante pour les 4x4 uniquement ; comptez 2h30.

Après Telouèt, la route goudronnée, en mauvais état, se poursuit sur 10 km jusqu'à **Anemiter** *(auberge et camping)*. Au-delà, la piste difficile et dangereuse suit la **vallée de l'Ounila★★** *(4x4 obligatoire, trajet formellement déconseillé à ceux qui n'ont pas une grande habitude de la conduite tout-terrain)*. Très sauvage, l'étroite vallée, qui devient un véritable canyon par endroits, est peuplée de lauriers-roses et de petits vergers, que dominent parfois des greniers troglodytiques accrochés sous la falaise. Elle est ponctuée de quelques villages en terre rouge et de kasbahs en ruine.

LE TIZI-N-TEST★★

😊 **La grande diversité des paysages**

😟 **Le brouillard, très fréquent**

Quelques repères

Itinéraire de 223 km de Marrakech à Taroudant - Alt. max. 2 100 m - Carte Michelin n° 742 plis 33 et 50 et carte régionale p. 403.

À ne pas manquer

La mosquée de Tinmel, ouverte au public.

Conseils

Soyez très prudent sur la route, étroite et vertigineuse.

En hiver, la route est parfois bloquée par la neige, renseignez-vous. Attention au brouillard, aux camions et bus venant d'Agadir !

Depuis des temps immémoriaux, le Tizi-n-Test est l'un des trois passages reliant la plaine de Marrakech au Sud marocain. La raideur des pentes, l'étroitesse de la vallée de l'oued Nfiss et la position inexpugnable des kasbahs permirent aux tribus goundafa de contrôler la région au 19e s. La pacification française et la construction de la route entre 1926 et 1932 ont tout changé, mais franchir le col *(tizi)* du Test demeure une expérience très spectaculaire.

Comment circuler

L'idéal est d'avoir sa propre voiture ; sinon, prenez le bus de Marrakech pour Taroudant (1 ou 2 par jour, départ tôt le matin).

Se loger, se restaurer

Les adresses ci-dessous sont classées dans leur ordre d'apparition sur la route, en venant de Marrakech.

De 880 à 1 250 DH pour 2 personnes en 1/2 pension (88 à 125 €)

La Bergerie, Marigha, km 59, 3 km avant Ouirgane en venant de Marrakech, ☎ 044 48 57 16/17, www.passionmaroc. com - 14 ch. 🍴 ⛰ ✕ 👍 🛏 cc À env. 1h de route de Marrakech, cette confortable auberge de campagne bénéficie d'un cadre paisible et verdoyant, au milieu des montagnes. Chambres autour d'un patio ou bungalows privatifs, cosy et spacieux, avec cheminée ou poêle à bois et jardin. Cuisine française et marocaine (menu à 150 DH). VTT, ping-pong, randonnées. Nombreux Français de Marrakech parmi la clientèle. Le nouveau restaurant, avec son coin billard, ses fauteuils et cheminées, mais aussi sa terrasse sur jardin et sa tente berbère, devrait attirer les touristes de passage le midi. Réserver.

De 1 100 à 1 500 DH pour 2 personnes en 1/2 pension (110 à 150 €)

La Roseraie, val d'Ouirgane, km 60, ☎ 044 48 56 93/94, www.ilove-marrakesh.com/laroseraie - 46 ch. 🍴 ⛰ 📺 ✕ 👍 🛏 cc Dans un somptueux parc de 25 ha où la rose est à l'honneur, rivalisant de couleurs et de senteurs avec des plantes exotiques, ce luxueux hôtel au charme suranné jouit d'un calme absolu. Chambres, suites et bungalows se répartissent dans le jardin en 40 petits ensembles, qui disposent au total de 3 piscines et 1 Jaccuzi. Centre équestre, tennis, hammam, hydrothérapie. Cuisine française et marocaine (250 à 300 DH). Service distingué. Clientèle d'un certain âge.

De 500 à 880 DH pour 2 personnes en 1/2 pension (50 à 88 €)

😊 **Chez Momo**, Ouirgane, km 61, ☎ 044 48 57 04/061 58 22 95, www. aubergemomo.com - 8 ch. 🍴 ⛰ ✕ 👍 🛏 cc Une auberge campagnarde où il fait bon vivre, tant pour son cadre – une

architecture en pisé, entre montagnes et oliveraies – que pour la qualité de l'accueil et du service. Chambres soignées, de différentes tailles, dont certaines avec salon et cheminée. Bonne cuisine marocaine (menu 100-120 DH env.). Une adresse 100 % berbère, à découvrir.

De 405 à 615 DH (40,5 à 61,5 €)

Au Sanglier qui Fume, Ouirgane, km 61, ☎ 044 48 57 07/08, www. ausanglierquifume.com - 25 ch. ⚐ ✗ ♟ ☡ ⌨ Une adresse célèbre depuis 1945, mais qui semble avoir perdu de son prestige. Vous y ferez un bon repas, devant un feu de bois ou en terrasse, avant de jouer au billard. Chambres inégales, dispersées autour de la piscine. Certaines sont vieillottes, d'autres agréables (la n° 18 est particulièrement belle). Quelques-unes disposent d'une cheminée, appréciable à 1 000 m d'altitude.

Environ 60 DH par personne (6 €)

Auberge La Belle Vue, 1 km après le col du Tizi-n-Test en venant de Marrakech, ☎ 067 05 58 44/067 59 57 58 - 10 ch. ✗ Une adresse qui peut dépanner, lorsque les conditions météorologiques rendent dangereuse la descente vers Taroudant. Ce refuge bénéficie d'ailleurs d'une vue impressionnante. Repas et logement sommaires (apportez votre sac de couchage). Repas env. 50 DH. Une douche et trois WC en commun. Le fils du propriétaire peut vous servir de guide pour des randonnées.

Voir également une adresse à Ouled Berhil p. 473.

Achats

Le long de la route, vous verrez des étals de roches et de fossiles.

L'ASCENSION DU TIZI-N-TEST ★★

Comptez 6h avec les arrêts.

De Marrakech, prenez la R203 en direction du sud.

Dans un paysage, aride, parsemé d'oliviers, d'eucalyptus et de cactus, se succèdent quelques villages, dont celui de Tahanaoute où un souk a lieu le mardi. En contrebas, la végétation se raréfie progressivement.

Empruntez la petite route, à droite, qui mène au village de Moulay Brahim *(voir chapitre Les vallées du Haut Atlas)*.

▸ Le beau village de **Moulay Brahim**, qui mérite une promenade, a une curieuse histoire. En effet ses habitants sont tous issus des quatre familles qui, il y a 400 ans, s'étaient partagées la bourgade. Les autres, arrivés plus tard, ont été cantonnés dans la partie nouvelle, face aux **gorges de Moulay Brahim**, abrupt défilé taillé dans les schistes noirs. Dans le village, entre les habitations berbères se trouve un ancien hammam, un four collectif et une école. Chaque année à la période du Mouloud (anniversaire du Prophète), un pèlerinage important se déroule autour de la **zaouïa du saint Moulay Brahim**. Vénéré par les femmes, ce saint aurait le pouvoir d'éradiquer la stérilité et même le célibat. À l'occasion de ce *moussem*, on fait appel à des confréries de Gnaoua ou d'Aïssaoua qui, entre voyantes et « poseuses » de henné, composent une musique lancinante et rythmée. Près d'une grande place où se dressent les tentes des pèlerins, on enchaîne les moutons, les chèvres et les poulets destinés à être sacrifiés.

▸ Situé à 1 200 m d'altitude, le village d'**Asni** *(voir chapitre Les vallées du Haut Atlas)* ne s'anime que le samedi, jour du souk. Ce village berbère, dominé par la silhouette du **jbel Toubkal**, occupe un joli site de montagne.

▸ Poursuivez sur la R203. **Ouirgane**, un agréable hameau entouré de verdure, sert de base aux randonnées à pied et à dos de mulets.

▸ Env. 30 km plus loin se profilent de part et d'autre de la route les kasbahs d'**Agadir-n-Gouf** et de **Talat-n-Yâkoub**.

Un peu après Talat-n-Yâkoub, prenez, à droite, une piste qui franchit l'oued Nfiss sur un pont et remonte à travers les vergers. La mosquée de Tinmel se trouve à 800 m de la route principale.

La mosquée de Tinmel★★

Le minuscule hameau de **Tinmel** fut le berceau de la dynastie almohade : le **mahdi Ibn Toumert** *(voir encadré)* s'y installa, en 1123, pour créer le mouvement politico-religieux destiné à renverser les Almoravides. Soutenu par le futur sultan, Abd el-Moumen, il réussit à coaliser tous les opposants, mais mourut avant de voir la victoire finale, en 1130. **Abd el-Moumen**, désormais à la tête d'un vaste empire, fit édifier, en 1153, cette grande mosquée funéraire, où ses deux successeurs et lui-même furent enterrés.

Abandonnée à l'état de ruines pendant des siècles, après la chute des Almohades, la **mosquée** *(tlj 8h-18h ; 10 DH. Comptez 30mn de visite)* a fini par être restaurée, et le visiteur peut se faire une bonne idée de ce qu'elle était du temps de sa splendeur. L'extérieur a l'austérité d'une forteresse, avec un **minaret** ressemblant à un bastion et placé au-dessus du mihrab, ce qui est rare. Le plan de cette mosquée est symétrique, des arcades en brique délimitant neuf nefs. Seule la première travée a

Un dangereux fondamentaliste

Né dans un village berbère de l'Anti-Atlas, Mohammed Ibn Toumert étudie la théologie à Cordoue, puis en Orient. De retour au Maroc, dix ans plus tard, il prône un rigorisme intransigeant provoquant partout des émeutes : ses prêches enflammés enthousiasment les foules, mais inquiètent les autorités ; son charisme lui attire des compagnons fidèles, tel Abd el-Moumen, rencontré en Algérie. À Marrakech, Ibn Toumert trouble les théologiens officiels ; le vizir veut le faire tuer, mais il parvient à s'échapper. Il passe alors à l'action politique et se proclame *mahdi*, c'est-à-dire l'envoyé de Dieu pour chasser les corrompus. Le mouvement almohade est lancé…

conservé son élégant décor de stuc, notamment le beau **mihrab★** et trois coupoles à stalactites. Les autres travées ont été entièrement reconstruites en brique rose, recréant avec beaucoup de bonheur l'espace originel. Montez dans le minaret pour admirer le **panorama★** sur la vallée, dominé par la silhouette de l'Agadir-n-Gouf perché sur son piton.

▶ Reprenez la R203. Le trajet offre un splendide **panorama★★**, sur l'étroite **vallée de l'oued Nfiss★**. Des petits champs en terrasses minutieusement entretenus et irrigués, des vergers d'amandiers et d'oliviers entourent les villages aux maisons de pierres sèches. La vallée était jadis protégée par des **kasbahs** bâties sur des éperons rocheux, comme à **Tagoundaft★**.

▶ Après une série de virages vertigineux, on arrive au **Tizi-n-Test**, à 2 092 m d'altitude. La **vue★★** est époustouflante : le scintillement des pentes enneigées du **jbel Toubkal** d'un côté, la fine ligne bleue de l'Anti-Atlas de l'autre dominant la grande plaine du Sous avec de nombreux villages aux maisons en terrasses nichés dans de profondes vallées verdoyantes.

▶ La première partie de la descente est impressionnante et le conducteur doit se concentrer pour éviter de plonger dans le vide… Heureusement, quelques (rares) cafés permettent une halte sans risque au milieu de ces très longs lacets.

La route descend ensuite tranquillement et la végétation évolue des chênes verts du sommet aux arganiers sauvages du Sous, en passant par les palmiers nains *(doum)*, les lauriers-roses et les immenses genêts à petites fleurs blanches.

Arrivé sur la N10, tournez à droite pour Taroudant *(52 km de route très facile)*, à gauche pour Taliouine, Tazenakht *(voir p. 476)* et Ouarzazate *(voir p. 422)*.

Possibilité de combiner ces itinéraires avec ceux des vallées du Haut Atlas p. 358 ; voir aussi le circuit « Les vallées du Sud et le désert » p. 12.

3 jours	Vallée du Drâa (au départ de Ouarzazate)
Circuit (env. 325 km aller-retour)	Ouarzazate (p. 422), Zagora (p. 433), Mhamid (p. 436).
Transport	Location d'une voiture ou transports en commun (bus ou grand taxi). Trajet Ouarzazate-Zagora en grand taxi, env. 2h30, 45 DH.
Étapes	Zagora ou Tinfou.
4 jours	**Vallée et gorges du Dadès, gorges du Todra (de Ouarzazate)**
Circuit (env. 430 km aller-retour)	Ouarzazate, Skoura (p. 440), gorges du Dadès (p. 445), gorges du Todra (p. 449), Tinerhir (p. 448), Ouarzazate.
Transport	Un 4x4 est nécessaire pour rejoindre les gorges du Dadès à celles du Todra en passant par Msemrir et la vallée du Haut Todra.
Étapes	Gorges du Dadès, gorges du Todra.
Conseils	Circuit à effectuer au printemps, en été ou au début de l'automne (trop froid en hiver, route souvent coupée).
Une semaine	**Tour du Sud marocain (au départ de Ouarzazate)**
Boucle (1 050 km)	Ouarzazate, Zagora, trajet de la vallée du Drâa au Tafilalt (p. 438), Rissani (p. 458), erg Chebbi (p. 454), gorges du Todra, gorges du Dadès, vallée des Roses (p. 444), Ouarzazate.
Transport	Location d'une voiture.
Étapes	Zagora, Nekob, Merzouga ou erg Chebbi, gorges du Todra, gorges du Dadès.
Conseils	Prendre le temps d'aller à Erfoud et dormir dans les dunes de l'erg Chebbi.

Village de la vallée du Dadés

OUARZAZATE★

😊 **Excellente base d'excursions pour visiter le Sud marocain**

Quelques repères

Chef-lieu de province - 45 600 hab. - À 362 km d'Agadir et à 204 km de Marrakech - Alt. 1 160 m - Climat sec avec des hivers froids et des étés très chauds - Carte Michelin n° 742 plis 5, 34 et 52 et cartes régionales p. 433 et 441.

À ne pas manquer

La kasbah du Glaoui à Taourirt.

Conseils

Ne craignez pas de venir en hiver ; les nuits sont froides, mais la lumière est si pure.

Allez manger chez Dimitri.

Tout autant qu'Agadir, Ouarzazate est synonyme de tourisme de masse et l'on pourrait, à ce titre, être tenté de poursuivre son chemin. Mais il y a la kasbah du Glaoui, ce chef-d'œuvre d'architecture de terre enfin reconnu par l'Unesco et en voie de sauvetage. De plus, Ouarzazate s'étend à la croisée d'éblouissantes vallées : celles du Dadès et du Drâa. Aux confins du Grand Sud, elle est une étape sur la route qui mène aux espaces infinis, entre dunes de sable et oasis. La ville attire les cinéastes et les amateurs de randonnées, de bivouacs et de rallyes.

Arriver ou partir

En avion - Ouarzazate étant l'une des principales destinations des tour-opérateurs, l'aéroport est relié aux principales villes européennes, par vol direct ou avec escale à Casablanca. Situé à 3 km au nord du centre-ville, il est facile d'accès. ☎ 044 88 23 83/48. Pas de bus entre l'aéroport et le centre-ville, vous trouverez des petits taxis, comptez 50 DH la course (tarif de jour).

En voiture - Marrakech est à 3h de voiture en direction du nord-ouest (N9). Agadir à 6h vers l'ouest (N10) et Erfoud à 5h vers l'est (N10).

En bus - Les bus de la CTM, ☎ 044 88 24 27, partent de l'av. Mohammed V près de la poste. Ceux de la SATAS et des compagnies locales stationnent à la gare routière, ☎ 044 88 25 13, située à environ 1 km au nord-ouest du centre, à l'entrée de la ville en venant de Marrakech. Chaque jour, au moins 6 bus se rendent à Marrakech (5h de trajet), 4 à Agadir (7h) et 2 à er-Rachidia (9h).

En taxi collectif - Les grands taxis partent de la gare routière (vallée du Drâa, Dadès, etc.)

Comment circuler

Ouarzazate est assez étendue et, si en hiver on peut tout faire à pied, il vaut mieux utiliser sa voiture ou un taxi lorsqu'il fait chaud. On trouve facilement des places pour se garer (sauf parfois dans le centre).

Location de voitures - Les grandes agences sont situées sur l'av. Mohammed V et plus particulièrement au niveau du palais des congrès (pl. du 3 Mars). **Avis**, av. Mohammed V, pl. du 3 Mars, ☎ 044 88 80 00. **Budget**, av. Mohammed V, ☎ 044 88 42 02. Il existe aussi de nombreuses agences locales (notamment pour les 4x4).

Adresses utiles

Délégation régionale du tourisme - Av. Mohammed V, en face de la poste. ☎ 044 88 24 85. Fin juin à fin août, lundi-vendredi 7h30-15h. Le reste de l'année, lundi-jeudi 8h30-12h/14h30-18h30, vendredi 8h30-11h30/15h-18h30. Fermé samedi et dimanche. Personnel accueillant et efficace.

Poste - En plein centre, à l'angle de l'av. Mohammed V et de la rue de la Poste. Fait aussi bureau de change.

Banque / Change - Les banques sont toutes situées sur l'av. Mohammed V, la **Banque populaire** et la **BMCE** à proximité de la poste, le **Crédit du Maroc** et une autre agence de la **Banque populaire** près du palais des congrès. Tous les grands hôtels font du change.

Compagnies aériennes - RAM, 1 av. Mohammed V, ☎ 044 88 51 02/50 80/32 36.

Agences de voyages, excursions - Désert et Montagne Maroc, douar Talmasla (*voir Dar Daïf dans « Se loger »*), ☎ 044 85 49 49, www.desert-montagne. ma. Zineb et Jean-Pierre Datcharry et leur équipe parcourent le désert et les montagnes depuis plus de 20 ans. Ils proposent des randonnées dans le Sud, l'Anti-Atlas, le Haut Atlas, la côte atlantique…

Crème Solaire, 8 av. El Mansour Eddahbi (face à l'hôtel Berbère Palace), ☎ 044 88 66 54, www.cremesolaire.com Une agence fiable spécialisée dans le voyage sur mesure à la carte dans tout le Maroc, pour des vacances sportives et/ou culturelles.

Quad Aventure, 17 av. Moulay Rachid, ☎/Fax 044 88 40 24. Diverses formules pour explorer la région : en quad (1 200 DH/pers./jour), en canoë-kayak (env. 330 DH/pers./jour), en VTT (180 DH/pers./jour).

Kart Aventure, av. Moulay Rachid, ☎ 044 88 63 74, www.kart-aventure.com Env. 1 000 à 1 500 DH/pers./jour. L'agence possède également un confortable bivouac près de M'hamid, à 270 km de Ouarzazate.

Blanchisserie - SAIF, dans la ruelle qui part de la rue du Marché, presque en face du Cyber Satellite, 8h-12h/15h-22h. 5 à 10 DH la pièce.

Se loger

▶ *À Ouarzazate*

Env. 50 DH (5 €) à deux avec 1 tente et 1 véhicule

Camping municipal, à environ 2 km du centre vers l'est, à gauche après l'entrée du zoo, ☎ 044 88 83 22. En partie ombragé, il dispose de sanitaires corrects et d'un petit restaurant familial, bon et pas cher. Eau chaude et électricité en sus.

Entre 100 et 150 DH (10 à 15 €)

Hôtel Atlas, 13 rue du Marché, ☎ 044 88 77 45 - 42 ch. L'hôtel propose, à deux pas du centre, des chambres très sommaires mais propres, dont la moitié avec douche et WC et l'autre avec lavabo. Quelques-unes donnent sur la terrasse.

Hôtel Es-Saada, 12 rue de la Poste, ☎ 044 88 32 31 - 45 ch. ⁂ Passé l'aspect tristounet des portes en verre fumé, ce petit hôtel se révèle une adresse très honorable dans sa catégorie. Les chambres, simples et propres, donnent sur une cour arborée.

Entre 180 et 200 DH (18 à 20 €)

Hôtel Amlal, rue du Marché, ☎ 044 88 40 30, hotel_amlal@yahoo.fr - 28 ch. ⁂ ✕ Proche du centre. Vous logez dans des chambres simples mais confortables, toutes avec douche et toilettes, certaines avec balcon. Salon central au 1er étage. Parking gardé.

Hôtel Zahir, av. Mouahidine (face à la Délégation provinciale), ☎/Fax 044 88 57 40, hananmil2002@yahoo.fr - 25 ch. ⁂ ✕ De construction récente, l'établissement propose des chambres simples dotées d'un grand et d'un petit lit et, pour certaines, d'un coin salon, d'un balcon et d'un ventilateur. Évitez celles donnant sur la rue, assez bruyantes. Restaurant climatisé assez agréable.

Environ 250 DH (25 €)

Hôtel La Vallée, sur la route de Zagora à 1 km (à gauche après le pont sur l'oued Ouarzazate), ☎ 044 85 40 34, zaid172@caramail.com - 41 ch. ⁂ ✕ ☲ 🅲🅲 L'hôtel fournit de bonnes prestations pour un prix assez bas : chambres assez spacieuses (grand lit et petit lit), claires et propres, dont certaines climatisées, piscine, et restaurant avec vue sur la palmeraie et la chaîne de montagnes.

Environ 360 DH (36 €)

Hôtel Nadia, juste en face de l'hôtel La Vallée (*voir ci-dessus*), ☎ 044 85 49 40, hotelnadia@caramail.com - 34 ch. ⁂ ▦ ✕ ▼ ☲ 🅲🅲 Un nouvel hôtel d'un excellent rapport qualité-prix, doté de chambres simples, confortables et d'une propreté irréprochable. La petite piscine est bienvenue l'été. Une terrasse panoramique avec un snack devrait voir le jour sur le toit. Eau chaude solaire 24h/24.

Entre 450 et 800 DH (45 à 80 €)

Auberge de la Rose Noire, quartier de la Mosquée, Hay Taourirt, ☎ 044 88 20 16, ☏/Fax 044 88 60 67 - 4 ch. ✕ Cachée au fond d'un derb de la kasbah, cette maison d'hôte ne manque pas de charme. Jmiâa et Bernard vous réservent un accueil convivial. Les chambres sont simples et confortables. Seule celle située sur la terrasse dispose de sanitaires privatifs.

Environ 600 DH (60 €)

Hôtel La Palmeraie, av. al-Maghrib al-Arabi (zone hôtelière er-Raha), ☎ 044 88 57 70 ou 88 72 92/93 - 135 ch. 🍴 ▤ ✕ 🍸 ⚖ 🆑 L'hôtel forme une sorte de village-kasbah. Peu élevés, les bâtiments disposent chacun de 3 ou 4 chambres décorées avec simplicité. Volley, basket, ping-pong, aire de jeux pour les enfants… Ambiance village de vacances, idéal pour les familles.

🐌 **Villa Kerdabo**, 22B rue Sidi H'ssain Bennaceur, entre le centre-ville et l'aéroport, téléphonez pour que l'on vous guide, ☏/Fax 044 88 77 27, ☎ 068 67 51 64, http://site.voila.fr/villa.kerdabo - 7 ch. 🍴 ✕ 🍸 ⚖ Dans un quartier calme, à 10mn à pied du centre. Inspirée de l'architecture traditionnelle de la région, cette maison d'hôte appartient à un accueillant couple breton. Les chambres du rez-de-chaussée donnent sur la jolie piscine, entourée d'eucalyptus et de mimosas, les autres ouvrent sur de grandes terrasses (dont une privative), d'où l'on jouit d'une belle vue sur l'Atlas. Billard, bibliothèque, bonne cuisine franco-marocaine (menu à 80 DH). Bon à savoir : le fils des propriétaires est guide de randonnée en montagne et dans le désert.

Hôtel Tichka Salam, bd Mohammed V, ☎ 044 88 33 35, www.salamhotelmaroc. com - 101 ch. 🍴 ▤ 📺 ✕ 🍸 ⚖ 🆑 Jumelé avec le Riad Salam *(voir ci-dessous)* dont il partage le jardin et

les deux restaurants, ce 3-étoiles propose des chambres modernes, claires et confortables, agencées autour d'une petite piscine.

Hôtel La Perle du Sud, 39/40 bd Mohammed V, ☎ 044 88 86 40 à 42, www. multimania.com/laperledusud - 68 ch. 🍴 ▤ 📺 ✕ 🍸 ⚖ 🆑 Cet hôtel, sobrement décoré dans le style marocain, dispose de chambres confortables (préférez le côté cour au côté rue) et d'une belle piscine. Bonnes prestations et service prévenant.

Entre 650 et 1 100 DH (65 à 110 €)

Ametys Club Karam, av. Moulay Rachid, ☎ 044 88 25 24/87 17/18 - 142 ch. 🍴 ▤ 📺 ✕ 🍸 ⚖ Cette agréable résidence propose aussi bien des chambres et des suites de différentes tailles que des duplex ou des villas tout confort (idéales pour les familles, aménagées pour 4 pers. avec 2 chambres, coin cuisine, grand salon et petite cour).

Environ 860 DH (86 €)

Hôtel Riad Salam, voir hôtel Tichka Salam (ci-dessus) - 62 ch. 🍴 ▤ 📺 ✕ 🍸 ⚖ 🆑 Ce bel hôtel, construit dans le style d'une kasbah, offre tout le confort d'un 4-étoiles. Les chambres donnent sur un beau patio arboré, de jolis jardins, ou une grande piscine.

Entre 900 et 1 100 DH (90 à 110 €)

🐌 **Dar Kamar**, 45 kasbah Taourirt, ☎ 044 88 87 33, www.darkamar.com - 12 ch. 🍴 ▤ ✕ 🍸 🆑 L'ancien tribunal du pacha Glaoui *(voir encadré p. 427)* abrite une splendide maison d'hôte. Chambres confortables, joli patio, petit salon avec cheminée, terrasse panoramique, hammam… Tout a été soigneusement restauré dans le respect du style traditionnel. Les propriétaires, un jeune couple d'artistes espagnols, ont décoré la maison avec beaucoup de goût (photos et objets d'art du Maroc et d'Afrique noire).

Hôtel New Bélère, av. Moulay Rachid, ☎ 044 88 28 03/88 49 50 - 262 ch. 🍴 ▤ 📺 ✕ 🍸 ⚖ 🆑 Ce luxueux établissement accueille de nombreux groupes. Toutes les chambres disposent d'une terrasse ou d'un rez-de-jardin. La suite « royale » fait plus de 150 m² ! Immense

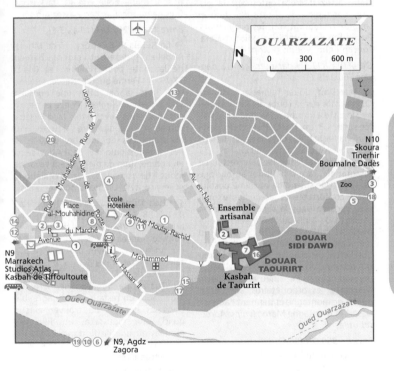

OUARZAZATE

piscine, 3 restaurants de style différent, discothèque… vous n'avez que l'embarras du choix.

Hôtel Kenzi Azghor, av. Moulay Rachid, ☎ 044 88 65 01 à 05, www.kenzi-hotels.com - 110 ch. 🛏 🖥 📺 ✕ 🍽 ♨ 🆑 Destiné aux groupes, l'établissement accueille aussi des clients individuels selon la disponibilité. Centre de fitness, hammam, tennis, etc. Il bénéficie de tous les avantages d'un 4-étoiles, mais on peut ne pas apprécier les animations bruyantes !

Plus de 2 000 DH (200 €)

Le Berbère Palace, quartier Mansour Eddahbi, ☎ 044 8831 05, www.ouarzazate.com/leberberepalace - 234 ch. 🛏 🖥 📺 ✕ 🍽 ♨ 🆑 L'unique 5-étoiles de la ville offre le luxe attendu dans cette catégorie (3 courts de tennis, terrains de foot et de volley, piscine chauffée, salle de musculation, sauna, hammam, Jacuzzi, etc). Mobilier, accessoires et affiches de films tournés à Ourzazate apportent une touche sympathique au décor traditionnel en pisé.

> *Aux alentours de Ouarzazate*

Environ 600 DH (60 €)

Hôtel Oscar Salam, à 5 km du centre sur la route de Marrakech, à l'entrée des Studios Atlas, ☎ 044 88 21 66 - 65 ch. 🍴 📧 📺 ✕ 🍷 ⟍ cc Vous croiserez certainement Lawrence d'Arabie, Obélix, Cléopatre ou Gladiator dans les recoins de cet hôtel pimpant. Des chambres confortables à la décoration marocaine assez discrète entourent la piscine. Bar tapissé de photos d'acteurs et salle de restaurant sous les projecteurs. Possibilité de visiter les studios cinématographiques voisins *(voir p. 428)*.

De 660 à 890 DH par pers. en 1/2 pension (66 à 89 €)

🍴 **Dar Daïf**, douar Talmasla, sortez de Ouarzazate par la route de Zagora, prenez la piste à gauche après l'hôtel La Vallée sur env. 3 km, Dar Daïf se trouve juste après la kasbah des Cigognes, ☎ 044 85 42 32, www.dardaif.ma - 13 ch. 🍴 📧 ✕ ⟍ cc Ancienne kasbah, restaurée et agrandie, face à l'Atlas et au barrage du Drâa. Vue splendide et calme absolu. Cette confortable et accueillante maison, décorée dans le style marocain et couverte de tapis au 2e étage, présente plusieurs patios, salons et terrasses, un hammam traditionnel et des chambres douillettes de taille variable. Une chambre adaptée pour les handicapés. Demi-pension obligatoire. Zineb et Jean-Pierre Datcharry, les propriétaires, sont aussi guides de montagne et tiennent l'agence Désert et Montagne Maroc *(voir « Adresses utiles »)*.

Environ 960 DH (96 €)

Les Tourmalines, Royal Golf, 20 km de Ouarzazate sur la route de Skoura, ☎ 044 88 71 07, lestourmalines@menara.ma - 12 ch. 🍴 📧 ✕ 🍷 ⟍ cc Située dans une zone résidentielle en cours d'aménagement, au bord du lac El-Mansour, cette maison d'hôte séduit les amateurs de calme. Les chambres, spacieuses et impeccables, disposent d'un coin salon et d'une petite terrasse entourée de verdure. Confortable salon avec cheminée, bar, salle de TV et belle piscine.

> *À Skoura*

🍴 **Hôtel Ben Moro** *(voir « Se loger à Skoura » p. 442)*.

Se restaurer

Moins de 50 DH (5 €)

De nombreux cafés-restaurants à petits prix sont établis dans le centre, sur l'av. Mohammed V ou près du marché.

Moins de 100 DH (10 €)

La Kasbah, face à la kasbah du Glaoui, ☎ 044 88 20 33. Déjeuner uniquement. Bien situé, avec plusieurs terrasses disposant d'une belle vue sur la kasbah. Cuisine marocaine, carte assez limitée.

Entre 100 et 250 DH (10 à 25 €)

🍴 **Le Relais St-Exupéry**, 13 bd Moulay Abdellah, juste avant l'embranchement de la route pour Tinerhir, ☎ 044 88 77 79. 🍷 Fermé en juillet et le mercredi midi hors saison. Dans une agréable salle à l'effigie du Petit Prince et de son créateur, vous savourerez la délicieuse cuisine de Jean et Pierre : entrées selon les trouvailles du marché, pastilla de Fès, truite saumonée de l'Atlas sauce amandine, loup de mer grillé à l'orange, mousse de fromage... Accueil chaleureux et service stylé. Un menu pour enfants.

🍴 **Chez Dimitri**, 22 av. Mohammed V, ☎ 044 88 73 46. 🍷 cc Dimitri était arrivé en 1928 dans les fourgons de l'armée française, et son établissement, qui fut successivement une agence postale, une station-service, une épicerie, une salle de bal, est le lieu de mémoire du Ouarzazate de l'époque héroïque. Il demeure un restaurant très agréable. Dans les parages où trouver, ailleurs qu'ici, une moussaka, un filet aux morilles ou une île flottante ? Très fréquenté par les équipes cinématographiques étrangères.

Plus de 200 DH (plus de 20 €)

Les restaurants des grands hôtels sont assez chers. Ils proposent presque tous des buffets où se côtoient spécialités marocaines et plats internationaux.

Sortir, boire un verre

Cafés, salons de thé, pâtisseries - La plupart des cafés bordent l'av. Mohammed V.

La Kasbah est particulièrement agréable, pour ses terrasses avec vue et ses bonnes pâtisseries.

La **Pâtisserie Marocaine Fès**, av. Moulay Rachid, qui fait également café et glacier, dispose d'une grande terrasse couverte.

Bars - Au bord des piscines des hôtels.

Le 7e Art, hôtel La Perle du Sud *(voir « Se loger »)*, 17h-23h. Dans ce bar aux tons bleus et jaunes, vous siroterez votre cocktail préféré et dégusterez des tapas marocaines (servies dans des mini-tajines), tout en jouant aux fléchettes, aux échecs ou autres. Concerts de musique berbère les vendredis et samedis.

Discothèque - **Safari Club**, hôtel La Perle du Sud *(voir « Se loger »)*. Pour danser sur des rythmes endiablés, dans un cadre chaleureux d'inspiration africaine.

Achats

Antiquités / Artisanat - Sur l'av. Mohammed V et surtout à l'**Ensemble artisanal**, face à la kasbah de Taourirt. N'oubliez pas de discuter les prix. Le **souk** a lieu le dimanche.

Supermarchés - Le **Supermarché Dimitri**, sur l'av. Mohammed V, face au restaurant du même nom, est bien fourni en alcool, mais les prix sont un peu élevés. Également le **Supermarché du Dadès**, dans la rue de la Poste.

HISTOIRE

Ouarzazate est une ville très récente. À l'origine simple centre de garnison, elle a été créée en 1928 par l'armée française pour contrôler les confins sahariens. Mais, un kilomètre à l'est, s'élève **Taourirt** dont la fondation remonte au Moyen Âge. Située au débouché du Tizi-n-Tichka et au départ de la vallée du Drâa, la bourgade était un point de passage obligé des caravanes entre Marrakech et le Sahara.

Au 20e s., sa fortune fut liée à celle d'un grand féodal, le **Glaoui** *(voir encadré)*. À la suite du mariage de l'un des frères du Glaoui avec la fille du chef local, Taourirt devint l'une des principales kasbahs du pacha de Marrakech. Mais, à partir de 1956, avec la déchéance de sa famille et la confiscation de tous ses biens, Taourirt pâtit cruellement, tandis que Ouarza-

zate prospéra grâce au développement considérable du tourisme. Aujourd'hui, le boom touristique et l'exode rural ont fait surgir de vastes banlieues au nord et à l'est de la ville.

À TRAVERS LA KASBAH

Comptez 2h.

La ville européenne présente peu d'intérêt en dehors des aménagements touristiques.

La kasbah de Taourirt★★

1,5 km à l'est du centre-ville, sur la route de Boumalne Dadès.

Tlj 8h-18h (hiver) 17h (été) ; 10 DH/pers. Des guides du ministère du Tourisme sont à votre disposition, sympathiques, hâbleurs, mais pas très compétents ; ils demandent 60 DH pour un groupe inférieur à 20 personnes.

En venant du centre-ville, vous découvrez sur la droite un imposant ensemble de **murailles★★**. Ce palais-forteresse, édifié vers 1920 autour d'une kasbah plus ancienne et beaucoup plus modeste, était en fait une véritable ville-labyrinthe qui servait de résidence et de centre

> ### Le Glaoui, le seigneur de l'Atlas
>
> L'affaiblissement du pouvoir central, à la fin du 19e s., permet l'émergence de grands féodaux dans les régions difficiles d'accès du Haut Atlas. C'est ainsi que le caïd de la tribu des Glaoua, Madani el-Glaoui, se taille un fief personnel très important qu'il couvre d'un réseau de kasbahs où il établit ses lieutenants, les *khalifa*. Il intervient dans la prise du pouvoir par le sultan Moulay Hafid (1907) et devient grand vizir. Il favorise sa famille et l'un de ses frères, el-Hadj Thami el-Glaoui, devient pacha de Marrakech. Personnage fastueux et séducteur, il fascina Hemingway qui séjourna dans son palais de Telouèt. Grand ami de la France, il facilita considérablement la pacification du Sud marocain. Opposé à la politique indépendantiste de Mohammed V, il participa activement à sa déposition en août 1953. Moins de trois ans plus tard, le rétablissement du sultan le force à une humiliante soumission au seuil de la mort.

administratif à toute la région des **Aït Ouarzazat**. Aujourd'hui, elle est partiellement ruinée et on ne visite que la petite partie qui a été restaurée. Vous pénétrez dans la cour d'honneur (canon Krupp offert par le sultan en 1894 à Madani el-Glaoui), sur laquelle donnent les **appartements du Glaoui** et les salles d'apparat. En l'absence de toute signalétique, il vous faudra errer dans ce dédale qui s'étage sur trois ou quatre niveaux. Que de surprises agréables ! Ici, un salon d'apparat : magnifique **plafond★** en cèdre peint, sols en zelliges et murs couverts de stucs ; ailleurs, les pièces minuscules de la kasbah primitive autour de son puits de lumière : murs blanchis à la chaux, plafonds en **tataoui**, volets en bois sculpté ; plus loin, ce sera une vue inattendue à travers une superbe grille en fer forgé. Le **Cerkas** (Centre de conservation et de réhabilitation du patrimoine architectural atlasique et subatlasique) occupe la partie de la kasbah qui servait de corps de garde et se trouve juste derrière celle ouverte aux touristes. Cet organisme, dirigé par l'architecte **Faissal Cherradi**, a pour mission d'inventorier et de sauvegarder l'architecture vernaculaire de tout le sud du Maroc (soit, avec le Sahara occidental, un territoire de 400 000 km^2 !). Noble et difficile tâche, à laquelle il s'est attelé avec beaucoup de passion et peu de moyens. Faissal a bien compris qu'il ne suffisait pas de restaurer quelques bâtiments anciens, mais qu'il fallait aussi reconstituer une trame urbaine, sociale avant d'être architecturale, et redonner vie à une activité authentique afin d'assurer un développement durable et, par là, de garantir la pérennité de ces chefs-d'œuvre d'argile.

L'Ensemble artisanal★

En face de la kasbah se dresse un important regroupement de boutiques d'antiquaires et d'artisanat, véritable musée involontaire de l'art traditionnel résultant des campagnes de pillage menées par les bazaristes dans les villages de la région. On pourra passer des heures à fouiner et à marchander (n'oubliez pas que vous êtes dans un grand centre touristique et que les prix de départ sont multipliés par 3 ou 4 !).

LES STUDIOS ATLAS

Visite guidée lorsqu'il n'y a pas de tournage (durée 30mn), toutes les 30 à 40mn de 8h30 à 11h50 et de 14h30 à 17h50, ☎ 044 88 22 12/23, adulte 30 DH, enfant 15 DH (adressez-vous à la réception de l'hôtel Oscar Salam).

20 km AR. Prenez la route de Marrakech sur environ 3 km, les studios sont installés dans une zone désertique sur la droite.

Une lumière idéale 300 jours par an, une profusion de décors naturels époustouflants, des figurants magnifiques à la pelle, et des pétrodollars, il n'en fallait pas plus pour créer en ces lieux des **studios cinématographiques** débordant d'activité. Il ne faudra donc pas s'étonner de voir une troupe de croisés en armures de fer-blanc prendre d'assaut un château sarrasin en carton-pâte surgi du désert, ni de devoir céder sa place au restaurant ou au bord de la piscine à une star du péplum !

Après les studios, poursuivez la route de Marrakech jusqu'au croisement où vous tournez à gauche vers Zagora.

LA KASBAH DE TIFFOULTOUTE

Au bord de la route s'élève la kasbah de Tiffoultoute ayant appartenu au Glaoui. Trop restaurée pour les besoins du cinéma, elle manque d'authenticité, mais attire de nombreux cars de touristes *(restaurant)*. Allez y simplement pour profiter de la **vue★** sur toute la vallée depuis la terrasse panoramique.

LA VALLÉE DU DRÂA★★★

😊 **Les ksour entre Agdz et Zagora**

😠 **Le harcèlement des rabatteurs, guides et vendeurs, surtout à Zagora**

Quelques repères

Environ 260 km - 3 jours au départ de Ouarzazate, avec les excursions - Climat chaud et sec - Carte Michelin n° 742 plis 5, 34 et 35.

À ne pas manquer

Une randonnée chamelière dans le désert à partir de Mhamid.

Conseils

Ne venez pas en été (45 à 50 °C en août).

Faux guides, faux auto-stoppeurs mais vrais coquins sont nombreux dans la région, faites attention !

Évitez de rouler la nuit surtout entre Ouarzazate et Agdz.

Au sud-est de Ouarzazate s'ouvre une vallée qui fait rêver, celle du Drâa, le plus long cours d'eau du Maroc. Imaginez une oasis qui s'étend sur plusieurs dizaines de kilomètres, où les eaux vertes se mêlent à de splendides palmeraies et jardins fruitiers, à des kasbahs et des ksour. Les paysages les plus spectaculaires défilent au long des 200 km entre Agdz et Mhamid. Au-delà se dessinent les dunes du désert. La route traverse de ravissants villages construits en pisé, aux formes usées par le temps, où le vert d'une porte contraste avec le rose d'un crépi de terre. Les façades décorées d'une dentelle de briques crues patinées par les années et les portes monumentales attirent l'œil. Remarquez également les cimetières formés de simples pierres dressées, les petits marabouts à toits coniques, et les *m'sallah*, lieu de prière en plein air constitué seulement du mur de qibla et du mihrab, utilisés à l'occasion de certaines fêtes. Régulière-

ment, l'envie vous prendra de vous arrêter, juste pour admirer le paysage, vous imprégner de la magie des lieux. Une grande variété ethnique se manifeste dans les dialectes, et, plus visiblement, dans les costumes des femmes ; les plus frappants sont les longs tissus noirs ceinturés de pompons de couleurs très vives, presque fluorescentes.

Se repérer

En voiture - De Ouarzazate (*voir p. 422*), il faut 1h30 pour atteindre Agdz et 3h pour Zagora. Ensuite, comptez encore 2h pour Mhamid. Pensez à faire le plein d'essence. La dernière station-service avant Mhamid se trouve au km 29.

DE OUARZAZATE À MHAMID★★

Comptez une journée, plus si vous passez une nuit à Zagora. Environ 180 km.

Seule zone fertile notoire dans une région totalement aride, la vallée du Drâa a attiré les hommes dès la préhistoire, et son peuplement est extrêmement varié : *haratin* autochtones à la peau foncée, Berbères plus clairs, juifs (prépondérants jusqu'au 10e s.), Arabes beni makil (arrivés au 13e s.), esclaves noirs venus du sud du Sahara. L'histoire locale, opposant les sédentaires de la vallée aux nomades des montagnes, a toujours été agitée ; d'où la présence d'habitats fortifiés (ksour et kasbahs) tout le long de la vallée et de tours de guet sur les points élevés. La dynastie saâdienne était originaire du Drâa, et sous son règne le **commerce transsaharien** avec Gao et Tombouctou amena la prospérité dans la vallée ; c'est du Drâa que partit l'expédition d'el-Mansour au Soudan (1591). Sous les Alaouites, la province redevint semi-indépendante. Grâce à l'appui du Glaoui, l'occupation de la vallée du Drâa par les Français (1930-1932) s'est faite presque sans combat.

SUR LA ROUTE D'AGDZ★

La route sinueuse s'élève jusqu'au **col de Tinififft** (1 660 m) pour franchir le jbel Sarhro ; la **vue★** s'étend jusqu'au Haut Atlas. Peu après, si vous êtes en 4x4, vous pouvez faire un crochet par la **cascade du Drâa★**. Prenez alors la piste de gauche et suivez-la sur 10 km. En été, vous profiterez d'une bonne baignade.

Redescendez ensuite sur Agdz en longeant une vertigineuse gorge asséchée qui entaille profondément les couches calcaires.

À l'entrée de Agdz, un embranchement sur la droite indique **Tazenakht**. Si vous avez le temps d'aller jusqu'à cette bourgade réputée pour ses tapis, longtemps teints en jaune orangé grâce au safran (*95 km. Piste accessible aux véhicules de tourisme robustes ; comptez 3h aller*), vous découvrirez le long du trajet de beaux **paysages★** avec des roches très colorées : cultures de **henné**, mines d'argent et de cobalt à Bou-Azzer.

AGDZ★

Dominée par l'étrange silhouette du **jbel Kissane★** (1 531 m), la petite ville moderne s'étire le long d'une rue unique (sous ses arcades, de nombreuses boutiques vendent des tapis de Tazenakht). Le souk se tient le jeudi.

Prenez à gauche la rue Hassan II et dépassez la **kasbah du Glaoui** *(ne se visite pas)* pour aller jusqu'à la **kasbah du Caïd Ali Aslim★** *(tlj 10h-18h environ, visite guidée 1h, 25 DH. Voir aussi « Se loger, se restaurer à Agdz »)*, seul monument classé au Maroc depuis 1951 ! La kasbah ancienne a été complétée par des constructions plus récentes : un *riad* planté d'orangers et un *arhabil*, patio qu'entourent les différentes pièces de service.

Arriver ou partir

En bus - Les bus de la CTM, de la SATAS et des compagnies locales s'arrêtent sur la place de la Marche Verte. Attention, ils sont souvent pleins.

En taxi collectif - Les grands taxis stationnent sur la place de la Marche Verte.

Se loger, se restaurer à Agdz

Plusieurs restaurants bon marché sont ouverts sur la place de la Marche Verte.

Environ 50 DH (5 €) à deux

⊛ **Camping Kasbah de la Palmeraie**, rue Hassan II, après la kasbah du Glaoui, juste avant la Casbah Caïd Ali, ☎ 044 84 36 40, www.casbah-caidali.net - ✗ ♨ Emplacements agréables à l'ombre des palmiers, juste à côté de la kasbah *(voir la Casbah Caïd Ali ci-dessous)*.

Environ 180 DH (18 €)

⊛ **Casbah Caïd Ali**, même adresse que le camping ci-dessus - 10 ch. ✗ ♨ Gaëlle et Abdel Aziz ont patiemment restauré une grande partie de l'ancienne kasbah familiale de ce dernier. Les chambres, simples mais charmantes, s'ordonnent autour de l'ancien riad, immense patio entouré d'arcades roses. Une autre donne sur la terrasse à l'étage, qui offre une superbe vue sur la palmeraie et le jbel Kissane. Sanitaires impeccables et restaurant avec terrasse panoramique. Accueil très sympathique.

Environ 300 DH (30 €)

Hôtel Kissane, 115 av. Mohammed V (à l'entrée nord de la ville), ☎ 044 84 30 44, kissane@iam.net.ma - 42 ch. ♪ ▤ ✗ ♨ cc Hôtel accueillant, propre et bien équipé, idéal pour faire une halte d'une nuit. Certaines chambres disposent d'un balcon et d'une belle vue sur le jbel Kissane. Cuisine marocaine très convenable, avec un bon tajine au coing d'octobre à décembre.

LE LIT DU DRÂA★★

En aval d'Agdz, la route rejoint le lit du Drâa et ne s'en éloigne guère jusqu'à Zagora. L'oued n'a que quelques dizaines de mètres de large, mais il n'est pratiquement jamais à sec, même au cœur de l'été. Le **paysage★★** est magnifique : eaux vertes du Drâa, frondaisons des palmiers dattiers, d'où émergent de temps à autre les hautes tours crénelées d'une kasbah ou masses ocre d'un ksar et, à l'horizon, montagnes tabulaires dénudées qui enserrent la vallée.

Kasbah de la vallée du Drâa

Se loger, se restaurer

▶ *À Tamnougalt*

De 150 à 170 DH (15 à 17 €) par personne en demi-pension

😊 **Kasbah Itrane**, palmeraie de Tamnougalt, ☎/Fax 044 84 36 14 - 13 ch. ✗ Véritable havre de paix, avec ses 8 ha de jardin ombragé de palmiers, cette auberge s'est inspirée de l'architecture traditionnelle en pisé. Chambres avec sanitaires communs dans le bâtiment principal ; les autres, avec salle de bains privée, sont plus loin dans le jardin (d'autres sont en construction). Vous pourrez aussi dormir sous des petites tentes berbères ou dans votre propre tente. Belle piscine, bonne cuisine copieuse (1/2 pension obligatoire), accueil prévenant et discret. Une adresse familiale très prometteuse.

Environ 200 DH (20 €)

Jardin Tamnougalt, palmeraie de Tamnougalt, ☎ 044 84 33 17, http://people. freenet.de/Jardin_Tamnougalt/f_index. htm - 8 ch. ✗ 5 nouvelles chambres sont en construction, mais les travaux durent… Une adresse au calme, dans la palmeraie. Au choix, chambres confortables autour d'un jardin ombragé, tentes berbères au couchage rudimentaire (50 DH/pers.), ou camping (25 DH/pers.) Service assez nonchalant.

De 200 à 250 DH (20 à 25 €) par personne en demi-pension

Chez Yacob, ksar de Tamnougalt, ☎/Fax 044 84 33 94 ou ☎ 044 84 37 35, tamnougalte@yahoo.fr - 4 ch. ✗ Dans ce vieux ksar quasi déserté par ses habitants, l'une des kasbahs a été rénovée et aménagée en auberge et restaurant. Les chambres sont très sommaires mais les sanitaires communs sont propres. On mange dans le patio à arcades, tout en pisé, d'une agréable fraîcheur en été, dans un salon, ou encore, sous la tente berbère de la terrasse (80 DH/p.)

▶ *À Tansikht*

Environ 130 DH (13 €)

Auberge Tansikht-Entre la Palmeraie, à l'embranchement de la route

Ouarzazate-Mhamid avec celle qui part vers Rissani, ☎ 044 89 30 34/20 - 13 ch. ✗ Si vous êtes trop fatigué pour poursuivre la route, passez la nuit dans ce petit hôtel familial, très simple mais impeccablement tenu. Les campeurs peuvent planter leur tente dans le jardin et utiliser les sanitaires pour une somme modique. Plats marocains de 30 à 70 DH.

À voir, à faire

▶ On aperçoit, sur la rive gauche de l'oued, le **ksar de Tamnougalt**★ (environ 6 km d'Agdz). Ancienne capitale de la tribu mezguita, le ksar se compose d'une énorme kasbah (17e s.) et d'un quartier juif. Un peu plus en aval, l'élégante **kasbah de Timiderte**★ fait face à celle, imposante, d'**Aït Hamou ou Saïd**, construite en 1930 par un *khalifa* du Glaoui, et aujourd'hui à l'abandon.

▶ À **Tansikht**, remarquez une haute **tour**★ en pierre et deux **marabouts**★ isolés à droite ; une route se détache sur la gauche en direction de Tazzarine (environ 70 km) et de Rissani (environ 250 km). À partir de Tansikht, deux itinéraires sont possibles pour rejoindre Zagora (piste ou route goudronnée), tout dépend du temps et du type de véhicule dont vous disposez. Pour rejoindre la piste, empruntez la route en direction de Tazzarine. Peu après le gué aménagé sur le Drâa, la piste 6957 se détache à droite : elle permet de rallier Zagora *(environ 80 km ; à parcourir en 4x4 ou, pour les plus courageux, en VTT !)* par la rive gauche, en traversant des villages beaucoup moins fréquentés par les touristes, **Timaslâ** par exemple.

▶ Si vous choisissez la route carrossable, poursuivez tout droit après Tansikht. Les ksour et les kasbahs remarquables se succèdent, surtout sur la rive droite. Citons la **kasbah Oulad Âtmane**★ qui domine la route, ou bien celles d'**Igdaoun**★ ou de **Tin-Zoulin**★. Après le défilé d'Azlag★, la vallée s'élargit et Zagora s'annonce.

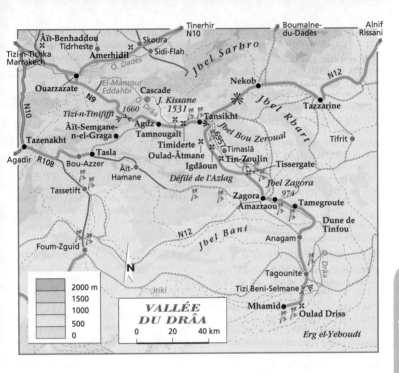

ZAGORA ET SES ENVIRONS

Les Almoravides y construisirent une forteresse au début du 11e s., mais la ville actuelle est une création de l'administration française. Elle est aujourd'hui le principal centre touristique de la région. On y trouve ravitaillement, boutiques, restaurants et hôtels pour tous les budgets.

Arriver ou partir

En bus - La gare routière (SATAS et compagnies locales) est située à l'entrée nord de la ville, à droite sur l'av. Mohammed V. Mais les bus de la CTM partent du sud de l'av. Mohammed V, près de l'hôtel de la Palmeraie. Trajet Zagora-Ouarzazate, 4 à 5h, 30/35 DH.

En taxi collectif - Ils s'arrêtent devant la gare routière. Trajet Zagora-Ouarzazate, env. 2h30, 45 DH.

Adresses utiles

Banque / Change - Les agences **BMCE**, **Crédit agricole** et **Banque populaire** (DAB) se trouvent sur l'av. Mohammed V, du côté opposé à la gare routière.

Internet - Placenet Cyber, 95 av. Mohammed V, ☎ 068 94 65 32. Tlj 9h-14h/16h-minuit, 10 DH/h.

Pharmacie - À Zagora, **Pharmacie Zagora**, av. Mohammed V, ☎ 044 84 71 95. Lundi-vendredi 8h30-13h/15h-20h, samedi 8h30-13h.

Se loger, se restaurer

▶ *À Zagora*

Les hôtels de Zagora proposent presque tous des formules en demi-pension, renseignez-vous.

Env. 60 DH (6 €) à deux avec 1 tente et 1 voiture

Camping Sindibad, à côté de l'hôtel Tinzouline, présente l'avantage d'être dans la palmeraie tout en étant proche du centre. Mini-piscine ouverte l'été.

🐫 Camping Les Jardins de Zagora, ☎ 044 84 69 71/068 96 17 01, av. Hassan II, à côté de l'hôtel Ksar Tinsouline ✗ Bien aménagé, propre et fleuri, le camping dispose d'une aire ombragée par des palmiers et offre une belle vue sur le jbel Zagora. Sanitaires très bien tenus. 2 chambres sommaires avec salles de bains privatives installées dans les 2 tours (150 DH). 4 petites tentes berbères devraient être réaménagées, avec lits et électricité (40 DH/pers.) Vaste tente berbère pour savourer les repas concoctés par la maîtresse de maison (menu à 80 DH, sur commande). Accueil familial des plus chaleureux.

Entre 110 et 130 DH (11 à 13 €)

Hôtel-restaurant Vallée du Drâa, av. Mohammed V, ☎/Fax 044 84 72 10 - 14 ch. ✗ Hôtel rudimentaire dont les chambres accèdent à une terrasse intérieure. 6 chambres disposent de leur propre salle de bains, les autres ont un lavabo et partagent douche et WC. Lits un peu mous mais propres. Propose des excursions dans le désert.

Environ 260 DH (26 €)

Hôtel de la Palmeraie, av. Mohammed V, face à la gendarmerie, ☎ 044 84 70 08 - 60 ch. ✗ ♟ ⌇ CC Situé en pleine ville, comme son nom ne l'indique pas, et dénué de charme, cet hôtel offre cependant pour un prix très raisonnable des chambres propres et spacieuses (dont 15 avec TV et 20 avec l'air conditionné), la plupart dotées d'une salle de bains. Plus l'étage est élevé, plus c'est confortable. Demandez une chambre avec vue sur le jardin. En avril et décembre, 1/2 pension obligatoire, 360 DH pour 2 pers.

Entre 350 et 450 DH (35 à 45 €)

🐫 Villa Zagora, chez Michèle, à 400 m env. après le pont sur le Drâa tournez à gauche (piste du jbel Zagora), ☎ 044 84 60 93, www.mavillaausahara.com - 4 ch. ✗ ♟ Agréable maison en pisé entourée d'un jardin planté de fleurs et de légumes. Chambres simples (2 avec salle de bains privée), salon avec coin cheminée, bibliothèque. Pos-

sibilité de dormir sous la tente berbère sur le toit qui surplombe la palmeraie (120 DH/pers. avec petit-déjeuner, lit, draps et serviette fournis).

Environ 390 DH (39 €)

La Perle du Drâa, route de Mhamid, à 4 km de Zagora, ☎ 044 84 62 10, www.perledudraa.ma - 39 ch. ♟ ▤ 📺 ✗ ♟ ⌇ CC Installé au pied du jbel Zagora, cet établissement très récent abrite des chambres spacieuses et confortables dans le style marocain, chacune avec balcon donnant sur la palmeraie ou sur le jbel. Très belle vue de la terrasse sur le toit. Menu à 100 DH. Excursions.

Environ 400 DH (40 €)

La Fibule du Drâa, route de Mhamid, à droite 300 m après le pont sur le Drâa, ☎ 044 84 73 18, www.zagora.maroc.com - 41 ch. ♟ ▤ ✗ ♟ ⌇ CC Réservez entre mars et juin. Agréablement installé dans la palmeraie, au pied du jbel Zagora, cet hôtel séduit d'abord par ses petits jardins fleuris et son ambiance un brin coloniale. Les chambres sont simples et colorées ; les sanitaires auraient besoin d'une rénovation. Les moins fortunés pourrront choisir l'une des 7 chambres donnant sur la terrasse, avec sanitaires communs (200 DH pour 2 en haute saison). Parking fermé.

Environ 460 DH (46 €)

🐫 Kasbah Asmaa, route de Mhamid, à gauche 200 m après le pont sur le Drâa, ☎ 044 84 75 99/72 41 - 33 ch. ♟ ▤ ✗ ♟ ⌇ CC Réservez entre février et mai. Une incroyable kasbah conçue par un architecte amateur et surchargée de décoration (on trouve des tapis partout, même dans le jardin) ; cela a son charme. De nuit, le jardin illuminé a grande allure. Chambres très spacieuses, mais difficiles à chauffer en hiver.

Environ 640 DH (64 €)

Ksar Tinsouline, av. Hassan II, ☎ 044 84 72 52/55 - 96 ch. ♟ ▤ ✗ ⌇ CC Établissement très confortable, entouré d'un agréable et beau jardin. Les chambres donnent sur la palmeraie et le jbel Zagora. Hammam.

Riad Salam, av. Mohammed V (à l'entrée de la ville à gauche en venant de Ouarzazate), ☎ 044 84 74 00/18 - 120 ch. ⚄ ▤ ✕ ☂ ≋ CC Réservez pour les fêtes de fin d'année et de mars à mai. La façade est abîmée mais le hall d'entrée octogonal avec sa fontaine centrale donne le ton de ce 4-étoiles : bon goût et confort. Chambres spacieuses et sobrement décorées donnant sur la piscine ou sur les jardins. Salles à manger un peu impersonnelles mais bar agréable. Chauffage central très appréciable en hiver.

▶ *Ksar Tissergate*

Environ 200 DH (20 €) par personne en demi-pension

🏨 **Kasbah Dar El Hiba**, 8 km avant Zagora, ☎/Fax 044 84 78 05 ou 061 61 06 48, www.multimania.com/hotel darelhiba - 17 ch. ✕ ☂ Cette vieille kasbah transformée en hôtel a gardé tout le charme d'antan, avec son puits d'origine dans le petit patio, ses tapis, ses pots en terre et autres objets utilitaires traditionnels. Les chambres, assez sommaires, au sol couvert de nattes, sont aménagées sur plusieurs étages autour d'un étroit puits de lumière, mais l'intérieur de la maison est plutôt sombre. Très belle vue sur la palmeraie et le ksar de la terrasse. De l'autre côté de la ruelle, le jardin cache 2 chambres avec salle de bains, dont une climatisée (250 DH/p. en 1/2 pension) et une tente berbère pour les repas (env. 70 DH). Une bonne adresse pour découvrir la vie paisible d'un ksar.

Sortir, boire un verre

Bars - Abou Nawas (dans le jardin de l'Hôtel La Fibule du Drâa), bar de l'**Hôtel Kasbah Asmaa**.

Loisirs

Excursions - Les hôtels proposent des promenades dans le désert. Pour donner une idée des prix pratiqués, voici ceux de **La Fibule du Drâa** : pour 1 500 DH par jour, on peut louer un 4x4 pour 6 personnes avec chauffeur et guide, et pour 150 DH un dromadaire (pour une personne).

🏨 **Caravane Touareg-Croq'Nature (famille Azizi)**, av. Mohammed V, Zagora, ☎ 044 84 70 61, propose des randonnées chamelières de 1 à 11 jours (avec bivouac) encadrées par des professionnels (450 DH/jour et par pers., tout compris), circuit en 4x4 (2 000 DH pour 6 pers. tout compris). Cette association s'implique dans des projets à usage collectif (puits, dispensaires, écoles, etc.) sur les lieux de randonnée (tourisme équitable). Croq'Nature est représenté en France, ☎ 05 62 97 01 00 (voir « Maroc pratique »).

Achats

Artisanat - À Agdz comme à Zagora, les boutiques sont nombreuses et les marchands empressés.

Presse - Librairie-papeterie el-Madj, av. Mohammed V, à côté de la gare routière de Zagora. Presse française, guides, livres.

À voir autour de Zagora

Signalons que la piste N12 est souvent difficile à suivre (un 4x4 est nécessaire ; ne partez pas sans réserves d'eau et de nourriture ; comptez une bonne demi-journée, et plus si vous vous égarez...) La piste part de Zagora pour rejoindre **Foum-Zguid** (120 km), en longeant la face nord du jbel Bani à travers des paysages désolés et presque inhabités.

▶ Si vous séjournez à Zagora, vous pourrez entreprendre l'ascension du **jbel Zagora★** (à env. 6 km de Zagora). 400 m après avoir franchi le pont sur le Drâa, tournez à gauche ; environ 3 km plus loin prenez à droite. Faites encore 1 km et empruntez à droite la piste, un peu vertigineuse et en mauvais état, qui escalade la montagne. À pied, il faut alors compter 1h15 jusqu'au sommet. Avec un 4x4 vous pourrez aller jusqu'en haut, en voiture vous devrez vous arrêter à mi-parcours.

De ce piton rocheux, qui surplombe la ville de plus de 200 m, par temps clair *(plus fréquent en hiver qu'en été)* une **vue panoramique★★** s'étend sur toute la région.

Les caprices du Drâa

Formé par la réunion de l'oued Dadès et de l'oued Ouarzazate, le Drâa draine la majeure partie des eaux du Haut Atlas central. À l'occasion de crues exceptionnelles, son débit a atteint 4 000 m³/s (débit moyen de la Seine : 300 m³/s !). Il traverse les roches primaires du jbel Sarhro puis descend vers le Sahara suivant une direction sud-est. Mais, au sud du jbel Bani, il change brusquement d'orientation (le coude du Drâa) pour se diriger plein ouest vers l'océan Atlantique : il devient alors souterrain sur près de 500 km ! Finalement, l'oued refait surface aux environs de Tan-Tan pour se jeter dans l'océan 50 km plus loin.

▶ À **Amazraou★** (à 2 ou 3 km de Zagora ; en vous y rendant à pied ou en taxi vous éviterez d'exposer votre voiture aux hordes d'enfants et de « faux guides » !), ancien **mellah** ou **kasbah des Juifs**, qui était réputé pour ses bijoutiers, les Berbères ont remplacé les juifs. Promenez-vous dans les **ruelles★**, en partie couvertes et quasi désertes. Jetez un coup d'œil à la petite **synagogue** et allez jusqu'à la **mosquée★** (*en dehors des heures de prière, peut-être pourrez-vous entrer discrètement*) dont vous remarquerez le haut minaret en terre crue, la salle des ablutions et le *m'sallah* sur la terrasse.

Après Amazraou, la route s'éloigne du Drâa et de sa palmeraie pour traverser une zone aride. Poursuivez le parcours sur environ 15 km.

TAMEGROUTE★

La bourgade, construite en pisé, est ancienne puisque sa fameuse *zaouïa* date de 1575. Après avoir longuement voyagé au Maghreb et en Orient, le soufi **Mohammed ben Nasir** vint s'y fixer au milieu du 17ᵉ s. et y fonda la *tariqa* des **Nasiri**. Depuis sa mort, en 1674, ses descendants se sont succédé à la tête de la zaouïa. Ils sont enterrés aux côtés de Mohammed ben Nasir dans un grand **mausolée★** à coupole pyramidale, reconstruit en 1869 à la suite d'un incendie ; l'entrée en est interdite, mais vous admirerez la façade depuis la cour,

où campent infirmes et mendiants. Ressortez dans la rue. À proximité, la zaouïa accueille 80 étudiants dans des bâtiments en béton ; la **bibliothèque★** renfermerait 4 000 ouvrages anciens, d'un grand intérêt pour les chercheurs ; pour les profanes, quelques dizaines de manuscrits, dont certains illustrés, sont exposés dans des vitrines poussiéreuses (*laissez une obole*). Tamegroute a été célèbre pour sa **céramique vert foncé** ; aujourd'hui, une petite activité survit (tuiles vernissées pour la construction, plats pour la cuisine et lampes à huile pour les touristes). Les **ateliers des potiers★** sont installés dans une cour au bord de la route de Mhamid ; mais, plutôt que d'y aller directement, tournez à droite au-delà de la zaouïa, puis à nouveau à droite, pour passer par les **ruelles couvertes★** du village, où vous aurez le plaisir de découvrir de belles portes en bois. Souk le samedi.

Se loger, se restaurer à Tamegroute

De 170 à 300 DH (17 à 30 €)

Auberge-restaurant-camping Jnane Dar Diafa, face à la bibliothèque coranique, ☎ 044 84 86 22/061 34 81 49, www.jnanedar.ch - 9 ch. ✗ Les chambres, simples, dont 3 avec salle de bains privative, sont réparties dans la maison – construite dans le style traditionnel – et dans le vaste jardin, où vous pourrez aussi dormir sous les petites tentes berbères (50 DH). Bonne cuisine marocaine, préparée avec les légumes du potager, à déguster dans le pavillon, sur la terrasse ou sous une tente nomade. Excellent accueil.

EXCURSION À MHAMID★

Comptez une-demi journée aller-retour.

Environ 80 km de bonne route à partir de Tamegroute. Au-delà de Tamegroute, la route traverse une zone plate et désertique.

Se loger, se restaurer

▶ **À Tinfou**

Si vous rêvez de tranquillité absolue, deux établissements bien différents vous attendent près de la dune de Tinfou, au sud de Tamegroute.

Environ 140 DH (14 €)

Auberge Le Repos du Sable, sur le bord de la route à 29 km de Zagora, ☎/Fax 044 84 85 66 - 15 ch. ✗ ☐ CC Ce lieu ne plaira qu'aux voyageurs pour lesquels l'atmosphère compte davantage que le confort ou la propreté. Ici règne la sérénité, pour ne pas dire l'indolence. Un couple de peintres marocains est tombé amoureux de ce coin de désert et y a construit une authentique kasbah en pisé, dont la très jolie cour à arcades sert de lieu d'exposition. Les chambres, au confort spartiate (et un peu négligées), donnent sur une galerie couverte où l'on peut se prélasser sur des divans avachis ou bien déguster de bons repas peu coûteux.

Environ 400 DH (40 €)

Porte au Sahara, sur la route de Mhamid, 500 m avant l'établissement précédent, prendre à gauche et parcourir environ 500 m, ☎ 044 84 85 62 - 12 ch. ♫ ✗ ♟ CC Cette kasbah-hôtel allie isolement et confort. Récent, l'établissement, d'une bonne facture architecturale, est installé au milieu d'une immense enceinte en pisé qui retient le sable. Les chambres sont sobrement décorées et les sanitaires très modernes. De la terrasse, belle vue sur la dune et la *hamada*. Possibilité de bivouac. 600 DH pour 2 en 1/2 pension.

▶ *À Mhamid*

Le désert est l'endroit idéal pour passer la nuit à la belle étoile et les campings ne manquent pas dans la palmeraie, entre Oulad Driss et Mhamid.

Environ 40 DH (4 €) à deux avec 1 tente et 1 véhicule

Le Carrefour des Caravanes, chez Chemsddine, ☎/Fax 044 84 86 65. Équipement un peu sommaire. Le camping dispose aussi de bungalows pour 2 ou 3 pers. (80 DH/100 DH).

Environ 150 DH (15 €)

Hôtel-restaurant Iriqui, à l'entrée de Mhamid, en face de la mosquée, ☎ 044 84 80 23 - 3 ch. ♫ ✗ CC Ce petit établissement très simple, mais propre, fournit un camp de base bien pratique pour des excursions dans le désert. D'autant que son propriétaire organise des méharées et des expéditions en 4x4.

À voir, à faire

▶ Sur la gauche, la jolie **dune de Tinfou**★ se détache sur les reliefs tabulaires du jbel Tadrart. Comparée à l'erg Chebbi, elle paraît bien modeste, mais elle attire les foules car elle est facile d'accès.

▶ Tandis que, par une impressionnante **percée**★★, l'oued Drâa se glisse entre les jbels Tadrart et Bani, la route oblique vers le sud-ouest et franchit le Drâa sur un gué avant d'escalader le **jbel Bani** (belle **vue**★ en direction de Zagora avant un 1er col à 900 m). Redescendez par des **gorges** qui débouchent sur un immense paysage où se détache, en contrebas sur la gauche, la **palmeraie de Tagounite**. Puis la route remonte jusqu'au col de Beni Selmane (750 m) : à perte de vue se déroule un **paysage**★★ totalement sec, avec au premier plan un plateau couvert de petits cailloux *(hamada)*, d'où émerge parfois la silhouette caractéristique d'un acacia gommier, au loin une série de dunes, et plus loin encore une ligne montagneuse, qui n'est autre que le rebord de la **hamada du Drâa** (en Algérie).

▶ La route descend et rejoint l'oued Drâa. Traversez la charmante palmeraie d'**Oulad Driss**★ (belles **maisons en terre**★ avec **tours**★ décorées de brique crue), où sont installés plusieurs campings. Le désert est tout proche et le sable très fin doit être stabilisé à l'aide de petites haies en palmes tressées.

▶ Au terminus de la route, **Mhamid** *(souk le lundi)* est un village en terre peuplé d'« hommes bleus », dans lequel on ressent une ambiance de « bout du monde ». À proximité s'élèvent les dunes de l'**erg el-Yehoudi**★. Si vous disposez de plusieurs jours, laissez-vous tenter par une expédition à dos de dromadaire (ou en 4x4) en direction des **dunes de Chigaga**★, du lac éphémère d'**Iriqui** et de **Foum-Zguid**.

DE LA VALLÉE DU DRÂA AU TAFILALT★★

Comptez une demi-journée de Tansikht à Rissani, avec un arrêt à Nekob.

En quittant la vallée du Drâa, la végétation disparaît pour faire place à une immense étendue désertique de terre rouge, splendide **paysage★★** encadré par deux massifs : le jbel Sarho, à gauche, et le jbel Rhart, à droite. Çà et là quelques palmiers ou une kasbah qui s'effrite. La route file tout droit à travers le reg et les lignes de crêtes.

Arriver ou partir

En voiture - Comptez 233 km entre Tansikht et Rissani. La route est en bon état sauf les 30 derniers kilomètres, où quelques trous obligent à ralentir.

De Zagora, remontez la vallée du Drâa jusqu'à Tansikht (env. 1h de trajet), d'où part la route pour Rissani. Il y a ensuite 38 km jusqu'à Nekob (30mn), où nous vous conseillons de loger. La lumière rasante de fin d'après-midi ou du matin est idéale pour visiter ce splendide village. De plus, vous y trouverez plusieurs établissements de charme *(voir « Se loger, se restaurer » ci-après)*.

En taxi collectif - Si vous n'avez pas de véhicule, vous pouvez prendre un taxi collectif : Ouarzazate-Nekob, comptez env. 50 DH, Agdz-Nekob, env. 20 DH.

Se loger, se restaurer

▸ *À Nekob*

De 200 à 400 DH (20 à 40 €)

🐫 **La kasbah Baha Baha**, à l'extrémité du village, ☎ 044 83 97 63, 🖷 044 30 78 01 (à Marrakech), www.bahabaha. com - 10 ch. ✗ 🏊 Ancienne kasbah restaurée qui offre, du toit, un somptueux panorama sur le village, l'oasis et le jbel. Au rez-de-chaussée, coin cheminée et salons intimes pour prendre les repas. Décoration épurée : murs en pisé, tapis, petites fenêtres avec moucharabieh, lumière tamisée le soir. Deux blocs sanitaires communs en tedlakt impecca-

bles (2 chambres ont leur propre salle de bains). Excellente cuisine marocaine traditionnelle (commandez quelques heures avant, surtout la pastilla). Possibilité de dormir sous l'une des tentes berbères. Un lieu magique et paisible. Organisation d'excursions, à pied, à dos de mulet ou de dromadaire, en VTT ou en 4x4 *(voir site Web)*.

De 500 à 700 DH (50 à 70 €)

🐫 **Kasbah Imdoukal**, au cœur du village, ☎ 044 83 97 98, www.kasbahim doukal.com - 20 ch. 🍴 🍽 ✗ 🍷 🏊 Restaurée avec soin, cette kasbah propose des chambres plus luxueuses que la précédente (seules les 4 chambres du rez-de-chaussée ne sont pas climatisées). Plafonds traditionnels en bois de palmier, mobilier en bois et décoration berbère sobre concourent à l'harmonie des lieux. Seules les salles de bains, modernes, ne sont pas en matériaux naturels. Agréable salon berbère avec cheminée et tapis, petite piscine dans le patio et vaste terrasse aménagée, avec un panorama à 360° sur le douar, la palmeraie et le jbel Sahro. Organisation d'excursions *(voir site Web)*.

▸ *À Tazzarine*

Environ 50 DH (5 €) à deux avec 1 tente et 1 véhicule

🐫 **Camping-caravaning Amasttou**, palmeraie de Tazzarine, prenez à droite en entrant dans le village (piste de Zagora) puis à gauche dans la palmeraie sur env. 600 m, ☎ 044 83 90 78, 🖷 044 30 78 01 (à Marrakech) - 2 ch. ✗ Au cœur de la palmeraie, camping fleuri, ombragé, très bien tenu et accueillant. Un bassin fait office de piscine. Vous pouvez dormir sous les tentes berbères équipées de matelas et de draps (50 DH/pers.). Nombreux branchements électriques. Excursions multiples.

Environ 250 DH (25 €)

Village touristique Bougafer, palmeraie de Tazzarine, prenez à droite en entrant dans le village (au début de la piste de Zagora), ☎ 044 83 90 05 - 60 ch. 🍴 🍽 📺 ✗ 🍷 🏊 Grand complexe comprenant 3 restaurants, 2 bars, une belle piscine et une série de chambres standardisées et confortables, alignées sur deux étages face au jardin. Fonctionne essentiellement avec les groupes. Animation folklorique.

▶ **À Alnif**

Environ 150 DH (10 €)

La Gazelle du Sud, dans le centre du village, ☎/Fax 055 78 38 13 - 5 ch. ✗ Restaurant au rez-de-chaussée servant, entre autres, de bonnes brochettes. Des groupes s'arrêtent parfois déjeuner. Chambres sommaires et propres à l'étage, équipées de 3 lits, d'un lavabo et d'un placard. Sanitaires corrects. Très bon accueil.

NEKOB★★ ET ENVIRONS

Après 30mn de trajet à partir de Tansikht, une petite oasis de verdure surgit autour de Nekob (3 500 hab.), admirable village en pisé. Installé sur le versant sud du jbel Sarhro, sur l'ancienne route de montagne reliant la vallée du Drâa à celle du Dadès, Nekob n'abrite pas moins de 45 **kasbahs★★** bien entretenues, dont quelques-unes datent de plus d'un siècle. Leurs murs, épais de 70 cm, permettent de conserver la chaleur en hiver et la fraîcheur en été. Vous pouvez flâner seul dans le village ou demander une visite guidée des kasbahs et des galeries souterraines d'irrigation auprès de l'hôtel Baha Baha. Si vous avez la chance d'être là un dimanche, ne manquez pas le souk très animé qui attire tous les paysans et nomades des montagnes environnantes. Nekob vit de l'agriculture : dans l'oasis, irriguée par les oueds venant de l'Atlas à l'ombre des palmiers alternent des cultures de maïs, de blé, de fèves et, lorsque l'eau est suffisamment abondante, de tomates. En cas de sécheresse, les habitants creusent des puits pouvant atteindre 40 m de profondeur. Les environs offrent une multitude d'activités : randonnée avec bivouac dans le jbel Sarhro (Nekob est l'un des points d'entrée et de sortie de la traversée du jbel Sarhro), promenade à dos de dromadaire dans l'erg, découverte de peintures rupestres.

▶ De Nekob, vous pouvez rejoindre Boumalne-du-Dadès par la piste (94 km),

Ksour et kasbahs

La signification de ces termes diffère radicalement suivant les régions. Dans le nord du Maroc et dans les villes, la kasbah est la citadelle, quartier puissamment fortifié où résidait la garnison. En revanche, un ksar est un palais, en général dépourvu de défenses particulières.

Au sud de la chaîne de l'Atlas, un ksar (*ksour* au pluriel) est un village fortifié, où quelques dizaines ou centaines de maisons se serrent à l'abri d'une muraille de terre renforcée par des tours. Isolée dans la campagne ou située à l'intérieur d'une agglomération, une kasbah (*tighremt* en berbère) est une habitation familiale fortifiée. En général, elle est haute, avec une surface au sol relativement réduite ; les murs sont construits en pisé recouvert d'un crépi de terre à l'extérieur et parfois de plâtre à l'intérieur. Construction défensive, la partie inférieure des murs est lisse et dépourvue d'ouverture autre que l'entrée ; cependant, les parties hautes comportent quelques fenêtres étroites et, surtout, bénéficient d'une décoration géométrique très élaborée, réalisée à l'aide de simples briques de terre crue.

magnifique trajet praticable en 4x4 uniquement. Sinon, reprenez la route, austère mais très belle, en direction de Rissani. Quelques palmiers longent l'oued, donnant de la couleur à ce désert de cailloux avec, pour toile de fond, le jbel Sarhro. Après 30mn de route, apparaît le village de **Tazzarine** (*station-service, téléboutique, cybercafé, restaurants, hébergement*) et sa vaste palmeraie.

▶ Comptez ensuite env. 2h15 de trajet entre Tazzarine et Rissani. Vous pourrez faire étape à **Alnif** (*station-service et voir « Se loger, se restaurer »*).

Les palmiers se font de plus en plus rares et déplumés, quelques villages en pisé montrent encore leur silhouette avant de disparaître dans un paysage aride aux couleurs ocre et beige, austère et grandiose. À une quinzaine de kilomètres de **Rissani** (*voir p. 458*), le décor change : à la pierre se mêle le sable rouge.

LA VALLÉE DU DADÈS★★

ET LES GORGES DU TODRA★★★

😷 **Les constructions modernes qui dénaturent les gorges du Dadès ; les bus touristiques qui envahissent les gorges du Todra**

Quelques repères

Itinéraire de 170 km de Ouarzazate à Tinerhir, auxquels il faut ajouter un minimum de 70 km AR pour les excursions dans les gorges - Carte Michelin n° 742 plis 34 et 35.

À ne pas manquer

Les gorges du Dadès et du Todra.

La vallée des Roses.

Conseils

Comptez 2 jours minimum.

Venez au printemps.

Prenez le temps de vous promener dans les gorges, l'idéal étant d'y dormir pour profiter du site déserté par les groupes.

Longeant le versant sud de la chaîne du Haut Atlas, la route qui va de Ouarzazate à Tinerhir, et au-delà jusqu'à Erfoud, a été nommée la « route des Kasbahs ». Même si vous ignorez tout de l'architecture de terre, vous ne pourrez rester insensible à la beauté de cet habitat fortifié, aux silhouettes à la fois puissantes et élancées, et aux façades admirablement décorées à l'aide du matériau le plus simple : de la boue séchée, magnifiée par le jeu d'une lumière particulièrement pure. Les populations sédentaires, qui vivaient de l'agriculture irriguée, se mettaient ainsi à l'abri des razzias des nomades venus du désert ou des tribus guerrières descendues des montagnes toutes proches.

Vous vous ferez une idée du caractère sauvage de ce massif du Haut Atlas central en vous éloignant d'une quinzaine de kilomètres de la route principale pour pénétrer dans les gorges spectaculaires que le Dadès et le Todra, deux torrents de montagne, ont taillées au cours de millions d'années. Allez également vous promener dans la vallée des Roses, à la découverte d'autres somptueux paysages : des villages en terre rouge bordés par des petits jardins d'éden, où vous rencontrerez des enfants courant le long de la piste, des femmes faisant la lessive dans l'oued, des nomades accompagnant leur troupeau.

Se repérer

En voiture - Partant de Ouarzazate vers l'est, comptez 2h pour gagner Boumalne-du-Dadès. La route des gorges du Dadès est goudronnée sur env. 60 km. Il est donc facile de se déplacer, avec prudence toutefois, car la chaussée est parfois étroite et abîmée. Attention, en hiver, la route peut être coupée.

VALLÉE DU DADÈS★★

Comptez une demi-journée, plus pour vous promener.

Possibilité de rejoindre les gorges du Todra (voir p. 449) ou la vallée des Roses (voir p. 444).

Quittez Ouarzazate par la route de Boumalne-du-Dadès vers l'est. Très vite, vous vous retrouvez dans un paysage désertique aux couleurs changeantes, limité, à gauche, par la **chaîne du Haut Atlas**, dont les sommets dépassent largement 3 000 m (la **vue** est particulièrement belle lorsqu'ils sont couverts de neige) et, à droite, par le lac de retenue du barrage sur le Drâa (avec les ruines de la kasbah de **Tamesla**).

PALMERAIE DE SKOURA★★

Après une trentaine de kilomètres commence l'**oasis de Skoura★★** qui épuise les eaux des affluents droits du Dadès avant qu'elles n'atteignent le Drâa.

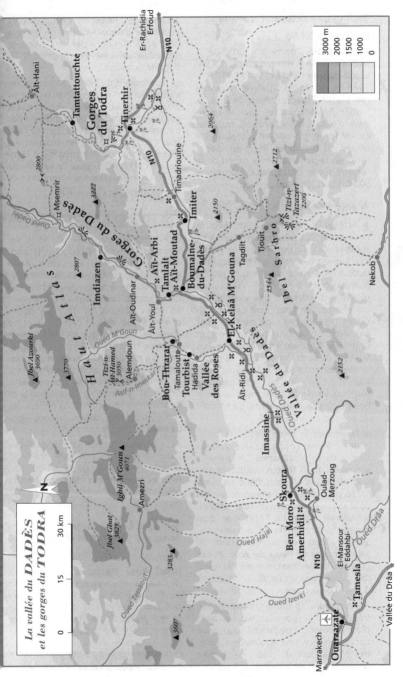

La vallée du DADÈS et les gorges du TODRA

Se loger, se restaurer à Skoura

Environ 730 DH (73 €)

☺ **Hôtel Ben Moro**, à gauche de la N10 en venant d'Ouarzazate, 1,5 km avant Skoura, ☎/Fax 044 85 21 16 – 16 ch. ⌖ ✗ ☗ 🆑 Sauvée et restaurée grâce à un Espagnol, Juan de Dios, la kasbah Ben Moro a retrouvé sa splendeur d'antan. Moucharabieh, mobilier en fer forgé, plafond en roseau tressé ornent les chambres. Très beau panorama sur la palmeraie et le désert de la terrasse sur le toit. Cuisine marocaine. 500 DH/pers. en demi-pension.

À voir, à faire

▶ Arrêtez-vous 2,5 km avant Skoura pour visiter la **kasbah Ben Moro★★**, construite à la fin du 18ᵉ s. par un Andalou. Elle est très belle (en bois sculpté, puits de lumière à colonnes) et justifie pleinement les travaux de restauration récemment entrepris. Elle vient d'être transformée en hôtel *(voir carnet pratique)*. Les terrasses supérieures offrent une vue superbe sur la **palmeraie★** et la grande **kasbah Amerhidil★★** en bordure du lit de l'oued Hajaj. La partie la plus ancienne (début 19ᵉ s.) de cette kasbah est en ruine, et on ne peut pas toujours visiter le reste, mais la seule beauté des façades mérite bien 10mn de marche à pied.

▶ Poursuivez la route jusqu'à la bourgade de **Skoura** et passez une ou deux heures dans la palmeraie. Un conseil : prenez un guide sérieux et faites la promenade à pied ou à dos d'âne. En effet, on se perd assez facilement et un 4x4 peut se retrouver bloqué, tout naturellement en raison de l'étroitesse d'un chemin. À l'extrémité de la palmeraie, Skoura séduit avec son petit **souk** où sont vendues de l'**eau de rose** et des poteries locales (notamment des *gharaf*) cuites dans les fours qui se voient du bord de la route.

Après Skoura, la route, étroite et peu fréquentée, se poursuit sur un haut plateau désolé, d'où l'on ne soupçonne pas la présence, une dizaine de kilomètres plus au sud, du ruban de verdure généré par les eaux de l'oued Dadès.

▶ Le village d'**Imassine★**, situé de part et d'autre d'un oued que l'on passe à gué, vous étonnera par son élégant ensemble de kasbahs construites au bord de la falaise.

En approchant d'El-Kelaâ M'Gouna, les kasbahs se font plus nombreuses et particulièrement belles. Mais les bourgades paraissent de plus en plus « mitées » par de sinistres immeubles en béton, bien que l'architecture et l'environnement de cette zone soient protégés par la loi depuis 1943 (et 1953 pour l'ensemble de la région de Ouarzazate à Tinerhir) !

Reprenez la route principale.

EL-KELAÂ M'GOUNA★

« Le Château des M'Gouna » et ses environs sont connus pour leurs abricots et surtout pour leurs roses. **Rosa damaskina**, petite mais très odorante, fut introduite dans les années 1930 par des Français. Les villageois la cultivent en haies épaisses, et deux distilleries privées *(ne se visitent pas)* en tirent de l'essence de rose qui est directement envoyée chez les parfumeurs français. Cela n'a pas empêché de charmantes boutiques de se spécialiser dans la vente d'**eau de rose** (souvent artificielle et fabriquée à Casablanca !) et de toutes sortes de produits dérivés des roses (confitures, savons, crèmes, etc.). Le **souk** se tient le mercredi.

Pour les visiteurs disposant de plusieurs jours et aimant la marche, el-Kelaâ M'Gouna est le point de départ de nombreuses **randonnées** de toute beauté présentant des degrés de difficulté divers.

Se loger, se restaurer autour d'El-Kelaâ M'Gouna

Entre 185 et 225 DH (18,5 à 22,5 €)

Hôtel Rosa Damaskina, en venant de Ouarzazate, à gauche après le pont sur l'oued M'Goun, à 7 km d'El-Kelaâ M'Gouna, ☎ 044 83 69 13 – 10 ch. ✗ 🆑 Hôtel simple et calme qui vaut surtout pour son adorable jardin de

roses multicolores au bord de l'oued. Chauffé en hiver, c'est un camp de base idéal pour des excursions dans la vallée des Roses, les gorges du M'Goun et d'Amejgag, ou le jbel Sarhro. Chambres minuscules, toutes propres et modernes ; la moitié avec salle de bains individuelle.

Entre 210 et 460 DH (21 à 46 €)

🛖 **Kasbah Itran**, à 4 km de El-Kelaâ M'Gouna par la route de Tourbiste, ☎/Fax 044 83 71 03 ou 063 78 10 06, www.kasbahitran.com - 9 ch. ✗ Fermé de mi-novembre à mi-décembre. Perchée au bord d'un rocher, l'auberge domine la plaine de Kelaâ M'Gouna, avec ses kasbahs en ruine et ses cultures irriguées par la rivière M'Goun. Construite en pisé selon les méthodes traditionnelles, elle dispose de chambres rustiques et pleines de charme, dont 4 avec salle de bains, et de plusieurs terrasses. L'ambiance y est familiale, l'accueil des plus chaleureux, et la cuisine savoureuse. N'hésitez pas à discuter avec Mohammed et Lahcen (les deux frères qui tiennent les lieux), très ouverts, impliqués dans diverses initiatives de tourisme alternatif et soucieux de préserver la culture berbère. Ils organisent des trecks dans toute la région.

Loisirs

Fête des roses - Pendant le premier week-end de mai (3 jours), les habitants de la vallée célèbrent la fin de la cueillette des roses. Au programme : chants et danses folkloriques.

Achats

Eau de rose - À El-Kelaâ M'Gouna, toutes les boutiques en vendent, mais elle est artificielle.

VALLÉE DES ROSES★★

Comptez une demi-journée en voiture. Mais les endroits les plus intéressants ne sont accessibles qu'à pied (min. 2 jours).

Se repérer

À partir d'el-Kelaâ M'Gouna, vous pouvez remonter en voiture (en 4x4, de préférence, ou avec un véhicule solide) la vallée de l'oued M'Goun (ou vallée des Roses), en direction du village de Bou-Thrarar. La piste n'est pas trop mauvaise, mais attention, dès que l'on quitte la vallée du M'Goun, il est facile de se perdre. Il vaut mieux partir avec un guide, d'autant plus qu'il vous fera découvrir de splendides petits villages difficilement accessibles et vous montrera les plantations de roses, éloignées de la piste. Renseignez-vous dans l'un des hôtels d'el-Kelaâ M'Gouna. Comptez 4h AR entre el-Kelaâ M'Gouna et **Bou Thrarar.** Vous pouvez aussi poursuivre votre balade au delà du village de Bou Thrarar et rejoindre les **gorges du Dadès** à hauteur de Aït-Youl, comptez alors une demi-journée avec une promenade à pied jusqu'aux haies de rosiers.

Se loger, se restaurer à Bou Thrarar

Des gîtes d'étape accueillent les randonneurs dans la vallée. Vous pourrez aussi dormir chez l'habitant, surtout si vous êtes accompagné d'un guide local.

Entre 80 et 140 DH/pers. (8 à 14 €) en 1/2 pension

Gîte d'étape Tamaloute, en haut du village de Bou Thrarar, à 27 km de El-Kelaâ M'Gouna, ☎ 044 83 11 26 ou 070 22 07 23 - 18 ch. ✗ Le gîte domine le village et de sa grande terrasse, vous aurez une superbe vue sur la vallée. Les chambres sont très correctes, avec salle de bains privée ou commune. Également 4 dortoirs pour les plus fauchés. Repas sur commande. Excellent accueil.

Découvrir la vallée

Nommée la « vallée des Roses », on pourrait l'appeler la « vallée rose » en raison de la couleur de ses roches.

▶ À **Hadida**, la piste s'écarte de la vallée. Un sentier permet aux marcheurs de passer dans le canyon du M'Goun et de remonter jusqu'à **Tamaloute**, où l'on retrouve la piste *(3h de marche)*.

▶ Environ 2 km au nord de Hadida, vous apercevez sur la gauche le très joli village de **Tourbist★**. Laissez votre véhicule et allez faire un tour à pied en direction de la bourgade aux maisons de terre rouge ; si vous êtes accompagné d'un guide, ce sera plus facile. En bordure de l'oued s'épanouissent de magnifiques plantations de roses, mais aussi des figuiers, des amandiers et d'autres arbres fruitiers. Au printemps, l'air embaume. Vous verrez aussi de beaux visages d'enfants, éclairés par de grands yeux noirs, des fillettes hautes comme trois pommes portant leur petit frère dans les bras. Un peu curieux et amusés, les enfants vous suivront certainement lors de votre balade.

Poursuivez la route. Le paysage devient splendide, un **panorama★** à 180° s'ouvre devant vous. À l'ouest se dresse l'**ighil M'Goun** (4 071 m), avec son sommet souvent enneigé. Ensuite, un décor de « grand canyon » s'étend à l'infini.

▶ Vous découvrez un peu plus loin le village de **Bou-Thrarar★**, bâti le long de la rivière, où les femmes viennent laver le linge. Au-delà de Bou-Thrarar, la vallée du M'Goun se prolonge par des **gorges★★** qui ne sont accessibles qu'à pied.

Une très belle randonnée de 4 jours permet de faire la boucle à partir d'Alemdoun (à 10 km au nord-ouest de Bou Thrarar, alt. 1 700 m), où il est possible de louer des mulets pour porter les sacs avant de remonter l'Asif-n-Imeskar jusqu'au col de Tizi-n-Âït-Hamed, à 3 000 m, puis un autre à 2 800 m, avant de redescendre au village d'Igourramen (2 200 m), proche des sources du M'Goun. Lors de la descente du torrent, à certains endroits, les gorges sont si étroites qu'on peut toucher les parois en écartant les bras et l'on doit parfois marcher dans 60 cm d'eau glacée. Attention, une crue subite peut être fatale ; ne tentez cette randonnée qu'entre juin et octobre, par temps sec.

▶ De Bou-Thrarar, vous pouvez faire demi-tour ou poursuivre votre chemin pour rejoindre les **gorges du Dadès** à hauteur de Âït-Youl *(environ 13 km, en 4x4 uniquement, de préférence avec un guide connaissant bien le terrain)*. La piste s'éloigne de l'oued et prend la direction de l'est. Le **paysage★★** change, devient aride et coloré, parsemé de touffes d'herbe sèche et de quelques roches aux teintes argentées. Ces hauts plateaux, dépourvus d'habitation, sont le royaume des bergers berbères. Des troupeaux de moutons et de chèvres crapahutent cà et là, dans une ambiance étrange de bout du monde.

BOUMALNE★ ET GORGES DU DADÈS★★★

Comptez une demi-journée.

Les 25 km entre El-Kelaâ M'Gouna et Boumalne-du-Dadès sont bordés de nombreuses kasbahs qui ne manqueront pas d'arrêter les photographes.

BOUMALNE-DU-DADÈS★

Cette bourgade gagne à être vue de loin : dominée par la puissante architecture de l'hôtel de l'ONMT, ses habitations ocre-jaune s'étagent sur le rebord du plateau qui surplombe l'oued. Les cultures, d'un vert étincelant, s'étalent le long de la rivière. Une longue rangée d'arcades, modernes comme la plupart des maisons, marque la rue principale.

Prenez la route à gauche, avant le pont qui franchit le Dadès, à l'entrée de Boumalne et qui permet d'atteindre les gorges.

Arriver ou partir

En bus - Les bus de la CTM partent du souk, en bas de l'av. Mohammed V. Il n'y a pas de bus pour les gorges du Dadès, mais des camions « berbères » vous prendront en stop, donnez 5 ou 10 DH.

En taxi collectif - Les grands taxis partent des environs de la Grande Mosquée de Boumalne, au milieu de l'av. Mohammed V. Quelques-uns desservent les villages des gorges du Dadès.

Se loger, se restaurer

Environ 200 DH (20 €)

Hôtel al-Manader, av. Mohammed V, à côté de l'hôtel Chems, ☎ 044 83 01 72 - 11 ch. ⌂ ✗ Comme son nom (« La Belle Vue ») l'indique, cet hôtel, simple et propre, offre une vue superbe sur la vallée du Dadès ; les chambres disposent d'un balcon. Accueil très aimable.

Hôtel Chems, av. Mohammed V, ☎ 044 83 00 41 - 31 ch. ⌁ ✕ 🆑 Vous trouverez ici la simplicité, une belle vue sur la vallée et une grande gentillesse. Bon restaurant avec cheminée (160 DH/pers. en demi-pension).

Environ 560 DH (56 €)

Hôtel Kasbah Tizzarouine, sur le rebord du plateau, après l'hôtel Chems tournez à droite et traversez un terrain vague, ☎ 044 83 06 90 - 48 ch. ⌁ ✕ 🏊 🆑 Saluons une architecture néo-traditionnelle réussie : les chambres (dont 13 troglodytiques) sont simples et agréables, vue magnifique depuis les terrasses. Possibilité de bivouaquer sous des tentes nomades (230 DH/pers. en demi-pension). L'établissement, très spacieux, accueille surtout des groupes.

LES GORGES DU DADÈS★★★

Le début de la vallée est riant : peupliers, minuscules champs irrigués, vergers d'amandiers et de noyers. De nombreux villages, avec leur kasbahs très simples en terre rouge, semblent accrochés à la montagne. Le paysage est inoubliable : un camaïeu de rouge, de rose et de pourpre dont l'éclat est renforcé par le vert des cultures, des roches aux formes surprenantes, des kasbahs en équilibre sur les parois. Quelques « palais » en béton défigurent çà et là le décor.

Se loger, se restaurer

Les gorges du Dadès sont bordées de nombreuses petites auberges, au confort rudimentaire, mais agréablement situées (malheureusement l'architecture médiocre de la plupart n'est guère en harmonie avec la beauté du paysage). Voici les adresses les plus agréables, en remontant la vallée.

Env. 140 DH/pers. (14 €) en 1/2 pension

Hôtel Kasbah À la Vieille Tradition, Tamlalt, km 15, ☎ 067 68 87 62 - 12 ch. ✕ Petit hôtel rudimentaire, décoré de façon un peu kitsch mais qui a, du salon, une belle vue sur les rochers appelés

« doigts de singes ». 4 chambres disposent d'un lavabo, d'un WC et d'une douche. Organise des excursions.

Env. 520 DH/pers. en 1/2 pension (52 €)

Auberge Chez Pierre, Aït-Oudinar, km 25, ☎/Fax 044 83 02 67, ☎ 068 24 83 75 - 8 ch. ⌁ 🏊 ✕ 🏊 Réservez absolument. Fermé 2 à 3 semaines avant et après les fêtes de fin d'année, et de mi-juin à mi-juillet. Construite en terre à même la roche, dans le respect de l'architecture locale, cette adorable auberge, tenue par un Belge, offre confort, bon goût et chaleur. Terrasses sur plusieurs niveaux. Excellente table qui change de la cuisine habituelle : salade de chèvre frais, volaille aux amandes, tartes maison…

Env. 170 DH/pers. en 1/2 pension (17 €)

Auberge La Fibule du Dadès (Chez Ijoud), juste après Chez Pierre, km 25, ☎ 044 83 17 31 ou 067 09 35 70 - 4 ch. ⌁ ✕ Cette maison de style traditionnel s'intègre parfaitement dans le paysage. Les chambres sont simples, douillettes et parfaitement propres, tout comme les salles de bains, joliment carrelées. Vous prendrez vos repas dans le salon du rez-de-chaussée (chauffé l'hiver par un poêle Godin !) ou sur la terrasse à l'étage. Possibilité de dormir à la belle étoile sur le toit-terrasse, où 2 nouvelles chambres devraient bientôt être aménagées. Ijoud vous reçoit le cœur sur la main. Tout aussi charmant, son fils connaît parfaitement la montagne et les pistes ; il pourra vous servir de guide.

Env. 170 DH (17 €)

Auberge Tisadrine, km 27, ☎ 044 83 17 45 - 10 ch. ✕ Tenu par deux frères, Daoud et Youssef, ce sympathique établissement s'intègre bien dans le paysage. Chambres sommaires et propres (7 sont équipées de sanitaires privés) ; quelques-unes donnent sur la rivière, 150 DH par pers. en demi-pension. Terrasse face à l'oued. Possibilité de dormir au salon (25 DH). Bureau de guides à côté : excursions, location de VTT.

Env. 400 DH (40 €)

Hôtel-camping Berbère de la Montagne, à Imdiazen, juste après le défilé, au km 33, ☎ 044 83 02 28 - 10 ch. ⌁

✕ Agréable auberge aménagée dans un site bucolique à la sortie du défilé. Chambres simples, dotées d'un joli plafond en roseau, et équipées de sanitaires (6 d'entre elles disposent d'une salle de bains privée). On peut camper sous les arbres, au bord de la rivière. Électricité de 18h30 à minuit et de 6h30 à 9h.

Achats

Tapis - Le long des gorges du Dadès, de nombreux marchands de tapis vous inviteront à prendre le thé.

À voir, à faire

▸ Peu après **Aït-Moutad** (km 6), où s'élève une kasbah ayant appartenu à l'un des califes du Glaoui, la route s'éloigne de l'oued Dadès, qu'elle ne retrouve qu'à **Tamlalt** (km 15). En face de vous, de l'autre côté de la rivière, se dresse une extraordinaire formation géologique appelée le « **cerveau de l'Atlas★★** », également surnommée « **doigts de singes** » : au soleil couchant, ces rochers, auxquels l'érosion a donné d'étranges formes arrondies, prennent une couleur stupéfiante ; au rouge s'ajoutent, dans les hauteurs, quelques touches de jaune et de doré.

▸ À **Aït-Arbi** (3 belles **kasbahs**), la route fait une vaste courbe qui procure d'autres points de vue sur les rochers. Vous croiserez certainement des femmes marchant le long de la chaussée, le dos courbé sous le poids de leur lourde charge : un large morceau de tissu rempli d'herbes destinées à nourrir le bétail. À **Aït-Oudinar** (km 25), la route franchit un pont, puis longe la rive gauche du Dadès, bordée de petites auberges. Ici la vallée est plutôt sombre, car étroite et encaissée, et la verdure se fait rare. Au km 29, une brève mais vertigineuse montée en lacet *(passage assez dangereux)* permet de s'élever au-dessus de **gorges★★** extrêmement étroites et profondes (plus de 100 m de haut pour moins de 10 m de large !) avant de redescendre doucement jusqu'au niveau de la rivière.

▸ Au km 32, l'impressionnant **défilé d'Imdiazen★★**, aux parois verticales, laisse tout juste passer la route et l'oued.

▸ Peu après le km 44, la route recommence à grimper, en lacets serrés, jusqu'au « **col de la Tortue★★★** » (km 50). Dans un paysage désolé et grandiose, l'oued a profondément entaillé cette montagne pelée, formant de spectaculaires méandres bordés de végétation. L'eau a ici sculpté une majestueuse tortue minérale…

La route se poursuit ensuite jusqu'à Msemrir, d'où l'on peut rejoindre, en franchissant un col à 2 800 m, Aït-Hani et la vallée du Haut Todra *(4x4 indispensable ; la route est coupée tout l'hiver. Comptez au moins une journée de voiture pour faire la boucle).*

LE JBEL SARHRO★ ET VALLÉE AUX OISEAUX

Comptez 2h.

▸ Au sud-est de Boumalne-du-Dadès s'étend une vaste **hamada** (à 1 500 m d'altitude), limitée par la silhouette noire et déchiquetée du **jbel Sarhro★** qui culmine à 2 712 m. Le jbel Sarhro constitue l'un des lieux de randonnées au départ de Ouarzazate. Des excursions organisées sur plusieurs jours à travers ce magnifique massif montagneux permettent de découvrir une grande variété de paysages, des villages couleur de roche et aussi de croiser des nomades menant leur troupeau.

▸ Environ 5,5 km après la station Shell, une petite route goudronnée se détache à droite en direction de Tagdilt et des mines d'or de Tiouit. Devenue piste poussiéreuse, elle franchit l'immense étendue désertique pour atteindre une zone connue sous le nom, un peu excessif, de « **vallée aux Oiseaux** » où, en fait, seuls les ornithologues seront capables de repérer des volatiles ! Signalons qu'une branche de cette voie franchit le jbel Sarhro, à 2 200 m d'altitude, par le **Tizi-n-Tazazert** et rejoint Nekob *(4x4 et provisions nécessaires ; on se perd facilement…).*

Revenez à Boumalne-du-Dadès.

▸ Dirigez-vous vers Tinerhir en restant sur la route principale, qui traverse d'immenses plateaux steppiques (*khela*), fermés, au nord et au sud, par de hautes chaînes de montagnes. Au seuil d'**Imiter★**, sur la ligne de partage des eaux entre le bassin du Drâa et celui du Ziz, admirez les sept superbes **kasbahs★** entourées d'amandiers et d'oliviers.

TINERHIR★ ET GORGES DU TODRA★★★

Comptez 4h pour une brève visite de la ville et l'excursion aux gorges.

TINERHIR★

Étape pratique entre Ouarzazate et Erfoud, Tinerhir peut être le point de départ d'innombrables excursions, à pied, en VTT ou en 4x4, parmi lesquelles celle des célèbres gorges du Todra. La ville retiendra aussi votre attention pour son architecture de terre et ses activités artisanales (ferronniers et menuisiers). Si Tinerhir (35 000 hab.) ne s'est vraiment développée qu'au 20e s., grâce à l'édification d'une importante kasbah du Glaoui et l'implantation d'une caserne française, son **souk** du lundi est célèbre dans la région depuis des siècles (*aujourd'hui, il se tient à 3 km du centre, sur la route de Ouarzazate*).

Arriver ou partir

En voiture - Tinerhir est à 3h de Ouarzazate et à 2h30 d'Erfoud. On accède facilement aux gorges du Todra, mais il faut un 4x4 pour aller au-delà.

En bus, en taxi collectif - Les bus partent de la place Principale, en plein centre. La station des grands taxis se situe 100 m plus loin en direction d'Erfoud. Il n'est pas trop difficile d'en trouver un pour se rendre aux gorges.

Se loger, se restaurer à Tinerhir

Environ 150 DH (15 €)

⊕ **Hôtel L'Avenir**, rue Zaid ou-Hamad (près de la poste), ☎/Fax 044 83 45 99 - 12 ch. ✗ Petit hôtel très simple et bien tenu donnant sur la place centrale. 2 douches et 2 WC communs, eau chaude, pas de chauffage. Possibilité de dormir sous la tente berbère sur le toit (30 DH/pers. incluant matelas et draps). Très bon accueil. Balades en montagne.

Environ 470 DH (47 €)

Hôtel Tomboctou, 126 av. Bir Anzarane, ☎ 044 83 51 91/46 04 - 17 ch. ✈ ✗ ⊒ cc Roger Mimó, un Catalan passionné d'architecture vernaculaire, a admirablement restauré une belle kasbah ancienne : décor différent dans chaque chambre, mobilier en bois de laurier-rose, crépi de terre, plafonds en tataoui. Sur le toit, 4 petites chambres sommaires (salle de bains commune), plus économiques mais agréables (260 DH à 2 avec petit-déjeuner). Évitez les chambres près de la réception, petites et bruyantes. Dommage que la qualité des prestations se soit dégradée.

Environ 650 DH (65 €)

Hôtel Kenzi Saghro, sur une colline, près de la kasbah du Glaoui (la route part devant la Banque populaire), ☎ 044 83 41 81 - 70 ch. ✈ 🖹 📺 ✗ 🍽 ⊒ cc Ce grand hôtel bénéficie d'une vue magnifique (venez au moins prendre l'apéritif sur la terrasse). Chambres tout confort (certaines avec balcon) avec décoration marocaine discrète et vue sur la palmeraie et les montagnes.

Environ 670 DH (67 €)

Hôtel Kenzi Bougafer, bd Mohammed V (à la sortie de la ville, en direction de Ouarzazate), ☎ 044 83 32 00/60 - 114 ch. ✈ 🖹 📺 ✗ 🍽 ⊒ cc Immense blockhaus destiné à héberger les groupes. Les chambres sont spacieuses (certaines avec balcon) et confortables (avec parfois des faiblesses dans l'approvisionnement en eau chaude…)

À voir, à faire

Il faut aller dans le vieux quartier d'**Aït el-Hadj Ali** (qualifié, à tort, de « quartier juif »), où de belles maisons en pisé regroupent des commerces de tapis, et surtout visiter l'ancienne **kasbah du cheikh Basou ou-Ali★★** admirablement restaurée et transformée en hôtel (*126 av. Bir Anzarane, petit musée et librairie, entrée gratuite*).

La **kasbah du Glaoui** *(sur la route de l'hôtel Saghro)*, est en mauvais état *(en principe, ne se visite pas)* mais, du haut de son promontoire, on domine toute la région, et la **vue**★★ sur la **palmeraie** et les **ksour** est superbe.

LA PALMERAIE★★

À 15 km de Tinerhir. Sortez de Tinerhir en direction d'Erfoud et prenez la petite route goudronnée, à gauche avant le pont sur le Todra. Si la lumière est favorable, cette route permet de profiter d'un des plus beaux paysages du Maroc : en dessous de vous, la superbe **palmeraie du Todra**, vert sombre, toute bruissante des travaux agricoles, en face, une série de ksour et de kasbahs, en partie désertés, enfin, à l'arrière-plan, une *meseta* de couleur ocre qui se détache parfois sur un ciel noir d'orage. On peut se promener à pied dans la palmeraie et visiter quelques ksour, en particulier ceux d'**Afenour (mosquée**★ des Aït Ikelan) et d'**Asfalou** (maisons en surplomb) qui, quasi abandonnés, sont plus facilement accessibles aux étrangers.

LES GORGES DU TODRA★★★

Plus loin, la route descend au niveau de l'oued pour entrer dans les **gorges** qui sont encore assez larges *(campings et auberges)*. Puis vient la partie la plus spectaculaire : un étroit **défilé**★★ de quelques dizaines de mètres de large taillé par les eaux du torrent dans les assises calcaires de la montagne, aux parois verticales de près de 300 m de haut *(5 DH pour accéder au défilé, parking ; impossible de poursuivre au-delà en voiture)*. Un vrai paradis pour les passionnés d'escalade. Il va sans dire que les visiteurs arrivent par autocars entiers et qu'à certaines heures on a de la peine à se frayer un chemin dans la cohue…

▶ Au-delà du défilé, les bons marcheurs pourront remonter la vallée du Todra jusqu'au village de **Tamtattouchte**★ situé à 1 800 m d'altitude *(env. 60 km AR ; possibilités de ravitaillement et de logement sommaires dans le village)*. Le paysage verdoyant des champs

nichés au cœur des montagnes, l'air pur, le silence troublé uniquement par les appels des paysannes lancés d'un versant à l'autre, et l'hospitalité des habitants vous transporteront dans un autre monde. Pour accéder au village, la piste est rude *(env. 500 m de dénivelé)* à travers une vallée étroite et déserte, fréquentée par quelques rares bergers nomades ; en chemin, remarquez le curieux **marabout d'Agurram N'Tamasint**.

Se loger, se restaurer

▶ *Dans les gorges du Todra*

À l'entrée du défilé, plusieurs établissements attendent la foule de visiteurs ; nous vous conseillons de loger plus bas dans la vallée *(voir adresses ci-dessous)*.

Entre 220 et 240 DH (22 à 24 €)

Hôtel-restaurant-camping Le Soleil, à 8 km de Tinerhir, ☎/Fax 044 89 51 11 – 11 ch. 🍴 ✗ Chambres sommaires, toutes neuves et claires, dotées de belles salles de bains carrelées (douche ou baignoire). Camping, env. 50 DH à 2 avec 1 tente et 1 véhicule. Jardin fleuri et bloc sanitaire très propre. Location de 4x4 et de VTT sur demande, excursions.

Environ 340 DH (34 €)

Hôtel-restaurant Amazir, à 10 km de Tinerhir, ☎ 044 89 51 09 - 15 ch. 🍴 ✗ À 1 km des gorges, cet accueillant hôtel accolé à la palmeraie offre des chambres simples et proprettes, une agréable salle de restaurant (menu à 90 DH) et une belle terrasse au bord de la rivière.

▶ *À Tamtattouchte*

Environ 100 DH (10 €)

Bougafer, à l'entrée sud du village (1 800 m d'altitude). 4 ch. Vue superbe, calme total et gentillesse du patron. Restaurant très simple et quelques emplacements de camping.

Chez Fatima (maison berbère), dans le village. Trois générations sous un même toit : Ito, Aïsha et Fatima vous accueillent avec hospitalité.

LA VALLÉE DU ZIZ★★

ET LE TAFILALT★★

😊 **La magie du désert**

😠 **Les « faux guides » de Rissani**

Quelques repères

Itinéraire d'environ 375 km à partir de Midelt - Carte Michelin n° 742 plis 23 et 36.

À ne pas manquer

Les gorges du Ziz entre Rich et er-Rachidia.

Le lever de soleil sur les dunes de l'erg Chebbi.

Les ksour et les palmeraies du Tafilalt.

Conseils

Comptez 2 jours, davantage pour profiter du désert.

Évitez de venir en plein été.

Passez une nuit à la belle étoile au pied ou dans l'erg Chebbi.

Ne conduisez pas pendant les tempêtes de sable : la visibilité est presque nulle.

Si vous faites du 4x4 dans le désert, restez à distance de la frontière algérienne.

La fameuse Sijilmassa n'est plus qu'un champ de ruines, et les caravanes qui apportaient jusqu'à Fès les dattes du Tafilalt et l'or du Soudan ne parcourent plus le trik es-Soltan (« la route sultanienne »). La vallée du Ziz a cependant conservé toute sa beauté. Né dans le jbel Ayachi, le Ziz est typique des oueds sahariens : le plus souvent à sec, mais susceptible de crues terribles (jusqu'à 1 200 m³/s), il a perforé les barrières calcaires du Haut Atlas oriental pour se perdre dans les sables après un cours de moins de 200 km. Mais, en chemin, il a donné vie à un long chapelet d'oasis et à la grande palmeraie du Tafilalt. Cette longue et magnifique route vous conduira jusqu'aux portes du désert, et à la magie des dunes de l'erg Chebbi.

LA VALLÉE DU ZIZ★★

Comptez 6h avec les arrêts (déjeuner à er-Rachidia), 220 km.

Arriver ou partir

En voiture - De Fès ou de Meknès, il faut compter 6h pour Er-Rachidia. Ouarzazate est à plus de 5h de route.

En bus - La gare routière est située rue M'Daghra, à quelques dizaines de mètres de l'av. Moulay Ali Chérif, axe principal de la ville. Nombreux bus pour Meknès (par Midelt), ainsi que pour Erfoud et Rissani. Ouarzazate et Marrakech sont moins bien desservies.

En taxi collectif - Les grands taxis partent de la place Moulay Hassan (à partir de l'av. Moulay Ali Chérif, prenez la rue Abdallah ben Yassine qui lui est perpendiculaire).

Se loger, se restaurer

▶ *À Rich*

Environ 100 DH (10 €)

Hôtel Karam, 6 rue Moulay Idriss (près de la gare routière), ☎ 055 58 92 92 - 14 ch. Hôtel très modeste (pas de lavabo dans les chambres, et douches communes), mais correct. Pas de petit-déjeuner mais on peut le prendre au restaurant d'à côté.

Entre 120 et 190 DH (12 à 19 €)

Hôtel Isli, 24 av. al-Massira (rue de la Marche Verte), ☎ 055 36 81 91 - 20 ch. ✗ Ses grandes chambres sont propres et légèrement plus confortables que celles du précédent, quatre d'entre elles disposent de douche et WC individuels.

▶ *À er-Rachidia*

Environ 60 DH (6 €)

Restaurant Imilchil, av. Moulay Ali Chérif, juste en face du marché central. Très bien situé, ce restaurant, simple (salades, tajines, brochettes) et bon marché, dispose de grandes terrasses et d'un agréable jardin.

Environ 190 DH (19 €)

Hôtel de l'Oasis, 10 rue Sidi bou Abdallah, ☎ 055 57 25 19 - 46 ch. 🛏 ✕ 🍽 Chambres, spacieuses et tristes, équipées de sanitaires corrects. Chauffage central appréciable en hiver (er-Rachidia est à plus de 1 000 m d'altitude). Bar.

Environ 230 DH (23 €)

Hôtel M'Daghra, 102 rue M'Daghra (200 m de la gare routière), ☎ 055 57 40 47/48 - 25 ch. 🛏 Chambres grandes, claires et propres, avec des sanitaires à peu près corrects.

Environ 910 DH (91 €)

Hôtel Kenzi Rissani, av. Moulay Ali Chérif, au-delà du pont sur l'oued Ziz, ☎ 055 57 21 86/25 84 - 62 ch. 🛏 📺 ✕ 🍽 ♨ 📷 Le décor date un peu, mais cet hôtel reste, de loin, le meilleur de la ville : chambres spacieuses et confortables, jardin, piscine, parking fermé, boutique.

▶ *À Meski*

Environ 50 DH (5 €) à deux avec 1 tente et 1 véhicule

Camping La Source Bleue de Meski, env. 20 km au sud-est d'er-Rachidia. Superbe vue sur la palmeraie et l'oued Ziz, grande piscine naturelle alimentée par une source chaude, boutiques, épicerie et petit restaurant ouvert toute l'année. Mais l'endroit est bondé pendant les vacances et les week-ends.

▶ *À Zouala*

Entre 200 et 250 DH (20 à 25 €) par pers. en demi-pension

🏠 **Gîte d'étape Chez Moha**, ksar Zouala, à 30 km d'er-Rachidia et 44 km d'Erfoud,

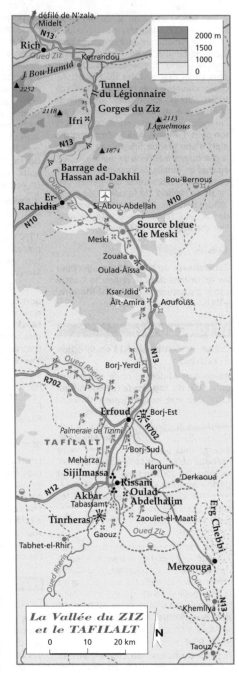

La Vallée du ZIZ et le TAFILALT

0   10   20 km

N

☎/Fax 055 57 81 82 ou ☎ 061 60 28 90, http://pages.couleursmaroc.com/zouala - 6 ch. ✗ Aménagée dans un ancien caravansérail familial, cette maison d'hôte se cache au fond du village, dans l'une des plus vieilles palmeraies du Maroc. Au choix : chambre avec douches et WC collectifs, suite ou appartement avec salle de bains privée ou dortoir. Ne manquez pas l'immense salon, couvert de tapis, avec son puits d'origine. Vous y dégusterez des plats d'une grande finesse, préparés par la charmante maîtresse de maison. Quant au chef de famille, Mohammed, historien cultivé, vous l'écouterez des heures parler de sa maison, de la palmeraie, de la culture berbère. Authenticité du cadre et de l'accueil, calme et propreté garantis. Eau chauffée au feu de bois.

Loisirs

Excursions - Un bureau des guides pour les excursions dans la région se tient à votre disposition à l'**hôtel al-Massira**, à Rich.

LE LONG DU ZIZ

Quittez Midelt par la N13 en direction d'er-Rachidia.

Au-delà de Midelt, la route s'élève jusqu'au **col de Tagalm** (alt. 1 907 m) qui offre une **vue magnifique★** sur l'immense steppe mouchetée de vert.

▶ Puis en descendant vers la haute vallée du Ziz par le **défilé de N'zala★**, arrêtez-vous pour observer cette vaste étendue désertique taillée dans la roche. Le long des quelques petits cours d'eau parfois asséchés s'épanouissent des vergers. Un joli village en terre beige, les rochers ocre-rouge et les touches vertes des cultures créent un très bel ensemble harmonieux.

Après avoir traversé une plaine barrée par une montagne déchiquetée et des plissements calcaires remontant à la verticale, vous atteignez la bourgade de **Rich** qui étale ses maisons couleur saumon fumé au pied du **jbel Bou-Hamid**. À l'écart de la route, cette localité peut servir d'étape tranquille pour la nuit.

À partir du **tunnel du Légionnaire★**, percé en 1930 par la Légion étrangère,

et jusqu'à er-Rachidia, s'étend la partie la plus spectaculaire des **gorges du Ziz★★**. De la **route en corniche★★**, le regard plonge dans les eaux vertes de l'oued qui contrastent avec les roches rouges. Ce sublime décor rappelle certaines images du Grand Ouest américain. Puis la route descend dans une étroite palmeraie, encastrée entre deux parois rocheuses verticales, les **ksour d'Ifri★**. Après le passage d'un petit col, découvrez brusquement la vaste **retenue du barrage Hassan ad-Dakhil★** dont les eaux turquoise et argentées reflètent un étrange paysage ruiniforme.

▶ **Er-Rachidia** (« la Bien dirigée ») est le chef-lieu de la province. Cette ville administrative, créée par la France en 1916 sous le nom de **Ksar es-Souk**, ne présente aucun intérêt sinon l'architecture en « béton-terre » de l'université Moulay Ismaïl, au nord de la ville.

▶ Vingt kilomètres après er-Rachidia, quittez brièvement la route principale pour aller jusqu'à la **source bleue de Meski** (un panneau sur la droite indique la source). Une piscine d'eau chaude (entrée payante), alimentée par une source qui jaillit de la base d'une falaise, est aménagée dans la palmeraie. Vous y trouverez un camping et un bar-restaurant. Lorsqu'il n'y a pas trop de monde, l'endroit est très agréable. Le long de l'oued les habitants cultivent le blé, le maïs et les carottes. Une belle **vue★** se déploie sur la vallée du Ziz.

En aval, la vallée, taillée dans un plateau rocheux désertique qui la domine de 100 ou 200 m, s'élargit un peu et la palmeraie, parsemée de petits *ksour* en pisé, devient continue. En approchant d'Erfoud, les premières dunes de sable vous accueillent. Un changement dans les vêtements des femmes, drapées de tissus plus colorés, vous surprendra.

ERFOUD

Comptez 1h.

Dans cette bourgade créée par l'armée française lors de la difficile conquête du Tafilalt (1916-1932), le **souk** et la place des F.A.R. offrent un certain pittoresque. Erfoud marque l'entrée du désert, le début d'une expérience inoubliable dans les dunes, l'attrait de l'aventure. C'est cette impression un peu mystérieuse et attirante que vous ressentirez peut-être en apercevant les « hommes bleus » et quand vous croiserez des voyageurs revenant de leur périple dans la mer de sable. La ville dispose d'une importante infrastructure hôtelière qui en fait la capitale touristique de la région, d'où vous pourrez rayonner facilement en louant un 4x4 (avec ou sans chauffeur). Vous y trouverez aussi de nombreuses boutiques d'artisanat et d'antiquités, ainsi que des ateliers travaillant la **pierre d'Erfoud**, magnifique calcaire noir incrusté de milliers de coquillages fossilisés. Si la visibilité est bonne (ni vent de sable ni brume de chaleur), montez au sommet (alt. 935 m) du **Borj-Est** *(l'entrée du fortin est interdite)*, d'où vous découvrirez un magnifique **panorama★★** sur la *hamada*, l'erg Chebbi et les palmeraies du Tafilalt.

Arriver ou partir

En voiture - Comptez 1h de route entre Er-Rachidia et Erfoud, 6h entre Erfoud et Ouarzazate.

En bus - Gare CTM av. Mohammed V, non loin de la place des F.A.R. Les bus des autres compagnies s'arrêtent sur la place des F.A.R. (près du souk). Départs relativement fréquents pour aller vers le nord (er-Rachidia, Midelt et Meknès ou Fès), 2 bus quotidiens pour Ouarzazate (env. 75 DH).

En minibus - 1 ou 2 minibus par jour (2 le samedi, jour du grand souk) pour Merzouga. Départ officiel du minibus pl. des F.A.R., mais il passe auparavant au Café des Dunes *(voir « Se loger, se restaurer »).*

En taxi collectif - Grands taxis sur la place des F.A.R. Possibilité d'aller à Rissani (6 DH) ou de faire le tour des ksour du Tafilalt. En principe, il n'y a pas de taxi collectif entre Erfoud et Merzouga.

Adresses utiles

Syndicat d'initiative - Il n'y en a pas, mais Abdessalam Sadoq, président de l'Association de l'industrie hôtelière de la province d'er-Rachidia et propriétaire

de l'hôtel Tafilalet, se fera un plaisir de vous informer, tout comme le personnel du café-restaurant des Dunes.

Banque / Change - La **BMCE**, la **Banque populaire** et la **Banque commerciale du Maroc** se trouvent sur l'av. Moulay Ismaïl (distributeurs automatiques). Il est possible de changer de l'argent dans les grands hôtels.

Poste - À l'angle des av. Moulay Ismaïl et Mohammed V.

Se loger, se restaurer

Environ 50 DH (5 €)

⊛ **Café-restaurant des Dunes**, côté nord de l'av. Moulay Ismaïl, à côté de la station-service Ziz, ☎ 055 57 67 93. Menu à 50 DH, simple et bon, avec salade marocaine, brochettes-frites ou *kalia* (tajine aux petits bouts d'agneau, tomates, oignons, œufs et un subtile mélange de 55 épices). Excellent accueil et informations sur Merzouga. Quelqu'un du café peut vous guider jusqu'à l'auberge Tombouctou de Merzouga, appartenant à la même famille.

Env. 40 DH (4 €) à deux avec 1 tente et 1 véhicule

Camping municipal, ☎ 066 12 97 10. Au bord de l'oued Ziz, face au Borj-Est. Sanitaires sommaires mais propres, peu d'ombre. Branchements électriques pour camping-cars.

Environ 200 DH (20 €)

Hôtel-restaurant La Hamada, 1 av. Moulay Ismaïl, ☎ 055 57 69 80 - 23 ch. ⁙ ✗ Établissement simple et correct. Vous apprécierez la belle vue de la terrasse. Quelques tables alignées sur le trottoir.

Environ 290 DH (29 €)

Hôtel Farah Zouar, angle de l'av. Moulay Ismaïl et de la route de Jorf, ☎/Fax 055 57 62 30 - 30 ch. ⁙ ✗ Intérieur rose et blanc. Chambres suffisamment grandes (certaines jusqu'à 4 pers.), clim. et TV dans certaines. Sanitaires corrects.

Environ 350 DH (35 €)

Hôtel Ziz, 3 av. Mohammed V - 40 ch. ⁙ ✗ ▾ [cc] Très central, l'établissement dispose de chambres bien tenues (certaines avec clim.), mais sans charme. Agréable cour intérieure.

Environ 480 DH (48 €)

Kasbah Tizimi, route de Jorf, ☎ 055 57 61 79/57 73 74 – 70 ch. ⚐ 🍴 ✕ 🍷 ⬆ 🆑 Dans un beau décor, notamment le patio fleuri, la confortable kasbah Tizimi offre un bon rapport qualité-prix. Chambres toutes différentes, préférez celles côté piscine, plus jolies. Restaurant très agréable autour du patio.

Environ 620 DH (62 €)

🅰 **Hôtel Kasbah Xaluca**, à 6 km au nord d'Erfoud sur la route d'er-Rachidia, ☎ 055 57 84 50/51/52, www. xalucamaadid.com – 48 ch. ⚐ 🍴 📺 ✕ 🍷 ⬆ 🆑 Un ensemble de kasbahs à l'ancienne entoure la piscine ombragée avec bar intégré. Jolies chambres dans des tons ensoleillés alliant les styles méditerranéen et marocain, un lavabo en pierre fossilifère orne les salles de bains. Possibilité de camper avec son propre matériel ou sous les tentes berbères aménagées. Excursions en partenariat avec l'auberge Tombouctou de Merzouga, qui appartient à la même famille.

Environ 630 DH (63 €)

Hôtel Tafilalet, 44 av. Moulay Ismaïl (entre les stations-service Ziz et Total), ☎ 055 57 65 35 - 65 ch. ⚐ 🍴 📺 ✕ 🍷 ⬆ 🆑 L'architecture et le décor datent un peu (l'établissement aurait besoin d'un coup de neuf), mais le confort est très appréciable. De plus, le propriétaire, Abdessalam Sadoq, est un personnage flamboyant qui mérite une visite !

Environ 660 DH (66 €)

Hôtel Salam, à l'extrémité de l'av. Moulay Ismaïl, en direction de Rissani, ☎ 055 57 66 65 - 160 ch. ⚐ 🍴 📺 ✕ 🍷 ⬆ 🆑 Architecture en « bétonterre » assez réussie autour d'un beau jardin et d'une piscine noyée dans les bougainvillées. Chambres tout confort. Celles situées dans la nouvelle aile sont assez coûteuses, de même que les repas. Location de 4x4 devant l'hôtel.

Achats

Si vous disposez d'une voiture et de temps, allez au souk de Rissani, sinon faites vos achats au souk d'Erfoud (**mar-**ché tous les jours et **souk** le samedi) ou dans les boutiques de la ville. Les « faux guides » sont légion.

Fossiles - Débitée en plaques et polie, la célèbre pierre noire d'Erfoud fait des plateaux de table somptueux ; mais le plus souvent, elle est taillée en objets décoratifs censés mettre en valeur les fossiles. D'autres roches fossilifères sont également exploitées dans la région ; attention, il y a des faux (en général assez grossiers) !

Antiquités / Artisanat - Chez les bazaristes, vous trouverez de jolies étagères (*mahfaá*) en bois de sycomore, ainsi que des grilles en fer forgé et de belles amphores à anses en terre cuite.

DUNES DE L'ERG CHEBBI★★

Comptez une journée.

Accès aux dunes à partir d'Erfoud (50 km, voir p. 456) ou de Rissani (35 km, voir p. 458).

L'erg Chebbi est le massif de dunes le plus important du Maroc (si l'on excepte le territoire du Sahara occidental) ; du nord au sud, il s'étire sur une trentaine de kilomètres avec une largeur maximale d'une dizaine de kilomètres ; les dunes les plus hautes atteignent 170 m, encore que la hauteur varie en fonction du vent ! Le sable, fin et fluide, forme des microreliefs d'une grande douceur qui ne sont pas sans évoquer un corps féminin ; sa couleur dominante tire généralement sur le rose ou le beige orangé, mais au lever et au coucher du soleil, les teintes prennent une intensité véritablement merveilleuse.

Randonnées dans l'erg Chebbi

De magnifiques randonnées à pied ou à dos de dromadaire sont organisées dans l'erg Chebbi par certains hôtels de Merzouga et d'Erfoud *(voir page précédente)*. Si vous le pouvez, faites une balade à dos de dromadaire et restez

Erg Chebbi

dormir sur place. Renseignez-vous par exemple à l'**auberge Kasbah Tombouctou** ou à l'**auberge Yasmina** de Merzouga. À Erfoud, vous pouvez contacter l'**hôtel Kasbah Xaluca**, ou **Tafilalet Aventure & Découverte**, agence spécialisée dans l'organisation d'excursions, randonnées, bivouacs dans tout le Sud présaharien, qui est basée à l'**hôtel Tafilalet**, 44 av. Moulay Ismaïl, ☎ 055 57 65 35.

D'ERFOUD À MERZOUGA

Entre Erfoud et l'erg Chebbi, nous vous conseillons de vous faire accompagner car la route goudronnée s'arrête au bout de 16 km et laisse place à des pistes mal tracées, qui ont tendance à disparaître lors des fréquentes tempêtes de sable. On peut se perdre. En tout cas, ne faites pas le trajet de nuit. Pour trouver un accompagnateur sûr, adressez-vous à l'un des cafés-restaurants d'Erfoud, au café-restaurant des Dunes par exemple. Votre guide voudra certainement vous mener à l'une de ses adresses à Merzouga, mais vous n'êtes pas obligé de le suivre ; discutez avec lui auparavant. Si vous choisissez tout de même de faire le trajet non accompagné, quittez Erfoud par la route de Taouz qui passe au pied du Bo j-Est. À la fin de la route goudronnée *(à 16 km d'Erfoud)*, suivez l'ancienne ligne de poteaux jusqu'à Derkaoua. Ensuite, descendez plein sud en ayant toujours les dunes à peu de distance sur votre gauche. Un conseil : prenez une boussole et ayez toujours suffisamment d'eau avec vous.

▶ Traversez d'abord une **hamada**, immensité plate, morne et grisâtre dont la surface sableuse est parsemée de millions de petits fragments de roche noire. Petit à petit, sur votre gauche, une barrière s'élève à l'horizon : ce sont les fameuses **dunes de l'erg Chebbi★★**.

▶ De la ligne de crêtes vous apercevrez peut-être à l'est le rebord *(kreb)* de la **hamada du Guir** située, pour l'essentiel, en territoire algérien. Si, au printemps, vous voyez une vaste étendue d'eau, ce n'est pas un mirage mais un

« lac » éphémère, peu profond, qui peut se former après de fortes pluies du côté de Merzouga. Les chameliers mènent souvent leurs bêtes paître alentour.

MERZOUGA

Au fil des années, une multitude d'« auberges des sables » se sont établies à Merzouga, au pied des dunes. Elles sont généralement très rustiques, mais la magie des lieux opère, et vous oublierez vite qu'il n'y pas toujours d'eau. De plus en plus de clients (2 500 en 1998), et pas seulement des Marocains, viennent pour une cure de **bains de sable**. Cela dure 3 jours et consiste en une succession d'inhumations dans le sable brûlant (de 5 à 7mn), intercalées avec des période de repos où l'on boit beaucoup de thé à la menthe. Excellent pour les rhumatismes et pour la ligne.

Si vous n'êtes pas pressé (« Un homme pressé est un mort », vous diront les Berbères de la région), partez en balade dans le désert à dos de dromadaire, et passez la nuit dans une oasis sous une tente berbère. Partager un tajine sous un beau ciel étoilé et voir les dunes rosir au lever de soleil… un moment inoubliable ! Plusieurs auberges de Merzouga proposent ce type d'excursion.

Se loger, se restaurer

Sur plus de 20 km, de Derkaoua à Merzouga et plus au sud encore, des dizaines d'« auberges des sables », au confort rudimentaire pour la plupart, attendent les clients. La formule en demi-pension est fréquente.

Entre 150 et 200 DH/pers. (15 à 20 €) en 1/2 pension

Auberge Yasmina, à l'extrémité nord de l'erg Chebbi, ☎ 055 57 67 83 - 12 ch. ✗ Perché sur une éminence isolée face aux dunes, le bâtiment ressemble à un petit *ksar* (fortin). Le charme rustique des lieux compense bien le caractère sommaire des prestations (8 chambres avec sanitaires communs, les autres avec douche et WC individuels). On peut dormir à la belle étoile sur la terrasse.

Entre 150 et 200 DH (15 à 20 €)

Auberge Les Dunes d'Or, au nord de Merzouga, à 23 km de Rissani, au pied de l'erg Chebbi, ☎ 061 35 06 65 - 25 ch. ✗ Bien tenue et accueillante, ce serait la plus ancienne des « auberges des sables » de la région. Les chambres, disposées autour d'une cour ombragée et fleurie, sont décorées plus sobrement que les parties communes. Une quinzaine de chambres disposent d'une salle de bains individuelle. Bonne cuisine marocaine, repas à 60 DH.

Env. 160 DH/pers. en 1/2 pension (16 €)

⊛ **Auberge Kasbah Tombouctou**, Merzouga, au pied de l'erg Chebbi, ☎ 055 57 70 91/84 50 ou 061 25 56 58, kasbahtombouctou@hotmail.com - 24 ch. ⚲ ✗ ⌗ Idéal pour voir le lever du soleil : vous êtes en face des dunes. Les bâtiments de terre à l'architecture traditionnelle sont décorés avec goût et abritent des chambres confortables et douillettes. Les plus fauchés pourront dormir sous l'une des tentes berbères. Vaste salle pour le petit-déjeuner et le dîner. Goûtez le *kalia*, délicieux tajine local. À ne pas manquer : une excursion à dos de dromadaire avec nuit sous une tente berbère dans une oasis de l'erg Chebbi. Soirées musicales de qualité. Accueil chaleureux et service soigné. Quad et 4x4. Réservez.

Env. 250 DH/pers. (25 €) en 1/2 pension

⊛ **Ksar Sania**, à 1 km de la sortie sud de Merzouga en direction de Taouz (après l'arche, prenez, à droite, une piste boueuse), ☎ 055 57 74 14 - 22 ch. ⚲ ✗ ▾ Difficile à trouver, accueil fantasque ; c'est tout de même une adresse à retenir pour son architecture néo-traditionnelle à coupoles, ses chambres dépouillées mais au confort suffisant et son ambiance « bout du monde ».

Env. 450 DH/pers. en 1/2 pension (45 €)

⊛ **Auberge-kasbah Derkaoua**, à mi-chemin entre Erfoud et Merzouga, à env. 25 km au sud-est d'Erfoud, à la fin de la route goudronnée suivez pendant 5 km une piste jalonnée par des poteaux rose et blanc, ☎/Fax 055 57 71 40 - 19 ch. ⚲ ✗ ▾ ⌸ Fermé en janvier, juin, juillet, août. Réservez 1 mois ou 2 à l'avance. Après avoir longtemps parcouru le Sahara, Michel a décidé d'interrompre sa vie nomade : il a planté des arbres en plein désert et construit un hôtel de charme. C'est un lieu de retraite extrêmement agréable : bâtiments bas en pisé pénétrés par d'adorables petits jardins, joli mobilier, salon avec cheminées, grande gentillesse des patrons et calme absolu.

Environ 800 DH (80 €)

Riad Maria, ☎ 062 23 26 47 - 22 ch. ⚲ ✗ ▾ ⌸ ⌗ Dans cet établissement de charme, les chambres, confortables et décorées avec goût (jolies salles de bains en tedlakt), sont réparties dans le jardin. Cuisine italo-marocaine de qualité concoctée par la patronne. Hammam.

Loisirs

Musique - En juillet ou en août selon les années, le village de **Khemliya** (que les Berbères locaux appellent « le village noir » en raison de l'origine de ses habitants) s'anime à l'occasion du **Festival gnaoua**. Un groupe de musiciens fait le tour des villages de la région pour annoncer la date fixée et inviter la population aux réjouissances. Les convives apportent leur contribution pour préparer les gigantesques couscous et autres méchouis. Puis, 3 jours et 3 nuits durant, le village danse sur des rythmes gnaoui. Certains entrent même en transe. Symbolique d'une intégration qui ne va pas encore de soi, le 1er jour, les Noirs servent les Blancs ; le 2e jour, ils inversent les rôles et, le dernier jour, tout le monde se mélange sans distinction de couleur de peau. Le reste de l'année, on peut écouter les musiciens du village en se rendant directement sur place *(piste accessible à tous les véhicules à partir de Merzouga, vers le sud)*.

LE TAFILALT ★★

Comptez une-demi journée.

20 km entre Erfoud et Rissani, 25 km pour le circuit des ksour.

Au sud d'Erfoud, le Tafilalt constitue une sorte de petite Mésopotamie fertile entre le Ziz à l'est et le Rheris à l'ouest, deux oueds qui coulent parallèlement avant de disparaître complètement dans les sables de la cuvette de la Daoura, un peu plus au sud. Leurs nappes phréatiques permettent d'irriguer par des systèmes séculaires *(voir encadré)* une vaste oasis qui, au début du siècle, comptait plusieurs millions de palmiers. Les effets cumulés de la sécheresse (le débit des deux oueds a, semble-t-il, diminué au cours des derniers siècles), d'une maladie du palmier (le *bayoud*) et de l'exode rural ont considérablement réduit la luxuriance de l'oasis et la richesse des Filali.

▶ À l'entrée de Rissani, en venant d'Erfoud, parcourez rapidement les **ruines de Sijilmassa**, dont l'exploration n'a été entreprise que récemment par les archéologues. Aucune cité marocaine n'est à la fois aussi célèbre et aussi mystérieuse que Sijilmassa. Fondée dès 758, ce fut d'abord un émirat indépendant adepte du *khârijisme* (rigorisme que l'on pourrait comparer à celui des Cathares) jusqu'au 10ᵉ s. Malgré les vicissitudes politiques, la cité resta très prospère durant tout le Moyen Âge, grâce à son **oasis**,

Seguia, delou et rhettara

La *seguia* est un canal, ou une rigole, d'irrigation qui peut être alimenté grâce à un petit barrage de dérivation (*ouggoug*), ou à partir d'un puits dont l'eau peut être remontée par le système du *delou*. Un animal (âne ou dromadaire), ou une femme, remonte une outre en peau de chèvre en tirant, à l'horizontale, une longue corde qui passe sur une poulie fixée au-dessus du puits. Imitées des *qanat* persans, les *rhettara* étaient connues en Espagne depuis plus d'un siècle quand elles ont été introduites au Maroc au 11ᵉ s. Ce sont des canalisations souterraines, parfois très profondes, qui, grâce à une faible pente savamment calculée, permettent de transporter l'eau, sans évaporation, sur des dizaines de kilomètres depuis les nappes phréatiques jusqu'aux terrains fertiles. Au sol, on les repère aisément grâce aux alignements réguliers de puits entourés de petites buttes formées par les roches extraites lors du creusement. Ces puits permettent aussi l'aération et l'entretien de la canalisation.

mais surtout à sa position de **port caravanier** sur la rive septentrionale du Sahara. En effet, Sijilmassa était la véritable plaque tournante du commerce transsaharien (or, ivoire et esclaves du Soudan), irriguant à la fois l'Orient (Tunisie et Égypte) et le Nord (Maroc, Espagne et Méditerranée) ; le **trik es-Soltan** remontait du Tafilalt jusqu'à Fès, par la vallée du Ziz et une série de cols. Au début du 13ᵉ s., un certain **Hassan ad-Dakhil**, originaire de Yanbo (port de Médine, en Arabie), vint s'établir au Tafilalt, en se prévalant du titre de **chérif**, c'est-à-dire descendant du Prophète. Au 17ᵉ s., un lointain parent, **Moulay Ali Chérif**, profita de cette notoriété pour s'emparer localement du pouvoir et ses fils fondèrent la dynastie **alaouite** en 1666. Sijilmassa conserva l'aura de berceau de la dynastie et, située très à l'écart, servit souvent d'exil doré à certains princes trop turbulents. Sijilmassa fut détruite en 1818 par un raid de la tribu des Aït Atta.

Poursuivez la route principale pendant quelques centaines de mètres.

RISSANI★

Sijilmassa ancienne capitale du Tafilalt fut remplacée par Rissani qui, aujourd'hui, n'est plus qu'une grosse bourgade assoupie. Relativement peu fréquentée par les touristes, à cause de la chaleur torride, elle a gardé une certaine authenticité que vous apprécierez en vous promenant dans le **souk** très vivant bordé d'arcades ou dans les ruelles semi-couvertes du quartier qui entoure la **kasbah de Moulay Ismaïl★** (belle porte monumentale). Faites également un tour sur la petite place où, dans le bruit, la chaleur et la poussière, les ouvriers taillent les **pierres à fossiles** extraites des carrières de la région.

Arriver ou partir

En bus - Gare routière à l'entrée de la ville sur la droite en venant d'Erfoud, bus CTM et autres compagnies.

En taxi collectif - Les taxis collectifs stationnent devant l'hôtel Sijilmassa ; certains se rendent à Merzouga (dernier départ 14h), env. 20 DH. La route est goudronnée jusqu'à Merzouga.

Se loger, se restaurer

Environ 100 DH (10 €)

Hôtel Sijilmassa, Sahat al-Massira al-Khadra, ☎ 055 57 50 42 - 10 ch. ⌁ Chambres assez grandes, très simples mais équipées de douche et de WC.

Environ 390 DH (39 €)

Hôtel Kasbah Asmaa, à env. 5 km au nord de Rissani sur la route d'Erfoud, ☎ 055 77 40 83 - 30 ch. ⌁ 🖿 ✕ ☻ ⛾ 🔲 cc Décoration marocaine un peu kitsch mais c'est surtout l'air conditionné, la piscine et le jardin fleuri que l'on appréciera. Bon accueil.

Route pour Merzouga (erg Chebbi)

Une récente route goudronnée *(35 km)* conduit à Merzouga. Nous vous conseillons cependant de vous faire accompagner, dès lors que la visibilité est mauvaise. En effet, la plupart des auberges se trouvent à l'écart de la route principale et sont desservies par des pistes mal tracées, qui ont tendance à disparaître lors des tempêtes de sable.

À Rissani, le panneau indiquant la route de Merzouga se voit régulièrement peinturluré par des jeunes peu scrupuleux. Ne soyez donc pas surpris si des jeunes gens tentent de vous montrer le chemin. Divers scenarios sont possibles (simple « conseil », accompagnateur « désintéressé », fausse panne de voiture…) pour vous détourner de l'hôtel que vous aurez choisi et vous emmener à l'une de leurs adresses.

Circuit des ksour★★

Prévoyez une demi-journée si vous voulez visiter les principaux ksour.

Circuit d'environ 25 km au départ de Rissani ; route goudronnée ou bonnes pistes, mais signalisation insuffisante.

Au cours de cette excursion, ksour dépeuplés, kasbahs à l'abandon et palais en ruine rappellent l'époque, pas si lointaine, où le Tafilalt était une région riche et peuplée qui devait se protéger des pillards, et qui servait de résidence à plus d'un prince en exil, ou en attente de monter sur le trône.

Sortez de Rissani par la route d'Erfoud, mais tournez à gauche au carrefour. Plusieurs passages d'oueds à sec. Après environ 3 km, prenez une piste à droite (bandes rouge et blanc sur un poteau) et allez plein sud en direction d'une butte.

▶ Le ksar de **Tinrheras★** est installé sur une éminence rocheuse d'où l'on profite d'un **panorama★★** superbe sur la palmeraie et les montagnes du jbel Ougnate et du Haut Atlas. Les jours de vent de sable, le coucher de soleil est particulièrement impressionnant.

Fuyez les hordes d'enfants et revenez jusqu'à la route principale que vous poursuivrez en direction sud-est.

▶ De la route, vous verrez plusieurs *ksour* construits en terre. L'un des plus grands et des plus intéressants est celui d'**Oulad Abdelhalim★★** juste à gauche de la route. Vous admirerez les puissantes murailles en pisé, l'utilisation décorative de la brique crue et les parois en stuc. Ne manquez pas la visite du **palais de Moulay Rachid★** *(tlj 8h-18h. Donnez 10 DH)*, que son actuel et sympathique propriétaire essaye de restaurer à ses propres frais.

Un peu plus loin, en remontant vers Rissani, le **mausolée de Moulay Ali Chérif**, fondateur de la dynastie alaouite, fait l'objet de la vénération des Marocains ; mais il ne présente qu'un intérêt réduit pour les étrangers car il a été récemment reconstruit dans le style académique actuel. En face, se trouve le **ksar Akbar**, édifié au 19e s.

2 jours ou plus	Agadir (p. 462)
Séjour balnéaire	1er jour : visite de la nouvelle médina le matin. Déjeuner en bord de mer et activités balnéaires l'après-midi.
	2e jour : visite du port de pêche le matin et déjeuner sur place dans l'un des petits restaurants de poissons et de fruits de mer. Rejoignez l'ancienne kasbah en fin d'après-midi pour admirer la vue.
Transports	À pied et en petit taxi. Pour la nouvelle médina, prenez la navette (p. 468).
Conseils	Les atouts principaux d'Agadir sont le climat, la plage et les infrastructures touristiques. Si vous souhaitez explorer cette région, atterrissez à Agadir et partez directement dans l'Anti-Atlas.
5 jours	**☺ Découverte de l'Anti-Atlas** **(au départ d'Agadir)**
Boucle (env. 480 km)	1er jour : trajet Agadir-Taroudant, visite de Taroudant (tour des remparts en calèche, flânerie dans la médina et les souks, p. 471). Nuit sur place.
	2e jour : trajet Taroudant-Tafraoute en passant par Igherm (première partie de cet itinéraire décrite p. 484). Sur ce trajet, faites une halte dans la palmeraie de Tioute (p. 475), puis, arrivé à Igherm, prenez à droite la R106. Nuit à Tafraoute.
	3e jour : tour dans le souk de Tafraoute puis balade à pied dans les environs immédiats (village d'Adaï, rochers sculptés, etc.). Nuit à Tafraoute.
	4e jour : excursion dans les gorges d'Aït-Mansour, avec ou sans guide (p. 484). Nuit à Tafraoute.
	5e jour : promenade dans la vallée des Ameln (p. 483), visite d'une maison traditionnelle à Oumesnat (p. 483) puis trajet vers Agadir en passant par Âït-Baha (p. 478).
Transports	Location d'une voiture.
Conseils	Ce circuit est particulièrement beau en février et en mars lorsque les amandiers sont en fleur.
	Si vous avez plus de temps :
	- organisez une randonnée de plusieurs jours dans le massif de l'Anti-Atlas (à partir de Tafraoute) avec un guide (p. 482),
	- ou poursuivez cet itinéraire par une visite de Tiznit (p. 488) et de Sidi Ifni (p. 491). Dans ce cas, ne prenez pas la route d'Agadir via Âït-Baha mais suivez la R104 en direction du col du Kerdous et de Tiznit. Entre Tiznit et Sidi-Ifni, prenez la route côtière (p. 491).

AGADIR ET L'ANTI-ATLAS

AGADIR★

 Baie immense et protégée...

 ... trop bétonnée.

Quelques repères

Chef-lieu de province - 610 000 hab. (agglo.), dont 200 000 en ville - 475 km de Casablanca - 270 km de Marrakech - 362 km d'Ouarzazate - Climat très ensoleillé, mais tempéré par l'Atlantique - Carte Michelin n° 742 pli 32 et carte p. 279.

À ne pas manquer

La collection Bert Flint d'objets ethnographiques berbères.

La « médina d'Agadir » de Coco Polizzi.

La vue du haut de l'ancienne kasbah, au coucher du soleil.

Conseils

Au diable la cuisine internationale des hôtels ! Il y a de très bons restaurants en ville...

Anéantie par un terrible tremblement de terre en 1960, Agadir a réussi à renaître de ses ruines pour devenir le principal centre balnéaire du Maroc. Tirant parti d'un climat agréable en toute saison, les investisseurs ont créé des infrastructures hôtelières gigantesques (10 000 lits), qui pourtant sont saturées chaque été. Il faut dire que la plage de sable fin, longue de 6 km, est superbe et bien protégée du vent du nord. Le climat est idéal, ni trop chaud ni trop froid, et l'ensoleillement maximal : 300 jours par an ; même en hiver, on peut se baigner et manger en terrasse... En outre, les équipements sportifs, piscines, tennis, golfs, terrains d'équitation, etc. sont particulièrement nombreux, beaux et bien entretenus.

Et si un jour les plaisirs de la plage ne suffisaient plus à votre bonheur, Agadir vous propose son patrimoine architectural contemporain, son musée ethnographique et l'architecture onirique de la « médina » de Coco Polizzi.

Arriver ou partir

En avion - L'aéroport d'**Agadir al-Massira**, situé à Aït Melloul, à 25 km au sud du centre, est relié à nombre de grandes villes européennes. ☎ 048 83 91 22/06. Vous y trouverez une banque et des agences de location de voitures. Des grands taxis assurent le trajet entre l'aéroport et Agadir, comptez environ 150 DH.

En voiture - Agadir est à 4h de voiture d'Essaouira par la N1 qui tournicote et traverse de nombreux villages. Il ne faut guère plus de 3h pour atteindre Marrakech par la N8.

En bus - La **gare routière d'Agadir** (C2) se situe bd M. Cheikh Saâdi, près de l'Ensemble artisanal. CTM, ☎ 048 82 20 77, et SATAS, ☎ 048 84 24 70, ainsi que quelques petites compagnies proposent des liaisons vers Essaouira, Safi, El-Jadida, Casablanca, Rabat, Marrakech, Taroudant, Tafraoute, Tiznit, Guelmin, Tan-Tan et Laâyoune.

Supratours, 10 rue des Orangers (A2), ☎ 048 84 12 07, assure 4 liaisons quotidiennes pour Marrakech-gare ferroviaire ; durée du trajet 4h, 70 DH. Prenez votre billet à l'avance.

La **gare routière d'Inezgane**, à 10 km au sud, compte de nombreux bus et grands taxis desservant les villes importantes : Marrakech, Essaouira, Casablanca, Tafraoute, Tiznit, etc. Il y a davantage de possibilités qu'à la gare d'Agadir. Pour vous rendre à la gare routière d'Inezgane, prenez un bus place Salam (C4).

Comment circuler

La ville est très étendue, il faut donc utiliser sa voiture ou les petits taxis (orange). Attention, sur le boulevard périphérique, la vitesse est sévèrement contrôlée par radar (amende de 400 DH, on peut essayer de marchander...).

Location de voitures - Vous trouverez les agences les plus importantes à l'aéroport. En ville, la plupart des agences se concentrent sur le bd Mohammed V, entre le camping et l'av. Général Kettani *(A2)*. **Hertz**, bungalow Marhaba, bd Mohammed V, vers le port, ☏ 048 83 90 71. **Europcar**, bungalow Marhaba, bd Mohammed V, ☏ 048 84 02 03. **Avis**, bungalow Marhaba, av. Mohammed V, ☏ 048 82 14 14 ; à l'aéroport, ☏ 048 83 92 44. **Budget**, av. Mohammed V, ☏ 048 84 82 22.

Adresses utiles

Informations touristiques - Syndicat d'initiative *(A3)*, bd. Mohammed V, ☏ 048 84 03 07. Tlj 9h-12h/15h-18h30. Peu efficace, mais vous y trouverez divers dépliants publicitaires et la liste des principaux souks de la province. **Délégation du tourisme,** immeuble A, av. Prince Héritier Sidi Mohammed *(B3)* (à peu près en face de la poste centrale), ☏ 048 84 63 77/79. Lundi-jeudi 8h30-12h/14h30-18h30, vendredi 8h30-11h30/15h-18h30. Vous trouverez une liste complète, et à peu près à jour, des hôtels classés d'Agadir.

Poste centrale *(B3)* - À l'angle des av. Prince Héritier Sidi Mohammed et Prince Moulay Abdallah.

Banque / Change *(A2)* - Toutes les banques ont une agence sur l'av. Général Kettani ou dans les rues avoisinantes (en général, avec distributeur automatique de billets). Il y a aussi plusieurs agences dans le Nouveau Talborj. Tous les grands hôtels font du change.

Consulats - France, bd Mohammed Cheikh Saâdi, ☏ 048 84 08 26.

Belgique, bd Hassan II, ☏ 048 84 74 30.

Compagnies aériennes - Royal Air Maroc *(A2)*, av. Général Kettani, ☏ 048 84 07 93.

Se loger

En été, il est souvent difficile de trouver de la place dans les établissements de catégorie modeste ou moyenne. Les hôtels 3-étoiles sont relativement décevants, et tant qu'à séjourner à Agadir, autant aller dans un 4-étoiles si vous le pouvez ; en réservant depuis la France, vous aurez des tarifs beaucoup plus bas.

▶ *Dans le Nouveau Talborj (B2-C2)*

Environ 230 DH (23 €)

Hôtel de Paris, 57 av. Président Kennedy, ☏ 048 82 26 94 – 21 ch. ᐟ Probablement le meilleur des hôtels modestes du Nouveau Talborj. Les petites chambres sont disposées autour de deux cours, d'où jaillissent deux énormes ficus, dont les frondaisons s'élèvent bien au-dessus des toits en terrasse.

Environ 270 DH (27 €)

Hôtel el-Bahia, rue el-Mehdi Ibn Toumert, ☏ 048 82 39 54/27 24 – 27 ch. L'hôtel, bien tenu, offre différents niveaux de confort : de la chambre à la chambre avec douche, WC et télévison. Chauffage central.

Environ 340 DH (34 €)

Hôtel Sindibad, pl. Lahsen Tamri, ☏ 048 82 34 77 – 55 ch. ᐟ 📺 ✕ 🛏 ᴄᴄ Hôtel convenable à deux pas de la gare routière, dans un quartier très animé. Petite piscine sur le toit avec vue sur la ville.

▶ *Dans le centre*

Environ 240 DH (24 €)

⌂ **Hôtel Petite Suède**, 8 bd Hassan II (à l'angle de l'av. Général Kettani), ☏ 048 84 07 79 – 20 ch. ᐟ ᴄᴄ Hôtel simple mais très bien situé (à 5mn à pied de la plage) ; de plus, le patron est extrêmement serviable. Les chambres du côté de l'av. Hassan II possèdent un très grand balcon ; si vous craignez le bruit, choisissez plutôt celles qui donnent sur la cour. Location de voiture à des prix intéressants.

Entre 300 et 420 DH (entre 30 et 42 €)

Hôtel Sud Bahia, rue des Administrations Publiques, ☏ 048 84 07 82 – 246 ch. ᐟ ✕ 🍷 🛏 ᴄᴄ Assez ancien et un peu triste, ce 3-étoiles pas cher dispose de chambres correctes. Il accueille surtout des groupes, le calme n'est donc pas toujours au rendez-vous. Grande piscine chauffée en hiver. Discothèque. Réservez pour l'été.

Environ 530 DH (53 €)

Hôtel Kamal, bd Hassan II, ☏ 048 84 28 17 – 130 ch. ᐟ ✕ 🍷 🛏 ᴄᴄ Ce 3-étoiles confortable mais sans grand charme travaille surtout avec les groupes. Agréable piscine entourée d'un jardin. Réservez pour l'été et la fin d'année.

▸ *Dans le secteur balnéaire*

Env. 60 DH (6 €) à 2 avec 1 tente et 1 véhicule

Camping international, bd Hassan II/ bd Mohammed V, ☎ 048 84 66 83. ⬛ Situé à proximité de la plage et ombragé d'eucalyptus, cet immense camping (200 emplacements) est toujours bondé : en hiver par les camping-cars des retraités français, en été par les tentes des vacanciers marocains. Les sanitaires sont insuffisants pour une telle foule et sales. Snack-bar (sinistre), épicerie, piscine (parfois sans eau !), lavoir, téléphones publics.

De 600 à 630 DH (60 à 63 €)

Les Omayades, bd du 20 Août, ☎ 048 84 00 05 - 144 ch. ⬛ ⬛ ✕ ⬛ ⬛ ⬛ ⬛ Architecture d'inspiration marocaine. Disposées sur deux étages, les chambres possèdent chacune une terrasse donnant sur des petits jardins, très fleuris et agrémentés de fontaines, qui descendent vers la plage. Piscine chauffée en hiver, hammam, sauna et salle de remise en forme. 3 restaurants, dont un japonais. Tarif promotionnel à certaines périodes en demi-pension.

Hôtel Transatlantique, bd Mohammed V, ☎ 048 84 21 10 - 210 ch. ⬛ ⬛ ✕ ⬛ ⬛ ⬛ L'architecture et la décoration « Modern Style » sont assez réussies. Les chambres, très grandes et claires, sont décorées de manière très contemporaine. Piscine chauffée en hiver, sauna et salle de remise en forme.

Hôtel Argana, bd Mohammed V, ☎ 048 84 83 04/09, h.argana@agadirnet. net.ma - 234 ch. ⬛ ⬛ ⬛ ✕ ⬛ ⬛ ⬛ Belle architecture où dominent les couleurs beige et jaune sable. Les mêmes teintes douces se retrouvent dans les chambres sobrement décorées ; moquette et salle de bains en marbre italien. 2 restaurants (dont El Paradiso) et un snack-bar au bord de la piscine. Bar de style anglais. Tarif dégressif à partir de 2 nuits. Formule à 800 DH à deux en demi-pension.

Environ 1 620 DH (162 €)

Tikida Beach, chemin des Dunes, ☎ 048 84 54 00 - 233 ch. ⬛ ⬛ ⬛ ✕ ⬛ ⬛ ⬛ ⬛ Très grand bâtiment blanc de style « méditerranéen », avec des jardins intérieurs couverts ; une partie de la décoration est due à Coco Polizzi. L'hôtel, en bordure de plage, dispose d'une immense piscine aux formes courbes. Centre de thalassothérapie doté d'équipements ultramodernes, nombreuses activités sportives. 1 270 DH hors saison.

Environ 1 830 DH (183 €)

⬛ **LTI al-Madina Palace**, bd du 20 Août (accès en voiture par le bd Mohammed V), ☎ 048 84 53 53 - 206 ch. ⬛ ⬛ ⬛ ✕ ⬛ ⬛ ⬛ ⬛ Ce 5-étoiles vous charmera d'abord par ses superbes façades, à moucharabiehs bleu outremer, donnant sur une magnifique piscine à deux niveaux avec cascade et îlots de verdure. Il dispose de tous les équipements souhaitables (minibar et coffre-fort individuels, salon de coiffure, boutiques, centre de balnéothérapie, discothèque, etc.) et de 4 restaurants de styles différents. Les chambres, grandes et sobres, possèdent, pour la moitié d'entre elles, un balcon. Environ 1 390 DH hors saison.

Se restaurer

▸ *Sur le port*

Moins de 50 DH (5 €)

Les nombreux **petits restaurants de poisson**, avec leurs tables communes et leur ambiance populaire, seraient fort sympathiques avec du vin et sans l'acharnement des rabatteurs.

Entre 200 et 300 DH (20 à 30 €)

Restaurant du Port (Yacht-Club), sur le port (pas de signalisation : après le contrôle de police tournez dans la 1re rue à droite, puis immédiatement à gauche), ☎ 048 84 37 08. ⬛ ⬛ Restaurant de poisson, dont la réputation est peut-être un peu surfaite. Mais la

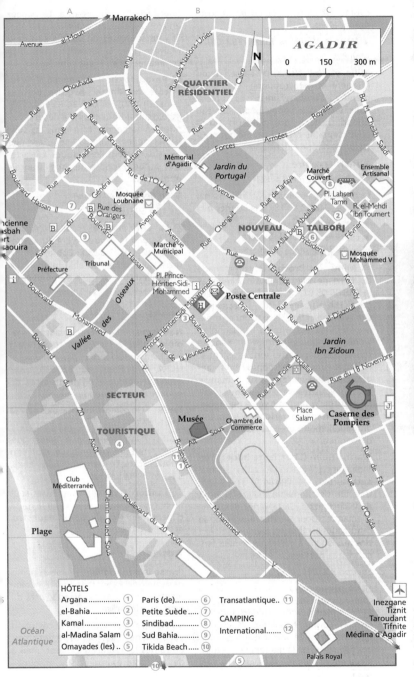

AGADIR

0   150   300 m

HÔTELS

Argana .... ①	Paris (de) .... ⑥	Transatlantique.. ⑪
el-Bahia .... ②	Petite Suède ..... ⑦	
Kamal .... ③	Sindibad .... ⑧	CAMPING
al-Madina Salam ④	Sud Bahia .... ⑨	International .... ⑫
Omayades (les) .. ⑤	Tikida Beach ..... ⑩	

465

cuisine est correcte et les prix encore raisonnables.

▸ *Dans le Nouveau Talborj (B2-C2)*
Moins de 50 DH (5 €)

Mille et Une Nuits, pl. Lahsen Tamri (derrière la gare routière) *(C2)*. Pour prendre un repas simple et copieux dans le quartier populeux du Nouveau Talborj. Juste à côté, plusieurs autres établissements offrent les mêmes prestations à des prix identiques.

▸ *Dans le centre*
De 50 à 90 DH (de 5 à 9 €)

La Siciliana, immeuble K2, bd Hassan II *(B2)*, ☎ 048 82 09 73. Très bonnes pizzas au feu de bois.

▸ *Dans le secteur balnéaire*
De 60 à 200 DH (6 à 20 €)

⊛ **Mimi la Brochette**, promenade du Bord de Mer, complexe Almoggar, ☎ 048 84 03 87. ♟ ⒸⒸ Fermé du vendredi 18h au samedi 20h. Directement sur la plage. Mimi, la patronne, a des origines mêlées, juives, espagnoles, lyonnaises, qui se retrouvent dans sa cuisine. Les brochettes sont excellentes. Poissons cuits au charbon de bois, langoustes ; plats marocains sur demande. Si Mimi vous trouve sympathique, vous aurez droit à un petit verre de *mahia*, un alcool de figue parfumé à l'anis, traditionnellement préparé par les juifs d'Essaouira.

Marine Heim (Chez Tante Hilde), 2 bd Mohammed V (à l'angle de l'av. Général Kettani) *(A2)*, ☎ 048 84 07 31. ♟ ⒸⒸ Une terrasse agréable malgré le bruit de la circulation. Carte variée et cuisine allemande : pour sacrifier au rite de la choucroute du 15 août, même à Agadir ! Une maison qui a malheureusement tendance à se négliger…

Environ 300 DH (30 €)

⊛ **Le Miramar**, bd Mohammed V, du côté du port *(A2)*, ☎ 048 84 07 70. ♟ ⒸⒸ Ambiance plutôt chic (chandelles, etc.) et cuisine excellente. Goûtez la daurade flambée aux crevettes, l'une des spécialités de la maison, qu'un cuisinier viendra préparer sous vos yeux avec une dextérité éblouissante. Le pageot en croûte de sel est également très fin. Si vous souhaitez un soufflé au Grand Marnier pour le dessert, pensez à le commander bien avant l'entrée…

El Paradiso, bd Mohammed V (juste à côté de l'hôtel **Argana** dont il dépend) *(B4)*, ☎ 048 84 83 04/09. ♟ ⒸⒸ Le soir uniquement. Le décor d'inspiration italienne, tout dans les tons pastel et les couleurs sable, est une réussite, surtout les fresques. La carte, très variée, propose des plats français et italiens.

▸ *En dehors de la ville*
De 40 à 60 DH (4 à 6 €)

⊛ **Le Café Maure**, médina d'Agadir, Ben Sergao (à environ 5 km du centre-ville), ☎ 048 28 02 53. Zohra, la cuisinière au sourire adorable, prépare de merveilleux tajines (qu'il est prudent de commander avant) et couscous.

Loisirs

Nautisme - L'immense plage d'Agadir et celles des environs conviennent très bien au surf et à la planche à voile. **UCPA**, ☎ (à Paris) 0825 820 830, www.ucpa.com, propose différents types de séjours sportifs à Agadir.

Tennis - On compte au total plus de 150 courts de tennis.

Golf - L'agglomération d'Agadir possède 3 terrains de golf. **Le Golf du Soleil**, hôtel Tikida, ☎ 048 33 73 29, 3 parcours de 9 trous.

Équitation - Les clubs équestres sont nombreux au sud de la ville, sur la route d'Inezgane. **Royal Club équestre**, ☎ 048 84 41 02.

Achats

Presse internationale - Plusieurs points de vente à divers endroits en ville, notamment sur le bd Mohammed V, près du syndicat d'initiative.

Souvenirs - Les boutiques se comptent par centaines. Elles proposent des objets de toutes les régions du Maroc, mais à des prix pour touristes ! Si vous souhaitez acheter des fabrications réellement artisanales, à des prix honnêtes, allez jusqu'à la **médina d'Agadir**, ☎ 048 28 02 53, où vous pourrez voir les artisans (et artistes) travailler sous vos yeux.

Supermarchés - Uniprix, bd Hassan II *(B3)* (tlj sauf dimanche, 8h-13h/14h30-20h) est célèbre à Agadir pour son choix de vins et spiritueux (à des prix généralement très intéressants) et ses produits kascher. Vous y trouverez aussi, au milieu des souvenirs les plus immondes, quelques jolis objets à des prix imbattables.

HISTOIRE

Jusque dans les années 1950, Agadir resta une localité modeste. Cependant, son histoire fut marquée par trois événements qui eurent un fort retentissement en Europe.

La période portugaise

Au début du 16e s., **Agadir-Ighir** n'était qu'un simple grenier fortifié, comme il en existait beaucoup dans la région *(voir p. 478)*, et **Santa Cruz do Cabo de Aguer** une pêcherie privée, appartenant à un Portugais. En 1513, le roi du Portugal la racheta, probablement dans l'idée de contrer les Espagnols des Canaries – chrétiens, mais concurrents – qui commençaient à s'intéresser au sud du Maroc. Près du rivage, il fit édifier des fortifications qui permirent le développement du commerce puis la création d'une zone d'influence portugaise dans une partie du Sous.

Les débuts des Saâdiens

Mais cette implantation irrita les tribus berbères ; elles lancèrent une **guerre sainte** locale que la dynastie naissante des Saâdiens sut exploiter à son profit. À la fin de 1540, **Mohammed ech-Cheikh**, retranché sur la colline qui domine Santa Cruz, tient la bourgade sous la menace de son artillerie. Le 12 mars 1541, la garnison portugaise est contrainte à la reddition. À Lisbonne, cette capitulation résonna comme un coup de tonnerre et elle entraîna immédiatement une révision radicale de la stratégie portugaise dans

le sud du Maroc : Safi et Azemmour furent évacuées dès le mois d'octobre.

Une vingtaine d'années plus tard, le successeur de Mohammed ech-Cheikh fit bâtir une forteresse (la kasbah) sur la colline pour se prémunir contre un possible retour offensif des navires chrétiens. Dès lors, Agadir retrouva un rôle de port de commerce (exportant notamment du sucre) avant d'être supplanté par Essaouira vers la fin du 18e s.

Le « coup d'Agadir »

1er juillet 1911, nouveau coup de tonnerre ; pour la France, cette fois-ci : Guillaume II, empereur d'Allemagne, envoie la canonnière *Panther* dans la rade d'Agadir pour défendre les intérêts économiques allemands dans le Sous. En fait, cette gesticulation diplomatique répondait à l'occupation de Fès par les troupes françaises. En Europe on se croyait déjà à la veille de la guerre mais, finalement, l'Allemagne entérina la mainmise française sur le Maroc en échange d'une partie du Congo.

La tragédie

Dans la nuit du 29 février 1960, la ville est anéantie par un **tremblement de terre** qui cause la mort de plus de 15 000 personnes. En France, l'émotion est très vive. Monté sur le trône un an plus tard, Hassan II décide la reconstruction d'Agadir (elle sera menée tambour battant, et le béton coulera à flots).

En l'espace de 40 ans, la population de la ville a plus que décuplé, l'activité ne se limitant pas au tourisme : Agadir est le premier **port de pêche** du Maroc et les industries agro alimentaires et chimiques y sont également florissantes.

VISITE DE LA VILLE

Comptez une demi-journée de visite, davantage pour profiter de la mer.

Quelques indications pour vous repérer : dans le centre et à proximité, vous trouverez le quartier balnéaire et le Musée municipal ; à environ 4 km au nord-ouest s'élève l'ancienne kasbah, et à 5 km au sud la nouvelle « médina d'Agadir ».

Le centre-ville

(B3, C3)

Architecture de béton, larges avenues entrecoupées d'espaces verts caractérisent le centre urbain reconstruit à l'issue du tremblement de terre de 1960. Il est difficile de comprendre l'admiration que cette architecture a pu susciter à son époque ! **J.-F. Zevaco** est le plus connu des « reconstructeurs » d'Agadir ; pour vous faire une idée de son style « brutaliste », il vous suffira d'aller porter votre courrier à la **poste centrale** *(B3)*, puis de suivre l'avenue Prince Moulay Abdallah sur 500 m jusqu'à la **caserne des pompiers** *(C3)*. Les hôtels de luxe récents bâtis le long de la plage paraissent plus intéressants, du moins pour l'architecture d'intérieur.

Prenez le bd Mohammed V vers le sud ; tournez à gauche sur la place Aït Sous qui jouxte le Théâtre municipal. Le petit **Musée municipal** *(B4) (tlj sauf mardi 9h-13h/15h-18h (21h le vendredi), entrée 10 DH. Comptez 45mn de visite)*, installé dans une annexe du théâtre, accueille une partie de la **collection ethnographique de Bert Flint★**, un professeur néerlandais de l'Institut des beaux-arts de Casablanca, qui a patiemment collecté de précieux témoignages de la culture berbère. Une autre partie de sa collection se trouve dans la maison Tiskiwih à Marrakech. Les objets présentés ici datent de la fin du 19e s. ou du début du 20e s., époque à laquelle la culture traditionnelle était encore vigoureuse. Sept salles sont consacrées aux Berbères sédentaires, les autres aux Touaregs. Les objets sont souvent d'une grande beauté : on admirera notamment la reconstitution d'une **mosquée★** du Haut Atlas, avec ses piliers en bois de thuya, une série de magnifiques **portes de grenier★★** et les étranges **poteries** de Tata.

Le bord de mer★

(A4, B4 et hors plan)

Entre le bd Mohammed V et la belle **plage★** de sable fin s'étend le **quartier balnéaire**, vaste ensemble de magasins, de restaurants, de magnifiques jardins et de grands hôtels. Chaises longues, pédalos, surf, ski nautique sont au rendez-vous.

Agadir possède le principal **port de pêche★** du Maroc *(accès libre ; un peu avant l'extrémité nord du bd Mohammed V, tournez à gauche dans la rue du Port. Faites environ 1,5 km : le vaste bassin réservé aux bateaux de pêche se trouve en face de la mosquée Sidi Abdallah)*. C'est le premier port sardinier du monde, doté de nombreuses conserveries, d'usines frigorifiques et de vieux chalutiers en bois. La grande animation qui règne en permanence sur les quais mérite bien une balade. Une halle aux poissons accueille la vente à la criée.

Nouvelle « médina d'Agadir »★★

Comptez 2h de visite.

Tlj 8h-18h ; entrée : 40 DH, ☎ 048 28 02 53. Pour ceux qui n'ont pas de voiture, une navette part du kiosque « Médina info » près du Club Med 7 fois par jour (AR + entrée : 60 DH).

À env. 5 km du centre-ville. Prenez l'av. Mohammed V vers le sud en direction d'Inezgane. Continuez tout droit en laissant à droite le supermarché Marjane puis le palais royal ; 1,5 km plus loin, prenez à droite une petite route goudronnée et suivez-la sur 900 m.

Le tremblement de terre ayant privé Agadir de son ancienne médina, Coco Polizzi, maître artisan décorateur italien né à Rabat, a eu l'idée d'en reconstruire une et cette réalisation est un enchantement. Plutôt que de tenter une impossible reconstitution, Coco Polizzi s'est lancé dans une création personnelle, réutilisant à sa manière le vocabulaire plastique de l'architecture vernaculaire marocaine, ses matériaux et ses techniques traditionnelles de construction. À l'intérieur d'une enceinte en pisé, vous retrouverez, presque plus vrais que nature, ruelles, maisons, échoppes, ateliers, café maure, etc. La médina,

6 km de plage

loin d'être achevée, couvrira 4 ha ; vous aurez donc l'occasion de voir les bâtisseurs bancher le pisé, installer un plafond en **tataoui** ou découper des zelliges. À ce projet architectural s'ajoute un projet socioculturel : faire revivre un artisanat authentique, à l'abri du mercantilisme des bazaristes. Plusieurs dizaines d'artisans travaillent déjà, à leur propre compte, dans la médina. Leur production est vendue exclusivement sur place *(prix beaucoup plus bas qu'en ville, mais marchandage interdit)*.

L'ancienne kasbah★

Entrée libre, parking gardé.

À environ 4 km au nord-ouest du centre-ville. À l'extrémité du bd Mohammed V, tournez à droite, juste après être passé au-dessus du boulevard périphérique.

La kasbah domine le port et toute l'agglomération d'Agadir. Le quartier a été totalement détruit par le tremblement de terre de 1960, qui n'a laissé debout que les murailles. Passé la porte (inscription en néerlandais et en arabe datée de 1746 : « Crains Dieu et respecte le roi »), vous débouchez sur un champ de ruines nivelé au bulldozer ; hormis le souvenir de la tragédie, l'endroit n'a d'autre intérêt que la **vue★★** qui, chaque fin d'après-midi, attire une foule importante, proie toute désignée pour les « chameliers d'industrie ». Venez quelque temps avant le coucher du soleil pour ne pas être gêné par la brume.

EXCURSION À TIFNITE★

Environ 90 km AR depuis Agadir. Prenez la route de Tiznit *(N10 puis N1)* ; à la hauteur d'Inchaden, prenez à droite une route en mauvais état *(7048)*. Après une dizaine de kilomètres laissez la voiture près des ruines d'une maison au bord de la falaise. Attention : aucune possibilité de restauration sur place.

Du haut de la falaise on découvre le village de pêcheurs niché au creux d'une anse et, à droite, des dizaines de grandes barques noires tirées sur le sable. Les petites maisons cubiques s'entassent les unes sur les autres, les plus anciennes sont taillées dans la roche tendre. La pêche se pratique « à la traîne » à partir des barques, mais aussi à l'aide de longues cannes que certains pêcheurs utilisent directement de leurs habitations troglodytiques creusées dans la falaise, que l'on peut apercevoir sur plusieurs kilomètres au sud du village.

TAROUDANT ET SES ENVIRONS★

Quelques repères

Chef-lieu de province - Environ 66 000 hab. - Alt. 250 m – Climat torride en été - 81 km d'Agadir, 223 km de Marrakech, 294 km de Ouarzazate - Carte Michelin n° 742 plis 4 et 32.

À ne pas manquer

Se promener dans les souks.

Faire le tour des remparts en calèche.

Conseils

Venez plutôt en hiver ou au printemps.

N'essayez pas de circuler en voiture dans la médina, surtout le soir.

Allez prendre l'apéritif au bord de la piscine du palais Salam.

Derrière ses puissants remparts, Taroudant apparaît aujourd'hui comme une petite ville assoupie sous le soleil qui écrase la plaine du Sous. Et pourtant, elle a joué un rôle historique notoire, grâce à sa position clé entre la riche province agricole et la route du Tizi-n-Test ouvrant la voie à la région de Marrakech. Éphémère capitale impériale, elle fut surtout un foyer quasi permanent de révolte et la résidence de prédilection des prétendants et agitateurs de tout poil. De ce long et tumultueux passé, Taroudant garde un aspect farouche, et un peu mystérieux, qui en fait l'une des villes les plus typées du Sud marocain. Ses souks, quoique peu étendus, sont renommés pour leur animation et leurs couleurs.

Arriver ou partir

En voiture - Agadir est à 1h30 de voiture ; la route est très encombrée. On met 4 à 5h pour gagner Ouarzazate, en traversant de beaux paysages de montagnes arides. Quant à Marrakech, comptez au moins 6h par la magnifique, mais difficile, route du Tizi-n-Test.

En bus - Les bus de la CTM et de la SATAS stationnent sur la place al-Alaouyine (ex-place Assarag). Les compagnies privées locales partent de Bab Zorgane. Au moins 5 bus par jour se rendent à Agadir (puis Marrakech) et un à Tata.

En taxi collectif - Les grands taxis partent des abords de la place an-Nasr (ex-place Talmoklate) pour les destinations locales et de Bab Zorgane pour les destinations plus lointaines (taxis bleus), comme Inezgane (Agadir).

Comment circuler

Taroudant est une petite ville et les quelques rues accessibles aux véhicules sont étroites et souvent encombrées de cyclistes. Si vous êtes en voiture, vous avez intérêt à la garer en lieu sûr et à tout faire à pied. En cas de grosse fatigue, il y a les petits taxis café-au-lait et les calèches dont la station principale est à Bab al-Kasbah. Pour aller à Tioute (33 km), vous pouvez prendre un grand taxi près de la place an-Nasr. Pour le Tizi-n-Test, voir p. 416.

Adresses utiles

Banque / Change - Trois banques sur la place al-Alaouyine. La **BMCE** possède un distributeur automatique de billets.

Poste / Téléphone - Le bureau principal est à l'extérieur des remparts, sur l'av. Hassan II, à peu près en face du **Palais Salam**. Il y a un autre bureau, dans le centre, rue du 20 Août.

Se loger

▶ *À Taroudant*

Entre 120 et 210 DH (12 à 21 €)

🏨 **Hôtel Taroudant**, pl. al-Alaouyine, à côté du commissariat de police, ☎ 048 85 24 16 – 25 ch. 🛗 ✗ ▼ cc Les amateurs de vieux hôtels pittoresques ne manqueront pas de passer une nuit dans cette vénérable institution où l'on a l'impression de se retrouver un demi-siècle en arrière. Les chambres, simples et vieillottes, sont propres. Cer-

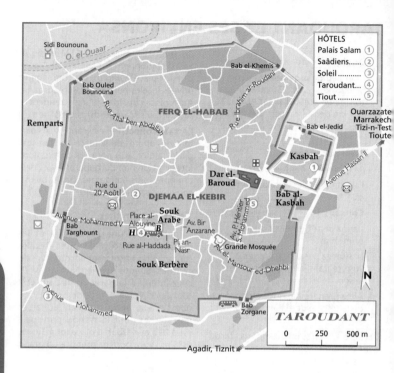

HÔTELS
Palais Salam ①
Saâdiens...... ②
Soleil .... ③
Taroudant... ④
Tiout .... ⑤

TAROUDANT

0   250   500 m

---

taines disposent d'une douche et de toilettes. La plupart donnent sur une galerie qui surplombe un étroit, mais luxuriant, riad. En bas, la bière coule à flots, dans une ambiance animée, jusqu'à la fermeture du bar à 21h30. Le restaurant est réputé.

Environ 140 DH (14 €)

Hôtel Le Soleil, à l'extérieur de Bab-Targhount, av. Mohammed V, ☎ 048 55 17 07 – 9 ch. ⌀ ✗ cc Un peu éloigné du centre, modeste, mais propre et très calme. Belle vue sur les remparts. En commandant 1h à l'avance, vous pourrez prendre votre repas sous une treille dans le jardin.

Environ 210 DH (21 €)

Hôtel Saâdiens, Borj Oumansour (au centre de la médina), ☎ 048 85 25 89 – 57 ch. ⌀ ✗ ⌇ Chambres confortables à un prix raisonnable. Mais le quartier est triste et l'hôtel n'a guère d'autre attrait que sa belle piscine.

Environ 340 DH (34 €)

Hôtel Tiout, av. Prince Héritier Sidi Mohammed (au sud de Bab al-Kasbah), ☎ 048 85 03 41 ou 85 44 78/79 – 27 ch. ⌀ ✗ cc Hôtel propre mais sans charme. Les chambres sont spacieuses et confortables et l'on peut dîner sur la terrasse. Un peu bruyant.

Entre 970 et 2 400 DH (97 à 240 €)

☺ **Melia Palais Salam**, dans la kasbah (entrée par l'av. Hassan II), ☎ 048 85 21 30/23 12/25 01 - 142 ch. ⌀ ▤ ✗ ☂ ⌇ cc Cet hôtel de luxe occupe l'ancien palais du pacha de Taroudant. Jardins luxuriants, cours secrètes animées de fontaines, beaux patios anciens plantés de grands bananiers, galeries et terrasses forment un dédale où il fait bon flâner. Chambres très confortables, aménagées avec goût. L'aile comporte des suites et des appartements (« Riad I » et « Riad II ») dont l'architecture et le décor sont une réussite. Personnel nombreux et attentionné. Quand l'hôtel n'est pas complet, les non-résidents peuvent profiter de l'une des piscines.

▶ *À Tioute*

Entre 250 et 300 DH (25 à 30 €)

Auberge Tighmi, quartier Douar Amaner, au bas du village, ☎ 048 85 05 55 – 8 ch. ✗ Charmante auberge toute blanche offrant une magnifique vue sur l'Atlas. 2 chambres avec sanitaires communs occupent le rez-de-chaussée, 6 autres avec salle de bains privative sont installées à l'étage.

▶ *À Ouled Berhil (40 km à l'est)*

Environ 150 DH (15 €)

Hôtel-restaurant Toudrt, route principale, centre-ville, ☎ 048 53 14 63/067 35 70 30 - 7 ch. ⌂ ✗ Un hôtel récent, simple et bien tenu. Chambres avec fenêtre sur rue, ou plus calmes mais sans fenêtre, situées à l'étage, derrière la petite salle de café-restaurant.

Environ 550 DH (55 €)

☺ **Hôtel Palais Riad Hida**, à droite au centre du village (souk), puis route non goudronnée sur env. 1 km, ☎ 048 53 10 44, www.riadhida.com - 14 ch. ⌂ ▦ ☴ ✗ ☻ ☶ Ce palais, édifié par un pacha au 19ᵉ s., fut durant 30 ans la propriété d'un Danois. Il abrite un vaste jardin féerique, où les paons circulent librement, une belle piscine, un salon-bibliothèque chargé d'histoire et de portraits de famille, une jolie salle de restaurant décorée de zelliges et de stucs et des chambres confortables. Formule 1/2 pension, 750 DH pour deux.

Se restaurer

▶ *À Taroudant*

Moins de 50 DH (5 €)

Les petits restaurants bon marché ne manquent pas entre les places al-Alaouyine et an-Nasr.

Environ 100 DH (10 €)

Le restaurant installé sur le toit de l'**hôtel Saâdiens** permet de se sustenter pour un prix modéré face aux montagnes du Haut Atlas.

☺ **Hôtel Taroudant**, voir ci-dessus. ☻ ᴄᴄ Allez-y dîner au moins une fois :

ambiance surannée, service stylé, cuisine excellente (aussi bien pour les spécialités marocaines que françaises). En outre, les prix sont raisonnables.

☺ **Jnane Soussia**, hors Bab Zorgane, av. Mohammed V, ☎ 048 85 49 80. ☴ ☻ ᴄᴄ Dîner uniquement. Installé autour d'une piscine dans un grand jardin jouxtant les remparts. Vous y dégusterez de délicieuses entrées chaudes, telles que les *zaâlouk* et *taktouka*, et des brochettes. En hiver, vous pouvez boire le jus des papayes du jardin.

Plus de 150 DH (15 €)

Le Roudani est l'un des 3 restaurants du **Palais Salam**. Décor chaleureux, spectacles de danseuses du ventre certains soirs. Pour les plats marocains, tels que pastilla ou méchoui, commandez avant 18h.

▶ *À Tioute*

Kasbah Tioute, (prenez à gauche à l'entrée du village et suivez la piste sur 2 km). Fermé le soir. L'établissement vaut plus pour sa vue exceptionnelle, que pour sa cuisine (menus à 60 DH). Ses immenses salles au décor marocain accueillent surtout des groupes.

Sortir, boire un verre

S'il s'agit simplement de boire un thé à la menthe en regardant la foule de la place al-Alaouyine, la terrasse de l'**hôtel Roudani** fera très bien l'affaire. Pour boire un pastis dans une ambiance populaire et exclusivement masculine, ce sera le bar de l'**hôtel Taroudant**. Si vous recherchez un lieu chic, vous apprécierez le bar du **Palais Salam**.

Achats

▶ *À Taroudant*

Les **souks** constituent la principale attraction de Taroudant. Vous y trouverez aussi bien d'authentiques produits artisanaux destinés aux villageois de la région que des pacotilles pour touristes en mal de souvenirs. Laissez-vous guider par votre intuition, plutôt que par les « faux guides ».

Antiquités - Antiquaire Haut Atlas, 36-37 Souk Smata (dans le souk arabe), ☎/Fax 048 85 21 45. ☒ C'est une véritable caverne d'Ali Baba ; mais attention, Lichir el-Houssaine ne vend que des objets authentiquement anciens et les prix sont en conséquence.

Sculptures - Dans le **fondouk el-Harare** vous verrez à l'œuvre l'un ou l'autre des membres de cette famille spécialisée depuis plusieurs générations dans la taille de la « pierre de Taroudant ». Exposition-vente.

Épices - Nombreux étals d'épices dans les souks. Allez par exemple chez l'herboriste **Ali**, 133 bloc B, Souk Jnane Jamaâ (souk berbère) ; il vend des épices et des plantes médicinales, mais aussi des produits de beauté naturels et des pigments pour les peintres.

HISTOIRE

Jusqu'à l'émergence d'Agadir, dans les années 1930, Taroudant fut la capitale politique et économique du **Sus al-Aksa** (« le Sous extrême ») qui comprenait la plaine de l'oued Sous et tous les pays montagneux alentour. Les géographes arabes du Moyen Âge vantaient déjà ses richesses agricoles : céréales, fruits et surtout le sucre de canne. Mais tant de prospérité suscita la convoitise. Les **Almoravides** s'emparèrent de Taroudant, en 1059, avant de partir à la conquête du nord du Maroc. Moins d'un siècle plus tard, ils furent renversés par les **Almohades** venus de **Tinmel** (voir p. 68 et 418), à 80 km au nord-est de Taroudant. Cependant, eux non plus, ne réussirent pas à asseoir définitivement leur autorité dans le Sous, qui redevint assez rapidement indépendant. Au 16e s., les **Saâdiens** accordèrent la plus grande importance à cette province, vitale pour leurs finances, et relancèrent l'industrie sucrière en déclin. Le premier sultan de la dynastie, **Mohammed ech Cheikh**, fit de Taroudant sa capitale de 1520 à 1540, avant de lui préférer Marrakech. Le Sous connut son âge d'or durant le règne d'**Ahmed el-Mansour** (fin du 16e s.) : les caravanes venaient chercher à Taroudant le coton, le sucre,

le riz et l'indigo. Au cours des siècles suivants, le Sous devint le centre d'innombrables révoltes. La dernière fut celle de **el-Hiba** (voir p. 488), chassé de Taroudant en 1913. Négligée par le gouvernement, au profit d'Agadir, la ville sombra doucement dans la léthargie, en conservant son urbanisme traditionnel jusqu'à ces dernières décennies.

LE TOUR DES REMPARTS★

Comptez 30mn en voiture, 1h en calèche et 1h30 à pied.

Renforcés par près de 80 bastions carrés et percés de 5 portes monumentales, les remparts de Taroudant dessinent un carré approximatif d'environ 8 km de pourtour. Il n'y a pas si longtemps, oliveraies et vergers venaient jusqu'au pied des murailles, leur conférant un charme supplémentaire. Mais, depuis quelques années, ce côté bucolique est menacé par la construction de faubourgs peu esthétiques. Promenez-vous de préférence en fin d'après-midi, lorsque la lumière chaude intensifie les couleurs de la terre crue et accentue les reliefs. Les romantiques pourront faire la balade en calèche au clair de lune. Édifiée au début du 18e s., l'épaisse muraille, haute de 8 à 14 m selon les endroits, comporte un soubassement de pierre, surmonté par des assises de pisé couronnées de merlons, le tout étant enduit d'un crépi de terre ocre. Sur son côté oriental est accolée la kasbah, construite par les Saâdiens. Formant un carré de 300 m de côté, elle est accessible par une porte indépendante, Bab el-Jedid. À l'intérieur se trouvaient des casernes, des bâtiments administratifs, le **palais du pacha**, aujourd'hui transformé en un superbe hôtel, le **Palais Salam★**, dont on peut visiter certaines parties.

LA MÉDINA ET LES SOUKS★

Comptez au moins 2h (et plus si vous voulez chiner).

Les souks sont particulièrement animés le jeudi et le dimanche.

Parcourir la médina de Taroudant est un véritable enchantement, car elle possède de nombreux jardins. Les rues étroites semblant suivre le tracé capricieux de sentiers immémoriaux, les meilleurs repères seront les minarets des mosquées. Bâtie en pisé, la maison roudani traditionnelle est modeste : elle se compose d'une cour étroite *(riad)*, entourée de pièces dont le toit en terrasse repose sur des troncs de palmier.

▸ Bab Targhount, à l'ouest, et Bab al-Kasbah, à l'est, sont les portes les plus pratiques pour entrer dans la médina. Laissez votre voiture de préférence près de Bab al-Kasbah. L'imposante **Bab al-Kasbah★** franchie, vous passez devant la station des calèches et la muraille, au pied de laquelle les femmes roudani, drapées dans leur haïks multicolores, aiment venir bavarder en fin d'après-midi. En tournant à gauche dans l'avenue Prince Héritier Sidi Mohammed, vous longez **Dar el-Baroud** *(ne se visite pas)* avant de rejoindre la Grande Mosquée, près de la **place an-Nasr** (ex-Talmoklate), point de départ de nombreux taxis et camionnettes. Au sud de cette place s'étend le **souk berbère★** (des villageois), envahi par les étalages colorés et parfumés des épices et des plantes médicinales. Ses étals regorgent de fruits et de légumes frais provenant de la plaine du Sous, et d'objets artisanaux d'usage courant, tels que poteries *(kanun* et tajines), vanneries, objets en fer-blanc. Mais, à certains, endroits les échoppes traditionnelles ont cédé la place à des magasins de souvenirs où l'acharnement des vendeurs fait souvent fuir les clients potentiels !

▸ Revenez à la place an-Nasr, puis gagnez la **place al-Alaouyine** – plus connue sous son ancien nom, place Assarag –, en vous frayant un chemin à travers la foule bigarrée de la rue al-Haddada où pullulent restaurants, gargotes et vendeurs ambulants. Cette place est le cœur de la ville ; toujours très animée, elle connaît une fébrilité presque inquiétante à la tombée du jour

quand elle est envahie par des nuées de cyclistes. Entre les places an-Nasr et al-Alaouyine se trouve le **souk arabe★** (des citadins) : l'ambiance y semble plus calme, les ruelles plus intimes et les boutiques plus « installées ». Au hasard de vos flâneries, vous y visiterez bijoutiers, antiquaires et brocanteurs, vous serez étonnés par les peaux de boa ou de panthère qui servent d'enseignes aux marchands de gris-gris et vous finirez bien par tomber sur le pittoresque **fondouk el-Harare** où, dans la pénombre, des artisans sculptent un calcaire tendre, appelé « pierre de Taroudant », pour en faire des objets décoratifs.

EXCURSION À TIOUTE

Comptez 2h. 65 km AR de Taroudant.

Quittez la ville par la route d'Ouarzazate ; après le village d'Aït-Yazza, tournez à droite en direction de Tata.

▸ Un long gué aménagé permet de traverser le lit caillouteux de l'**oued Sous** ; il est presque toujours à sec, mais ses rares crues sont terribles. Sur une petite éminence dominant la rivière, s'élève le village de **Freïja** avec sa **kasbah** en partie ruinée. Certaines maisons sont ornées de décorations très frustes, en forme de palmes, peintes à la chaux. Les grandes « jarres » (en réalité, une carcasse en vannerie recouverte d'argile) que vous voyez sur les toits en terrasse sont des réserves de grain.

▸ Après quelques oliveraies, la route traverse une savane de petits arganiers sauvages, végétation naturelle typique du Sous. Puis quittez la route d'Igherm et de Tata *(voir p. 484)* pour vous diriger vers la belle **palmeraie de Tioute** *(promenade à dos d'âne)*. Montez à l'ancienne kasbah du pacha, en partie ruinée, pour admirer la **vue★** sur le village (palais du pacha, marabout de Sidi Abdelkader) et sa palmeraie et, à l'arrière-plan, sur la chaîne du Haut Atlas.

DE TAROUDANT À LA VALLÉE DU DRÂA★★

Quelques repères

Itinéraire de 308 km de Taroudant à Agdz - Carte Michelin n° 742 plis 32, 33 et 34 et carte régionale p. 433.

À ne pas manquer

Une randonnée dans le jbel Siroua (demander conseil à l'auberge Souktana ou à l'auberge Le Safran).

Conseils

Arrêtez-vous à la Coopérative Souktana du safran. Si vous passez en octobre ou en novembre, vous assisterez à la récolte des précieux pistils.

À l'écart des grands sentiers touristiques, cet itinéraire vous plonge dans l'immensité de splendides paysages : la vaste plaine du Sous, les contreforts de l'Anti-Atlas et la région de Taliouine, centre de production du safran naturel.

Se loger, se restaurer

▸ *À Taliouine*

Environ 80 DH (8 €)

Auberge-restaurant le Safran, sur la route de Ouarzazate, sur la droite, ☎ 048 53 40 46, www.auberge-safran.fr.fm - 13 ch. ⌖ ✕ Une auberge bien tenue, avec des chambres très simples (demandez celles qui donnent sur la kasbah ; évitez le côté route !), une bonne cuisine au safran et un accueil charmant. Randonnées bien organisées.

Entre 80 et 200 DH (8 à 20 €)

Auberge Souktana, à la sortie de Taliouine en direction de Ouarzazate, sur la gauche, ☎/Fax 048 53 40 75 - 13 ch. ⌖ ✕ Maison familiale tenue par Michèle et Ahmed, qui ont récemment rénové et agrandi l'auberge. Au choix, 4 chambres ouvrant sur le patio, avec douche et WC, 4 petits bungalows avec lavabo dans le jardin (140 DH), une petite chambre intime, perchée dans le château d'eau au fond du jardin

(120 DH), 4 tentes avec lits et bougies (80 DH). Possibilité de planter sa tente (40 DH/2 pers.) Bonne cuisine marocaine (menu 80 DH). Ahmed et son fils Hassan sont guides et peuvent vous emmener en randonnée.

Entre 130 et 200 DH (13 à 20 €)

Auberge-restaurant-camping Toubkal, à la sortie de Taliouine sur la route de Ouarzazate, sur la gauche, ☎ 048 53 43 43/061 53 01 09 – 16 ch. ⌖ ✕ ⌀ Cet établissement dispose de 40 places pour caravanes ou camping-cars (55 DH), de chambres assez simples, d'autres climatisées ou avec salon. Piscine et jeux pour enfants, le tout à distance de la route, face aux montagnes. Repas sous la tente caïdale ou en salle.

▸ *À Tazenakht*

Environ 140 DH (14 €)

Hôtel-restaurant Taghadoute, dans le centre de Tazenakht, à droite en venant de Taliouine, ☎ 044 84 13 93/070 22 64 80 - 30 ch. ✕ Le café-restaurant (cuisine marocaine, menu à partir de 60 DH) occupe le rez-de-chaussée de cet établissement impeccable. Les chambres, dotées d'une bonne literie, se trouvent aux 1er et 2e étages ; 8 d'entre elles disposent de sanitaires privés. Deux grandes salles de bains communes par étage avec WC à l'européenne. Très bon accueil.

Achats

▸ *À Tazenakht*

Tapis - Espace Zoukouni, 96 av. Hassan II, Tazenakht, ☎ 044 84 10 28. Tlj 8h30-18h. Grand choix de tapis à des prix intéressants, bijoux.

LA ROUTE DU SAFRAN

Comptez 4h30. 308 km.

Quittez Taroudant par la N10 vers l'est ; au bout de 52 km laissez sur votre gauche la route pour le Tizi-n-Test et poursuivez sur la N10.

La route file tout droit à travers la plaine du Sous, encadrée par les majestueux contreforts de l'Anti-Atlas. Seuls les minarets blancs de quelques villages hérissent l'étendue herbeuse. Amandiers, oliviers, arganiers et noyers poussent dans cette région irriguée par l'oued Sous.

▶ Vous traverserez les villes d'**Aoulouz** puis de **Taliouine** *(hébergement possible, voir partie pratique)* qui servent toutes deux de point de départ pour de magnifiques randonnées vers le **jbel Siroua★★** (3 304 m). Composé d'étonnantes orgues basaltiques et d'aiguilles, cet ancien massif volcanique relie le Haut Atlas à l'Anti-Atlas. La région est aussi le centre de production du safran naturel du Maroc. Vous apprendrez tout sur cette épice, l'une des plus chères au monde, à la **Coopérative Souktana du safran★** *(dans la rue principale de Taliouine, 7h30-13h30/14h-20h ; petit musée, dégustation et vente de safran de qualité 15 DH/g)*. La région de Taliouine est la seule zone de production de safran en Afrique. Utilisés principalement pour la cuisine, les précieux pistils ont aussi des vertus médicinales et servirent longtemps à colorer tapis et tissus. Lors de la floraison, en octobre-novembre, les villageois font la cueillette avant le lever du soleil, lorsque la fleur est encore fermée. Il faut entre 140 et 230 fleurs pour obtenir 1 gramme de safran !

Entre Taliouine et Tazenakht, comptez env. 1h15 de trajet.

▶ Après Taliouine, les collines pierreuses s'étendent à perte de vue. La route suit d'abord de larges courbes avant de fuir tout droit dans l'immensité d'un plateau désertique et grandiose, entouré de petites montagnes. On traverse quelques villages perdus puis, du désert de pierres, surgit la ville de **Tazenakht** *(hébergement possible, voir partie pratique)*.

▶ De Tazenakht, on peut soit poursuivre la N10 vers Ourzazate *(env. 1h30 de trajet)*, soit emprunter la route puis la piste

🦋 Vrai safran : mode d'emploi

1 gramme de safran suffit à parfumer un plat pour 20 personnes. À condition bien sûr qu'il ne s'agisse pas d'un succédané à la saveur douteuse. Poudre de briques, pistils de carthames ou de coquelicots, barbes de maïs, filaments de viande de bœuf séchée… Tout ce qui ressemble au safran est bon pour les marchands peu scrupuleux. Pour éviter les arnaques, achetez des stigmates séchés. Vous éviterez ainsi le faux safran en poudre. Les filaments doivent être fins, longs de 1 à 3 cm, légèrement évasés en trompette à une extrémité et d'un rouge sombre, l'autre bout étant jaune. Les pistils frottés à sec sur un papier ne laissent aucune trace ; ils se teignent en jaune – et non en orange ou en ocre-rouge – s'ils sont mouillés. Leur odeur évoque la réglisse. Le goût, un peu amer au début, puis parfumé, ne doit en aucun cas être sucré. Enfin, le safran craignant la lumière et l'humidité, assurez-vous qu'il a été conservé dans de bonnes conditions.

qui rejoint la vallée du Drâa à 14 km au sud d'Agdz *(env. 2h15 de trajet)*.

▶ Si vous optez pour la deuxième solution, quittez Tazenakht par la R108 en direction du sud.

La route goudronnée sillonne une vallée de pierre ocre. Après une vingtaine de kilomètres, prenez la direction de Bou-Azzer. Environ 16 km plus loin débute la piste *(praticable en voiture à condition de rouler doucement, 30 km de piste, comptez 1h30)*.

Vous traversez un bel océan de pierre duquel émergent **Tasla** puis **Aït-Semgane-n-el-Graga**, pittoresques **villages en pisé★★** ceinturés de quelques palmiers. Les enfants accourent à l'approche de chaque véhicule.

Vous retrouvez le goudron après 30 km de piste. Tournez à droite, Agdz est à 14 km *(voir « La vallée du Drâa » p. 429)*.

AU CŒUR DE L'ANTI-ATLAS★★★

TAFRAOUTE

😊 **L'hospitalité des Berbères**

Quelques repères

145 km d'Agadir par Âït-Baha, 200 km par la route de Tiznit - Environ 4 000 hab. - Alt. 1 000 m - Climat très chaud en été - Carte Michelin n° 742 plis 4 et 32.

À ne pas manquer

Le coucher du soleil sur le jbel Lekst et l'adrar Mqorn.

Se promener dans le chaos granitique d'Agard Oudad.

La maison traditionnelle d'Abdessalam Ahras à Oumesnat.

Les gorges et la palmeraie d'Aït-Mansour.

Conseils

Venez en février ou en mars, quand les amandiers sont en fleur.

Si vous comptez pique-niquer, faites des provisions à Agadir ou à Tiznit.

Tafraoute est une petite ville située à 1 000 m d'altitude, au cœur d'un cirque montagneux grandiose. Avec ses rochers de granit rose étrangement sculptés par l'érosion et admirablement éclairés au couchant, sa région est l'une des plus étonnantes du Maroc. De riantes vallées et des oasis enfermées dans des gorges étroites viennent enrichir la variété des paysages. De plus, les villages berbères, longtemps restés très isolés dans leurs vallées perdues, ont conservé nombre de leurs traditions, dont l'hospitalité n'est pas la moindre. Restez plusieurs jours à Tafraoute pour faire des randonnées à pied et profitez ainsi tranquillement de la nature, du silence et de l'air pur.

D'AGADIR À TAFRAOUTE PAR AÏTBAHA★★

Comptez 3h30 à 4h. 145 km.

Sortez d'Agadir par le sud en direction de Tiznit ; après Inezgane (environ 13 km), quittez la route de Tiznit pour prendre la R105 vers Âït-Baha.

Se loger à Âït-Baha

Environ 220 DH (22 €)

Hôtel al-Adarissa, av. Mohammed V, ☎ 048 25 44 61 - 32 ch. ♨ TV ✕ CC Dans une si petite bourgade, un hôtel aussi moderne surprend. Sans charme, mais confortable, il peut servir de base à des randonnées dans le nord de l'Anti-Atlas *(location de Land Rover)*.

Les hameaux fortifiés

La route traverse d'abord la plaine du Sous, tantôt couverte de serres, tantôt plantée de majestueux arganiers, vieux parfois de plusieurs siècles. Puis, une montée en lacet procure de beaux **points de vue★** jusqu'à **Aït-Baha** (550 m).

▶ 4 km avant Âït-Baha, une piste à gauche permet d'atteindre **Imechguigueln**, où vous pouvez visiter un remar-

Greniers communaux fortifiés

Dans l'Anti-Atlas et le Sous, le terme *agadir* désigne une construction fortifiée dans laquelle étaient regroupés les greniers individuels de toutes les familles du village, auxquels s'ajoutaient parfois des équipements collectifs tels que mosquée, salle du conseil, forge ou citerne. En cas de danger, les femmes, les enfants et une partie du bétail y trouvaient refuge. Appelés également *igherm* dans d'autres régions, ils sont le trait le plus caractéristique des villages berbères. Généralement construits dans des lieux escarpés, leur enceinte de pierre, souvent renforcée de tours, ne comporte qu'une seule porte. À l'intérieur, les cases individuelles sont disposées sur trois ou quatre niveaux autour d'une allée centrale (parfois une cour). Leurs petites portes en bois, fréquemment sculptées, ne sont pas situées les unes au-dessus des autres, mais suivent desdiagonales ascendantes. On accédait aux rangées supérieures en grimpant sur des pierres plates faisant saillie hors du mur.

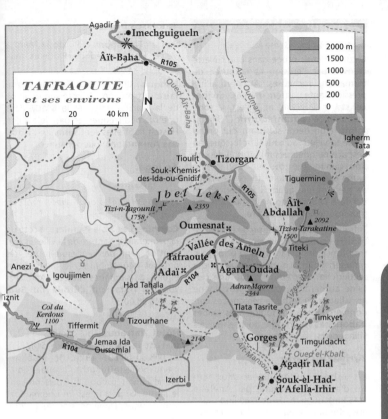

quable **grenier fortifié★** *(voir enca-dré)*, qui a été restauré.

Au-delà d'Âït-Baha, la route serpente dans un paysage accidenté de profondes vallées et d'éminences rocheuses couronnées de maisons ou de **hameaux fortifiés★**. Dès qu'il y a un peu d'eau, les arganiers cèdent la place aux amandiers. Les maisons sont en pierres sèches ; chaque famille possède son **aire de battage** dallée de grandes pierres plates, et certains villages sont encore dominés par leur **agadir★**.

▶ Environ 50 km avant Tafraoute, **Tizorgan★★** est l'un des plus frappants – et des plus accessibles – de ces villages fortifiés *(pour vous y rendre, laissez la voiture sur le bord de la route, juste après le départ, à droite, d'une route pour Souk-Khemis-des-Ida-ou-Gnidif. Marchez 500 m jusqu'à la* porte fortifiée. Comptez 1/2h de visite). Ce village, situé au sommet d'une colline escarpée, a la particularité d'être parfaitement circulaire. Son enceinte de pierre est formée par les murs extérieurs des maisons. Après avoir franchi deux portes successives, défendues par des tours, parcourez les deux uniques ruelles, elles aussi circulaires, en admirant quelques belles portes anciennes en bois d'arganier, patinées par les siècles et protégées par des auvents en plaques de schiste.

▶ La route, souvent mauvaise, continue à monter jusqu'au **Tizi-n-Tarakatine** (1 500 m). Puis vous rejoignez la vallée des Ameln et la cuvette de Tafraoute par une grande descente en lacet qui offre au passage de très beaux points de **vue★**. La route traverse le village d'**Oumesnat★** *(voir p. 483)*.

L'ANTI-ATLAS

TAFRAOUTE★★

Comptez au moins une journée.

C'est une oasis située dans une cuvette creusée par l'érosion et entourée de formations rocheuses. Au nord, l'impressionnante barrière gréseuse du **jbel Lekst★★** (2 359 m) et, à l'est, le sommet aigu de l'**adrar Mqorn★** (2 344 m) forment un décor saisissant qui prend toute sa valeur au couchant lorsque, en l'espace de quelques minutes, il décline une gamme de couleurs variant du jaune orangé au violet foncé. Les nuits de pleine lune, quand l'astre surgit de derrière l'adrar Mqorn, le spectacle est plus impressionnant encore.

Tafraoute est une création de l'administration coloniale française. La couleur rose foncé des maisons est sa principale caractéristique. Le petit **souk★**, qui se tient le mercredi, a gardé une certaine authenticité car il approvisionne les villages de toute la région. Les cordonniers fabriquent toujours les solides **babouches** de marche portées par les villageoises.

Arriver ou partir

En voiture - D'Agadir, les deux routes d'accès à Tafraoute, par Aït-Baha (145 km) ou par Tiznit (200 km), sont aussi longues l'une que l'autre et, par endroits, dangereuses : comptez 4h.

En bus - La CTM, la SATAS et les compagnies locales ont leur arrêt sur la rue principale (av. el-Jaich el-Malaki). Tafraoute n'est pas très bien desservi : 1 bus direct pour Agadir, 3 pour Tiznit (un continue sur Agadir et Marrakech).

En taxi collectif - De couleur bleu pâle, ils partent de la place de la Marche Verte. Ce sont souvent les seuls moyens d'accès aux villages isolés.

Comment circuler

La bourgade étant petite, utiliser une voiture vous compliquerait la vie. En revanche, louer un VTT vous permettra de faire de grandes balades sans trop de fatigue. Un 4x4 est souvent utile, mais on a parfois des scrupules à troubler la tranquillité de certains lieux. Si vous devez en louer un, faites-le à Agadir.

Adresses utiles

Poste / Téléphone - Pl. de la Marche Verte. Horaires réduits. Plusieurs téléboutiques en ville.

Banque / Change - La **Banque populaire** se trouve sur le côté sud de la pl. de la Marche Verte, et la **BMCE** dans une rue peu fréquentée parallèle à l'av. Hassan II. Si elles sont fermées, l'**Hôtel Les Amandiers** vous dépannera.

Se loger

▶ *À Tafraoute*

Env. 50 DH (5 €) à deux avec 1 tente et 1 véhicule

Camping Les Trois Palmiers, à côté de la palmeraie, à l'entrée de la ville en arrivant de Tiznit par l'ancienne route. Très petit et peu ombragé, le camping est équipé de sanitaires corrects. Adressez-vous au restaurant **L'Étoile du Sud**, ☎ 048 80 00 38.

Autour de 130 DH (13 €)

Hôtel Tafraout, pl. Moulay Rachid (devant la station d'essence SOMEPI), ☎ 048 80 00 60 - 19 ch. ✕ Établissement modeste (douches chaudes communes) mais propre. Un peu bruyant le matin. Le patron est un original fort sympathique. Demi-pension obligatoire l'été : 200 DH à deux.

Autour de 200 DH (20 €)

Hôtel Salama, dans le centre, entre l'oued et le marché, ☎ 048 80 00 26 - 28 ch. ✆ ✕ L'hôtel, confortable, dispose d'une terrasse sur laquelle vous pouvez prendre le petit-déjeuner. Assez bruyant le matin, surtout le mercredi, jour du souk.

Autour de 770 DH (77 €)

⊛ **Hôtel Les Amandiers**, ☎ 048 80 00 88/08 - 58 ch. ✆ ▤ 🖵 ✕ 🍸 🛋 🆑 Sa haute silhouette de kasbah (en béton) domine la bourgade. C'est le seul hôtel de cette catégorie à Tafraoute. Les chambres sont spacieuses et bien équipées, mais impersonnelles. Préférez celles avec balcon. Très calme, c'est une

Adaï, environs de Tafraoute

base idéale pour les randonnées (réduction pour séjour de plusieurs jours). Réservez en haute saison (de mars à mai). 530 DH hors saison.

▶ *Au col du Kerdous (sur la route de Tiznit)*

À partir de 700 DH (70 €)

🅰 **Hôtel Kenzi Kerdous**, km 54, ☎ 048 86 20 63 - 39 ch. �ⓘ 🖷 📺 ✕ ▿ 🕳 🆑 Ce beau 4-étoiles, situé à 1 100 m d'altitude, offre un panorama exceptionnel et un calme absolu. Avec ses chambres spacieuses et bien décorées, l'établissement convient parfaitement pour une nuit. Mais il est peu pratique comme centre de randonnées : il faut plus de 1h pour parcourir les 54 km qui le séparent de Tafraoute. Petite piscine de mai à fin novembre. 560 DH avec petit-déjeuner.

Se restaurer

Environ 50 DH (5 €)

À Tafraoute, vous pouvez vous nourrir à peu de frais dans les cafés et crémeries de la rue principale, tel **Le Marrakech**.

Entre 50 et 100 DH (5 à 10 €)

L'Étoile d'Agadir, place de la Marche Verte, à côté de la poste, ☎ 048 80 02 68. Le décor est un peu kitsch, mais vous dégusterez de bons tajines et couscous. Bon et solide petit-déjeuner en salle ou en terrasse, ensoleillée le matin.

L'Étoile du Sud, av. Hassan II, en face de la poste, ☎ 048 80 00 38. 🆑 À la salle marocaine kitsch, préférez la terrasse, sous un grand eucalyptus, ou la tente caïdale. Menu fixe bon et copieux ; pas de vin, mais vous pouvez en apporter. Évitez le déjeuner en haute saison, à cause des groupes trop nombreux…

Environ 120 DH (12 €)

Les Amandiers (voir l'hôtel du même nom) ▿ 🆑 C'est là que vous prendrez le meilleur repas. Cuisine française sur demande.

Loisirs

Randonnées à pied - Il peut être utile de faire appel à un guide pour vous indiquer le meilleur chemin et pour éloigner les hordes d'enfants et les faux guides. Contactez, par exemple, Houssine Laroussi ou Abdelkrim Omary au **Coin des Nomades**, petite boutique en face du marché, ☎ 061 62 79 21 ou Bakou Taïb (près du marché, ☎ 066 55 47 57). Ils prennent 150 à 200 DH par jour (sans compter le repas) et peuvent aussi vous procurer des mulets pour des trekkings de plusieurs jours.

Achats

Les bazaristes s'emploient à dépouiller les villageois de tous leurs objets anciens pour les revendre très cher, à **La Maison Touareg** ou ailleurs.

Chez Idriss (place de la Marche Verte) aura votre faveur car le propriétaire laisse les clients farfouiller tranquillement sans essayer de leur forcer la main.

La spécialité de Tafraoute sont les babouches de marche, jaunes ou rouges : achetez-les à leur vrai prix (env. 80 DH), directement chez les cordonniers du souk. Il y a aussi de très beaux paniers ronds que les femmes portent dans le dos (env. 80 DH). Vous trouverez de l'huile d'argan au marché mais assurez-vous qu'elle soit pure ! Le petit **souk hebdomadaire** a lieu le mercredi dans le centre.

Presse - **L'Épicerie de Tafraoute** vend des journaux en français.

AUTOUR DE TAFRAOUTE★★

▶ Dans les environs immédiats, profitez des nombreuses balades faciles, de 1 ou 2h, qui vous feront découvrir les montagnes et les villages. Allez visiter, par exemple, le village d'**Adaï**★ *(à 3 km au sud-ouest, sur la route de Tiznit)* dont les maisons se serrent autour de la mosquée peinte en rouge bordeaux au pied de rochers. Remarquez quelques très belles **entrées**★ décorées de plaques de schiste.

▶ Ailleurs, ce sont des rochers étrangement sculptés par l'érosion qui vous attireront, comme ceux que l'on a surnommés « la **gazelle** » et « le **chapeau de Napoléon** » ou « le **doigt** », contre lequel se blottit le village d'**Agard-Oudad** (3 km au sud de Tafraoute).

▶ Poursuivez sur 3 km environ la route au sud d'Agard-Oudad ; un panneau indique alors sur la droite les « rochers peints ». Vous pouvez aussi y aller à pied à partir de Tafraoute, ou bien d'Agard-Oudad, mais il est prudent de prendre un guide si vous ne voulez pas perdre trop de temps. Cet ensemble de **rochers peints en bleu** par un artiste belge rend le paysage assez insolite. Que l'on apprécie ou non, le lieu ne laisse pas indifférent ; la seule beauté naturelle de ces énormes blocs de granit, aux formes étonnament douces, et le calme bucolique des lieux méritent de toute façon une promenade.

La vallée des Ameln★★

Au nord de Tafraoute. La barre rocheuse du **jbel Lekst** s'étire d'est en ouest sur une vingtaine de kilomètres. Au pied de cet obstacle infranchissable, véritable falaise de grès dur, s'étend une **vallée verdoyante**, peuplée par la tribu berbère des **Ameln**. Une irrigation minutieuse et un travail patient ont fait prospérer vergers d'amandiers, palmeraies et champs d'orge. En février, lorsque les amandiers sont en fleur, le paysage est enchanteur ; un âne trottine sous les palmiers, de sveltes jeunes filles, drapées dans un long voile bleu foncé, rehaussé de broderies vives, reviennent

L'argent des villes

Depuis longtemps déjà, dans chaque famille, l'un des membres doit s'expatrier dans une grande ville ou en France, pour y tenir une épicerie dont les revenus feront vivre le foyer. En général, l'expatrié ne revient au pays que pour les vacances et n'a alors d'autre souci que d'exhiber sa richesse nouvellement – et durement – acquise : un peu partout s'édifient de monstrueux « palais » de béton, qui restent fermés onze mois par an. En vous promenant dans les nombreux villages de la vallée, vous serez frappé par le mélange des styles d'habitation qui traduisent la dégénérescence de l'architecture locale au cours de la seconde moitié du 20e s.

gaiement de la fontaine en portant sur le dos de belles amphores en terre ou en métal jaune…

Ce tableau idyllique ferait presque oublier que la vallée ne peut pas nourrir sa population, bien trop nombreuse, et que la vie est dure dans ces villages.

Oumesnat★

À 10 km au nord de Tafraoute sur la route d'Agadir.

▶ Dans ce village, vous pourrez visiter la **maison traditionnelle d'Abdessalam Ahras**★★ (*tlj 8h30-coucher du soleil. Entrée : 10 DH, comptez 30mn de visite, et plus si vous discutez avec le propriétaire*). Faites 1 km à partir de la R105 (route d'Agadir), puis laissez la voiture sur la petite place près d'une épicerie. De là, il faut marcher 10mn : prenez le sentier en direction de la falaise, qui traverse un cimetière puis un ruisseau.

Alors que bien des maisons anciennes sont à l'abandon ou en ruine, celle-ci, supposée vieille de quatre siècles, est en bon état, et riche de tous les objets de la vie quotidienne. De plus, la présentation n'a rien de muséale, car le propriétaire, Abdessalam, y vit en compagnie d'un de ses fils ; cette maison est toute sa vie. Né dans une famille de commerçants établis à Tanger, puis atteint de cécité à l'adolescence, il revint s'installer dans la demeure de ses ancêtres, et décida de faire connaître ce patrimoine architectural ainsi que les traditions qui lui sont liées.

Véritable **petite forteresse★**, haute et étroite, la maison est construite en pierre liée par de l'argile. Elle se répartit, de manière très fonctionnelle, sur trois niveaux : en bas, les pièces consacrées aux animaux communiquent directement avec le jardin ; au-dessus, les pièces de stockage des denrées et les petites chambres sont chauffées par la cuisine qui se trouve au centre, sous un puits de lumière (une ouverture dans le sol en terre permet de jeter directement les détritus aux animaux) ; en haut, la pièce de réception et la terrasse principale découvrent une **vue superbe★**

sur le village et la vallée. Parmi les nombreux objets rassemblés, remarquez un **moulin à bras**, qui sert à extraire l'huile d'argan, et les divers ustensiles de cuisine.

Les gorges d'Aït-Mansour★★

Comptez une demi-journée et n'oubliez pas le pique-nique.

Env. 30 km de Tafraoute jusqu'au parking de la palmeraie. Excursion de 60 à 80 km AR. Cet itinéraire manquant totalement de signalisation, il peut être utile de se faire accompagner d'un guide. Attention, ne vous engagez surtout pas dans les gorges d'Aït-Mansour avec un camping-car au-delà du début de la palmeraie : vous ne pourriez plus faire demi-tour. De toute façon, un 4x4 est nécessaire pour faire le tour complet par l'oued Tizerkine. De Tafraoute, prenez vers le sud la route d'Agard.

Au carrefour des « roches peintes », laissez, à droite, la nouvelle route de Tiznit pour prendre à gauche une étroite route *(direction Tlata Tasrite)* de montagne qui escalade le flanc sud-ouest de l'adrar Mqorn en procurant de très belles **vues★★** sur le **jbel Lekst**. Après une dizaine de kilomètres, vous atteignez un plateau désolé, à 1 600 m d'altitude (en hiver, la route peut être coupée par des congères), où quelques hameaux se nichent dans des creux du terrain. Puis vous redescendez lentement, à travers un paysage minéral, d'où surgissent parfois quelques palmiers rabougris, jusqu'à pénétrer par des lacets dans les **gorges★★** grandioses et désertes de l'**oued Aït-Mansour**. Au bout de 4 ou 5 km (altitude 1 250 m), lorsque la route goudronnée se termine, s'élève une surprenante **palmeraie★★**, enserrée entre deux hautes falaises très rapprochées. C'est un véritable enchantement de voir la verdure éclatante des jardinets irrigués sous les frondaisons denses des palmiers dattiers, et de traverser l'oued à gué, à de nombreuses reprises. La sortie des gorges débouche sur une vallée, un peu plus large, où apparaissent plusieurs villages anciens dont **Agadir Mlal★** et **Souk-el-Had-**

d'Afella-Irhir. De là, vous pouvez soit poursuivre en direction d'Aït Bou Nouh, soit obliquer sur la gauche et remonter l'oued el-Kbalt (**zaouïa** de Timguidacht) puis l'oued Tizerkine, à nouveau sur la gauche.

DE TAFRAOUTE À TATA PAR IGHERM★★

Comptez une bonne demi-journée avec les arrêts.

Itinéraire de 220 km au départ de Tafraoute. La route est goudronnée sur tout le parcours. Possibilité de restauration à Igherm uniquement où l'on trouve aussi une station-service.

Sur cet itinéraire peu fréquenté vous risquez de souffrir de la chaleur. Mais il vous fera découvrir de magnifiques **paysages sauvages★★** et quelques superbes exemples d'**architecture fortifiée★** berbère.

Quittez Tafraoute par la route d'Agadir *(R104)* ; après Tizi-n-Mlil, prenez à droite la route d'Igherm. Sur une quinzaine de kilomètres, le paysage, très pelé et laissant bien voir les plissements calcaires, n'est ponctué que de quelques hameaux anciens en pierre.

▶ **Aït-Abdallah** est un gros village *(souk le samedi)* où les femmes portent un voile très particulier : sous un premier tissu bleu presque noir, deux morceaux de soie rouge vif cachent la bouche et le front.

▶ Au km 40, sur la gauche, le village d'**Iberkak** est dominé par un bel **agadir★**. Laissez la voiture au bord de la route et grimpez une dizaine de minutes pour atteindre la fortification. Les villageois n'aiment pas trop qu'on visite ce grenier fortifié, toujours en usage, mais le souriant gardien, vous laissera entrer quelques minutes *(donnez-lui quelques dirhams)* : les marches d'escalier en saillie sur l'allée centrale sont du meilleur effet.

Ensuite, la route traverse quelques villages pittoresques et surtout d'impressionnants **paysages★★**.

▶ **Igherm** n'est pas particulièrement intéressant, mais vous pourrez y faire quelques provisions *(n'oubliez surtout pas l'eau et l'essence !)* avant de prendre la route pour Tata.

Sur 120 km, une succession de **paysages époustouflants★★** raviront les amateurs de géologie : montagnes totalement arides, roches déchiquetées violettes, vertes ou noires, gorges étroites, plissements verticaux, reliefs tabulaires, sable, etc. Parfois, ce chaos minéral laisse place à une palmeraie et c'est alors la verdure qui semble étrange ! À la dureté du paysage répond une **architecture guerrière★** (la région n'a été « pacifiée » que dans les années 1930) : villages fortifiés, tours de guet perchées sur des pitons, fortins et kasbahs se succèdent. Citons par exemple le très beau **fort★** de Idaoutinst sur un éperon rocheux ou le **château★** de Timkite, environ 6 km avant Issafèn. Au bord de cette route, plusieurs jolis **marabouts★** et la **zaouïa d'Aït Haroun** méritent aussi un bref arrêt.

Tata

Tata est une petite ville moderne, toute rose, écrasée de chaleur (au moins 45 °C à l'ombre en été…), qui propose deux hôtels corrects. Sur le marché, remarquez les **voiles colorés** des femmes qui vendent leurs légumes sous les arcades.

Vous pourrez visiter les villages anciens de l'oasis de Tata, généralement construits en pisé : **Tigirmt** présente des **ateliers de poterie★**, et **Agadir el-Henna★**, spécialisé dans la culture du henné, offre une belle vue.

Enfin, la province de Tata est riche en gravures rupestres datant de la préhistoire, mais il vous faudra un guide et beaucoup de temps pour les voir.

Adresses utiles

Délégation du tourisme - Municipalité, ☎ 048 81 20 75/80 21 31. La chaleur torride n'incite guère à l'activité, et pourtant les responsables montrent un sincère désir de faire connaître les richesses cachées de leur province.

Se loger, se restaurer

Env. 50 DH (5 €) à deux avec 1 tente et 1 véhicule

Camping municipal, dans le centre, sur l'av. Mohammed V, en face de la gendarmerie, ☎ 048 80 26 26. Il manque d'ombre, mais il est bien équipé. Piscine. Assez fréquenté de janvier à mars.

Entre 180 et 380 DH (18 et 38 €)

Hôtel de la Renaissance, 9 av. des F.A.R., ☎ 048 80 22 25/25 29 - 38 ch. ⚐ ⏷ ✕ ☂ ⏃ cc Établissement sympathique mais peu professionnel. Chambres de différents niveaux de confort.

Environ 450 DH (45 €)

Relais des Sables, av. des F.A.R. (juste après la station Total), ☎ 048 80 23 01/02 - 55 ch. ⚐ 🗏 ✕ ☂ ⏃ Cet hôtel offre un confort inattendu dans la région. Même petite, sa piscine vous apparaîtra comme une bénédiction du ciel. Les chambres, de taille réduite mais correctes, sont à moitié enterrées pour conserver la fraîcheur ; seules les dix « suites » sont climatisées.

Achats

Les poteries de Tata, très différentes de celles de Fès ou de Safi, ne sont pas inintéressantes. On les trouve au marché, dans le centre de Tata, ou au **souk hebdomadaire**, qui a lieu le jeudi à l'extérieur de la ville *(côté sud)*. Mieux encore, allez directement chez le potier, **Omoussa Bilal**, dans le hameau de Tigirmt, au nord de Tata.

Bonne Route

☹ **Le harcèlement des vendeurs dans le souk des bijoutiers de Tiznit**

Quelques repères

Circuit de 3 jours au départ d'Agadir - 720 km aller-retour et 1 150 km si vous poussez jusqu'à Tarfaya - Carte Michelin n° 742 plis 31, 43 et 44, plan de Tiznit et carte régionale p. 493.

À ne pas manquer

La ville de Tiznit.

Le marché aux chameaux du samedi à Guelmim.

Conseils

Choisissez plutôt l'hiver ou le printemps pour visiter cette région très chaude.

Évitez de loger à Guelmim ; allez plutôt à Fort Bou-Jerif.

Loin du tourisme de masse d'Agadir, Tiznit et Sidi Ifni sont deux petites villes très originales, et le marché aux chameaux de Guelmim reste une attraction notoire, même si sa réputation se révèle surfaite.

En outre, le circuit du Grand Sud permet de parcourir des centaines de kilomètres de paysages quasi désertiques et pourtant variés. Il nécessite trois jours, mais ceux qui ont le goût des grands espaces solitaires et du camping sauvage pourront le prolonger à leur guise, à condition d'être bien équipés et munis de provisions suffisantes (dont l'eau potable).

TIZNIT★ ET SES ENVIRONS

Comptez 2h.

Telle que nous la voyons, avec ses superbes murailles, son souk et ses mosquées, Tiznit ne date que de la fin du 19e s. Elle fut fondée en 1882 par le sultan **Moulay Hassan**, au cours de sa première expédition punitive dans le Sous, qui était passé sous le contrôle de la confrérie religieuse de Sidi Ahmed ou Moussa. Le sultan fit ceinturer d'un rempart les quatre quartiers préexistants, ainsi que des champs et des vergers, avant d'y installer une garnison. La ville connut son heure de gloire lorsque **Ahmed el-Hiba** s'y fit proclamer sultan, le 10 avril 1912, et décréta la guerre sainte contre les Français *(voir encadré)*.

Arriver ou partir

En voiture - Agadir est à 1h30 de voiture par la N1.

En bus - Les bus de la CTM, de la SATAS et des compagnies locales partent de la place du Méchouar. Au moins 6 bus par jour pour Agadir et 4 pour Guelmim.

En taxi collectif - Suivant leur destination les grands taxis partent des environs de la poste principale (pour Agadir et Sidi Ifni), des abords du carrefour principal (pour Guelmim, Tan-Tan et le Sahara occidental) ou de l'av. Hassan II, à l'angle sud-ouest du rempart (pour Aglou-Plage).

Comment circuler

Tiznit est une petite ville aux rues étroites : vous aurez donc intérêt à garer votre voiture sur la place du Méchouar ou à l'extérieur des murailles, et à tout faire à pied.

El-Hiba, le « sultan bleu »

Ahmed el-Hiba était l'un des fils de Ma el-Aïnine, le célèbre cheikh saharien qui avait créé la ville de Smara et mené une lutte active contre la pénétration française au Sahara. Lorsqu'il mourut à Tiznit en 1910, son fils lui succéda. Scandalisé par la signature du traité de Fès qui établissait le protectorat, el-Hiba se proclama sultan, puis, au cours de l'été 1912, rallia les tribus du Sud et souleva tout le Sous avant de marcher sur Marrakech. Mais après le désastre de Sidi Othmane, il dut se replier sur Taroudant, où il résista jusqu'en mai 1913. El-Hiba poursuivit vaillamment une lutte inégale, dans l'Anti-Atlas, avant de mourir à Tiznit en 1919.

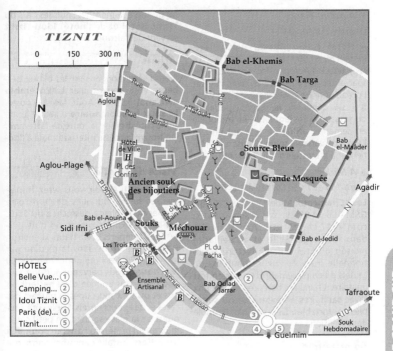

Adresses utiles

Banque / Change - Les banques sont situées sur le bd Hassan II et l'av. du 20 Août (distributeurs automatiques).

Poste / Téléphone - **Poste centrale**, av. du 20 Août, dans le prolongement des « Trois Portes ». Plusieurs téléboutiques en ville.

Se loger

▶ *À Tiznit*

Env. 40 DH (4 €) à deux avec 1 tente et 1 véhicule

Camping, hors Bab Oulad Jarrar, à 150 m du carrefour principal de Tiznit, ☎ 048 60 13 54. Bien situé, à proximité du centre, mais il manque d'ombre.

Environ 80 DH (8 €)

Hôtel Belle Vue, 101 rue du Bain Maure (rue qui part de la place du Méchouar), ☎ 048 86 21 09 - 23 ch. ⚑ Modeste, propre, assez confortable, et surtout, plus calme que les hôtels de la place du Méchouar. Grandes terrasses avec vue sur la médina. Le patron est très accueillant.

Environ 210 DH (21 €)

Hôtel de Paris, av. Hassan II, carrefour de Tiznit, ☎ 048 86 28 65 - 20 ch. ⚑ ✗ ⛛ Bon rapport qualité-prix. Évitez toutefois les chambres donnant sur le carrefour, elles sont un peu bruyantes.

Environ 380 DH (38 €)

Tiznit Hôtel, rue Bir Inzaran, carrefour de Tiznit, route de Tafraoute sur la gauche, ☎ 048 86 24 11/38 86 - 40 ch. ⚑ ✗ ♟ ⛵ ⛛ Les chambres, modernes, sont disposées autour d'un jardin central avec piscine. Bar.

Environ 880 DH (88 €)

Hôtel Idou-Tiznit, carrefour de Tiznit, av. Hassan II (route d'Aglou-Plage), ☎ 048 60 03 33/04 44 - 136 ch. ⚑ ▤ ✗ ♟ ⛵ ⛛ Récemment ouvert, ce confortable hôtel doté d'une belle piscine propose de multiples excursions dans la région.

▶ À Aglou-Plage

Environ 250 DH (25 €)

Hôtel Aglou Beach, Aglou-Plage, ☎ 048 86 61 96 - 16 ch. ⌁ ✗ ⚓ Le seul hôtel d'Aglou offre des chambres spacieuses et confortables, avec vue sur l'océan pour certaines d'entre elles. Vaste terrasse dominant la plage. Spécialités de poissons. Très agréable et tranquille en semaine, affluence le week-end et l'été. Prix variable selon la saison. Déjeuner servi au restaurant juste à côté.

▶ À Mirleft

Entre 150 et 1 050 DH (15 à 105 €)

Les 3 Chameaux, Mirleft, ☎ 048 71 91 87, GSM 066 54 85 79, www.3chameaux. com - 17 ch. ✗ [cc] Accès fléché dans le village. Belle et accueillante maison d'hôtes à l'architecture traditionnelle installée sur les hauteurs de Mirleft à l'emplacement d'un ancien fort militaire. Chambres berbères à petit prix (avec sanitaires à l'extérieur) ou suites plus confortables. Lieu paisible. Formule demi-pension.

Se restaurer

Moins de 50 DH (5 €)

Parmi les établissements bon marché installés sur la place du Méchouar, nous vous recommandons le restaurant **Au Bon Accueil**, sur le côté ouest de la place. Menu fixe et service rapide.

Environ 80 DH (8 €)

Restaurant de l'**hôtel de Paris** *(voir l'hôtel du même nom)*. [cc] Cuisine française et marocaine. Tarifs corrects.

Café-restaurant du Carrefour, av. Hassan II, près du carrefour principal, ☎ 048 60 08 36. ▤ Moderne et propre. Sandwichs, grillades et plats variés à prix raisonnable. Délicieux jus de fruits frais. Petits-déjeuners réputés : pain trempé dans l'huile d'olive ou d'argan, *hambou* (poudre d'amandes grillées mélangée à de l'huile d'argan).

Sortir, boire un verre

Sur la place animée du Méchouar, plusieurs terrasses, telle celle du **café al-Machouar** proposent des jus de fruits ou du thé à la menthe. Seuls les bars du **Tiznit Hôtel** et de l'**hôtel Idou-Tiznit** servent de l'alcool.

Achats

Rien d'exceptionnel sauf les bijoux berbères. Vous pouvez aller à l'**Ensemble artisanal**, av. du 20 Août, face à la poste. Le **souk hebdomadaire** a lieu le jeudi, sur le côté droit de la route de Tafraoute. On trouve la presse internationale à l'hôtel Idou-Tiznit.

Visite de la ville

En arrivant d'Agadir, vous serez frappé par ses belles murailles de terre ocre surgies de la plaine desséchée du Sous. Longs de 5 km et percés de huit portes, ces remparts sont hauts d'environ 6 m. En pénétrant dans la médina par les « Trois Portes » qui donnent accès au **Méchouar**, vous parvenez sur une longue place très animée d'où partent les bus et où sont regroupés la plupart des cafés et des petits hôtels. Sur le côté sud-ouest de la place se tient un petit souk, mais on lui préférera l'**ancien souk des bijoutiers**, installé dans une charmante cour à arcades, un peu plus au nord.

Partant de la place du Méchouar, la **rue du Bain Maure** permet de gagner le cimetière situé au centre de la médina (remarquez la petite mosquée carrée). Il faut le contourner pour atteindre la **Grande Mosquée**, où el-Hiba fut proclamé sultan : malgré le crépi moderne qui cache le pisé, le **minaret★** reste impressionnant, avec ses angles hérissés de perches tordues destinées à accueillir l'âme des morts. La **source bleue** de Lalla Tiznit – d'après la légende, l'éponyme de la ville serait cette prostituée repentie qui aurait vécu près de la source – n'est plus qu'un bassin d'eau boueuse qui fait le bonheur des enfants en été. Poursuivant la promenade à travers les ruelles, où glissent des fantômes enveloppés dans leur haïk vaporeux aux couleurs chatoyantes, vous atteindrez **Bab Targa**, une porte qui donne sur la campagne. Une fois franchie, on peut longer l'extérieur du rempart jusqu'à **Bab el-Khemis**, à travers les vergers et à l'ombre des palmiers (faites abstraction des détritus).

De Tiznit à Sidi Ifni par la côte★

Comptez 2h, plus si vous passez par Aglou-Plage.

Sortez de Tiznit par la R104.

▶ Vous pouvez prendre la route d'**Aglou-Plage** *(hébergement et restauration possible à Aglou, voir partie pratique)* et faire une promenade sur l'immense **plage★** de sable fin battue par les flots *(baignade dangeureuse et interdite)*.

▶ Prenez la route côtière. Après avoir quitté la plaine aride où la végétation se réduit souvent à des cactées, appelées « coussins de belle-mère », vous franchirez une ligne de montagnes. Elles ne dépassent guère 600 m, mais suffisent à protéger des influences sahariennes la zone côtière de l'Ifni, où règne un microclimat océanique. C'est le domaine de prédilection de l'**euphorbe**, un étrange arbrisseau qui fait les délices des dromadaires.

▶ À 11 km avant Sidi Ifni, arrêtez-vous à la plage **el-Gzira★**. Laissez votre véhicule et prenez l'escalier qui mène à la plage. Au pied de la falaise s'étend une immense plage emjambée par deux splendides **arches rocheuses★★** *(baignade dangeureuse et interdite)*. Le lieu est sauvage et paisible ; on peut y passer la nuit *(deux auberges sont installées au pied de la falaise)*.

SIDI IFNI

Comptez 1h.

Dans les années 1960, Ifni était un nom familier pour les philatélistes, mais bien rares étaient ceux qui savaient où diable se trouvait ce minuscule territoire espagnol ! Aujourd'hui, ce lieu un peu mythique reste difficile d'accès, et le temps semble s'y être figé : c'est sans doute ce qui séduit les aficionados de ce coin perdu.

Histoire

Ifni n'a été espagnole que pendant 35 ans, et encore, à la suite d'une étonnante confusion géographique !

En 1476, le seigneur de Lanzarote (une des îles Canaries) débarqua près d'une lagune de la région de Tarfaya ; il baptisa l'endroit **Santa Cruz del Mar Pequeña** et y installa une pêcherie protégée par

une petite forteresse. Mais, les attaques des Saâdiens forcèrent les Espagnols à abandonner leur comptoir dès 1524.

On n'en entendit plus parler jusqu'à ce que le traité de Tetouan (1860) vienne confirmer les droits anciens des Castillans sur Santa Cruz del Mar Pequeña. Mais au bout de trois siècles et demi, plus personne ne savait exactement où ce comptoir avait été situé ! Pour finir, on décida que c'était à Ifni (qui, en fait, est beaucoup plus au nord) et l'Espagne s'y vit attribuer un territoire de 2 500 km². Elle ne l'occupa qu'en 1934, après la pacification française.

Malgré sa position enclavée, Ifni devint la **capitale de toute l'Afrique-Occidentale espagnole** et sa population hispanique s'accrut considérablement. Mais, en 1958, après l'abandon par l'Espagne de la zone de Tarfaya, Ifni redevint une simple province. En 1969, devant la pression du Maroc, elle dut être abandonnée à son tour, entraînant le départ de la quasi-totalité des Espagnols. Depuis, Sidi Ifni se languit dans la nostalgie de sa brève et bien modeste splendeur coloniale.

Arriver ou partir

En voiture - Tiznit est à 1h30 de voiture par la R104 ; comptez 3h si vous passez par Aglou-Plage et la piste côtière (4x4 nécessaire). Guelmim est à un peu plus de 1h par la N12.

En bus - Les bus (2 par jour pour Tiznit et 1 pour Guelmim) partent de l'avenue Mohammed V, dans le centre.

En taxi collectif - Les grands taxis pour Tiznit ou Guelmim stationnent dans la rue de Marrakech.

Adresses utiles

Banque / Change - **Banque populaire**, av. Mohammed V.

Poste / Téléphone - Av. Mohammed V.

Se loger

Env. 50 DH à deux avec 1 tente et 1 véhicule (5 €)

Camping, juste après l'hôpital, face à l'ancien terrain d'aviation. Proche de la plage et du centre, mais peu ombragé.

Entre 100 et 160 DH (10 à 16 €)

🍴 **Suerte Loca**, 7 pl. Chouhada, au bout de l'av. Moulay Youssef, à côté de la gendarmerie, ☎ 048 87 53 50 – 16 ch. ✗ 🛏️ Ce petit hôtel du bout du monde est une véritable institution à Ifni. On y vient plus pour l'ambiance conviviale et la clientèle d'habitués que pour le confort (la moitié des chambres ont des salles de bains privées). Quelques chambres donnant sur la mer sont très agréables. Petit-déjeuner (à la carte) non compris dans le prix.

Entre 220 et 350 DH (22 à 35 €)

Hôtel Bellevue, 9 pl. Hassan II, ☎ 048 87 50 72/52 42 - 40 ch. ✗ 🍷 🛏️ 🆒 Situé au bord de la falaise, cet hôtel datant des années 1940, mérite bien son nom. Nombreuses terrasses où l'on peut bronzer à l'abri du vent ; bars et restaurants, parking gardé. Idéal pour un séjour familial.

Environ 280 DH (28 €)

Hôtel Âït Baâmran, av. de la Plage, dans le bas du village, ☎ 048 78 02 17 – 24 ch. 🔌 ✗ 🍷 L'hôtel, directement sur la plage, a été récemment rénové. Une piscine municipale est installée juste à côté (ouverte en été seulement).

Se restaurer

Environ 50 DH (5 €)

Plusieurs petits restaurants aux alentours du marché (av. Mohammed V, av. Hassan II).

Suerte Loca *(voir l'hôtel du même nom)*. Spécialité de poissons : au four, en tajine ou en grillade (de mai à octobre). Si l'on veut du vin, il faut l'apporter. Animation musicale deux fois par semaine.

Environ 90 DH (9 €)

Hôtel Bellevue *(voir l'hôtel du même nom)*. 🍷 🆒 Pour un bon repas à prix raisonnable, face à l'océan.

Visite de la ville espagnole

Elle a été construite au cours des années 1940 et 1950, au bord d'une falaise qui surplombe la plage. Témoins intacts d'une époque qu'on a peine à croire révolue, la plupart des bâtiments officiels sont regroupés autour de la place Hassan II (l'ancienne **Plaza de España**) : le consulat d'Espagne, l'église (transformée en tribunal), l'hôtel Bellevue, le palais du gouverneur, la mairie ; un peu plus loin, le cinéma et la poste, où figure encore l'inscription « *Correos* ».

Au bout d'une petite demi-heure, vous avez déjà tout parcouru et tout vu. Et pourtant, vous n'avez aucune envie de repartir : alors vous flânez dans les *calles* à moitié vides, vous allez faire un billard à la Suerte Loca et, à la tombée du jour, comme tous les habitants d'Ifni, vous vous adonnez au plaisir tranquille du *paseo*, le long de ce fameux **belvédère** qui menace de s'effondrer dans l'océan…

À quoi tient donc l'étrange envoûtement qu'exerce Sidi Ifni ? À cette architecture théâtrale, à la lumière océane, ou bien au sentiment d'isolement et à la nonchalance des habitants ?

De Sidi Ifni à Guelmim

Comptez un peu plus de 1h.

Quittez Sidi Ifni par la N12, qui part du nord-est de la ville. L'étroite route asphaltée traverse des terres rouges couvertes de figuiers de Barbarie et d'euphorbes, pouvant atteindre 2 m de haut. Après un petit col, le paysage change brusquement : on descend sur la plaine steppique de Guelmim, où ne poussent plus que de maigres buissons épineux.

GUELMIM

Comptez 1h.

Guelmim est un ancien point de rassemblement des caravanes à destination de Tombouctou. Aujourd'hui, avec la disparition du commerce transsaharien, le célèbre marché aux chameaux a beaucoup perdu de son importance. Quant à la danse de la *guedra* et aux « hommes bleus », ils ont perdu un peu de leur authenticité.

La ville, entièrement peinte en rouge bordeaux, est de construction récente. Les rues, écrasées de chaleur et balayées par des tourbillons de poussière, sont

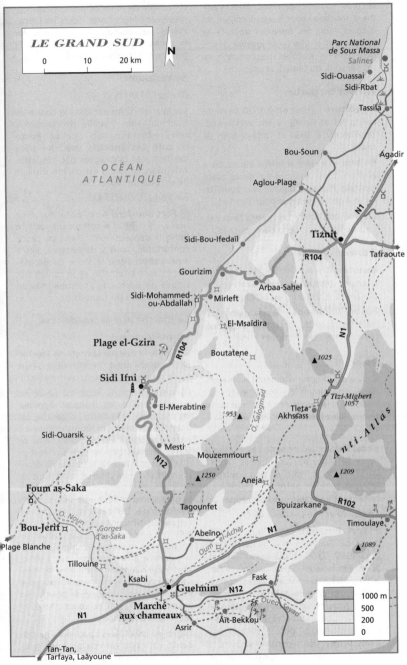

LE GRAND SUD

0   10   20 km

N

OCÉAN
ATLANTIQUE

Parc National
de Sous Massa
Salines
Sidi-Ouassai
Sidi-Rbat
Tassila
Bou-Soun
Agadir
Aglou-Plage
Sidi-Bou-Ifedaïl
Tiznit
N1
R104
Tafraoute
Gourizim
Arbaa-Sahel
Sidi-Mohammed-
ou-Abdallah
Mirleft
El-Msaïdira
N1
Plage el-Gzira
R104
Boutatene
▲1025
Sidi Ifni
El-Merabtine
953 ▲
Tleta
Akhssass
Tizi-Migbert
1057
Sidi-Ouarsik
Mesti
Mouzemmourt
Anti-Atlas
Foum as-Saka
▲1250
Aneja
▲1209
O. Noun
Tagounfet
Bouizarkane
R102
Bou-Jerif
Gorges
d'as-Saka
Abeïno
Oum el-Achar
N1
Timoulaye
Plage Blanche
▲1089
Tillouine
Ksabi
Guelmim
Fask
N12
Oued Seyad
N1
Marché
aux chameaux
Asrir
Aït-Bekkou

1000 m
500
200
0

Tan-Tan,
Tarfaya, Laâyoune

493

le plus souvent désertes. Elles s'animent soudainement le vendredi, en fin d'après-midi : les terrasses de café se remplissent et une foule joyeuse déambule dans les quelques rues commerçantes ; le souk du samedi se prépare !

Arriver ou partir

En voiture - Tiznit est à 1h30 de route par la N1 et Agadir à 3h ; vers le sud, Tan-Tan est à 1h30 et Tarfaya à 5h de route.

En bus - La gare routière est située à environ 1 km au nord-est de la place centrale. Plusieurs bus par jour pour Tiznit et Agadir, ainsi que pour Tan-Tan.

En taxi collectif - Les grands taxis partent des environs de la gare routière.

Adresses utiles

Banque / Change - Les banques se trouvent soit sur la place centrale (route de Tan-Tan), soit sur l'av. Mohammed V.

Poste / Téléphone - Sur la place centrale, en face de la station d'essence. Nombreuses téléboutiques en ville.

Se loger

Il n'y a pas d'hôtel vraiment recommandable à Guelmim. En revanche, si vous disposez d'un véhicule et de tout votre temps, allez jusqu'à Fort Bou-Jerif.

Environ 200 DH (20 €)

Hôtel Salam, à l'angle de l'av. Hassan II et de la route de Tan-Tan, ☎ 048 87 20 57. ⌐ ✗ ♈ Hôtel un peu sinistre et bruyant, mais les autres sont pires… Le restaurant ne reçoit que les groupes.

Entre 230 et 460 DH (23 à 46 €)

◉ **Fort Bou-Jerif**, à 41 km au nord-ouest de Guelmim, pas de téléphone, Fax 048 87 30 39 (à Guelmim) – 10 ch. ✗ ♈ cc Isolé en pleine nature, ce lieu exceptionnel comporte un camping bien équipé, un petit motel de 5 chambres avec sanitaires communs (demi-pension à 260 DH/pers.), unhôtel de 5 chambres plus confortables dotées de salle de bains privée (demi-pension à 350 DH/pers.) et un restaurant gastronomique.

Un couple de Français accueille chaleureusement leurs hôtes. Seuls les jappements des chacals viennent troubler le calme des nuits sans électricité (le groupe électrogène est arrêté la nuit).

Se restaurer

Environ 50 DH (5 €)

Sur la route d'Agadir, dans le centre de Guelmim, sont installés de nombreux cafés-restaurants, tels que **La Poste** ou **café des Sportifs**, avec des grandes terrasses ombragées par des lattis. Attention, le soir, il est parfois difficile de se restaurer après 20h.

Environ 150 DH (15 €)

◉ **Fort Bou-Jerif** *(voir l'hôtel du même nom)*. ♈ cc Ce restaurant vaut le (long !) déplacement. Dans un cadre confortable, vous y dégusterez, entre autres spécialités, le steak de dromadaire sauce béarnaise et le sorbet aux figues de Barbarie, accompagnés de vins marocains ou français.

Le marché aux dromadaires★

Marché le samedi.

Sortez de la ville par la route de Tan-Tan et dépassez l'oued : l'enclos du souk est sur la droite *(à 1,5 km du centre-ville)*.

Le vaste enclos du souk est divisé en deux : à droite, les fruits et légumes, les épices, les vêtements ; à gauche, les animaux sur pieds, moutons et chèvres, parmi lesquels il est bien difficile de se frayer un passage – et surtout, les dromadaires, qui font la notoriété de Guelmim. Ils sont une cinquantaine, tout au plus, arrivés la veille en camion, accompagnés d'impressionnants chargements de fourrage. Les bêtes qui ont trouvé acquéreur titubent pitoyablement, car elles ont une des pattes avant attachée en position repliée. Les animaux adultes, dont le prix peut atteindre 1 500 €, sont généralement destinés à la consommation : près de l'entrée du souk s'alignent une douzaine de boucheries « chamelines », qui exhibent pattes et têtes de dromadaires.

Outre les inévitables charmeurs de serpents, vous pourrez voir quelques guérisseurs qui, au milieu d'un étal d'œufs d'autruches et de varans desséchés, débitent d'incroyables boniments (inutile de connaître l'arabe pour apprécier !), dans le but de vendre leur poudre de perlimpinpin.

Excursion à Fort Bou-Jerif★

Environ 40 km aller. Sortez de Guelmim par la route de Sidi Ifni (N12), tournez à gauche juste avant la grande arche et suivez les indications, rares mais suffisantes ; après Ksabi, vous avez deux possibilités : aller tout droit ou passer par les gorges d'as-Saka (trajet plus pittoresque mais difficile par temps de pluie). Dans les deux cas, comptez 1h30.

La piste est souvent caillouteuse, mais il n'est pas indispensable d'avoir un 4x4 pour atteindre le fort. Elle serpente entre des collines couvertes d'euphorbes, qui s'étendent à perte de vue sans le moindre village. Dans ces parages solitaires se dresse un ancien fort, près duquel un médecin français à la retraite a construit une sorte de caravansérail, Fort Bou-Jerif. C'est le point de ralliement des voyageurs en route pour l'Afrique subsaharienne et le camp de base des randonneurs à la découverte de la **faune locale** (chacal, renard, écureuil d'arganier, lézard à queue épineuse, etc.). Un Allemand capture des cobras royaux et des vipères heurtantes pour sa ferme de serpents (derrière l'ancien fort, visite payante). Si vous êtes bon marcheur ou si vous avez un 4x4 (attention, plusieurs passages difficiles), vous pourrez aller à **Foum as-Saka**, au bord de l'océan, pour y observer oiseaux et tortues aquatiques, et peut-être même pousser jusqu'à **Plage Blanche** (munissez-vous de provisions et d'eau pour une journée).

VERS LE GRAND SUD★

125 km de bonne route (N1) de Guelmim à Tan-Tan (1h30 à 2h de voiture). Il y a un poste d'essence à une cinquantaine de kilomètres après Guelmim.

▶ Il y a 30 ans, Guelmim était la ville la plus méridionale du Maroc. Au-delà, il n'y avait plus que des pistes s'enfonçant dans d'immenses étendues désertiques, où les distances se comptaient en journées de chameaux. L'annexion du Sahara occidental et la guerre contre le Polisario ont entraîné la construction d'une route moderne conduisant jusqu'à la frontière mauritanienne, à 1 300 km de là. Les anciens postes militaires, coincés entre le désert et une côte sauvage, sont devenus des villes de garnison et des ports de pêche modernes.

▶ En s'éloignant de Guelmim, la route traverse un vaste paysage, de plus en plus aride, dont l'horizon est limité, à droite, par une chaîne de petites montagnes assez raides et, à gauche, par les reliefs tabulaires du **jbel Taïssa**. On ne traverse qu'un seul village : **Ras Oumlil** avec ses maisons en terre rouge à moitié abandonnées. Une trentaine de kilomètres avant Tan-Tan, de grandes dunes dominent la **vallée du Drâa** ; on franchit l'oued sur un pont, car il y a de l'eau (du moins en hiver !) Jusqu'en 1958, le Drâa délimitait la frontière septentrionale du Rio de Oro espagnol.

Tan-Tan

Aujourd'hui, l'entrée dans les provinces sahariennes est marquée par la gigantesque silhouette en béton de deux dromadaires museau contre museau au-dessus de la route. Tan-Tan, dont la population a décuplé en 20 ans, se blottit dans le creux d'un oued, et ses imposantes maisons beige-rose se fondent dans le paysage environnant. Le seul intérêt de cette bourgade poussiéreuse réside dans sa qualité de gîte d'étape sûr, avant un long parcours inhospitalier. **Tan-Tan-Plage**, situé à 25 km, n'est qu'une modeste station balnéaire, qui s'enorgueillit d'un Institut de technologie des pêches maritimes et d'un port beaucoup trop grand.

De Tan-Tan à Tarfaya

236 km de Tan-Tan à Tarfaya (comptez 3 à 4h de route).

Évitez de faire ce trajet de nuit, et la plus grande prudence s'impose par temps de brouillard (assez fréquent) ou de vent de sable. Plusieurs contrôles militaires (plutôt bon enfant pour les touristes). À partir d'el-Ouaar (à 115 km de Tan-Tan), le carburant est détaxé, soit 30 % moins cher.

La route suit d'abord la côte d'assez près. Balayées en permanence par les vents, des falaises, hautes de 20 à 30 m, dominent des plages inaccessibles où sont échouées un nombre étonnant d'épaves. De temps à autre, un amas de pierres sert d'abri à quelques pêcheurs intrépides qui, à marée haute, lancent leurs lignes directement du rebord de la falaise.

La route pénètre parfois loin à l'intérieur des terres pour contourner l'estuaire envasé d'un oued (peuplé de flamants roses et autres oiseaux aquatiques). Sur plus de 200 km, vous ne verrez qu'un seul village : **Sidi Akhfennir**. Avec sa rangée d'échoppes et de gargotes enfumées par les grillades de poissons, c'est l'escale obligée des bus chargés de soldats. Au-delà, ce ne sont plus que dunes et *sebkha* (vastes étendues salées plus ou moins asséchées), où toute végétation est absente.

Tarfaya

Étrange endroit : une mer vide, une côte parsemée d'épaves, un fortin rongé par la mer, des casernes décrépies, quelques bâtiments que le vent du désert recouvre inexorablement de sable ; désœuvrement, attente sans objet, conciliabules mystérieux : tout ici évoque l'atmosphère du *Rivage des Syrtes* de Julien Gracq.

Ce coin perdu a changé quatre fois de nom en un siècle. À la fin du 19e s., c'était Port Victoria, modeste factorerie anglaise commerçant avec le Sahara (la **Casamar**, prise d'assaut par la marée montante), dans les années 1920, ce fut **Cap Juby**, escale de l'Aéropostale, immortalisée par Saint-Exupéry (sur la plage une sculpture métallique représente un avion de cette époque héroïque), puis **Villa Bens**, petite garnison espagnole luttant contre la « dissidence » et, enfin, Tarfaya, qui connut son heure de gloire en novembre 1975 avec **la Marche verte** *(voir p. 74)* au cours de laquelle 350 000 Marocains se rassemblèrent pour envahir « pacifiquement » le Sahara espagnol.

Très vite, une impression d'hostilité latente vous mettra mal à l'aise. À franchement parler, si vous n'êtes pas un voyageur aguerri, amateur de réminiscences littéraires et de situations étranges, nous vous conseillons d'éviter cet endroit et d'aller directement jusqu'à **Laâyoune**, ville importante de 140 000 habitants qui est la capitale du Sahara occidental.

Arriver ou partir

En voiture - Guelmim est à 1h30 de route de Tan-Tan par la N1, Agadir à 4h30, et Tarfaya à 3h30.

En bus - La gare routière de Tan-Tan est située au bout de l'av. Mohammed V, à env. 1 km au sud-ouest de la place centrale. Plusieurs bus par jour pour Guelmim et Agadir, ainsi que pour le Sud.

En taxi collectif - Les grands taxis à destination du nord (Guelmim, Tiznit, Agadir) partent des environs de la gare routière. Ceux à destination du sud partent du centre.

Adresses utiles

Banque / Change - La **BMCE** et le **Crédit agricole** sont sur l'av. Hassan II, la **Banque populaire** sur l'av. Mohammed V. Il y a aussi une **Banque populaire** à Tan-Tan-Plage.

Poste / Téléphone - Près de la sortie de la ville, sur la route de Tan-Tan-Plage. Plusieurs téléboutiques.

Se loger

▶ *À Tan-Tan*

Env. 50 DH (5 €) à 2 avec 1 tente et 1 véhicule

Camping, près de la poste, après l'hôtel Bir Anzarane.

Entre 100 et 120 DH (10 à 12 €)

Hôtel al-Aoubour, 51 av. Hassan II, ☎ 048 87 75 94 - 17 ch. ✘ ☒ Un des meilleurs parmi les hôtels modestes. Quelques chambres donnent sur une cour et disposent de sanitaires privés.

▶ *À Tan-Tan-Plage*

Moins de 100 DH (10 €)

Hôtel Fès, sur une rue proche de la plage. Établissement extrêmement sommaire.

▸ *À Tarfaya*

Pas de possibilité de logement.

Se restaurer

▸ *À Tan-Tan*

Environ 50 DH (5 €)

Plusieurs petits restaurants dans le centre et sur l'av. Hassan II.

▸ *À Tan-Tan-Plage*

Environ 50 DH (5 €)

Café-restaurant al-Firdous, face aux boutiques du centre. Pour se restaurer simplement (omelettes, brochettes, tajines ou poissons), en observant l'animation des boutiques depuis la grande terrasse semi-circulaire.

▸ *À Tarfaya*

Environ 50 DH (5 €)

Les quelques cafés de la rue principale, tel le **café Atlas**, face à la poste, ne peuvent offrir qu'un modeste casse-croûte. Faites plutôt comme les chauffeurs de bus : arrêtez-vous une centaine de kilomètres avant Tarfaya, à Sidi Akhfennir, où une série de gargotes proposent d'excellents poissons grillés.

NOTES

NOTES

NOTES

INDEX

A

B

G - H

I

J

K

L

M - N

V

W - Z

CARTES ET PLANS

LÉGENDE

Comprendre les symboles utilisés dans le guide

LES ÉTOILES

★★★ À voir absolument
 ★★ Très intéressant
  ★ Intéressant

LES BIBS

😊 Coup de cœur
😠 Coup de gueule
😉 Astuce

HÔTELS ET RESTAURANTS

🛏 Salle de bains privée
▤ Air conditionné dans la chambre
🌀 Ventilateur dans la chambre
📺 Télévision dans la chambre
✗ Restaurant dans l'hôtel

🍸 Établissement servant de l'alcool
⚓ Piscine
🏖 Plage
💳 Paiement par carte de crédit
🚫 Carte de crédit non acceptée

CARTES ET PLANS

Curiosités et repères

🛐 Église
☪ Mosquée
✡ Synagogue
☸ Temple bouddhique
卐 Temple hindou
✳ Point de vue
⛪ Monastère
∴ Site archéologique
⚔ Château
†† Cimetière chrétien
ΥΥ Cimetière musulman
Cimetière israélite

Topographie

▲ Sommet
▲ Volcan actif
Récif corallien
Désert
Marais

Routes

══ Autoroute ou assimilée
⸬⸬⸬ Autoroute en construction
── Route principale
── Route secondaire
····· Chemin, piste

Informations pratiques

⊞ Hôpital
✈ Aéroport
🚆 Gare ferroviaire
🚌 Gare routière
── Voie ferrée
⋯⋯ Ligne de métro ou tramway
⛴ Liaison maritime
⛽ Station-service
✉ Poste
☎ Téléphone
ⓘ Information touristique
Ⓗ Hôtel de ville
Ⓙ Palais de justice
Ⓑ Banque, bureau de change
Ⓤ Université
Ⓣ Théâtre
Ⓟ Parking
◯ Stade
🤿 Plongée
🏄 Surf
🚨 Phare

Limites

── Frontière
···· Parc naturel

Manufacture Française des Pneumatiques Michelin
Société en commandite par actions au capital de 304 000 000 EUR
Place des Carmes-Déchaux - 63000 Clermont-Ferrand (France)
R.C.S. Clermont-Fd B 855 200 507
© Michelin et Cie, Propriétaires-éditeurs, 2005
Dépot légal mars 2005 - ISBN 2-06-710985-5 - ISSN 0293-9436
Photo de couverture Ch. Sarramon/MICHELIN

Printed in France 11-04/1.1
Compograveur : Nord Compo, Villeneuve d'Ascq
Imprimeur-brocheur : Aubin, Ligugé

Michelin - Éditions des Voyages
46 avenue de Breteuil - 75324 Paris Cedex 07
☏ 01 45 66 12 34 - www.ViaMichelin.fr

VOTRE AVIS NOUS INTÉRESSE...

MICHELIN VOYAGER PRATIQUE a pour principale ambition de vous aider à construire votre voyage et à le rendre facile. Pour répondre toujours mieux à vos attentes, faites-nous part de vos propres expériences de voyage !

En remerciement, les auteurs des 100 premiers questionnaires recevront une carte Michelin de la collection « NATIONAL » (pays de votre choix).

VOS HABITUDES DE VOYAGE :

1) Quelles sources d'information utilisez-vous pour préparer vos voyages ?

☐ Les guides touristiques   Quelles collections ?...

☐ Internet   Quels sites ?...

☐ La presse   Quels magazines ? ....

☐ Les offices de tourisme

☐ Les agences de voyages   Quelles agences ?...

☐ Autres ....

2) Quelles collections de guides achetez-vous habituellement ?

....

3) Combien de fois êtes-vous parti en week-end ou en voyage au cours de cette dernière année (y compris en France) ?

....

4) Ces deux dernières années, où êtes-vous parti en week-end ou en voyage ?

- En week-end :..

- En voyage : ....

5) Quelles destinations vous intéressent pour vos prochains voyages ?

....

6) Lorsque vous voyagez, la plupart du temps :

- Vous voyagez en circuits organisés   ☐

- Vous partez à l'aventure sans rien réserver   ☐

- Vous réservez uniquement les transports   ☐

- Vous réservez tout (transport, hôtel) à l'avance   ☐

- Autre   ☐

7) Vous préparez votre voyage :

- Plusieurs mois à l'avance   ☐

- Entre 1 et 3 mois à l'avance   ☐

- À la dernière minute   ☐

- Autre   ☐

VOTRE APPRÉCIATION DU GUIDE VOYAGER PRATIQUE :

1) Êtes-vous satisfait de votre guide VOYAGER PRATIQUE ?

Très satisfait ☐ Moyennement satisfait ☐

Globalement satisfait ☐ Pas du tout satisfait ☐

2) Notez votre guide sur 20 :...

3) Qu'avez-vous aimé dans ce guide ?

....

4) Qu'est-ce que vous n'avez pas aimé ?

....

5) Manque-t-il des informations importantes dans ce guide ?

....

....

6) Recommanderez-vous ce guide à vos amis ? Pourquoi ?

....

....

7) Rachèterez-vous un guide VOYAGER PRATIQUE pour votre prochain voyage ?

Oui, certainement ☐ Probablement pas ☐

Oui, peut-être ☐ Certainement pas ☐

8) Vos conseils, vos commentaires, vos bons plans ?

....

....

VOUS ÊTES :

Homme ☐ Femme ☐

Âge :..

Nom et prénom :...

Adresse :..

....

Code Postal :........................ Ville :..

Pays :...

Profession :..

Quelle carte Michelin « NATIONAL » souhaitez-vous recevoir ?

(précisez-nous le pays de votre choix)

....

Offre proposée aux 100 premières personnes ayant renvoyé le questionnaire complet. Une seule carte par foyer, dans la limite des stocks et des titres disponibles.